JN182877

作業療法学 第3版

ゴールド・マスター・テキスト

作業療法評価学

［監修］長﨑重信
文京学院大学 保健医療技術学部 作業療法学科 教授

［編集］佐竹　勝
大阪河﨑リハビリテーション大学 名誉教授

石井文康
日本福祉大学 健康科学部 リハビリテーション学科 作業療法学専攻 教授

MEDICAL VIEW

本書では，厳密な指示・副作用・投薬スケジュール等について記載されていますが，これらは変更される可能性があります。本書で言及されている薬品については，製品に添付されている製造者による情報を十分にご参照ください。

Gold Master Textbook : Occupational Therapy Evaluation, 3rd edition
(ISBN 978-4-7583-2043-6 C3347)

Chief Editor : NAGASAKI Shigenobu
Editors : SATAKE Masaru
ISHII Fumiyasu

2012. 3. 10 1st ed
2015. 12. 20 2nd ed
2022. 9. 10 3rd ed

Medical View Co., Ltd.
2-30 Ichigayahonmuracho, Shinjyukuku, Tokyo, 162-0845, Japan
E-mail ed@medicalview.co.jp

第3版 監修の序

今回，『作業療法学ゴールド・マスター・テキスト』シリーズは2010年の発刊から2回目の改訂を迎え，第3版出版の運びとなりました。

本テキストシリーズは「作業療法学概論」・「作業学」・「作業療法評価学」・「身体障害作業療法学」・「高次脳機能障害作業療法学」・「精神障害作業療法学」・「発達障害作業療法学」・「老年期作業療法学」・「地域作業療法学」・「日常生活活動学（ADL）」・「福祉用具学」の11巻に新しく「義肢装具学」を加え，全12巻となります。

改訂作業が始まった2020年は作業療法教育の変革の年でもありました。臨床実習の形態においては，従来の，学生が臨床実習指導者の下で対象者の評価から治療まで行うものから，学生が実習指導者の行う対象者の評価から治療までを傍らで見学し，模倣してみる，一部対象者で実施するという流れで，その場で実習指導者が学生にフィードバックするクリニカル・クラークシップの作業療法参加型臨床実習への転換，地域実習の追加という大きな変更がありました。

そこで執筆者の先生方には，教科書の内容が作業療法参加型臨床実習にどのように関連しているのか示していただき，一部ですが，動画も提供していただきました。

また，2020年はコロナ禍により多くの学校が教育方法の変革を求められた年でもありました。対面授業を遠隔授業に切り替え，実習や実技科目が大きな影響を受けました。学外での臨床実習は模擬患者を用いた学内実習に切り替えたところも多かったかと思います。このような状況の中でアクティブ・ラーニングの重要性が再認識されたように思います。従来の，教室に学生を集めて講義し試験やレポートを課すスタイルから，学生が自宅でネット配信された講義動画を視聴し，その都度，課題レポートを提出し，教員が評価とコメントをつけて返却することが毎回繰り返されました。こう書くと何がアクティブ・ラーニングなのかと思われるかもしれませんが，学生が講義動画から課題を理解するために自分のペースに合わせて動画を繰り返し観て，理解したうえで調べ，課題を分析するということを学生自身が行う授業形態です。これを進めるために，教員は個々の学生と双方向の情報をやり取りする機会を増やした結果，個々の学生への指導量は増えましたが，学生の主体的な学びが伸びたように思われます。

eラーニングに関しては，文部科学省が2024年には小中高でデジタル教科書の配布を始めます。今回の遠隔授業の経験から，動画媒体がアクティブ・ラーニングにも役立つと考えます。作業療法学ゴールド・マスター・テキストシリーズも，時代の要請に応えられるよう変化させていきたいと考えています。

本シリーズをよりよいものにするためにも諸氏の忌憚ないご意見を聞かせていただければ幸いです。

2020年12月

文京学院大学
長崎重信

第3版 編集の序

本書は作業療法を実施する際に行われる評価に関する専門分野の教科書である。『作業療法学ゴールド・マスター・テキスト』シリーズ全12巻のなかでの「作業療法評価学」の特徴としては，身体障害領域，精神障害領域，発達障害領域，老年期領域など作業療法のすべての領域を網羅した内容となり，それぞれの領域での評価のポイントを簡潔にわかりやすくまとめた。

初版より評価の仕方などについて視覚的にもイメージが可能となるよう，図表やイラストを多く用いてきた。第3版では動画配信のWebサイトを新設して，動画を見ながら具体的な評価法を学び，臨床実習により役立つようにした。また，さまざまな評価に取り組む際の対応を問う「Question」，事例を通して学ぶ「Case Study」では内容の充実を図った。さらに，難易度が年々高くなっている作業療法士国家試験については，最近の問題傾向，頻出問題などを踏まえながら「試験対策point」にて説明を行った。さらに第3版では，評価項目として数値化可能な評価，標準化された評価，エビデンスの高い評価，実習で頻用される評価など，評価内容の充実を図っている。

2022年度に施行された作業療法士学校養成施設指定規則の改正を受け，作業療法参加型臨床実習で活かせる見学・模倣・実施のポイントを「作業療法参加型臨床実習に向けて」の囲み記事で記載した。加えて，文部科学省が求める学力の3要素である「知識·技能」「思考力·判断力・表現力等」「主体的に学習に取り組む態度」についても「アクティブラーニング」として記載，能動的な学習を促せるように配慮した。

以上より，第3版における変更ポイントを以下に示す。

▶紙面のカラー化に加えweb動画を追加し，視覚的理解の促進を図った。

▶実習では，新指定規則に沿って作業療法参加型臨床実習に役立つ解説を追加した。

▶自主的な学習を進めやすくするためにアクティブラーニングを新設した。

本書は主に作業療法士養成校での学生諸氏を対象に評価学を実践的に学ぶための最適な教科書として，臨床実習，さらには国家試験，卒後の臨床業務に有効活用されることを願っている。各筆者におかれましてはご多忙のところご執筆いただき，ここに感謝の意を表します。最後に，第3版での新しい試みから刊行に至るまで，貴重な助言と校正をいただいたメジカルビュー社編集部の野口真一氏，八橋月菜氏に心より御礼申し上げます。

2022年7月

大阪河﨑リハビリテーション大学 名誉教授　佐竹　勝

日本福祉大学 健康科学部 教授　石井文康

改訂第2版 編集の序

本書は，『改訂第2版 作業療法学ゴールド・マスター・テキスト』シリーズ全11巻中の「作業療法評価学」である。作業療法士養成校における「作業療法評価学」の教科書として活用していただくことを目的に2012年に発刊され，4年が経過した。初版以来，今日まで多くの学生諸子にご愛読いただいたことに感謝している。このたび，4年の経過を機に改訂第2版を刊行することになった。

初版の編集コンセプトは「テストバッテリーにならないようにする」「他の教科書にはない特徴を出す」であった。そのために，①評価実習，総合臨床実習に役立つ実践的教科書とする，②国家試験ガイドラインに沿った組み立てと内容にする，③学生の理解を助けるためのイラスト，図表を多用する，の3点を主軸とした編集構成とした。今回の改訂においても初版の編集コンセプトはそのまま踏襲し，この4年間に寄せられた意見や反省，新たな情報を反映させることとした。特に，下記項目について加筆し，充実を図った。

- ▶全体像のイラスト化：学生が最初にタイトル項目を眺めることで学習内容がイメージしやすくなるよう，一目で理解できる全体像（イラスト）を追加した。
- ▶写真やイラストの充実：初版同様，改訂版においても写真・イラストを追加した。文章解説だけでは理解しにくい箇所を視覚的に理解しやすいようビジュアル化を図った。
- ▶用語アラカルトの追加：初版では多くの「用語アラカルト」を記載したが，改訂版でもさらに追加し，学習のつまずきの原因となる「専門用語がわからない」という問題の解消を図った。
- ▶人間作業モデルの追加：人間作業モデルは近年，急速に浸透してきており，関係図書も多数みられる。学会・研修会も開催され，臨床面での認知度も高い。2章「評価の基本と技術」に追加した。
- ▶囲み記事の追加：本文記載内容に対する読者の理解を助けるために，「Point」「MEMO」などの囲み記事を追加し，内容のさらなる充実を図った。

パソコンやスマホ，ゲーム操作に長ける一方で，活字離れが心配されるなど，ゆとり教育時代に育った学生を対象とした教科書作りは，いかに興味関心をもたせて理解に結びつかせるかがカギとなる。本書はこのような学生を意識しつつ，作業療法の知識・技術（評価学）の基本を順序立てて学習するのに最適な教科書として編集した。内容もわかりやすい解説・工夫に心がけ，臨床実習前の不安を少しでも軽減させ，成功体験に結びつけられる構成を目指した。この教科書が臨床実習，さらには国家試験，卒業後の臨床業務に有効活用されることを願っている。

執筆は，臨床および教育に携わっておられる経験豊かな先生方にお願いした。各先生には，業務多忙をいとわず寸暇を惜しんでご執筆いただきました。ここに感謝の意を表し，厚く御礼申し上げます。

2015年12月

大阪河﨑リハビリテーション大学　佐竹　勝
日本福祉大学　石井文康

第1版 編集の序

教科書も満足にない学生時代に「リハビリテーションは評価に始まり評価に終わる」と教わった。「評価に始まる」ということは理解できたが，「評価に終わる」については消化不良状態で卒業，そのまま臨床現場に立つこととなった。退院していく患者さんの後ろ姿をみて，評価に終わるという教えはどこでどう実践すればよかったのか…，と不勉強に対する反省の念が湧き起ったことを憶えている。その後，臨床経験を重ねていくうちに導き出したものがある。リハビリテーションとは常に評価の連続である。治療の後には評価を通じて自ら考察する必要がある。すなわち，日々真摯に臨床と向き合うことこそが評価であると心得た。

翻って今の学生諸氏は評価の大切さをどれだけ理解してくれているだろうか。ゆとり教育に加えてゲーム機器，漫画世代に育った学生を対象とした教科書編集は，いかに興味関心を持たせ理解させるかが鍵であろう。

さて本書は，作業療法学『ゴールド・マスター・テキスト』シリーズ全9巻中の「作業療法評価学」に関する教科書である。作業療法士養成校における「作業療法評価学」の教科書として活用していただくことを目的として編集されている。

評価法の教科書はとかく他の教科書と重複してしまう箇所が多くなりがちである。ゆえに本書では，学生のための新しい教科書作りを目標に掲げ，その執筆コンセプトとして，「テストバッテリー集にならないようにする」「他の教科書にはない特徴を出す」ことを心がけた。そのために，①評価実習・総合臨床実習に役立つ実践的教科書とする，②国家試験ガイドラインに沿った組み立て・内容とする，③学生の理解を助けるためイラストや図表を多用する，という主旨のもとに構成を図った。

導入部である第0章「Introduction」では，評価の目的，評価の対象を主に解説し，作業療法における評価の位置づけについて俯瞰して述べた。

第1章「作業療法評価とは」では，作業療法概論，基礎作業学との重複をできるだけ回避する内容とした。

第2章「評価の基本と技術」では，基礎的な主要テストを少数提示し，残りのものは項目のみの紹介にとどめ，作業療法治療学，ADL等の教科書との重複を避けた。

第3章「評価事例」では，学生が担当するであろう典型事例を中心とし，作業療法治療学に結び付けられるよう事例を通して学べる章とした。

第4章「トピック」では，本文で述べるほどでもないがOTサブ評価として，学生が興味を持ちそうな項目を紹介した。

先にも述べた通り，本書は作業療法士養成校で学ぶ学生諸氏を対象に，評価学を順序立てて学ぶのに最適な教科書として編集されている。この教科書が，臨床実習，さらには国家試験，卒後の臨床業務に有効活用されることを願っている。各筆者には日常業務忙しいなか寸暇を惜しんで御執筆いただきましたこと，ここに感謝申し上げます。

2012年1月

大阪河﨑リハビリテーション大学
佐竹　勝

執筆者一覧

監修

長﨑重信　文京学院大学 保健医療技術学部 作業療法学科 教授

編集

佐竹　勝　大阪河﨑リハビリテーション大学 名誉教授
石井文康　日本福祉大学 健康科学部 リハビリテーション学科 作業療法学専攻 教授

執筆者（掲載順）

寺山久美子　大阪河﨑リハビリテーション大学 副学長/大学院 リハビリテーション研究科 教授/リハビリテーション学部 リハビリテーション学科 作業療法学専攻 教授
佐竹　勝　大阪河﨑リハビリテーション大学 名誉教授
谷口英治　前 大阪河﨑リハビリテーション大学 リハビリテーション学部 リハビリテーション学科 作業療法学専攻 教授
加藤真夕美　愛知医療学院短期大学 リハビリテーション学科 作業療法学専攻 准教授
冨山直輝　星城大学 リハビリテーション学部 作業療法学専攻 准教授
長谷川龍一　中部大学 生命健康科学部 作業療法学科 教授
内藤泰男　大阪公立大学 大学院リハビリテーション学研究科 リハビリテーション学専攻 教授
田丸佳希　四條畷学園大学 リハビリテーション学部 作業療法学専攻 教授
津田勇人　藍野大学 医療保健学部 作業療法学科 教授
加藤清人　平成医療短期大学 リハビリテーション学科 作業療法専攻 教授
石井文康　日本福祉大学 健康科学部 リハビリテーション学科 作業療法学専攻 教授
立山清美　大阪公立大学 大学院リハビリテーション学科研究科 リハビリテーション学専攻 准教授
加藤　篤　ゆずりは作業所 所長
澄川幸志　福島県立医科大学 保健科学部 作業療法学科 准教授
中村泰久　日本福祉大学 健康科学部 リハビリテーション学科 講師
有吉正則　兵庫医科大学 リハビリテーション学部 作業療法学科 准教授
壁谷喜代子　Alberta Health Services, Specialized Geriatric Services, Geriatric Consult Team, Consultant
磯貝理栄　名古屋医健スポーツ専門学校 作業療法科
名古紀子　有限会社ブレースデザイン
石川　篤　東京慈恵会医科大学附属病院 リハビリテーション科 主任
柴　貴志　岐阜県立多治見病院 リハビリテーション科 総括副技師長
山田英徳　常葉大学 保健医療学部 作業療法学科 教授
林　正春　JA静岡厚生連リハビリテーション中伊豆温泉病院 医療技術部 部長/作業療法科 技師長
山中武彦　日本福祉大学 健康科学部 リハビリテーション学科 作業療法学専攻 教授
奥村修也　常葉大学 保健医療学部 作業療法学科 教授
長倉寿子　前 関西総合リハビリテーション専門学校 作業療法学科 学科長
米持　喬　大阪発達総合療育センター リハビリテーション部 作業療法科 科長
目良幸子　医療法人緑会たなかクリニック
野間知一　日本福祉大学 健康科学部 リハビリテーション学科 作業療法学専攻 教授
安部美和　あいち福祉医療専門学校 作業療法学科
山田大豪　兵庫医科大学 リハビリテーション学部 作業療法学科 教授
中條俊介　大阪河﨑リハビリテーション大学 リハビリテーション学部 リハビリテーション学科 作業療法学専攻 教授

目次

3 評価事例 293

本書の特徴

本書では，学習に役立つ以下の囲み記事を設けております。

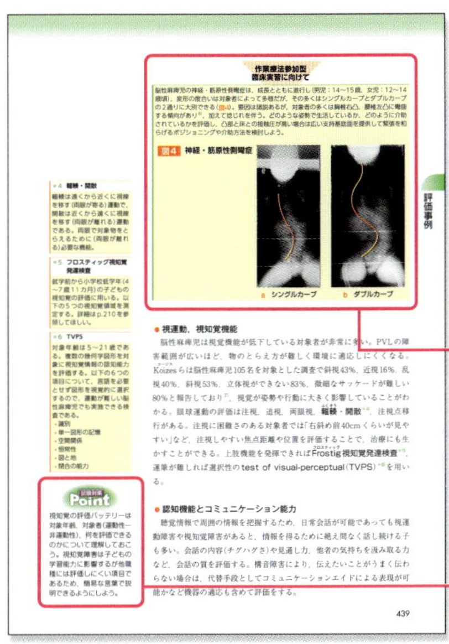

アクティブラーニング

学生の考える力を養う質問をご提案しています。

作業療法参加型臨床実習に向けて

新しい実習形式に役立つ解説を掲載しています。

試験対策 point

学内試験や国家試験に役立つ内容を掲載しています。

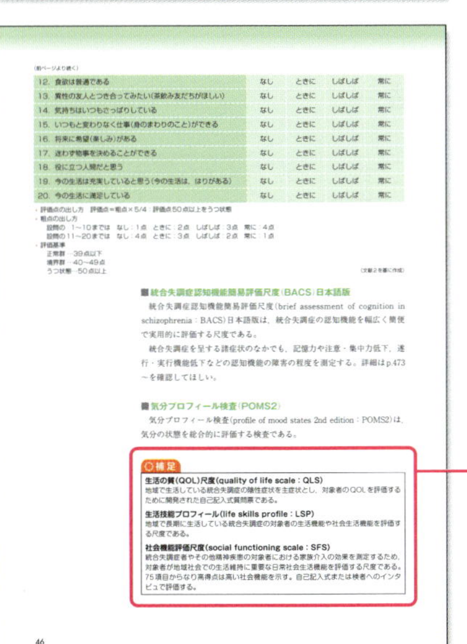

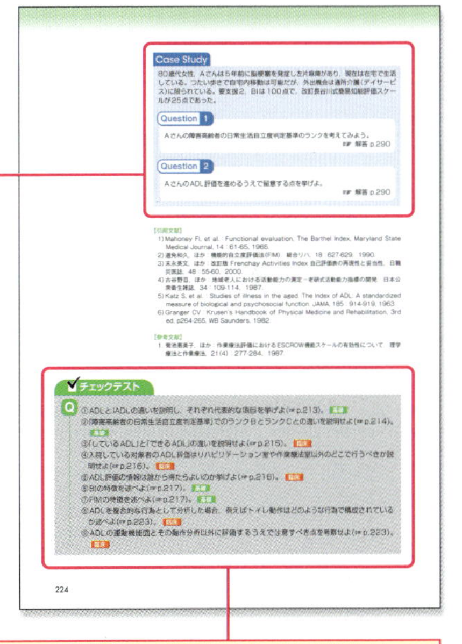

Case Study・Question

授業や自習で活用できる，事例に関する質問を掲載しています。

補足

本文の内容をさらに掘り下げた内容や関連情報，注意点などを解説しています。

チェックテスト

各項目のまとめを質問形式でまとめた囲み記事です。質問の解答は，当社ウェブサイトに掲載しています。下記 URL または右の QR コードよりアクセスしてください。

メジカルビュー社ウェブサイト

https://www.medicalview.co.jp/download/ISBN978-4-7583-2043-6/

動画の視聴方法

本書掲載の内容の一部は，メジカルビュー社ウェブサイト動画配信サービスと連動しています。動画を配信している箇所には Web動画 マークが付属しています。動画は，パソコン，スマートフォン，タブレット端末などで観ることができます。下記の手順を参考にご利用ください。なお，動画は今後も追加していく予定でございますので，当社ウェブサイトを随時ご確認ください。

※動画配信は本書刊行から一定期間経過後に終了いたしますので，あらかじめご了承ください。

動作環境

下記は2022年8月時点での動作環境で，予告なく変更となる場合がございます。

● **Windows**

OS　：Windows 11 /10 /8.1 /（JavaScript が動作すること）

ブラウザ　：Edge 最新バージョン
Chrome・Firefox 最新バージョン

● **Macintosh**

OS　：12 ～ 10.15（JavaScript が動作すること）

ブラウザ　：Safari・Chrome・Firefox 最新バージョン

● **スマートフォン，タブレット端末**

2022年8月時点で最新の iOS 端末では動作確認済みです。Android 端末の場合，端末の種類やブラウザアプリによっては正常に視聴できない場合があります。

動画を見る際にはインターネットへの接続が必要となります。パソコンをご利用の場合は，2.0 Mbps 以上のインターネット接続環境をお勧めいたします。また，スマートフォン，タブレット端末をご利用の場合は，パケット通信定額サービス，LTE・Wi-Fi などの高速通信サービスのご利用をお勧めいたします（通信料はお客様のご負担となります）。

QR コードは（株）デンソーウェーブの登録商標です。

■メジカルビュー社ウェブサイトで動画一覧ページから動画を観る方法

インターネットブラウザを起動し，メジカルビュー社ウェブサイト（下記 URL）にアクセスします。

https://www.medicalview.co.jp/movies/

↓

表示されたページの本書タイトルそばにある「動画視聴ページ」ボタンを押します。

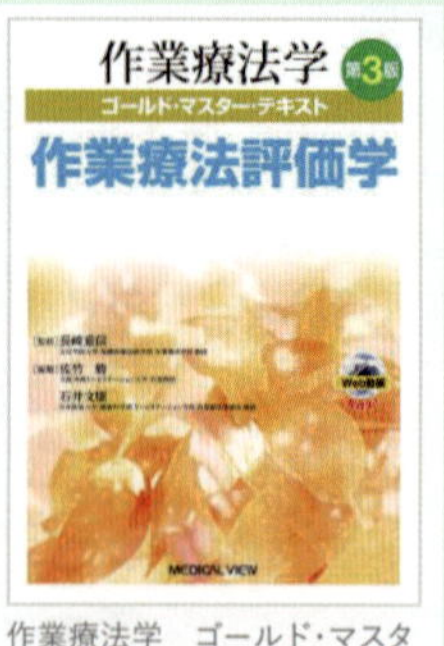

作業療法学　ゴールド・マスター・テキスト

作業療法評価学 第3版

2022年9月3日刊行

ここを押す

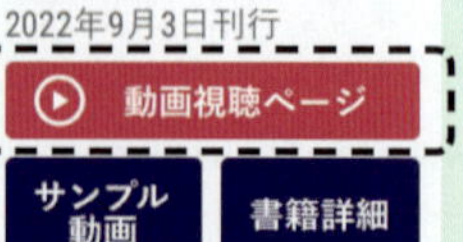

スマートフォン，タブレット端末で閲覧する場合は，下記の QR コードからメジカルビュー社ウェブサイトにアクセスします。

メジカルビュー社ウェブサイト

パスワード入力画面が表示されますので，利用規約に同意していただき，下記のパスワードを半角数字で入力します。

39632463

↓

本書の動画視聴ページが表示されますので，視聴したい動画のサムネイルを押すと動画が再生されます。

0章

Introduction

Introduction

1 作業療法における評価の位置付け

寺山久美子

Outline

- リハビリテーションにおける評価とは何かを理解する。
- 作業療法における評価の概要を理解する。

1 評価とは

「評価」というと，多くの人は小学校や中学校などでもらった「成績通知表」をまず思い浮かべるだろう。成績評価は一定期間の学習・生活活動を経て，その学期の到達目標である学力や生活態度がどの程度目標に達したかを測る1つの指標であり，「良くできました，普通，がんばりましょう」や「5，4，3，2，1」，あるいは「優，良，可，不可」といった判定が学校側から下されて学生（と保護者）に戻ってくる。学生（と保護者）は自分の問題点と成果を確認し，次の学期に備える。成績通知表は学生の成長を促進する教育過程における重要な要素である。

■リハビリテーション評価

リハビリテーションには「**リハビリテーションは評価に始まり，評価に終わる**」という原則がある（p.16 図4参照）。疾患や障害をもつ対象者のリハビリテーションにかかわり治療・練習・指導していくには，まずその対象者がどのような人かを知る必要がある。これが「評価に始まり」である。また，治療・練習・指導した結果や効果を客観的に判定しなければならない。それが「評価に終わる」である。

補足

本書では，訓練，トレーニング，練習などの表現を基本的に「練習」で統一している。

リハビリテーションにおける評価は学校教育での成績評価と似ている。ただし，学校教育ではあらかじめ生徒集団に課せられた教育目標を教育活動の実行によりどのように達成したかという点に評価の力点がある。これに対してリハビリテーションでは，開始時の対象者個人の能力や問題点を厳密に評価し，それらの情報を基に個別に目標（リハビリテーションゴール）を設定し，リハビリテーションを実施した結果，その目標がどのように達成されたかの評価を行い検証する。

■作業療法評価

作業療法はリハビリテーションの一翼を担うので，リハビリテーションと同様に「作業療法は評価に始まり，評価に終わる」の原則が当てはまる。

2 作業療法評価の目的

作業療法評価の目的は以下の3つに要約される(**表1**)。

表1 作業療法評価の目的

①作業療法士の視点から対象者の状況を正しく全体的に把握する
②対象者の視点から当事者として評価を受けることで，自分自身を正しく認識する
③提供した作業療法の内容が適切であり成果を上げたかを検証し，また改善すべき点は何かを抽出して，必要なら修正・変更を加える

■①作業療法士の視点から対象者の状況を正しく全体的に把握する

これは，作業療法評価の最大の目的である。作業療法の対象となる患者・障害者が作業療法を受けていく過程(**作業療法の過程**)を**図1**に示す[1]。「作業療法評価から得られる全体像の把握」ができ，本人の**基本的能力**[*1]，**応用的能力**[*2]，**社会的適応能力**[*3]や影響を及ぼしうる**環境要因**[*4]，対象者固有の興味や関心といった個人因子を分析することができて初めて，**作業療法プログラム**[*5]を立て，実施していくことが可能となる。そのためには作業療法実施前の「初期評価」が大変重要である。

図1 作業療法の過程：作業療法士の視点・対象者の視点

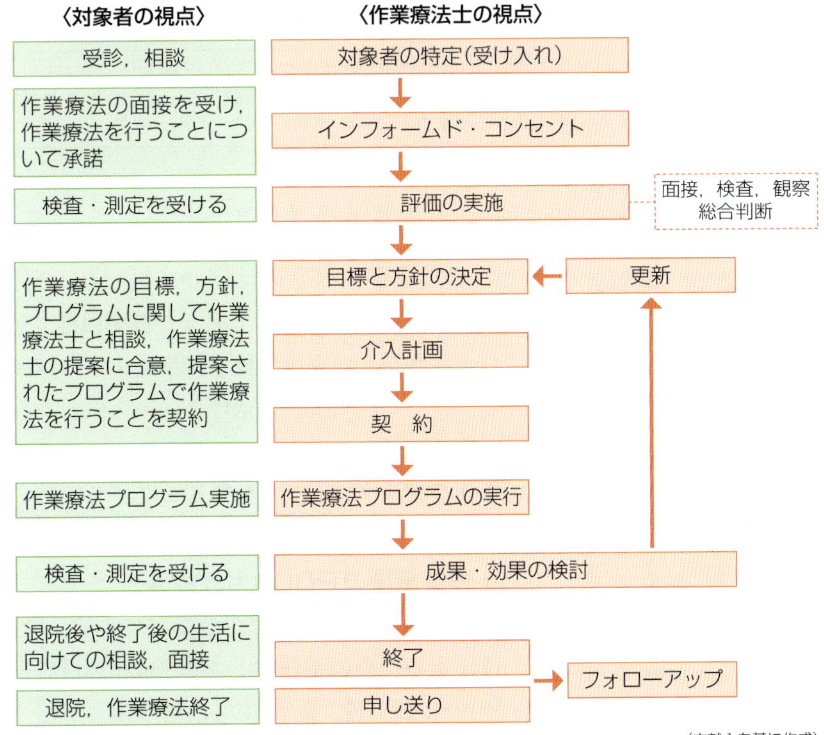

(文献1を基に作成)

＊1 **基本的能力**
運動，感覚・知覚，心肺機能，摂食・嚥下機能，精神・認知・心理機能など生きるために不可欠な基本となる機能や能力のこと。

＊2 **応用的能力**
起居・移動，上肢を使った動作，食事や排泄などの身辺処理，会話などのコミュニケーションなど日々生活するために必要な機能や能力のことで，基本的能力を生活上に応用するもの。

＊3 **社会的適応能力**
調理・買い物・金銭管理・健康管理などの家事能力，通勤・通学，余暇活動など，社会参加していくうえで必要な各種機能や能力のこと。

＊4 **環境要因**
住居や公的機関，福祉用具などの物理的環境，家族や友人，近隣などの人的環境のほか，情報環境，文化的環境，差別や風評といった心理的環境など人々をめぐるさまざまな環境のこと。

＊5 **作業療法プログラム**
作業療法評価から得られる対象者の全体像の把握を基に立てられる治療・練習・指導・援助計画のこと。作業療法士は，リハビリテーションチームでのカンファレンス(事例検討会議)で決まった「リハビリテーションゴール」[例えば，退院して自宅復帰までに日常生活活動(activities of daily living：ADL)はすべてできるようになっていること]を基に，図1に示す内容を含む作業療法を立案し，実施へと進む。

● 適切なリハビリテーションの選択と禁忌

作業療法評価は，医療機関でのリハビリテーションにおいては，対象者の主治医もしくはリハビリテーション担当医の「指示」からはじまる。診療報酬の対象となるためには，この過程が不可欠である。

保健・福祉・教育など医療以外の分野，例えば介護保険制度によるリハビリテーションなどでは，ケアマネジャーからの依頼を受けて作業療法評価を実施した後に対象者の主治医に報告したり指示を受けたりなど，そのやり方は柔軟である。

■ ②対象者の視点から当事者として評価を受けることで，自分自身を正しく認識する

評価の対象者である患者・障害者は前述のような全体的な評価を受けることで，対象者自身が障害前とは違う「新しい自分への気づき」が可能となる。この気づきは評価過程に伴う恩恵であり，重要な過程である。例として脳血管障害右片麻痺，失語症になった対象者を考えてみよう。

対象者は障害後の自分の能力を把握してない。「絶対にできない」と不安や絶望にある場合や，「やればできるさ」と高をくくる場合など，さまざまな思いがあると考えられる。実際にADLの評価などを受けてみることが，正確に自分のできないことやできることの状況を把握させ，これからやるべき課題の発見を助ける。

アクティブラーニング ① あなたの場合の「新しい気づき」体験は何だろうか。「絶対にできない」と思っていたことができるようになって褒められたこと，「やればできるさ」と高をくくっていたことが意外にできずに落ち込んだことなど，リストアップしてみよう。

■ ③提供した作業療法の内容が適切であり成果を上げたかを検証し，また改善すべき点は何かを抽出し，必要なら修正・変更を加える

作業療法プログラムで立てた**長期目標，短期目標**[*6]が適切であったか，作業活動などの実施手段や作業療法が行われた実施場所が正しかったかなど，行った作業療法の適性と効果を検証する必要がある。これは**中間評価**と**最終評価**[*7]の目的の1つである。中間評価次第では，**初期評価**[*7]で立てた作業療法プログラムの修正・変更を行わなくてはならない。

● 作業療法のPDCAサイクル

PDCAサイクルとは企業などの事業活動において品質や生産管理を円滑にするための手法の1つで，plan（計画）→do（実行）→check（点検，評価）→act（処置，改善）の4段階の頭文字をつなげた言葉である（**表2**）。このサイクルを繰り返すことによって，品質の向上と効率化を図ることを目指す。

作業療法の実施過程も基本的には，より質の高い作業療法の実践を目指

＊6 長期目標，短期目標
対象者に対して定めたリハビリテーションゴールを達成するために設定する目標のことで，比較的短期に達成可能な短期目標と長期間を要する長期目標とがある。

＊7 初期評価，中間評価，最終評価
作業療法開始にあたっての初期評価，作業療法プログラムの中間で進行具合を確認する意味で行われる中間評価，そして退院もしくは終了時に行われる最終評価がある。ちなみにその後の経過をメール，電話，訪問，外来によぶなどの方法で定期的にチェックすることをフォローアップという。

してPDCAサイクルを繰り返すものである。図1に示した「作業療法の過程」は，PDCAサイクルの作業療法版ともいうべき流れである。そのなかで，作業療法評価は「P」や「C」に該当する。まさに「作業療法の質を管理し，よりよくしていくための核」となる活動である。図2は図1の作業療法の過程をPDCAサイクルに沿って描いたものである。

表2 PDCAサイクル

P：plan	今までの実績や将来の見通しなどの情報を基に行われる業務計画づくり
D：do	業務計画に沿った事業の実施
C：check	事業の実施が計画通りか否かの点検，評価作業
A：act	点検，評価で問題のあった箇所・部分への処置と新たな改善への着手

図2 PDCAサイクルと作業療法の流れ

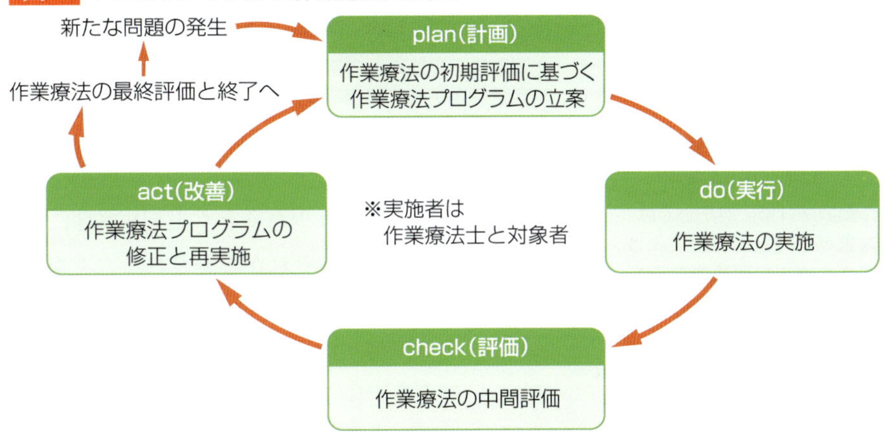

3 作業療法評価の対象

図1に示したように，「作業療法評価の過程」を基に個々の作業療法プログラムが立てられる。作業療法プログラム立案のためには表3のような，具体的かつ全体的な評価が要求される。

表3 作業療法プログラム立案に必要な評価項目

- 対象者，家族，介護者の期待や希望，要求など把握する
- 対象者がもっている作業遂行能力（基本的能力，応用的能力，社会的適応能力）とその制限や障害を把握する
- 対象者のライフスタイルや生活環境など，作業活動の遂行に影響を及ぼす環境要因を把握する
- 対象者の治療，練習，指導，援助の方法や手段を考えるのに参考となる情報（職歴，仕事内容，趣味・関心事，資格など）を把握する

■作業療法の対象者と範囲

作業療法評価の対象となる人は，広くいえば作業活動に不自由がある，もしくは不自由が生じると予測される人である。

日本作業療法士協会は，「作業療法は，人々の健康と幸福を促進するために，医療，保健，福祉，教育，職業などの領域で行われる，作業に焦点を当てた治療，指導，援助である。作業とは，対象となる人々にとって目的や価値を持つ生活行為を指す」と定めている[1]。また，厚生労働省は，「作業療法に期待される事項」として6項目からなる「作業療法の範囲」を公表している（**表4**）[2]。

表4　作業療法の範囲

- 移動，食事，排泄，入浴等の日常生活活動に関するADL訓練
- 家事，外出等などの手段的日常生活活動（instrumental activities of daily living：IADL）訓練
- 作業耐久性の向上，作業手順の習得，就労環境への適応などの職業関連活動の訓練
- 福祉用具の使用などに関する訓練
- 退院後の住環境への適応訓練
- 発達障害や高次脳機能障害などに対するリハビリテーション

（文献2より引用）

作業療法評価では，少なくとも上記6項目に関して練習などを行う必要がある人々，もしくはそれが予測される人々が主たる対象者になるともいえる。

また，身体障害，精神障害，発達障害，老年期障害など作業活動に不自由あるいは不自由になるおそれのある原因はさまざまであるため，多面的な評価が必要である。

試験対策 Point

作業療法評価にあたっては，対象者の問題や課題によってさまざまな理論やモデルが「根拠となる理論的枠組み」として使われる。具体的には，国際生活機能分類（International Classification of Functioning, Disability and Health：ICF），人間作業モデル（Model of Human Occupation：MOHO），カナダ作業遂行モデル（Canadian Model of Occupational Performance-Engagement：CMOP-E），生活行為向上マネジメント，感覚統合理論，運動再学習プログラム，生体力学モデル，神経発達的アプローチなどが挙げられる。具体的には，2章を参照して，しっかり学習してほしい。

なお，各理論やモデルを用いる目的は，①治療方法を示す，②治療の適性を示す，③治療内容を明確にする，④治療効果の正当性を示す，ものであって，決して「疾患を診断する」ものではない。

4　作業療法評価の手段，技術

作業療法士は，**表5**の5種類の手段もしくは技術を使用し，対象者に関する情報を収集する。

なかでも作業療法士は，観察，面接，検査測定に関して，作業療法評価技術を磨き，対象者をより的確に理解する観察力，面接力，検査測定力の向上に努めていかなくてはならない。

表5　評価の手段，技術

- 対象者を観察することから情報を得る
- 対象者（必要に応じて関係者）に面接しコミュニケーションを行い情報を得る
- 対象者に必要な検査測定を行い情報を得る
- 必要に応じて他部門や他職種から情報を得る
- 必要に応じて訪問による対象者の地域・住環境調査から環境要因を把握する

補足

基本的能力，応用的能力，社会的適応能力，環境要因と国際生活機能分類（ICF）
作業療法でいう基本的能力はICFでは，ほぼ心身機能・身体構造および活動にあたり，応用的能力はICFでの活動，社会的適応能力は参加にあたる。環境要因はICFにおける環境とほぼ同じである。ICFについての詳細は，p.277〜を参照してほしい。

観察力は日常生活のなかから
「対象者を評価するにはまず観察から」と言われるが，いざ実践しようとしてもすぐにうまくいくものではない。友達の様子や通学時の電車のなかでの人々の様子，歩いている人の様子など，日頃から「人間」に興味と関心をもち，その心の内を想像してみるなどして，人間モニタリングをしてみるのは観察力の向上に効果があると考える。

面接力の基本は日頃のコミュニケーションから
学生のなかには「人見知り」や「コミュニケーションが苦手」で悩む人が少なくない。そのような人は日頃から積極的に家族，友人，教職員など周りの人々との会話，交流を心がけていくとよい。「人間好き」になることが「人間力向上」に繋がり，対象者との面接力アップへと繋がっていく。

検査測定の方法・尺度はいろいろあるが，あくまでもこれは補助手段
学生や新人作業療法士のなかには「検査測定方法を知って使えることが作業療法評価」と考えている人もいるが，これは初歩的段階である。その証拠にベテランになるほど，観察と面接で対象者の多くを把握している。ただし，学生や初心者は，まず「正確な検査測定方法」をしっかり覚えて使えるようにしてほしい。

作業療法参加型臨床実習に向けて

養成校によって科目名や配置年次は若干異なるが，作業療法学生は，臨床見学実習（多くは1年次1週間程度），臨床評価実習（多くは2年次3週間程度），そして長期にわたる総合臨床実習（多くは3〜4年次）を臨地・臨床で実習し計22単位以上を取得しなければならない[3]。卒業式や謝恩会で学生が異口同音に述べる感想は，「総合臨床実習が一番大変だった」である。
日本作業療法士協会教育部編の『作業療法教育ガイドライン』（2019）によれば，「臨床実習の到達目標は，臨床指導者の指導・監督のもとで，典型的な障害特性を呈する対象者に対して，作業療法士としての，①倫理観や基本的態度を身につける，②許容される臨床技能を実践できる，③臨床実習指導者の作業療法の臨床思考過程を説明でき，作業療法プログラムの立案ができる，ことである」。このうち評価実習，総合実習に関しては，参加型臨床実習の形をとり，実習生が臨床実習指導者の指導・監督のもと診療チームの一員として加わり，チーム医療や多職種連携も学ぶとされている[4]。
こうした3つの到達目標のうち，1年次の臨床見学実習の当初から身につけていってほしいのは，「常識人，職業人，医療人としての倫理観や基本的態度」であると考える。対象者にも信頼される「人間力磨き」が，実習の第一歩である[5]。

Case Study

- A大学リハビリテーション学部作業療法学科２年生の学生Bさんは，２年生後半に予定されている「臨床評価実習」が近づくにつれて不安感が増していき，十分な睡眠がとれない毎日が続いた。学内の２年生までに履修した授業科目の単位はすべて取得し問題はなかった。しかし，実習前に行われた実技試験[客観的臨床能力試験(Objective Structured Clinical Examination：OSCE)]では，模擬対象者を前にして過度の緊張状態になり，「観察・面接・検査測定」のいずれも満足な結果ではなかった。担当の教員からは「学生は誰でもはじめは大なり小なりそういう状態になる。後は現場に行って学んできなさい。君ならやれる」と励まされた。
- こうした不眠・不安状態のままBさんは臨床実習に入った。担当は脳血管障害右片麻痺のCさんであった。Bさんが一番困ったのはCさんに何と話しかけてよいかわからないことだった。それでも「観察・面接・検査測定」のデータはそろえた。ところが，次の段階である「結果の統合」「作業療法目標の設定」がまったくといってよいほどできなかった。臨床評価実習指導者からは，「大学にいったん戻って先生と相談してきて」と言われ，実習中断となった。
- 学校に戻ったBさんは，担当教員とともに上記課題に取り組んだ。同時に苦手な「コミュニケーション能力」の向上を目指して，大学関連施設で対象者と接しコミュニケーションをとる練習を重ねた。
- 一時は自信をなくし退学も考えたBさんは，その後臨床評価実習に戻り，「頭が真っ白になり何も考えられない状態」からはようやく脱し，遅ればせながら無事合格となり，担当の教員から，「君は大きく成長したね」と努力を評価された。
- Bさんの実習の成果は，本人の努力を基に，実習指導者・対象者・担当教員・補習に協力した関連病院などの連携プレーのたまものであった。

【引用文献】

1) 作業療法ガイドライン2018年度版（日本作業療法士協会，2018）（https://www.jaot.or.jp/files/page/wp-content/uploads/2019/02/OTguideline-2018.pdf）（2022年6月時点）.
2) 医療スタッフの協働・連携によるチーム医療の推進について（厚生労働省，2010）（https://www.mhlw.go.jp/shingi/2010/05/dl/s0512-6h.pdf）（2022年6月時点）.
3) 作業療法臨床実習指針（2018），作業療法臨床実習の手引き（2018）（日本作業療法士協会，2018）（https://www.jaot.or.jp/files/page/wp-content/uploads/2013/12/shishin-tebiki2018-2.pdf）（2022年6月時点）.
4) 作業療法教育ガイドライン（2019），作業療法士養成教育モデル・コア・カリキュラム（2019）（日本作業療法士協会教育部，2019）（https://www.jaot.or.jp/files/page/wp-content/uploads/2013/12/Education-guidelines2019.pdf）（2022年6月時点）.
5) 石川　齊，ほか 編：図説作業療法技術ガイド，第4版，文光堂，2021.

チェックテスト

Q

①作業療法での評価の必要性を説明せよ（☞p.2）。 基礎
②作業療法評価の目的を３つ挙げよ（☞p.3）。 基礎
③作業療法プログラムとは何か（☞p.3）。 基礎
④作業療法評価は，いつ行うか（☞p.4）。 基礎
⑤作業療法における長期目標と短期目標とは何か（☞p.4）。 基礎
⑥作業療法での評価項目とは何か（☞p.5）。 基礎
⑦「作業療法が提供する範囲」を６つ挙げよ（☞p.6）。 基礎
⑧作業療法評価の手段のうち，主なものを３つ挙げよ（☞p.6）。 基礎

1章

作業療法評価とは

1 作業療法評価の流れ

佐竹　勝

1 作業療法評価とは

対象者が示すさまざまな症状，行為を基にして，それはどのような疾患，あるいは障害なのか，またどの程度のものなのか，原因の把握も含めて対象者を総合的に理解し，援助するための方法を評価（evaluation）という。具体的には，観察，面接，検査測定などの手段や方法を用いて対象者に対する医学的・社会的情報を収集，これに医師や他の職種からの情報を加えて整理分析し，対象者の全体像を明確にするとともに，その作業療法プログラムや，有効性について全責任をもつ一連の過程を指す。

2 作業療法評価の進め方

評価は医師からの指示・処方を受けて開始される。開始当初における評価は対象者の障害の程度の把握や，治療目標を立てるなど，作業療法プログラムをつくるために必要な要素である。また，治療が進行してからも効果の有無を検証したり，今後の見通しも含めて今行っていることが適切かどうか，作業療法プログラムが終了するまで随時評価を行う。

作業療法参加型臨床実習に向けて

評価の時期について
学生の場合，総合臨床実習は平均して8週間のことが多い。**表1** に評価の時期（期間）と目的をまとめたので参考にするとよい。

■評価の時期と目的

作業療法における評価は，対象者とかかわった時点から終了までの全過程において必要のつど実施する。評価は一般的に**初期評価**，**中間評価**，**最終評価**に分けられる（**表1**）。

表1　評価の時期と目的

種類	時期	目的
初期評価	・最初に対象者の障害像を把握する最も重要な評価である（開始から1～2週間程度） ・医師の指示を受けて開始される	・全体像の把握（障害原因の把握，障害像の把握，問題点の把握，ニーズの把握，健康的側面の把握） ・作業療法プログラムの立案（治療目標の設定，作業療法プログラムの立案） ・障害の受容（認識）
中間評価	初期評価以後，必要のつど，定期的・経時的に行われる（短い場合1週間，長い場合4週間に1回程度）	・治療効果の判定 ・再評価（治療⇔再評価）（目標設定の変更，作業療法プログラムの修正） ・予後予測の見通し
最終評価	・目標達成時 ・中止・終了時 ・退院・転院・転帰時	・治療効果の判定 ・情報提供のための資料（転院先，職業復帰先，地域医療福祉サービス施設）

■作業療法評価の流れ

①処方箋の確認

医師の処方箋(指示箋，依頼箋)によって作業療法が開始される(図1)。開始にあたり作業療法が処方あるいは紹介された理由(例えば医師自身の考えや方針，本人や家族の希望，関連職種からの進言・助言など)が事前に把握できれば，対象者のニーズやリハビリテーションゴールへの理解が深まる。

②導入面接(インテーク面接)

指示・処方に対して，当該対象者が作業療法の対象となるか否かについて行われる簡単なスクリーニングである(図2)。スムーズな受け入れを目的とする。具体的内容は，表2のとおりである。

作業療法が必要かどうかについては，事前に医師や関連職種から連絡を受けることが多く，比較的簡単な手続きで決まることが多い。

表2　導入面接の内容

- 説明と同意
- 不安・緊張感の軽減
- 作業療法に対する動機づけ
- 対象者の基本的能力，応用的能力，社会的適応能力の概要把握
- 面接を利用して対象者との信頼関係を深める

③初期評価

評価の準備と実施

対象者の障害像をあらゆる角度から把握する最も重要な評価である。まずは評価の方法や順序・手順などの作業療法プログラムを立て，その作業療法プログラムに沿って情報を収集し，結果を分析・整理・統合して，作業療法プログラム立案の資料づくりを行う。評価の際には表3に注意して行う。

表3　初期評価の注意点

- 対象者，家族の希望，要求などを把握し，評価目的を明確にする
- 対象者のこれまでの生活背景や社会適応の状態を把握する
- 対象者の基本的能力，応用的能力，社会的適応能力を把握する
- 意味や価値のある評価を行い，その結果を対象者と共有する
- 作業活動の遂行に影響を及ぼす要因を把握する
- 治療，指導，援助の方法に結びつく具体的な情報を入手する
- 必要に応じてクリニカルパス(表5)を活用する

(文献1を基に作成)

図1 リハビリテーション処方箋

リハビリテーション処方箋（新規・追加・継続・再開）

ID		外来 ・ 入院（　　）号室	処方日	年　月　日
フリガナ		男・女	生年月日	MT SH　年　月　日（　才）
氏　名			主 治 医	

診断名	□脳血管疾患等　□運動器疾患　□呼吸器疾患
発症日　年　月　日	算定開始日　年　月　日
手術日　年　月　日	術式：

現病歴・治療経過

リスクおよび注意事項

□理学療法

1. 理学療法評価
2. 運動療法
 a）片麻痺運動療法
 b）関節可動域練習
 c）筋力強化練習
 d）協調性改善
 e）基本動作練習
 f）歩行練習
 g）日常生活活動
  （activities of daily living：ADL）練習
 h）呼吸リハビリテーション
 i）平衡機能運動
 j）腰痛体操（体幹筋力強化練習）
 k）その他
3. 物理療法
 a）温熱療法
  表在（ホットパック・渦流浴）
  深部（マイクロ・超音波）
 b）低周波
 c）介達牽引療法
  頚椎（　）kg 腰椎（　）kg
 d）その他（　　　）
4. その他

□作業療法

1. 作業療法評価
2. 機能的作業療法
 a）関節可動域練習
 b）筋力強化練習
 c）手指巧緻性・協調性改善
 d）感覚改善
 e）利き手交換
 f）その他
3. ADL練習
 a）基本動作練習
 b）セルフケア動作
  ①食事②整容③更衣④排泄⑤その他
4. 生活関連動作練習
 a）炊事　d）掃除
 b）洗濯　e）その他
 c）買い物
5. スプリント・自助具作成・練習
6. 余暇活動
7. その他

□言語聴覚療法

1. 言語聴覚療法
 a）言語機能（失語症）評価・練習
 b）高次脳機能評価・練習
 c）音声構音機能評価・練習
 d）聴覚機能評価・練習
 e）その他
2. 摂食機能療法
 a）摂食・嚥下機能評価
 b）基礎的嚥下練習
 c）摂食練習
 d）その他
3. その他

目的または目標

医師サイン

（河﨑病院リハビリテーション科：リハビリテーション処方箋より引用）

図2 導入面接

面接3原則
- 受容的態度
- 共感的態度
- 傾聴

話しやすい面接室とは
心理的，物理的に安心できる場所を設定し，ゆっくりと安心して話せる場面を設定する

初回面接の流れ
面接の目的を説明し，作業療法についての認識を確認し，情報収集を行う。終了後面接を受けての感想を聞いておく

評価の方法

情報を集める方法としては，**直接本人から得る方法**（面接，観察，検査測定）と，**本人以外から得る方法**（カルテや医師，看護師，理学療法士などの関連職種）がある（**表4**）。

表4 情報の収集

情報収集の方法・手段		解説
直接本人から収集	面接	本人と直接会い，言語を通して情報を得る方法。医師の問診に相当する行為。対象者に会ったらまず挨拶と自己紹介，次に評価の目的を説明し，同意を得る。何に悩み，何に困っているのかを聞くことから始める 【面接の役割】 • 情報収集：症状・障害や生活機能について，現在の悩みや問題点，過去～現在までの病気の経緯・経過の事実，作業療法士への希望，将来への生活展望などについて聴取（問診）し，治療目標を含めた作業療法プログラム立案の資料とする • 治療関係づくり：面接や作業を通してよりよい治療関係の樹立を図る。ほかに，情報を補う，相談の場，観察や治療の手段となる 【面接の原則】 • 受容的態度：相手の訴えすべてを受け入れる • 共感的態度：相手の気持ち，立場に立って理解する • 傾聴：相手の話に耳を傾けて積極的に聴く
	観察	• 臨床場面で利用されている最も重要で基本的な評価方法。治療者（作業療法士）の，診る，聴く，感じるという知覚をとおして，対象者の動作や行動，外形や外観上の病的変化を観察する • 対象者の生活全般における動作や行動を観察する自然観察と，評価項目に沿って行為・行動を観察する実験的行動観察（テスト）がある • 作業療法では，対象者と一緒に活動しながら状態や能力を把握することが多い。言葉だけではなく非言語的な身振りや態度，表情も重要な観察ポイント • 観察は治療者の主観が評価に大きく影響するため，いろいろな場面で繰り返し学習と経験を積み重ね，専門家としてトータルに評価（診る）できる観察力が求められる

（次ページへ続く）

(前ページより続く)

情報収集の方法・手段		解説
直接本人から収集	検査測定	・検査：一定の基準を定めて判定する方法。対象者の動作や反応を「できる」「できない」などで評価するものと，動作や能力を数量化して評価するものがある 【例】Brunnstrom recovery stage(BRS)，徒手筋力検査(manual muscle testing：MMT)など ・測定：対象者の形態変化を，ある単位を基準に数値化して評価する方法 【例】関節可動域測定(°)，身体計測(cm)，握力(kg)など ・調査：チェックリストや質問紙を用いて，問題点や興味関心を探ろうとする方法。本人に記入してもらうことが多いが，記入後，一緒に内容確認することが重要 【例】ADL表，興味関心チェックリスト表など 評価に際しては，事前に評価ごとの記録用紙を準備しておく。合わせて検査測定器具の準備とチェックを怠らない。もたつかないよう，よく練習しておくことが必要
他部門から収集		作業療法で信頼性の高い対象者像を把握するためには，他職種からの情報が不可欠である。他部門情報であっても，詳しく知りたい情報については本人もしくは関係者から直接聴取する 【情報源と得られる情報】 ・処方箋：氏名，年齢，診断名(障害名)，治療方針，禁忌・注意事項 ・カルテ：住所，診断名，生育歴，教育歴，職業歴，入院歴，現病歴，家族構成 ・医師：病状，治療方針，作業療法に対する役割・期待度，禁忌事項，予後予測 ・看護師：病棟での様子やADL(特にしているADL)の確認，看護方針 ・理学療法士：互いの役割や治療方針の確認，情報交換 ・医療ソーシャルワーカー：社会的背景や生活状況，家族についての情報 ・家族：生活歴，日常生活の様子，発症のきっかけ・様子

補足

面接の目的
対象者が何を考え，どうしたいのかを傾聴すること。面接者が一方的に話す場ではない。

面接で聞いておきたいこと
現在の生活の様子，困っていること，今後の希望，病気になる前の様子，作業療法への要望などを，強制することなしに聞いていく。

言語以外からも情報を得る
表情や身振り，態度から言語化できない心情を察する。対象者からの印象も理解を深めるうえで参考になる。

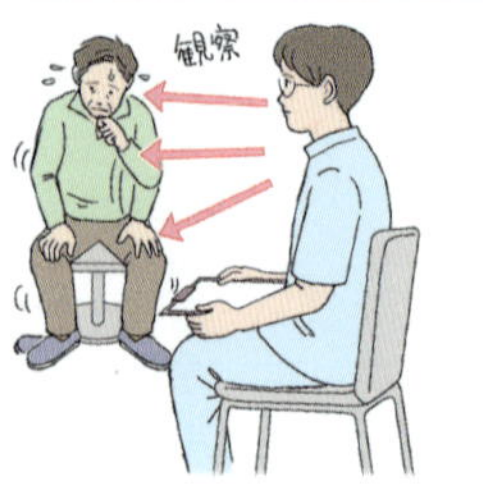

評価項目と内容

近年，**国際生活機能分類**(International Classification of Functioning, Disability and Health：ICF)*1の生活機能の概念に沿って障害像を表すことが多くなってきている。作業療法の治療，指導，援助の過程では，基本的能力，応用的能力，社会的適応能力という視点から対象者の生活機能をとらえ，制度や社会資源，個人特性に応じた治療，指導，援助を重視している[2)]。この視点はICF概念との共通性がきわめて高い。ICFの概念枠組みを示す(**図3**)。

*1 **国際生活機能分類(ICF)**
2001年5月，世界保健機構(World Health Organization：WHO)は，それまで使用していた国際的な障害分類(International Classification of Impairments, Disabilities and Handicaps：ICIDH)の改訂版としてICFを採択した。ICFはICIDHと違って，障害というマイナス面ではなく，プラス面を重視することが大きな特徴となっている。詳細はp.277～を参照。

図3 ICFと作業療法の評価および治療・指導・援助内容との対応

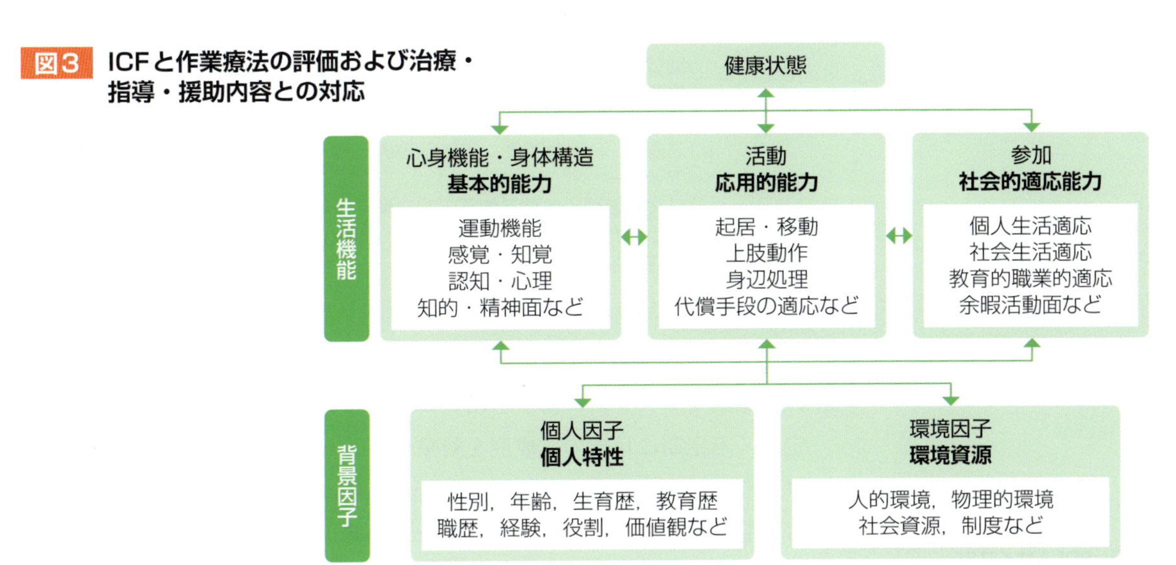

（文献1を基に作成）

補足

全体像を把握するにはICFが重要である。

④全体像の把握（統合と解釈）

作業療法評価を通して得られた情報を整理・分析・統合して対象者の全体像を把握する。この過程では障害原因を究明（追求）し（**表5**），問題解決の手段・方法を検討する。併せてその有効性についても判断する。ICFにまとめると全体像が見えてくる。

表5 問題点の抽出と焦点化

- 作業療法で治療・指導・援助すべき項目を選び出す（焦点化）
- 残された機能や能力，健康回復に役立ちそうなデータや興味・関心，潜在能力も明らかにする
- 全体像を把握する際には，背景因子（環境因子および個人因子）を最大限に考慮する

⑤作業療法プログラムの立案

作業療法プログラムは本人や家族，関連職種とも相談して作成するのが望ましい。留意点を**表6**に示す。

補足

目標設定での留意点

- チーム全体の目標と合致する
- 評価に基づいた問題と合致する
- 病歴，社会歴，予後について考慮する
- 将来生活する環境（退院後の生活場面など）を把握する

表6 作業療法プログラム立案の留意点

- リハビリテーションゴールを明確にしたうえで長期目標，短期目標を設定する。
- 長期目標は「こうしたい」という希望を視野に入れた，達成可能な具体的目標を設定する（2カ月後など）。
- 短期目標は長期目標を達成するための課題とし，比較的短期間（例えば2週間，1カ月など）で達成可能な具体的目標とする。一定期間ごとに更新する。
- 作業療法プログラムを作成する。
  まずは短期目標に沿って作業療法プログラムを立てる。
  内容として，回数，場所，治療時間，作業種目，対象者－治療者関係，リスク管理が挙げられる。

（次ページへ続く）

（前ページより続く）

例えば　i）回数：週5日　午前（午後）　40分（40分）
ii）場所：院内リハビリテーションセンター
iii）種目：革細工（スタンピング）
iv）対象者-治療者関係：支持受容的に接する。できない箇所は治療者がフォロー
v）リスク管理：木槌を使うので自傷に注意，座位バランスの崩れ
- 実施に際しては，十分な説明と同意を得てから開始する。達成度についても適宜対象者と確認し共有する

⑥作業療法の実施と再評価

作業療法プログラムに基づき治療が進められる。

定期・不定期に目標の達成度を対象者とともに評価・確認し，作業療法プログラムに基づいて効果の検証を行う。見るべき変化や改善がない場合にも再評価を行い，作業療法プログラムの修正や変更など作業療法プログラムの見直しを行う。

実際には治療しながら評価し，また治療していくことの繰り返しにより，また回復過程に応じた新たな評価項目を加えながら，作業療法プログラムの修正や治療内容の変更を弾力的に行うことで，対象者のニーズにより接近することができる（図4）。この，治療の実施→再評価→改善と新たな問題→作業療法プログラムの繰り返し作業を**PDCAサイクル**[*2]とよび，作業療法実施の核となるプロセスである。

＊2　**PDCAサイクル**
生産管理や品質管理などの業務を円滑に進める手法の1つ。plan（計画）→do（実施）→check（評価）→action（改善）という4段階の活動を繰り返し行うことで課題を改善していく手法。PDCAはそれぞれの頭文字を並べた言葉。詳細はp.5を参照。

図4　効果を出すには評価と治療の繰り返しが重要

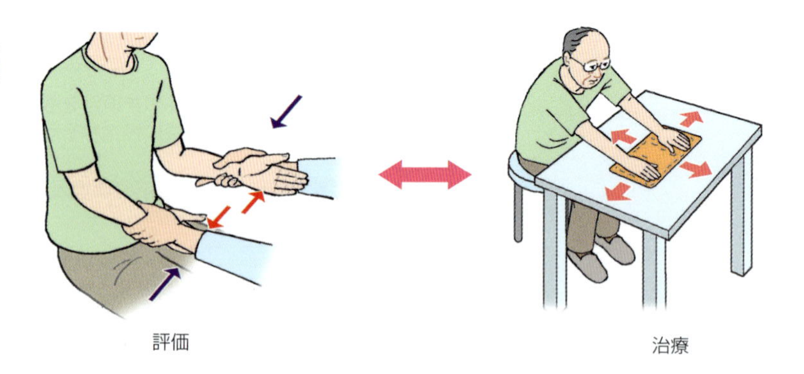

⑦作業療法の終了とフォローアップ

表7の事項に該当した場合，作業療法は終了・中止となる。

表7　作業療法の終了・中止項目

- 長期目標，短期目標が達成されたとき
- 対象者の状態像の悪化，合併症などにより作業療法の実施が困難になったとき
- 他施設への転院や入所のため，作業療法の継続が困難になったとき

フォローアップは終了後に必ずなされるというものではない。施設間の連携で対応する場合が多い。再度作業療法が必要となった場合には，協力を惜しんではならない。

■評価（治療）に対する心得

対象者と接する前に作業療法士としての基本的態度と服装，身だしなみには特に気を配ろう（**表8**）。

表8　評価（治療）に対する心得

行動，態度	ポイント
まずは挨拶，自己紹介はしっかりと	元気な挨拶と笑顔が基本。明るくはっきりとした声。対象者目線で話す
清潔な服装と礼節	・服装：白衣（ケーシー）が基本 ・清潔の保持：洗濯，アイロン，ボタンはすべて留める ・頭髪：長髪・茶髪は厳禁。長髪は後ろにまとめる ・装飾品：原則禁止（ピアス，マニキュア，ブレスレットなど） ・靴：滑らず動きやすく清潔感のあるもの。踵踏み厳禁
オリエンテーション（インフォームドコンセント）はわかりやすく，信頼関係の構築に努める	・評価についてわかりやすく説明し同意を得る。あわせて評価への理解と協力を得る ・守秘義務とプライバシー保護にも注意する
目線を合わせて話す	・敬語が基本。専門用語は避けて平易な言葉で話す ・同じ目線でわかりやすい言葉で説明する
傾聴に徹する	・受容，共感，支持的態度が基本 ・最初は治療者側からの問いかけが主になるが，一方通行にならないよう対象者から話を引き出すようにする
評価中の記録について	・評価に先立ちメモを取ることの同意を得る ・メモはできるだけ簡潔に，キーワード程度を心がけ，終わってから記憶が新しいうちに文章化する

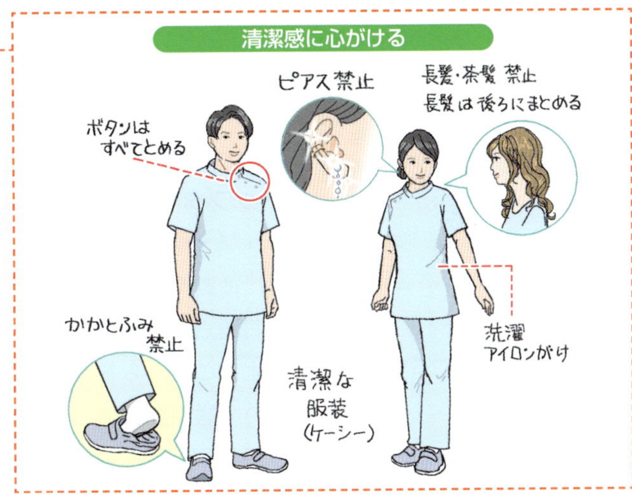

■ボトムアップとトップダウン

作業療法の評価領域において，ボトムアップ（bottom up），トップダウン（top down）という用語が一般的になった。元来，経営学で用いられている用語で，経営管理や予算管理の手法を意味する。ボトムアップ方式は，下部組織からの意見を採用して全体をまとめていく管理方式で，トップダウン方式は，上層部が方針を決定し下部組織に指示する管理方式である。もっとわかりやすくいえば「下が考え上が決める」のがボトムアップ。「上が決め下に降ろす」のがトップダウンである。

補足

学生・初心者における評価の基本は，ボトムアップ方式である。

● ボトムアップ方式

ボトムアップ方式は，**必要な評価項目すべてを実施**し，その結果から総合的に判断する方法である（**図5**）。評価は，心身機能・身体構造領域（機能障害のレベル）から開始され，検査測定をはじめ必要とされるすべての評価終了後にその結果をまとめ，問題点を抽出・明確化することを基本としている。この方法は従来から評価のプロセスを学習する基本的方法として推奨され，**学生や初心者には必学必修**の課程である。**評価もれが少ない**という利点と，**時間がかかる，情報量が多くなり整理が難しくなる**という欠点を併せもつ。

図5　ボトムアップ方式

● トップダウン方式

トップダウン方式は，対象者自身の生活上の**問題点に的を絞った評価方法**で，活動や参加レベルの改善を図ろうとする方法である（**図6**）。生活状況や問題点を分析して仮説を立てるため，豊富な経験と高度な知識や技術を要することから初心者には難しい評価方法である。選択した評価項目を行うので**短時間で済む**こと，問題の過程を追いやすく**実用的**という利点をもつ。

図6　トップダウン方式

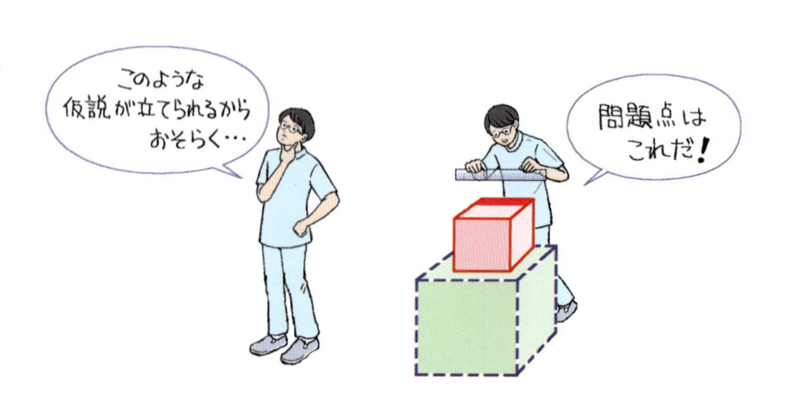

カンファレンス

対象者に対し適切なリハビリテーションサービスを提供するために，担当チームの専門職が一堂に会し，それぞれの立場から意見や情報を出し合い援助の方向性を検討する会議で**評価会議**ともいう。

関連専門職それぞれが評価を終了した時点で，初期カンファレンス（初期評価会議）が開催される。情報の共有，目標の確認，役割の分担，責任の明確化を図ることにより，治療を効率よく進めることが可能となり，より質の高い医療が期待できる。初期カンファレンスの後は，治療の進行状況や変化に応じた見直しも含めて複数回開催される。

クリニカルパス：入院から退院までのスケジュール表（表5）

クリニカルパス（clinical pathway）は入院から退院するまでの間，いつどんな治療や検査，リハビリテーションが行われるのかを一覧表にしたもの。縦軸に病気（障害）を治すうえで必要な治療・検査やケアを，横軸に時系列を明示した診療スケジュール表のことで，「入院診療計画書」ともいう。

アメリカで開発されたシステムで，元は航空機産業，宇宙産業など複雑でさまざまな技術からなる工程を管理するために生まれた技法である。日本へは1990年代半ばに導入された。クリニカルパスは対象者と医療スタッフ両者のための羅針盤のような役割を果たし，チーム医療には欠かせないシステムとして現在では広く普及してきている。

クリニカルパスを使用することで，医療サービス全体の流れが一望できる，インフォームドコンセントが円滑に行われる，チームとしての医療サービスが効率的かつ円滑に提供できる，入院生活の不安が解消できる，という4つの利点がある。

補足

クリニカルパスは他職種と同じものを用いることで，チーム医療が円滑になる。

表5 回復期リハビリテーションのクリニカルパス（脳卒中患者・家族用）
—入院から退院まで—

患者氏名：＿＿＿＿＿＿＿＿様　　主治医：＿＿＿＿＿＿＿＿
担当看護師：＿＿＿＿＿＿＿＿

経過	入院時	1カ月	2カ月	退院準備	退院
主治医	□医師から入院生活全体についての説明があります □毎週リハビリテーション診察を行います □一般の検査・治療や理学療法，作業療法，言語聴覚療法について説明があります	□車椅子や下肢装具の処方（適応者のみ）	□病状の経過説明を行い退院後の生活について検討します	□家屋改造について相談します（適応者のみ） □外泊をすすめ，退院の準備をします	
看護師	□病棟生活の支援を行います	□食事，トイレ，歩行などの自立を促していきます		□退院後の健康管理と生活指導を行います	
理学療法士	□運動機能を評価し，計画を立て，治療を開始します	□「起き上がる，立つ，歩く」などの基本動作練習 □杖の適応，装具の脱着指導（適応者のみ）	□家族へ介助方法の説明と指導を行います □実際に使えるよう一緒に練習します □装具が完成します	□自宅での生活動作について指導します □外泊練習を行います	
作業療法士	□日常の生活動作を評価し，計画を立て，治療を開始します	□更衣，整容，トイレの練習を行います □入浴できるか評価します □車椅子の適応と選定をします（適応者のみ） □皮細工や編み物など細かな両手作業も行います	□住居に関する調査を行います □生活に必要な福祉用具を検討し，使用方法を練習します □きき手交換練習を行います（該当者のみ） □調理や家事動作を練習します	□自宅を訪問し，トイレの構造や手すりの位置など，改造の要否を検討します □家族へ使用，介助方法を指導します □外泊練習を行います	
言語聴覚士	□言語機能を評価し計画を立て治療を開始します □摂食・嚥下を評価し計画を立て治療を開始します		□コミュニケーション方法について家族指導を行います		
医療ソーシャルワーカー	□本人・家族の現在の経済的，社会的な状況について伺います		□社会保障制度の利用について説明します □身障手帳や介護認定申請の手続きを行います	□社会資源との連絡・調整を図ります	

- 担当スタッフが集まり月1度リハビリテーション会議（カンファレンス）を実施して方針を確認します。
- 本人の回復状況に応じて予定が変更になる場合があります。
- ご不明な点，質問などありましたらスタッフに声をかけてください。

【引用文献】
1) 日本作業療法士協会学術部 編：作業療法ガイドライン(2018年度版), p.8-10, 2018.
2) 長崎重信 編：イラスト作業療法 ブラウン・ノート, p.28, メジカルビュー社, 2008.

チェックテスト

Q

①評価の目的は何か(☞p.10)。 基礎
②作業療法評価の流れについてその主要項目を挙げよ(☞p.11〜16)。 基礎
③評価の方法を挙げよ(☞p.13)。 基礎
④面接における3 原則は何か(☞p.13)。 基礎
⑤観察では何に注意して評価するのか(☞p.14)。 基礎
⑥ICFにおける生活機能の項目は何か(☞p.15)。 基礎
⑦ICFにおける背景因子とは何か(☞p.15)。 基礎

2 記録と報告

佐竹　勝

Outline

- 実践した作業療法の質の担保と評価を目的とする。
- 他の職種（医師，理学療法士，看護師，医療ソーシャルワーカーなど）との情報共有を行う。
- 治療者（作業療法士）自身の身を守るためにも正確な記録と報告は重要である。

1 記録と報告とは

記録とは事実を書き記すことである。作業療法を実施した場合は，その事実や内容を必ず記録（文書化）し，保存しておかなければならない。報告は，記録を基に作成され，医師をはじめ対象者にかかわるチームメンバーに報告される。

2 記録の目的

記録には，**治療行為の明確化**，**関連職種への情報提供**，**治療内容の確認と改善**，研究や教育，**問題に対する法律的保護**，部門の管理運営と6つの目的がある。

3 記録し保存しなければならない書類

■作業療法処方箋

医師によって書かれた作業療法のオーダーである。ここには対象者の氏名，性別，年齢，診断名，状態像，職業，教育，家族背景，治療目標や作業療法プログラム，注意事項などが記されている。

■初診時記録

初回面接から作業療法プログラム立案までの評価情報をまとめた記録である（**表1**）。

■経過記録

治療日誌ともいえる記録であり，日々の経過や再評価をまとめた記録である。記録には，実施した日時と場所，治療内容と目的・方法，対象者の反応や変化，再評価（治療効果の検証）とその結果，作業療法プログラムの変更，カンファレンスや事例検討の内容・今後の方針などの6項目が含まれる。

表1 初診時記録

対象者のプロフィール	氏名，性別，年齢，住所，職業，趣味・特技，保険の種類
医学的情報	診断名，状態像，入院形態，現病歴，入院歴，処方の目的，服薬状況，禁忌・注意事項
社会的情報	家族歴，生育歴，教育歴，職業歴
評価内容と結果のまとめ	評価項目，結果とまとめ，得られた情報
治療目標	リハビリテーションゴール，長期目標，短期目標
作業療法プログラムのまとめ	回数，時間，場所，作業種目，リスク管理など

■終了時記録

作業療法が終了したり中止されたときに記録する。他施設へ転院する場合は情報資料として提供される。記録には，終了・中止の年月日とその理由，終了までの経過の要約，最終評価，今後の方針・提案の4項目が含まれる。

■記録の管理について

作業療法士には記録に対する適切な管理と保管義務がある（**表2**）。

表2 記録の管理

- 作業療法実施件数を毎回記録する
- 毎回の作業療法について年月日，時間，作業療法実施内容，担当者氏名を記録する
- 作業療法のインフォームドコンセントに関する記録を保管する
- カンファレンス，事例検討などの内容を毎回記録し，保管する
- 他部門，他機関への報告の写しを保管する
- すべての作業療法記録を必要保存期間に従って保管する
- 個人情報保護に留意した記録管理を徹底する

4 記録を書くときの原則

記録は，評価あるいは治療後なるべく早い時期に書く。その際は，日付と記録者の名前（サイン）を忘れないよう注意する。また，他から情報を集めた場合は，必ず情報源を記録する。

文章は，対象者を主体として書く（三人称文体）。

憶測・推測は避けて事実を正確に記述する。また，不要な語句は避け，読みやすく簡潔明瞭・客観的に，適切な医学専門用語を用いて，誰が読んでも理解できるよう記述する。

5 記録の方法

病院や施設において，作業療法士やほかの医療専門職は，対象者に行ったことを毎回記録（文書化）しなければならない。そのとき用いる記録の方法の1つにSOAP形式を使った記録方法がある（**表3**）。対象者の全体像や情報の把握と理解のためには大変便利で有効であるため，この方法を利用する施設が多い。また近年，電子カルテによる情報共用システムを使用する施設が増えてきている。

表3 SOAP形式による記録

項目	記録内容	実例
S：subjective 主観的情報	・対象者や家族の直接の訴え，自覚症状，病歴など大切な情報	右手が動かない，歩けない，食べるとむせる
O：objective 客観的情報	・セラピストの観察，検査所見，評価結果などの客観的データ	Brunnstrom（ブルンストローム） recovery stage，筋力検査，感覚検査，摂食・嚥下機能検査
A：assessment 評価	・SO情報から導き出された評価に対する治療者の判断，評価	ADLの自立が必要。移動方法の検討，摂食姿勢の検討
P：plan 計画	・SOAを基にした治療方針 ・問題を解決するための援助計画	きき手交換練習，下肢装具の作製，摂食・嚥下練習

※4つの項目の頭文字をとってSOAPとよんでいる
※SOAPの文字各々が対象者の記録項目を意味している

（文献1を基に作成）

SOAPの頭文字の内容は，しっかり覚えておこう。

■SOAP形式

S：subjective（主観的情報），O：objective（客観的情報），A：assessment（評価），P：plan（計画）の頭文字をとってSOAPとよばれている。臨床で用いられる唯一の方法ではないが，多くの病院・施設で用いられている記録方法の1つで，初期評価，中間評価，最終評価，日々の診療と，いずれを記録するにも適している。この方法をおさえておけば，実習先や勤務先の病院・施設に適合させることができる。

6 管理運営記録

医学的な記録以外に，作業療法部門の業務，管理，運営上必要な記録を**表4**に示す。

表4 管理運営記録

- 作業療法業務日誌
- 対象者出欠表
- 診療報酬請求表
- 週間，月間，年間スケジュール表
- 物品請求，購入台帳
- 物品管理台帳
- 各種会議記録
- 事故報告書

7 報告

報告には，口頭によるものと文書によるものとがある。緊急の場合は電話で，あるいは担当職員に直接会って口頭で報告する。しかし，大事なことは口頭での説明に加えて，すべて文書化して残しておかなければならない。作業療法の経過を主治医や対象者にかかわるチームメンバーに伝えることは重要で，必要のつど（定期，不定期に）報告しなければならない（表5）。

表5 報告のタイミング

- 初診時記録をまとめたとき
- 治療計画および作業療法プログラムの変更時
- 作業療法経過をまとめたとき
- 治療経過に変化がみられたとき
- 事故（未遂を含む）を起こしたとき
- 作業療法終了時

事例報告で対象者の氏名，住所，生年月日や受診医療機関・会社名を表記してはいけない。代わりにイニシャルや記号などで表記することで，対象者の特定を防ぎ保護する手法を**匿名化**という。実年齢は治療経過の項目で必要となるので記しておこう。

【引用文献】
1）上好昭孝，土肥信之 編：リハビリテーション概論．69-80，永井書店，2009.

【参考文献】
1. 日本作業療法士協会学術部 編：作業療法ガイドライン（2006年度版），4-13，2006.
2. 日本作業療法士協会学術部 編：作業療法ガイドライン実践指針（2008年度版），14-16，2008.
3. 日本作業療法士協会 編：作業療法学全書第1巻 作業療法概論，第2版．71-78，協同医書出版社，2007.
4. 日本作業療法士協会 編：作業療法学全書第1巻 作業療法概論，第3版．211-220，協同医書出版社，2010.
5. 日本作業療法士協会 編：作業療法学全書第3巻 作業療法評価法，第3版．3-11，協同医書出版社，2009.
6. 日本作業療法士協会 編：作業療法学全書第5巻 作業治療学2 精神障害，第3版．3-11，協同医書出版社，2009.
7. 金子 翼，鈴木明子 編：リハビリテーション医学全書9 作業療法総論，第2版．80-191，医歯薬出版，1999.
8. 里村恵子：記録と報告．作業療法（上）—心身障害に対するアプローチ—，174-191，創造出版，1990.
9. 柳澤 健 編：理学療法学ゴールド・マスター・テキスト1 理学療法評価学．8-17，メジカルビュー社，2010.

チェックテスト

Q

①記録はなぜ必要なのか，その理由を挙げよ（☞p.22）。 基礎
②報告は大切である。いつどのタイミングで報告するのがよいか（☞p.22）。 基礎
③記録を書くときの原則は何か（☞p.23）。 基礎
④SOAPの記録内容を挙げよ（☞p.24）。 基礎

2章

評価の基本と技術

1 面接

谷口英治

Outline

- 対象者を理解する評価手段であり，言語的コミュニケーションを通じて対人関係を築く。
- 対象者の立場に寄り添い，作業療法の進め方を丁寧に説明する。

1 面接とは

対象者と面接者とが一定の目的をもって互いに言語的コミュニケーションを通じて情報を交換したり，意思や感情を伝えたり相談しながら問題を解決することである。

また，面接中に対象者から表れる話し方，表情，姿勢，態度，行為，動作などの非言語的コミュニケーションが，問題の核心に繋がる重要な情報となる。

2 面接の目的

面接の目的を**表1**に示す。面接にあたっては，事前に対象者の基礎情報，医学的情報の取得，治療・援助の見通しを立てたうえで臨むことが重要である。

表1 面接の目的

①対象者・家族との信頼関係を築く
②作業療法の実施の説明と目的を伝え理解を得る（**インフォームドコンセント**[*1]：説明と同意）
③対象者の期待と治療への主体的参加について説明し理解を得る
④他部門からの情報の補完と確認を行う
⑤評価面接として，障害の受け止め方（障害受容），治療への希望・期待，治療結果への認識と対象者自身による評価などを把握する

①〜③は対象者・治療者間の，そして④⑤は治療者側の目的である。

＊1 **インフォームドコンセント**
作業療法を実施するにあたり，作業療法評価・治療・援助・支援の目的や手段について対象者・家族にわかりやすく説明し，十分な理解を得たうえで協力への同意を得ること。

補足
評価は情報収集，面接，観察，検査測定などを手段として，対象者の全体像を把握する。

3 面接場面の設定と時間

作業療法では特定の面接室だけでなく種々の場面（作業活動中，病室のベッドサイド，病棟のロビー，その他院内のベンチや散歩しながらなど）で面接を行うが，本項では設定された面接室の場面について説明する。主な面接の物理的構造の位置関係を**図1**に示す。

図1　対象者と面接者の位置関係

●：対象者
●：面接者

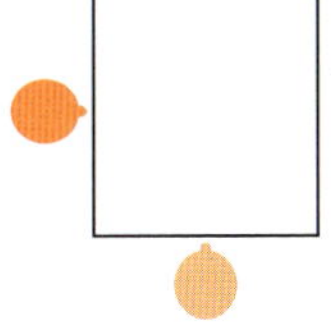

a　90°法
抵抗なく重要な話題について話し合える位置関係。90°の角度をなすことから「90°法」といわれ，広く用いられている

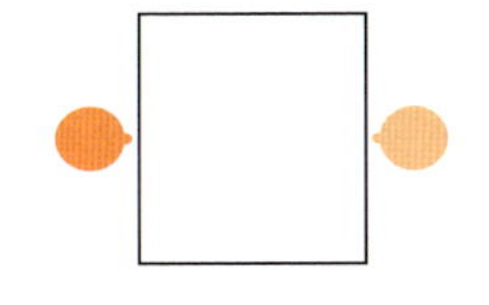

b　対面法
互いに対面するので対象者の緊張が高まる。信頼関係は期待できない。真正面に正対する位置は好ましくない

c　横並び法
両者ともが同一方向を向いた位置関係。視線が合わない場合が多いので緊張感がそれほど高くない

面接時間は，通常対象者の心身の疲労などを考慮して，45分～1時間程度が望ましいが，対象者とかかわる時期やそのときどきの状況によって20～30分くらいで終了する場合や1時間以上になる場合もある。

4　面接の形態と種類

■形態

構成的面接，半構成的面接，非構成的面接の形態がある。

構成的面接は，目的や場所，日時，そしてあらかじめ決められた質問を設定して行うフォーマルな面接形態である。半構成的面接は，構成的面接と同様，事前に決められた特定の質問が設定されるが，さらに多くの情報を得るため，質問する内容を対象者に合わせて行う面接形態である。非構成的面接は，作業活動が行われているなかで交わす会話や雑談などインフォーマルな面接形態である。

■種類

初回(導入，インテーク)面接，情報収集のための面接，評価面接の種類がある。

● 初回(導入，インテーク)面接

導入にあたっての受理面接のことで，対象者の不安を和らげ，回復への希望をもたせることが目的となる。簡単な作業療法に関するオリエンテーションを行うなかで参加動機を確認し，作業療法室を案内しながら行われている治療・活動場面，そして治療の流れを説明する。対象者にとって作業療法の進め方が理解できれば，安心して練習を進めることができる。また，作業療法の開始は同意を得てから行う。

● 情報収集のための面接

一般的な基礎情報(社会的背景，現病歴，発症受傷の経過，治療歴，主訴，基本的な日常生活に関するものなど)の補完的聴取を作業療法開始初

期に行う。また，作業療法経過中には，対象者の作業に影響する環境因子(人的・物理的・文化的・社会的)と，対象者の人生や生活の背景である個人因子についても聴取する。

試験対策 Point

面接環境や場面，またセラピストの発言内容や共感的対応などを整理する。

● **評価面接**

障害の認識と障害の受け止め方(障害受容)，治療への希望・期待，治療結果への認識と対象者自身の評価などを聞き，現状を把握する。

5 面接の手順

一般的には**図2**のような進め方で行われる。

面接とは，面接者が対象者の不安を取り除き，対象者との信頼関係を築いて，真剣に対象者の問題に取り組み，一緒に話し合うことである。

作業療法参加型臨床実習に向けて

見学段階で指導者のデモンストレーション後，実習生は面接の際対象者のバイタルサイン，言語的・非語的コミュニケーション，表情，姿勢などの確認と安全に配慮する。模倣の際は，対象者の主訴，ニーズ，近い将来の希望，日常生活状況，家族関係などを把握し結果を指導者に伝える。指導者から実習生のよかった点・改善点を伝え，面接の視点や方法を指導・確認する。

■作業療法面接の実施

一般的な作業療法面接の様子を**図3**に示す。

面接過程の主な内容は，「今の自分のことをどのように考えているのか」「自分の今後についてどのように考えているのか」「今困っていること，悩んでいることは何か」「今できることは何か」「これからできることは何か」などの情報を対象者から収集し，作業療法の導入と目標を設定する資料として，対象者の現状を整理することにある。同時に，対象者の話し方や話の内容，表情，姿勢などから緊張や不安の程度，理解力や表現力などの知的能力，対象者の今の病気に対する認識(考え)などが把握できる。

アクティブラーニング 1 対象者が面接で症状を訴えた際に，どのような対応が必要か考えてみよう。

図2 面接の進め方

❶

初心者は事前に情報を入手しておくことが望ましい（ただし，先入観には注意する）

❷

面接者は対象者に面接の予定を告げ，面接に対する同意を得る（面接に対する心の準備）

❸

面接室に来室時には，出迎えて，互いの挨拶，対象者の確認，自己紹介，面接の目的と意味，所要時間，心身の疲れに応じた休憩，秘密保持の説明，そして面接評価の実施に関する同意を確認する

❹

対象者が話しやすい話題から入り，わかりやすい言葉遣いで，聞きたい事柄を1つずつ質問する

❺

対象者の話に受容・共感・傾聴を示し，ラポール（信頼関係）の形成に努める

❻

対象者の話を他人事のように聞くのではなく，「あなたの問題は，面接者自身のことである」かのように理解を示し，聞く

❼

面接中の非言語的コミュニケーションにも注意をはらう

❽

話が目的からはずれないように方向づける

❾

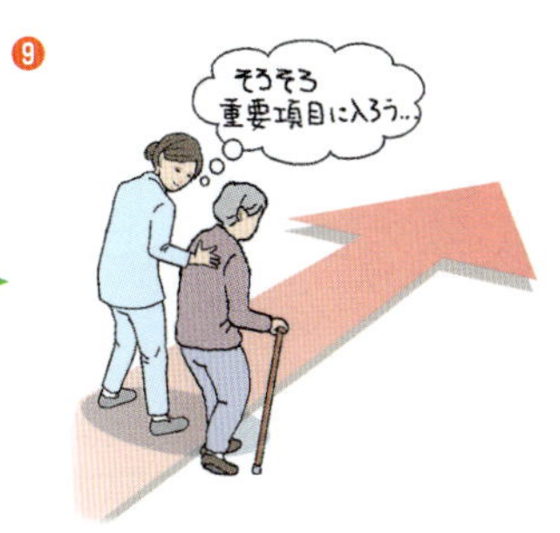

重要な事柄の質問は，面接過程が軌道にのってから聞くようにする

❿

対象者の話について了解したことを適切に伝える

⓫

対象者の心身の疲労を考慮した時間で切り上げ，面接内容を要約する

⓬

対象者に面接の感想を尋ねる。次回の予定を告げて終了する

図3　作業療法面接の実際

❶ 作業療法の開始に向けて，事前に対象者の情報を収集する

❷ 作業療法の参加意識を確認する

❸ 作業療法のオリエンテーションと確認を行う（作業療法のイメージ，受け止め方，活用などについて確認する）

❹ 作業療法実施の目的，意義の説明と確認を行う

❺ 一般的な作業療法プログラムを説明する

❻ 対象者に実際に対応する参加プログラムを説明する

❼ 作業療法場面を実際に見学する

❽ 対象者に確認し同意を得る

Case Study

20歳代男性，Aさんは職場で意味不明なことを言い落ち着かない状態であったため，産業医の勧めで精神科を受診し入院した。数週間後，病状が安定したため作業療法に参加した。

Question 1

Aさんへのインフォームドコンセントについて，適切なのはどれか。
①活動種目を変更する場合の同意は必要ない。
②任意入院の入院患者は同意を得る必要はない。
③注意・集中力が低下している場合の同意は必要ない。
④Aさんのニーズよりも作業療法の治療方針が優先される。
⑤作業療法の進め方の説明は信頼関係づくりに必要である。

☞ 解答 p.289

6 面接の留意点

面接の留意点を**表2**に示す。

面接は，相互の関係を形成していくものであるので，面接者の存在そのものや面接者の示す非言語的表出が対象者に影響を与えていることも忘れてはならない。

表2 面接の留意点

- 対象者の気持ちを受容する支持的な対応に努める
- 話された内容については秘密を厳守することを伝える(ただし，対象者の生命にかかわる場合は，対象者に確認ののち，医師に相談する場合があることを伝える)
- 対象者の話を理解しようとする共感的態度に努める
- 判断援助の要求に対して，安易な保証・約束はしない
- 面接者自身の感想や意見はなるべく控える
- 対象者が話した内容に関する確認，明確化，整理のために，質問を行う
- 症状や障害に関する質問は直接しないで，当面会話全体から推定するにとどめる
- 得た情報は，絶対的なものでなく修正される(関係性や症状によって変化する)ものとして受け止める

チェックテスト

Q

①面接とは何か，説明せよ(☞p.28)。 基礎
②面接の目的について，説明せよ(☞p.28)。 基礎
③適切な面接場面と面接時間について答えよ(☞p.28)。 臨床
④面接の形態と種類を挙げよ(☞p.29)。 基礎
⑤面接の進め方ついて説明せよ(☞p.30)。 基礎
⑥面接の実施について説明せよ(☞p.30)。 臨床
⑦面接の留意点を挙げよ(☞p.33)。 臨床

2 観察

谷口英治

Outline

- 観察は対象者を理解する評価手段であり，評価中，治療中，普段の生活状況全般に及ぶ。
- 観察の視点は，外見の全身状態を手がかりに精神状態を把握する。

1 観察とは

観察とは，対象者の実際の生活行動や作業の状況，またはそれらに関連する事柄について，自らの目で観て，聴いて，触れて感じた情報を摂取し，それを記録，蓄積，分析することにより理解を深めていく方法である。観察方法には，部分像から全体像に観察を広げるボトムアップ(bottom up)方式と，全体像から局所像に観察を狭めるトップダウン(top down)方式がある。

補足

観察は，対象者の現状を知るために，面接中，検査測定中，治療中，そして普段の生活状況において常に必要な基本的方法である。

2 観察の目的

さまざまな場面で表出された非言語的行動や状況，面接などで得た情報や対象者が語った内容と，実際の行動との相違を把握するために観察を行う。

3 観察の種類

観察場面の設定により**自然観察**と**実験観察**があり，観察者のかかわり方により**参与観察**と**非参与観察**，そして観察した事実の取り出し方により**直接観察と間接観察**[*1]に大別される。

＊1　直接観察と間接観察

観察形態の分類で大別されるもので，直接観察はその状況を直接観察すること。間接観察はビデオなどを用いて状況を記録し，後から観察すること。

■自然観察と実験観察

自然観察は，対象者に操作や条件統制を行わず，対象者の生活場面で自然に生じる行為・行動(行動パターン，話し方，態度など)や事象を観察・記録する方法である。基本的な日常生活活動(activities of daily living：ADL)場面や対人関係の状況場面，他者と交わる社会生活場面(集団内の行動，社会資源の利用，コミュニケーションの仕方など)，そして対象者がすでに行っている特定の作業場面での行動パターンや作業課題の遂行機能を把握するのに適している。

実験観察は，対象者の了解のもとに，特定の評価項目に対して，観察者

作業療法参加型臨床実習に向けて

実習生は見学段階で，運動・動作・作業行為・リスク管理などの観察ポイントの説明を受け，観察後に模擬対象者の状態(症状など)について指導者に伝える。指導者から実習生のよかった点・改善点を伝え，観察の視点や方法を指導・確認する。

があらかじめ設定した作業活動を用いてその作業場面を観察するもので，作業課題の遂行機能を具体的に評定するのに適している。

■参与観察と非参与観察

参与観察は，観察者が対象者との相互交流をもちながら観察状況に参与して行い，事実を詳しく取り出し交流状況を記録していく直接的な観察である。また精神医学では，Sullivan（サリバン）の唱えた**参与観察**がよく知られている。それは，観察者が参与することで生じる対象者への自己の影響とそれを感受する能力を客観的に見つめることにより，対象者の事実の観察が可能になるというものである。

非参与観察は対象者と直接の交流をもたないで行う，自然科学における事実確認の方法であり，VTRやテープレコーダーなどの視聴覚機器を用いた間接的な観察である。

アクティブラーニング 1

観察能力を高める機会は，日常生活場面(会話中，乗車中，食事中など)のなかに頻繁に存在する。人間のある行為を観察し，構成している身体的(運動，動作など)・心理的要素(表情，態度，表現型など)を分析・解釈してみよう。

4 全身状態の観察

対象者を観るとき，外見の全身状態だけにとらわれがちであるが，心と身体は関係し合っているので，精神状態にも目を向けたい。全身状態は精神状態(**表1**)を目に見える形で表現し，対象者の精神状態を知るための手

表1 全身状態の観察事項

外観	• 外観の観察により，対象者の性格や心身の健康状態，生活状態，体型，身だしなみ，気分，自己に対する気持ちや関心，そしてまわりの人や物に対する認知の仕方などの情報が得られる • 観察の視点は，年齢，性，体型，背丈，性格，整髪状態，姿勢・動作，歩行状態，服装，皮膚の状態，化粧，装身具，持ち物などが挙げられる
表情・顔つき	• 対象者の表情・顔つきは，対象者の精神状態が最も現れるものであるため，その変化をつぶさに観察し，判断することが重要である • 観察の視点は，視線，明るさ，しかめ顔，ひそめ眉，まばたき，閉眼，目を伏せる，うつ向く，硬さ，しまりのなさ，冷たさ，無表情，ぼんやり，悲しそうな，怒った，不安な，ふさいで暗い，口唇の動き(噛みしめ，とがり口，歪める，つき出し)などが挙げられる • 表情・顔つきに表れるさまざまな変化には，単独でみられるもの，いくつかの変化が組み合わされて表出されるものがある。例えば，手の動き(握りこぶし，腕組み，身震い，膝の上の手の様子)や足の動き(貧乏ゆすり，足組み)などである • どのようなときに，どのような声かけや環境刺激で反応したかを記録し，対象者の表現パターンをとらえることは，アプローチの仕方や援助過程への情報として役立つ
話し方	• 話し方から，対象者の緊張度，相手に対する関心の程度から生じる無意識的な防衛表現など，精神的な内面を知ることがある程度可能である • 観察の視点は，会話の仕方，話す速さ，声の調子と大きさ，語調，言葉遣い，連続性，会話の量，反復，話す内容と態度などが挙げられる • 個人差や癖などがあるので，いろいろな場面や援助経過で確認する
行動と姿勢	• 首を振ったり，目をパチパチしたり，顔をしかめたりする細かな動作がみられるのは，精神症状との関連からくるものか，対象者の日ごろの行動と癖なのかを観察する必要がある
身体反応	• 作業療法場面では，ふるえ，顔面紅潮，呼吸の乱れ，発汗などが観察される。そのほか，涙，汗，動悸，呼吸促迫，嘔気，尿失禁，後弓反張，眼球上転，めまい，嘔吐などがある。精神症状，薬物療法による副作用，緊張感の高まり，他の身体疾患などの可能性を考える必要がある

がかりの1つといえる。病状による心身の変化を見落とさないことにより，対象者の状態，すなわち対象者の理解に繋がる。

5 観察の手順

1人の対象者を観察する場合「一部分とほかの部分」，すなわち「部分と全体の関係」で観察し，次に「全体から部分」を観察し直す。

例えば，動作に関連した観察では，身体障害領域で片麻痺者のAさんが椅座位でボルトのナットを締めるという作業活動を始めた。当初は麻痺側の肩は内転位，前腕は回内位で，しかも母指側（側方つまみ）でボルトを持ち上げていた。しかし，時間の経過とともに麻痺側の肩が外転し，前腕が回外位，そして尺側を使用するようになることを観察した。この観察によって，Aさんにはまだ共同運動のパターンが存在することが確認できる。

■身体障害領域，精神障害領域での観察

身体領域での観察では共同運動パターンの知識が求められる。しかし，既存の知識の枠内にとどまらず視覚，聴覚や嗅覚など利用できる感覚を通じて観察することが重要である。

精神障害領域での観察評価では，対象者と観察者が直接，相互に交流をもちながら，決められた一定の設定を基準に作業課題を実施する。その作業課題の過程での反応をみる**構成的作業活動**を用いた作業観察方法と，対象者自身の自由な判断でいろいろな作業課題を行っている場面を観察者が観察する**投影的（創作的）作業活動**を用いた作業観察方法がある。

図1 作業活動の例

木工

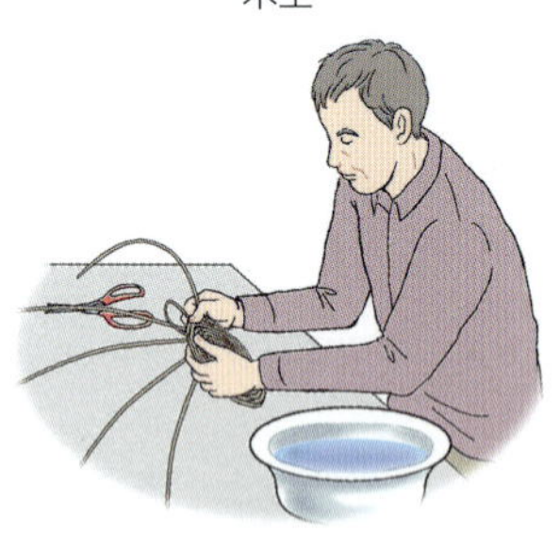
籐細工

はり絵

●構成的作業活動を用いた作業観察

構成的作業活動には作業場面に対する反応から，①課題指示の説明や作業手順を理解し，②どのようなものをつくるかをイメージし，③材料や道具などの使用法を考え実施し，④仕上げる作品とのイメージの一致を確認し，⑤工夫や判断をしながら組み立て，そして，⑥仕上げた作品と最初のイメージの一致について比較し，確認する，といった遂行過程がある。

構成的作業活動を用いた作業観察で利用される作業活動の特性には，作業の工程や使用する道具，できあがる作品についてあらかじめ定められた基準があり，材料も木，紙，布，革など比較的可塑性の低い材質（変形させた後，元に戻りやすい材質）のものが選ばれる。なるべく短時間で完成でき，作業工程や手順が分解しやすく，かつ一定した完成作品が得られるという条件で，紙細工，籐細工，木工，銅板細工，アンダリヤ手芸や，はめ絵，はり絵，切り絵，そしてプラモデルから簡易組み立て作業などの多少技術を要するものまでが利用される（**図1**）。

作業観察事項

作業観察事項を**表2**に示す。課題遂行の側面では，あらかじめ定められた枠組みのある課題に対する反応，指示に対する取り組み方と遂行時の課題解決パターン，作業遂行の要素などが挙げられる。また，作業遂行に伴う身体的側面や心理的側面，社会的・対人的側面を観察評価する。さらに，作業中や作業終了後，対象者との話し合いから，対象者自身が自分のつくった作品にどのように関心をもち，どのように評価するか(現実的か，甘い評価か，厳しい評価をするか)などによって対象者自身の能力に対する自己評価を知ることができる。1つの作業課題ですべての事項の側面を観察することはなかなか困難なので，観察したい事項の側面に合うように課題を設定することが望ましい。

構成的作業活動を用いた作業課題を実施し，終了した時点で対象者が使用した道具や材料の後片づけ，完成した作品をどのように扱うかなどについても観察する。また対象者から感想や意見を尋ねることは，作業観察事項の側面をより明らかにする作業評価として重要である。

アクティブラーニング ②

構成的作業活動と投影的作業活動のそれぞれの作業課題を決め，学生間(模擬検者と模擬対象者)同士で作業観察事項を利用して実際に検査を実施してみよう。すべての側面を観察することは困難なので1つの作業課題で観察したい事項の側面に合うように設定することが望ましい。

表2　作業観察事項

課題遂行の側面	課題に対して	反応，感想
	指示に対して	理解度，理解の仕方，対応，実行など
	持続性，集中力	程度
	手順	理解，段取り
	結果の予測	見通し
	問題への対処	状況把握，問題の予測，問題の把握，他者からの協力など
	作業遂行	正確さ，細部への注意，機能障害の影響，作業速度と時間，作業の安定性，作品のできばえ，作業習熟，創意工夫など
身体的側面	持久力	持続性，持久性，安定性，基礎体力，作業耐性など
	目的動作の協応性など	巧緻(こうち)性，器用さ，運動の協調性，粗大運動の協応性など
心理的側面	耐性	失敗や問題への耐性，時間的耐性など
	ストレスへの対処	ストレスへの処理と統制など
	活動への興味関心	活動そのものに対する興味や関心の程度
	作品への関心	作品に対する関心の示し方や程度
社会的・対人的側面	言語的交流の行い方	言語交流の適切性
	依存性	依存の程度
	自己表現	自分の意見や意志表現の適切性
	協調性	協調ある言動の適切性
自己に対する認知の側面	自己の現実的認知	自分の認識とそれに対する気持ち
	自己能力の評価	自分の能力に対する自己評価とそれに対する気持ち

図2 作業活動の例

絵画

コラージュ

● 投影的（創作的）作業活動を用いた作業観察

投影的作業活動は，絵画，フィンガーペインティング，粘土細工，陶芸，コラージュ，彫刻といった枠組み設定のはっきりしない課題が対象者に与えられ，それらに対し本人の判断で自由に対応していくことが求められる（**図2**）。

投影的作業活動を用いた作業課題では，工程や手順，テーマ，仕上げる表現の範囲に自由度があり，素材も描画用具や粘土など柔軟で可塑性のあるものが利用される。

作業観察の事項は**表2**を参考にし，課題場面，観察者の存在と指示，与えられた用具や材料への反応，課題への取り組みから完成まで，課題への対処や行動に投影される対象者の人格特性などを観察評価する。対象者自身から話す自由連想と，作品に表現された内容の象徴的解釈により，対象者の興味や関心，感情，欲求，葛藤，自己・他者イメージ，考え方，価値観など内面的な特性を理解する。

6 観察の留意点

観察眼（力）は経験や練習によって深まるが，観察者は自分の知識と技術の程度を知る必要がある。また，偏りのない観察をするためには主観が入らないよう，絶えず客観的な視点が求められる。

特に精神障害領域で投影的作業課題を用いた観察評価の視点は，表出される反応や行動から力動的な観点より解釈する。内容の象徴的解釈については，未解決なもの，無意識下に抑えられているものが行為や作品に投影され，それが象徴として表現されているのを解釈するので，この投影技法は経験や練習による技術を要する。

補足

観察力をつけるには，解剖学，生理学，運動学，心理学などの基礎医学知識，専門臨床医学などの疾患や障害に関する知識，臨床心理学や精神医学などの人の心理・精神に関する知識，および認知機能や作業遂行機能などに関する知識が必要となる。

チェックテスト

Q

①観察とは何か，説明せよ（☞p.34）。 基礎
②観察の目的を説明せよ（☞p.34）。 基礎
③観察の種類を挙げよ（☞p.34）。 基礎
④全身状態の観察では何を確認するのか説明せよ（☞p.35）。 臨床
⑤身体障害領域，精神障害領域での観察方法を挙げよ（☞p.36）。 臨床
⑥作業観察の留意点を説明せよ（☞p.38）。 臨床

3 他部門や家族からの情報収集

谷口英治

Outline

- 対象者の全体像を把握する評価手段である。情報の種類についてはICFを学習しておくとよい。
- 他部門や家族からの情報は，家庭・職場・社会復帰にあたって大切な情報であるため，できれば詳細に収集する。

1 情報収集とは

対象者の全体像を把握するための情報を得る過程である。

作業療法の対象者が，医師から作業療法を処方される，また他職種からの依頼，あるいは作業療法士のもとに相談に訪れた場合に最初に行うことは，対象者やその家族と面接を行い，作業療法の開始にあたって必要と思われる情報を収集することである。

補足

面接，観察を成功させるには，作業療法以外の部門や対象者の家族から，対象者の情報を事前に聴取し，正しく把握しておくとよい。

2 情報の種類

表1に国際生活機能分類（International Classification of Functioning, Disability and Health：ICF）に基づいた情報の種類を示す。

● 基本情報

まず，主治医から処方箋（依頼箋・指示箋）が出されて初めて作業療法が開始される。

処方箋には，対象者の氏名，生年月日，性別，疾患・障害名，疾患・障害の発症日，合併症，処方先（理学療法，作業療法，言語聴覚療法など），処方（依頼）内容，禁忌などの基本情報が記載されている。作業療法の開始にあたって，対象者のニーズや処方（依頼）内容が作業療法で提供できるサービス範囲にあるものなのか否かを判断する必要がある。

● 医学的情報

主に病棟カルテとして病棟で管理されている。医師による医学的記録と看護師による看護記録が記載されている。現病歴，既往歴をはじめ，医学的検査の内容と結果，病状，そして看護師による病棟での日常生活活動（ADL）の状況などが記録されている。

● 生活機能と機能障害情報

心身機能・身体構造，活動と参加の状況を，作業療法の評価手段(面接，観察，検査・測定)により把握する。

● 環境因子情報

個人が生活し，人生を送っている物的・社会的環境および文化的環境を構成する因子であり，社会の構成員としての実行状況や課題遂行能力，あるいは心身機能状態に対して肯定的または否定的な影響を与えるものである。

人的環境，物的環境，文化的環境，社会政策(法や制度，サービス)を，対象者や家族，他職種，関係機関から聴取，もしくは調査する。

補足

ICFの評価法については，p.277～を参考にしてほしい。

● 個人因子情報

個人の人生や生活の背景となる因子で，障害を克服する過程で大きな影響力をもつ対象者自身の特質を指す。対象者の性格や生き方，習慣，人生観や価値観，困難への対処方法や行動様式などが含まれる。

表1 情報の種類

情報の種類	情報の内容
基本情報	処方箋(依頼箋・指示箋)より，氏名，生年月日，性別，疾患・障害名，発症月日，手術の日付と種類，合併症，処方先(作業療法，理学療法，言語聴覚療法など)，処方(依頼・指示)内容，禁忌
医学的情報	現病歴，既往歴，医学的検査の内容と結果，病状，病棟ADLの状況，家族構成，職業歴，経済状況，社会保険の種類
生活機能と機能障害情報	・心身機能(生理学的・精神心理学的機能)の状態と障害 ・身体構造(解剖学的・感覚運動学的・内部機能と体力など)の状態と障害 ・活動〔日常生活活動ADL，生活関連活動(activities parallel to daily living：APDL)，代償手段の適用，コミュニケーション能力，対人関係技能〕の状態と制約 ・参加(家庭生活，職業生活，教育，社会生活への適応，余暇活動への参加)の状態と制約
環境因子情報	・人的環境(家族の支援，介護力，友人・知人・ボランティアなどの支援や協力度，社会的支援) ・物的環境(公共交通機関・住居・道路・建物などのバリアフリー度，福祉用具の普及度，住居周辺環境，学校・職場環境など) ・文化的環境(障害者に対する個人の態度や社会的包容力) ・社会政策(法や制度，サービスなどの国・自治体の政策)
個人因子情報	個人の人生や生活の特別な背景(性格や生き方，ライフスタイル，習慣，人生観や価値観，困難への対処方法や行動様式など)

3 情報のまとめ方

情報のまとめは，対象者の全体像を明らかにするために行う。疾患と障害が対象者の心身機能と生活にどのような影響を及ぼしているかを考え，整理し，文章化する。すなわち，活動と参加に制限・制約をもたらす要因(マイナス因子)と促進する要因(プラス因子)を把握する。そして，それらの相互関係を分析し，制限・制約をもたらす問題点を整理する。さらにその問題点を対象者の生活上の役割や生き方と関連づけて考察し，対象者の全体像を把握する。これらの過程を通して，作業療法ではどのようなことに貢献できるかが明確になり治療目標が決められる。

チェックテスト

Q

①情報の収集とは何か，説明せよ(☞p.39)。 基礎

②情報の種類を挙げよ(☞p.39)。 基礎

③情報をまとめ，明確化する意義とは何か，説明せよ(☞p.40)。 基礎

4 精神機能

谷口英治

Outline

- 精神機能は，「意識」「思考」「知能」「感情」などの要素が各々独自に働き相互に関係しており，各々の要素を評価するための検査・尺度がある。
- 検査・尺度を用いることにより対象者の精神構造の側面が理解でき，作業療法士の治療介入に有益な情報が得られる。

1 精神機能とは

精神の機能とは，「知性的，理性的な，そして能動的・目的意識的な心の働きに関するもの」とされている[1)]。精神の機能を評価するにはいろいろな検査尺度がある。本項では対人関係面での観察リスト，コミュニケーション観察評価，うつ病自己評価尺度などを紹介する。

2 精神機能の評価

■対人関係の観察と評価

対人関係の技能とは，状況にふさわしい対処をする技能である。例えば，知り合いと出会ったときに挨拶をする，日常的な会話をするといった人づきあいや相手の気持ちを察する場面での席の譲り合いなど，日常生活を送るために必要な能力である。

対人関係の観察では，年齢(年上，年下)や性(同性，異性)，役職や社会的役割，対象者との関係(友人，知人，同職員，家族，親戚など)，性格傾向などの異なるさまざまな対人に対して，どのような行動様式をとるかを観察する。さらに各人に対する関心の示し方や程度，関係のもち方や表し方，かかわりの恒常性，認知の仕方などを観る。

評価の際には，簡易なチェック表(**表1**)を活用して，対象者の行動様式の特性を把握する。

試験対策 Point

疾患や症候群の評価を含む検査や尺度を確認しておこう。

補足

精神健康調査票(general health questionnaire：GHQ)
60項目の質問事項からなる神経症の症状把握，評価，発見に有効なスクリーニング検査である。短縮版が開発され対象者の負担が少ない。

ミネソタ多面的人格目録性格検査(Minnesota multiphasic personality inventory：MMPI)
550の質問項目で構成された人格目録検査である。基礎尺度(妥当性尺度・臨床尺度)と追加尺度があり，対象者の意図的回答から生じる受験態度の歪みを検出する。

表1　対人関係の観察リスト

項目	内容	はい・いいえ	コメント
引きこもり	①対象者のまわりにいるすべての人を避ける ②挨拶，話しかけ，誘いに反応しない ③近づくとその場を去ってしまう ④料理活動後の食事なども他の場所で１人で食べる ⑤他者の存在や会話を気にかける ⑥他者の会話を聞いていて一緒に笑ったりするが，自分からはかかわり合いをもてない ⑦話しかけには「はい」「いいえ」などの返答はする ⑧他者と一緒にいることができない ⑨他者の輪のなかに入れるが，自分から話しかけたり，自分の考えや意見を相手に伝えることはできない	□　□ □　□ □　□ □　□ □　□ □　□ □　□ □　□ □　□	
表面的なかかわり合い	①日常的な会話には問題はみられないが，自分自身のことや病気の話などになると話をそらしたりする ②表面的なかかわり合いは，特定の人に対してのみ ③表面的な反応は，特定の話の内容に対してのみ ④病状からの影響を示す特徴がある 【例】表情が硬い，落ち着きがない，徘徊や空笑，独語がみられる	□　□ □　□ □　□ □　□	
他者に対して拒絶的	①他者に接近されると緊張して身構える ②話しかけても黙っていて応えない ③場を離れる ④どこかに隠れたりする ⑤言語表現は，攻撃的，易怒的，口調が荒い，声の調子が高い ⑥表情は硬く緊張が強い，相手をにらむなどがみられる	□　□ □　□ □　□ □　□ □　□ □　□	
他者に対して依存的	①日常のすべてのことについて他人まかせ ②担当者が一緒だと行動するが，援助しないと行動しない ③自分でできることでも他者に援助を求める ④判断や決定が他人まかせ	□　□ □　□ □　□ □　□	
他者との関係のもち方	①対象者は周囲の人と関係をもとうとする ②自分の要求を受け入れてくれる相手を選び，要求が通らないと相手を攻撃する ③関係ある相手と同一行動をとろうとする ④自分と相手とを区別するという認識が乏しい ⑤恒常的な関係がもてない	□　□ □　□ □　□ □　□ □　□	

※コメント欄は各項目と内容に対し，状況や程度，援助の必要度や方法などを記載する

（文献１を基に作成）

■コミュニケーション観察評価

コミュニケーションは，言語や動作の方法・手段で，伝えたいという考えや気持ちが伝達され，相手がその意味を理解し，それに応じた反応を示す，人と人との相互交流である。

作業療法場面におけるコミュニケーションの観察の視点を**表2**に示す。他者への関心（相手を見てあいさつしたり，名前を呼んだり，表情を変えたりなど），コミュニケーションの種類（言語的か非言語的か），会話，言語的表現と動作（行動）の一致，身だしなみ・服装などの外見，そして身体反応について，コミュニケーションの観察から把握することができる。

表2 コミュニケーション観察評価

●言語的メッセージから把握できること

視点	内容
話の内容	・非現実的でないか ・ある1つのことにこだわり，それにより対象者が苦しんでいないか ・同じ内容が繰り返されていないか ・1人よがりの考えに基づいた自己中心的な判断になっていないか（他者の考えや意見を取り入れているか） ・睡眠中に見た夢を語ることがあるか ・満たされない願望が隠されていたり，初めて体験することを過去に体験したことがあるように感じていたりすることがあるか
話のまとまり	・会話後に，結局対象者は何が言いたかったのか，検者が理解可能であったか ・話がとばないか
言葉づかい	・言葉づかいは，話す相手との関係において妥当であったか（目上の人を「おまえ」とよんだり，あるいは必要以上に丁寧でないかなど） ・ある1つの言葉が，その対象者にとって一般的な意味を越えた象徴的意味をもっているか ・例えば文字や手話，音楽，絵，ジェスチャなどの会話以外でコミュニケーションをとる方法をもっているか ・言葉が聞き取りやすいか
話の関連性	会話のなかで使われている言葉や単語にまったく関連性がなく，それらはただ頭に浮かんだだけのものということはないか
歪曲	事実を曲げて解釈し，そのために相手を悪く思ったり，怒りの感情を抱いたり，自罰的になったりしていないか
会話の仕方	目の前にいる相手とではなく，実在しない相手と話をしていないか

●非言語的メッセージから把握できること

視点	内容
会話の仕方	・会話のスピードはどうか（早口か，普通か，ゆっくりと間をあけるか） ・時と場所と目的に合わない話題をもち出すことがあるか ・突然に話し始めたりしないか ・一方的に話していないか，自分からは話さずに相手の話を聞いているだけか，沈黙しているか
声の調子	・声が大きいか，小さいか ・抑揚があるか，平坦か ・声色：喋りすぎや怒鳴ることでしゃがれ声になっていないか ・媚びるような甘い声でないか
相手との距離	・コミュニケーションをとる相手との距離が適当か ・意味もなく相手に触れることはないか ・性的なものを感じさせるタッチングはないか
表情・視線	・明るいか，暗いか ・しかめっ面か ・ボーッとしているか ・冷たいか ・硬いか ・口を歪めているかなど
姿勢	・まっすぐな姿勢をとっているか ・うつむき加減か ・胸を張りすぎていないか ・緊張，硬直がないか

視点	内容
動作	・身振り手振りの表現が多いか ・ジェスチャーが大げさすぎることはないか ・機敏か，遅いか，落ち着きがあるか ・指で机や膝などを叩いたり，貧乏揺すりなどをしていないか ・あくびが多いか ・チックがあるか ・関係者が声をかけたら反応するか
身だしなみ	・化粧はいつもと変わらないか ・季節に合った服を着ているか ・下着をはみ出したままなど，気が配られていないことはないか ・日に何度も着替えないか
身体反応	・呼吸促迫，動悸，ふるえ，嘔気・嘔吐，めまい，眼球上転，汗，涙，失禁などがみられるか

（文献1を基に作成）

アクティブラーニング 1 対象者を評価する場合，いきなり評価するのではなく事前に必要なことは何か考えてみよう。

■うつ病自己評価尺度(SDS)

うつ病自己評価尺度(self-rating depression scale：SDS)は，うつ病者とうつ状態に対する治療効果を測る目的で開発され，一般の診療でのうつ病，うつ状態のスクリーニングに使用される。

●評価方法

表3に示すとおり，20項目からなる質問がある。それぞれの項目に対し「なし」「ときに」「しばしば」「常に」の4段階で自己判定していく。得点は1～4点までで，最低20点，最高80点で，得点の高いほど抑うつ性が高いことを示す。

表3 SDS

あなたの気分についてお尋ねします。

1．気分が沈んで，憂うつだ	なし	ときに	しばしば	常に
2．ささいなことで泣いたり，泣きたくなる	なし	ときに	しばしば	常に
3．夜，よく眠れない	なし	ときに	しばしば	常に
4．最近やせてきた	なし	ときに	しばしば	常に
5．便秘している	なし	ときに	しばしば	常に
6．普段より動悸がする(胸がどきどきする)	なし	ときに	しばしば	常に
7．なんとなく疲れやすい	なし	ときに	しばしば	常に
8．落ち着かず，じっとしていられない	なし	ときに	しばしば	常に
9．いつもよりいらいらする	なし	ときに	しばしば	常に
10．自分が死んだほうがほかの人は楽に暮らせると思う	なし	ときに	しばしば	常に
11．朝方一番気分がいい	なし	ときに	しばしば	常に

（次ページへ続く）

（前ページより続く）

12. 食欲は普通である	なし	ときに	しばしば	常に
13. 異性の友人とつき合ってみたい（茶飲み友だちがほしい）	なし	ときに	しばしば	常に
14. 気持ちはいつもさっぱりしている	なし	ときに	しばしば	常に
15. いつもと変わりなく仕事（身のまわりのこと）ができる	なし	ときに	しばしば	常に
16. 将来に希望（楽しみ）がある	なし	ときに	しばしば	常に
17. 迷わず物事を決めることができる	なし	ときに	しばしば	常に
18. 役に立つ人間だと思う	なし	ときに	しばしば	常に
19. 今の生活は充実していると思う（今の生活は，はりがある）	なし	ときに	しばしば	常に
20. 今の生活に満足している	なし	ときに	しばしば	常に

- 評価点の出し方　評価点＝粗点×5/4：評価点50点以上をうつ状態
- 粗点の出し方
  設問の　1～10までは　なし：1点　ときに：2点　しばしば：3点　常に：4点
  設問の11～20までは　なし：4点　ときに：3点　しばしば：2点　常に：1点
- 評価基準
  正常群…39点以下
  境界群…40～49点
  うつ状態…50点以上

（文献2を基に作成）

■統合失調症認知機能簡易評価尺度（BACS）日本語版

統合失調症認知機能簡易評価尺度（brief assessment of cognition in schizophrenia：BACS）日本語版は，統合失調症の認知機能を幅広く簡便で実用的に評価する尺度である。

統合失調症を呈する諸症状のなかでも，記憶力や注意・集中力低下，遂行・実行機能低下などの認知機能の障害の程度を測定する。詳細はp.473～を確認してほしい。

■気分プロフィール検査（POMS2）

気分プロフィール検査（profile of mood states 2nd edition：POMS2）は，気分の状態を総合的に評価する検査である。

補足

生活の質（QOL）尺度（quality of life scale：QLS）
地域で生活している統合失調症の陰性症状を主症状とし，対象者のQOLを評価するために開発された自己記入式質問票である。

生活技能プロフィール（life skills profile：LSP）
地域で長期に生活している統合失調症の対象者の生活機能や社会生活機能を評価する尺度である。

社会機能評価尺度（social functioning scale：SFS）
統合失調症者やその他精神疾患の対象者における家族介入の効果を測定するため，対象者が地域社会での生活維持に重要な日常社会生活機能を評価する尺度である。75項目からなり高得点は高い社会機能を示す。自己記入式または検者へのインタビュで評価する。

● 評価方法

評価は，検査用紙とマニュアルに従い実施する。検査用紙は4種類あり，受験者の年齢や目的に応じて使い分けることができ，気分について十分な評価が必要な場合の全項目版，短時間で繰り返し測定する場合(モニタリング)やスクリーニングとして使用する場合の短縮版がある。自己記入式質問紙で青少年用(13～17歳)と成人用(18歳以上)を対象に，「怒り—敵意」「混乱—当惑」「抑うつ—落ち込み」「疲労—無気力」「緊張—不安」「活気—活力」「友好」の7尺度と，ネガティブな気分状態を総合的に表す「総合的気分状態得点(total mood disturbance：TMD)」から所定の時間枠における気分状態を把握することができる。7尺度とTMDから，気分の状態を評価する形式は「まったくなかった」から「非常に多くあった」の5段階で回答する。

■気分と疲労のチェックリスト(SMSF Ver.2)

気分と疲労のチェックリスト(inventory scale for mood and sense of fatigue：SMSF Ver.2)は，統合失調症の対象者，その他の精神疾患の対象者の主観的気分と疲労感を測定する評価尺度である。

気分と疲労といった誰もが感じる主観的な体験を評価し，確認と補足の面接を通して変化や改善点などを対象者と共有することにより状態を把握することができる。

作業療法参加型臨床実習に向けて

事前に模擬対象者に検査実施の了承を得ておく。気分と疲労のチェックリスト(SMSF Ver.2)の模倣は，見学段階で指導者は検査のデモンストレーションを行い，その後実習生は同じSMSF Ver.2を実施する。実習生が行った検査について，「内容の確認と補足の面接」の結果を指導者に伝える。指導者からよかった点，改善点を伝え，検査方法を指導する。

● 評価方法

視覚的アナログスケール(visual analog scale：VAS)を用いて，気分状態(6項目：緊張・不安，抑うつ・自信喪失，イライラ・ムシャクシャ，混乱・当惑，あせり，たいくつ感)，疲労感(4項目：疲れやすさ，人疲れ，頭・思考疲れ，身体疲れ)，回復感(3項目：体調，意欲・活力，回復状態)の3つのカテゴリに関連する計13項目を「感じない」から「強く感じる」までの間で線に印を付け評価する。回復感については，「どのように体調が悪いのか？」「今後どのような面が改善されればよいと思うか？」を記入する自由記載欄が設けられている。

VASは長さ100mm(10cm)の直線で左端からプロットした点までの距離をスケールで測り，0～100のSMSFスコアと解釈するようになっている。

自己記入が困難な場合は，聞き取り調査にて検者が記入する。

アクティブラーニング② p.130 図7にてVASの図を確認し，実際に模擬対象者の精神機能を評価してみよう。

■入院生活チェックリスト(ISDA Ver.2)

入院生活チェックリスト(inventory scale of daily activities for sub-acute in-patients：ISDA Ver.2)は，入院している精神疾患の対象者の亜

急性期から回復期前期の状態像の変化を，対象者の主観的体験と生活の拡がりから評価する尺度である。

自己記入式のチェックリストを用いて，入院生活の状況から回復状態を評価し，確認と補足の面接を通して変化や改善点などを対象者と共有することにより状態を把握することができる。

● 評価方法

ISDA Ver.2では，①現在の生活について：睡眠(3項目：寝つき，朝の目覚め，熟睡感)，食事(3項目：食欲，空腹感，食事量)，整容(2項目：洗面・歯磨き，着替え)，現実感(3項目：生活感，時間感覚，五感)，作業遂行(8項目：身体の動き，集中力，持続力，思考，効率性，休息感，とりかかり，やる気)に関連する計19項目をVASを基に結果を読み取る。次に②「行動範囲」，③「かかわりあいをもつ人」，④「空き時間の過ごし方」の複数選択する項目と，⑤「現在気になっていること，気がかりなこと」を記載する自由記載欄をもって評価する。

VASは長さ100mmの直線で左端からプロットした点までの距離をスケールで測り，0～100のISDAスコアと解釈するようになっている。

自己記入が困難な場合は，聞き取り調査により検者が記入する。

補足

患者満足度測定尺度(client satisfaction questionnaire：CSQ)
退院支援における満足度評価指標として利用され，CSQ-8Jは8項目からなる日本語版で4段階評定を行い得点が高いほど満足度が高いことを示す。

【引用文献】

1) 坂田三允 編：心を病む人の看護．シリーズ生活をささえる看護．p.51-53，中央法規出版，1995.
2) 土居信之ほか 編：精神機能評価 増補版．p.261，医歯薬出版，1992.

チェックテスト

Q

①精神の機能とは何か，説明せよ(☞p.42)。 基礎
②対人関係での観察・評価では何をみるか，説明せよ(☞p.42)。 基礎
③精神機能の検査尺度を挙げよ(☞p.42～48)。 基礎

5 バイタルサイン

加藤真夕美

Outline

- 体温，脈拍，血圧，呼吸，意識の５つの徴候について正常範囲と評価方法について学ぶ。
- 普段の対象者の状態を把握することは，リスク管理のうえで重要である。「いつもと違う」と感じたときには迷わず医師や看護師など他職種に迅速に申し送ることを心掛けよう。

1 バイタルサインとは

バイタルサイン（vital signs，**生命徴候**）とは，人間が生きていることを示す所見または徴候のことである。作業療法を行ううえでの**リスク管理**や経過観察，また治療効果の判定や予後予測を行ううえで重要な情報である。

2 バイタルサインの評価

一般に，バイタルサインは**体温**，**脈拍**（**心拍数**），**血圧**，**呼吸**の4つの指標を指す。ここに，意識，尿量，**経皮的酸素飽和度**（SpO_2）[*1]などが加えられることもある。バイタルサインは対象者の年齢や代謝状態，服薬状況，精神状態，また外気温などのさまざまな因子に左右されるため，基準値のみではなく数値の変動の意味を知る必要がある。治療の前後だけではなく治療中にも注意を払い，必要に応じて測定することを習慣付けたい。

＊1 **経皮的酸素飽和度（SpO_2）**
血液中のヘモグロビンにどの程度酸素が結合しているかを数値化した動脈血酸素飽和度（SaO_2）を，経皮的に測定したもの。呼吸の効果を評価するもので，通常パルスオキシメータ（p.129 図5参照）で測定する。安静状態での基準値はおおむね95％以上[1)]である。

3 体温

■ 基礎知識

● 体温とは

体温（body temperature）とは，身体の温度のことである。身体の中心部の温度（深部体温，核心温度）は高く，外気温などの環境に容易に左右されない。一方で身体の表面の温度（外殻温度）は環境の影響を受けやすい。

● 体温調節

体温調節中枢として，**間脳視床下部**がよく知られている。熱の産生と放散を繰り返すことで，体温を一定に保つよう調節している（恒常性）。

● 体温の基準値

健常成人の腋窩（えきか）温は，通常36.0～37.0℃[1)]である。体温は**概日リズム**

(circadian rhythm)*2，月経周期，季節などの要因によって変化する。年齢によっても変化し，幼児期では高く，加齢とともに低下する。

*2 概日リズム(circadian rhythm)
体内時計に伴って，さまざまな生理機能は24時間周期のリズムを刻んでいる。例えば，体温は午前から午後にかけて上昇し，夕方に最も高くなる。その後徐々に低下して，明け方近くに最低となる。

● 体温の異常

深部体温が通常の調節範囲より上昇した場合を**高体温**，体温が35℃より低下した場合[2]を**低体温**という。

■体温の測定

体温測定では一定の体温を保持しているかどうか，熱発と解熱の変動パターンはどうかなどを確認する。また，脱水や誤嚥性肺炎などの危機的状態を発見する目安となる。

● 測定器具

一般に，電子体温計(接触式)と赤外線式体温計(非接触式)が用いられる(**図1**)。電子体温計は実測式と予測式がある。

図1 体温計の種類

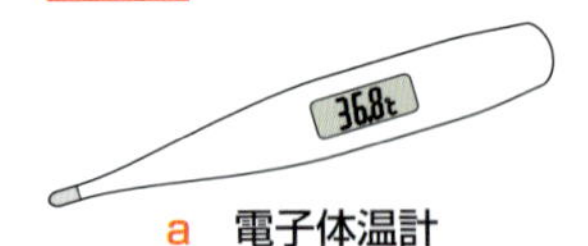

a 電子体温計

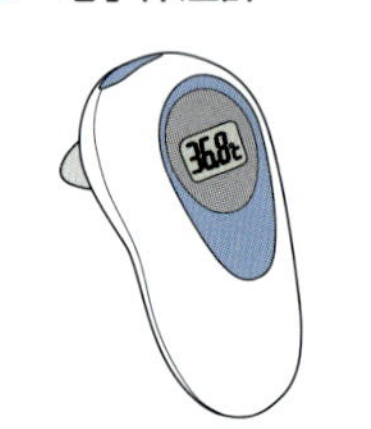

b 耳式体温計(赤外線式)

● 測定部位

測定は深部体温に近い部位で行う。温度が高い順に直腸，鼓膜(耳)，口腔(舌下)，腋窩である。

● 測定方法(腋窩温を実測式で測定する場合)

日内変動があるため，決まった時間(一般には早朝覚醒時の活動前)に安静状態で環境に左右されないよう留意しながら測定する。片麻痺がある場合は，非麻痺側で測定する。発汗しているときは，乾いたタオルで拭き取る。

体温計を前下方から後上方に向かって挿入し(**図2**)上腕を体幹に密着させ，体温計を固定する。平衡温になるまで，10分間程度は必要である。

図2 体温計の挿入方法

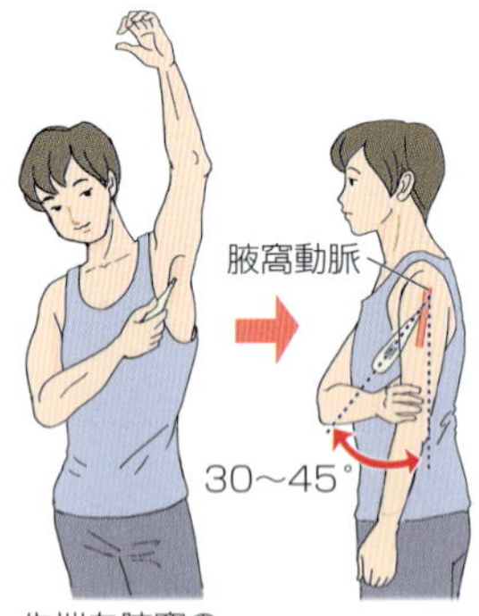

先端を腋窩のくぼみに当てる

試験対策 Point
体温調節中枢，変動の要因，体温計の挿入方法などをおさえておきたい。

4 脈拍

■基礎知識

● 脈拍とは

脈拍(pulse)とは，心臓から送り出された血液により生じた拍動(心拍)が，動脈の拍動として現れたものである。体表面から触診することにより，心血管系の動的情報を把握できる。脈拍は交感神経の働きにより増加し，副交感神経の働きにより減少する。

● 脈拍の基準値

健常成人の目安は60～80回/分[1]であり，一定のリズムを刻んでいる(**整脈**)。姿勢や精神状態，運動習慣などさまざまな要因により変化する。年齢によっても変化し，新生児では回数が多く加齢とともに減少する。

● 脈拍の異常

脈拍数が100回/分以上の場合を**頻脈**，60回/分以下の場合を**徐脈**[1]という。また，拍動が一定のリズムを刻んでいない場合を**不整脈**という。

■脈拍の測定

脈拍は回数(pulse rate，heart rate)のほか，リズム，大きさ(脈圧)，硬さ(緊張度)[1]を確認する。不整脈の場合は，全身の循環動態における何らかの異常が疑われる。

図3に脈拍の主な触診部位を示す。

● 測定方法(橈骨動脈)

安静状態で行い，対象者がリラックスできる環境をつくる。

対象者を傷つけることがないよう，爪の長さに気をつける。また，血流を阻害するため，強く押さえすぎないようにする。脈の触れ方が弱い場合は，左右差を測定する。

測定部位を心臓の高さになるように保つ。橈側手根屈筋のすぐ橈側に，橈骨動脈の走行に沿って示〜薬指をやや屈曲位にして置く(**図4**)。母指は，前腕遠位背側面に軽くあてがう。主に示，中指の末節部の指腹で，拍動を感じる。

1分間脈拍，および不整脈の回数を測定する。30秒間測定してその数を2倍してもよいが，不整脈を感じた場合には1分間測定する。

補足

体温，脈拍，血圧は片麻痺がある場合には，非麻痺側で測定するのが一般的である。麻痺側は末梢の循環血流量が少なく，正確な測定に支障をきたしやすいというのが理由である。一方で，麻痺側と非麻痺側での測定結果に有意な差が認められなかったという研究結果も示されている。バイタルサインはさまざまな要因によって左右されるため，対象者ごとの特性を把握することが重要である。

図3 脈拍の主な触診部位

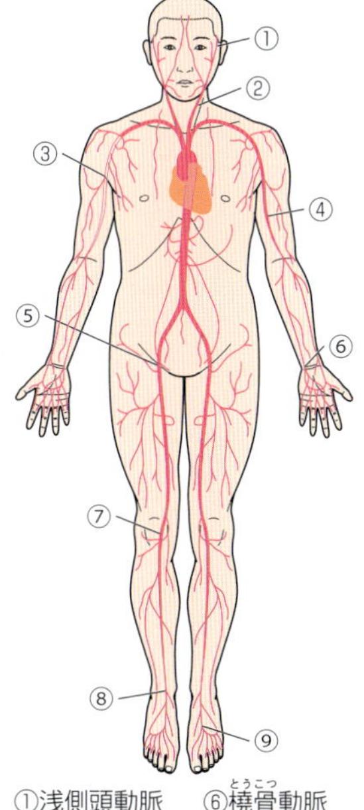

①浅側頭動脈　⑥橈骨動脈
②総頸動脈　⑦膝窩動脈
③腋窩動脈　⑧後脛骨動脈
④上腕動脈　⑨足背動脈
⑤大腿動脈

図4 脈拍の測り方(橈骨動脈)

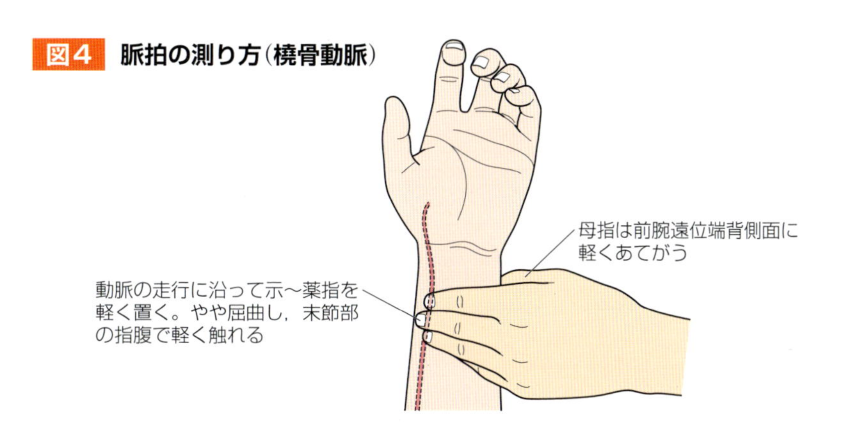

試験対策 Point

動脈と，脈拍が触診可能な部位の組み合わせをおさえよう。

5 血圧

■基礎知識

● 血圧とは

血圧(blood pressure)とは，通常は動脈血圧[2]を指し，心臓から押し出された血液が血管に与える圧力のことである。心収縮力は交感神経の働きにより増加し，副交感神経の働きにより減少する。そのため，交換神経が強く働くと血圧が上昇し，副交換神経が強く働くと血圧が低下する。収縮期血圧を最高血圧，拡張期血圧を最低血圧という。

試験対策Point
交感神経，副交感神経と，脈拍や血圧との関連性についておさえておこう。

● 血圧の基準値

日本高血圧学会によると，診察室血圧で120/80mmHg未満を，また家庭血圧で115/75mmHg未満を**正常血圧**と定義している[3]。

血圧は年齢や性別，精神状態，測定体位，概日リズム，代謝状態，尿意や疼痛などによって容易に変動する。また食事，運動，入浴，喫煙，飲酒など日常生活のあらゆる動作に影響を受ける。

一般に年齢が高くなるほど，血圧は高くなる。

● 血圧の異常

日本高血圧学会では，診察室での収縮期血圧が140 mmHg以上，または拡張期血圧が90 mmHg以上の場合を**高血圧**（Ⅰ度高血圧以上）としている[3]。

急激な血圧上昇では頭痛，頭重感，嘔気・嘔吐，目のかすみ，眩暈（めまい），意識障害などが出現することがある。また**低血圧**では眩暈，立ち眩（くら）み，嘔気・嘔吐，全身倦怠感，思考の低下などが出現することがある。

■ 血圧の測定

血圧測定では血圧の異常（高血圧，低血圧）の有無，動作や環境，時間帯などによる変化の有無を確認する。

● 測定方法の種類

血圧測定には，動脈にカニューレを挿入し測定する直接法と，血圧計を用いて非観血的に測定する間接法がある。間接法には聴診器を用いる聴診法と，聴診器を用いない**触診法**[*3]がある。

＊3 触診法
橈骨動脈を触診しながら血圧計で上腕動脈を圧迫し，脈が触れなくなる値（収縮期血圧）を読み取る方法である。拡張期血圧を測定することはできないが，少ない加圧で測定できる簡便な方法である。

● 測定器具

間接法で用いられる血圧計には，電子血圧計とアネロイド式血圧計がある（**図5**）。

● 測定方法（電子血圧計，上腕動脈）

対象者が快適に感じる室温に調整し，数分間の安静の後，リラックスした状態で測定する。

測定部位の周径に適合したマンシェットを使用する。

血液透析を行っている対象者では，シャントがある側の上肢では測定しない。

図5 血圧計の種類

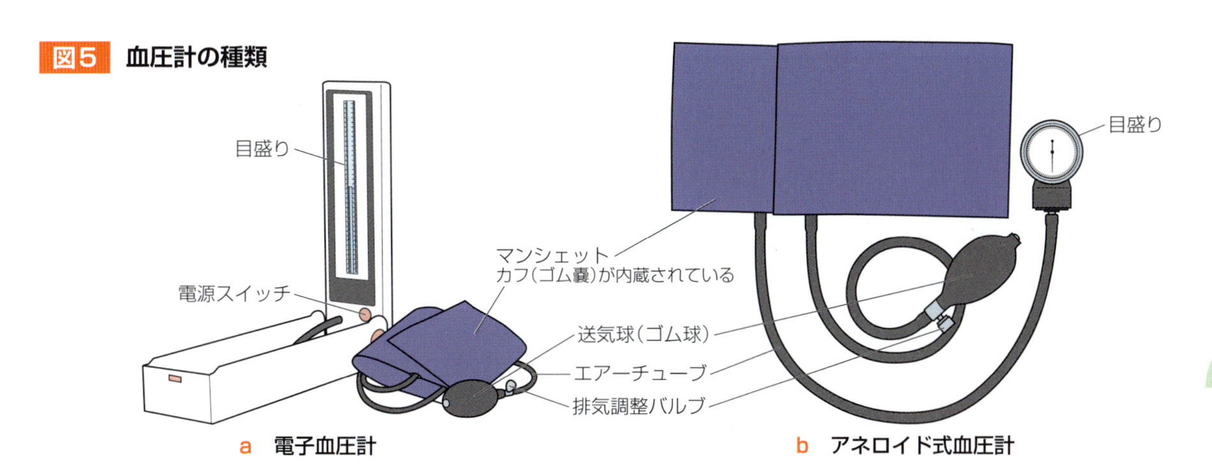

a 電子血圧計　　b アネロイド式血圧計

補足

水銀を用いた体温計や血圧計の全廃

水銀は，水俣病に代表される公害を引き起こすなど，人体に甚大な健康被害をもたらす有害物質である。2013年，世界保健機関(World Health Organization：WHO)は，2020年までに水銀を使用した血圧計と体温計の全廃を目指すとする指針を発表した。

対象者の上腕と心臓が同じ高さになる位置に設置する。セーターや厚手の上着は捲り上げるか，脱いでもらう。捲り上げた衣服で血管が圧迫されないように注意する。送気球(ゴム球)の排気調節バルブが閉じているか，聴診器のチェストピース(集音盤)の切り替えが膜型側になっているか確認する(**図6**)。

カフ(ゴム嚢)の中心が上腕動脈の真上にくるようにマンシェットを巻く。その際にマンシェットの下端が，肘窩の2〜3cm上にくるようにする。マンシェットと上腕の隙間は，2横指分のゆとりをもたせる(**図7**)。

肘窩(ちゅうか)で上腕動脈が最も強く触れる部分にチェストピースを置く。マンシェットの下に入れ込まない。平常時の約20〜30mmHg高い値まで送気球で加圧する。1秒間に2mmHg程度の速さで減圧するよう，排気調節バルブを緩める。

図6 聴診器の部位の名称と使い方

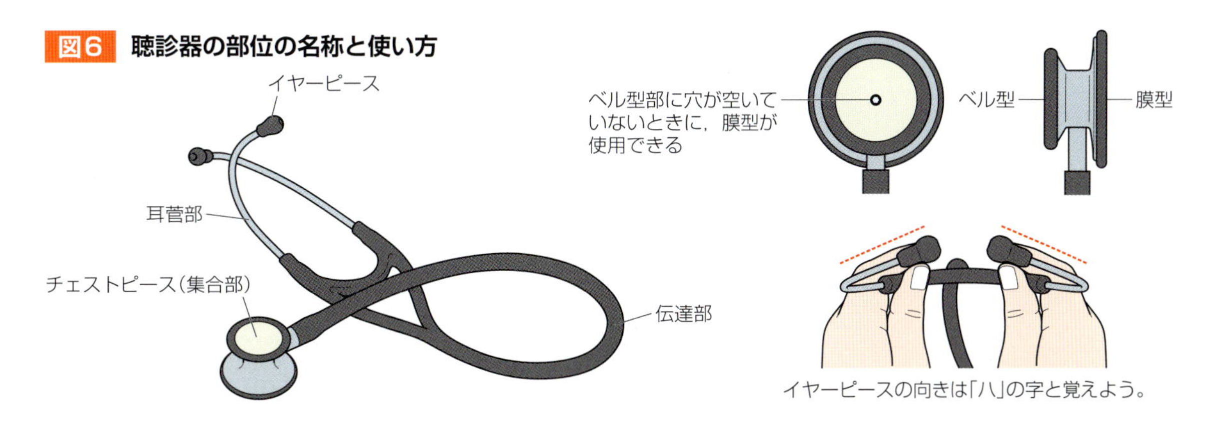

イヤーピースの向きは「八」の字と覚えよう。

＊4 コロトコフ音

太く流れの速い動脈を圧迫すると，血管狭窄部の下流に乱流(渦)ができ，これによって血管壁や周囲の組織が振動して音[1]が生じる。この音をコロトコフ音という。

Korotkoff音(コロトコフ)＊4が聞こえ始めた値(**収縮期血圧**)を記録する。目盛りは垂直に読む。コロトコフ音が聞こえなくなったら(**拡張期血圧**)，排気調節バルブを緩めて目盛りがゼロを指していることを確認する。マンシェットを対象者の腕から外し，衣服を整える。カフの空気を完全に抜き，排気調節バルブを閉める。

図7　マンシェットの巻き方と血圧の測定方法

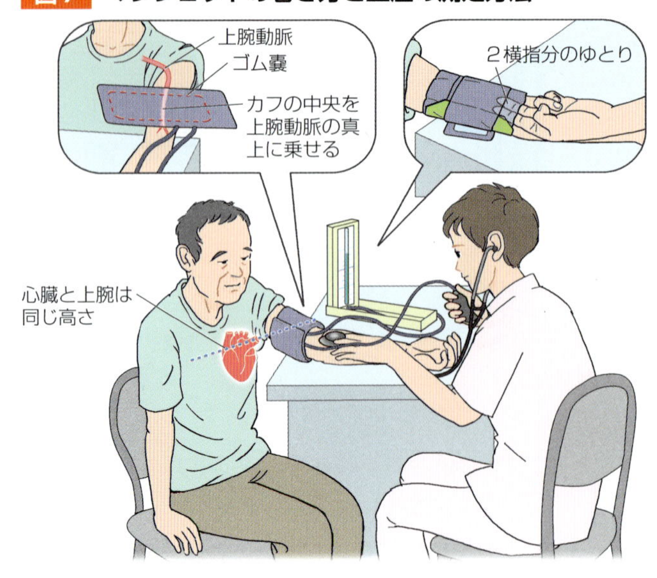

アクティブラーニング 1　診療室血圧と家庭血圧[3]の違いについて調べてみよう。

6 呼吸

■基礎知識

● 呼吸とは

呼吸(respiration)には，**外呼吸**と**内呼吸**＊5がある。ここでは主に外呼吸の評価について学習する。

> **＊5 外呼吸と内呼吸**
> 外呼吸とは，外界から酸素を取り入れて二酸化炭素を外界に排出する働きをいう。内呼吸とは組織呼吸ともいわれ，酸素の細胞内への取り込みと二酸化炭素の生成と排出[1]の過程を指す。内呼吸は，呼気ガスなどの分析結果によって評価される。

● 呼吸調節

呼吸の中枢は，延髄の網様体[2]にある。吸息時には横隔膜が収縮(下降)し，胸腔が下方へ広がる。呼息時には横隔膜は弛緩し挙上する。

● 正常呼吸

健常成人の呼吸は一定のリズムを保っており，呼吸数は通常12～20回/分[1]である。新生児では速く，加齢とともに減少する。男性に比べ，女性ではやや呼吸数が多い。

主に横隔膜を吸息筋として使用する呼吸を**腹式呼吸**，胸郭(外肋間筋(がいろっかんきん))の運動による呼吸を**胸式呼吸**という。一般的には，横隔膜と胸郭が同時に運動する**胸腹式呼吸**[1]が多い。

一方で主な呼息筋は，内肋間筋，腹直筋などである。

吸息時と呼息時に働く主な筋をおさえておきたい。

● 呼吸の異常

呼吸数と深さの異常

頻呼吸では呼吸数25回/分以上[1]，呼吸の深さは不変である。**徐呼吸**では呼吸数9回/分以下[1]，呼吸の深さは不変である。**過呼吸**では呼吸数は不変，深さが増加する。**無呼吸**では呼吸が一時的に停止する。

図8 呼吸のリズムの異常

a 正常

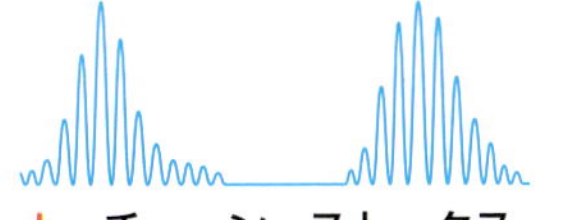

b チェーン・ストークス呼吸

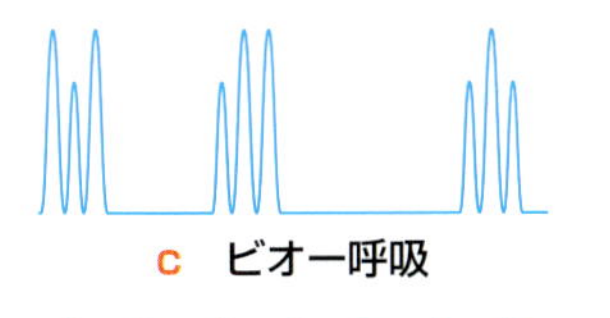

c ビオー呼吸

d クスマウル呼吸

リズムの異常（図8）

Cheyne-Stokes（チェーン ストークス）呼吸は，一定時間の無呼吸と，徐々に速く深くなる呼吸とを繰り返す。脳出血や脳腫瘍などでみられる。

Biots（ビオー）呼吸は，深さや速さが一定しない呼吸と無呼吸を，不規則に繰り返す。脳外傷や髄膜炎などでみられる。

Kussmaul（クスマウル）呼吸は，深く大きな呼吸を規則的に繰り返す。糖尿病性昏睡などでみられる。

そのほかの異常呼吸

努力呼吸は，下顎を震わせる（下顎呼吸），吸息時に鼻翼を膨らませ鼻孔を広げる（鼻翼呼吸）など呼吸時に過剰な努力が必要なものである。

起座呼吸は，上体を起こすと呼吸が楽になるものである。心疾患や気管支喘息などでみられる。

■呼吸の評価

呼吸の評価は，観察が主となる。呼吸数，深さ，リズム，姿勢による変化などを確認する。なお，最大吸気量や1回換気量などは，スパイロメータで測定する。スパイロメータで測定した結果をグラフ化したものを，スパイログラムという（p.127 図2参照）。

試験対策 Point

1秒率や最大吸気量，1回換気量，残気量，肺活量など，スパイログラムの読み方や算出方法をおさえておこう。1秒率，%肺活量などもよく問われる。

■呼吸評価の方法

対象者を5分程度安静にした後，観察・測定する。測定していることを対象者に意識させないように配慮する。

呼吸運動に伴う，胸郭や肩の上下運動の回数を1分間測定する。対象者が睡眠中の場合や意識レベルが低い場合などは，ティッシュペーパーを鼻孔付近にかざし，その動きを観察してもよい。

7 意識

■基礎知識

● 意識とは

意識とは種々の知覚情報を適切にとらえ，それをもとに自己の行動を遂行したり，周囲の状況を認識したりする精神的な働きと考えられているが明確な定義はない。バイタルサインとして意識を扱う場合には，意識の明瞭度（量）と意識の内容（質）という限られた範囲を対象とすることが多い。

● 意識の中枢

意識には，上行性網様体賦活系が関与している。外界から入力された種々の感覚情報は網様体賦活系に中継され，大脳皮質に投射されている。大脳皮質では前頭前野[2]の働きが重要であるが，脳全体の総合的な働きが意識をつくり上げていると考えられている。

● 意識の変化と異常

意識が質，量ともに保たれている状態を**意識清明**という。脳機能に何らかの急激な変化が生じると，意識の明瞭度が低下することがある。これを**意識混濁**[5]という。意識混濁は**表1**のように分類される。

一方で，精神現象の混乱が主となった状態を**意識変容**[4]という。意識変容の種類には，せん妄(delirium)，急性錯乱状態(acute confusional state)，もうろう状態(twilight state)，夢幻状態(oneiroid state，dreamy state)，アメンチア(amentia)[4]がある。

表1 意識障害の分類

分類	状態	意識レベル(量)
軽度な意識混濁		意識レベル高い
意識不鮮明(confusion)	周囲に対する認識や理解は低下し，思考の清明さや，記憶の正確さも失われている	
昏蒙(benumbness)	注意力低下，無関心，自発性低下の状態	
高度から中等度の意識混濁		
傾眠(somnolence)	病的な場合にのみ用いられ，放置すれば意識が低下し，眠ったようになるが，刺激で覚醒する	
昏迷(stupor)	強い刺激に短時間は覚醒し，運動反応がある	
半昏睡(semicoma)	外界からの強い刺激に対する運動反応は残っている	
昏睡(deep coma，coma)	外界からの強い刺激にも運動反応はない	意識レベル低い

(文献4を基に作成)

■ 意識の評価

作業療法参加型臨床実習に向けて

実習に出る前に，学生同士で手際よく正確に測定できるように練習を積み重ねておこう。本項で学んだ5徴候のほか，皮膚や爪の状態，発汗，排泄，食欲，睡眠，疲労感，意欲，作業効率などを含めて対象者の全身状態を把握することに努めよう。まずは現場のセラピストが，日々の治療場面でそれらの情報をどのように把握するのかを「見学」することが大切である。

動きや反応の遅さや，作業効率の悪さ，また長い時間落ち着いて座っていられないなどの行動上の特性と合わせて評価する。

意識の明瞭度(意識レベル)については，わが国では以下の2つの指標がよく用いられている。

● Japan Coma Scale(JCS)

太田富雄ら[5]によって，1974年に「3-3-9度方式」として開発された。日本では幅広く用いられている(**表2**)。

● Glasgow Coma Scale(GCS)

1974年にTeasdale Gらによって開発され，国際的な評価法として用

GCSはE，V，Mのそれぞれの採点基準が問われることがある。

いられている。開眼反応（eye opening：E），言語反応（best verbal response：V），運動反応（best motor response：M）の3種類の合計点で評価する（**表3**）。合計の最高点は15点，最低は3点である。点数が低いほど意識障害が重度である（**表4**）。

表2　JCS

Ⅰ．刺激しなくても覚醒しているもの（1桁の意識障害）	
1	大体意識清明だが，何となくぼんやりしている
2	最近のことに関する記憶障害や，見当識障害がある
3	自分の名前，生年月日が言えない
Ⅱ．刺激で一時的でも覚醒するもの（2桁の意識障害）	
10	普通の呼びかけで容易に開眼する
20	大きな声または体を揺さぶりながら呼びかけると，開眼する
30	痛み刺激を加えながら呼びかけると，辛うじて開眼する
Ⅲ．どのような刺激を加えても覚醒しないもの（3桁の意識障害）	
100	痛み刺激に対し，手足で払いのけるような動作をする
200	痛み刺激に対し，少し手足を動かしたり，顔をしかめる
300	激しい痛み刺激を加えてもまったく動かない

注：尿失禁があればI（incontinence），不穏状態ならR（restlessness），無動性無言の状態であればA（apallic state，akinetic mutism）を数字の後につける。
例）100-AI，2-Rなど

（文献5を基に作成）

アクティブラーニング 2　JCSの評価結果は実際にどのように活用されているのだろうか。事例研究論文などで確認してみよう。

表3　GCS

開眼（eye opening）		言語反応（best verbal response）		運動反応（best motor response）	
E4	自発的／呼びかけで開眼	V5	見当識が保たれている	M6	命令に従って四肢を動かす
E3	強く呼びかけて開眼	V4	会話は成立，見当識が混乱	M5	痛み刺激を手で払いのける
E2	痛み刺激で開眼	V3	発語あり，会話は不成立	M4	指への痛み刺激で四肢を引っ込める
E1	痛み刺激でも開眼しない	V2	意味のない発声	M3	痛み刺激で緩徐な屈曲運動（除皮質硬直）
		V1	発語みられず	M2	痛み刺激で緩徐な伸展運動（除脳硬直）
		VT	挿管	M1	運動みられず

表4　GCSの配点

意識レベル	開眼反応（E）4段階	言語反応（V）5段階	運動反応（M）6段階	合計
高	4	5	6	15
低	1	1	1	3

アクティブラーニング 3　「痛み刺激により開眼し，発語がなく，痛み刺激部位に手をもってくる」状態をGCSではどのように表記しているだろうか，調べてみよう。

アクティブラーニング 4 運動負荷を伴う練習を実施するための基準にはどのようなものがあるだろうか。『リハビリテーション医療における安全管理・推進のためのガイドライン』[6]などで調べてみよう。

Case Study

2年前に右被殻出血による左片麻痺を発症した80歳代男性，Aさん。現在は，訪問リハビリテーションを利用しており，意識レベルはJCSで20であった。

Question 1

Aさんのバイタルサイン測定を行う適切なタイミングはいつだろうか。

☞ 解答 p.289

【引用文献】
1) 深井喜代子：ヘルスアセスメント．新体系看護学全書基礎看護学2 基礎看護技術Ⅰ，第5版，p.105-123，メヂカルフレンド社，2017.
2) 大森治紀，大橋俊夫 編：標準生理学，第9版，医学書院，2019.
3) 日本高血圧学会高血圧治療ガイドライン作成委員会：高血圧治療ガイドライン2019，p.18，ライフサイエンス出版，2019.
4) 田崎義昭，ほか：ベッドサイドの神経の診かた，改訂18版，p.128-129，277-281，南山堂，2016.
5) 太田富雄，ほか：急性期意識障害の新しいGradingとその表現法 いわゆる3-3-9度方式．脳卒中の外科研究会講演集，3：61-68，1975.
6) 日本リハビリテーション医学会リハビリテーション医療における安全管理・推進のためのガイドライン策定委員会 編：リハビリテーション医療における安全管理・推進のためのガイドライン，診断と治療社，2018.

チェックテスト

Q

①バイタルサインとは何か(☞p.49)。 基礎
②バイタルサインの主要な4徴候を挙げよ(☞p.49)。 基礎
③体温の概日リズム(日内変動)とは何か(☞p.50)。 基礎
④正常な状態の脈拍とはどのようなものか(☞p.50)。 基礎
⑤日本高血圧学会の定義する「正常血圧」の範囲を挙げよ(☞p.52)。 基礎
⑥正常な状態の呼吸とはどのようなものか(☞p.54)。 基礎
⑦わが国の臨床でよく用いられる意識レベルの評価を2種類挙げよ(☞p.56)。 基礎

6 感覚

冨山直輝

Outline

- 感覚検査の意義は，対象者の作業能力の状況を感覚機能から判断することである。
- 評価においては，スクリーニング検査を正確に実施できることが重要である。

1 感覚とは

感覚は，光・音・機械刺激などをそれに対応する感覚受容器が受けたときに発せられる情報である[1)]。この情報は，感覚神経を経て最終的に大脳のそれぞれの感覚領野に至る。感覚は，**体性感覚**，**内臓感覚**，**特殊感覚**に分けられる（**表1**）。本項では体性感覚について説明する。

＊1 深部痛覚
深部の組織（筋肉，骨，結合組織など）に生じる痛み。組織の自由神経終末が受容器となっている。

＊2 皮膚書字覚
閉眼で指や鉛筆などで皮膚に数字や○△□などの図形が描かれた際に，何が描かれたか判断できる機能。表在感覚が正常にもかかわらず，一側の皮膚書字覚が障害されている場合は，反対側の頭頂葉障害が考えられる[1)]。

表1 感覚の種類

体性感覚	表在感覚（皮膚感覚）	触覚，痛覚，温度覚（温－冷覚）
	深部感覚	受動運動覚，位置覚，振動覚，**深部痛覚**[＊1]，重力弁別
	複合感覚	二点識別覚（触・圧），素材識別（触・圧），物品判別（触・圧），**皮膚書字覚**[＊2]（触・圧）
内臓感覚	内臓痛覚	—
	臓器痛覚	—
特殊感覚	特殊体性感覚	視覚，聴覚，平衡覚
	特殊内臓感覚	味覚，嗅覚

体性感覚とは，皮膚，粘膜，筋，腱などの受容器の興奮で生じる感覚である[2)]。機能的には表在感覚または皮膚感覚（触覚，痛覚，温度覚），深部感覚（受動運動覚，位置覚，振動覚，深部痛覚），複合感覚（二点識別覚，皮膚書字覚，立体認知または立体覚など）に分けられる。

アクティブラーニング 1 体性感覚が障害されると，どのような日常生活活動（ADL）に影響を及ぼすかを考えてみよう。

■体性感覚の受容器

体性感覚の受容器を**表2**に示す。詳細は他書を参考にされたい。

表2　体性感覚の受容器

皮膚の受容器	Merkel（メルケル）触盤	触覚・圧覚
	Ruffini（ルフィニ）終末	
	Meissner（マイスナー）小体	
	Pacini（パチニ）小体	
	自由神経終末	痛覚，温度覚
筋，関節包などに存在する受容器	筋紡錘	受動運動覚 位置覚
	腱紡錘	
	ルフィニ終末	
	パチニ小体	振動覚
	自由神経終末	深部痛覚

■体性感覚の伝導路

体性感覚は，受容器から一次ニューロンを介して脊髄後根から後角に入り，感覚により異なる脊髄の上行路を通る。粗い触覚や圧覚，温度覚や痛覚は，後角で二次ニューロンを介した後に脊髄内で反対側へ交叉し，前者の2つは前脊髄視床路を，後者の2つは外側脊髄視床路を上行して視床に至る。一方，識別性触覚や深部感覚（受動運動覚，位置覚，振動覚，深部痛覚）は，後角から入った後は同側の後索を上行して延髄の楔状束核（上半身）と薄束核（下半身）に至り二次ニューロンを介し，延髄下部で反対側に交叉して視床に至る。すべての体性感覚は視床に至った後，大脳の一次体性感覚野（Brodmann（ブロードマン）脳地図の3，1，2野）に達する（図1）。

図1　体性感覚の伝導路

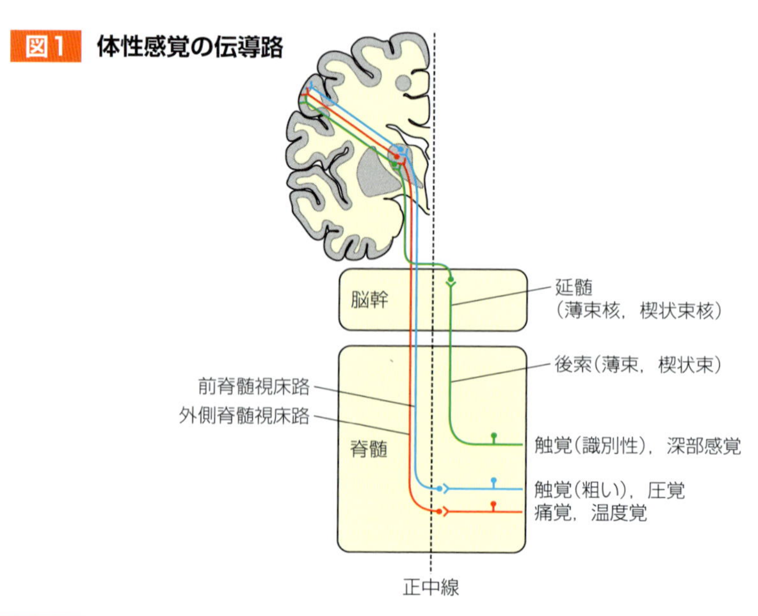

アクティブラーニング ② 中枢神経疾患と末梢神経損傷による感覚障害の違いについて確認しよう。

2 感覚検査の意義と目的

感覚検査の意義は，対象者の作業能力の状況を感覚機能から判断することである。そのため感覚検査の目的は，損傷部位や障害の範囲や程度，回復の推移や経過を確認するとともに，予後予測や作業療法プログラム内容の判断材料となる情報の収集が挙げられる。

表3に感覚検査の留意点を挙げる。

表3 感覚検査の留意点

- 対象者の意識レベルや認知機能などを事前に確認する
- 集中しやすいように，検査実施時の環境に留意する
- 返答を誘導するような声がけをしない
- 刺激後すぐに答えてもらうようにする

3 感覚検査

感覚検査の判定は，正常，鈍麻，消失(脱失)，過敏のいずれかで行う。

■表在感覚

表在感覚については，最初にスクリーニング検査を実施し，感覚障害が認められれば詳細な検査を実施するとよい。本項ではスクリーニング検査を中心に記載している。詳細な検査は，手外科分野の専門書などを参考にされたい。

進め方としては，正常部位から検査して対象者の理解度などを確認するとともに，反応の基準とする。また，末梢神経障害では支配神経での皮膚分節，脊髄損傷などの脊髄の障害では髄節での**皮膚分節**(**デルマトーム**)(**図2**)にて検査を実施するとよい。脳血管障害では，上下肢を前後，内外側に大まかに分けて検査するとよい。

試験対策 Point

各髄節，末梢神経における感覚の支配領域は，脊髄損傷や末梢神経障害で重要なのできちんと理解しておこう。

● 触覚

脱脂綿や毛筆，ティッシュペーパー，なければ検者の指腹部を利用する。詳細な検査では，Semmes(セメス)-Weinstein(ワインスタイン) monofilament test (SWT)(**図3**)を用いる。

できるだけ軽く触れ，わからないときには少しなでる。なでる際は，四肢は長軸と平行，胸部は肋骨に平行にしてなでる長さは常に同じとする(**図4**)。対象者には，触れたらすぐに答えてもらうようにする。また，ときどき触れないようにして，正確に答えているかも確認する。正常部位(非麻痺側や頚髄損傷であれば顔面など)を10点としたときに，検査部位がどのくらいかを答えてもらい(採点法)，判定の参考にするとよい[1]。

SWTの検査結果の判定基準については，p.405を確認してほしい。

図2 デルマトーム

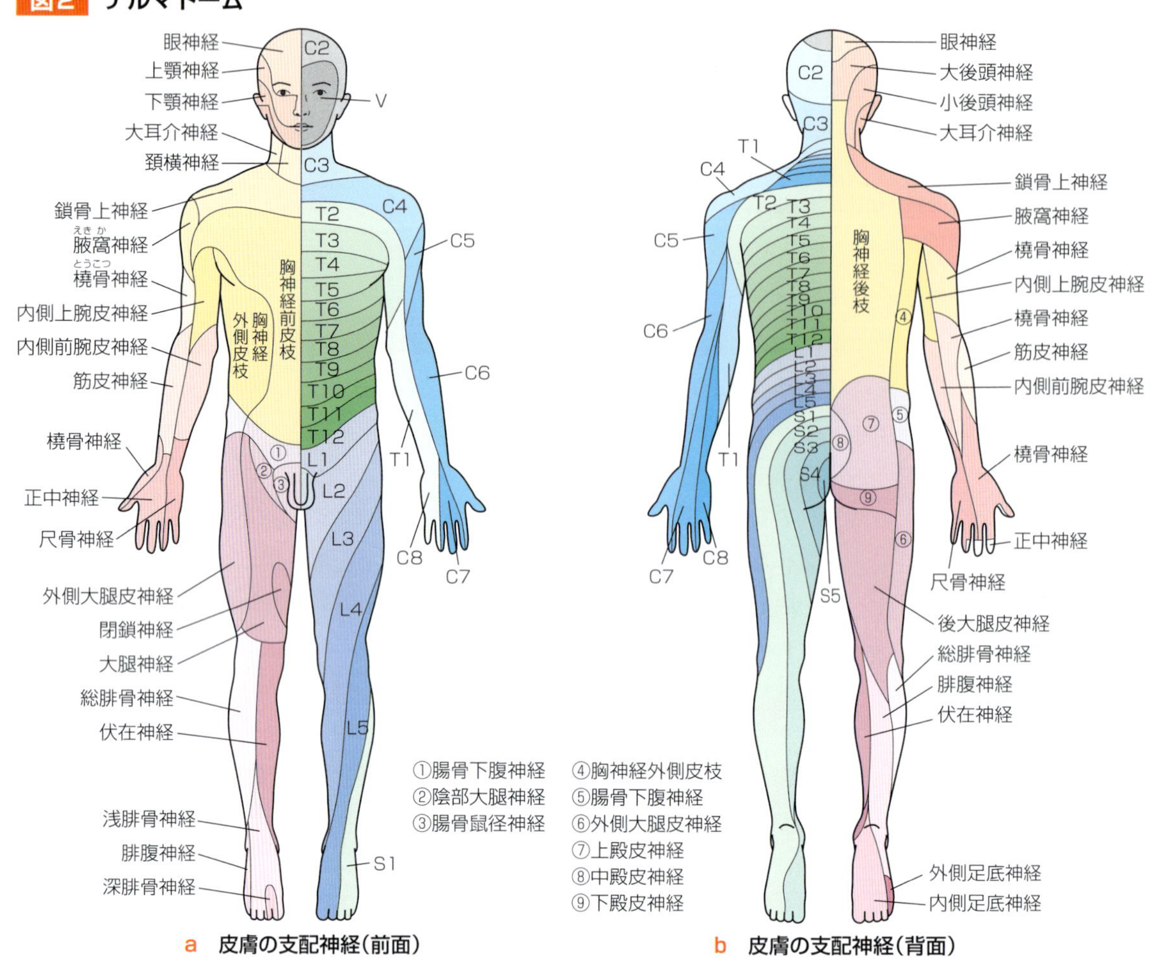

図3 SWT

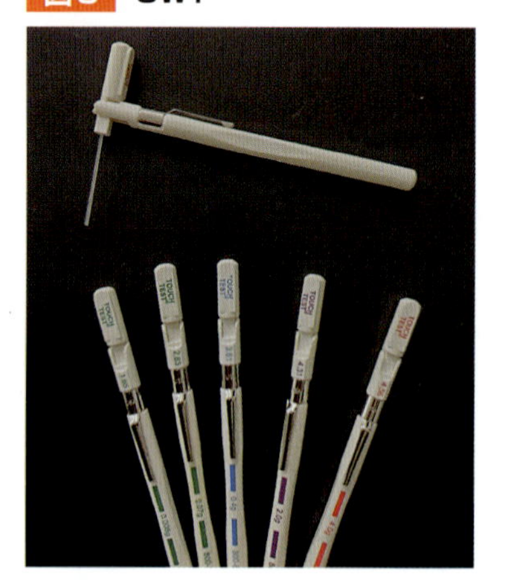

図4 触覚検査方法

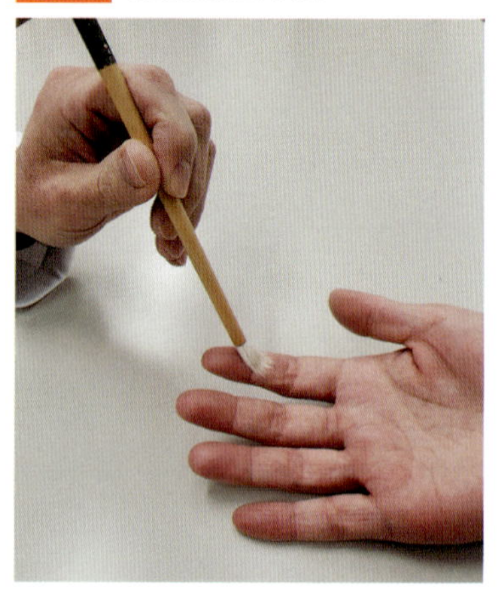

● 痛覚

スクリーニング検査では，針や安全ピン，爪楊枝，**ルレット**(**図5**)などを用いる。詳細に検査する場合は，**定量型痛覚計**(**図6**)を用いる。

図5　ルレット

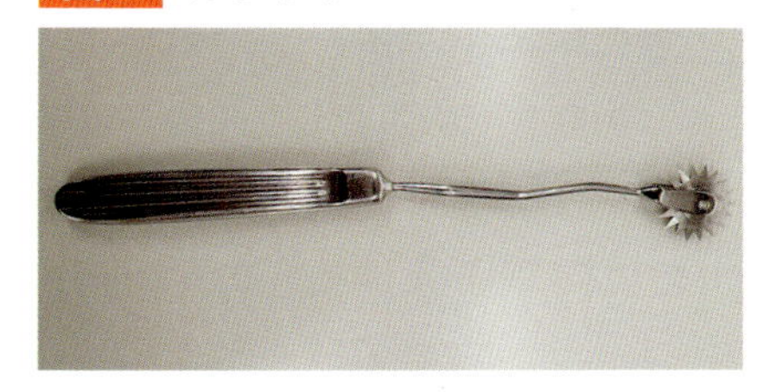

図6　定量型痛覚計

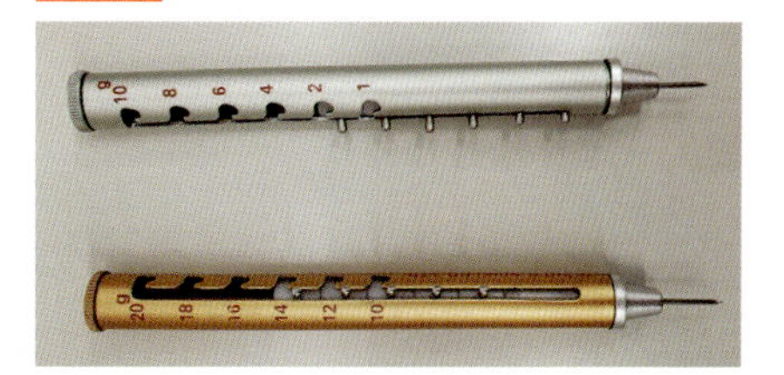

図7　痛覚検査方法

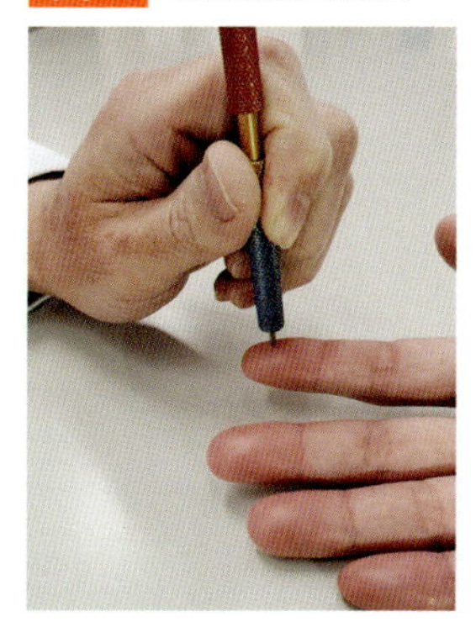

同じ力が加わるように刺激を与える（図7）。触覚や圧覚で触れたことを確認するため，必ず痛みを感じたかどうかを確認する。あるいは，どのような感じがしたかを答えてもらい，痛みを感じているかを判断する。表情の変化も参考となる。触覚と同様に採点法を用いて，判定の参考にするとよい。

● 温度覚

スクリーニング検査では，温水（40〜50℃）と冷水（10℃）[1]の入った試験管を用いる。詳細な検査では温度覚計を用いる。

温水と冷水の試験管を皮膚に接触させ，温かいか冷たいかを答えてもらう。このとき，試験管が濡れていないか注意する。接触させる時間は3秒程度がよい[1]。触覚と同様に採点法を用いて，判定の参考にするとよい。

図8　受動運動覚検査方法

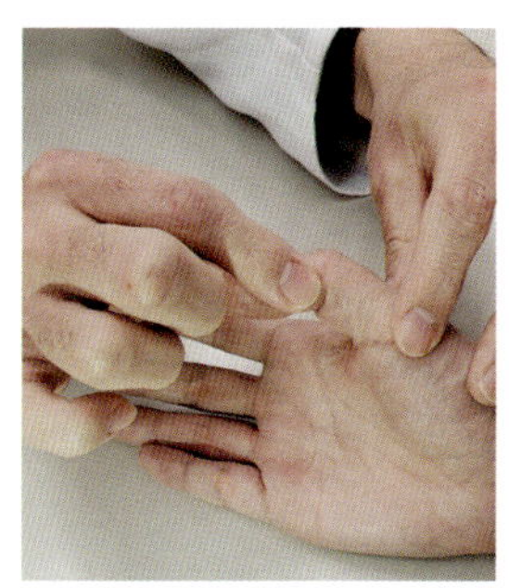

■深部感覚

● 受動運動覚

最初に開眼で，どの方向に動いたらどう答えてもらうかの説明を行う。

対象者に閉眼してもらい，検査を実施する関節を検者が他動的に動かし，動かす前の位置からどの方向に動いたかを答えてもらう（例えば曲がったか伸びたか，上か下かなど）。動かす側の体節を把持する際は，側方を把持する（図8）。上下に把持すると，圧覚などによってどの方向に動かしたかを判断する可能性もあるので，把持方法には十分注意する。判定は5回程度動かし，正答数（4/5など）を表記して判定するとわかりやすい。

図9　音叉

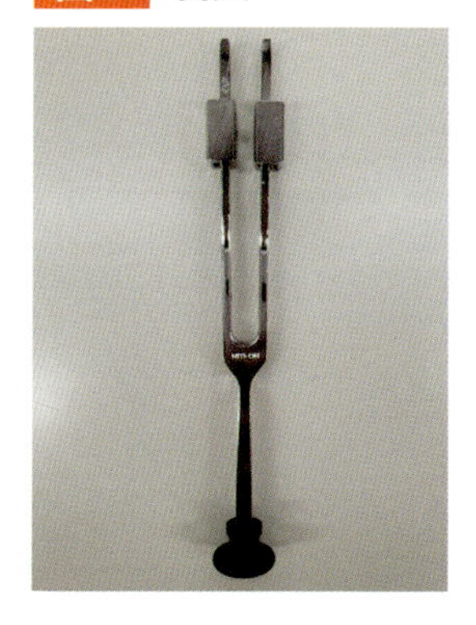

● 位置覚

対象者に閉眼してもらい，検者が他動的に片側の上肢または下肢をある位置に留めておき，対象者に反対側の上肢または下肢で真似をしてもらう。最初に開眼で，例を示してから実施するとよい。判定は受動運動覚と同様に5回程度動かし，正答数（4/5など）を表記して判定するとわかりやすい。

● 振動覚

128Hzまたは256Hzの音叉を使用する（図9）。

骨突出部(前額部，胸骨，肘頭，尺骨頭，上腕骨内側上顆・外側上顆，内果，外果など)や四肢末端(手指や足趾の爪)に振動している音叉を当てる(図10)。片側に振動している音叉を当て，振動が止まったと感じたら止まったことを伝えてもらう。あらかじめ，止まったら「はい」と答えてもらうなど説明するとよい。判定は対象者が止まったことを伝えてきたら，すぐに反対側で同じ場所に当てる。振動を感じるか，検者と同じ時点で振動が止まったと判断したかなどを確認して判定を行う。

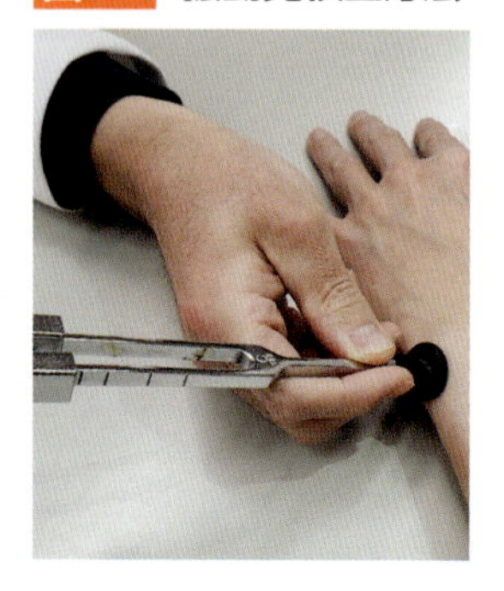

図10 振動覚検査方法

対象者の返答が曖昧な場合は閉眼してもらい，検者が音叉を手で止めて振動が止まったことを伝えてくるかを確認する。触覚と同様に採点法を用いて，判定の参考にするとよい。

■複合感覚

● 2点識別覚

Disk-Criminator(図11)，Spearman(スペアマン)式2点識別覚計，ノギスを使用する。

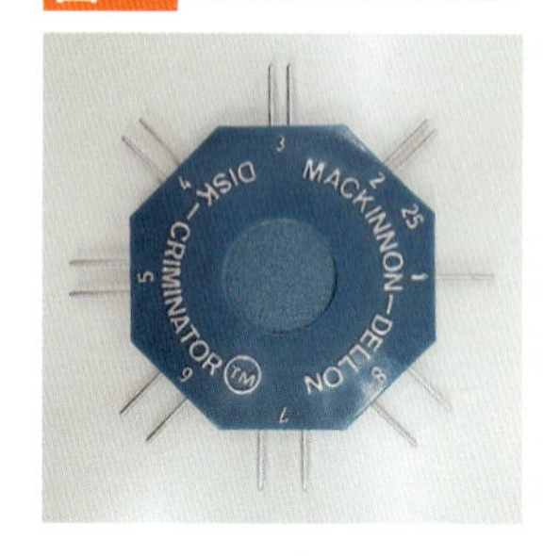

図11 Disk-Criminator

対象者には2点で触れたと感じたら「2」，1点で触れたと感じたら「1」と答えるように説明し，閉眼にて実施する。2点の刺激方法は，**身体の長軸に沿って行うこと，2点を同時に刺激すること**が重要である(図12)。また，ときどき1点の刺激も交えながら実施するとよい。

部位により正常値が異なるため，**表4**を参考に正常値から検査を開始し，2点を判別できない場合は2点の距離を広げて検査する。

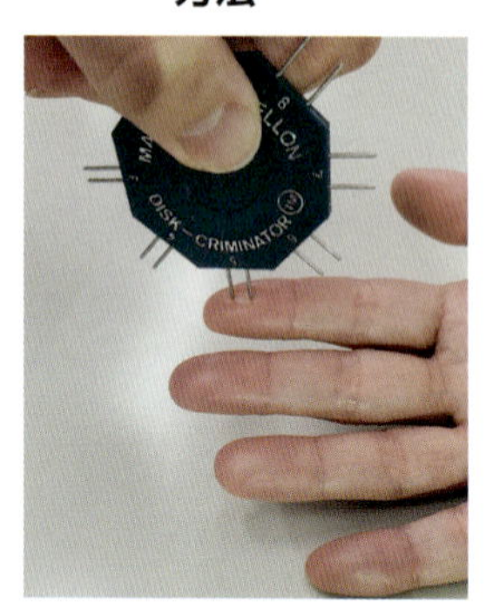

図12 2点識別覚検査方法

表4 部位別二点識別覚最短距離

部位	距離
指尖	3～6mm
手掌，足底	15～20mm
手背，足背	30mm
脛骨面	40mm

補足

スペアマン式2点識別覚計，ノギスを使用する場合は，設定したい2点の長さの主尺の目盛りに副尺の目盛り0を合わせて長さを設定する。例えば，2点の長さを5mmに設定したい場合は，主尺の5mmの目盛りに副尺の目盛り0を合わせると2点の長さは5mmに設定される(図13)。

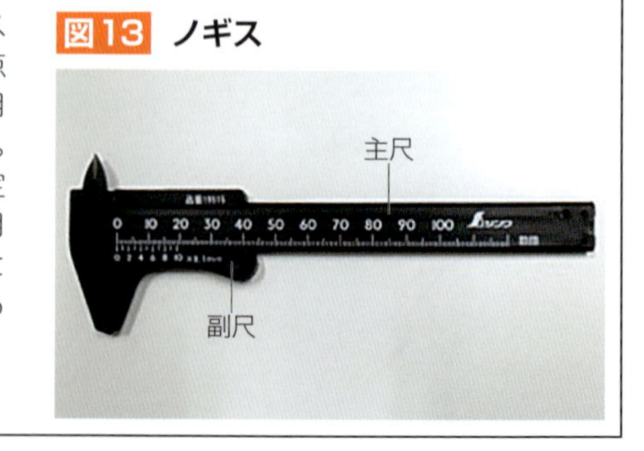

図13 ノギス

作業療法参加型臨床実習に向けて

見学レベルでは，指導者は方法(どの検査器具を使用するか，疾患に合わせてどの部位の検査を実施するか，刺激の入れ方，刺激に対する対象者の返答方法の説明，正常部位との比較や10点法などを用いた判定など)について説明をしながら学生の見学を実施し，検査後に方法について学生に説明させる。
模倣レベルでは，見学レベルで説明した内容で可能であれば同様の対象者で実施する。実施後は学生からの感想を確認し，よかった点や改善点を伝え指導する。

● 立体覚

日頃よく知っている物品や，立方体や球などさまざまな形状のある積み木などを使用する。鍵束や複数のコインなど音で判別できるものは避ける。

閉眼にて対象者に物品を握ってもらい，その物品の名称を答えてもらう。名称がでてこない場合は形や大きさ，素材などを答えてもらう。

アクティブラーニング ③ 意識障害のある対象者や理解力が低下している対象者の場合，本項で説明した方法では難しいことが考えられる。そのような対象者の感覚機能を把握するための方法を考えてみよう。

Case Study

70歳代女性，Aさんは，家の周囲を散歩中に低い段差につまずき転倒した。その際地面に強く手をついたため，前腕部の腫脹，疼痛を訴えた。近隣のクリニックで受診した結果，橈骨遠位端骨折と診断された。その後，作業療法評価を実施して示指，中指の指腹部に触覚と痛覚の低下が認められた。

Question 1

Aさんの感覚障害の原因はどの神経に起因すると考えられるか。

☞ 解答 p.289

【引用文献】
1) 田崎義昭，ほか：ベッドサイドの神経の診かた，改訂18版，南山堂，2016.
2) 大地陸男：生理学テキスト，文光堂．1993.

【参考文献】
1. 佐竹　勝，石井文康 編：作業療法学ゴールドマスター　作業療法評価学，改訂第2版(長崎重信 監)，メジカルビュー社，2015.
2. 岡田　忠，菅屋潤壹 監訳：コスタンゾ明解生理学，エルゼビア・ジャパン，2007.

チェックテスト

Q

①体性感覚とは何か，説明せよ(☞p.59)。 基礎
②各脊髄上行路はどの体性感覚が通るか(☞p.60)。 基礎
③感覚検査の留意点を説明せよ(☞p.61)。 臨床
④感覚検査の判定結果の種類を挙げよ(☞p.61)。 臨床
⑤感覚検査を判定する場合，どこを基準にするとよいか(☞p.61)。 臨床
⑥触覚検査において，正しく答えているかを確認するためにはどのように実施するとよいか(☞p.61)。 臨床
⑦受動運動覚の検査では，なぜ四肢を側方から把持する必要があるのか(☞p.63)。 臨床

7 関節可動域(ROM)

長谷川龍一

Outline

- ROM測定を理解するために必要な基礎知識を学ぶ。
- ROM測定の目的，意義，手順，留意点，測定方法，記録について学ぶ。
- ROMの制限因子の鑑別法について学ぶ。

1 ROMとは

関節が動く範囲を**関節可動域**(range of motion：ROM)という。生活行為を行うためには，ROMが十分に確保されている必要がある。そのため，ROMが制限されると運動に障害をきたし，生活行為が困難になる。

関節が正常な範囲で可動するためには，その周囲に存在する関節周囲軟部組織(皮膚，皮下組織，筋，腱，靱帯，関節包など)と骨や軟骨などが正常に機能していることが必要である。そのため，これらの組織の伸張性の低下などによってROMは制限される。ROMが制限された状態のうち，関節周囲軟部組織が原因で生じたものを**拘縮**といい，骨・軟骨などが原因で生じたものを**強直**という。しかし，強直は拘縮と併存している場合が多く，区別することは難しい。そのため，臨床ではROMがほとんどみられない状態を強直とよび，拘縮が進行して生じたものとしてとらえる[1)]。

ROMが制限されるのとは反対に関節周囲軟部組織が破綻すると，通常のROMの範囲を超えて異常可動性が生じ，参考可動域を大きく超えることがある。

滑膜性関節

関節とは，生体のなかで2つ以上の骨同士が連結している部位である。広い意味では骨と骨が連結されているものをすべて含み，線維性関節，軟骨性関節，滑膜性関節の3つに大別される。狭い意味での関節は，連結部が動く可動関節を指す。この可動関節が，**滑膜性関節**である[1)]。

滑膜性関節は関節包に包まれ，そのなかの関節腔は滑液といわれる関節液で満たされている。骨の関節面は関節軟骨に被われており，凸面になった関節頭とそれを受ける凹面になった関節窩からなる(図1)。

図1 滑膜性関節の構造

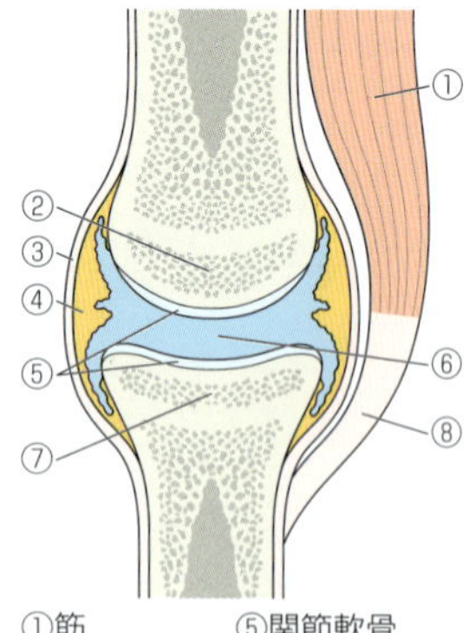

①筋　②関節頭　③関節包　④滑膜　⑤関節軟骨　⑥関節腔(滑液)　⑦関節窩　⑧腱

運動面と運動軸(図2)

● 3つの運動面

身体の関節運動は，三次元の直交座標系で規定された直交する3平面で定められた空間で行われる。この3つの運動面は，**矢状面**，**前額面**，**水平**

図2　解剖学的立位での運動面と運動軸

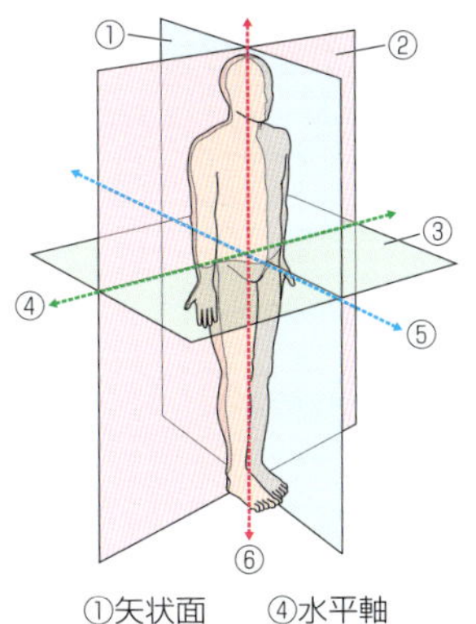

①矢状面　④水平軸
②前額面　⑤矢状軸
③水平面　⑥垂直軸

面からなる。矢状面は身体を左右に2分する垂直面を指し，前額面（前頭面）は身体を前後に2分する垂直面を指し，水平面（横断面）は身体を上下に2分する面を指す。

● 3つの運動軸

身体の関節運動は3つの運動面上での回転運動であるため，回転するための軸が存在する。この軸は運動軸とよばれ，3つの運動面に対応して3つの直交する軸になっている。矢状面で運動をするための身体の左右に通る**水平軸**（前額軸），前額面で運動をするための身体の前後に通る**矢状軸**，水平面で運動をするための身体の上下に通る**垂直軸**の3軸からなる。

● 関節運動とその名称

わが国では，ROM測定とその表示で使用する関節運動と名称の表記は日本整形外科学会および日本リハビリテーション医学会が制定する**関節可動域表示ならびに測定法**が広く用いられている[2)]。この測定法は，1948年に日本整形外科学会総会で提案されたものである[3)]。その後，1974年に日本整形外科学会と日本リハビリテーション医学会によって示され，長年にわたり医療や福祉の現場で広く利用されるようになった[4)]。さらに，正常可動域を参考可動域とする見直しや関節の運動軸にあたる軸心を削除するなどの改訂が1995年になされた[5)]。そして，2022年4月に足関節・足部の運動の内容について変更を加えている[2)]。

● 関節運動の開始肢位

関節運動の開始肢位は，概ね**解剖学的肢位**と一致するneutral zero starting position[6)]を基本としている（**図2**）。ROMの測定では0〜180°システムを使用するため，関節肢位が開始肢位にある場合にその関節角度は0°となる。そのため，ROMの測定角度は開始肢位からの変位した角度を測定する。

ただし，**表1**に示す部位の運動方向における開始肢位は，neutoral zero starting positionと異なるため留意する必要がある。

補足

2022年4月の『関節可動域表示ならびに測定法』における主な改訂
足関節・足部での運動の定義や軸の見直しが行われたため，その関節運動について確認する。
背屈と底屈
足関節・足部に関する矢状面の運動で，足背への動きが背屈，足底への動きが底屈である。なお，足関節に関して屈曲と伸展という用語を使用しない。
外がえしと内がえし
足関節・足部に関する前額面での運動で，足底が外方を向く動きが外がえし，足底が内方を向く動きが内がえしである。

表1　neutral zero starting position を開始肢位としない運動方向

部位名と運動方向		開始肢位
肩関節	水平屈曲・伸展	肩関節外転90°の肢位
肩関節	外旋，内旋	肩関節外転0°で肘関節90°屈曲位
前腕	回外，回内	手掌面が矢状面にある肢位
股関節	外旋，内旋	股関節屈曲90°で膝関節屈曲90°

試験対策 Point

わが国では『関節可動域表示ならびに測定法』が広く用いられており，他職種との情報交換にも利用されるためきちんと理解する。
国家試験では『関節可動域表示ならびに測定法』に記載されている基本軸，移動軸，参考可動域について問う問題が毎回出題されている。出題は文章のみでなく，参考図も毎年出題されている。

図3 基本的な関節運動

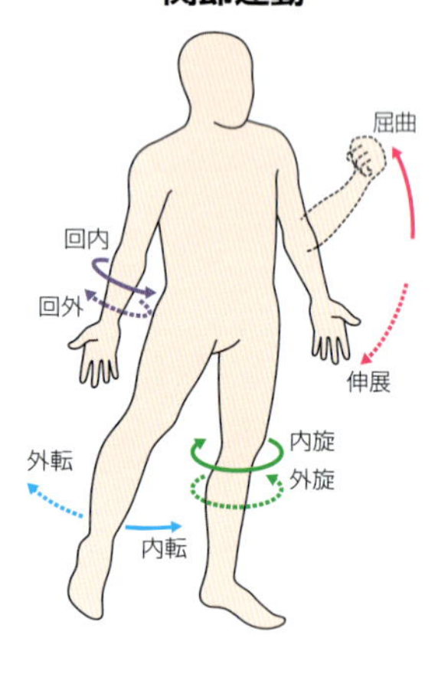

● 基本的な３つの面の６つの運動方向（図3）

屈曲と伸展

矢状面の運動で，基本肢位にある隣接する2つの部位が近付く動きが屈曲，遠ざかる動きが伸展である。肩関節，頚部・体幹では，前方への動きが屈曲，後方への動きが伸展である。

外転と内転

前額面の運動で，体幹や指，足部，母趾，趾の軸から部位が遠ざかる動きが外転，近付く動きが内転である。

外旋と内旋

垂直軸の運動で，上腕軸や大腿軸を中心として外方へ回旋する動きが外旋，内方に回旋する動きが内旋である。

2 ROM測定の目的

■作業療法でROM測定する主な目的

● ROM制限の部位とその「可動範囲」を明らかにする（関節の角度を測定する）

ROM測定では「どこの関節にどの程度」の可動域制限や異常可動性があるのかを角度という数値で示す。そのため，対象とする関節の**可動範囲**を角度として正確に測定できる技能が必要である。また，その測定値が正常な運動可動範囲であるかを判断する。

● ROM制限の「原因」を明らかにする（拘縮原因を鑑別する）

ROM制限（拘縮）を生じさせている場合，その**原因**が関節周囲組織のどの組織に起因するのかを明らかにする必要がある。そのためには組織を触知する技能や，後述する最終域感（end feel）を判別する能力に加え，原因組織を追究するための思考過程を身につける必要がある。

● 介入や支援の「効果指標」とする（効果判定の資料とする）

ROM制限に対する作業療法介入を行った場合，定期的なROM測定を行い，その数値を作業療法プログラムが有効であったかの**効果指標**の1つとして用いる。ROMを経時的に記録し，変化に影響を与えた原因を考察する思考過程を身につける必要がある。

このようにクリニカルリーズニングを積み重ねることは，作業療法のより効果的な介入方法の開発や研究のためのエビデンスに資する有用な資料となる。さらに，具体的な関節角度を対象者にフィードバックすることで客観的な数値として障害の現状や治療の進捗状況を伝える機会となり，動

作業療法参加型臨床実習に向けて

ROM測定は，臨床でも実施頻度の高い評価である。従って，学内において学生同士でしっかり練習を重ね，健常者を対象とすれば測定が円滑に行えるレベルにまで技能を高めておく必要がある。
臨床実習におけるROM測定の「模倣」は指導者のデモンストレーションを「見学」した後，実習生は模擬対象者等で演習を行う。そこでは必要に応じて，リスク管理や留意事項などの配慮すべき点を説明しながら実演する。その後，指導者からよかった点と改善点が伝えられ，測定方法の修正すべき点が指導される。
「実施」に向けては，担当事例ではない対象者であっても，指導者が行っている実践的な測定方法が「模倣」できるように「見学」するよう心がける。その際，疑問に感じたことを指導者に質問することで，「模倣」や「実施」の際の留意点として応用することができるようになる。このような観察を重ねることで，「実施」に必要な技能を実践するための知識を積み上げることができる。

機付けを高めることや自主トレーニングを再考するための情報提供に繋がる。

● ROMをチームのなかで共通言語として利用する

『関節可動域表示ならびに測定法』は，リハビリテーションや整形外科にかかわる医療専門職のみならず，福祉，行政そのほかの関連職種も含めて共通の基盤となる。従って，作業療法士はこの測定法による的確な測定手技や表記方法を習得し，**共通言語**として正確に利用できるようにする必要がある。

3 ROM制限（拘縮）の原因

ROM制限の原因は，疼痛，腫脹・浮腫，関節の構築学的変化，皮膚の伸張性低下，筋緊張の増加などがある。また，関節周囲組織によるROM制限は**拘縮**ともよばれ，その原因によって，**皮膚性**，**骨・軟骨性**，**筋性**，**腱性**，**軟部組織性**，**神経性**に分けられる。本項では，ROM制限（拘縮）の原因を鑑別する方法について説明する。

■ 最終域感（end feel）

他動運動を行った際に，検者はROMの最終付近で抵抗を感じる。この感覚を**最終域感**（end feel）とよぶ。最終域感は関節拘縮の原因によって異なるため，原因を究明するための有用な情報として活用できる。

例えば，肘関節を伸展した際に関節の最終域で骨と骨が当たると感じる「骨性の衝突感」，肩関節の外旋運動や手指の中手指節（metacarpophalangeal：MP）関節の過伸展時で感じる「弾力性のある伸張感」，膝関節を屈曲した場合に筋や皮下脂肪の接触による「軟部組織の軟らかい衝突感」などがある。正常な関節と異なる最終域感がある場合は，異常な状態である可能性が考えられる。そのため，学生同士などで実技練習をする際に，正常な関節での最終域感を体感しておくことは，臨床での拘縮鑑別に役立つ判断基準となる。

■ 拘縮の種類と鑑別方法

● 皮膚性拘縮

挫傷や熱傷などにより，皮膚の伸張性が短縮することによって起こる拘縮である。

鑑別法

他動的に関節を動かして皮膚を伸張させると，原因となっている皮膚が蒼白になる。

● 骨・軟骨性拘縮

骨や軟骨の関節内での欠損や損傷による不適合によって起こる拘縮である。

鑑別法

X線画像上で関節裂隙狭小化などの病的所見が認められる。多くの場合，どの運動方向でも疼痛やROM制限が認められる。

● 筋性拘縮

筋線維自体と筋膜の伸張性が低下することにより起こる拘縮である。

鑑別法

他動的に関節を動かして筋を伸張すると，短縮している筋の起始から停止までの間で筋が硬くなる様子が触知できる。多関節筋があれば，検査関節の近位関節の肢位を他動的に変化させることで検査関節のROMが変化する動的腱固定効果（dynamic tenodesis）が認められる。

● 腱性拘縮

腱の癒着や短縮により起こる拘縮である。

鑑別法

腱の癒着を引き起こす外傷や手術などの既往があり，筋が収縮していてもその力が関節運動に伝わらない。また，癒着部から筋の付着部までの間で腱が2つ以上の関節をまたいでいれば，動的腱固定効果が認められる。

● 軟部組織性拘縮

靱帯や関節包の伸張性が低下したことにより起こる拘縮である。この拘縮は，靱帯性拘縮や関節性拘縮というように，原因組織によって細かく表現されることもある。

鑑別法

拘縮している関節以外の関節肢位を変化させても，拘縮関節の角度の変化は生じない。関節を他動的に動かして，短縮している靱帯や関節包が硬くなる様子が触知できることがある。また，この拘縮では動的腱固定効果は認められない。

● 神経性拘縮

疼痛や神経学的症状により反射的に筋収縮が起こり（防御性収縮），これが長時間続くと筋性拘縮に移行する。

鑑別法

睡眠時や作業中などのように関節から注意が逸れた場合には筋が弛緩して，一時的にROMが拡大することがある。

アクティブラーニング 1

隣接する関節の肢位を変化させることによって制限される角度が変化する現象名を挙げてみよう。また，この現象が認められる拘縮の種類を2つ挙げてみよう。

4 ROM測定法の種類

ROM測定法は，自動ROM（active ROM）測定法と，他動ROM（passive ROM）測定法に分けられる。通常は，**他動でROM測定をすることが原則**である。

■自動ROM測定

自動ROM測定は，対象者の随意運動で動かせる最大の範囲を測定する。自動運動を対象者に行わせるためには，運動方向を正しく理解させる必要がある。

■他動ROM測定

他動ROM測定は，検者が対象者の関節に外力を加えて最大限動かせる範囲を測定する。自動ROM測定の数値や参考可動域を目安に愛護的に動かしながら，痛みや制限の出現する箇所を把握する。他動ROMでは，最終可動域付近で最終域感を感じることができるため，前述した拘縮の原因を鑑別する際に有用な情報を得ることができる。

■自動ROMと他動ROMの測定値に差が生じる原因

測定した自動ROMと他動ROMの角度に差が生じる場合，筋機能低下や腱の癒着により自動関節運動が十分できず，自動ROMの測定値が小さくなることが多い。例えば，示指の近位指節間（proximal interphalangeal：PIP）関節の屈曲角度が他動ROM測定で100°であったが，自動ROM測定では60°にとどまった場合には，動筋である浅・深指屈筋の筋力が低下しているか，PIP関節よりも近位で腱が癒着していることでPIP関節を屈曲するために必要な筋力が関節に伝達されていないことが考えられる。このように，ROM測定は他動運動が原則になっているが，拘縮の原因を明らかにするためには，他動ROMに加え自動ROMを測定することが有用な情報となる場合もある。

5 角度計

ROMを測定するための測定機器としては，角度計（goniometer）が使用されることが多い。角度計には，さまざまな形状，大きさ，材質のものがあるため，測定部位に合わせた角度計を選択して使用することが大切である（図4）。

また，いつも使用する角度計の取り扱いには慣れておき，大きな角度計でも片手で操作できるようにしておくと円滑な測定が可能になる。

ROMの測定では角度ではなく，母指対立や胸腰部屈曲などのように距離を測定するものもあるため，メジャーや定規などを利用することもある。

■角度計の構造

角度計は「①目盛り」と，連続した「②固定アーム」に軸で繋がっている「③可動アーム」の3つからなる（**図5**）。測定では固定アームと可動アームのどちらを基本軸，移動軸に当ててもかまわない。角度計の取り扱い上の留意点を**表2**に示す。

図4　さまざまな種類の角度計

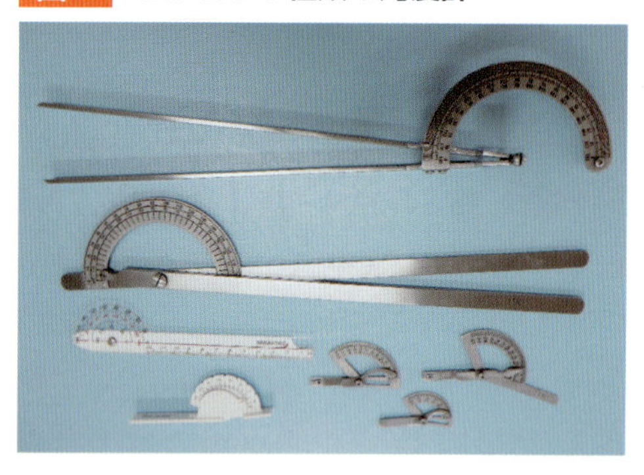

図5　角度計の各部の名称

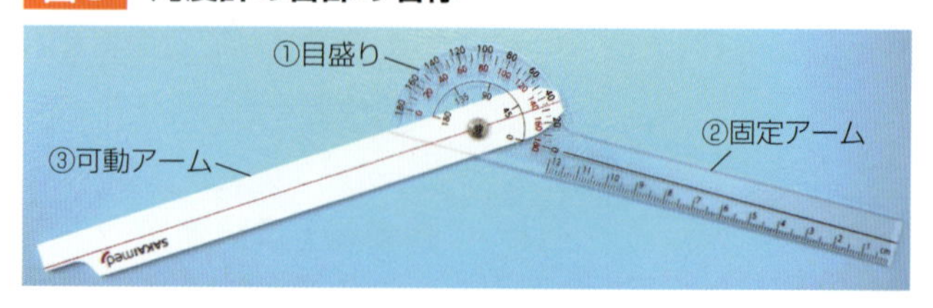

表2　角度計の取り扱い上の留意点

- 測定する関節の大きさに合った角度計を使用する。
- 角度計の当て方では，可動アームが目盛りを指していることを確認する（**図6a**）。
- 目盛りの読み間違いに注意する（**図6b**）。
- 角度計は対象者の肌に強く押しつけない（**図6c**）。
- 角度計の目盛りを読む際は目盛りを真横から読み取る。
- 固定アームと可動アームの平行移動は可能である（**図6d**）。
- 代償運動に注意して，基本軸の傾きに合わせて，常にアームを基本軸に合わせるように意識する。

図6　角度計の当て方

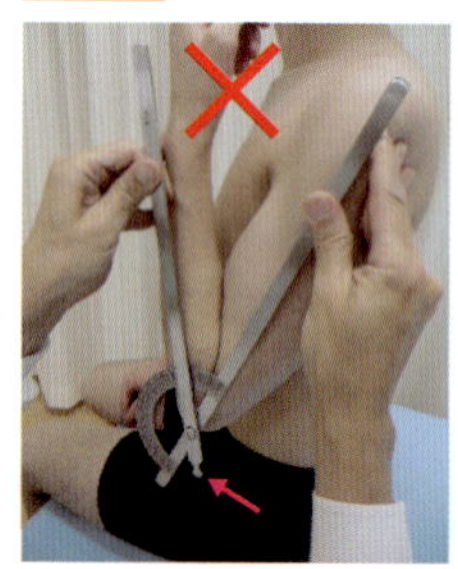
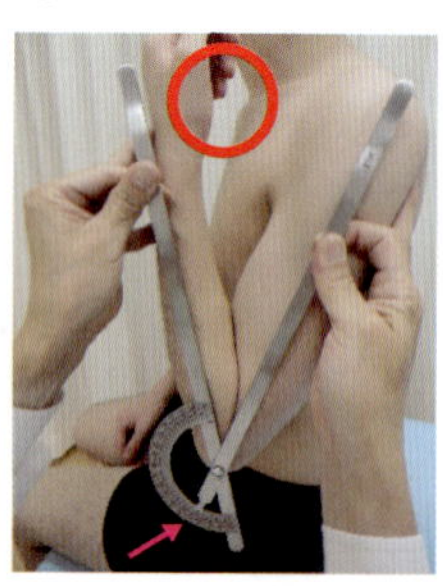

a　肘関節屈曲の測定

固定アームを基本軸の上腕骨に合わせると可動アームが目盛りを指さない（左）。
固定アームを移動軸に合わせると可動アームが目盛りを指す（右）。

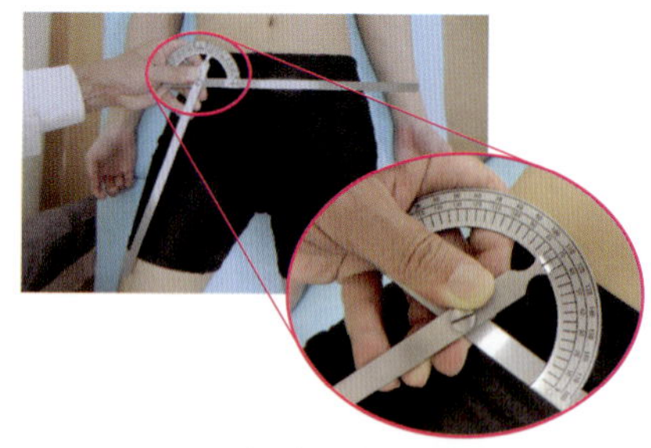

b　股関節外転の測定

目盛りは70°（110°）を指しているが，基本軸を90°回転させているため，股関節の外転角度は20°（90－70°）となる。

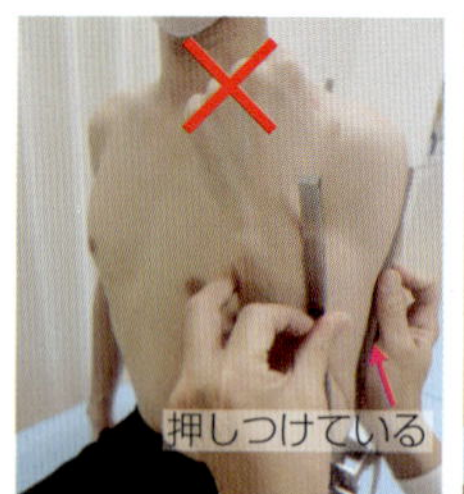

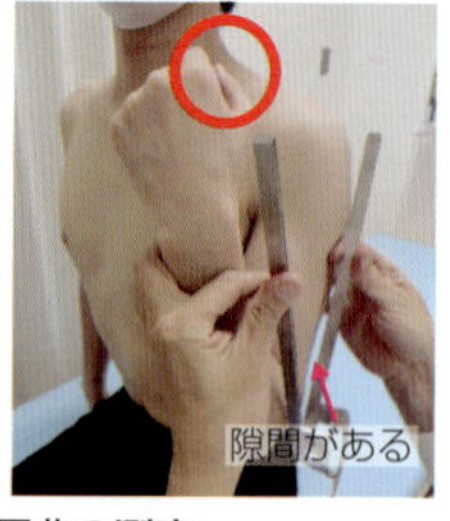

c　肘関節屈曲の測定

角度計を対象者に強く押し当てないようにする。

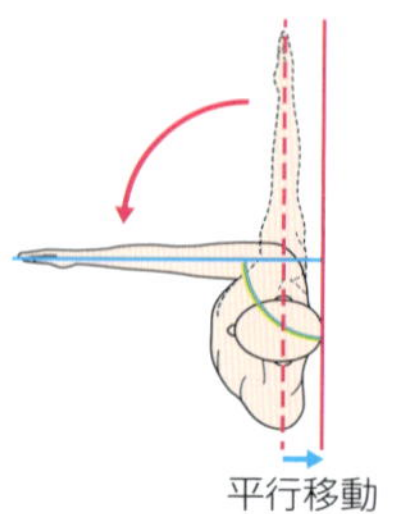

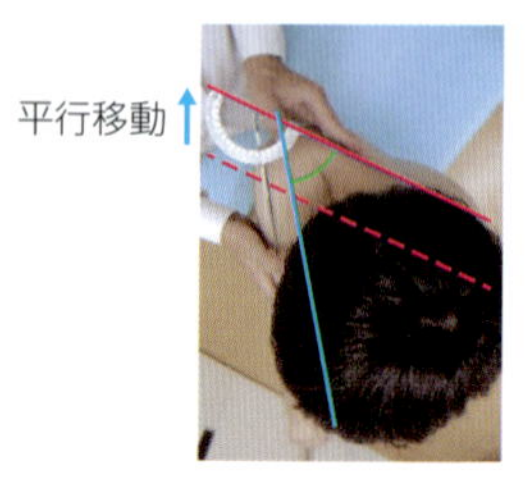

d　肩関節水平屈曲の測定

肩関節の水平屈曲の基本軸は，肩峰を通る矢状面への垂直線（破線）であるが，背面に平行移動した線（実線）にすると体幹の回旋による代償運動がみやすくなる。

6 ROM測定の手順

ROM測定における手順を**図7**のフローチャートに示す。

図7 ROM測定法の測定手順

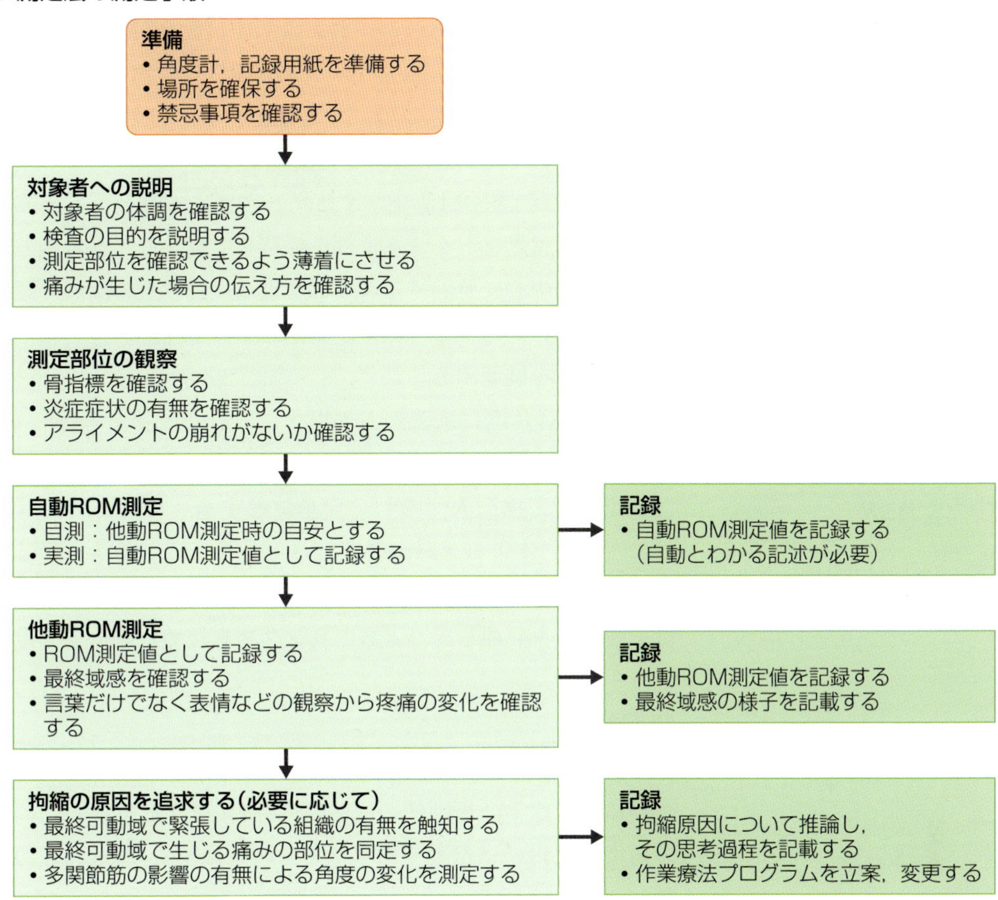

■測定前

測定前に医師や画像所見などの情報収集を行い，測定が**禁忌**とされている関節や運動方向などを確認する。測定場所の**環境**（気温，騒がしさ，人目，ベッドの硬さなど）に不都合がないかを確認する。対象者に検査の実施内容（目的，実施時間，協力内容など）について**説明**する。測定部位が正確に確認できるようできるだけ薄着にさせる。このとき，**プライバシ**には十分に配慮する。

測定時に痛みが生じる可能性が予測される場合には「痛かったら，“痛い”といってください」などの**表出方法**を確認する。特に，失語症などにより言語表出が困難な場合は，「痛かったら，手を挙げてください・目を閉じてください」などのように対象者が意思を伝えられる方法を確認する。

対象者に緊張せずリラックスしてもらえるよう振る舞う。

■測定

測定部位の長さ・大きさに合った角度計を選択し，記録用紙も準備する。測定の軸を定める骨指標（landmark）を触知し，基本軸と移動軸を設定する。

自動運動が可能であれば，おおよその自動ROMの角度を目測で確認する。必要であれば角度計を用いて自動ROMの角度を測定し，記録する。このとき，疼痛の有無についても確認する。自動ROMの角度を参考に，角度計を用いて他動ROM角度を測定する。

通常，他動でROM測定をする場合には基本軸となる関節の近位部の骨を固定し，移動軸となる遠位部を保持して動かし，基本軸と移動軸の交点を角度計の中心に合わせる。この交点は運動学上の関節の運動軸と一致することが多いため，この位置が測定している関節の運動軸と大きくずれていないことを確認する。

他動ROM角度に制限がある場合には最終域感を考慮して，ROM制限（拘縮）の原因を追究するための情報を入手するように努める。

測定値は**二捨三入**[*1]を行い5°単位とする。ただし，手指関節に関しては1～2°単位による記録が望ましい。多関節筋が関与する場合には，原則としてその影響を除いた肢位で測定する。例えば，股関節屈曲の測定では，膝関節を屈曲してハムストリングスを緩めた肢位で測定する。

＊1　**二捨三入**
端数が1，2のときは切り捨て，3～7のときは「5」，8，9のときは「10」として切り上げる。

■記録

記録は，関節名，運動方向，測定値がわかるように「肩関節外転85°」のように記載する。原則的には他動ROM角度を記録するため，自動 ROMの角度の記録には自動であることを明確にするために「（　）」「active」「自動」などと付記する。

開始肢位をとれない場合には「マイナス（－）」をつけて表現することがある。例えば，膝関節が完全伸展位まで伸展できず，屈曲域の範囲で屈曲位30°までしか可動範囲がない場合には「膝関節伸展－30°」のように記載する。

拮抗する運動を記録する場合には，範囲で示すことがある。例えば「肘関節屈曲70°」「肘関節伸展－20°」の場合には，「肘関節屈曲20～70°」と記載する場合がある。

ROM測定に影響を与えた痙縮，痛み，浮腫，変形などについては，これらの項目についての評価を実施してその状態を記録する。拘縮原因についての考察を行い，その思考過程を記述する。測定日，検者名がわかるようにする。

7 ROM測定の実際

『関節可動域表示ならびに測定法』（**表3**）に則り，角度計（goniometer），メジャー，定規，測定器具などを用いて測定する。

実際は，各施設でさまざまな工夫を行いながらROMが測定されている。**表4**に『関節可動域表示ならびに測定法』を用いて測定するための臨床での工夫やポイントの具体例をまとめているので，実際の測定の際の参考にしてほしい。

表3　関節可動域ならびに測定方法

〈関節可動域表示ならびに測定法の原則〉

1．関節可動域表示ならびに測定法の目的

日本整形外科学会と日本リハビリテーション医学会が制定する関節可動域表示ならびに測定法は，整形外科医，リハビリテーション科医ばかりでなく，医療，福祉，行政その他の関連職種の人々をも含めて，関節可動域を共通の基盤で理解するためのものである。したがって，実用的で分かりやすいことが重要であり，高い精度が要求される計測，特殊な臨床評価，詳細な研究のためにはそれぞれの目的に応じた測定方法を検討する必要がある。

2．基本肢位

Neutral Zero Positionを採用しているので，Neutral Zero Starting Positionに修正を加え，両側の足部長軸を平行にした直立位での肢位が基本肢位であり，概ね解剖学的肢位と一致する。ただし，肩関節水平屈曲・伸展については肩関節外転90°の肢位，肩関節外旋・内旋については肩関節外転0°で肘関節90°屈曲位，前腕の回外・回内については手掌面が矢状面にある肢位，股関節外旋・内旋については股関節屈曲90°で膝関節屈曲90°の肢位をそれぞれ基本肢位とする。

3．関節の運動

1）関節の運動は直交する3平面，すなわち前額面，矢状面，横断面を基本面とする運動である。ただし，肩関節の外旋・内旋，前腕の回外・回内，股関節外旋・内旋，頚部と胸腰部の回旋は，基本肢位の軸を中心とした回旋運動である。また足関節・足部の回外と回内，母指の対立は複合した運動である。

2）関節可動域測定とその表示で使用する関節運動とその名称を以下に示す。なお，下記の基本的名称以外に良く用いられている用語があれば（　）内に併記する。

（1）屈曲と伸展
多くは矢状面の運動で，基本肢位にある隣接する2つの部位が近づく動きが屈曲，遠ざかる動きが伸展である。ただし，肩関節，頚部・体幹に関しては，前方への動きが屈曲，後方への動きが伸展である。また，手関節，指，母趾・趾に関しては，手掌あるいは足底への動きが屈曲，手背あるいは足背への動きが伸展である。

（2）背屈と底屈
足関節・足部に関する矢状面の運動で，足背への動きが背屈，足底への動きが底屈である。屈曲と伸展は使用しないこととする。

（3）外転と内転
多くは前額面の運動であるが，足関節・足部および趾では横断面の運動である。体幹や指・足部・母趾・趾の軸から遠ざかる動きが外転，近づく動きが内転である。

（4）外旋と内旋
肩関節および股関節に関しては，上腕軸または大腿軸を中心として外方へ回旋する動きが外旋，内方に回旋する動きが内旋である。

（5）外がえしと内がえし
足関節・足部に関する前額面の運動で，足底が外方を向く動きが外がえし，足底が内方を向く動きが内がえしである。

（6）回外と回内
前腕に関しては，前腕軸を中心にして外方に回旋する動き（手掌が上を向く動き）が回外，内方に回旋する動き（手掌が下を向く動き）が回内である。足関節・足部に関しては，底屈，内転，内がえしからなる複合運動が回外，背屈，外転，外がえしからなる複合運動が回内である。母趾・趾に関しては，前額面における運動で，母趾・趾の長軸を中心にして趾腹が内方を向く動きが回外，趾腹が外方を向く動きが回内である。

（7）水平屈曲と水平伸展
水平面の運動で，肩関節を90°外転して前方への動きが水平屈曲，後方への動きが水平伸展である。

（次ページに続く）

（前ページより続く）

(8)挙上と引き下げ(下制)
肩甲帯の前額面での運動で，上方への動きが挙上，下方への動きが引き下げ(下制)である。
(9)右側屈・左側屈
頚部，体幹の前額面の運動で，右方向への動きが右側屈，左方向への動きが左側屈である。
(10)右回旋と左回旋
頚部と胸腰部に関しては右方に回旋する動きが右回旋，左方に回旋する動きが左回旋である。
(11)橈屈と尺屈
手関節の手掌面での運動で，橈側への動きが橈屈，尺側への動きが尺屈である。
(12)母指の橈側外転と尺側内転
母指の手掌面での運動で，母指の基本軸から遠ざかる動き(橈側への動き)が橈側外転，母指の基本軸に近づく動き(尺側への動き)が尺側内転である。
(13)掌側外転と掌側内転
母指の手掌面に垂直な平面の運動で，母指の基本面から遠ざかる動き(手掌方向への動き)が掌側外転，基本軸に近づく動き(背側方向への動き)が掌側内転である。
(14)対立
母指の対立は，外転，屈曲，回旋の３要素が複合した運動であり，母指で小指の先端または基部を触れる動きである。
(15)中指の橈側外転と尺側外転
中指の手掌面の運動で，中指の基本軸から橈側へ遠ざかる動きが橈側外転，尺側へ遠ざかる動きが尺側外転である。
＊外反，内反
変形を意味する用語であり，関節運動の名称としては用いない。

4. 関節可動域の測定方法

1)関節可動域は，他動運動でも自動運動でも測定できるが，原則として他動運動による測定値を表記する。自動運動による測定値を用いる場合は，その旨を明記する[5の2)の(1)参照]。
2)角度計は十分な長さの柄がついているものを使用し，通常は5°刻みで測定する。
3)基本軸，移動軸は，四肢や体幹において外見上分かりやすい部位を選んで設定されており，運動学上のものとは必ずしも一致しない。また，指および趾では角度計のあてやすさを考慮して，原則として背側に角度計をあてる。
4)基本軸と移動軸の交点を角度計の中心に合わせる。また，関節の運動に応じて，角度計の中心を移動させてもよい。必要に応じて移動軸を平行移動させてもよい。
5)多関節筋が関与する場合，原則としてその影響を除いた肢位で測定する。たとえば，股関節屈曲の測定では，膝関節を屈曲しハムストリングをゆるめた肢位で行う。
6)肢位は「測定肢位および注意点」の記載に従うが，記載のないものは肢位を限定しない。変形，拘縮などで所定の肢位がとれない場合は，測定肢位が分かるように明記すれば異なる肢位を用いてもよい[5の2)の(2)参照]。
7)筋や腱の短縮を評価する目的で多関節筋を緊張させた肢位を用いても良い[5の2)の(3)参照]。

5. 測定値の表示

1)関節可動域の測定値は，基本肢位を0°として表示する。例えば，股関節の可動域が屈曲位20°から70°であるならば，この表現は以下の2通りとなる。
(1)股関節の関節可動域は屈曲20°から70°(または屈曲20°～70°)
(2)股関節の関節可動域は屈曲は70°，伸展は－20°
2)関節可動域の測定に際し，症例によって異なる測定法を用いる場合や，その他関節可動域に影響を与える特記すべき事項がある場合は，測定値とともにその旨を併記する。
(1)自動運動を用いて測定する場合は，その測定値を(　)で囲んで表示するか，「自動」または「active」などと明記する。
(2)異なる肢位を用いて測定する場合は，「背臥位」「座位」などと具体的に肢位を明記する。
(3)多関節筋を緊張させた肢位を用いて測定する場合は，その測定値を〈　〉で囲んで表示するが，「膝伸展位」などと具体的に明記する。
(4)疼痛などが測定値に影響を与える場合は，「痛み」「pain」などと明記する。

6. 参考可動域

関節可動域は年齢，性，肢位，個体による変動が大きいので，正常値は定めず参考可動域として記載した。関節可動域の異常を判定する場合は，健側上下肢関節可動域，参考可動域，(附)関節可動域の参考値一覧表，年齢，性，測定肢位，測定方法などを十分考慮して判定する必要がある。

〈上肢測定〉

部位名	運動方向	参考可動域角度[°]	基本軸	移動軸	測定肢位および注意点	参考図
肩甲骨 Shoulder gurdle	屈曲 flexion	0～20	両側の肩峰を結ぶ線	頭頂と肩峰を結ぶ線		
	伸展 extension	0～20				
	挙上 elevation	0～20	両側の肩峰を結ぶ線	肩峰と胸骨上縁を結ぶ線	背面から測定する。	
	引き下げ下制 depression	0～10				
肩 shoulder (肩甲帯の動きを含む)	屈曲(前方挙上) forward flexion	0～180	肩峰を通る床への垂直線(立位または座位)	上腕骨	前腕は中位とする。 体幹が動かないように固定する。 脊柱が前後屈しないように注意する。	
	伸展(後方挙上) backward extension	0～50				
	外転(側方挙上) abduction	0～180	肩峰を通る床への垂直線(立位または座位)	上腕骨	体幹の側屈が起こらないように90°以上になったら前腕を回外することを原則とする。 ⇒〈その他の検査法〉参照	
	内転 abduction	0				
	外旋 external rotation	0～60	肘を通る前額面への垂直線	尺骨	上腕を体幹に接して,肘関節を前方に90°に屈曲した肢位で行う。 前腕は中間位とする。 ⇒〈その他の検査法〉参照	
	内旋 internal rotation	0～80				
	水平屈曲 horizontal flexion (horizontal adduction)	0～135	肩峰を通る矢状面への垂直線	上腕骨	肩関節を90°外転位とする。	
	水平伸展 horizontal extension (horizontal abduction)	0～30				
肘 elbow	屈曲 flexion	0～145	上腕骨	橈骨	前腕は回外位とする。	
	伸展 extension	0～5				

(次ページに続く)

（前ページより続く）

部位名	運動方向	参考可動域角度[°]	基本軸	移動軸	測定肢位および注意点	参考図
前腕 forearm	回内 pronation	0～90	上腕骨	手指を伸展した手掌面	肩の回旋が入らないように肘を90°に屈曲する。	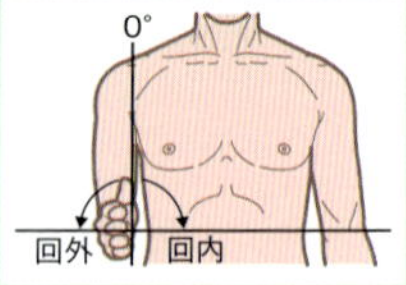
	回外 supination	0～90				
手 wrist	屈曲（掌屈） flexion (palmar flexion)	0～90	橈骨	第2中手指	前腕は中間位とする。	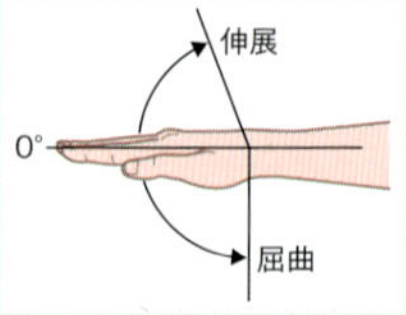
	伸展（背屈） extension (dorsiflexion)	0～70				
	橈屈 radial deviation	0～25	前腕の中央線	第3中手骨	前腕を回内位で行う。	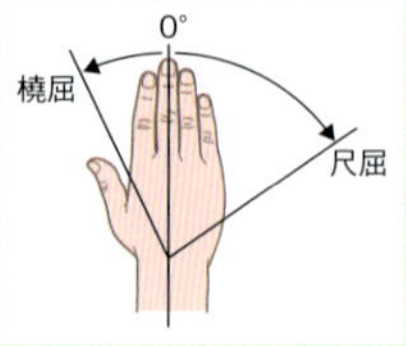
	尺屈 ulnar deviation	0～55				

〈手指測定〉

部位名	運動方向	参考可動域角度[°]	基本軸	移動軸	測定肢位および注意点	参考図
母指 thumb	橈側外転 radial abduction	0～60	示指（橈骨の延長上）	母指	運動は手掌面とする。以下の手指の運動は，原則として手指の背側に角度計をあてる。	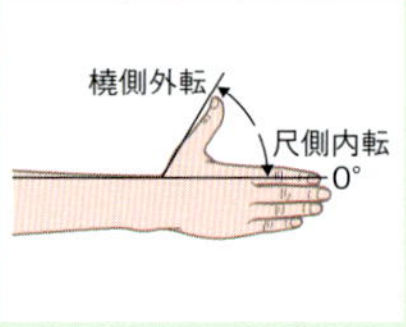
	尺側内転 ulnar adduction	0				
	掌側外転 palmar abduction	0～90	示指（橈骨の延長上）	母指	運動は手掌面に直角な面とする。	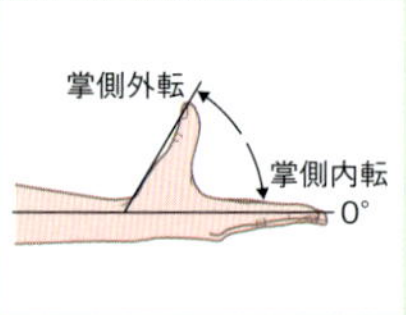
	掌側内転 palmar adduction	0				
	屈曲（MCP） flexion	0～60	第1中手骨	第1基節骨		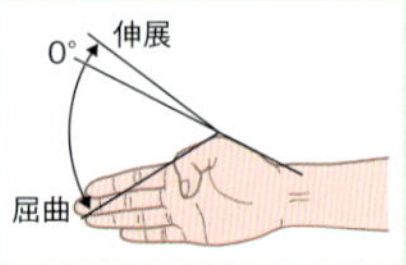
	伸展（MCP） extension	0～10				
	屈曲（IP） flexion	0～80	第1基節骨	第1末節骨		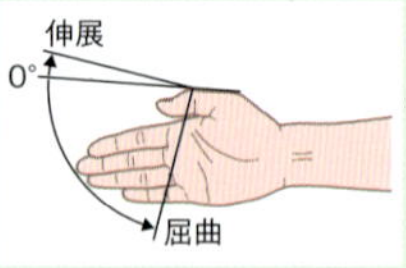
	伸展（IP） extension	0～10				
指 finger	屈曲（MCP） flexion	0～90	第2～5中手骨	第2～5基節骨	⇒〈その他の検査法〉参照	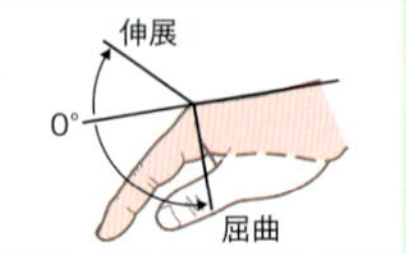
	伸展（MCP） extension	0～45				
	屈曲（PIP） flexion	0～100	第2～5基節骨	第2～5中節骨		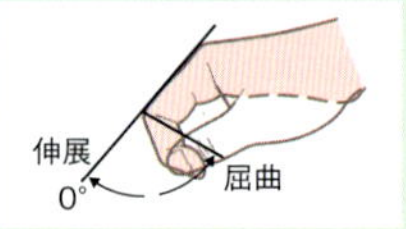
	伸展（PIP） extension	0				

部位名	運動方向	参考可動域角度[°]	基本軸	移動軸	測定肢位および注意点	参考図
指 finger	屈曲(DIP) flexion	0～80	第2～5中節骨	第2～5末節骨	DIPは10°の過伸展をとりうる。	
	伸展(DIP) extension	0				
	外転 abduction		第3中手骨延長線	第2，4，5指軸	中指の運動は橈側外転，尺側外転とする。 ⇒〈その他の検査法〉参照	
	内転 adduction					

〈下肢測定〉

部位名	運動方向	参考可動域角度[°]	基本軸	移動軸	測定肢位および注意点	参考図
股 hip	屈曲 flexion	0～125	体幹と平行な線	大腿骨(大転子と大腿骨外顆の中心を結ぶ線)	骨盤と脊柱を十分に固定する。 屈曲は背臥位，膝屈曲位で行う。 伸展は腹臥位，膝伸展位で行う。	
	伸展 extension	0～15				
	外転 abduction	0～45	両側の上前腸骨棘を結ぶ線への垂直線	大腿中央線(上前腸骨棘より膝蓋骨中心を結ぶ線)	背臥位で骨盤を固定する。 下肢は外旋しないようにする。 内転の場合は，反対側の下肢を屈曲挙上してその下を通して内転させる。	
	内転 adduction	0～20				
	外旋 external rotation	0～45	膝蓋骨より下ろした垂直線	下腿中央線(膝蓋骨中心より足関節内外果中央を結ぶ線)	背臥位で，股関節と膝関節を90°屈曲位にして行う。骨盤の代償を少なくする。	
	内旋 internal rotation	0～45				
膝 knee	屈曲 flexion	0～130	大腿骨	腓骨(腓骨頭と外果を結ぶ線)	屈曲は股関節を屈曲位で行う。	
	伸展 extension	0				
足関節・足部 foot and ankle	外転 abduction	0～10	第2中足骨長軸	第2中足骨長軸	膝関節を屈曲位，足関節を0°で行う。	
	内転 adduction	0～20				
	背屈 dorsiflexion	0～20	矢状面における腓骨長軸への垂直線	足底面	膝関節を屈曲位で行う。	
	底屈 plantarflexion	0～45				

(次ページに続く)

（前ページより続く）

部位名	運動方向	参考可動域角度[°]	基本軸	移動軸	測定肢位および注意点	参考図
足関節・足部 foot and ankle	内がえし inversion	0~30	前額面における下腿軸への垂直線	足底面	膝関節を屈曲位，足関節を0°で行う。	
	外がえし eversion	0~20				
1趾，母趾 great toe, big toe	屈曲(MTP) flexion	0~35	第1中足骨	第1基節骨	以下の1趾，母趾，趾の運動は，原則として趾の背側に角度計をあてる。	
	伸展(MTP) extension	0~60				
	屈曲(IP) flexion	0~60	第1基節骨	第1末節骨		
	伸展(IP) extension	0				
趾 toe, lesser toe	屈曲(MTP) flexion	0~35	第2～5中足骨	第2～5基節骨		
	伸展(MTP) extension	0~40				
	屈曲(PIP) flexion	0~35	第2～5基節骨	第2～5中節骨		
	伸展(PIP) extension	0				
	屈曲(DIP) flexion	0~50	第2～5中節骨	第2～5末節骨		
	伸展(DIP) flexion	0~50				

〈体幹測定〉

部位名	運動方向		参考可動域角度[°]	基本軸	移動軸	測定肢位および注意点	参考図
頸部 cervical spine	屈曲(前屈) flexion		0~60	肩峰を通る床への垂直線	外耳孔と頭頂を結ぶ線	頭部体幹の側面で行う。 原則として腰かけ座位とする。	
	伸展(後屈) extension		0~50				
	回旋 rotation	左回旋	0~60	両側の肩峰を結ぶ線への垂直線	鼻梁と後頭結節を結ぶ線	腰かけ座位で行う。	
		右回旋	0~60				
	側屈 lateral bending	左側屈	0~50	第7頸椎棘突起と第1仙椎の棘突起を結ぶ線	頭頂と第7頸椎棘突起を結ぶ線	体幹の背面で行う。 腰かけ座位とする。	
		右側屈	0~50				

部位名	運動方向	参考可動域角度[°]	基本軸	移動軸	測定肢位および注意点	参考図
胸腰部 thoracic and lumbar spines	屈曲(前屈) flexion	0〜45	仙骨後面	第1胸椎棘突起と第5腰椎棘突起を結ぶ線	体幹側面より行う。 立位，腰かけ座位または側臥位で行う。 股関節の運動が入らないように行う。 ⇒〈その他の検査法〉参照	
	伸展(後屈) extension	0〜30				
	回旋 rotation　左回旋	0〜40	両側の後上腸骨棘を結ぶ線	両側の肩峰を結ぶ線	座位で骨盤を固定して行う。	
	右回旋	0〜40				
	側屈 lateral bending　左側屈	0〜50	ヤコビー(Jacoby)線の中点にたてた垂直線	第1胸椎棘突起と第5腰椎棘突起を結ぶ線	体幹の背面で行う。 腰かけ座位または立位で行う。	
	右側屈	0〜50				

〈その他の検査法〉

部位名	運動方向	参考可動域角度[°]	基本軸	移動軸	測定肢位および注意点	参考図
肩 shoulder (肩甲骨の動きを含む)	外旋 external rotation	0〜90	肘を通る前額面への垂直線	尺骨	前腕は中間位とする。 肩関節は90°外転し，かつ肘関節は90°屈曲した肢位で行う。	
	内旋 internal rotation	0〜70				
	内転 adduction	0〜75	肩峰を通る床への垂直線	上腕骨	20°または45°肩関節屈曲位で行う。 立位で行う。	
母指 thumb	対立 opposition				母指先端と小指基部(または先端)との距離(cm)で表示する。	
指 finger	外転 abduction		第3中手骨延長線	2，4，5指軸	中指先端と2，4，5指先端との距離(cm)で表示する。	
	内転 adduction					

(次ページに続く)

（前ページより続く）

部位名	運動方向	参考可動域角度[°]	基本軸	移動軸	測定肢位および注意点	参考図
指 finger	屈曲 flexion				指尖と近位手掌皮線（proximal palmar crease）または遠位手掌皮線（distal palmar crease）との距離（cm）で表示する。	
胸腰部 thoracic and lumbar spines	屈曲 flexion				最大屈曲は，指先と床との間の距離（cm）で表示する。	

〈顎関節計測〉

顎関節 temporo-mandibular joint	開口位で上顎の正中線で上歯と下歯の先端との間の距離（cm）で表示する。 左右偏位（lateral deviation）は上顎の正中線を軸として下歯列の動きの距離を左右ともcmで表示する。 参考値は上下第1切歯列対向縁線間の距離5.0cm，左右偏位は1.0cmである。

［Jpn J Rehabil Med 2021；58：1188-1200］，［日本足の外科学会雑誌 2021，Vol. 42：S 372- S 385］，「日整会誌2022；96：75-86」（日本リハビリテーション医学会，日本整形外科学会，日本足の外科学会：関節可動域表示ならびに測定法より許可を得て転載）

アクティブ・ラーニング ② 肩関節外転におけるROM測定では，肩関節を外旋（前腕を回外）させることが求められるが，その理由について説明してみよう。また，股関節屈曲における可動域測定では膝関節を屈曲位で行うが，その理由についても説明してみよう。

表4 ROM測定の臨床における工夫

部位	運動方向	臨床での工夫・ポイント・代償運動など
肩甲帯	屈曲，伸展	・運動学では肩甲帯の屈曲・伸展という運動はみられない。そのため，この運動は，肩甲胸郭関節における外転・内転運動と思われる[7)] ・基本軸を頭上もしくは背面に平行移動する （代償：体幹の回旋）
	挙上，引き下げ（下制）	・図は前面になっているが，背面から測定する ・背面からでは，骨指標として胸骨上縁では見えないため，両側の肩峰を結ぶ線と脊柱との交点を軸にして測定する （代償：体幹の側屈）
肩	屈曲	・体幹の伸展による代償が出現しやすいため，はじめに背臥位で代償（腰椎の前彎（ぜんわん））の出現を確認してから，座位や立位での練習を行う ・前腕は中間位（肩関節の内・外旋中間位）で行う （代償：体幹の伸展）
	伸展	・矢状面上での運動を行わなければ，可動域が広くなり正確な測定ができない （代償：体幹の屈曲）
	外転	・外転90°以上では，前腕を回外（肩関節を外旋）させる （代償：体幹の側屈）
	内転	・その他の検査法で，運動面を肩関節屈曲20°や45°としているが設定が困難であるため，なるべく上腕部を体幹前面（胸部）に沿わせて運動させる （代償：体幹の側屈）

部位	運動方向	臨床での工夫・ポイント・代償運動など
肩	内旋，外旋	・肩関節下垂位での測定では基本軸が設定しにくいため，90°回転させた両側の肩峰を結んだ線(水平軸)として，平行移動させて角度計のアームを合わせるとよい。このとき測定値の誤読に注意する ・座位で移動軸へ角度計のアームを合わせると，角度計が前腕の下に位置するため，移動軸も平行移動する ・外旋は背臥位で尾側から測定すると比較的容易である (代償：体幹の回旋)
		・その他の検査法では肩関節外転90°位となっているため，基本軸に角度計のアームが当てやすい。また，背臥位での測定は，代償運動を防ぐことができる (代償：体幹の屈曲・伸展)
	水平屈曲・伸展	・基本軸を両側の肩峰を通る線とすると，体幹の代償運動を意識しやすい ・基本軸は平行移動する ・水平伸展では肩関節が90°外転位よりも下がると可動域が広くなるため，水平面上で運動させる ・二関節筋である上腕二頭筋や上腕三頭筋の影響を除くように肘関節の肢位に留意する (代償：体幹の回旋)
肘	屈曲，伸展	・二関節筋である上腕二頭筋や上腕三頭筋の影響を除くように肩関節の肢位に留意する ・角度計を対象者の皮膚に押しつけないようにする ・完全伸展位とならず屈曲域で伸展制限をきたした場合には，例えば「－20°」のように記載する
前腕	回内，回外	・移動軸を手掌面ではなく，前腕の遠位(橈骨茎状突起と尺骨頭)のすぐ近位とする ・角度計のアームを基本軸上腕骨にしっかりと投影しながら測定する ・手に細い棒を握らせて測定する方法もある (代償：回内＝肩関節外転，回外＝肩関節内転)
手関節	掌屈，背屈	・角度計の2つのアームをつなぐ軸が，手関節部にあることを確認しながら測定する ・手部や前腕部に角度計を押しつけないようにする ・浅指屈筋，深指屈筋，総指伸筋などの外来筋の影響を取り除いて測定する
	橈屈，尺屈	・角度計の2つのアームをつなぐ軸が，有頭骨付近にあることを確認しながら測定する ・運動面を安定させるため，机上に手関節を置いて測定する
母指	手根中手(carpometacarpal：CM)関節	・角度計の2つのアームをつなぐ軸が，CM関節付近にあることを確認する ・基本軸を第2中手骨，移動軸を第1中手骨とすると運動軸を定めやすい ・橈側外転―尺側内転では，手掌面を机に置くと運動面を定めやすい ・掌側外転―掌側内転では，前腕中間位で机の上に手を置き，橈骨の延長線と第2中手骨を一致させた肢位で測定を行う ・対立については，自動運動ではあるが，Kapandji(カパンジー)の対立段階によって測定することも可能である(**図8**)[8]
	MP関節，IP関節	・背側から測定する ・過伸展の場合は側方から測定するか，過伸展の測定が可能な角度計を使用する ・長母指屈筋や長母指伸筋などの外来筋の影響を取り除いて測定する ・1～2°単位で記録する
指	MP関節，PIP関節，遠位指節間(distal inter-phalangeal：DIP)関節	・背側から測定する ・過伸展の場合は側方から測定するか，過伸展の測定が可能な角度計を使用する ・1～2°単位で記録する

(次ページに続く)

（前ページより続く）

部位	運動方向	臨床での工夫・ポイント・代償運動など
指	内転，外転	・MP関節の運動であるため，各指の中手骨と基節骨のなす角で測定する ・MP関節の屈曲角度の影響を受けるため，手掌面を机に置いて運動面を定めたうえで測定する
股関節	屈曲	・ハムストリングスの影響を取り除くため，膝関節を屈曲位とする ・骨盤の後傾を防ぐため，反対側の下肢（大腿部）が挙上しない程度までの他動運動とする （代償：骨盤の後傾，体幹の屈曲）
	伸展	・大腿直筋の影響を取り除くため，膝関節を伸展位とする ・骨盤前傾を防ぐために，尾骨を触りながら他動運動を行い，代償運動の出現を確認してから測定する ・臨床では腹臥位で測定できないこともあるため，側臥位でも測定できるように練習する （代償：骨盤の前傾，体幹の伸展）
	外転，内転	・股関節が外旋・内旋しないようにつま先をまっすぐ正面に向ける ・代償運動を防ぐため，角度計のアームを両側の上前腸骨棘を結んだ線に合わせて測定すると骨盤の傾きに注意を払うことができる。このとき，角度計の読み違いに注意する ・内転の場合には，挙上した下肢は対象者に保持してもらうこともある （代償：体幹の側屈，骨盤の傾斜，股関節の外旋・内旋）
	外旋，内旋	・背臥位で股関節と膝関節を90°屈曲位で測定する ・代償運動を防ぐため，基本軸を両側の上前腸骨棘を結んだ線にアームを合わせて測定する。このとき，角度計の読み違いに注意する （代償：体幹の側屈，骨盤の傾斜）
膝関節	屈曲，伸展	・屈曲では，大腿直筋の影響を取り除くために股関節膝関節を屈曲位とする ・伸展では，背臥位で伸展角度を測定する際に踵部にタオルなどで補高をすることで，過伸展の有無の確認ができる
足関節，足部	外転，内転	・足関節0°を保つために，椅子に座って踵部を床につけて回転させるように測定する
	背屈，底屈	・基本軸を90°回転させた腓骨（長軸）に合わせる。測定値の誤読に注意する ・足底面の外側縁に沿った線を移動軸として測定する ・背屈では，膝関節屈曲位で腓腹筋の影響を取り除き，他動で力強く最終可動域まで抵抗を加える
	内がえし，外がえし	・基本軸を90°回転させた下腿軸とし，さらに平行移動して測定する。測定値の誤読に注意する ・移動軸の足底面を第1中足骨頭と第5中足骨頭を結んだ線として測定する ・前額面上で測定を行う
頚部	全般	・測定前に頚部に関する疾患の既往がないかなどを確認し，安全性に配慮して注意深く愛護的な他動運動で測定する。安全性が確認できなければ，自動運動で測定する
	前屈，後屈	・体幹の前彎・後彎に注意する ・円背の場合には，基本軸をずらして測定する （代償：体幹屈曲・伸展）
	回旋	・基本軸を90°回転させた両側の肩峰を結んだ線として測定する。測定値の誤読に注意する ・体幹の回旋を防ぎながら測定する ・背臥位では，体幹の回旋を抑制した測定が容易である （代償：体幹回旋）

部位	運動方向	臨床での工夫・ポイント・代償運動など
頚部	側屈	・頚部は前屈・後屈させない運動面で測定する ・体幹の側屈を防ぎながら測定する （代償：体幹側屈）
胸腰部	全般	・平衡反応によって筋が収縮することがあるので，手をついて支えるなどして，できるだけ支持基底面を広くすると筋の影響を取り除くことができる ・大きな角度計を用いる
	屈曲・伸展	・基本軸を角度計のアームに合わせることが難しいため，第５腰椎から降ろした垂線としたほうがよい ・屈曲角度の測定は，側臥位で測定してもよい ・屈曲角度は，立位体前屈の距離で測定する別法もある （代償：骨盤の前傾・後傾）
	回旋	・骨盤の代償運動を確認するため，膝の位置の変化を観察する ・移動軸は，肩甲骨の屈曲・伸展（内転・外転）をさせないように体幹の他動運動を行う ・基本軸，移動軸ともに角度計のアームを平行移動させて測定する （代償：骨盤の回旋）
	側屈	・対象者に側屈する方向に手をつかせ，支持基底面を大きくして側屈させる ・背臥位で測定すると前面からの測定になるが，筋収縮の影響を取り除くことができる ・基本軸はヤコビー線の中央に立てた垂線として測定する （代償：骨盤の傾斜）

図8　カパンジーの対立段階

段階	母指の指尖部がどの部分まで到達したかで判定する
a	段階0〜2：示指の橈側に掌側外転運動のみで到達する
0	基節部
1	中節部
2	末節部
b	段階3〜6：母指の回旋運動を伴い，各指と指腹つまみが可能となる
3	示指
4	中指
5	環指
6	小指
c	段階7〜10：小指の掌側で各皮線に到達可能となる
7	遠位指節間皮線
8	近位指節間皮線
9	手掌指節皮線
10	遠位手掌皮線

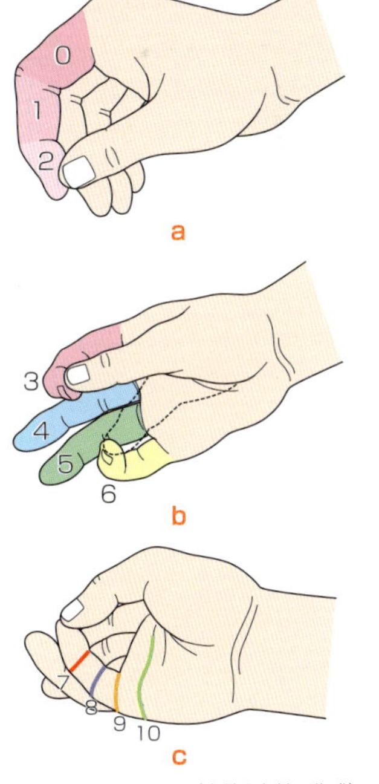

（文献8を基に作成）

Case Study

Question 1

基節骨の掌側で深指屈筋腱が癒着した事例で，DIP関節の伸展制限が認められた。このときPIP関節が屈曲位と伸展位の場合では，DIP関節の他動伸展角度が異なった。PIP関節が屈曲位と伸展位のどちらの肢位でDIP関節の伸展角度が大きくなるか考えてみよう。

☞ 解答 p.289

チェックテスト

①3つの運動面と3つの運動軸とは何か(☞p.66，67)。 基礎

②解剖学的肢位を開始肢位としない次の運動の開始肢位は何か(☞p.67)。 基礎

1)肩関節水平屈曲・伸展

2)肩関節外旋・内旋

3)前腕回外・回内

4)股関節外旋・内旋

③他動的に関節を動かして皮膚を伸長させると，原因となっている皮膚が蒼白になる拘縮とは何か(☞p.69)。 臨床

④他動的に関節を動かして筋を伸長すると，短縮している筋の起始から停止までの間で筋が硬くなる様子が触知でき，動的腱固定効果が認められる拘縮とは何か(☞p.70)。 臨床

⑤関節を他動的に動かすと，短縮している靭帯や関節包が硬くなる様子が触知でき，動的腱固定効果は認められない拘縮とは何か(☞p.70)。 臨床

⑥通常，ROM測定法は，自動ROM測定法と他動ROM測定法のどちらで測定をすることを原則としているか(☞p.71)。 基礎

⑦足関節・足部の「背屈と底屈」「内がえしと外がえし」におけるそれぞれの運動面は何か(☞p.75)。 基礎

⑧母指のCM関節のうち，対立を除く4つの運動方向は何か(☞p.78)。 基礎

【引用文献】

1) 沖田　実，ほか：関節可動域制限 病態の理解と治療の考え方．三輪書店，p.8-16，18，2008.
2) 日本リハビリテーション医学会，日本整形外科学会：関節可動域表示ならびに測定法(https://www.jspo.jp/pdf/rangeofmotion2022.pdf)(2021年11月時点).
3) 高木憲次：関節運動と肢位の表示法．日本整形外科学会雑誌，22：69-77，1949.
4) 日本整形外科学会身体障害委員会，日本リハビリテーション医学会評価基準委員会：関節可動域表示ならびに測定法．リハビリテーション医学，11(2)：11，127-132，1974.
5) 日本整形外科学会，日本リハビリテーション医学会：関節可動域表示ならびに測定法．リハビリテーション医学，32：207-217，1995.
6) Silver, D.：Measurement of the range of motion in joints. Journal of Bone and Joint Surgery, 5(3)：569-578, 1923.
7) 中村隆一，ほか：基礎運動学 第6版，医歯薬出版，p.218-219．2003.
8) Kapandji, A. I.：Clinical evaluation of the thumb's opposition. Journal of Hand Therapy, 5(2)：102-106, 1992.

8 筋力

内藤泰男

Outline

- 筋力の評価は，どこが(関節)・どの方向(運動方向)に・どの程度であるかを把握する必要がある。
- 評価の進め方は，動作とスクリーニング評価にて筋力低下をきたしている関節と運動方向を把握する。次にその関節と運動方向について徒手筋力検査法に基づいた詳細な筋力評価を実施する。

1 筋力とは

筋力とは，文字どおり筋の力である。**骨格筋の随意的な収縮によって生じる筋張力**をいう。特に，臨床的に筋力という言葉を用いる場合は，ある筋を最大限に収縮させたときの瞬間的な力を指す。一方，筋がある程度の筋張力を出力し，時間的に継続する能力を筋持久力という。

2 筋力評価

筋力の評価は随意的に最大収縮させたときの瞬間的な最大筋力，筋が仕事をし続ける能力である筋持久力を質的に評価する。また，最大筋力の評価は，ある1つの関節を1方向働かせる筋群の力を評価する筋群力評価と，筋個別の筋力を評価する狭義の筋力評価がある。本項では，筋群力評価を主として説明する。

対象者の動作能力という観点からの筋力評価の意義は，各関節を駆動する力の程度を質的に評価でき，対象者の日常生活動作(ADL)方法への理解とADL遂行に必要な自助具・福祉用具の選択の参考になることである。

■筋力低下の原因

低下の原因を**表1**に記す。臨床においては，まず対象者の経過を確認し，原因の特性を理解したうえで測定することが必要である。

表1 筋力低下の原因

廃用性	臥床傾向などにより長期にわたり筋を収縮させせなくなった
加齢	高齢になるにしたがって筋の収縮力が低下した
神経原性	筋を支配している神経が障害されたことにより，筋の収縮力が低下・消失する(Guillain(ギラン)-Barré(バレー)症候群，末梢神経障害など)
筋原性	筋自体の障害により，筋収縮が低下・消失する(筋ジストロフィなどの筋原性疾患)
発達過程での障害	発達時に筋張力の向上が緩慢である(ポリオ)

本項では，**徒手筋力検査**(manual muscle testing：MMT)，機器による測定を紹介する。

3 徒手筋力検査(MMT)

MMTは，筋力をみるのに広く一般に普及しており，対象者の重力に抗した動きや，検者の徒手的抵抗を基準とした簡便な質的検査法である。MMTで測定しているのは筋を随意的に最大収縮させた瞬間的な最大筋力であり，筋持久力は評価していない。

適用は，末梢神経障害(下位運動ニューロン疾患)や筋自体の障害(筋疾患)まで，幅広く利用されているのが現状である。しかし，中枢神経障害(上位運動ニューロン疾患)は筋緊張の異常などの合併により影響があることから，その適用に関しては考慮が必要である。

MMTを行うには，解剖学，運動学，神経学を熟知すること，特に筋の起始・停止，神経支配，その作用に関する知識が必要となる。また，臨床にあたっては，なぜこの検査法を使用するのかをよく理解したうえで習熟する必要がある。

本項では，臨床的に広く用いられているDaniels(ダニエルズ)とWorthingham(ワーシンガム)のMMT[1)]を紹介する。

アクティブラーニング 1 対象者の筋力を評価するMMTの段階付けを確認するとともに，評価姿勢ごとに評価関節と運動をまとめてみよう。

■ダニエルズとワーシンガムのMMT

この検査法は，ポリオによる筋力減弱を評価する方法として発達してきた。特徴を**表2**に，正しい結果を導き出すために検者が把握すべきポイントや必要な能力を**表3**に示す。

表2 評価の特徴

- 主な対象は，原則として下位運動ニューロン障害である
- 関節運動の力を測定する方法である(個別の筋力を個別に測定する方法ではない)
- 0～5までの6段階にて表示する
- 抑止テストを用いる

表3 把握すべきポイントや必要な能力

- 筋の解剖学的局在
- 各筋線維の方向と作用方向
- 共同筋，主動作筋，補助筋の作用
- 各テスト肢位と固定の仕方
- 代償動作を見破ることができる(テスト筋の代用として働く可能性のある筋を把握している)
- 収縮を探知できる
- 麻痺側・非麻痺側の差異を感知できる
- 関節のわずかな弛緩性，変形，正常可動域からの偏りを感知できる
- 筋腹をつかんだりしない
- 同一神経支配筋を同定できる
- 疾患診断名によっておおよそどの筋力テストが必要かを判断できる
- 必要に応じて変法を用いることができる(注：変法は必ず記載すること)
- 疲労の影響を考慮できる

● 段階付け

段階付けは**表2**の特徴でも述べたが，0～5までの6段階で表示する（**表4**）。MMTを行う際の最初に判断すべき判定基準は，重力に抗して可動範囲が完全に自動運動可能（筋力段階3）となることである。この可不可によりその後の抵抗量を増減し，判定を進める。

筋力段階3の判定基準が可能であった場合には，より抵抗量を増し負荷をかけ，その量によって筋力段階4もしくは5を段階付ける。

筋力段階3の判定基準が不可であった場合には，測定する関節運動を除重力位にして，その状態で全可動範囲の運動が可能であった場合は筋力段階2，随意な運動がみられずその動作筋の収縮がみられた場合は筋力段階1，みられない場合は筋力段階0と段階付ける。

また，上記以外の主な判定基準は「3＋」と「2－」の2つしかないので，注意したい。

補足

MMT可動範囲

関節可動域（ROM）テストでの参考可動域とは異なり，個々の対象者が動かすことのできる関節運動の範囲を可動範囲と表現している。この概念に従えば，何らかの原因で関節運動範囲に制限のある場合でも，運動可能な全範囲を完全に自動運動でき，かつ最終運動域で最大抵抗に抗することができるのならばN（5）と判定してよい。

表4 筋力の段階付け（6段階）

表記方法			判定基準
数値	英語	日本語	
5	normal（N）	正常	可動範囲を完全に自動運動，かつ最大抵抗に抗して最終運動域を保てる
4	good（G）	優	可動範囲を完全に自動運動可能，かつ強い抵抗あるいは中等度の抵抗に抗して最終運動域を保てる（最大抵抗には抗することはできない）
3+	fair（F+）	良+	重力に抗して可動範囲を完全に自動運動可能，かつ最終域で軽い抵抗に抗しうる
3	fair（F）	良	重力に抗して可動範囲を完全に自動運動可能
2	poor（P）	可	重力の影響を最小限にした肢位でならば可動範囲を完全に自動運動可能
2−	poor（P−）	可−	重力を除いた肢位でならば可動範囲の一部を自動運動可能
1	trace（T）	不可	関節運動は起こらないが，テストする運動に関与する1つあるいは，それ以上の筋群に筋収縮を視覚・触覚的に認める
0	0	ゼロ	視覚・触覚的に筋活動はまったく認められない

注：2+について：基本的には6段階であるため考慮しないが，足底屈筋を段階付ける際に用いる。①体重を支えながら部分的な踵持ち上げを正しい形で完全に行える，②テストを体重付加なしの状態で行い，最大の抵抗に抗しながら全運動範囲にわたる動作ができる場合など。

（文献1を基に作成）

試験対策Point

筋力の質的評価

筋力の評価で用いられるMMTは，関節の運動方向別の6段階の質的評価である。測定肢位・姿勢と，検者が抵抗を加える場所に注意しよう。

● 評価の方法

評価の方法は，抑止テストを用いる。対象者が最終域までもっていき，最終域で抵抗を加える。他動的に対象者の四肢を最終域まで動かし，抵抗を加える。

MMTの準備と注意点を**表5**に示す。

補足

評価に影響する対象者の因子

他の検査と同様に，MMTは，対象者に関節運動で最大限の努力を要求する。このため，測定結果は，対象者のモチベーションや不快感，疼痛，理解力・知的能力・失行・失認・失語の程度，動作の不器用さ，うつ状態，年齢やこれまで行ってきた活動内容，性別から影響を受ける。

表5 準備と注意点

- 可能な限り痛み，不快感を与えない
- 静かで快適な環境を設定する
- ベッド，マットなどの設備を考慮する
- 評価中，体位変換を可能な限り少なくする
- 評価に必要な材料(テスト用紙，ペン・鉛筆，枕・タオル・下敷き用パッド・体位保持のための楔状マット，シーツ，関節角度計，補助者，緊急コール)を手元にそろえて開始する

抵抗についての考え方(抵抗の応用)

テスト肢位を一定にするため，運動域の最終点で抵抗を加えることが多い。二関節筋の最大抵抗点は，運動範囲の中間点かその付近にかける。評価によっては中間点で与えることもあるので注意したい。

抵抗は，筋の付着する末梢端あたりに加えるのが一般的な方法である。なお，股関節外転筋と肩甲帯運動に関与する筋(前鋸筋・僧帽筋・菱形筋)や，抵抗個所に創や痛みが存在する場合は例外なので注意したい。

切断者の筋力評価の際に，てこが短ければ同じ力でも過大に評価することがあるので，てこの柄の長さを考慮する必要がある。

急激に抵抗を加えることは禁忌である。不規則にねじるような加え方はせず，抵抗をゆっくりと増加させる。

MMTの手順

実際の測定を行う前には，歩行・立ち上がり・書字・更衣の観察や手を握るなどによっておおよその「めぼし」をつけ，スクリーニング検査を行い，おおよそ左右同関節・同運動方向を比較してから詳細な検査を行うようにする。

スクリーニングを行うべき関節とその運動は**表6**のとおりである。この段階の目的は，詳細な評価を行うべき箇所を特定することであるので，検査時の姿勢は座位でもよい。また，地域分野での対象者の居宅で実施する場合にもこの方法を用いることがある。

全身の筋力テストが必要な場合はまれである。カルテからの障害の情報や観察から，筋力低下が考えられる部位に限局して評価を行うことが多い。ただし，ギラン・バレー症候群，不全脊髄損傷四肢麻痺のように全身に広範囲に筋力低下が存在する場合にはMMTなどの全身の筋力テストが必要である。

実際のMMTの手順を**表7**に示す。

表6 筋力のスクリーニング評価

筋力のスクリーニング評価					
左		関節とその運動		右	
年/月/日	年/月/日			年/月/日	年/月/日
		肩甲帯	挙上		
		肩関節	屈曲		
			外転		
		肘関節	屈曲		
			伸展		
		前腕	回内		
			回外		
		股関節	屈曲		
		膝関節	伸展		
		足関節	背屈		
			底屈		

日付の下にMMTの結果を記入する。上記のように左右に分けて，日付ごとに記入する評価表にすると，筋力の変化が一目瞭然となる。

作業療法参加型臨床実習に向けて

筋力評価における模倣は，見学段階で指導者が模擬対象者にMMT，握力評価などのデモンストレーションを行う。その後，実習生は同一模擬対象者に各種評価を実施する。実習生は自分が行った検査が模擬対象者の筋力をどのように関連しているか指導者に伝える。指導者は実習生によかった点，改善点を伝え，検査方法を指導する。

表7 測定の手順

①スクリーニングを行う
②対象者に正しい検査肢位をとらせる。筋力段階3の評価を行うために姿勢は，抗重力位が望ましい
③測定する関節の中枢部を固定する
④測定する運動を説明し，このときは口頭でもよいが対象者に自動運動をさせる
⑤対象者の運動を観察し，筋の収縮を触診で確認する
⑥関節運動が関節の全可動範囲にわたってみられなかった場合は，関節運動を除重力位で行う
⑦関節運動が関節の全可動範囲にわたってみられた場合には，抵抗を加える
⑧左右の同名関節を交互に比較する。また，まず非麻痺側を評価してから麻痺側へと評価を進める

記録方法

表8にMMT記録用紙の一例を挙げた。結果の記載は，数値で記載する方法のほかに日本語での記載，英語の頭文字での記載といった方法がある。備考には，変則的な肢位で測定した場合や疼痛(痛み)があった場合に記載する。

補 足

表6は，対象者の全身の筋力を短時間で把握するために実施する。次に表8を用いてMMT評価手順に則り，詳細に評価を実施する。

表8 MMT記録用紙（上肢）

対象者：　　　　　　　　　　　　　　　　　　　　　　検者：

	左				右			
備考	/ /	/ /	/ /		/ /	/ /	/ /	備考
				肩甲骨外転と上方回旋				
				肩甲骨挙上				
				肩甲骨内転				
				肩甲骨下制と内転				
				肩甲骨内転と下方回旋				
				肩関節屈曲				
				肩関節伸展				
				肩甲骨面挙上				
				肩関節外転				
				肩関節水平外転				
				肩関節水平内転				
				肩関節外旋				
				肩関節内旋				
				肘関節屈曲				
				肘関節伸展				
				前腕回外				
				前腕回内				
				手関節屈曲				
				手関節伸展				

補足

代償運動を見破ろう。代表例を挙げると，座位での肩関節屈曲・外転の筋力測定では，肩甲帯挙上の代償運動が出現する。測定の経験が浅い場合，測定関節に注意を奪われてしまう。一呼吸おいて，姿勢全体をみる余裕をもとう。

● 代償運動

MMTを適用する対象者は，当然のことながら，筋力の低下をきたしている場合が多い。この場合，運動機能の不全を代償しようとして，本来のメカニズムとは異なる方法で行う代償運動が出現する。

本項では，上肢帯，上肢の代償運動の例を挙げる（**図1〜4**）。これらの代償運動を筋力低下した対象者が用いることは，日常生活場面では有用なことも多いが，MMT場面では検査結果の正確性を低下させる原因となる。検査時には代償運動を抑制しつつ，判定を進めることが正確な検査結果を導き出す条件となる。

Case Study

バイク運転中転倒事故による左腕神経叢を損傷した，30歳代男性のAさん。抗重力位では肘関節屈曲が回外位，中間位，回内位ともに自発運動がみられなかった。除重力位では，手関節の伸展と前腕の回内を伴い肘関節が全可動域屈曲したものの，前腕回外位では屈曲できなかった。

Question 1

この場合，上腕二頭筋，上腕筋，腕橈骨筋，長橈側手根伸筋のいずれの作用によるものか考えてみよう。

☞ 解答 p.289

図1 肩関節屈曲

a 正常

座位で肩関節を屈曲(前方挙上)する

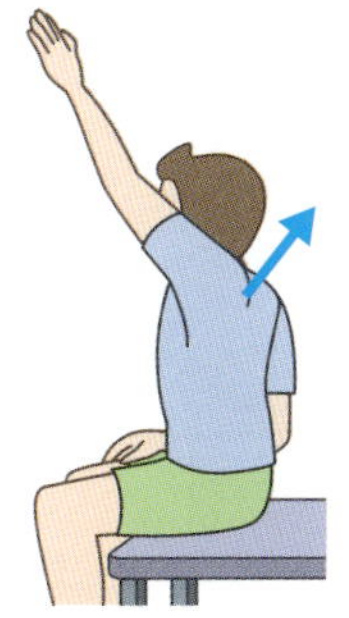

b 代償運動

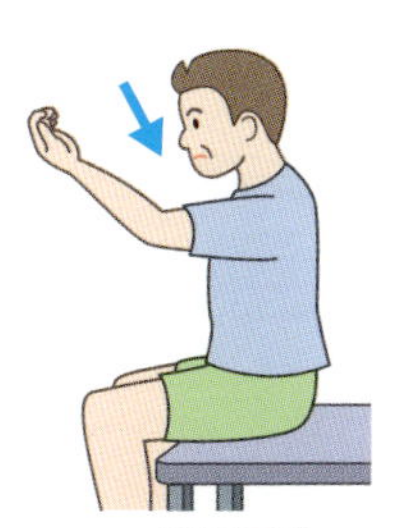

c 代償運動

三角筋，特に前部線維が低下するとcのような肩甲帯の挙上による代償がみられる。

bも三角筋の筋力低下例であるが，上腕二頭筋での肩関節屈曲の代償例である。肩関節外旋，前腕を回内していることから，これらのことが判断できる

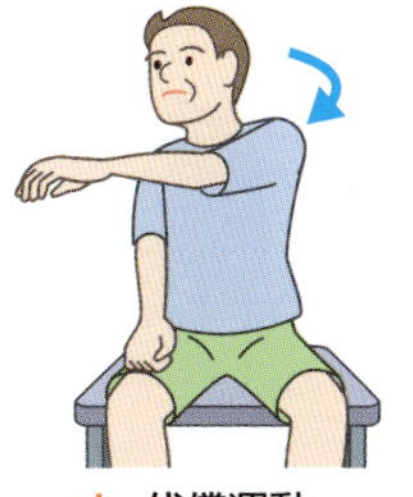

d 代償運動

三角筋の弱化では，大胸筋の収縮や体幹の回旋を利用した代償動作がみられる

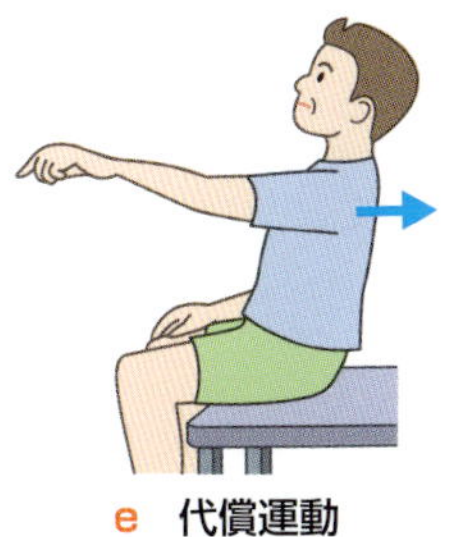

e 代償運動

三角筋の弱化では，よく観察される代償動作である。体幹を後屈させている

(文献2を基に作成)

図2 肩関節の外転

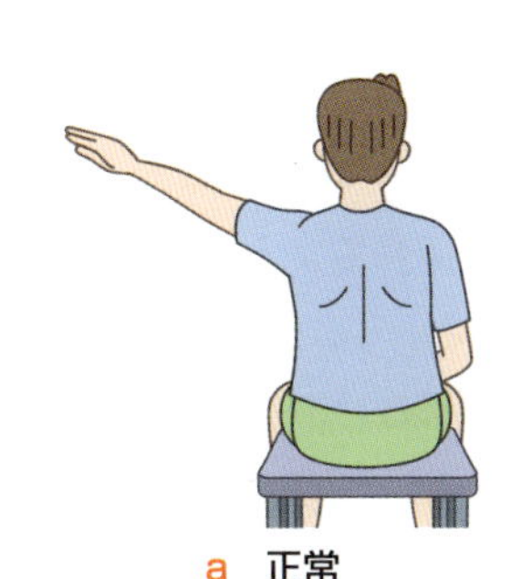

a 正常

座位で肩関節外転(側方挙上)する

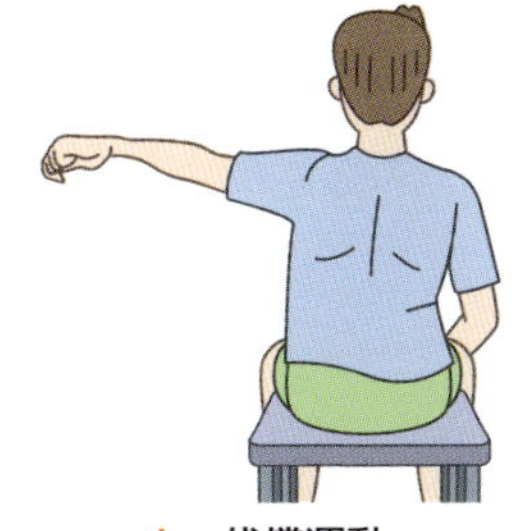

b 代償運動

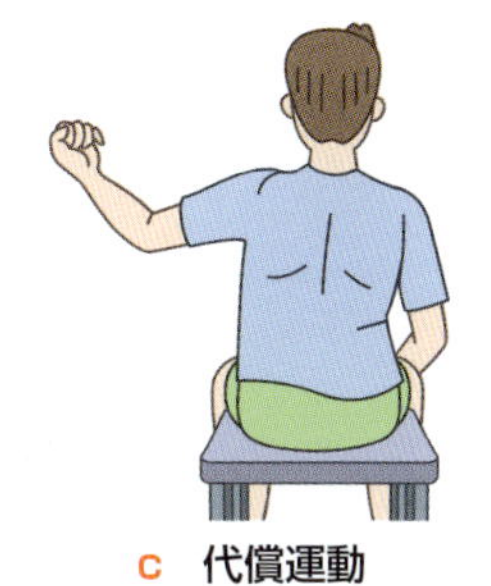

c 代償運動

三角筋や棘上筋が低下すると肩関節外転時に上腕三頭筋(b)，肩関節外旋・前腕回外位で上腕二頭筋(c)を用いた代償運動がみられる

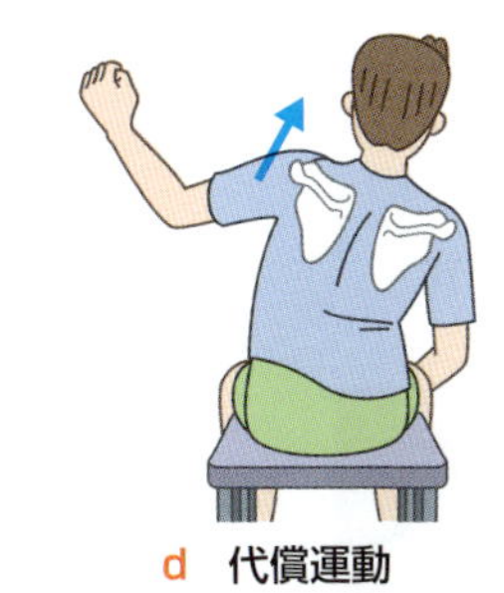

d 代償運動

三角筋の弱化では，肩甲帯の挙上・上方回旋を利用した代償動作がみられる

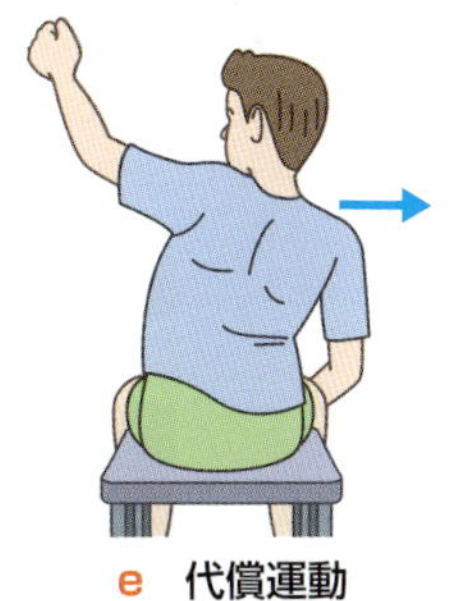

e 代償運動

三角筋の弱化では，体幹の側屈を利用した代償動作がみられる

(文献2を基に作成)

図3 肘関節屈曲

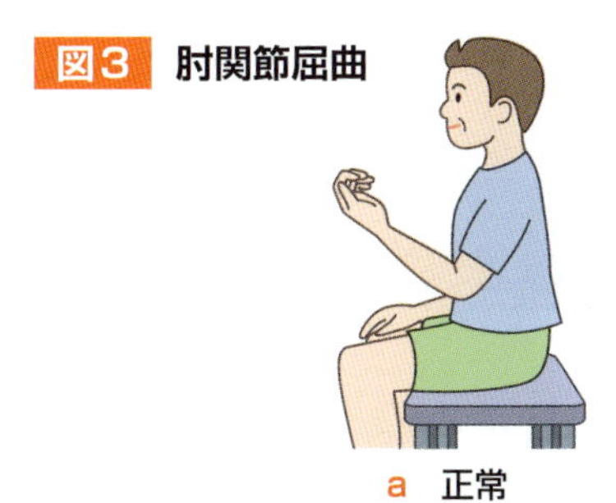

a 正常

座位で前腕回外位にて肘関節を屈曲する

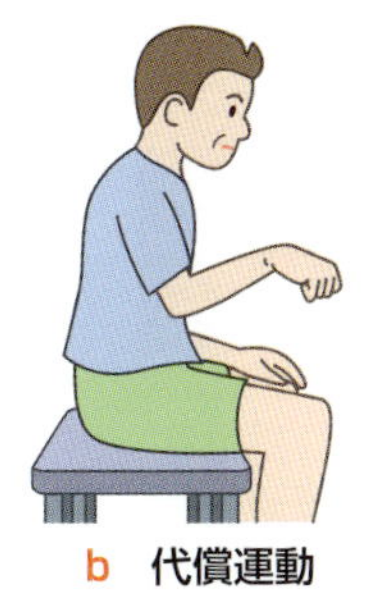

b 代償運動

肘関節屈曲時に上腕筋を優位に働かせているために，前腕が回内位となっている

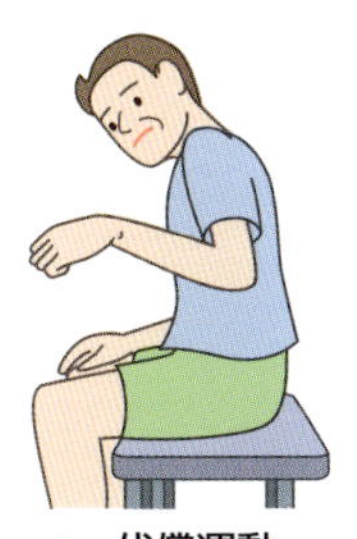

c 代償運動

肘関節屈曲時に腕橈骨筋を優位に働かせているために，前腕が中間位となっている

図4 肘関節伸展

a 正常
座位で肘関節を伸展する

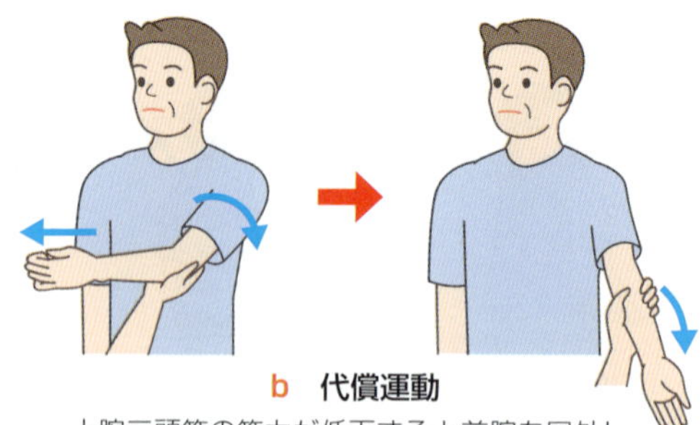

b 代償運動
上腕三頭筋の筋力が低下すると前腕を回外し，
重力を利用して肘を伸展する運動がみられる

（文献2を基に作成）

4 機器による筋力測定

機器による筋力測定は，MMTと比較して，その数値が定量的であることが特徴である。臨床でよく用いられる方法は，握力計，背筋力計，ピンチメータが挙げられる。本項では，握力とピンチ力の測定について述べる。

■握力測定

Smedley(スメドレー)式握力計（**図5**）は，握力測定において最も一般的機器である。握り方は示～小指のすべての指を用いてしっかりと握れるようにグリップ幅を調節し，示指の第2関節が直角になるように握る。

姿勢は，立位または座位で行うのが通常である。**図6**に測定肢位（立位）を示す。

図5 スメドレー式握力計

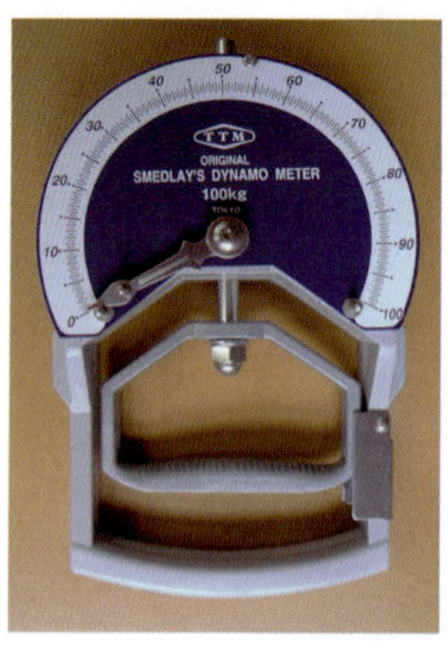

図6 測定肢位

測定の際の注意点は，握力計のメータ面を身体と垂直に保つこと，肩を挙げたり機器を持ち上げることを防止するため，肘を伸ばして握力計を垂直に下げた姿勢を維持すること，握力計が体側に触れないようにすること

などが挙げられる。

計測回数は左右2～5回ずつ測定し，最大値，最小値，平均値を測定値として導き出す。

■ピンチ力測定

ピンチ力測定にはピンチ力計が用いられる(図7)。つまみ形態は「指尖つまみ(図8)」「指腹つまみ」「3点つまみ」「側腹つまみ」などで測定する。姿勢はいずれも椅座位で行い，2～5回ずつ評価し，最大値，最小値，平均値を測定値として導き出す。

試験対策 Point

- MMTは，筋力の6段階の質的評価である。
- 測定肢位・姿勢と検者が抵抗を加える場所に注意する。
- 筋力低下がある場合，代償運動が出現することが多い。

図7 ピンチ力計

図8 指尖つまみ

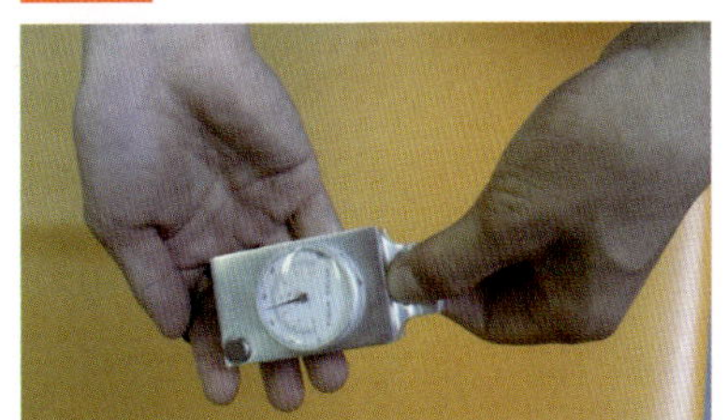

【引用文献】

1) Helen J, Hislop, et.al.：新・徒手筋力検査法原著，第8版，協同医書出版社，2008.
2) 竹内孝仁：体表解剖と代償運動，医歯薬出版，2001.

【参考文献】

1. 上田　敏，ほか 編：リハビリテーション医学大辞典，医歯薬出版，1996.
2. 中村隆一，ほか：基礎運動学，第6版，医歯薬出版，2003.
3. 立野勝彦，ほか：リハにおけるアウトカム評価尺度　徒手筋力検査(MMT)，関節可動域(ROM)(解説)，Journal of Clinical Rehabilitation, 15(6)：578-582, 2006.
4. 岩崎テル子，ほか 編：標準作業療法学専門分野 作業療法評価学，医学書院，2005.
5. 竹内孝仁：体表解剖と代償運動，医歯薬出版，2001.
6. 内山　靖，ほか：臨床評価指標入門 適用と解釈のポイント，協同医書出版社，2003.

チェックテスト

Q

①筋力とは何か説明せよ(☞p.87)。 基礎
②筋力評価にはどのようなものがあるか挙げよ(☞p.87)。 基礎
③MMTで検査可能な筋力は何か(☞p.88)。 基礎
④ダニエルズとワーシンガムらのMMTは上位運動ニューロンの障害に適用できるか(☞p.88)。 臨床

9 筋緊張

内藤泰男

Outline

●筋緊張の異常は作業療法の主要な問題点に挙げられないものの，対象者の動作に影響を及ぼす。そのため，動作・姿勢の変化により各筋の筋緊張がどのように変化するかを把握することが不可欠である。

1 筋緊張とは

リラックスした状態の上腕二頭筋を触知した際，指先は弾力ある筋腹を，腱に触れた場合には腱から押し戻す力を感じる。このように**筋は，安静状態でも持続的に収縮している**。この安静時の筋の緊張状態を**筋緊張**という。正常な筋緊張は，姿勢の維持や運動の準備段階に不可欠な状態である。筋緊張は，姿勢保持では抗重力筋群の活動を持続的に行っており，上肢の到達・把握動作では滑らかな運動を行うために適度に調整している。

筋緊張は，**大脳皮質（運動野），基底核，網様体，小脳，脊髄，末梢神経−筋**の6つのレベルで調節されている（**図1**）。

図1 筋緊張の調節機能

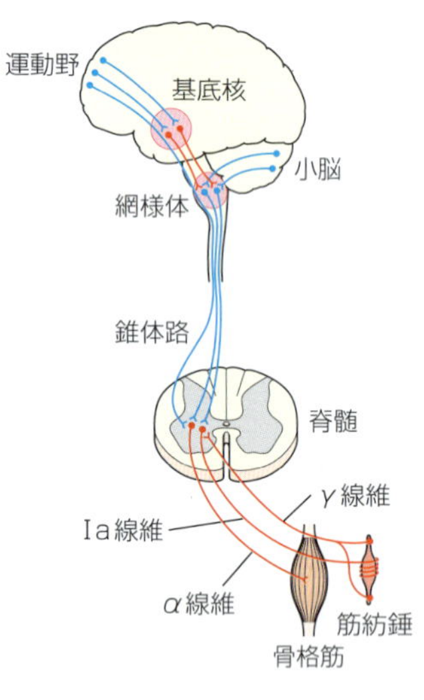

筋緊張の異常には，**亢進**と**低下**がある。筋の緊張が亢進した状態で代表的なものは**痙縮**，**固縮**という。逆に低下した状態を**筋緊張低下**，**弛緩**という（**図2**）。

図2 筋緊張の種類

筋緊張	
亢進	固縮
	痙縮
	正常
	筋緊張低下
低下	弛緩

（文献1を基に作成）

2 筋緊張の評価の目的

筋緊張は安静状態での上肢や下肢の視診，触診，他動運動や動作観察によって評価する。反射検査や片麻痺機能の回復と密接に関連するので，これらの項目と照らし合わせ，学習することが必要である。

筋緊張亢進状態は，痙縮，固縮に大別され，上位運動ニューロンの障害によって出現する（**表1**）。

表1　中枢神経障害による筋緊張亢進状態の種類とその特徴

	痙　縮	固　縮
責任病巣	錐体路	錐体外路
筋伸展時の張力の出現の仕方	筋の受動的伸展初期に強い張力が出現するが，ある程度伸展されると張力は常に減弱する ⇒折りたたみナイフ現象	筋の受動的伸展の期間中一定の抵抗が感じられる ⇒歯車現象，鉛管様抵抗
出現側	片側あるいは両側。 上肢では屈筋，下肢では伸筋に強い	両側。左右差があることがある
運動麻痺	強い	ないか軽度
Babinski徴候	陽性	陰性
深部腱反射	亢進	正常または軽度亢進
随伴するほかの神経徴候	足クローヌス(間代)	足クローヌス(間代)
脳卒中との関係	脳卒中でしばしばみられる	脳卒中では典型的なものはみられない。 Parkinson病に典型的に出現する

(文献2を基に作成)

試験対策 Point

筋緊張亢進・低下を示す現象名と，その状態をしっかり一致させよう。そして，疾患の発生機序と合わせて現象を理解しよう。例えば，脳血管障害ならば，錐体路が障害されやすいので，痙縮して折りたたみナイフ現象が出現するなどである。

■痙縮

痙縮は上位運動ニューロンの障害(錘体路障害)により出現する。痙縮の出現した筋は，**腱反射の亢進**，**折りたたみナイフ現象**，**クローヌス**を伴う。

折りたたみナイフ現象は筋を他動的に伸張すると初期には抵抗を感じるが，持続的に伸張すると抵抗が消失する現象をいう(**図3**)。

クローヌスは急速に筋を伸張すると，その筋が一定のリズムをもって収縮と弛緩を繰り返す現象である。代表的なものでは，膝蓋骨を足部方向に押し下げたときに大腿四頭筋にみられる膝クローヌス(**図4**)，足関節を背屈したときに下腿筋にみられる足クローヌス(**図5**)がある。

図3　折りたたみナイフ現象

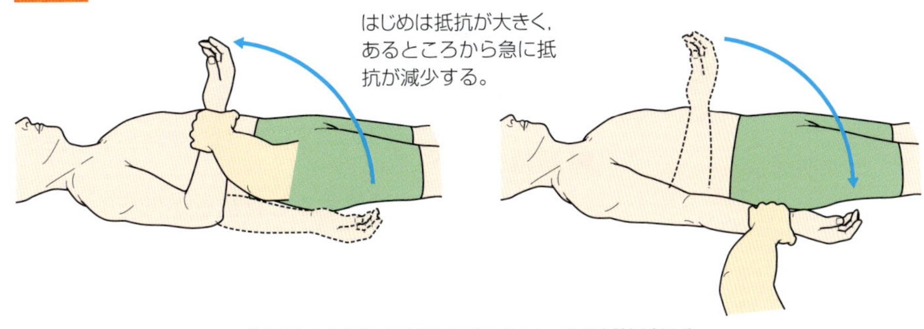

肘屈曲の初期には抵抗を感じるが，急に抵抗がなくなる。しかし，肘の伸展時には抵抗は感じない

図4　膝クローヌス

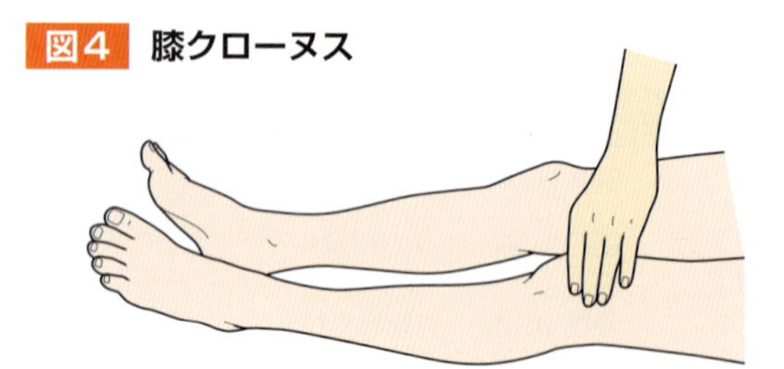

下肢を伸展した状態で，検者の母指と示指の指腹で膝蓋骨を挟むようにつまみ，勢いよく膝蓋骨を大腿四頭筋が伸張するように足の方向に押し下げ，止まったところで力を緩めずにそのままの状態を維持する。このとき，大腿四頭筋の収縮が連続して起こるのが膝クローヌスである

図5　足クローヌス

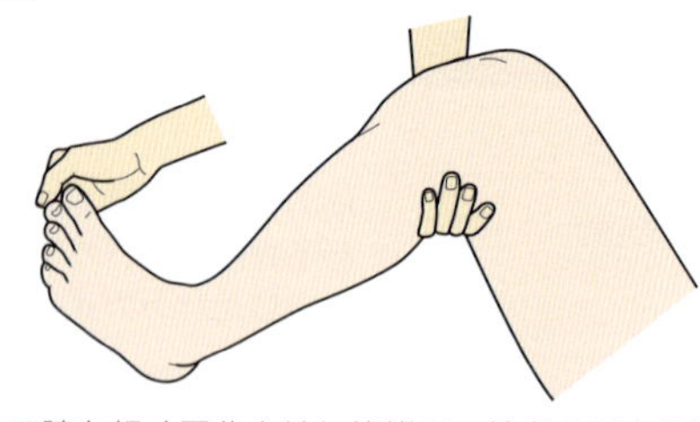

背臥位で膝を軽く屈曲させた状態で，検者の手を足趾の底面におき，勢いよく足関節が背屈するように力を入れ，止まったところでその状態を維持するようにする。このとき，下腿三頭筋が連続して収縮するのが足クローヌスである

■固縮

固縮は上位運動ニューロンの障害のなかでも錐体外路障害によって出現する。固縮の出現した筋は，**鉛管様現象**，**歯車様現象**を伴う。一般に固縮では腱反射は，亢進しないか，わずかに亢進するだけである。

鉛管様現象は，鉛管を曲げる際の抵抗感と似ているような，筋を他動的に伸張するとはじめから終わりまで同程度の抵抗感を示す現象を指す(**図6**)。

歯車様現象は，歯車が回転する際の律動的な運動に似ているような，筋を他動的に伸張すると初期から最後までガクン・ガクンとした律動的な抵抗感を示す現象である(**図7**)。一般に歯車現象はパーキンソン病患者にみられ，鉛管様現象と振戦が混在した状態であるとされている。

図6　鉛管様現象

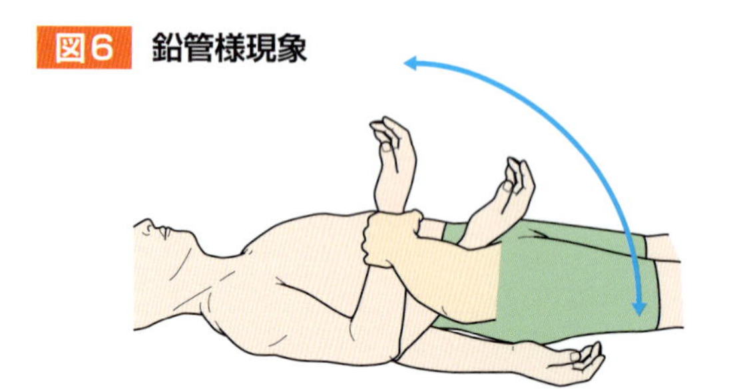

肘関節屈伸を他動的に行うと，肘関節屈曲運動時にはじめから終わりまで同一の筋収縮抵抗を感じ，伸展する際にも同じ抵抗を感じる

図7　歯車様現象

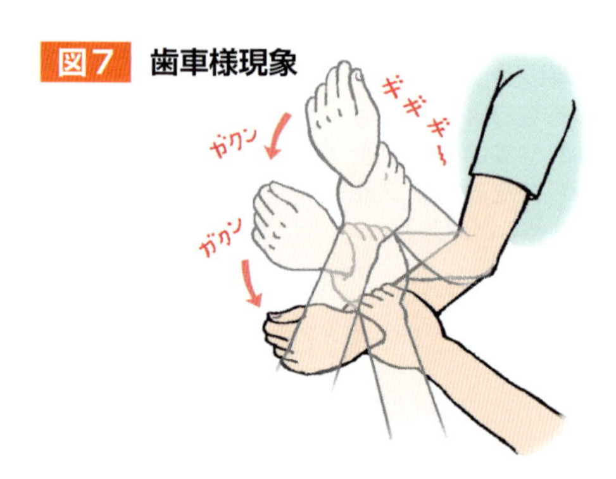

■筋緊張低下

関節を他動的に伸張すると抵抗感が低下している(筋緊張低下)，または消失している(弛緩)状態である。下位運動ニューロンの障害や筋の障害では筋緊張は，低下もしくは弛緩(flaccidity)し，腱反射が減弱または消失している。加えて足底筋反射は，正常または消失した状態である。しかしながら，上位運動ニューロンの障害による筋緊張低下では，安静時では筋緊張が低下し，弛緩しているように見受けられるが，腱反射は亢進している。評価の際には，注意が必要である。

3 筋緊張の評価

■観察

対象者を身体的，精神的に安静状態へ導いてから評価することが原則である。対象者の筋緊張は同一筋であっても臥位，座位，立位などの姿勢により変化するので，評価時の姿勢を記録しよう。筋や腱の輪郭や張りの状態を左右の同名筋で比較する。筋緊張が低下している場合は，筋が平板化して腱の張りがない様子が認められる。筋緊張が亢進している場合は，筋が膨隆し，腱が浮き上がる様子が認められる。

■触診

観察と同様に，対象者を心身ともに安静状態へ導いてから評価する。検者は，直接筋に触れて筋や腱の張りの状態を左右の同名筋で比較する。筋緊張が低下している場合は，筋の弾性が低下していることを触知できる。筋緊張が亢進している場合は，筋の硬度が増し硬く感じられる。

■他動運動

対象者を身体的，精神的に安静状態へ導いてから評価することが原則である。他動的に関節を動かし筋を伸張させ，その抵抗感を評価する。筋緊張亢進状態では，当然のことながら抵抗感を感じることができる。筋緊張低下状態では，抵抗感は低下して本来の関節可動域よりも過大に可動域が拡大することがある。

■被動性検査

各関節を屈曲・伸展，外転・内転，外旋・内旋などの運動方向に左右肢を交互に他動的に動かし比較しながら，そのときの抵抗感や遠位関節の動きの度合いから，筋の抵抗を検査する（**図8〜13**）。

客観的な抵抗の段階付けとしては，modified Ashworth（アシュワース） scale（MAS，p.105 **表5**参照）がある。

立位もしくは座位状態で対象者の両肩を持ち，前後に揺らしたときの上肢の揺れの程度を評価する**肩ゆさぶり試験**（shoulder shaking test）がある（**図14a**）。これは一般に筋緊張が低下した状態の評価で用いられ，前後に揺らすと緊張が低下した側の上肢の揺れは大きくなる。筋緊張が亢進した場合には，緊張が亢進した側の上肢は，拮抗筋の抵抗が強くなり上肢の揺れが小さくなる。

振り子試験（pendulum test）（**図14b**）は，床に足底がつかない状態で，下腿を揺り動かしたときのそのふり幅と持続時間をみる。筋緊張が亢進した場合には振り幅が小さく，持続時間が短くなる。一方，筋緊張が低下した場合には振り幅が大きく，持続時間が長くなる。

補足

作業療法を実施するにあたっての筋緊張評価の意義を考えてみる。

筋緊張は，例えば上肢の到達把握動作などで滑らかな運動を行うために，適度に調整されている。これが異常になることは，随意運動が滑らかに発現しなくなることを意味している。

筋緊張の亢進は，例えば固縮なら**持続的に緊張亢進している**ため，関節の主動作筋・拮抗筋双方の短縮とともに，易疲労の原因となる。痙縮の場合は亢進筋の短縮による関節可動域制限と，拮抗筋との緊張のアンバランスによる関節面の不整合がみられる。これをとらえることが，作業療法実施における筋緊張評価の意義である。

緊張低下や弛緩の場合は，筋出力の低下（筋力低下）と関節面の不整合をとらえることが意義となる。

作業療法参加型臨床実習に向けて

- 筋緊張の評価は，観察，次に触診もしくは他動運動の順に進めるとよい。
- 筋緊張の異常は亢進と低下である。亢進は固縮と痙縮，低下は低下と弛緩に分けられる。
- 筋緊張の異常を神経学的に理解しよう。

図8 座位での肘関節屈伸

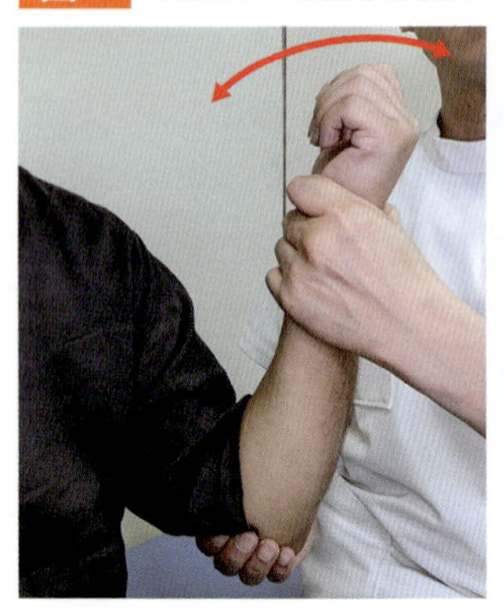

図9 座位での手関節屈曲

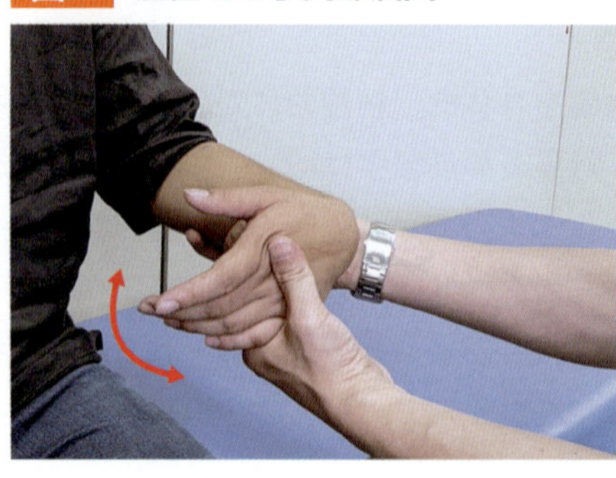

図10 座位での手関節伸展

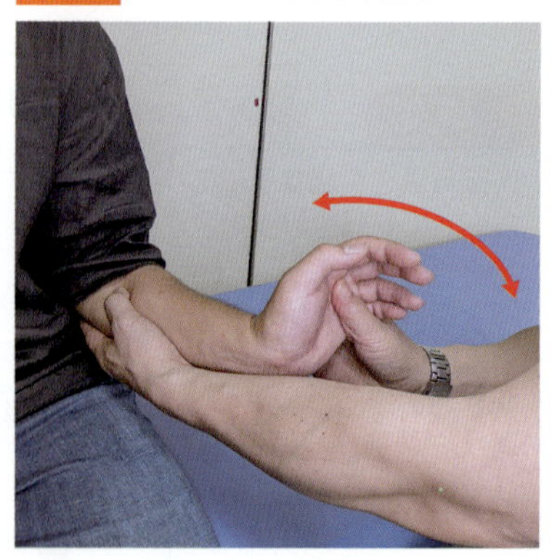

図11 座位での手指の伸展被動性確認

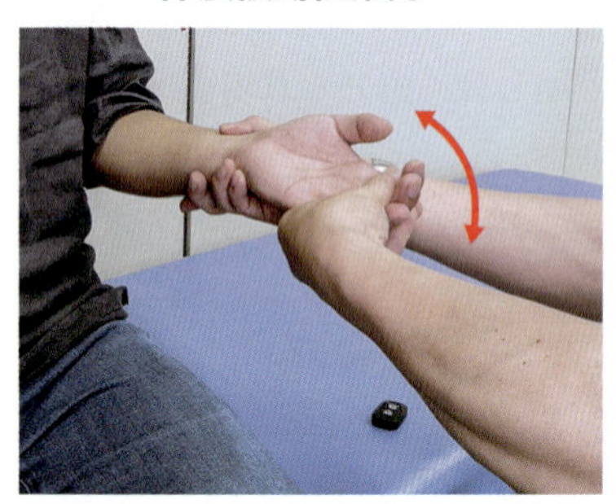

図12 臥位での股・膝関節の屈曲・伸展

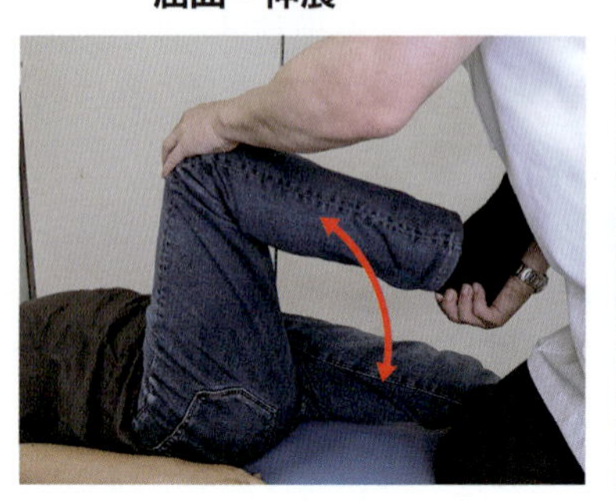

図13 臥位での足関節の底屈・背屈

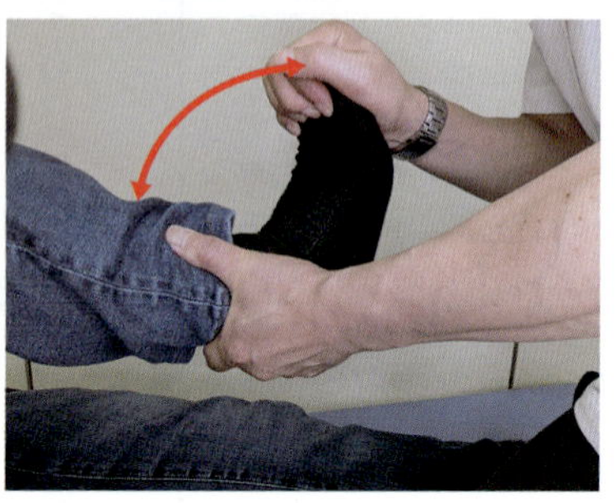

図14 肩ゆさぶり試験と振り子試験

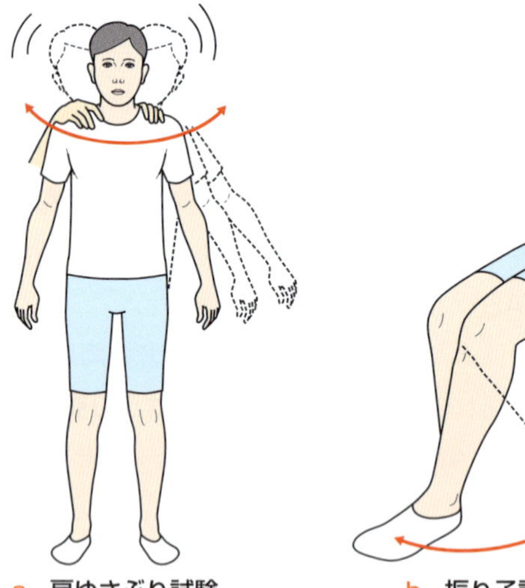

a 肩ゆさぶり試験

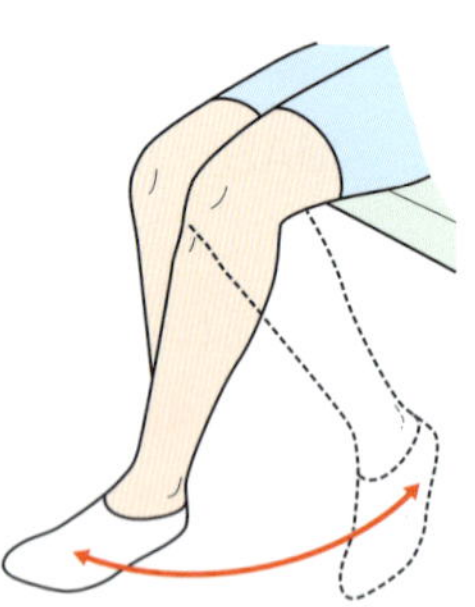

b 振り子試験

作業療法参加型臨床実習に向けて

筋緊張評価における模倣は，見学段階で指導者が模擬対象者を対象に評価のデモンストレーションを行う。その後，実習生は同一模擬対象者に観察・触診・他動運動・被動性検査を実施する。実習生は自分が行った検査が，模擬対象者の症状とどのように関連しているか指導者に伝える。指導者は実習生によかった点，改善点を伝え，検査方法を指導する。

図15 ウェルニッケ・マン肢位

● 動作時の評価

筋緊張の評価は安静時に行うことが原則である。しかしながら，筋緊張の異常による上肢，下肢，姿勢の変化が種々の動作遂行に影響を与えることから，動作時に筋緊張の評価を行うことも必要である。特に，脳卒中などの錐体路障害では痙縮状態を慢性化するために，座位，立位時に上肢は肘関節，手関節，手指が屈曲，下肢の内転筋の持続的な筋緊張の亢進が出現し，**Wernicke-Mann**（ウェルニッケ-マン）**肢位**という一定の肢位をとる（**図15**）。

この状態が持続すると，更衣動作で袖を通すことが困難にし，手指が不衛生な状態となり皮膚疾患に罹患することもある。下肢の内転筋の亢進と足の内反尖足は，立位の安定性低下と歩行を困難にする。このように動作時の姿勢の変化によって筋緊張が変化することから，筋緊張評価は対象者の問題となっている動作時の姿勢・四肢の観察を行い，異常筋緊張を出現させている反射の状態を把握することが必要である。

Case Study

60歳代男性，左被殻出血と診断されたAさん。発症より5カ月経過している。Brunnstrom（ブルンストローム） recovery stageで上肢Ⅲ，手指Ⅲ，下肢Ⅴ。右上下肢知覚鈍麻が認められた。立位にてウェルニッケ・マン肢位であった。

Question 1

Aさんの困難が予測される姿勢・動作について挙げてみよう。

☞ 解答 p.289

【引用文献】

1) 福井圀彦，ほか 編著：脳卒中最前線，第4版，p117，医歯薬出版，2009.
2) 福井圀彦，ほか 編著：脳卒中最前線，第3版，p92，医歯薬出版，2003.
3) 浅山　滉，ほか 編：脳卒中リハビリテーション外来診療，CLINICAL REHABILITATION 別冊：122-127，医歯薬出版，1997.

【参考文献】

1. 小嶺幸弘：神経診察ビジュアルテキスト，医学書院，2002.
2. 田崎義昭，斎藤佳雄 著：ベッドサイドの神経の診かた，第17版，南山堂，2009.
3. 柳澤　健 編：理学療法学ゴールド・マスター・テキスト1 理学療法評価学，メジカルビュー社，2010.
4. 岩崎テル子，ほか 編：標準作業療法学専門分野 作業療法評価学，医学書院，2005.
5. Bohannon RW, Smith MB：Interrater reliability of a modified Ashworth scale of muscle spasticity, Phys Ther，67(2)：206-207，1987.

チェックテスト

Q

①筋緊張とは何か説明せよ（☞p.96）。 基礎
②筋緊張の調節は，どのようなレベルで行われているか説明せよ（☞p.96）。 基礎
③筋緊張の異常状態を説明せよ。また，その代表的な現象を挙げよ（☞p.96）。 基礎
④痙縮とは何か説明せよ。また，その代表的な現象を3つ挙げよ（☞p.97）。 基礎
⑤固縮とは何か説明せよ。また，その代表的な現象を2つ挙げよ（☞p.98）。 基礎
⑥筋緊張の評価の方法，観点とその手順について述べよ（☞p.99）。 臨床

10 片麻痺の機能回復

内藤泰男

Outline

- 片麻痺の評価は，随意的な運動能力の程度を把握することである。
- 対象者の随意的な運動能力の程度を把握するために，運動麻痺による機能的な障害，動作や姿勢を含めた活動の状態を評価する。
- 対象者の動作能力と骨格・筋等の機能の側面からの分析が必要となる。

1 片麻痺とは

運動の伝導路は，大脳皮質から放線冠内包，脳幹，脊髄を経て脊髄前角細胞に至る**上位運動ニューロン**と，脊髄前角細胞から筋に至る**下位運動ニューロン**の2つに大別される（**表1**）。片麻痺は，前者の障害いわゆる上位運動ニューロン障害（核上麻痺）によって出現する。片麻痺は，筋緊張の異常と随意運動時の運動側の共同運動，非麻痺側運動時の連合反応を呈する。

本項では，上位運動ニューロン障害に起因する運動麻痺の様態とその評価の観点，評価手法について述べるとともに，特に大脳レベルでの上位運動ニューロン障害の随意運動回復の観点から評価手法を紹介する。

表1 上位運動ニューロン障害と下位運動ニューロン障害

障害		鑑別点
上位運動ニューロン障害（核上麻痺）	大脳皮質から内包，脳幹，脊髄を経て脊髄前角細胞に至る経路のどこかで障害あるときにみられる	・筋トーヌスは亢進し，spasticity（痙縮）がある深部反射は亢進 ・筋萎縮はない。あっても廃用性筋萎縮 ・Babinski（バビンスキー）反射（＋） ・線維束攣縮（れんしゅく）（－） ・侵される筋群は広範である。個々の筋のみが侵されることはない
下位運動ニューロン障害（核下麻痺）	脊髄前角細胞から末梢部で筋に至るまでの経路のどこかで障害があるときにみられる	・筋トーヌスは低下し，flaccidity（弛緩）がある深部反射は減弱，ないし消失 ・筋萎縮は著明 ・足底筋反射は正常，または消失 ・線維束攣縮（＋） ・個々の筋のみが侵される

2 片麻痺の様態

身体一側の上下肢の運動・感覚麻痺であり，障害部位は内包付近の障害が多い。**交代性片麻痺**と**交差性片麻痺**の2種に分けられる。交代性片麻痺では一側の片麻痺と他側の脳神経麻痺が出現し，交差性片麻痺では一側の上肢と他側の下肢の運動麻痺が出現する。交差性片麻痺の障害部位は，延

試験対策 Point

連合反応と共同運動

連合反応と共同運動を区別しよう。連合反応は，麻痺側に対象者の意思にかかわらず(不随意に)出現する関節運動である。非麻痺側の筋を強く働かせたり，歩行や姿勢変換を行った際に，麻痺側筋が収縮して関節運動が生じる。

共同運動は，対象者の意思で麻痺側である運動を行おうとすると，麻痺側の筋の緊張が高くなり，関節運動が出現する。

髄の錐体交差部障害である。**錐体路徴候**の存在は，上位運動ニューロンに障害があることを示す。錐体路徴候とは筋萎縮を伴わない**痙性麻痺**(ただし，廃用性に起因する筋萎縮は出現する)，**深部反射亢進**，**バビンスキー反射の出現**，**腹壁反射の消失**の4つが挙げられる。

随意運動では，ある運動を行う際に働く筋が同時に筋緊張が高くなる共同運動が出現する。その出現には屈曲と伸展のパターンがある(**表2**)。片麻痺の特徴的な姿勢は，**Wernicke-Mann(ウェルニッケ-マン)肢位**である(p.101 **図15**参照)。

表2 共同運動パターン

	屈筋共同運動	伸筋共同運動
上肢	・肩甲帯の後退，または挙上 ・肩関節の90°の外転(ときに伸展) ・肩関節の外旋 ・肘関節の鋭角度の屈曲 ・前腕の完全な回外	・肩甲帯のやや前方突出した位置での固定 ・身体の前面への上腕の内転 ・肩関節の内旋 ・肘関節の完全な伸展 ・前腕の完全な回内
下肢	・股関節の屈曲 ・股関節の外転と外旋 ・膝関節の約90°屈曲 ・足関節の背屈と内がえし ・足趾の背屈	・股関節の伸展 ・股関節の内転と内旋 ・膝関節の伸展 ・足関節の底屈と内がえし ・足趾の底屈(必発ではなく，たまに母趾伸展)

(文献1を基に作成)

3 片麻痺の評価の目的

片麻痺の評価の目的は，随意的な運動能力の程度を把握することである。対象者の随意的な運動能力の程度，運動麻痺による機能的な障害，動作や姿勢を含めた活動の状態をとらえる視点で評価する。対象者の随意運動がどの程度分離しているのか，速度，力，操作性などの観点が重要となる。

4 片麻痺の評価

片麻痺の評価は，機能的な観点からは**Brunnstrom(ブルンストローム) recovery stage (BRS)**，**上田による12段階法**[*1]が用いられ，姿勢・動作の分析の観点からは**脳卒中機能評価法(stroke impairment assessment set：SIAS)**が用いられている。各検査法に共通した準備を**表3**に示す。

＊1 上田による12段階グレード法

上田による12段階グレード法はBRSをもとにサブテストを行い，信頼性と妥当性を検討し，脳卒中片麻痺の随意運動の回復の過程における変化を12段階に分類したものである。

表3 検査の準備

- 検査実施の前に，対象者に目的や内容，方法などについて十分な説明を行い，理解と協力を求める
- 対象者に随意に動かしてもらい，腕と手指部の自動的な運動能力の程度を確認してから，詳細な検査を実施する
- 運動は対象者の非麻痺側で練習させてから麻痺側を行う
- 検査結果より，推定された回復段階の前後についても念のため確認する

■BRS

片麻痺後運動麻痺の随意運動回復程度の判定基準として用いられる。筋緊張の程度，共同運動および分離運動の出現程度を評価する。回復の段階は，弛緩性麻痺，痙縮・連合反応の出現，共同運動の出現，分離運動の出現，分離運動の促進，協調運動の獲得に分けられる。テスト時の対象者の姿勢は座位である。**表4**にBRSの段階を示す。

表4　BRS（片麻痺機能テスト）

1. 上肢（肩，肘）のBRS

stage Ⅰ	随意運動なし（弛緩期）
stage Ⅱ	基本的共同運動またはその要素の最初の出現，痙縮の発現期
stage Ⅲ	基本的共同運動またはその要素を随意的に起こしうる。痙縮は強くなり，最強となる
stage Ⅳ	痙縮は減少し始め，基本的共同運動から逸脱した運動が出現する ・手を腰の後ろに動かせる ・上肢を前方水平位に上げられる（肘は伸展位で） ・肘90°屈曲位で，前腕の回内・回外ができる
stage Ⅴ	基本的共同運動から独立した運動がほとんど可能。痙縮はさらに減少する ・上肢を横水平位まで上げられる（肘伸展，前腕回内位で） ・上肢を屈曲して頭上まで上げられる（肘伸展位で） ・肘伸展位での前腕の回内・回外ができる
stage Ⅵ	分離運動が自由に可能である。協調運動がほとんど正常にできる。痙縮はほとんど消失する

2. 手指のBRS

stage Ⅰ	弛緩性
stage Ⅱ	指屈曲が随意的にわずかに可能か，またはほとんど不可能な状態
stage Ⅲ	指の集団屈曲が可能。鉤型握りをするが，離すことはできない。指伸展は随意的にはできないが，反射による伸展は可能なこともある
stage Ⅳ	横つまみが可能で，母指の動きにより離すことも可能。指伸展はなかば随意的に，わずかに可能
stage Ⅴ	対向つまみ（palmar prehension）ができる。円筒握り，球握りなどが可能（ぎこちないが，ある程度実用性がある）。指の集団伸展が可能（しかし，その範囲はまちまちである）
stage Ⅵ	すべてのつまみ方が可能になり，上手にできる。随意的な指伸展が全可動域にわたって可能，指の分離運動も可能である。しかし，非麻痺側より多少拙劣

3. 体幹と下肢のBRS

stage Ⅰ	随意運動なし（弛緩期）
stage Ⅱ	下肢の随意運動がわずかに可能
stage Ⅲ	座位や立位で股，膝，足関節の屈曲が可能
stage Ⅳ	座位で足を床上に滑らせながら，膝屈曲90°以上可能。座位で踵を床につけたまま，足関節の背屈が可能
stage Ⅴ	立位で股関節を伸展したまま，膝関節の屈曲が可能。立位で麻痺側足部を少し前方に出し，膝関節を伸展したまま，足関節の背屈が可能
stage Ⅵ	立位で股関節の外転が，骨盤挙上による外転角度以上に可能。座位で内側，外側のハムストリングの交互収縮により，下腿の内旋・外旋が可能（足関節の内がえし・外がえしを伴う）

（文献2より引用）

アクティブラーニング ①　片麻痺は，BRSで評価されることがほとんどである。上肢，手指，下肢別のステージを自ら再現できるようになろう。

補足

BRSの適用
片麻痺は，脳卒中以外にも頭部外傷や多発性硬化症などでも出現し，BRS適用することが多い。しかし，このテストは脳卒中による運動麻痺後の随意運動回復程度の判定基準として開発された。そのため，ほかの疾患に適用する場合はあくまで参考として理解することが適当である。

作業療法参加型臨床実習に向けて

片麻痺の機能回復における模倣は，見学段階で指導者が模擬対象者に共同運動や連合反応の観察，反射評価（腱反射・病的反射），BRS，麻痺側上肢の機能的な回復段階の評価など各種評価のデモンストレーションを行う。その後，実習生は同一模擬対象者に各種評価を実施する。実習生は自分が行った検査が模擬対象者の症状とどのように関連しているか指導者に伝える。指導者は実習生によかった点，改善点を伝えて検査方法を指導する。

Case Study

60歳代女性，Aさんは脳出血による左片麻痺が認められている。発症から3カ月経過しており，BRS上肢Ⅲ，手指Ⅲ，下肢Ⅲであった。また，知覚は正常である。

Question 1

Aさんの立位時の肢位は，総じてなんと称するか。また，その肢位の特徴を上肢下肢別の関節ごとに述べよ。

☞ 解答 p.289

■MAS

痙縮は，脳卒中，頭部外傷，脊髄損傷，脳性麻痺，多発性硬化症などの上位運動ニューロン障害対象者にみられ「上位運動神経症候群の一部として，伸張反射の過興奮性の結果生じる，腱反射の亢進を伴った緊張性伸張反射（tonic stretch reflex）の速度依存性増加を特徴とする運動障害」として定義される[3]。痙縮は，身体的，感情的な刺激や，日によって筋緊張の程度が変動してしまうために，その客観的評価は難しい。

本項では痙縮の臨床的な評価方法であるmodified Ashworth（アシュワース）scale（MAS）を紹介する。MASは四肢関節の他動運動時の徒手的な抵抗を6段階にグレード化したものである（**表5，6**）。

表5 MAS

0	筋緊張の増加がない
1	軽度の筋緊張の増加があり，麻痺部の屈曲または伸展運動をさせると，引っかかりとその消失，あるいは可動域の終わりでわずかな抵抗がある
1＋	軽度の筋緊張増加があり，引っかかりが明らかで，可動域の1/2以下の範囲で若干の抵抗がある
2	さらにはっきりとした筋緊張の増加が可動域（ほぼ）全域にあるが，麻痺部は容易に動かすことができる
3	かなりの筋緊張の増加があり，他動運動は困難である
4	麻痺部は固まっていて，屈曲あるいは伸展できない

（文献4より引用）

表6 MAS測定時の注意点（下表は麻痺側が右，検者は右ききと想定）

評価部位・運動方向と肢位の説明	・検査肢位は，原則として腰掛け座位（端座位）で行い，下肢の評価では背臥位で行うことも可とする ・検者の動作手（上肢）は右手とし，支持・固定するのは左手とする ・痛みや拘縮などのある場合は，検査肢位に近い安楽な肢位で行うことができる ・多関節筋の作用は，できるだけ除く肢位で行う
測定回数・測定スピード	・いずれの部位も3回の測定を行い，最も低い値を採用する ・他動運動による筋抵抗の測定のため，他動運動の速度が重要となる。およそ80°/秒といわれるが，客観的な方法はないため，slow speedが望ましい（目安は1秒で完了する）

（文献4より引用）

■MAL

日常生活活動(ADL)練習は，身体障害領域の多くの作業療法士が取り入れている。また，ADLは種々の運動機能を要する複雑な動作であり，全身的な粗大動作から巧緻(こうち)動作，両手動作など多岐にわたる。片麻痺の対象者の機能程度を評価することは，介入の目標設定，効果判定を行う際に重要である。

motor activity log(MAL)はADLのなかでの麻痺側上肢の使用状態と，対象者自身の主観的な麻痺側上肢機能レベルを定量化する評価方法である。14の動作項目について麻痺側上肢の**遂行の量**(amount of use：AOU)，麻痺側上肢による**動作の質**(quality of movement：QOM)を0～5点の6段階で対象者が自己評価するインタビュ形式で行う。合計得点を該当項目で割ったものを最終得点とする(**表7**)。

■脳卒中上肢機能検査(MFT)

脳卒中上肢機能検査(manual function test：MFT)は脳卒中の対象者の上肢運動機能の経時的変化を測定・記録するために開発されたテストである。

脳卒中片麻痺対象者の麻痺側上肢を，上肢の運動4項目，把握2項目，手指操作2項目3カテゴリ8課題(上肢の前方挙上，上肢の側方挙上，手掌で後頭部を触れる，手掌で背部を触れる，握る，つまむ，立方体を運ぶ，ペグボード)の上肢・手指運動で構成されている。結果は各課題の粗点を合計して算出した得点(上肢機能スコア)で示される。

結果はMFT記録用紙にてmanual function test-score(MFT- S)(32点満点)，上肢機能スコア(manual function score：MFS)(100点満点：MFT-S × 3.125)を算出し，MFT-S標準回復プロフィールを作成する(**図1，2**)[6)]。

■SIAS

SIASは多面的な脳卒中機能障害の評価項目として必要かつ最小限の項目を含むとともに，非麻痺側機能の評価項目を含んだ総合評価セットである[7)]。評価は短時間で結果をレーダーチャートに示すことで，視覚的に把握できるように工夫されており，対象者の経事的な変化をとらえやすい。

SIASは麻痺側運動機能，筋緊張，感覚機能，関節可動域，疼痛，体幹機能，視空間認知，言語機能，非麻痺側機能の9種22項目で構成されている(**表8**)。

各項目はsingle-task assessment，つまり，単一項目評価であり，0～5点，あるいは0～3点で評価される。総計76点満点で，高得点ほど機能良好を示す。詳しい評価方法については成書を確認してほしい。

補足

Fugl(ヒューゲル)-Meyer(メイヤー) assessment(FMA)

FMAは上下肢運動機能，感覚などからなる脳卒中の総合的な評価である。運動機能評価ではBRSとの相関が高く特にBRSのⅢではFMA評価を用いるとより詳細な評価ができる。

表7 MAL

【評価項目】

動作評価項目	AOU	QOM
①本，新聞，雑誌を持って読む		
②タオルを使って顔や身体を拭く		
③グラスを持ち上げる		
④歯ブラシを持って歯を磨く		
⑤髭剃り，化粧をする		
⑥鍵を使ってドアを開ける		
⑦手紙を書く，タイプを打つ		
⑧安定した立位を保持する		
⑨服の袖に手を通す		
⑩物を手で動かす		
⑪フォークやスプーンを把持して食事をとる		
⑫髪をブラシや櫛でとかす		
⑬取っ手を把持してカップを持つ		
⑭服の前ボタンをとめる		
合計		
平均(合計÷該当動作項目数)		

【評価尺度】

AOU	0	麻痺側はまったく使用していない(不使用＝発症前の0％使用)
	1	場合により麻痺側を使用するが，極めてまれである(発症前の5%使用)
	2	時折麻痺側を使用するが，ほとんどの場合は非麻痺側のみを使用(発症前の25%使用)
	3	脳卒中発症前の使用頻度の半分程度麻痺側を使用(発症前の50%使用)
	4	脳卒中発症前とほぼ同様の頻度で，麻痺側を使用(発症前の75%使用)
	5	脳卒中発症前と同様の頻度で，麻痺側を使用(発症前と同様：100%使用)
QOM	0	麻痺側はまったく使用していない(不使用)
	1	動作の過程で麻痺側を動かすが，動作の助けにはなっていない(極めて不十分)
	2	動作に麻痺側を多少使用しているが，非麻痺側による介助が必要，または動作が緩慢か困難(不十分)
	3	動作に麻痺側を使用しているが，動きがやや緩慢または力が不十分(やや正常)
	4	動作に麻痺側を使用しており，動きもほぼ正常だが，スピードと正確さに劣る(ほぼ正常)
	5	脳卒中発症前と同様に，動作に麻痺側を使用(正常)

【評価方法】

- 評価用紙と方法を対象者に説明し，14の動作項目のそれぞれについて，発症前の使用状態を問う。「発症前に○○(動作項目)をするために，麻痺している手を使っていましたか」と問い，発症前から使用していなかった動作については，除外項目としAOUとQOMの欄に「×(バツ)」を記入し，平均点を計算する際にも除外する。例えば，禿頭の対象者にとって「髪をブラシや櫛でとかす」動作や，きき手を用いる動作項目「手紙を書く」に対して麻痺側が非きき手である場合など。発症前に麻痺側を動作に使用していた場合は以下の設問を続ける。
- 各動作項目について，AOUを6段階評価で問う。「○○(動作項目)をするために，この1週間麻痺している手をどの程度の頻度で使いましたか。この6つの選択肢から選んでください」と言い，6段階スケールを見せる。対象者が6段階評価の理解が難しい場合は，選択肢を朗読し，言い回しを変えて説明してもよい。例えば「発症前と同じ程度使っていますか」など。非麻痺側のみで動作を行った場合や，動作が全介助であり麻痺側を使用しなかった場合は，点数を「0」とする。
- 各動作項目について，QOMを6段階評価で問う。「○○(動作項目)をするために，麻痺している手をどの程度上手に使えましたか。この6つの選択肢から選んでください」と言い，6段階スケールを見せる。対象者が6段階評価の理解が難しい場合は，選択肢を朗読し，言い回しを変えて説明してもよい。例えば「少し手を添える程度ですか」「前と同じくらい上手に使えていますか」など。非麻痺側のみで動作を行った場合や，動作が全介助であり麻痺側を使用しなかった場合は，点数を「0」とする。
- 対象者の答えは，「――ですね」と記入前に再度確認すること。対象者が肯定的に答える場合は，麻痺側についてのみ答えるように促し，非麻痺側による作業遂行と分別すること。14の動作項目の点数を平均し，それをAOUまたはQOUの点数とする。
- 失語や高次脳機能障害により設問の理解が困難な場合は，各動作項目をセラピストがデモンストレーションするなど視覚提示をしてもよい。また，6段階評価を問う際には「0」と「5」を説明し，その間のどの辺りかを問うなどしても良い。

(文献5を基に作成)

図1 MFT

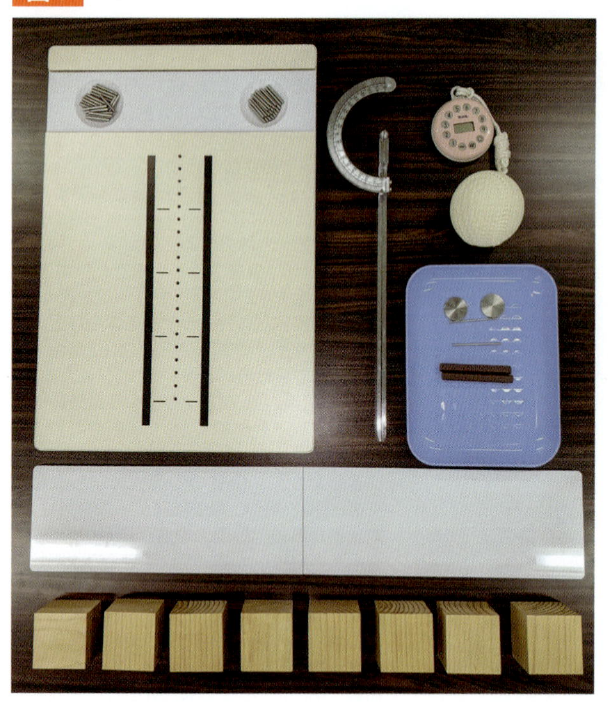

図2 MFT記録用紙

脳卒中上肢機能検査(ＭＦＴ)記録用紙

NO.　　　氏名　　　　　　　　発症　　年　　月　　日　(検査者　　　　　)

		検査月日										
			左	右	左	右	左	右	左	右	左	右
腕の動作テスト	上肢の前方挙上(FE)	1. 45°未満										
		2. 45°～90°未満										
		3. 90°～135°未満										
		4. 135°以上										
	上肢の側方挙上(LE)	1. 45°未満										
		2. 45°～90°未満										
		3. 90°～135°未満										
		4. 135°以上										
	手掌を後頭部へ(PO)	1. 少し動く										
		2. 手が胸部より高く上る										
		3. 手が頭部に届く										
		4. 手掌がぴったりつく										
	手掌を背部へ(PD)	1. 少し動く										
		2. 同側殿部に届く										
		3. 指、手背が脊柱に届く										
		4. 手掌がぴったりつく										
手指の動作テスト	握る(つかむ)(GR)	1. ボールを握っている										
		2. ボールをはなす										
		3. ボールをつかみあげる										
	つまみ(PI)	1. 鉛筆をつまみあげる										
		2. コインをつまみあげる										
		3. 針をつまみあげる										
	立方体運び(CC)	1. 5秒以内に 1～2個										
		2. 5秒以内に 3～4個										
		3. 5秒以内に 5～6個										
		4. 5秒以内に 7～8個										
	ペグボード(PP)	1. 30秒以内に 1～3本										
		2. 30秒以内に 4～6本										
		3. 30秒以内に 7～9本										
		4. 30秒以内に 10～12本										
		5. 30秒以内に 13～15本										
		6. 30秒以内に 16本以上										
ＭＦＴ－Ｓ(32点満点)												
ＭＦＳ(100点満点)												

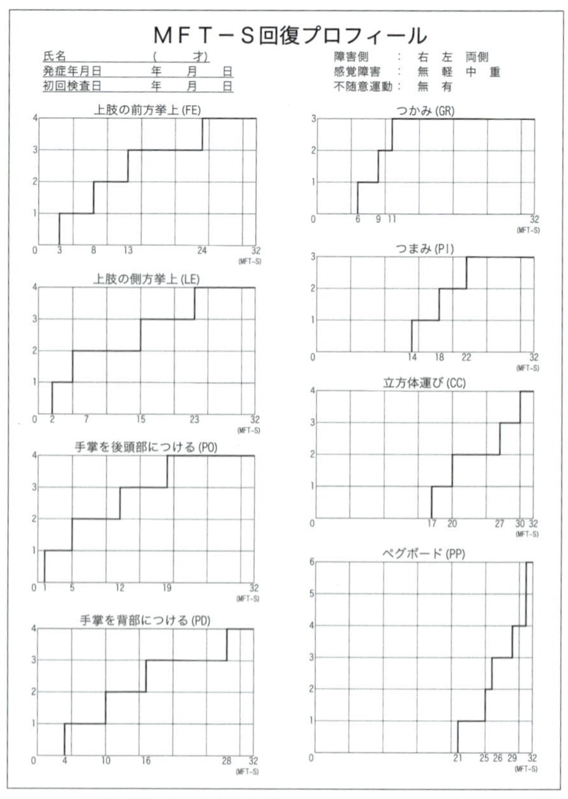
ＭＦＴ－Ｓ回復プロフィール

氏名　　　　(　　才)
発症年月日　　年　月　日
初回検査日　　年　月　日

障害側　　：　右　左　両側
感覚障害　：　無　軽　中　重
不随意運動：　無　有

(酒井医療株式会社「上肢機能MFT　SOT-5000」より許可を得て転載)

表8 SIAS

麻痺側運動機能
1)上肢近位テスト＝膝・口テスト(knee-mouth test)
座位において麻痺肢の手部を対側膝(大腿)上より挙上し，手部を口まで運ぶ。この際，肩は90°まで外転させる。そして膝上まで戻す。これを3回繰り返す。肩，肘関節に拘縮が存在する場合は可動域内での運動をもって課題可能と判断する 0：まったく動かない 1：肩のわずかな動きがあるが手部が乳頭に届かない 2：肩肘の共同運動があるが手部が口に届かない 3：課題可能。中等度のあるいは著明なぎこちなさあり 4：課題可能。軽度のぎこちなさあり 5：非麻痺側と変わらず，正常
2)上肢遠位テスト＝手指テスト(finger-function test)
手指の分離運動を，母指～小指の順に屈曲，小指～母指の順に伸展することにより行う 0：まったく動かない 1：1A：わずかな動きがある。または集団屈曲可能 1B：集団伸展が可能 1C：分離運動が一部可能 2：全指の分離運動可能なるも屈曲伸展が不十分である 3：課題可能(全指の分離運動が十分な屈曲伸展を伴って可能)。中等度のあるいは著明なぎこちなさあり 4：課題可能。軽度のぎこちなさあり 5：非麻痺側と変わらず，正常
3)下肢近位テスト＝股屈曲テスト(hip-flexion test)
座位にて股関節を90°より最大屈曲させる。3回行う。必要ならば座位保持のための介助をして構わない 0：まったく動かない 1：大腿にわずかな動きがあるが足部は床から離れない 2：股関節の屈曲運動あり，足部は床より離れるが十分ではない 3～5：上肢近位の定義と同一
4)下肢近位テスト＝膝伸展テスト(knee-extension test)
座位にて膝関節を90°屈曲位から十分伸展(－10°程度まで)させる。3回行う。必要ならば座位保持のための介助をして構わない 0：まったく動かない 1：下腿にわずかな動きがあるが足部は床から離れない 2：膝関節の伸展運動あり，足部はかろうじて床より離れるが，十分ではない 3～5：上肢近位の定義と同一
5)下肢遠位テスト＝足パット・テスト(foot-pat test)
座位または臥位，座位は介助しても可。踵部を床につけたまま，足部の背屈運動を協調しながら背屈・底屈を3回繰り返し，その後なるべく早く背屈を繰り返す 0：まったく動かない 1：わずかな背屈運動があるが前足部は床から離れない 2：背屈運動あり，足部は床より離れるが十分ではない 3～5：上肢近位の定義と同一

筋緊張
6)上肢腱反射(上腕二頭筋腱反射および上腕三頭筋腱反射)
0：2つの腱反射がどちらも著明に亢進している。あるいは容易に手指の屈筋クローヌスが誘発される 1：1A：中等度に亢進している 1B：減弱または消失している 2：軽度亢進 3：正常あるいは非麻痺側と比較して対称的である
7)下肢腱反射(膝蓋腱反射およびアキレス腱反射)
0：2つの腱反射がどちらも著明に亢進している。あるいは容易に足関節クローヌスが誘発される 1：1A：中等度に亢進している 1B：減弱または消失している 2：軽度亢進 3：正常あるいは非麻痺側と比較して対称的である
8)上肢筋緊張
肘関節を他動的に伸展屈曲させ，筋緊張の状態を評価する 0：著明に亢進 1：1A：中等度に亢進 1B：低下 2：軽度亢進 3：正常
9)下肢筋緊張
膝関節の他動的伸展屈曲により評価する 0：著明に亢進 1：1A：中等度に亢進 1B：低下 2：軽度亢進 3：正常

感覚機能
10)上肢触覚
手掌の触覚を評価する 0：触覚脱失 1：重度あるいは中等度低下 2：軽度低下，あるいは主観的低下，または異常感覚あり 3：正常
11)下肢触覚
足背の触覚を評価する 0：触覚脱失 1：重度あるいは中等度低下 2：軽度低下，あるいは主観的低下，または異常感覚あり 3：正常
12)上肢位置覚
示指あるいは母指で評価する 0：全可動域の動きもわからない 1：全可動域の運動で，動いていることだけはわかる 2：中等度の動きで正しく方向がわかる 3：わずかな動きでも方向がわかる

(次ページに続く)

（前ページより続く）

13)下肢位置覚	母趾で評価する 0：全可動域の動きもわからない 1：全可動域の運動で，動いていることだけはわかる 2：中等度の動きで正しく方向がわかる 3：わずかな動きでも方向がわかる
関節可動域	
14)上肢関節可動域	他動的肩関節外転角度を評価 0：60°以下 1：60〜90°以下 2：90〜150°以下 3：150°以上
15)下肢関節可動域	膝関節を完全に伸展した状態で足関節の背屈を評価 0：−10°以下 1：−10〜0° 2：0〜10° 3：10°以上
疼痛	
16)疼痛	脳卒中後に出現する肩関節，手指などの関節痛に加え，視床痛などの中枢性疼痛を含む。変形性関節症や腎結石のような脳卒中に直接関係しない疼痛は除外する 0：睡眠を妨げるほどの著しい疼痛 1：中等度の疼痛 2：加療を要しない程度の疼痛 3：疼痛の問題がない
体幹機能	
17)腹筋力	車椅子または背もたれ椅子において，45°後傾した姿勢をとらせ，背もたれから両肩を離して座位をとるように指示 0：座位をとれない 1：抵抗がなければ座位をとれる 2：軽く胸骨部を圧迫されても座位まで起き上がれる 3：腹筋に十分な力があって，かなりの抵抗でも起き上がれる
18)垂直性	0：座位をとれない 1：座位にて側方に傾き，指示しても垂直位に修正できない 2：座位にて側方に傾くが，指示すれば垂直位に座れる 3：正常
視空間認知	
19)視空間認知	50cmの巻尺を対象者の前方約50cmに提示し，中央を母指と示指でつまませる。2回行い，中央からのずれが大きいほうを採用する 0：中央からのずれが15cm以上 1：ずれが15〜5 cm 2：ずれが5〜2cm 3：ずれが2cm以下
言語機能	
20)言語機能	失語症に関して理解面と表出面を評価する 0：全失語 1：1A：重度感覚性失語症（重度混合性失語症も含む） 1B：重度運動性失語症 2：軽度失語症 3：失語なし
非麻痺側機能	
21)非麻痺側大腿四頭筋力	通常の徒手筋力テスト（manual muscle testing：MMT）と同様の方法で測定する 0：著しく筋力低下があり重力に抗しない 1：中等度（MMT 4程度まで）の筋力低下 2：軽度の筋力低下 3：正常
22)非麻痺側握力	座位にて肘伸展位で測定。握力計の握り幅を約5cmとして，対象者による修正を許す 0：3kg以下 1：3〜10kg 2：10〜25kg 3：25kg以上

（文献8より引用）

5 臨床に向けて

本項では，脳卒中片麻痺の評価方法について代表的なものを挙げて述べたが，このほかにも，多くの一般化した評価方法がある。脳卒中片麻痺の多様な障害像を，1つの評価方法でとらえることは困難である。つまり，**複数の評価方法を組み合わせ量的な情報を得るとともに，対象者の状態を観察し質的に評価することが臨床場面では求められる。**

これらの評価手法は，障害のとらえ方・その内容に長所・短所があるため，対象者の障害像をすべて物語れるわけではない。評価者は対象者の状態に合わせて各種の評価方法を併用することが必要であろう。

Case Study

70歳代男性，Bさんは脳出血による右片麻痺が認められた。発症から3カ月経過しており，BRS上肢Ⅳ，手指Ⅳ，下肢Ⅳであった。また，知覚は正常である。

Question 2

Bさんの座位（椅座位）での右上肢挙上運動時の特徴について，肩関節・肘関節・前腕の各関節ごとに挙げてみよう。

☞ 解答 p.289

【引用文献】
1) 福井圀彦，ほか：脳卒中最前線 第3版，医歯薬出版，2009.
2) 松澤　正，ほか：理学療法評価法，第3版，金原出版，1995.
3) 辻　哲也，ほか：脳血管障害片麻痺患者における痙縮評価．リハビリテーション医学，39(7)：409-415, 2002.
4) Lance JW：SymPosium synopsis. In Spasticity：Disordered Motor Control. p.487,489, Year Book Medical, 1980.
5) 高橋香代子，ほか：新しい上肢運動機能評価法・日本語版Motor Activity Logの信頼性と妥当性の検討．作業療法，28(6)：628-636, 2009.
6) 上肢機能検査MFT SOT-5000（酒井医療株式会社）(https://www.sakaimed.co.jp/measurement_analysis/rihariha/function-test/mft/)（2022年7月時点）.
7) 千野直一 編：脳卒中患者の機能評価　ＳＩＡＳとＦＩＭの実際，シュプリンガー・フェアラーク東京，1997.
8) Chino N, et al.：Stroke impairment assessment set(SIAS)－A new evaluation instrument for stroke patients－. Jpn J Rehabil Med, 31：119-125, 1994.

【参考文献】
1. 田崎義昭，ほか：ベッドサイドの神経の診かた，改訂17版，南山堂，2009.
2. 岩崎テル子，ほか 編：標準作業療法学専門分野 作業療法評価学，医学書院，2005.
3. 上田　敏：目でみるリハビリテーション医学，第2版，東京大学出版会，1994.

チェックテスト

①上位運動ニューロンを形成する経路を挙げよ（p.102）。基礎
②錐体路徴候の意味とその徴候は何か（p.103）。基礎
③共同運動パターンの種類を挙げよ（p.103）。基礎
④片麻痺の評価の目的を説明せよ（p.103）。基礎

11 姿勢と反射

内藤泰男

Outline

- 姿勢の評価は，対象者の動作能力と骨格・筋などの機能の側面からの分析が必要となる。
- 反射の評価は，対象者の神経学的な症状の有無とその程度について把握するために実施する。

1 姿勢と反射とは

姿勢とは，動作や運動の基本的でかつ重要な概念であり，体位と身体の構えを表す。体位は臥位，座位(椅座位が基本)，膝立ち位，立位，懸垂位が基本的な体位とされている[1)]。構えは，作業活動の基本である。姿勢の保持には中枢神経系の制御による姿勢反射が関連している。

反射とは，外部からの刺激に対するあらかじめプログラムされた応答と考えても差しつかえない。反射は，**原始反射，腱反射，表在反射，病的反射が代表的**である。本項ではこの4つの反射に加えて，姿勢の制御にかかわる反射群である姿勢反射について，臨床的な意義と検査法を紹介する。

■反射

● 原始反射

原始反射とは，**新生児固有にみられ，発達の過程において一定の順序で出現，消失する反射**である。原始反射は，脊髄と脳幹部に中枢をもつ反射群である。これは，胎内にいる頃より発現し，生後2～4カ月より消失し始める(図1)。**成人にこの反射が観察される際には，より中枢の神経障害が疑われる。**

● 腱反射

腱反射とは，腱や筋を鋭く叩打すると脊髄反応によって筋収縮を起こす反射である。反射の効果は，原則として伸張された筋に限局して現れる。腱反射は，脊髄と上位中枢および末梢神経と筋の働きを調べるために用いられる。その**亢進は錐体路の障害**を示し，また**その減弱または消失は末梢神経，脊髄後根，脊髄前角，神経・筋伝達部，筋の障害**を示す。姿勢反射は，これらの反応によって中枢神経系の成熟レベル・機能状態が把握できる。

腱反射に関与する線維は，α運動ニューロンに直接シナプス結合している入力線維であるⅠa線維と，大脳運動野から下行する皮質脊髄路線維だけである。素早い筋の運動に貢献しており，反射路や皮質脊髄路などの下

図1　主な原始反射と出現時

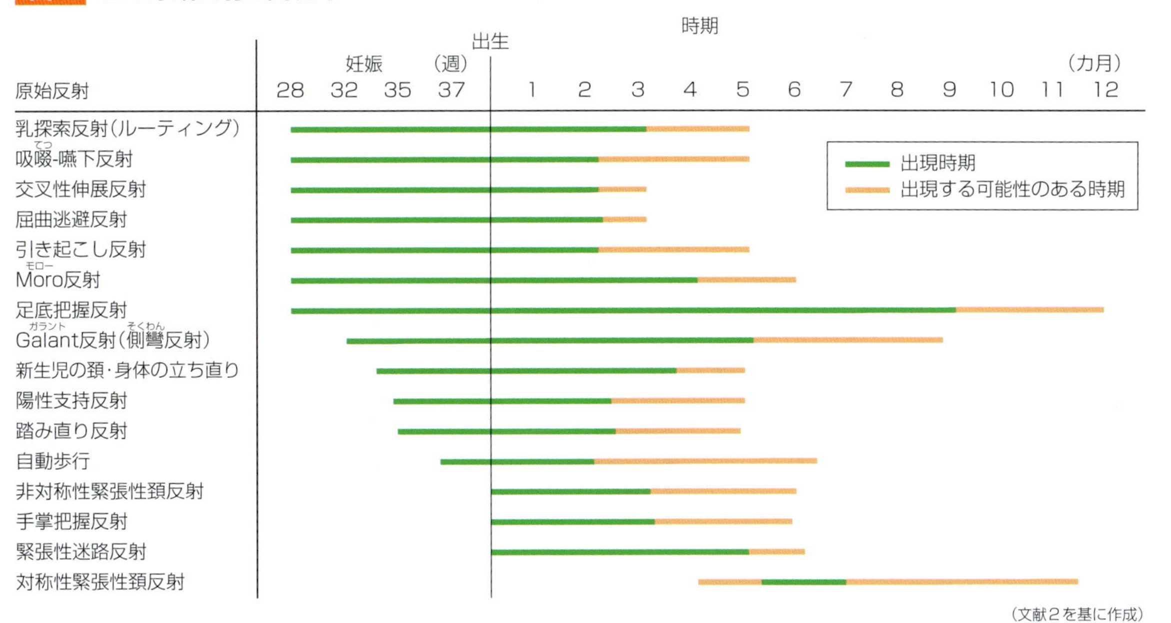

行性入力の遮断・異常により大きく影響を受ける。筋・末梢神経障害，同じレベルにある脊髄前角細胞の変性で減弱し，上位運動ニューロン(錐体路)障害や赤核脊髄路障害により亢進する。

試験対策 Point

国家試験では，主な原始反射の出現(消失)時期を問われることが多いので，原始反射名と出現時期を理解しておこう。また，運動失調では小脳性運動失調，脊髄性運動失調，前庭性運動失調別に症状を述べることができるようになろう。

● 表在反射

表在反射とは，身体の表面，角膜・粘膜・皮膚の刺激により筋の収縮が誘発される反射である。表在反射の出現には錐体路が正常に機能していることが必要で，**錐体路障害があれば消失**する。**末梢神経障害があれば減弱ないし消失**する。

● 病的反射

病的反射とは表在反射の一部であり，**錐体路障害があれば出現**する。

■ 姿勢反射

姿勢反射は，正常な運動発達のなかで一時的に出現し次第に消失していく**原始反射や緊張性姿勢反射**と，**成長に伴って出現する立ち直り反応(反射)および平衡反応に大別**される。

立ち直り反応は空間での頭の正常な位置および頭と体幹との正常な位置関係を保持，修正する。平衡反応は人の動作のあらゆる場面，特に転倒の危険があるときにバランスを保ったり修正したりするのに役立つ自立的な反応である。

2 姿勢の評価

対象者の立位，座位時の姿勢を観察する。観察の観点は，各姿勢での上肢，下肢の肢位と体幹の屈伸，回旋の程度である。特に骨盤部位の観察は重要である。

図2はParkinson（パーキンソン）病において特徴的に出現する姿勢である。体幹前傾，膝関節軽度屈曲姿勢が認められる。脳損傷に特徴的に出現する**Wernicke-Mann（ウェルニッケ-マン）肢位**と称される姿勢は，麻痺側の関節が屈曲位となり，足関節は尖足位となる。詳細は，p.101 **図15**を参照してほしい。

図2 パーキンソン病の特徴的な姿勢

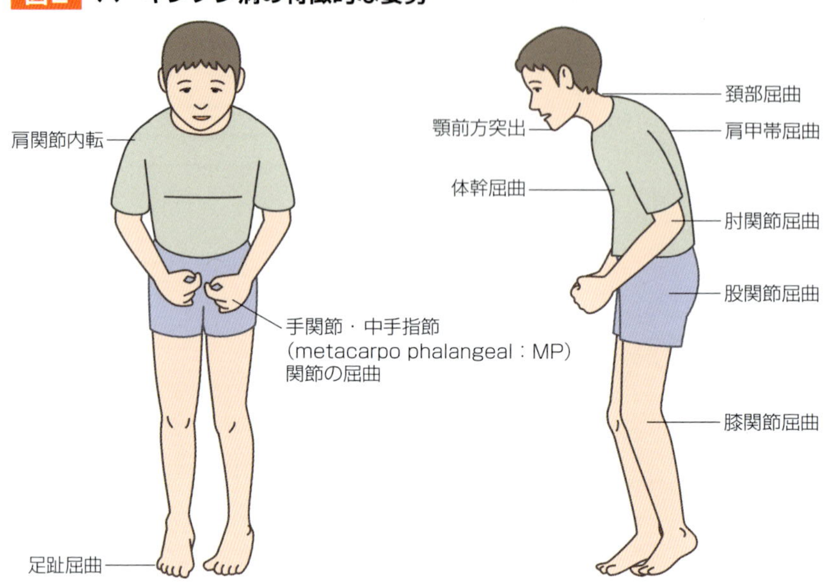

図3 把握反射

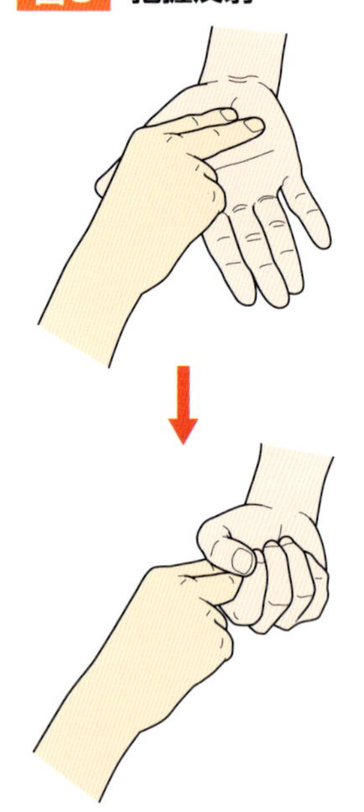

3 反射の評価

■原始反射の評価

代表的な原始反射の反射出現と消失については**図1**に示すとおりである。このなかでもいくつかの代表的な検査方法について以下に記す。

● 把握反射

対象者の手掌を**図3**のようにこすり，手指が屈曲し，把握するかを観察する。成人で把握が観察されると陽性である。

● 吸引反射

口周囲の緊張を解き，上唇から口角にかけて圧舌子などでこすると口を尖らせ，赤ちゃんがお乳を飲むような口の動きに似た運動を起こす（**図4**）。成人で観察されると陽性である。

補足

成人で原始反射が陽性の場合は，前頭葉機能の低下を推測する。

● 口尖らし反射

口周囲の緊張を解き，上唇の中央を指先で軽く叩く（図5）。この際に唇が尖り，突出し唇のしわが出現する場合には陽性である。成人で観察されると陽性である。

図4　吸引反射

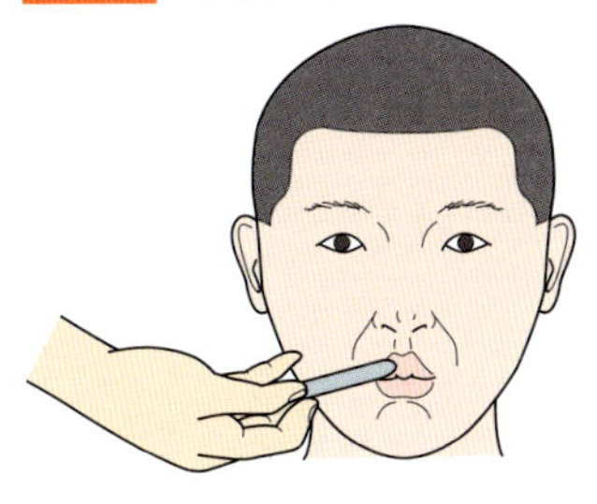

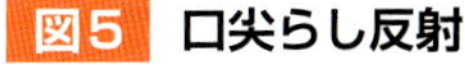
図5　口尖らし反射

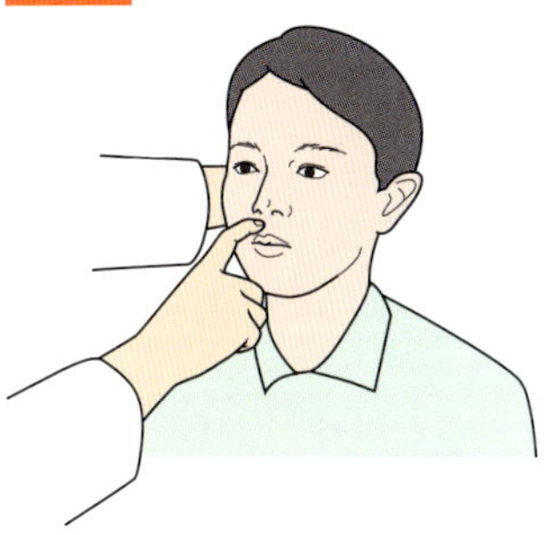

■腱反射の評価

腱反射では，作動筋の収縮の速さ（speed and vigor），程度（range of movement），持続時間（duration）の評価を行う。腱反射の反応は個体差が多いので，このことを前提にして反応を観察したい。特に，**左右差に着目した比較**が重要である。

評価の際には，リラックスできる環境・状況をつくる。筋にある程度の伸張を加えて，指で腱をストレッチして筋緊張を適度に調整して評価する。指で筋に触れることで，反射の有無を感じ取ることができ，ハンマーによる刺激が一定かどうかをフィードバックで確認することもできる。なお，ハンマーを使う際には，ハンマーは手首のスナップを利かせて，弧を描き，すばやく振り落として，腱を的確に叩く（図6）。

表1，図7にて，腱反射の評価法を部位ごとに示す。

図6　ハンマーの用い方

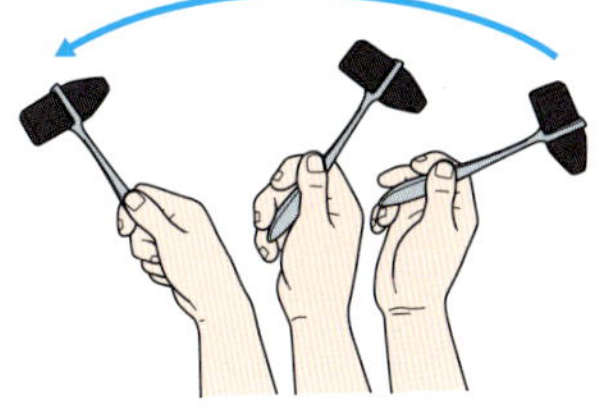

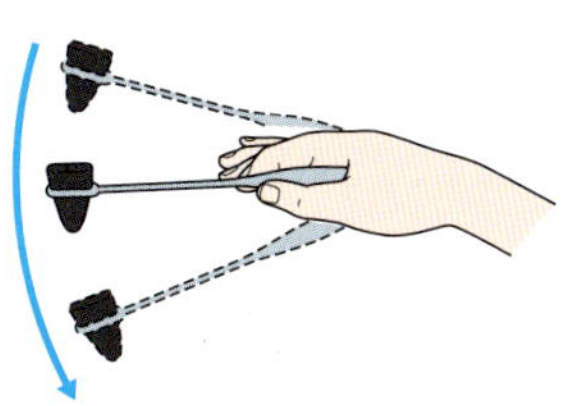

（文献3を基に作成）

表1　腱反射の評価法

部位	評価法
大胸筋反射	座位で上腕を軽度外転位にとらせる。検者は大胸筋腱に指を置き，打腱する（図7a）
上腕二頭筋反射	座位で上腕を軽度外転位，前腕を軽度回外位にする。検者は上腕二頭筋腱に指を置き，打腱する（図7b）
上腕三頭筋反射	座位で上腕を軽度外転位，前腕を回内位にする。検者は対象者の手首を保持し，肘部で上腕三頭筋腱を打腱する（図7c）
腕橈（とうこつ）骨筋反射	座位で上腕を下垂させ，前腕中間位を取らせる。検者は対象者の手首を保持し，付着部付近で腕橈骨筋腱を打腱する（図7d）
膝蓋（しつがい）腱反射	対象者の姿勢を安静位にし，大腿と下腿の緊張を解く。検者は膝蓋腱を確認し指を置き，打腱する（図7e）
アキレス腱反射	対象者の姿勢を安静位にし，下腿の緊張を解く。検者は検査を行う側の足関節を軽度背屈位にし，アキレス腱を打腱する（図7f）

補足

腱を直接叩くか，それとも腱に触れた検者の指を叩くか

これは，両方の場合がある。著者の経験では，初心者の場合は叩打部位を明確にできること，反射の結果を触知できることから，腱に指を触れているほうがよいのではないかと考える。

図7 各部位の評価

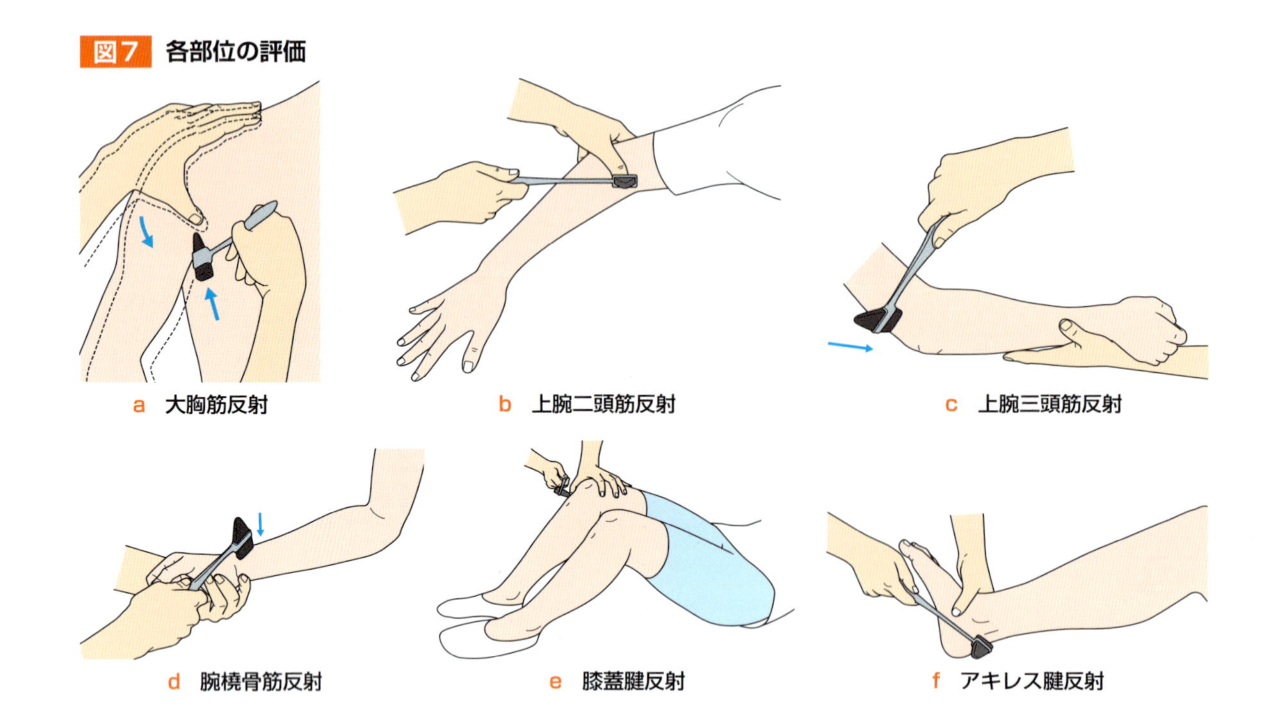

a 大胸筋反射　b 上腕二頭筋反射　c 上腕三頭筋反射

d 腕橈骨筋反射　e 膝蓋腱反射　f アキレス腱反射

● 腱反射の亢進

腱反射の亢進は，反射中枢より上位の部位に障害があることを示している。

明らかに病的な腱反射の亢進は，通常の誘発法よりもずっと小さな刺激(腱への叩打で反射が十分に強く誘発される刺激)により，単相性の筋収縮ではなく，後述するクローヌス様の多相性の筋収縮が生じることが挙げられる。また，誘発された筋収縮が極めて激しく，関節可動域(ROM)のほとんど全域にわたるほどの運動を伴う場合も病的な腱反射の亢進として認められる。

● 腱反射の低下・消失

腱反射の低下，消失は反射弓の構成要素のいずれかに障害があることを示している。

表在感覚障害を伴い腱反射が低下もしくは消失している場合は，末梢神経障害と考えられる。

筋萎縮がある場合には，当然筋収縮力が低下しているので，腱反射は低下していることになるが，実際にはその筋量に応じた収縮が確認されれば，正常と判断してもよい。その際には，筋に指を当てて確認することが肝要である。

筋ジストロフィなどでの高度の筋萎縮では，筋収縮は確認できない。そのような場合，腱反射は「消失」と判断する。

補足

腱反射が亢進している場合，中枢神経系(錐体路)の障害が疑われる。腱反射が低下もしくは消失している場合は，末梢神経あるいは筋の障害が疑われる。

● クローヌス(clonus)

反射が著明に亢進したのと同等の意義である。特に気をつけたいクローヌスについて，**表2**，**図8**に示す。

表2 クローヌスの特徴

名称	特徴
膝クローヌス	膝部で膝蓋骨を足部方向に素早く移動させる。そのまま力を加え続けると膝蓋骨がカクカクと連続的に動く(**図8a**)
足(または足首)クローヌス	足関節を他動的に急速に背屈すると，足関節の自動的・連続的でリズミカルな動きが出現する(**図8b**)

図8 クローヌスの評価

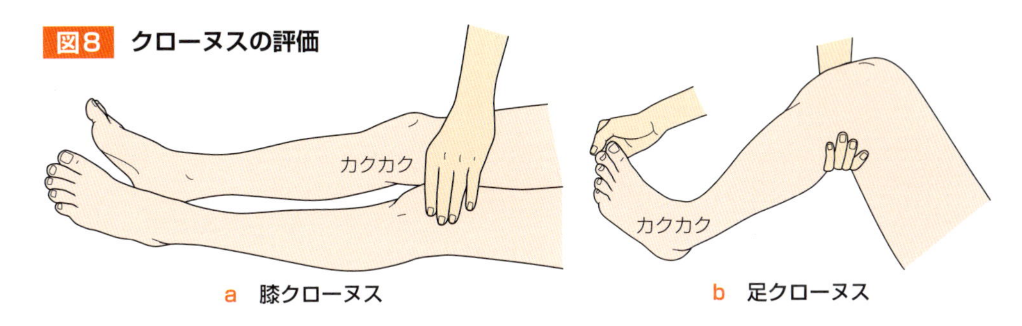

a 膝クローヌス　　b 足クローヌス

■表在反射の評価

表在反射の代表的なものとして，**腹壁反射**がある。腹壁反射の評価では，対象者を背臥位にして両膝軽度屈曲姿勢をとらせ，腹部の緊張を解いた状態にする。先が丸まった針先などを用いて，**図9**のように上から順に素早く矢印方向にこする。左右を比較して，消失している側に障害が認められる。

図9 腹壁反射

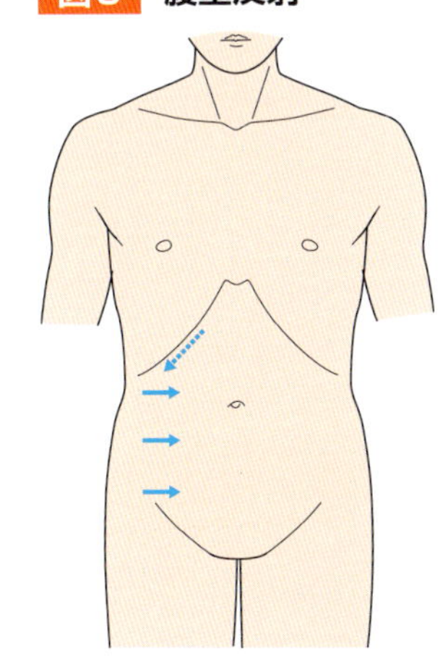

■病的反射

病的反射の代表的なものとして，**手指屈折反射**と**把握反射**，**足底反射**が挙げられる。

● 手指屈筋反射

Hoffman(ホフマン)反射

対象者の手を保持し，手指を軽度屈曲位にして緊張を解く。刺激は，中指の爪をはじくように刺激する。その際，母指，示指の屈曲が出現すると陽性である(**図10**)。

Trömner(トレムナー)反射

対象者の手を保持し，手指は軽度屈曲位を取らせ，緊張を解く。刺激は中指の指腹をはじくように刺激する。その際，母指，手指の屈曲が出現すると陽性である(**図11**)。

図10 ホフマン反射

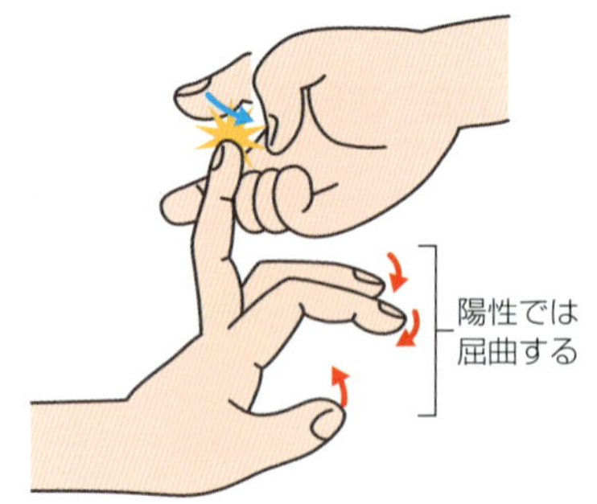

対象者の中指を検者の母指と示指（または中指）で手掌側にはじく

（文献4より引用）

図11 トレムナー反射

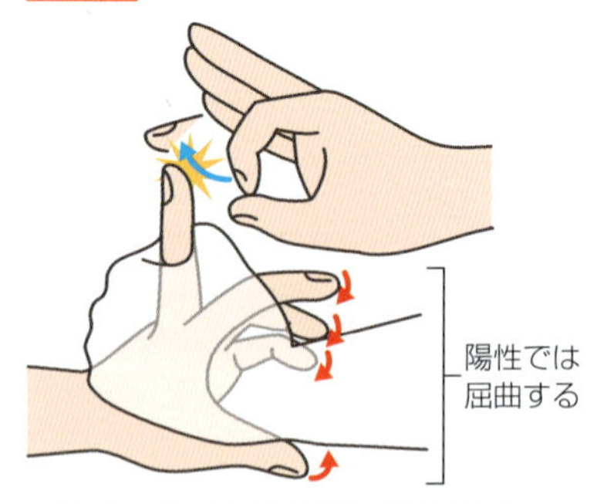

ホフマン反射の検査と逆向きにはじく

（文献4より引用）

● 把握反射

把握反射は，原始反射にも含まれており，通常は発達とともに消失するが，成人にみられる場合には補足運動野や前補足運動野の損傷が疑われる（**図3**）。

Web動画

● 足底反射（Babinski反射）

対象者を裸足にし，緊張を解いた状態にする。先が丸まった針先などを用いて，**図12**のように踵側からゆっくりと矢印方向にこする。その際に母指の背屈（伸展）がみられた場合，陽性と判断される。

補足

病的反射が陽性の場合，錐体路の障害を示している。

図12 バビンスキー反射

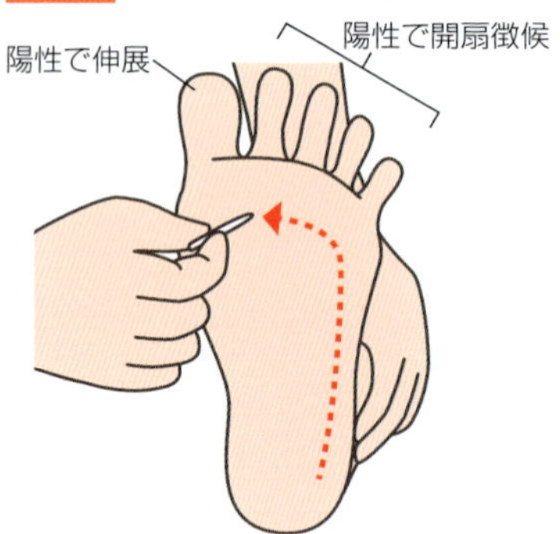

矢印の方向にゆっくりとこすり上げる

（文献4より引用）

4 反射の記録

反射評価結果の記載は**図13**のように，人型を用いて関節ごとに記載すると明瞭である。左右差，そして上下肢での腱反射の状態が一目瞭然となる。通常用いられている段階付けは，**図13**の右に記すとおりである。

図13 反射の記録例

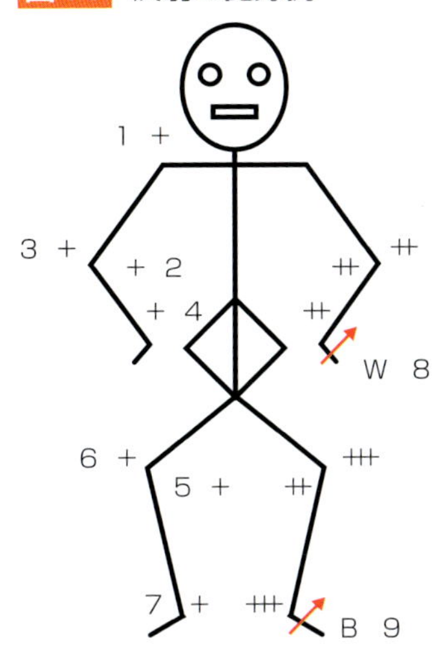

1：下顎
2：上腕二頭筋
3：上腕三頭筋
4：腕橈骨筋
5：膝蓋腱
6：内転筋
7：アキレス腱
8：Wartenberg（ワルテンベルグ）
9：バビンスキー

記録
0または（−）：消失
（±）：軽度の反応か減弱
（+）：正常
（++）：やや亢進
（+++）：明らかな亢進

アクティブラーニング 1 図13を参考に，実際に腱反射の記録をとってみよう。

5 運動失調（ataxia）

運動失調は，運動遂行の際の協調運動障害や稚拙さを指し，主動筋と拮抗筋の収縮のタイミングがずれる結果によって起こる。運動失調は，小脳機能障害を起こす**小脳性運動失調**，固有感覚障害を起こす**脊髄性運動失調**，前庭機能障害を起こす**前庭性運動失調**の3種類が挙げられる。

■ 小脳性運動失調

小脳は随意運動制御に関与し，協調を要する運動を可能にしている。小脳性運動失調の主症状は，運動開始の遅延，測定異常，協調運動障害が挙げられる（**表3**）。

表3 小脳性運動失調の主症状

運動開始の遅延	小脳運動失調により，随意運動に際して運動開始時間，筋収縮停止時間が遅延する。小脳経由の信号がないときは，フィードバック制御に頼りながら運動しないといけないので運動開始が遅れる
測定異常	運動遂行時に予測制御による空間的位置情報をうまく利用できず運動が不正確になり，最終的な狙いが目標から外れてしまう
協調運動障害	各筋群の筋活動間の統一性がなくなり，運動の円滑性が失われる。これらの運動の抑制と興奮のタイミングの調節機能異常が原因となる

● 四肢の小脳性運動失調

四肢の小脳性運動失調は，測定異常（dysmetria），振戦（tremor），変換運動障害（adiadochokinesis），運動の分解（decomposition of movement），共同運動不能（asynergia），時間測定異常（dyschronometria）の6つの要素

から構成される。

本項では，測定異常，振戦，変換運動障害について紹介する。

測定異常(dysmetria)

測定異常は，測定過小(hypometria)と測定過大(hypermetria)の症状が認められる。どちらの症状も目標物に四肢を到達させることが困難となる症状である。対象者によって，測定過小傾向が強かったり，測定過大傾向が強かったりする場合があり，対象者の特性を的確にとらえることが，臨床上で有益な情報となる。

振戦(tremor)

企図振戦は意思によってある目的のために動作を起こすとき(例えば目の前のコップに手を伸ばす)にその肢に生じ，目的に向かうに従って振幅が増強して目的に至って最も激しくなる。特に正確に行おうとする企図が働くような動作で生じる。小脳の障害によって出現することが多い。

変換運動障害(adiadochokinesis)

変換運動障害は，上肢を前方に挙上させ，前腕を最大速度で，できるだけ続けて回内・回外運動をさせると，正常よりも緩慢で，リズムの乱れ，拙劣な運動をする。

> **補足**
> **Berg(バーグ) balance scale(BBS)**
> BBSは，高齢者のバランス能力を反映し評価する。全14項目56点満点で構成され，各項目は0〜4点の5段階に得点化し，この得点が高いほど定められた条件下で各課題を自立して遂行できることを意味する。転倒との関連性や運動介入の効果検証にも使用される。

■脊髄性運動失調

深部感覚の低下が引き起こす運動失調である。深部感覚(振動覚・関節位置覚)・複合感覚(2点識別覚，皮膚書字覚，立体覚)の低下により，四肢や体幹の置かれた位置が把握できなくなることが原因となる。脊髄性運動失調の主症状は，Romberg(ロンベルグ)徴候，歩行異常，測定異常が挙げられる(**表4**)。

表4 脊髄性運動失調の主症状

ロンベルグ徴候	両足をそろえて起立させ，ふらつかないことを確認した後，目を閉じさせると，身体の動揺が増強して転倒する現象である(**図14**)。この現象が認められると，陽性となる
歩行異常	膝を必要以上に上げ，前に投げ出し(唐突性)，踵から着地すること(踵歩行)が特徴とされる
測定異常	指鼻指試験などを行うと，閉眼すると指の到達が目標からさまざまな方向にずれる現象が生じる。小脳障害時での測定過大もしくは測定過小が一定パターンで生じるものとは異なる。

図14 ロンベルグ試験

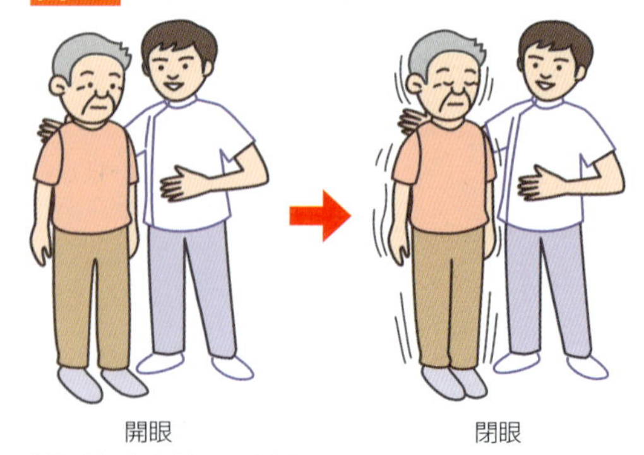

対象者に気を付けの姿勢をとらせて閉眼させる。閉眼で不安定となれば陽性である

(文献4より引用)

補足

functional reach test(FRT)
FRTは，立位での動的バランス能力を量的に評価する。壁際の立位で上肢を90°挙上し前方へバランスを崩さないでリーチできる到達距離を測定する。高齢者での転倒リスクを予測するカットオフ値は15.3cm(6インチ)という値が提示されているため，高齢者の転倒リスクの把握などさまざまな場面で活用される。

補足

timed up and go test(TUG)
TUGは，高齢者のバランス機能(移動能力)を評価する。往復で6mの歩行，立ち上がり，方向転換，腰掛けの一連の動作能力を観察し，遂行時間を測定する。歩行速度，転倒リスク，ADL遂行能力，QOLなどとの関連性が高いので，高齢者の転倒リスクのスクリーニングのほか，脳卒中の対象者の移動能力や自立度の予測やパーキンソン病の薬剤効果，変形性関節症対象者の練習効果の判定等に幅広く用いられる。

■前庭性運動失調

前庭神経の中枢性連絡路は身体の平衡を保つ重要な要素であり，これらへの障害により運動失調を呈する。前庭性運動失調では，四肢の協調運動障害を伴わず，起立時と歩行時にみられるのが特徴である。主症状としては，ロンベルグ徴候，歩行異常が認められる(**表5**)。

表5 前庭性運動失調の主症状

ロンベルグ徴候	起立させると足を広げて立ち，不安定である。この傾向は閉眼により増強される。閉眼により不安定な揺れを示した後，一定の方向へ倒れる傾向がある
歩行異常	千鳥足，左右の足が交差して前に出ることが認められる。次第に障害側に身体が傾き，歩行の方向がずれる

6 運動失調の評価

■観察

観察は，立位，座位，話し方，歩行の項目で評価する。立位，座位，話し方の項目で，運動失調が認められる観察内容を**表6**に示す。

表6 観察

立位	両下肢を広げ平衡を保とうとする
座位	椅子に手をつけて両下肢を広げて座る
話し方	発語が爆発性であり，とぎれとぎれになったり，発音が不明瞭でなめらかさを欠き，たえず音の強さが動揺するしゃべり方である[5)]

● 歩行

歩行異常には，足を大きく開いて歩く(wide based gait)，酔っ払い歩行(drunken gait)，よろめき歩行(staggering gait)，が挙げられる。

継ぎ足歩行テスト

歩行の評価には，**継ぎ足歩行(tandem gait)テスト**を用いる。この方法で確認すると，正常では振り出した足の踵を支持側のつま先につけて一直線に前方に進むこと(継ぎ足歩行)ができるが，失調性歩行が出現すると継ぎ足が困難となり，足を大きく開く歩行異常(酔っ払い歩行)がみられるようになる。

■四肢の小脳性運動失調の評価

四肢の小脳性運動失調のうち，測定異常，振戦，変換運動障害を評価でき，臨床で頻繁に用いるものを紹介する。

● 測定異常(dysmetria)と振戦(tremor)

鼻指鼻試験

対象者の示指を鼻に触れさせ，それから検者の示指に触れ，再び対象者自身の鼻に触れるように指示する(図15)。検者の示指は，対象者の肘関節ができるかぎり伸展するように位置する。検者の示指の位置は，1回ごとに変化させ，その際の失調症状の出現を観察する。振戦では，対象者の示指が左右・上下にぶれる。測定異常では，対象者の示指が検者の示指に届かない場合(測定過小)や通り過ぎる場合(測定過大)が観察される。

図15 鼻指鼻試験

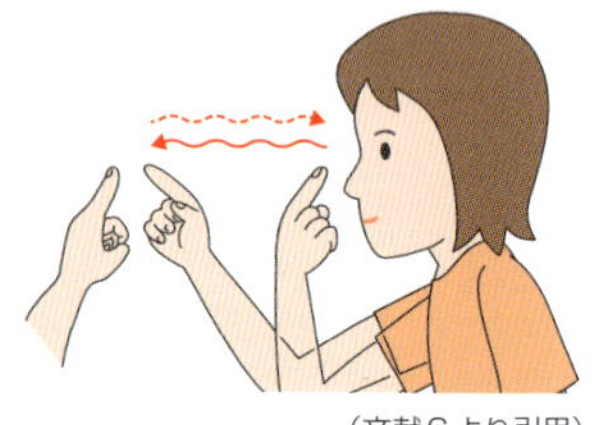

(文献6より引用)

コップ把持検査

検者の掌に載せているコップを対象者に取るように指示する。失調症が出現している場合には，コップがうまくつかめない。なお，臨床的にはコップではなくペンでも同様に評価が可能である。

線引き試験

紙上の左右両端から5cmの位置に上下に線を引いたA3もしくはB4の用紙を準備する。対象者に筆記具を持たせ，線と線の間に線引きをするように指示をする。正常であれば，左右の線で始点と終点が留まるが，失調症が出現している場合は，振戦では線の動揺(ギザギザになる)，測定過小では終点が線まで届かない，測定過大では終点が線を越える，といった現象が観察される。

● 変換運動障害(adiadochokinesis)

前腕回内検査

対象者に両上肢を挙上させ，掌を前方に向けさせる。対象者に両側の前腕をできるだけ速く回内外するように指示する。失調症状が出現している側は動作がゆっくりになるか，回内外の振幅が小さくなる(図16)。また，回内外のリズムの乱れを観察することも重要な所見である。

図16 前腕回内外検査

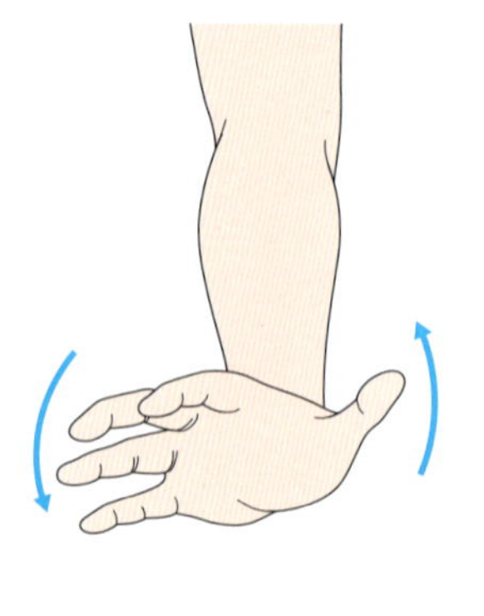

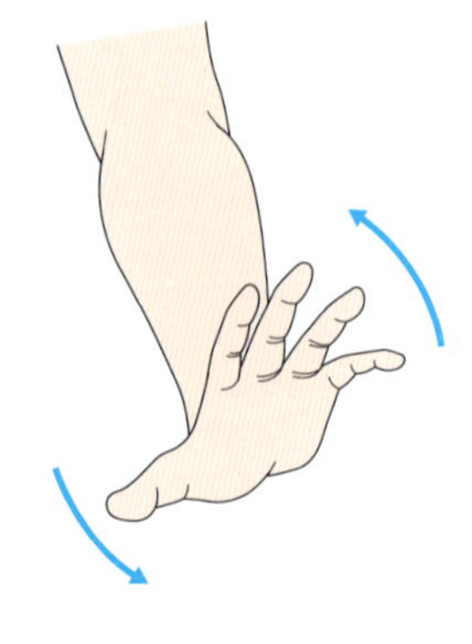

作業療法参加型臨床実習に向けて

見学段階で指導者が模擬対象者を対象に，原始反射・腱反射・病的反射・指鼻試験などの各種評価のデモンストレーションを行う。その後，実習生は同一模擬対象者に各種評価を実施する。実習生は自分が行った検査が模擬対象者の症状とどのように関連しているか指導者に伝える。指導者は実習生によかった点，改善点を伝え，検査方法を指導する。

協調性テスト

協調性テストでは，失調症状の定量的な評価が行える（**図17**）。これは，対象者の経時的な評価を行う際には，臨床上有益な情報となるだろう。

図17 協調性テスト

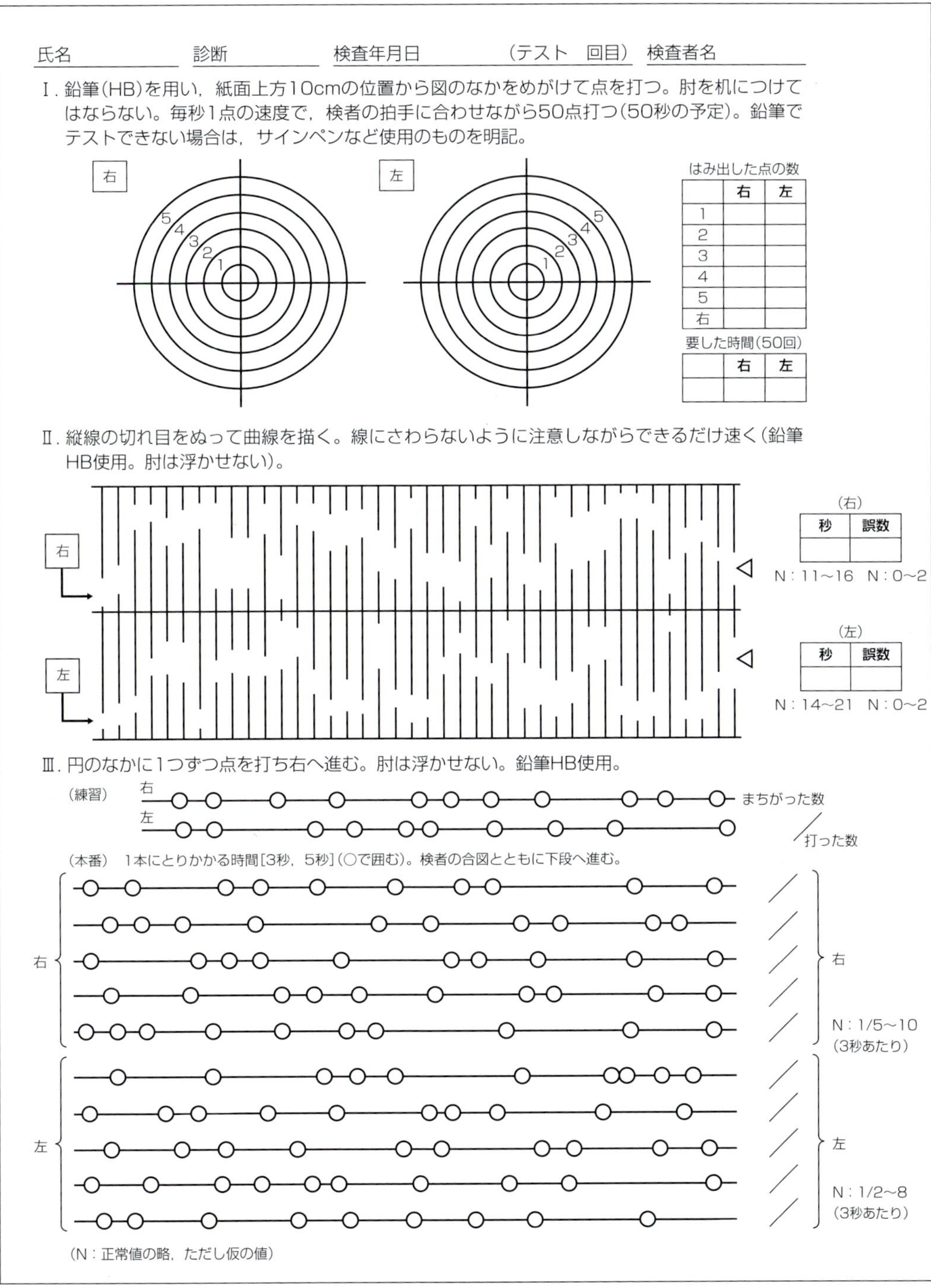

（文献7より引用）

Case Study

60歳代女性，Aさんは，小脳出血と診断されており，発症より5カ月経過している。Aさんの評価は，Brunnstrom(ブルンストローム) recovery stageの上肢Ⅵ，手指Ⅵ，下肢Ⅵであった。知覚は正常である。

Question 1

上肢の協調性評価を行いたい。Aさんの姿勢・肢位，行う評価，その陽性反応を挙げてみよう。

☞ 解答 p.289

【引用文献】

1) Hollis M, et al. : Practical exercise therapy. 4th-ed. Oxford : Blackwell Science, 1999
2) 岩﨑テル子，ほか 編：標準作業療法学専門分野 作業療法評価学，医学書院，2005.
3) DeMyer W : Technique of the Neurologic Examination, McGrow-Hill Medical, 1969.
4) 鈴木俊明，ほか 編：Crosslink 理学療法学テキスト神経障害理学療法学Ⅰ，メジカルビュー社，2019.
5) 南山堂医学大辞典，第18版，南山堂，1998.
6) 対馬栄輝，ほか 編：Crosslink 理学療法学テキスト運動療法学，メジカルビュー社，2020.
7) 上田　敏：目でみるリハビリテーション医学，東京大学出版会，1971.

【参考文献】

1. 田崎義昭，ほか：ベッドサイドの神経の診かた，改訂17版，南山堂，2009.
2. 柳澤　健 編：理学療法士イエロー・ノート2nd edition，メジカルビュー社，2011.

チェックテスト

Q

①原始反射とは，どのような反射か(☞p.112)。 基礎
②腱反射，腱反射の効果について説明せよ(☞p.112)。 基礎
③姿勢反射の分類を述べよ(☞p.113)。 基礎
④立ち直り反応とは，どのような反応か(☞p.113)。 基礎
⑤表在反射とは，どのような反射か(☞p.113)。 基礎
⑥病的反射とは，どのような反射か(☞p.113)。 基礎
⑦運動失調とは何か(☞p.119)。 基礎

12 体力と代謝

田丸佳希

Outline

- 呼吸・循環・腎機能障害のメカニズムを知ることで各疾患によって生じる特徴の推移に役立てる。
- 呼吸・循環・腎機能の評価方法，またその結果から適切な運動療法を実施する。

1 体力と代謝とは

体力とは，作業を行うために備えている身体能力のことである。また，代謝とは成長・成熟・生殖などを含む生体の維持に必要な物質やエネルギを得るための生体の化学反応である。本項では種々ある体力・代謝の指標のうち，呼吸機能，循環機能，腎機能について評価の指標と実践を解説する。

2 呼吸機能の評価

呼吸機能の評価の目的は，対象者の呼吸機能の状態を理解し，呼吸機能障害の重症度と全身状態との関連，また心理面や社会的背景を含めた全体像を把握することである。

呼吸器疾患を有する対象者の主訴の多くは，日常生活のなかでの息切れである。呼吸器疾患を有する対象者には息切れを生じる特徴的な体位や動作があり，それらが対象者の日常生活活動（ADL）に大きな障害をもたらしている。このため，対象者の動作時における呼吸状態の詳細が評価の視点となる。作業療法においても，可視化しにくい呼吸機能の障害を把握するために，**肺機能検査**や**動脈血ガス**などの**内科的指標**の理解が不可欠である。

■フィジカルアセスメント

作業療法評価で最初に行うことは観察・問診である。これは，呼吸機能の評価においても原則である。対象者の皮膚や顔の色，胸郭の形・大きさ・動きを観察によって確認し，さらに呼吸時に使用している筋の働くタイミング，強さを触診し，肺音を確認しよう。次に，フィジカルアセスメントにおいて注意すべき点を示す。

● 皮膚状態

皮膚の色，緊張などから酸素状態，栄養状態がわかる。頚静脈の怒張は，右心不全でよく認める徴候である。

胸郭の形・大きさ

成人の胸郭は一般に，前後径が左右径より短い楕円形をしている。呼吸器疾患の対象者では，胸郭の形や大きさに特徴的な変化を認める。左右の対称性にも注意して観察するのがポイントである。

呼吸運動

深く大きい呼吸を**深呼吸**，浅い呼吸を**浅呼吸**という。成人の呼吸数などについては，p.54〜を参照してほしい。

安静時呼吸・努力性呼吸で働く筋について区分して理解しておこう。

呼吸補助筋の使用の有無

呼吸では安静時呼吸と，安静時以上に努力的に行われる**努力性呼吸**[*1]がある。安静時吸気では横隔膜，外・内肋間筋が働き胸郭を広げて取り込み，安静時呼気では筋を使用せず，肺の弾性により呼出される。努力性吸気では安静時呼吸時の筋に加えて，胸鎖乳突筋，斜角筋，大・小胸筋・僧帽筋・肩甲挙筋などの頚部周辺の筋の使用が強くなる。また，内肋間筋をはじめ，腹筋群が使用される。

*1 **努力性呼吸**
呼吸による取り込み量を増加させるために，安静時以上に努力的な呼吸を行う反応。

聴診

聴診では，聴診器を用いて肺音を確認する。呼吸音の異常や副雑音の有無，これらの音がある場合はその部位，分布を確認する。

呼吸音は，正常肺に聞こえる**正常呼吸音**と異常な雑音である**副雑音**に分けられる（図1）。副雑音のうち，肺内に由来する音をラ音といい，連続性ラ音と断続性ラ音に分けられる。連続性ラ音はさらに笛様音，いびき様音に分けられ，気道の狭窄によって出現すると考えられている。断続性ラ音は水泡音と捻髪(ねんぱつ)音に分けられ，痰などの気道内分泌物があると水泡音が確

図1 肺音の分類

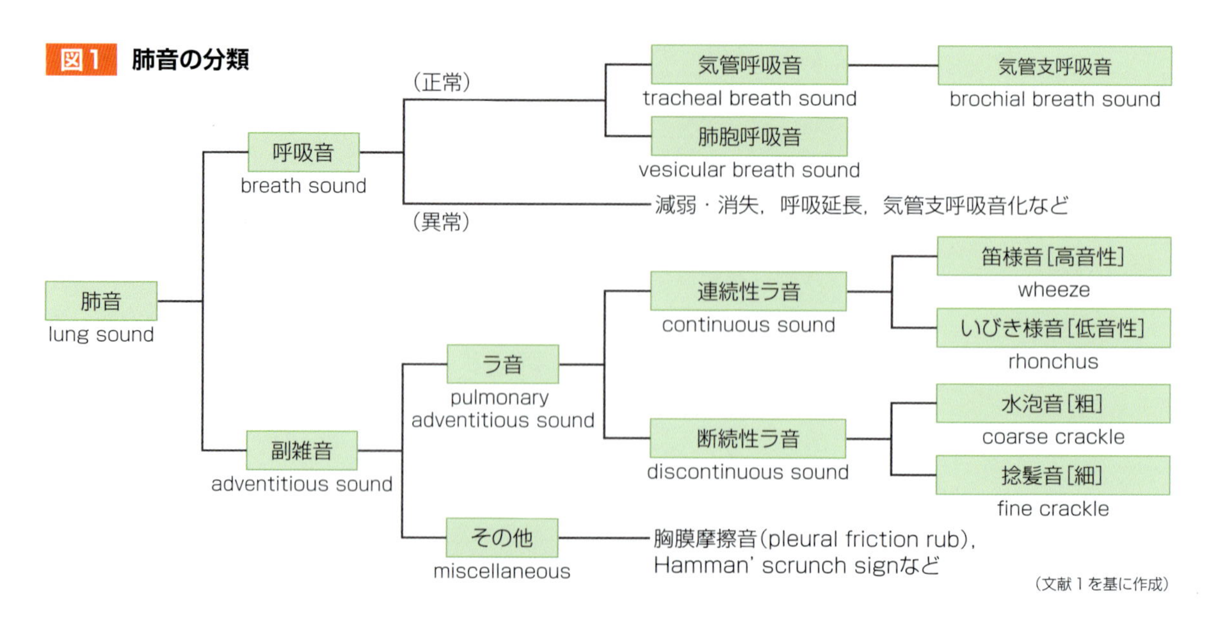

（文献1を基に作成）

認でき，その音によって分泌物の位置を確認することができる。

■機器による詳細な評価

呼吸器疾患の対象者に対する治療の臨床では，一般にスクリーニング検査(**スパイロメトリ，フローボリューム曲線**)を行う。より精密な検査を行う際は，必要に応じて残気量測定，肺拡散能検査，クロージングボリューム検査，換気力学検査，負荷試験，換気調節検査，呼吸筋力測定などを行う。臨床で最もよく行われるスパイロメトリと，それによって得られるフローボリューム曲線について説明する。

● スパイロメトリ

肺容量の変化量(**肺気量**)を測定することができる(**図2**)。肺気量とは，気道・肺胞を含む口から肺胞までの気腔量である。**肺活量**は最大吸気位から最大呼気位までゆっくり呼出させたときの呼出量であり，1回換気の最大値を知ることができる。肺活量は日本人成人男性で4,000〜5,000mL，女性で2,500〜3,000mLである。1回換気量は400〜500mLである。

試験対策 Point

肺気量分画については，(例)肺活量＝予備吸気量＋1回換気量＋予備呼気量といったように構成する区分も理解しておこう。

図2　肺気量分画(スパイログラム)

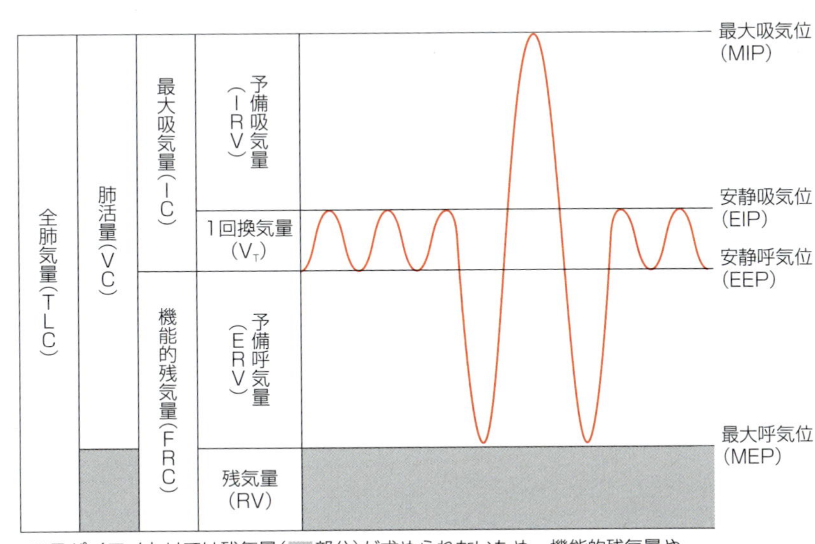

※スパイロメトリでは残気量(■部分)が求められないため，機能的残気量や全肺気量は測定できない

(文献2より引用)

TLC：total lung capacity
VC：vital capacity
IC：inspiratory capacity
FRC：functional residual capacity
IRV：inspiratory reserve volume
V_T：tidal volume
ERV：expiratory reserve volume
RV：residual volume
MIP：maximal inspiratory position
EIP：end inspiratory position
EEP：end expiratory position
MEP：maximal expiratory position

● 対標準肺活量(% VC)

性別・年齢・身長から求めた標準値に対する割合をいう。% VCが80%以上で正常とし，それ以下では**拘束性換気障害**を示す。

● 努力性肺活量(FVC)

最大吸気位から最大努力呼気までの肺気量変化をforced vital capacity(FVC)という。

● 1秒量($FEV_{1.0}$)，対標準1秒量(% $FEV_{1.0}$)

努力性呼気開始から1秒間の呼出肺気量を**1秒量**($FEV_{1.0}$)といい，性別・年齢・身長から求めた標準値に対する割合を**対標準1秒量**(% $FEV_{1.0}$)という。

● 1秒率($FEV_{1.0}$/FVC)

1秒量の値を努力性肺活量で除した値を**1秒率**という。

1秒率＝$FEV_{1.0}$÷FVC×100

70％以上が正常であり，それ以下は閉塞性換気障害を示す。

換気障害の分類は，**図3**の指標を用いて行われる。換気障害は息が吐き出しにくくなっている**閉塞性換気障害**，肺の容積が減少している**拘束性換気障害**と双方の病態が混合した**混合性換気障害**に分けられる。作業療法では，これらの障害の特徴を踏まえ病態を理解し，動作改善の戦略を練るために評価を行う。

図3 換気障害の分類

換気障害		
	閉塞性換気障害	肺弾性力は気道を外側に牽引する方向に作用しているため，肺弾性力が低下すると気道は虚脱しやすくなる
	拘束性換気障害	肺の拡張が制限された病態。肺活量・安静時肺容量は減少するが，気道抵抗は変化しない。一方，肺弾性力が上昇するため，気道内腔が増大する
	混合性換気障害	対標準肺活量と1秒率の両方が低下する病態

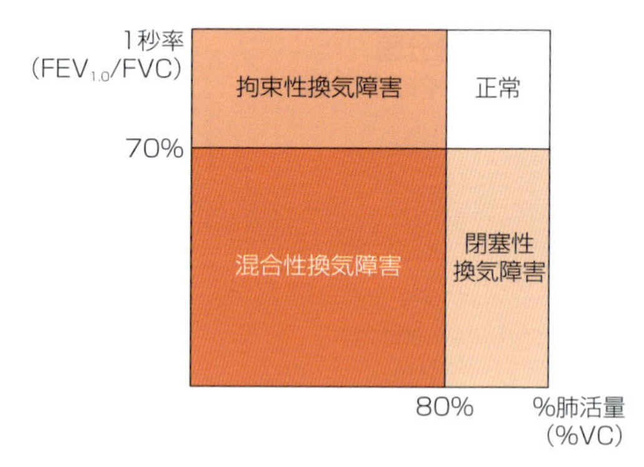

● フローボリューム曲線

スパイロメトリで努力呼気曲線を記録する際に，呼気量をx軸，各肺気量での呼気気流速度をy軸に配し，xy軸上に気流と肺気量の関係を曲線として示したものがフローボリューム曲線である(**図4**)。努力性肺活動量の75％，50％，25％肺気量位を$\dot{V}_{75}$，$\dot{V}_{50}$，$\dot{V}_{25}$という。また，最大呼気流速度をpeak flowという。慢性閉塞性肺疾患(chronic obstructive pulmonary disease：COPD)の対象者では努力性呼吸時に気道が閉塞しやすく息が出しにくいため，時間がかかる。

試験対策 Point

1秒率70％と対標準肺活量80％を1つの基準としての各換気障害の分類についても理解しておこう。

アクティブラーニング 1

フローボリューム曲線を実施した結果，1秒率が80％，対標準肺活量が60％であった場合，どの換気障害に区分されるか？ **図3**を参照して考えよう。

● その他の評価項目とスケール

サーチレーション(SpO_2)

パルスオキシメータ(**図5**)は，還元ヘモグロビンが赤色光を，酸化ヘモグロビンが赤外光を吸収することを利用して，動脈血酸素飽和度(SpO_2)

を測定するものである。指先や耳たぶにプローブをつけ，そこから2種類の波長の光を当て，通過した光の強度から酸化ヘモグロビンと還元ヘモグロビンの比率を求める。

SpO_2基準は，**98%で正常値，90%で呼吸不全の定義のPaO_2，88%で在宅酸素療法の絶対適応，75%で混合静脈血酸素分圧**，である（**図6**）。

図4　フローボリューム曲線

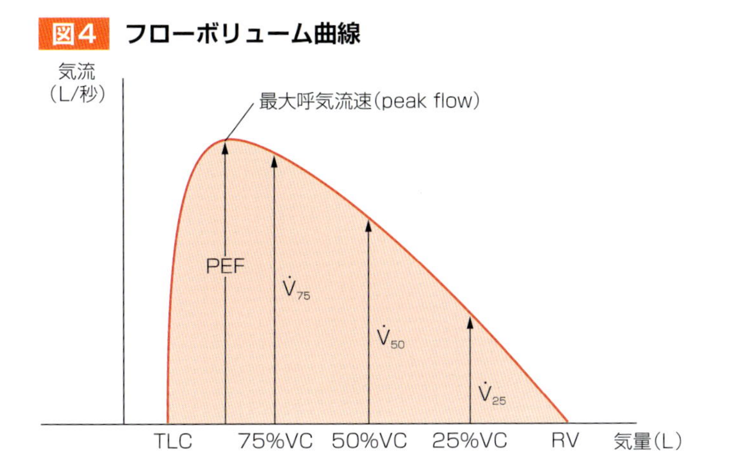

図5　パルスオキシメータ

試験対策 Point

数値を見て正常な状態であるか，呼吸不全の徴候が認められるかという判別ができるようにしておこう。

図6　酸素解離曲線

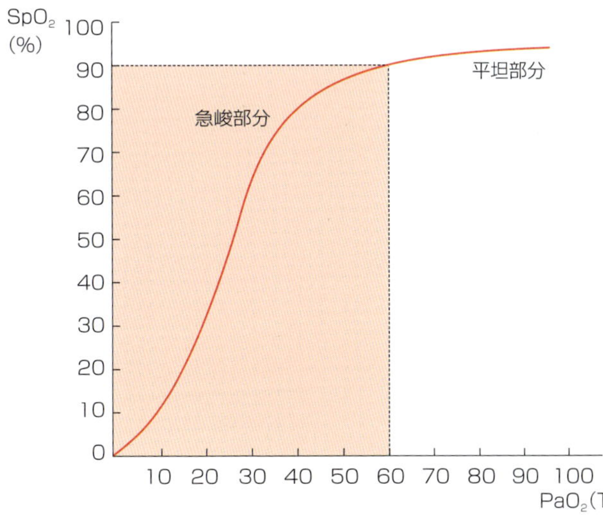

PaO_2	SpO_2
100	98
90	97
80	95
70	93
60	89
50	83

（文献3を基に作成）

■呼吸評価に使用されるスケール

呼吸器の障害がある対象者の主訴は呼吸困難である。息切れなどの呼吸困難は，呼吸器，循環器に障害がある場合の重要な症状の1つである。作業療法では，ADL動作をはじめとした活動の状況との比較を行い，評価することが必要となる。**表1，2**に，作業療法の臨床で用いられる定量的な評価の**modified Medical Research Council（mMRC）scale**と**Fletcher（フレッチャー） Hugh（ヒュー）-Jones（ジョーンズ）分類**を紹介する。また，対象者自身が直接評価する**visual analogue scale（VAS）**を**図7**に，**Borg（ボルグ） scale**，**修正Borg** scaleを**表3**に示す。

表1 mMRC

グレード	息切れの状態・症状
grade0	激しい運動をしたときだけ息切れがある
grade1	平坦な道を早足で歩く，あるいは緩やかな上り坂を歩くときに息切れがある
grade2	息切れがあるので，同年代の人より平坦な道を歩くのが遅い，あるいは平坦な道を自分のペースで歩いているとき，息切れのために立ち止まることがある
grade3	平坦な道を約100m，あるいは数分歩くと息切れのために立ち止まる
grade4	息切れがひどく家から出られない，あるいは衣服の着替えをするときにも息切れがある

表2 フレッチャー・ヒュー・ジョーンズ分類

Ⅰ度	同年齢の健常者と同様の労作ができ，歩行，昇降も健常者並みにできる
Ⅱ度	同年齢の健常者と同様に歩行ができるが，坂，階段は健常者並みに歩行できない
Ⅲ度	平地でさえ健常者並みに歩けないが，自分のペースなら1km歩ける
Ⅳ度	休みながらでなければ50m歩けない
Ⅴ度	会話，衣服の着脱にも息切れがする。息切れのため外出できない

図7 VAS

まったく
息切れを感じない
苦しくて
我慢できない
0
10(cm)

表3 ボルグ・スケールと修正ボルグ・スケール

ボルグ・スケール		修正ボルグ・スケール	
6		0.0	感じない
7	非常に楽	0.5	非常に弱い
8		1.0	やや弱い
9	かなり楽	2.0	弱い
10		3.0	
11	やや楽	4.0	多少強い
12		5.0	強い
13	ややきつい	6.0	
14		7.0	とても強い
15	きつい	8.0	
16		9.0	
17	かなりきつい	10.0	非常に強い
18	非常にきつい		
20	最高にきつい		

対象者の息切れの程度を定量的に評価するのに使用される。これらはいずれも，対象者の経時変化を調べるうえで再現性もあり，非常に有効な手段である

(文献4を基に作成)

■全身持久力評価

運動能力は肺機能・心機能・四肢の能力などの総合力によって左右され，また実際の日常生活の状況や臨床症状とも直結するため重要な指標の1つである。

肺の障害によって日常の活動能力が実際にどの程度障害されているのか(その他の要素：心循環系の機能や四肢筋の廃用が呼吸困難に影響を与えているのか)，また労作によって酸素飽和度がどの程度変化するのかを把握するために，運動負荷試験は肺の障害の評価に重要な検査項目である。

日常的には運動負荷試験は歩行(**6分間歩行試験**または**シャトルウォーキングテスト**)によって行われる。

● 6分間歩行試験

できるだけ早く6分間歩行し，その歩行距離を測定する。健常者なら高齢であっても450～500mは歩行でき，酸素飽和度の低下はあってもわずかであり，呼吸困難も少ししか生じない。歩行距離が400m以下で外出などに支障が生じ，200m以下では活動範囲が屋内に限られることが多い。

● エルゴメータ

胸部に電極，腕に血圧計をセットし，自転車サイクルの要領でペダルをこぐ。スタートは25W(ワット)から開始し，3分ごとに25Wずつ負荷を増量し調整する(**図8**)。

● シャトルウォーキングテスト

10mのコースを速度を決めて歩行し，徐々にその速度を上げていく漸増負荷試験である(**図9**)。健常者は600m以上の歩行が可能であり，250m以下では日常生活上の制限が強いと考えられている。

● トレッドミルテストとは

胸部に電極，腕に血圧計をセットし，ベルトコンベア上を歩行，走行する。速度や傾斜を変更することで負荷量の調整を行う(**図10**)。

図8 エルゴメータ

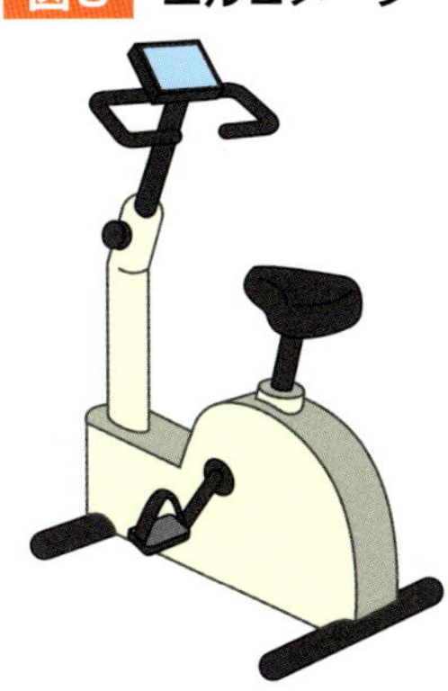

図9 シャトルウォーキングテスト

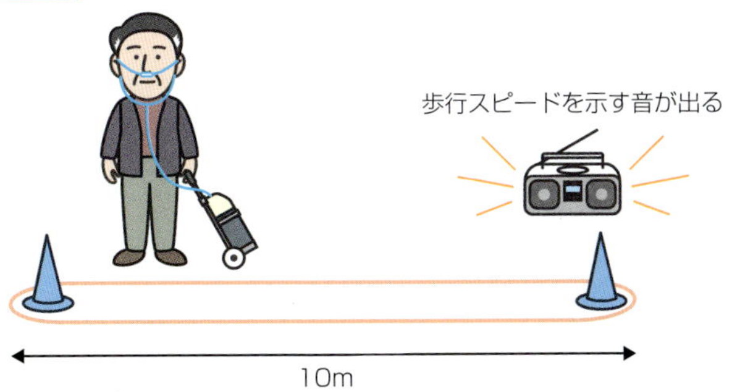

図10 トレッドミル

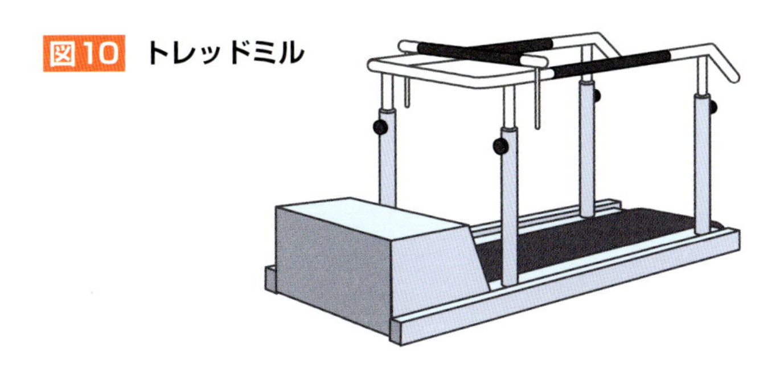

■ADLスケール

医療職種において広く使用されているADL評価には，**機能的自立度評価法**(functional independence measure：FIM)がある。しかし，呼吸器の障害のある対象者では，各項目の自立レベルをとらえるだけでは不十分であり，動作速度・息切れ・酸素流量なども評価することが重要である。呼吸器の障害のある対象者のADL動作能力を評価するものとして，**千住らの評価表**を**表4**，pulmonary emphysema activities of daily living(P-ADL)評価法を**表5**に示す。

表4 千住らの評価表

項目	動作速度	息切れ	酸素流量	合計
食事	0・1・2・3	0・1・2・3	0・1・2・3	
排泄	0・1・2・3	0・1・2・3	0・1・2・3	
整容	0・1・2・3	0・1・2・3	0・1・2・3	
入浴	0・1・2・3	0・1・2・3	0・1・2・3	
更衣	0・1・2・3	0・1・2・3	0・1・2・3	
病室内移動	0・1・2・3	0・1・2・3	0・1・2・3	
病棟内移動	0・1・2・3	0・1・2・3	0・1・2・3	
院内移動	0・1・2・3	0・1・2・3	0・1・2・3	
階段	0・1・2・3	0・1・2・3	0・1・2・3	
外出・買い物	0・1・2・3	0・1・2・3	0・1・2・3	
合計	/30点	/30点	/30点	
連続歩行距離	0：50m以内，2：50～200m，4：200～500m，8：500m～1km，10：1km以上			
			合計	/100点

〈動作速度〉
0：できないか，かなり休みをとらないとできない(できないは，以下すべて0点とする)
1：途中でひと休みしないとできない
2：ゆっくりであれば休まずにできる
3：スムーズにできる

〈息切れ〉
0：非常にきつい。これ以上は耐えられない
1：きつい
2：楽である
3：まったく何も感じない

〈酸素流量〉
0：2L/分以上
1：1～2L/分
2：1L/分以下
3：酸素を必要としない

(文献5より引用)

表5 P-ADL評価法

酸素量：安静時(　　)L/分　運動時(　　)L/分　睡眠時(　　)L/分
氏 名：
評価日：　年　月　日

＊各項目の当てはまる番号(0～4)を1つずつ選んで○で囲んでください。

	酸素量	頻度	速度	息切れ	距離	
食事	0：いつもより増量 1：状況により増量 2：いつもと同量 3：状況により使用 4：まったく使用せず	0：毎回自分で食べない 1：ほとんど自分で食べない 2：状況により自分で食べる 3：ほとんど自分で食べる 4：毎回自分で食べる	0：まったく食べられない 1：かなり休みながら 2：途中でひと休み 3：休まずゆっくり 4：スムーズにできる	0：耐えられない 1：かなりきつい 2：きつい 3：楽である 4：何も感じない	0：自室(ベッド上) 1： 2： 3： 4：食堂(居間)	0：食べさせてもらう 1：ほとんど食べさせてもらう 2：準備をしてもらえば自分で食べる 3：準備も行う 4：下膳(食器の後始末)も行う
排泄	0：いつもより増量 1：状況により増量 2：いつもと同量 3：状況により使用 4：まったく使用せず	0：便所に行って排泄しない 1：排便のみ便所 2：昼間便所に行くことがある 3：昼間は毎回便所に行く 4：毎回(夜間も)便所に行く	0：まったく便所に行かない 1：かなり休みながら 2：途中でひと休み 3：休まずゆっくり 4：スムーズにできる	0：耐えられない 1：かなりきつい 2：きつい 3：楽である 4：何も感じない	0：ベッド上 1：ベッド上，ベッドサイド 2：ベッドサイド 3：ベッドサイド，便所 4：便所	0：便器を用い全介助を受ける 1：ほとんど介助を受ける 2：尿器，ポータブルトイレを使用 3：夜間のみ尿器，ポータブルトイレを使用 4：便所を使用しまったく介助を受けない
入浴	0：いつもより増量 1：状況により増量 2：いつもと同量 3：状況により使用 4：まったく使用せず	0：まったく入浴しない 1：たまに入浴を行う 2：入浴日の2回に1回は入浴する 3：ほとんどの入浴日に入浴する 4：入浴日に毎回入浴する	0：まったく自分でできない 1：かなり休みながら 2：途中でひと休み 3：休まずゆっくり 4：スムーズにできる	0：耐えられない 1：かなりきつい 2：きつい 3：楽である 4：何も感じない	0：ベッド上 1：ベッド上，ベッドサイド 2：ベッドサイド 3：ベッドサイド，便所 4：便所	0：清拭(体を拭く)してもらう 1：自分で清拭する 2：シャワーを介助してもらう 3：シャワーは自分で，入浴は介助してもらう 4：自分で入浴(体を洗う／浴槽に入る)できる

	酸素量	頻度	速度	息切れ	距離	
洗髪	0：いつもより増量 1：状況により増量 2：いつもと同量 3：状況により使用 4：まったく使用せず	0：まったく洗髪しない 1：入浴とは別に洗髪してもらう 2：入浴時に洗髪してもらう 3：入浴とは別に自分で洗髪する 4：入浴時に毎回洗髪する	0：まったく自分でできない 1：かなり休みながら 2：途中でひと休み 3：休まずゆっくり 4：スムーズにできる	0：耐えられない 1：かなりきつい 2：きつい 3：楽である 4：何も感じない	0：ベッド上 1：ベッド上，洗面所 2：洗面所 3：洗面所，浴室 4：浴室	0：洗髪しない 1：洗髪してもらう（全介助） 2：毎回一部洗髪してもらう（一部介助） 3：ときどき洗髪を手伝ってもらう 4：毎回自分で洗髪する
整容	0：いつもより増量 1：状況により増量 2：いつもと同量 3：状況により使用 4：まったく使用せず	0：洗面所で洗面歯磨きをしない 1：たまに洗面所で洗面歯磨きをする 2：状況により洗面所で洗面歯磨きをする 3：ほとんど洗面所で洗面歯磨きをする 4：毎回洗面所で洗面歯磨きをする	0：まったく自分でできない 1：かなり休みながら 2：途中でひと休み 3：休まずゆっくり 4：スムーズにできる	0：耐えられない 1：かなりきつい 2：きつい 3：楽である 4：何も感じない	0：ベッド上 1： 2： 3： 4：洗面所	0：臥床のまま全面的に介助を受ける 1：ベッドの上に座って介助を受ける 2：準備されればベッド上で自分で行える 3：腰掛けると自分でできる 4：立って自分でできる
更衣	0：いつもより増量 1：状況により増量 2：いつもと同量 3：状況により使用 4：まったく使用せず	0：自分で更衣はできない 1：たまに自分で更衣を行う 2：状況により自分で行う 3：ほとんど自分で行う 4：毎回自分で更衣を行う	0：まったく自分でできない 1：かなり休みながら 2：途中でひと休み 3：休まずゆっくり 4：スムーズにできる	0：耐えられない 1：かなりきつい 2：きつい 3：楽である 4：何も感じない		0：更衣をしてもらう 1：準備や更衣を手伝ってもらう 2：準備されれば自分でできる 3：自分で行うがたまに手伝ってもらう 4：まったく介助を受けない
歩行	0：いつもより増量 1：状況により増量 2：いつもと同量 3：状況により使用 4：まったく使用せず	0：まったく歩けない 1：たまに歩くことができる 2：状況により歩くことができる 3：ほとんど歩くことができる 4：いつでも歩くことができる	0：まったく自分でできない 1：かなり休みながら 2：途中でひと休み 3：休まずゆっくり 4：スムーズにできる	0：耐えられない 1：かなりきつい 2：きつい 3：楽である 4：何も感じない	0：まったく歩けない 1：ベッド周囲のみ 2：自室内のみ 3：便所，洗面所のみ 4：自宅内はすべて	0：まったく歩けない 1：介助（支えてもらう）があれば歩ける 2：介助（手を引く）があれば歩ける 3：監視があれば歩くことができる 4：介助なく歩ける
階段	0：いつもより増量 1：状況により増量 2：いつもと同量 3：状況により使用 4：まったく使用せず	0：昇れない 1： 2：必要なときだけ昇る 3： 4：いつでも昇ることができる	0：まったく自分でできない 1：かなり休みながら 2：途中でひと休み 3：休まずゆっくり 4：スムーズにできる	0：耐えられない 1：かなりきつい 2：きつい 3：楽である 4：何も感じない	0：まったく上れない 1：5～6段 2：2階まで 3：3階未満 4：3階以上	0：自分では上れない 1： 2：介助があれば上れる 3： 4：自分だけで上れる
屋外歩行	0：いつもより増量 1：状況により増量 2：いつもと同量 3：状況により使用 4：まったく使用せず	0：まったく歩けない 1：たまに歩くことができる 2：状況により歩くことができる 3：ほとんど歩くことができる 4：いつでも歩くことができる	0：まったく自分でできない 1：かなり休みながら 2：途中でひと休み 3：休まずゆっくり 4：スムーズにできる	0：耐えられない 1：かなりきつい 2：きつい 3：楽である 4：何も感じない		0：まったく歩けない 1：介助（支えてもらう）があれば歩ける 2：介助（手を引く）があれば歩ける 3：監視があれば歩くことができる 4：介助なく歩ける
＊屋外歩行で，最長どのくらいの距離を歩くことができますか？　（　　）mくらい						
会話	0：いつもより増量 1：状況により増量 2：いつもと同量 3：状況により使用 4：まったく使用せず		0：まったく自分でできない 1：かなり休みながら 2：途中でひと休み 3：休まずゆっくり 4：スムーズにできる	0：耐えられない 1：かなりきつい 2：きつい 3：楽である 4：何も感じない	最長どのくらいの時間話せますか？ （　　）時間くらい	

（文献6より引用）

作業療法参加型臨床実習に向けて

呼吸器疾患の対象者のADL動作を評価する場面では，頸部・肩甲帯では，呼吸補助筋の負担が大きくなることから過活動が生じ，頸部筋の膨隆・肩甲帯の挙上といった徴候がみられる。そこで，指導者は事前に実習生にこれらの徴候の出現について伝え，着目点を明確にする。実習生は，見学からとらえた頸部・肩甲帯の動きの変化の特徴について指導者に伝える。指導者からは実習生のよかった点，改善点を伝え着目点をさらに絞り確認するよう指導する。

■呼吸リハビリテーションの中止基準（表6）

表6　呼吸リハビリテーションの中止基準

呼吸困難感	修正ボルグ・スケール 7～9
その他の自覚症状	胸痛，動悸，疲労，めまい，ふらつき，チアノーゼなど
心拍数	・年齢別最大心拍数の85％に達したとき（肺性心を伴うCOPDでは65～70％） ・不変ないし減少したとき
呼吸数	毎分30回以上
血圧	高度に収縮期血圧が下降したり，拡張期血圧が上昇したとき
SpO_2	90％以下になったとき

■ADL動作時の観察

慢性呼吸器疾患では，もともとの運動耐容能が低下していることから，ADL遂行のための運動負荷そのものが呼吸困難となって負担になりやすい。ADL遂行時の呼吸困難の対策としての動作指導が重要である（図11）。特に，上肢を使った動作をしようとすれば上肢帯は周囲筋に固定され，呼吸補助筋が呼吸目的の作用を失うため，息切れが増強しやすくなる。また，体幹を前傾させる動作は横隔膜や腹部筋の動きを制限し，呼吸困難を増加させやすい。同じ動作でも息苦しさを軽減できる動作を指導するために，作業療法士は対象者が呼吸困難を起こしやすい動作を日常生活のどの場面で行っているかを観察し，その動作場面での対象者の息苦しさを評価することが必要である。

補 足

その他のADL例

- **洗面動作**：洗面台は低い位置にするか座面の高い椅子に変更
- **脱衣動作**：かぶりシャツから前開きシャツにして，上肢の挙上を防ぐ。靴下着衣では足を組んで履く。
- **排泄動作**：和式は洋式へ変更する。
- **歯磨き・食事動作**：息を止めた動作となるので動作が連続しないように行う。

アクティブラーニング②

日常生活動作場面においてどういった姿勢が呼吸困難になりやすいだろうか。また，その対処について図11を参照して考えよう。

図11 改善すべきADL場面

a 洗髪動作
浴室の椅子は座面が高めの物を使用し，体幹は前傾しない状態で行う

b 物干し動作
物干し竿を低い位置に設置する

c 掃除動作
延長管の長さを調節し，体幹は前傾しない状態で行う

3 循環機能の評価

■循環とは

循環には**体循環・肺循環**がある。

体循環とは左心室から体組織を循環し，右心房で終わる血液循環経路を指す。組織の活動によって生じた代謝物を静脈血中に回収し，再び心臓まで戻す。また，脳や腎臓，筋などのあらゆる生命器官に酸素の運搬や栄養の供給を行うとともに，体内で産出された二酸化炭素を受け取り，体内を循環している。

肺循環とは，右心室から肺動脈・肺・肺静脈を通り，左心房で終わる血液循環経路である。肺内の毛細血管にて，呼吸により肺内へ入った空気から酸素を取り込み，炭酸ガスを肺胞内へ排出して，酸素の多い動脈血として左心房に流入することを指す（図12）。

図12 血液循環

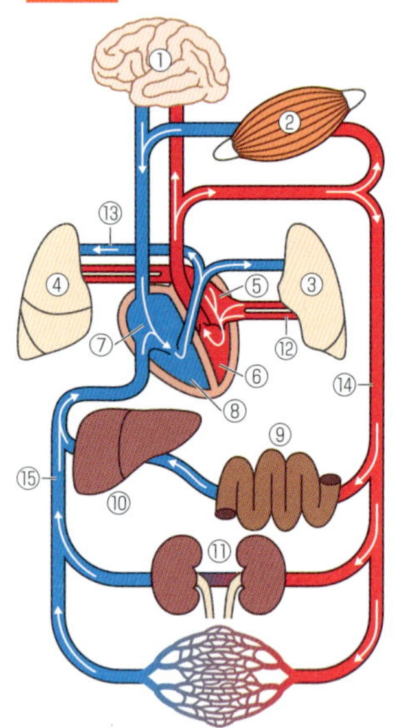

①脳 ②筋 ③左肺 ④右肺 ⑤左心房 ⑥左心室 ⑦右心房 ⑧右心室 ⑨腸 ⑩肝臓 ⑪腎臓 ⑫肺静脈 ⑬肺動脈 ⑭大動脈 ⑮大静脈

■運動時の血流配分

安静時においては副交感神経優位となり，心拍出量は脳，心臓，消化管・肝臓，腎臓で全体の約60%を占めている。運動時においては，交感神経優位となり，心拍出量の約80%以上が骨格筋へ配分される（図13）。

図13 運動時の血流分布

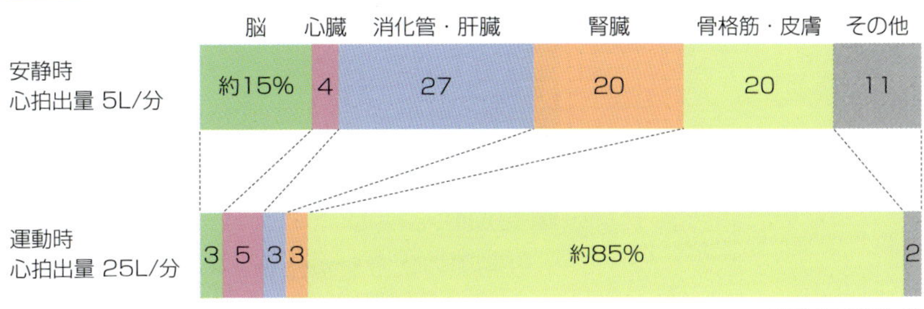

（文献7を基に作成）

■心不全

心不全とは，心臓の機能低下により，組織の正常な働きを維持するために必要な血液供給が滞った状態をいう。心不全の診断においては，心不全によって生じる客観的な症状を項目に区分したFramingham（フラミンガム）基準（表7）があり，現在においても1つの指標として広く使用されている。症状としては左心不全・右心不全において，それぞれの特徴がある（表8）。また，表9にNew York Heart Association（NYHA）の心機能分類を示す。

表7 フラミンガムの基準

大項目	小項目	大項目あるいは小項目
・発作性夜間呼吸困難あるいは起座呼吸 ・頸静脈怒張 ・肺ラ音聴取 ・心拡大 ・急性肺水腫 ・拡張早期ギャロップ（Ⅲ音） ・静脈圧上昇（160mmH_2O以上） ・循環時間（25秒以上） ・肝頸静脈逆流	・下肢の浮腫 ・夜間咳嗽（がいそう） ・肝腫大 ・胸水 ・肺活量減少（最大量に対し1/3低下） ・頻脈（120拍/分以上）	・治療に反応して5日で4.5kg以上体重が減少した場合

（文献8を基に作成）

表8 左心不全・右心不全別の症状の特徴

左心不全	・呼吸困難，息切れ，起座呼吸 ・動悸，全身倦怠感，易疲労 ・意識障害，精神活動低下 ・咳，喀痰（かくたん），喘鳴（ぜんめい）	・食思不振 ・チアノーゼ，四肢冷感 ・乏尿，夜間多尿
右心不全	・頸静脈怒張，浮腫，体重増加 ・腹部膨満感，消化器症状 ・乏尿	・右季肋部痛 ・嘔気，嘔吐 ・倦怠感，易疲労

（文献9を基に作成）

アクティブラーニング 3

心不全の対象者で両足に浮腫を生じている場合，左右どちらの心不全が考えられるだろうか。表8を参照して考えよう。

> ＊2 METs
> 運動強度を示す指示。詳細はp.140を参照してほしい。

表9 NYHAの心機能分類

Ⅰ度	心疾患を有するが，通常の労作では疲労，動悸，呼吸困難，胸心痛など自覚症状を引き起こさない[7 metabolic equivalents(METs＊2)以上]	症状なし
Ⅱ度	安静時には自覚症状はないが，通常の日常生活の活動によって上記の自覚症状を惹起する(5～6METs)	階段で症状
Ⅲ度	軽度の労作によって自覚症状が出現するために，日常生活が著しく障害される(2～4METs)	平地で症状
Ⅳ度	いかなる労作も行うことはできない。安静時に自覚症状が存在することもある(1MET以下)	寝たきり状態

■虚血性心疾患

冠動脈の狭窄や塞栓などにより，血流が低下あるいは停止することで引き起こされる疾患のことを指す(**表10，11**)。具体的には，狭心症と心筋梗塞がある。

表10 発症の誘因による分類

労作性狭心症	運動時など，心筋への酸素供給が間に合わないときに起こる虚血性発作
安静時狭心症	冠動脈の血管攣縮(れんしゅく)などにより，安静時に起こる発作をいう 異型狭心症もここに含まれる

(文献10を基に作成)

表11 Killip(キリップ)分類

class	徴候・症状	死亡率
class Ⅰ	心不全徴候なし	6%
class Ⅱ	軽症～中等度心不全 ラ音聴取領域が全肺野の50%未満	17%
class Ⅲ	重症心不全 肺水腫，ラ音聴取領域が全肺野の50%以上	38%
class Ⅳ	心原性ショック 血圧90mmHg未満，尿量減少，チアノーゼ，冷たく湿った皮膚，意識障害を伴う	81%

■循環のフィジカルアセスメント

循環状態の評価についても，まずは観察，問診から始まる。視診のポイントを**表12**に示したので確認してほしい。呼吸機能の評価にも用いた対象者の皮膚や顔の色の観察，それから脈の触診を行い性状を確認する。

脈の性状については，p.50～を参照してほしい。

表12 視診，触診，脈拍観察のポイント

視診	顔面	表情，口唇・顔面のチアノーゼの有無
	頸部	呼吸状態，頸静脈怒張の有無
	四肢	浮腫(腓骨下1/3前面・足背)の有無，四肢末梢部のチアノーゼの有無
	胸部	心尖拍動の有無，手術後の場合は創部の観察
触診	熱感の有無(感染症や低体温を考慮)，浮腫の確認，動脈の触診，触知の有無，徐脈か頻脈か，脈拍は整か不整か，左右差の有無	
脈拍観察	脈拍数，脈拍リズム，脈拍の大きさ，脈拍の立ち上がりの遅速，血管壁の症状，左右差，上下肢差	

■聴診（心音）

心音には，Ⅰ～Ⅳ音，心膜摩擦音，心膜ノック音などがある。本項では基本となるⅠ音，Ⅱ音を**表13**に示す。

聴診の順番は，心尖部においてⅠ音とⅡ音のタイミングを把握したあと，肺動脈弁領域（第2肋間胸骨左縁）→大動脈弁領域（第2肋間胸骨右縁）→Erb（エルブ）領域（第3肋間胸骨左縁）→三尖弁領域（胸骨下）へ約2cmずつ移動しながら行う（**図14**）。

表13　心音の特徴と異常心音の原因

	心音	音質	音の強さ	心音亢進	心音減少
Ⅰ音	僧帽弁→三尖弁閉鎖に相当	鈍く低調	心尖部はⅠ音が強い	僧帽弁狭窄，三尖弁狭窄，左右短絡，甲状腺機能亢進など	僧帽弁閉鎖不全，三尖弁閉鎖不全，心室収縮力の減少など
Ⅱ音	大動脈→肺動脈閉鎖に相当	やや高調	心基部はⅡ音が強い	血圧上昇など	大動脈弁狭窄症，肺動脈弁狭窄症など

図14　聴診

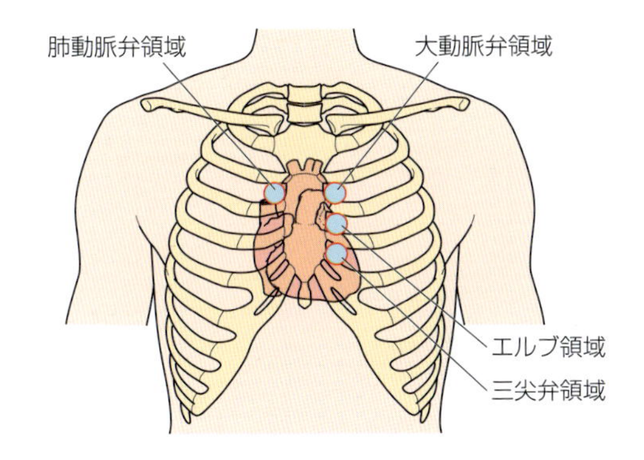

■心電図

心電図については作業療法士が測定することはない。しかしながら，対象者の循環状態を把握するにはその結果を解釈する能力が必要となる。

● 心電図の読み方

P波は心房の興奮，**QRS波**は心房全体に興奮が広がる時間を表している。**RR間隔**は心拍から次の心拍の間隔を表している。

これら心電図の波形を理解することで，心臓の状態を把握することができる（**図15，16**，**表14**）。

試験対策Point

心電図では，基本となるP波の異常は心房の異常，P波からQ波では心房から心室に伝導するまでの状態を表し，波形の大きなQRSは心室全体の状態を示している。このように，各波形がどこの状態を表しているのかを把握すると，異常波と症状を繋げやすくなる。

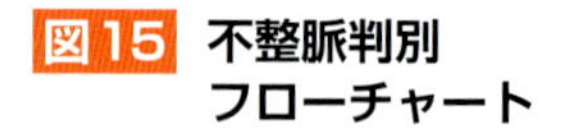

図15 不整脈判別フローチャート

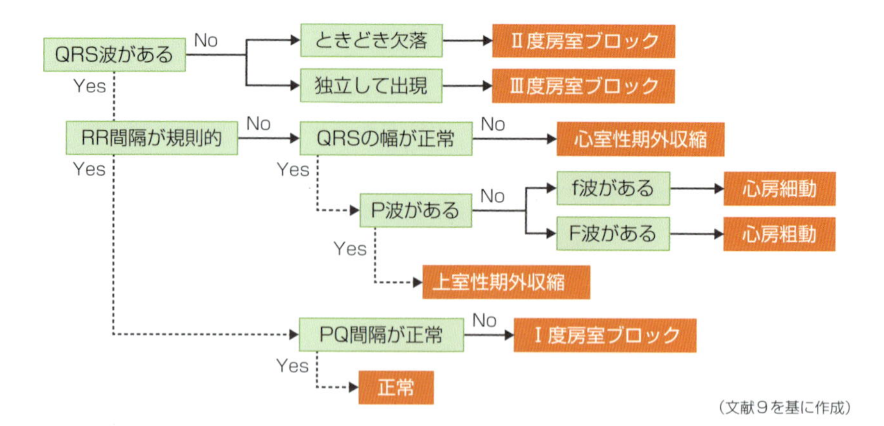

（文献9を基に作成）

図16 心電図からの心拍数の計算

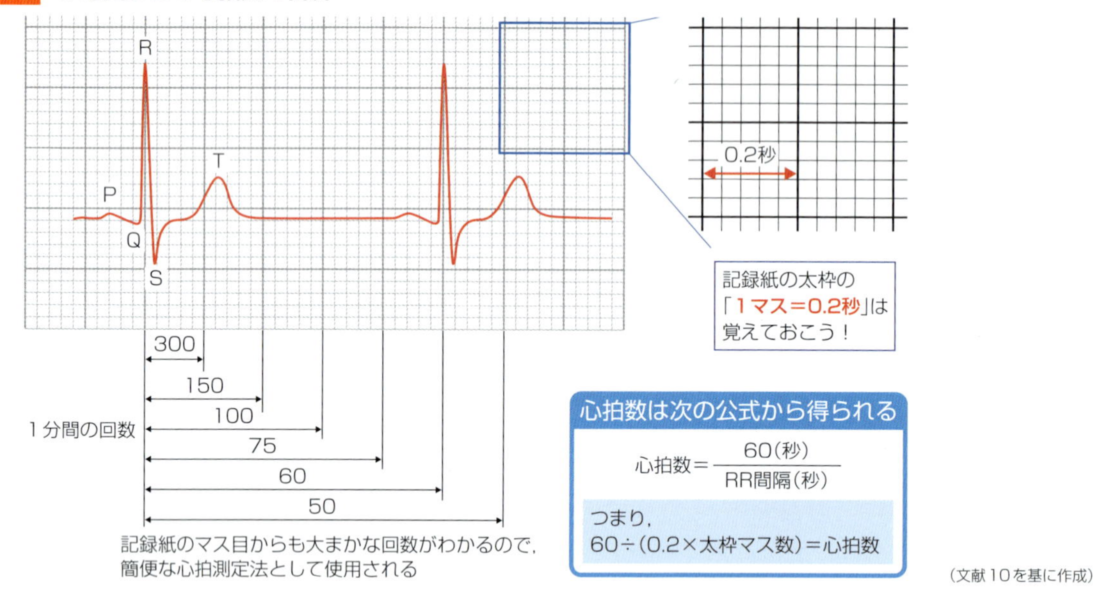

（文献10を基に作成）

表14 代表的な心電図の波形

不整脈の種類	分類		心電図波形	特徴
房室ブロック（A-Vブロック）：P-Q間隔とP波-QRS波のリズムを確認	1度		P P Q Q	波形の形は変わらないが，P-Q間隔が延長する
	2度	Wenckebach（ウェンケバッハ）型（Mobitz（モービッツ）1型）	QRS脱落 P P P P P P Q Q Q Q Q Q	P-Q間隔が少しずつ延長し，一定の間隔でQRS波の脱落がある
		Mobitz2型	QRS脱落 P P P P P P Q Q Q Q Q Q	P波の後のQRS波が突然脱落する
	3度		QRS QRS QRS P P P	P波とQRS波がまったく関連性がない

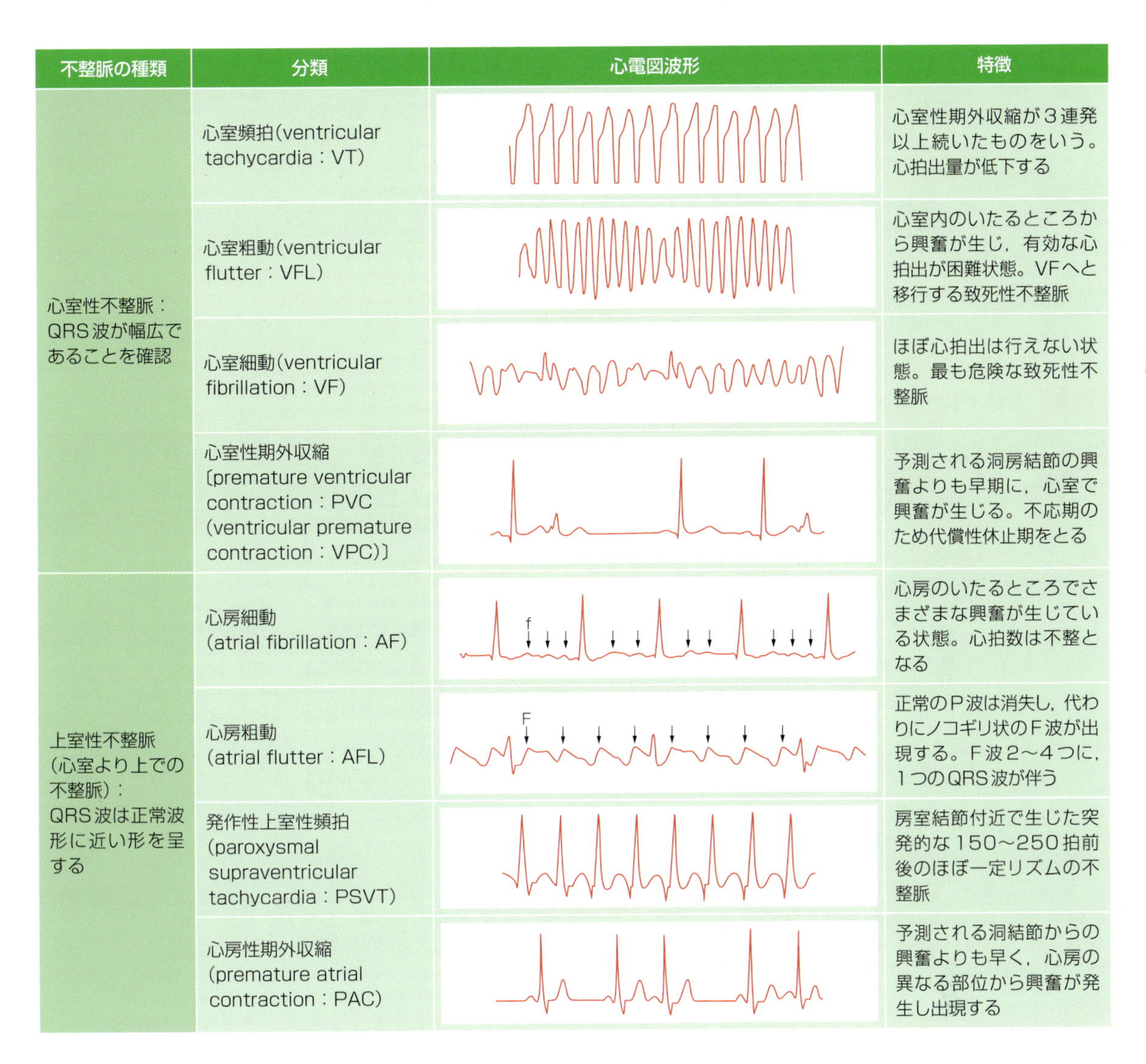

不整脈の種類	分類	心電図波形	特徴
心室性不整脈：QRS波が幅広であることを確認	心室頻拍（ventricular tachycardia：VT）		心室性期外収縮が3連発以上続いたものをいう。心拍出量が低下する
	心室粗動（ventricular flutter：VFL）		心室内のいたるところから興奮が生じ，有効な心拍出が困難状態。VFへと移行する致死性不整脈
	心室細動（ventricular fibrillation：VF）		ほぼ心拍出は行えない状態。最も危険な致死性不整脈
	心室性期外収縮〔premature ventricular contraction：PVC（ventricular premature contraction：VPC）〕		予測される洞房結節の興奮よりも早期に，心室で興奮が生じる。不応期のため代償性休止期をとる
上室性不整脈（心室より上での不整脈）：QRS波は正常波形に近い形を呈する	心房細動（atrial fibrillation：AF）	f	心房のいたるところでさまざまな興奮が生じている状態。心拍数は不整となる
	心房粗動（atrial flutter：AFL）	F	正常のP波は消失し，代わりにノコギリ状のF波が出現する。F波2～4つに，1つのQRS波が伴う
	発作性上室性頻拍（paroxysmal supraventricular tachycardia：PSVT）		房室結節付近で生じた突発的な150～250拍前後のほぼ一定リズムの不整脈
	心房性期外収縮（premature atrial contraction：PAC）		予測される洞結節からの興奮よりも早く，心房の異なる部位から興奮が発生し出現する

4 腎機能の評価

代表的な腎疾患は急性糸球体腎炎，急性進行性糸球体腎炎，慢性糸球体腎炎，ネフローゼ症候群，慢性腎不全である。腎疾患における運動療法は病態の改善に直結するものではなく，**運動による腎機能の回復は期待できない**。これまでの安全第一としてきた運動療法から対象者の生活の質（quality of life：QOL）の向上やリハビリテーションを目的に運動療法が行われる。

■運動療法が有効な腎疾患の治療法

腎疾患の食事療法，薬物療法，血液透析療法について**表15**に示す。また，運動療法の適応を**表16**，効果を**表17**に示す。

表15 腎疾患の各療法

食事療法	食塩，タンパク質，水分摂取のコントロールが基本である
薬物療法	利尿薬，抗生物質，非ステロイド性抗炎症薬，ステロイド，抗凝固薬などが病態に応じて使用される
血液透析療法	保存療法では全身状態が悪化し，改善の見込みがないと判断されたときに血液透析療法が行われる

表16 運動療法の適応

- 腎機能が安定し，腎不全がない
- 血圧が安定している（拡張期血圧が95mmHg未満）
- 運動負荷によって尿タンパクが増加しない（1日尿タンパク量2.0g未満）
- 代謝性アシドーシス，貧血，低タンパク血症，心不全の合併がない

表17 身体トレーニングが循環機能に及ぼす効果

報告者（年代）	運動の種類	トレーニング			改善率			
		強度（% $\dot{V}O_2$max または% HRmax）	頻度（回/週）	期間（月）	最大血圧	LVEF	HRV	SVI
Goldberg ら（1980）	W＋J	60% $\dot{V}O_2$max	3	9	↓			
ゴールドバーグら（1983）			3～5	12	↓			
Carney ら（1983）	W＋C＋J	50～60% $\dot{V}O_2$max		6	13%↓	28%↑		
Shalom ら（1984）	W＋C＋J	75～80% HRmax	5	3	変化なし	変化なし		
張ら（1984）	W＋J	60% HRmax	3	7.7	変化なし			
Harter ら（1985）	W＋C＋J	50～80% $\dot{V}O_2$max		12	↓			
ゴールドバーグら（1986）	W＋C＋J	50～80% $\dot{V}O_2$max		12	変化なし			
Deligiannis ら（1999）	A	60～70% HRmax	3～4	6			↑	
デリヤニスら（1999）	A	60～70% HRmax	5	6	6%↓	5%↑		14%↑

W：walking（歩行）　J：jogging（ジョギング）　C：cycling（サイクリング）　A：aerobic exercise（エアロビック運動）
% $\dot{V}O_2$max：最大酸素摂取量に対する百分率　% HRmax：最高心拍数に対する百分率
LVEF：left ventricular ejection fraction（左心室駆出率）　HRV：heart rate variability（心拍変動）
SVI：stroke volume index（1回拍出量係数）

（文献11を基に作成）

■腎疾患の運動療法の基本原則

運動の種類はウォーキング，エルゴメータ，トレッドミルなどの有酸素運動が望ましい。競技性をもたせない。また，運動強度として「軽い」「疲労を覚えない程度」「健康維持程度」を目安とするのが実用的である（**表18**）。

表18 運動強度

「軽い」運動	ややゆっくりの歩行，ラジオ体操など（3METs以下）
「疲労を覚えない程度」の運動	普通の歩行，柔軟体操など（3～4METs）
「健康維持程度」の運動	階段昇降，速めの歩行など（5METs）

● METs

対象者の運動強度を表す指標はMETsを用いる。

METsは**運動・作業時代謝量÷安静時代謝量**で表され，1METは安静時

のエネルギ消費で約3.5mL/kg/分の酸素消費と等価である。

表19に，活動とMETsの関係をまとめたので，これを参考に対象者の運動強度の評価を行ってほしい。

表19 各種ADL，レクリエーション・運動・スポーツのMETs表示

METs		ADL	レクリエーション・運動・スポーツ
1〜1.5		座位で安静(1.0MET)，立位で安静(1.4METs)	テレビを見る，読書
1.5〜2.0		机仕事(タイプ打ち，パソコン操作)，裁縫・編み物	ゆっくり散歩(30m/分)
軽度	2.5〜3.0	育児，看病，布団の出し入れ，洗面，アイロンかけ，自動車運転，着替え	ゆっくりの歩行(50m/分：2.5METs)，自転車乗り(8km/分)，ボーリング，電動でのカートゴルフ
	3.0〜4.0	調理，洗濯，床ふき(膝つき)，窓ふき，排便(洋式)，シャワー入浴，軽い荷物運び	普通の歩行(60m/分：3.0METs)，自転車乗り(10km/時)，バレーボール円陣パス，ラジオ体操
中程度	4.0〜5.0	入浴，洗濯物干し，ペンキ塗り，掃き掃除，園芸，軽い大工仕事，床みがき(立て膝で)，セックス	速歩(100m/分：4.0METs)，サイクリング(10km/時)，卓球，テニス(ダブルス)，ダンス
	5.0〜6.0	農作業，庭を掘る，階段昇降	急歩(120m/分以上)，サイクリング(16km/時)，テニス(試合)，バドミントン(シングルス)
	6.0〜7.0	シャベルで掘る，薪を割る，雪かき，水汲み	ゆっくりジョギング(4〜5km/時)，バドミントン(試合)，フォークダンス
	7.0〜8.0	固い木を挽く，溝掘り	ジョギング(8km/時)，水泳，バスケットボール，サッカー，登山
強度	8.0以上	上記以外の重労働，階段を連続して昇る	ジョギング(9km/時以上)，サイクリング(20km/時以上)，縄跳び，競技スポーツ(バスケットボール，サッカー，ボート)

(文献12を基に作成)

試験対策 Point

排尿・排便にかかわる神経や，容量・尿意を感じる蓄積量といった数字に関する問も多いため，排尿・排便のメカニズムとともに，数値も理解しておこう。

■排尿・排便について

ADL練習として作業療法を行ううえで，重要度が高い排泄動作練習については，動作に着目した介入だけではなく，排尿コントロールの影響が大きく方向性が変わることになる。

●排尿・尿意のメカニズム

膀胱は500〜600mLの容量がある。膀胱内の尿蓄積量が150〜200mLに達すると求心性神経にて排尿中枢(S2〜4・大脳皮質・脳幹)に伝えられ尿意を感じる。

●排尿コントロールに影響を与える因子

無抑制神経因性膀胱

中脳より上部の障害で生じ，排尿反射に対する抑制が減弱しており，少し尿がたまると尿意を感じて頻尿となる。自力排尿は完全に可能で残尿は認めない。

反射性膀胱

中脳下部と仙髄の間の障害でみられ（仙髄は保たれる），排尿反射の亢進と随意排尿の障害が同時にみられる。尿意が頻繁であるにもかかわらず，随意排尿開始に時間がかかり完全排尿が困難で残尿感が存在する。下腹部を圧迫したり大腿内側をこすったりして排尿反射を誘発して，反射的に排尿が可能になる。

自律性膀胱

仙髄または馬尾の障害があり排尿反射弓が障害された膀胱のことをいう。自力排尿は困難であり，**溢流性尿失禁**（いつりゅうせい）が認められるが膀胱感覚は保たれる。

無緊張性膀胱

脊髄後根が広範囲に障害された状態で，膀胱感覚が完全に失われる。そのため，膀胱内量は1,000mLと著明に増加し，溢流性失禁が認められる。

● 排便・便意のメカニズム

大脳皮質や脳幹の上位中枢からの抑制が解除されると仙髄の排便中枢（S2～4）の反射が起こり，遠心性神経の興奮で直腸平滑筋が収縮し，内肛門括約筋が弛緩する。また陰部神経が抑制されると外肛門括約筋が弛緩して排泄される。便意の知覚は直腸壁が伸張されると，直腸粘膜に分布している求心性神経が脊髄から大脳皮質へ興奮を伝え，便意を感じる。

引用文献

1) 宮川哲夫：動画でわかるスクイージング. p.67, 中山書店, 2005.
2) 日本呼吸器学会肺生理専門委員会 編：呼吸機能検査ガイドライン. メディカルレビュー社, 2004.
3) 千住秀明：呼吸リハビリテーション入門 第3版. p.75, 神陵文庫, 1997.
4) 宮本顕二：楽しく学ぶ肺の検査と酸素療法 第2版. p.151, メジカルビュー社, 2007.
5) 橋元　隆, ほか 編：日常生活活動（ADL）. 神陵文庫, 2000.
6) 日本呼吸管理学会, ほか 編：呼吸リハビリテーションマニュアル 運動療法. 照林社, 2003.
7) 医療情報科学研究所 編：病気がみえるvol.2 循環器第2版, p.12, メディックメディア, 2008.
8) Mckee PA, et al.：Thenatual history of congestive heart failure：The Framingham Heart Study. N Engl J Med, 285：1441-1446, 1971.
9) 日本離床研究会：看護・リハビリに活かす循環器ケアと早期離床ポケットマニュアル. p.22, 31, 77, 丸善プラネット, 2009.
10) 會田玉美 監：OT臨床問題テク・ナビ・ガイド. p.136, メジカルビュー社, 2011.
11) 宮村実晴：腎疾患と身体活動. 日本臨牀 58（増刊）, p.495, 日本臨牀社, 2000.
12) 奈良　勲：理学療法士のための運動処方マニュアル 第2版. p.352, 文光堂, 2010.

【参考文献】

1. 中村隆一：基礎運動学 第6版, 医歯薬出版, 2003.
2. 高橋修一：呼吸リハビリテーションマニュアル―運動療法―, 照林社, 2006.
3. 高橋修一：呼吸リハビリテーションマニュアル―患者教育の考え方と実践―, 照林社, 2007.
4. 奈良　勲：標準理学療法学 作業療法学専門分野 運動療法学総論, 医学書院, 2004.

5. 高橋仁美：呼吸リハビリテーション 第2版，中山書店，2008.
6. 上月正博：腎臓リハビリテーション．リハ医学，43：105-109，2006.
7. 宮本顕二：楽しく学ぶ肺の検査と酸素療法，メジカルビュー社，2007.
8. 木全心一：狭心症・心筋梗塞のリハビリテーション，南江堂，2009.
9. 曷川　元：看護・リハビリに活かす　循環器ケアと早期離床ポケットマニュアル，丸善プラネット，2009.
10. 医療情報科学研究所 編：病気がみえる vol.2 循環器 第2版，メディックメディア，2008.

チェックテスト

①呼吸機能障害の分類を挙げよ（☞p.128）。 基礎
②呼吸機能の評価を挙げよ（☞p.129）。 基礎
③呼吸機能障害を呈した対象者のADLを評価するにはどうすればよいか（☞p.132）。 臨床
④呼吸機能障害へのリハビリテーションのポイントを挙げよ（☞p.134）。 臨床

13 形態計測

津田勇人

Outline

- 形態測定とは身体の長さや周径を測ることをいう。
- 片側障害の場合，左右を計測して比較する。Martin（マルチン）式人体計測器一式と体重計ですべての形態計測は可能であるが，臨床場面では巻尺（メジャー）を用いて計測するのが簡便で一般的である。

作業療法参加型臨床実習に向けて

形態計測における模倣は，見学段階で指導者が形態計測の適応となる模擬対象者を使って計測のデモンストレーションを行う。その後，実習生は同じ模擬対象者に形態計測を行う。実習生は自分の行った検査が模擬対象者の症状とどのように関連しているか指導者に伝える。指導者からは実習生のよかった点，改善点を伝え，計測方法を指導する。

1 形態計測の目的

形態計測の目的は，四肢切断や骨折，形成不全や成長障害など**肢の長さに変化や異常が生じた**とき，肥大や萎縮など全身あるいは局所に**病的状態がある**とき，腫脹や浮腫など**局所の炎症や循環障害が生じた**ときなどに，その長さや周径を計測・記録して経過を観察することにある。

2 形態計測の指標

身体の長さや周径は，解剖学的な骨指標を基準に計測する（**図1**）。

図1 長さ・周径の主な計測部位

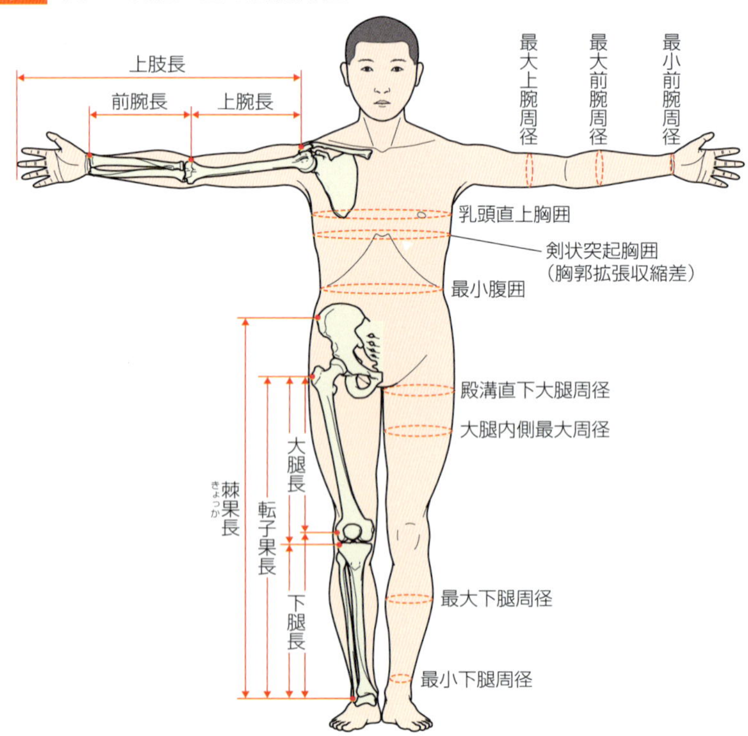

3 長さの計測

■上肢

● 上肢長

肢位は座位または立位で，上肢を体側に下垂する。肩峰外側端から橈骨茎状突起（または中指指先）までの長さを測る（図2）。または，第7頸椎棘突起から肩峰を通り，橈骨茎状突起までの長さを測る（図3）。

● 上腕長

肢位は座位または立位で，上肢を体側に下垂する。肩峰外側端から上腕骨外側上顆までの長さを測る（図4）。

● 前腕長

肢位は座位または立位で，上肢を体側に下垂する。上腕骨外側上顆から橈骨茎状突起までの長さを測る（図5）。

図2 上肢長

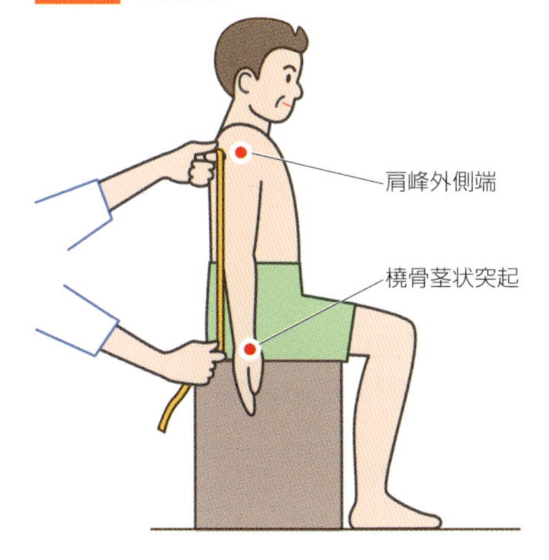

図3 上肢長（別法）

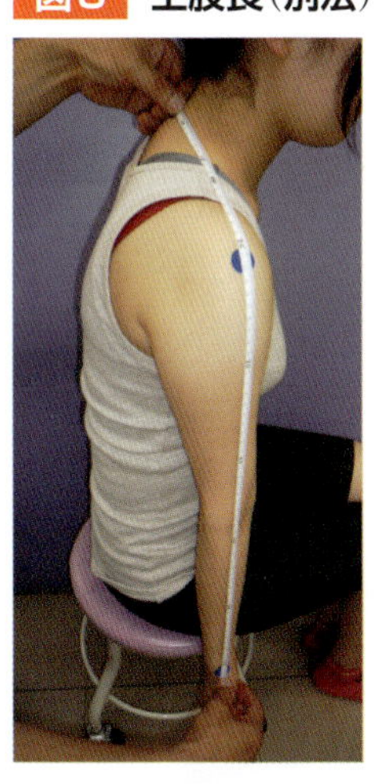

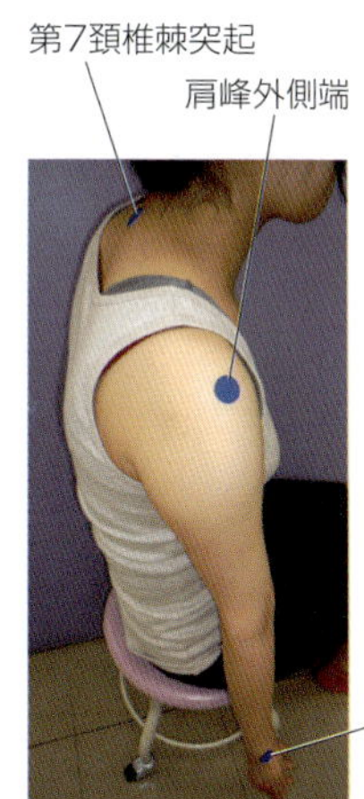

図4 上腕長

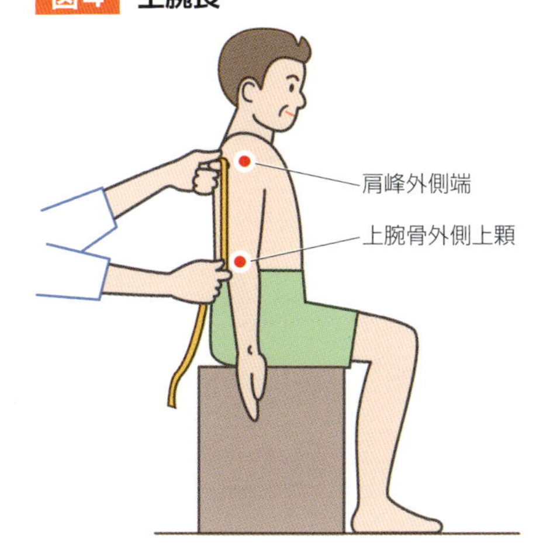

図5 前腕長

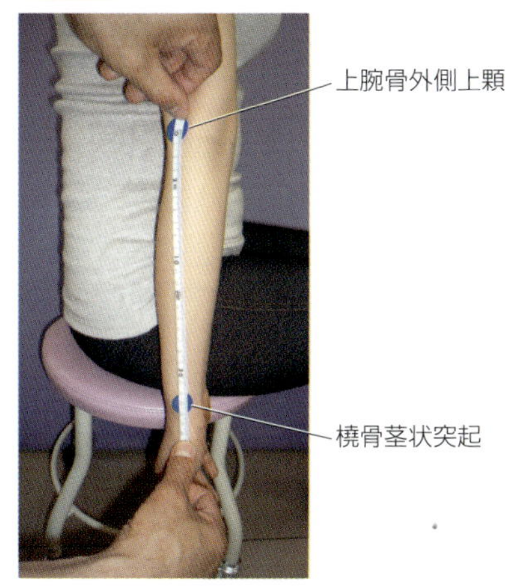

● 手長

肢位は手掌面を下にし，手指を伸展する。橈骨茎状突起と尺骨茎状突起を結ぶ線から中指先端までの長さを測る（図6）。

■ 下肢

● 下肢長（棘果長）

肢位は背臥位で骨盤水平位にし，股関節を内外旋中間位にして，下肢を伸展する。図7は撮影のためやや外旋位となっている。上前腸骨棘から内果までの長さを測る。

> **補足**
>
> **臨床的意義**
> 棘果長に左右差があり，転子果長に左右差がない場合，大腿骨頭の位置異常や大腿骨頚部骨折あるいは大腿骨頚体角異常（内反股・外反股）を意味する。

● 下肢長（転子果長）

肢位は下肢長（棘果長）と同じ。大腿骨大転子から外果までの長さを測る（図8）。

● 下腿長

肢位は下肢長（棘果長）と同じ。膝関節外側裂隙（または大腿骨外側上顆）から外果までの長さを測る（図9）。

● 大腿長

肢位は下肢長（棘果長）と同じ。大腿骨大転子から膝関節外側裂隙（または大腿骨外側上顆）までの長さを測る（図10）。

図6 手長

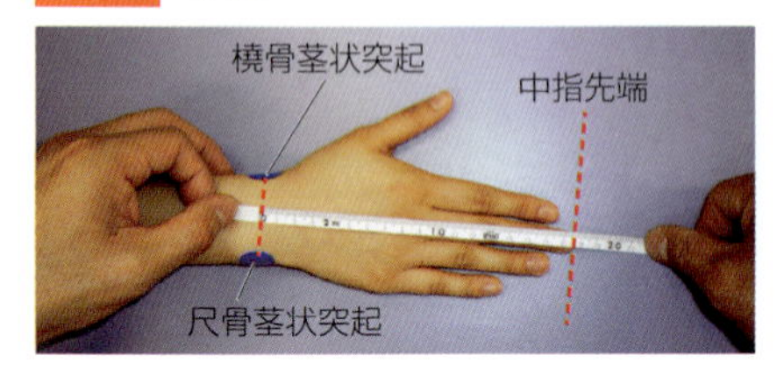

図7 下肢長（棘果長）

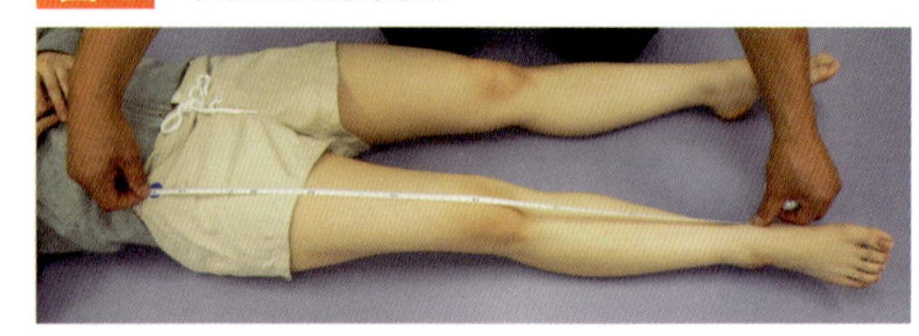

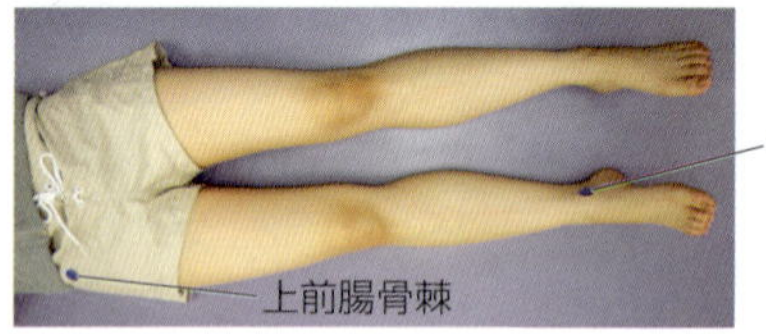

図8 下肢長（転子果長）

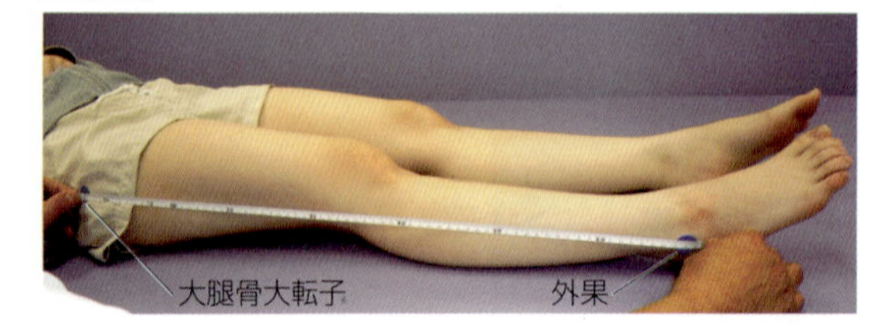

図9 下腿長

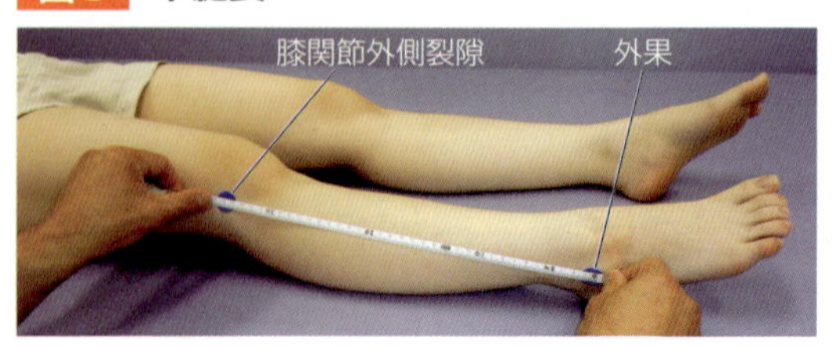

● 足長

肢位は足関節底背屈中間位にする。踵後端から示趾先端までの長さを測る（図11）。

図10　大腿長

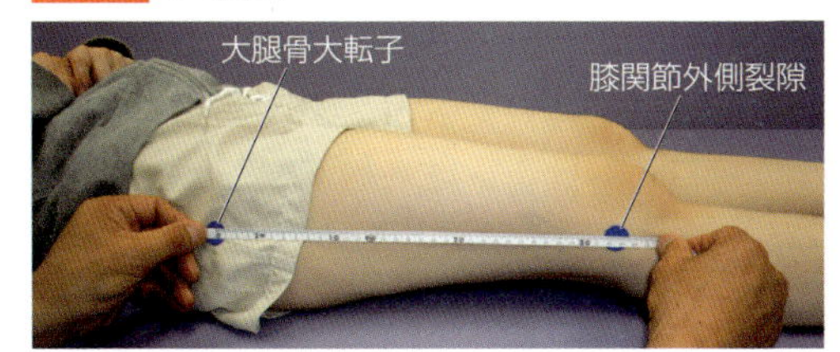

図11　足長

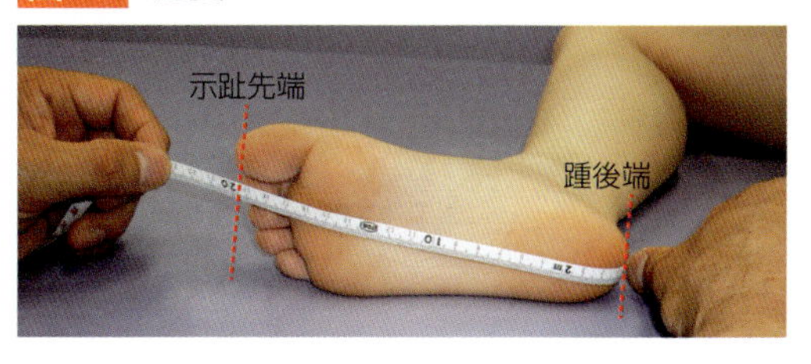

アクティブラーニング① 臨床場面では，例えば交通事故や悪性腫瘍による切断に対して，適切な義肢の選択や適合検査結果の原因分析などを行う。「長さの計測」の臨床的意義を再確認しておこう。

＊1　切断肢

断端肢の長さを形容する言葉に，「長断端」「中断端」「短断端」「極短断端」などがある。

上腕切断	短断端	30～50%
	標準断端	50～90%
	長断端（肘関節離断）	90～100%
前腕切断	極短断端	0～35%
	短断端	35～55%
	中断端	55～80%
	長断端	80～100%
	中長断端	55～100%

■ 切断肢[*1]

● 上腕断端長（図12）

断端長では，肩峰から断端先端までの長さを測る。断端実用長では，腋窩線（腋の前のしわ上端）から断端先端までの長さを測る。

● 前腕断端長

上腕骨外側上顆から断端先端までの長さを測る。

図12　上腕断端長

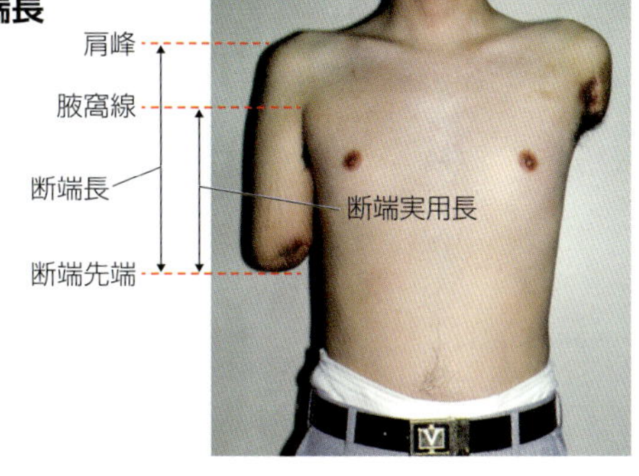

※右は上腕切断（標準断端），左は肩関節離断の両上肢切断例

アクティブラーニング② 上腕切断の適応義手を検討するための切断肢のレベル（断端レベル）を算出する式を確認しておこう。

上腕断端レベル＝上腕断端長／上腕長×100
前腕断端レベル＝前腕断端長／前腕長×100

4 周径の計測

■ 体幹

● 胸囲

肢位は立位または座位で，両上肢を自然に下垂する。乳頭直上胸囲は乳頭直上，剣状突起胸囲は剣状突起を通る水平線で測る。

補足

臨床的意義

- **胸囲**

最大呼気時と最大吸気時の剣状突起胸囲の差を「胸郭拡張収縮差」といい，呼吸運動の簡易測定法として用いる場合がある。正常成人では5cm以上の差がある。

- **腹囲**

腹囲は栄養状態を知る指標の1つである。最近ではメタボリック症候群の診断基準の必須項目の1つで男性では85cm，女性では90cmが基準となっている。

● **腹囲**

肢位は立位または座位で，両上肢を自然に下垂する。第12肋骨先端と腸骨稜の中間を通る水平線で最も細い部位(最小腹囲)で測る。

上肢

● **肘伸展位上腕周径**

肢位は座位または立位で上肢を体側に下垂し，肘関節は伸展する。上腕二頭筋の最大膨隆部で長軸に対し直角に巻尺を当て周囲を測る(**図13a**)。

● **肘屈曲位上腕周径**

肢位は座位または立位で，上腕部に力こぶが出るように肘を力強く屈曲させる。上腕二頭筋の最大膨隆部で長軸に対し直角に巻尺を当て周囲を測る(**図13b**)。

● **最大前腕周径**

肢位は座位または立位で上肢を体側に下垂し，肘関節は伸展する。前腕近位側の最大膨隆部で長軸に対し直角に巻尺を当て周囲を測る(**図14a**)。

● **最小前腕周径**

肢位は座位または立位で上肢を体側に下垂し，肘関節は伸展する。橈骨茎状突起と尺骨茎状突起の遠位で手根との境界部で長軸に対し直角に巻尺を当て周囲を測る(**図14b**)。

● **手囲**

肢位は手関節中間位で，手指は内転・伸展する。示指から小指までの中手指節(metacarpophalangeal：MP)関節を通る周囲を測る(**図15**)。

図13 上腕周径

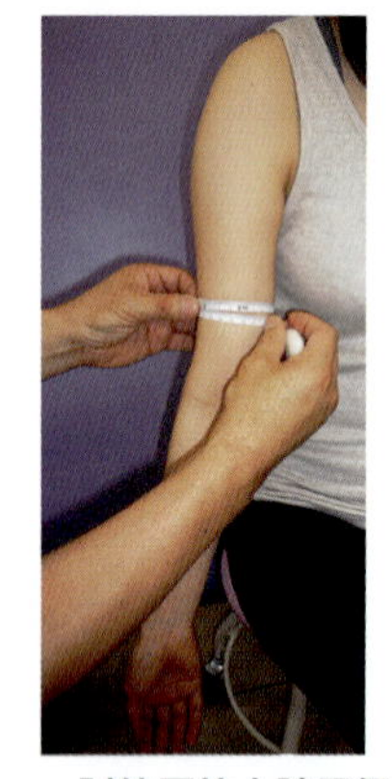

a 肘伸展位上腕周径

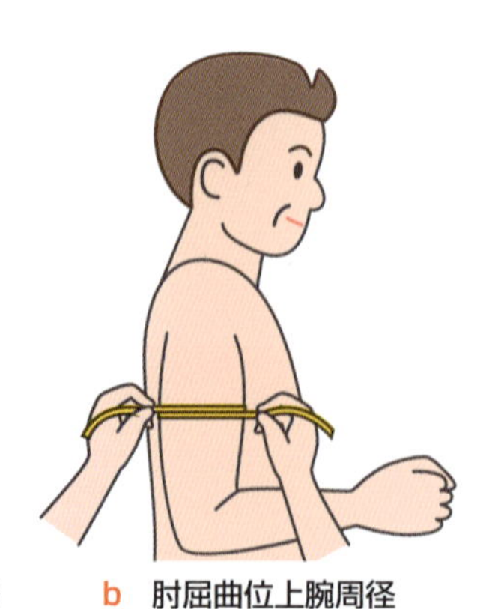

b 肘屈曲位上腕周径

図14 前腕周径

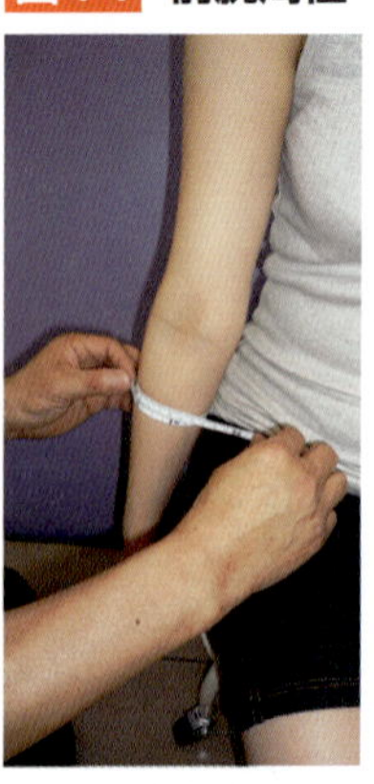

a 最大前腕周径

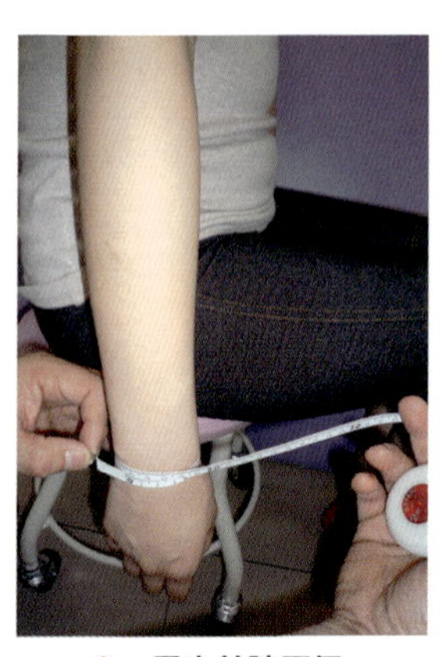

b 最小前腕周径

図15 手囲

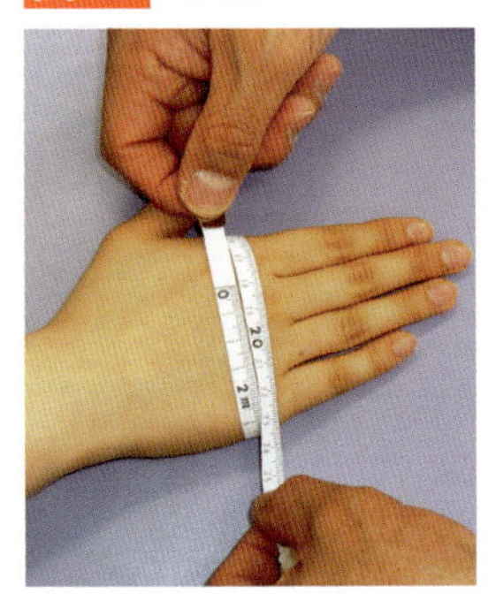

補足

尺骨茎状突起を起点とした8の字法についてはp.401 図24を確認してほしい。

- **手の周径(8の字法)**

肢位は手関節中間位で，手指は伸展する。手首皮線の橈側縁から巻き始め，背側で示指の中手骨骨頭中央へ斜めに上げ，掌側で近位手掌皮線から遠位手掌皮線を通る。再び背側で長母指外転筋腱付近まで斜めにおろし，開始位置からの距離を測る(**図16**)。

- **指周径**

肢位は軽く手指を伸展する。巻尺で指の周囲を測る方法もあるが，指輪サイズ測定器を使う簡易法もある(**図17**)。

■下肢

- **大腿周径**

肢位は下肢をやや外転し，膝関節は伸展する。大腿中央部で，長軸に対し直角に巻尺を当て周囲を測る(**図18**)。このほかに殿溝直下大腿周径や膝蓋骨(しつがい)上縁から上方10cm部，15cm部などの周径を測る方法もある。

図16 手の周径(8の字法，起点：橈骨茎状突起)

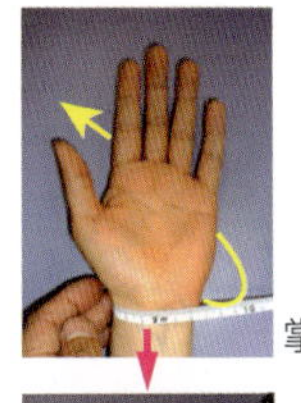

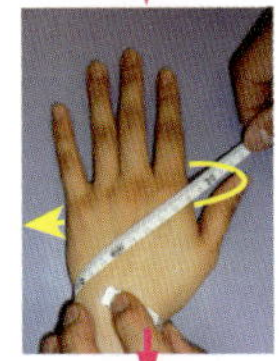

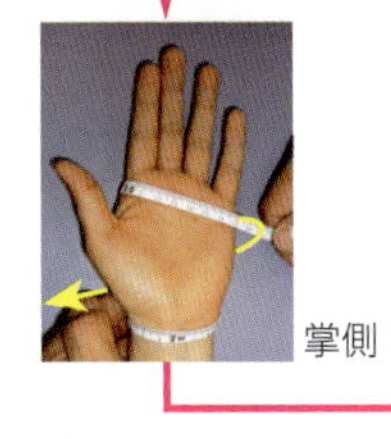

背側

図17 指の周径(指輪サイズ測定器使用)

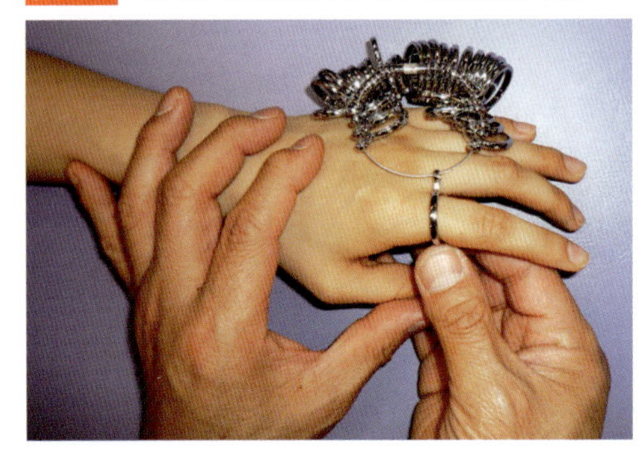

図18 大腿周径

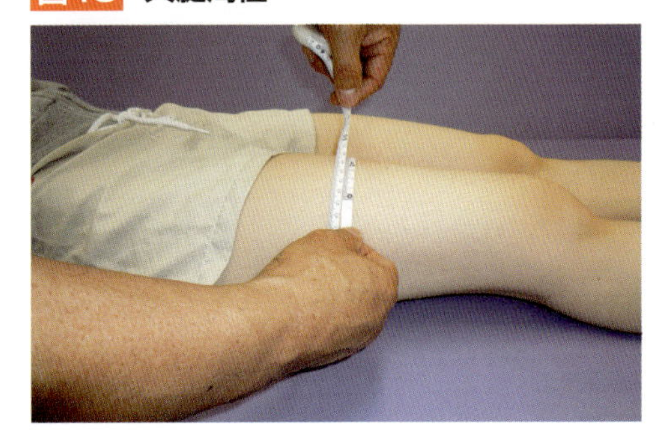

補足

- 腫脹，浮腫が観察されれば，必ず周径を計測し，経過を観察する。
- 片側性障害の場合でも，必ず非罹患側も丁寧に観察，触察し，左右差の有無も確認する。
- メジャーは形態計測の必需品なので，ゴニオメータと同様，すぐ使えるように日頃から準備しておく。

● 最大下腿周径

肢位は大腿周径と同じ。下腿の最大膨隆部で，長軸に対し直角に巻尺を当て周囲を測る（図19a）。

● 最小下腿周径

肢位は大腿周径と同じ。内果と外果の直上で最も細い部分を測る（図19b）。

● 足囲

肢位は立位あるいは座位で足部に荷重する。第1および第5中足骨の骨頭を通る足の横軸の周囲を測る（図20）。

図19 下腿周径

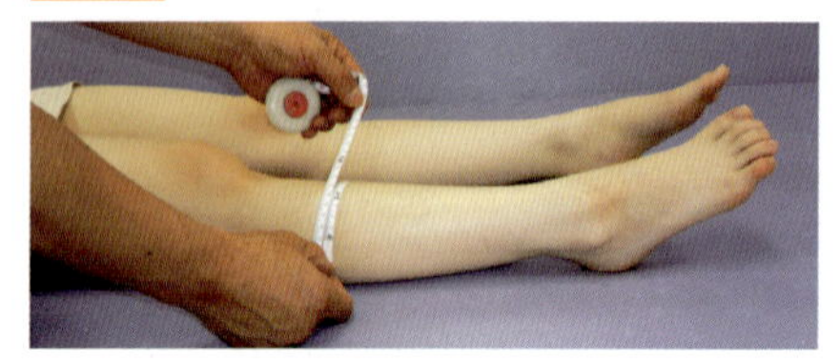

a 最大下腿周径

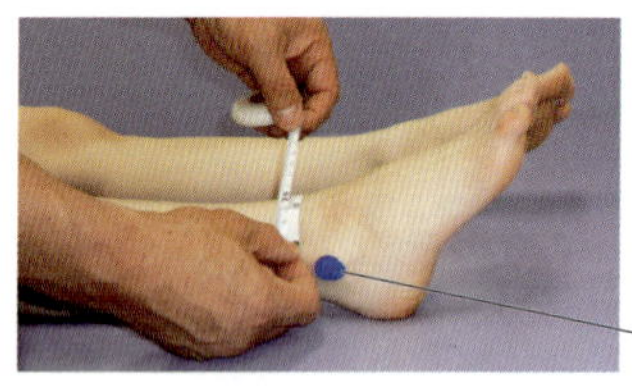

b 最小下腿周径

図20 足囲

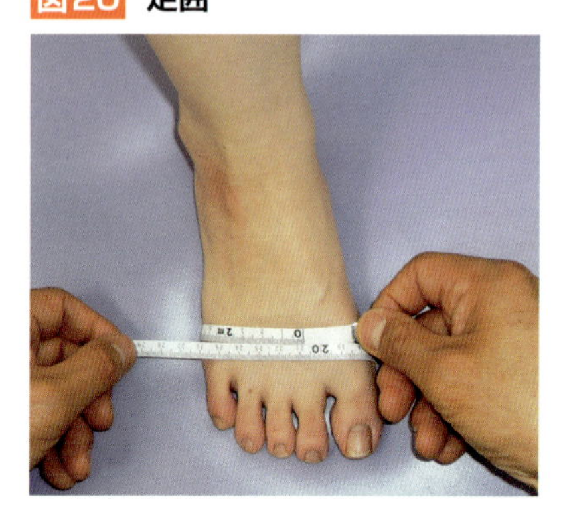

Case Study

70歳代男性，Aさんは右放線冠ラクナ梗塞による左片麻痺が認められた。発症から約4カ月経過しており，心身機能・身体構造はBrunnstrom（ブルンストローム） recovery stageにて上肢Ⅲ，下肢Ⅴ，手指Ⅱであった。感覚障害は上下肢とも触覚深部覚とも鈍麻で，起床時に麻痺側手指から手背部に浮腫が認められた。作業療法では麻痺側手の自己管理を1つの目標として介入している。

Question 1

形態計測の視点からは何を評価するか考えてみよう。

☞ 解答 p.289

5 皮下脂肪厚の計測

皮下脂肪厚を計測することで栄養状態を把握することができる。皮下脂肪厚の測定部位は，上腕部（上腕三頭筋の中央部），背部（肩甲骨下角の下方），腹部（臍横2～3cmの部位）が一般的である。計測は専用の皮下脂肪厚計が使われる。

試験対策 Point

＊2 腫脹(swelling)
身体の部分，広範囲が肉眼的にいつもより太くなった状態の総称をいう。

＊3 浮腫(edema)
細胞と細胞の間に水(組織液)が過剰にたまった状態で，腫脹の1種。

作業療法士が臨床で遭遇する手の**腫脹**[*2]を伴う運動機能障害に肩手症候群(shoulder-hand syndrome：SHS)がある。肩手症候群は，1947年にSteinbrocker(ステインブロッカー)によって独立の症候群として命名，記載されたものであり，心筋梗塞，頚椎症，片麻痺，五十肩，帯状疱疹，結節性動脈周囲炎など，種々の疾患に合併することが知られている。脳卒中片麻痺の回復期にSHSを合併すると，肩の疼痛，運動制限に伴って同側の手(手関節，手指を含む)の疼痛，腫脹，皮膚の紅色調，他動的屈曲制限が起こり，リハビリテーションの実施を著しく妨げる。手の腫脹や**浮腫**[*3]の経過を観察する周径計測は有用な評価項目の1つである。なお，1994年の国際疼痛学会により用語が統一され，肩手症候群は複合性局所性疼痛症候群(complex regional pain syndrome：CRPS)のタイプⅠに分類された。
浮腫がある場合，患肢を動かさないのは誤りである。浮腫管理の原則は「高挙」「圧迫」「自動運動」であり，「交代浴」などの温熱療法を併用する。浮腫がある場合，周径を継時的に計測し，原則に従って，セラピストも適切に浮腫管理に努めなければならない。

補足

2020年の改訂により，D深さの項目に「深部損傷褥瘡疑い」が追記された。明らかな皮膚の欠損がなく「d1(持続する発赤)」と評価されていたが，難治性で時間が経つと深部でかなり褥瘡が進行した状態を指す。また，I炎症・感染の項目に「臨床的定着疑」が追記された。臨床的定着は4段階中の「クリティカルコロナイゼーション」を指し，前段階である「定着」よりも細菌数が多くなり創感染に移行しそうな状態，または炎症防御反応により創治癒が遅延した状態をいう。合計点数は変わらず，過去の評価と比較できるよう配慮されている。

6 褥瘡の計測

褥瘡の評価ツールとして日本褥瘡学会が作成した**改定DESIGN-R® 2020**がある。Dは深さ，Eは滲出液(しんしゅつえき)，Sは大きさ，Iは炎症・感染，Gは肉芽組織，Nは壊死組織に関する項目を意味する。大きさは皮膚損傷範囲の長径と短径(長径と直交する最大径)を測定し(cm)，各々を掛け合わせた数値から7段階に分類される。

【参考文献】

1. 岩倉博光 監：理学療法評価法，金原出版，1998.
2. 岩﨑テル子，ほか 編：標準作業療法学 専門分野 作業療法評価学，医学書院，2005.
3. 鎌倉矩子，ほか 編：作業療法士のためのハンドセラピー入門，三輪書店，2006.
4. 伊藤利之，ほか 編：義肢装具のチェックポイント，医学書院，2008.
5. 千住秀明 監：理学療法学テキストⅡ 理学療法評価法 第2版，神陵文庫，2005.
6. 岩﨑テル子 編：標準作業療法学 専門分野 第2版，身体機能作業療法学，医学書院，2011.
7. 川村次郎，ほか 編：義肢装具学 第4版，医学書院，2009.
8. 齋藤慶一郎 編：リハ実践テクニック ハンドセラピィ，メジカルビュー社，2014.
9. 鷲田孝保 編：作業療法士　イエロー・ノート 専門編，メジカルビュー社，2009.
10. 奈良　勲，ほか 編：標準理学療法学・作業療法学 専門基礎分野 内科学 第2版，医学書院，2004.
11. 岩田隆子，ほか 編：わかりやすい内科学，改訂第4版，南江堂，2005.
12. 上杉雅之 監：PTOT入門 イラストでわかる評価学，医歯薬出版，2020.

チェックテスト

Q
①上肢長を計測する肢位と測定方法について説明せよ(☞p.145)。 臨床
②上腕長を計測する肢位と測定方法について説明せよ(☞p.145)。 臨床
③前腕長を計測する肢位と測定方法について説明せよ(☞p.145)。 臨床
④下肢長(棘果長)を計測する肢位と測定方法について説明せよ(☞p.146)。 臨床
⑤下肢長(転子果長)を計測する肢位と測定方法について説明せよ(☞p.146)。 臨床
⑥棘果長と転子果長を計測する臨床的意義を説明せよ(☞p.146)。 臨床
⑦大腿長を計測する肢位と測定方法について説明せよ(☞p.146)。 臨床
⑧下腿長を計測する肢位と測定方法について説明せよ (☞p.146)。 臨床
⑨上腕断端長を計測する肢位と測定方法について説明せよ(☞p.147)。 臨床
⑩前腕断端長を計測する肢位と測定方法について説明せよ(☞p.147)。 臨床

14 上肢機能

津田勇人

Outline

- 中枢神経障害，骨関節障害において簡易上肢機能検査（simple test for evaluating hand function：STEF）などを実施して，作業療法介入開始時の指標，経過観察や最終評価のまとめに活用する。
- 臨床では「注視による位置の確認」「リーチ」「把握」「動作遂行」など，多側面から対象者を観察する。

1 上肢機能とは

朝起きてから晩床に就くまでの日常生活で「上肢機能」の果たす役割は非常に大きい。歯を磨く，服を着る，スプーンを使う，皿を洗う，ペンを操りノートをとるなど枚挙に暇がないほど，日常生活だけでなく仕事や趣味活動の多くが上肢機能を基盤に営まれている（図1）。上肢機能は手指だけでなく，体幹や肩甲帯・肩関節，肘関節，前腕，手関節の一部でも機能障害があれば，その影響を受ける可能性があることを念頭に注意深く評価を進める。

図1 日常生活での「上肢機能」の果たす役割

歯を磨く

服を着る

スプーンを使う

皿を洗う

作業療法参加型臨床実習に向けて

上肢機能評価における模倣は，見学段階で指導者が模擬対象者を使って**注視による位置の確認，リーチ，把握，動作遂行**など上肢機能評価のデモンストレーションを行う。その後，実習生は同じ模擬対象者に上肢機能評価を行う。実習生は自分の行った上肢機能評価が模擬対象者の症状とどのように関連しているか指導者に伝える。指導者からは実習生のよかった点，改善点を伝え，評価方法を指導する。
STEFは作業療法士養成課程（大学・専門学校）での講義・実技に加え，機会に恵まれれば臨床実習においても実際の対象者での検査を経験し，修得しておくべき基本検査の1つである。

アクティブラーニング 1

朝起きてから夜寝るまでの日常生活で，上肢機能の果たす役割について考えてみよう。

2 「注視による位置の確認」の評価

目標の物体へ手を差し伸べる動作を**リーチ**という。リーチがなされる前提として，目標となる物体の位置を確認しなければならない。位置を確認

補足

最初に注意が目標の物体に向けられたかどうか観察する。

するときに視覚の果たす役割は大きい（**図2**）。われわれは視覚からの情報を頼りに，リーチする物体の大きさ・形などの物理的特徴を瞬時に理解する。臨床ではまず視線が目標の物体に向けられたか，つまり**目標物体への注視の有無の観察**が基本となる。

図2　精密把握による小物体の持ち上げ動作を反復したときの脳賦活領域

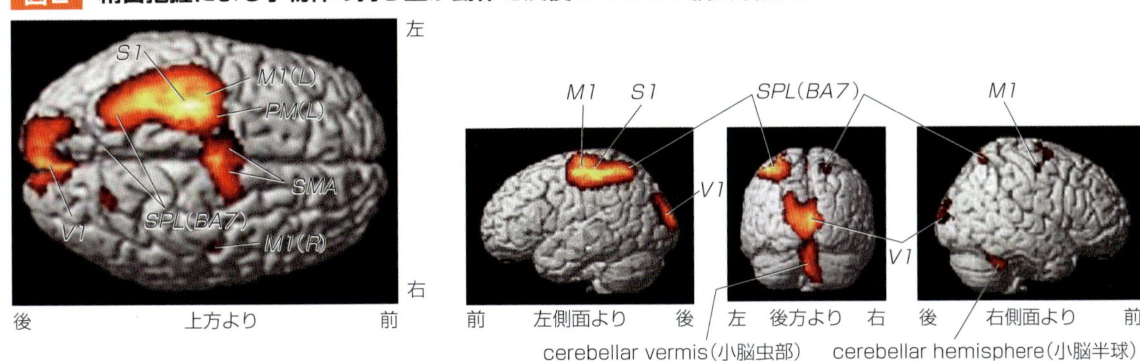

図は母指と示指の指腹による精密把握を用いて正面に置かれた物体の持ち上げ動作を繰り返し行ったときの脳賦活（ふかつ）領域を示している。持ち上げ動作にかかわる運動野［一次運動野（primary motor cortex：M1），一次感覚野（primary somatosensory cortex：S1），運動前野（premotor area：PM），補足運動野（supplementary motor area：SMA）に加えて，後頭葉の視覚野（visual cortex：V1），上頭頂小葉（superior parietal lobule：SPL）など視覚処理にかかわる領域が賦活しているのがわかる

（文献1より引用）

アクティブラーニング②　「上肢機能」における視覚の役割について考えてみよう。

3 「リーチ」の評価

リーチをスムーズに安定して行うためには，体幹のバランスと支持性，肩甲帯周囲の可動性と筋力・筋持久力が基盤となる。リーチを評価するときは**体幹・肩甲帯周囲の観察**も重要である。リーチは目標の違いにより自己身体各部へのリーチと身体周辺へのリーチに大別できる。いずれのリーチも両足底を接地させたプラットホームベッド上の安定した端座位で，片側ずつ対象者に行わせ観察する。

身体各部へのリーチ（**図3**）では，整髪・洗髪に関与する頭頂・後頭部へのリーチ，食事・洗顔動作に関与する顔面へのリーチ，排泄動作に関与する下腹部・大腿部・肛門部へのリーチ，靴の着脱に関与する下腿・足部へのリーチなどを行わせ，その可否を観察する。なお，洗体動作および衣服の着脱動作は，頭頂・後頭部・頚部・肩～手・背部・下腹部・大腿部・肛門部・下腿・足部など，**身体のほぼすべての部位へのリーチ**が必要である。

身体周辺へのリーチ（**図4**）では座面・床面・頭上・机上面でリーチを行わせその可否を観察する。座面でのリーチではリーチした上肢と同側および反対側へのリーチを観察する。また，プラットホームベッドからの転倒・転落に十分に注意しながら床に落としたものを拾う動作に関連する床

アクティブラーニング 3

自己身体各部および身体周辺へのリーチと，日常生活との関連について考えてみよう。

補足

- 両足底を接地させたプラットホームベッド上の安定端座位で片手ずつ交互に観察する。
- 自己身体各部へのリーチと身体周辺へのリーチを観察する。

面へのリーチを観察する。さらに戸棚の利用を想定した頭上へのリーチも観察する。机上面でのリーチでは前後方向・左右方向へのリーチを観察する。

図3 身体各部へのリーチ

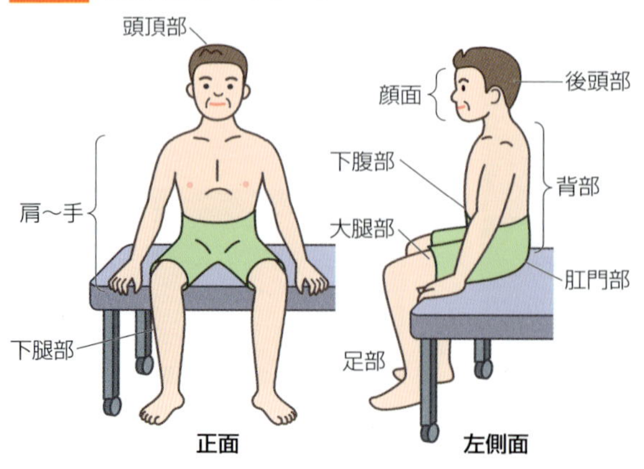

図4 身体周辺へのリーチ

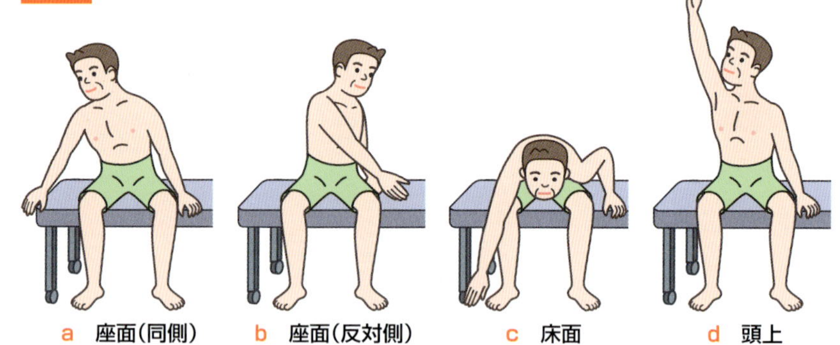

4 「把握」の評価

■手の把握様式の観察

手の把握様式については種々の分類がなされている(図5，6)。臨床では種々の物品を準備しておき，握力把握(power grip)，かぎ下げ(hook prehension)，5指掴(つか)み(5 digits prehension)，3指摘(つま)み(3 digits pinch/three jaw chuck)，指腹摘み(pulp pinch)，横摘み(key pinch/lateral pinch/side pinch)，指尖摘み(tip pinch)の可否について，かぎ下げ以外は机上で，かぎ下げは椅座位で観察する。

これらのほかに後述の**簡易上肢機能検査**(simple test for evaluating hand function：STEF)では球握り(spherical grasp)や4指掴み(4 digits prehension)を観察することもできる。

アクティブラーニング 4 日常生活のどの場面でどのような手の把握様式が出現するか考えてみよう。

図5　手の把握様式の観察①　握り・掴み系

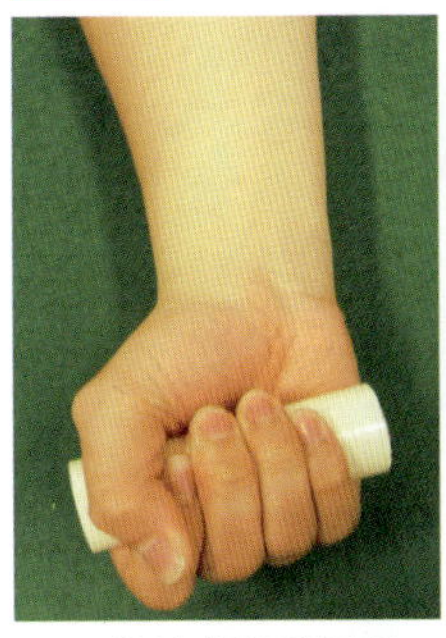
a　握力把握(掌側)

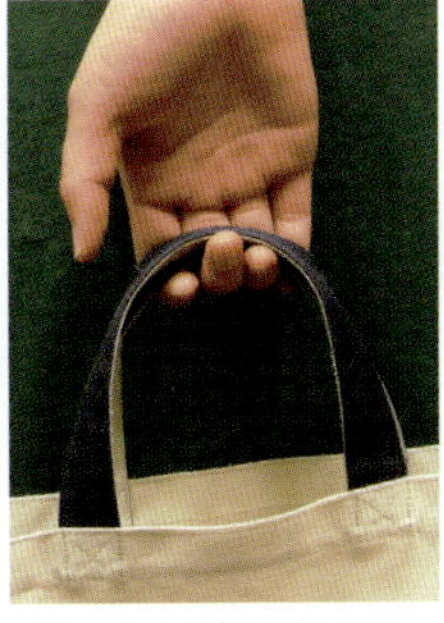
b　かぎ下げ(掌側)

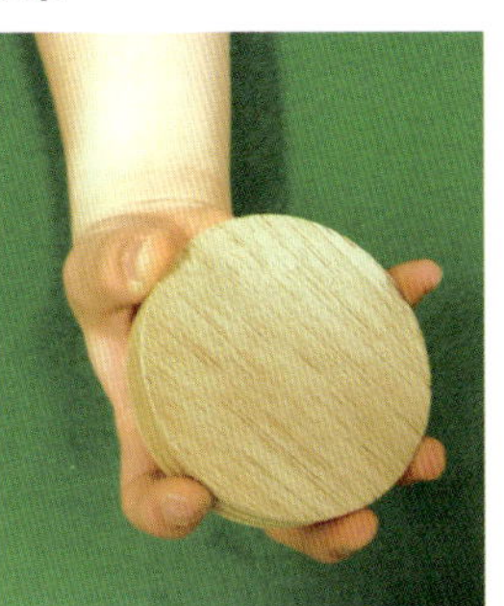
c　5指掴み(掌側)

図6　手の把握様式の観察②　摘み系

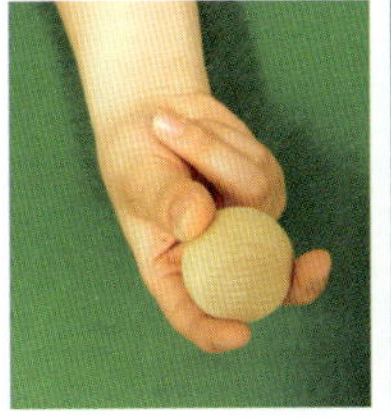
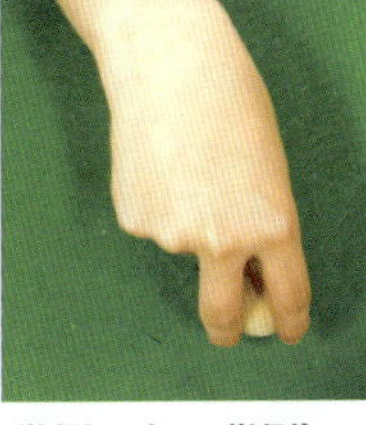
a　3指摘み(左：掌側，右：背側)

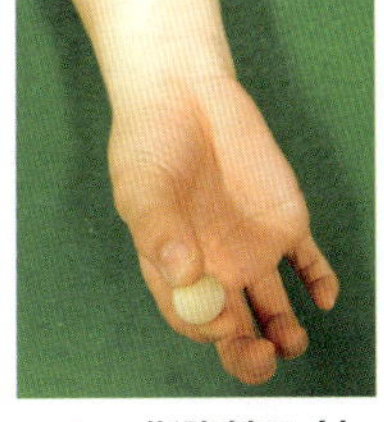
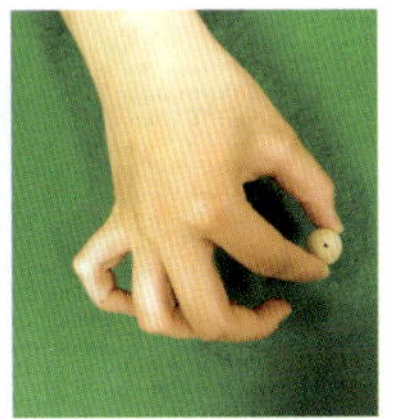
b　指腹摘み(左：掌側，右：背側)

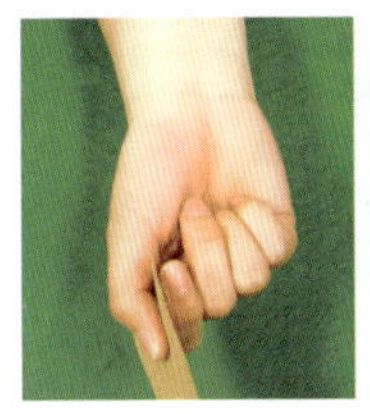
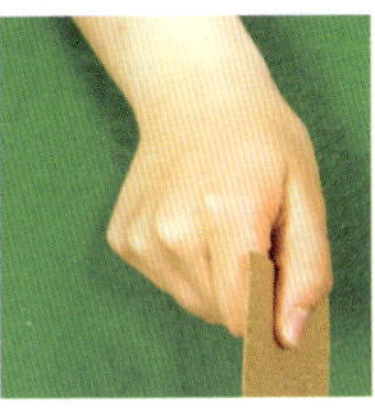
c　横摘み(左：掌側，右：背側)

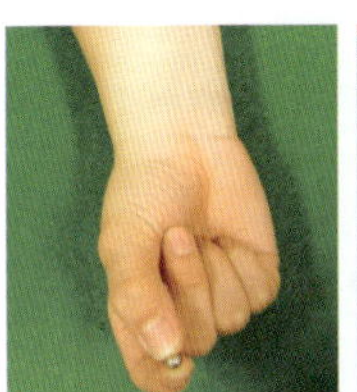
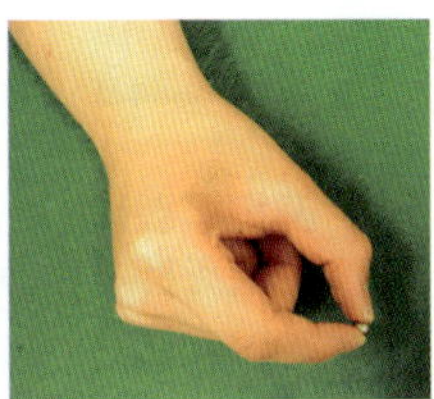
d　指尖摘み(左：掌側，右：背側)

■掌中物品操作の観察

指先で摘んだ硬貨を手掌面へ滑らせたり，鉛筆の持つ部分をずらしたり，テーブル上のスプーンを摘んだのち使う目的の持ち方に回転させるなど，日常生活では把握した物品を手指や手掌のなかで向きを変えたり，把握様式を変更することがある。実際には片手のみで掌中物品操作が完了する場合，反対側の手との共同作業となる場合，机上面を利用して片手で行う場合など，方法もさまざまである。

臨床では，複数のコインを机上に並べて掌中から落とさないようにしながら1枚ずつすべてのコインを連続して摘み上げる課題(**図7**)，机上のシャープペンを持ち上げて芯を出し，字を書くための把握様式に持ちかえる課題(**図8**)などを行わせ観察する。

■非把握機能の観察

物を押さえる，手掌面に乗せて持つ，水をすくうなど，手は把握以外にも多くの機能がある。臨床では，定規を使って線を引くときに定規を押さえる課題(**図9**)や，摘み上げた硬貨を手掌面に乗せていく課題(**図10**)な

図7　掌中物品操作①　コインの連続摘み上げ

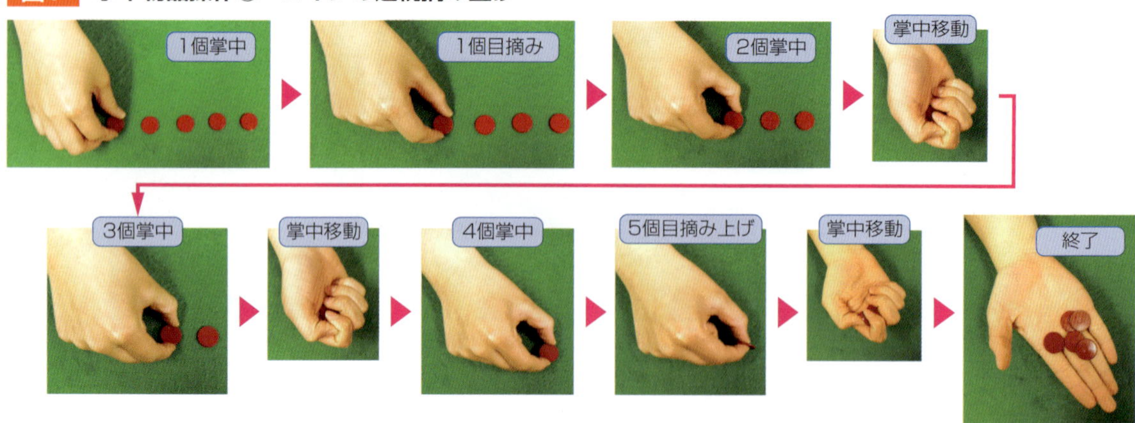

図8　掌中物品操作②　シャープペンの持ちかえ

図9　非把握機能①
定規を押さえる

図10　非把握機能②
コインを保持する

どを行わせ観察する。

また爪を切るときの切られる側の手，手袋をはめるときのはめられる側の手，手を洗うときの洗われる側の手など動作をされるときの手の機能も重要で，その動作を行いやすいように積極的に手を形づくることが求められる。臨床では日常生活活動（ADL）のなかで非把握機能の観察を行う。

■把握のための手の構えと手掌面の方向付け

把握は手が物体と接している状態であるが，把握が正確に行われるためには，手が物体に接触する前から**物体の大きさ・形に応じた手の構え**になっている必要がある。物体に近づくにつれて手の構えが明確となるが，リーチ開始直後から手指が開大したり，逆に把握の直前で手指が開大すると不自然な動作となる。また標的物体の大きさよりはるかに大きく手指が開大するのも不自然である。

物体の把握に関連した**手掌面の方向付け**も重要である。机上にある物体の場合では，前腕は回内位あるいは中間位となるが，手から手へと持ちかえる場合には物体を受け取る側の手は回外位となる（**図10**）。

これらは手の把握様式やADLを評価するときに観察する。

補足

手の把握様式，掌中物品操作，非把握機能，把握のための手の構えと手掌面の方向付けなどを観察する。

アクティブラーニング⑤

掌中物品操作や非把握が，日常生活のどの場面で出現するか考えてみよう。

5 「動作遂行」の評価

■簡易上肢機能検査(STEF)

日常生活で用いられる物品を代表すると考えられる検査課題とその移動方法や移動方向を規定し，その動作を遂行するために必要な時間(動作遂行時間)を計測する方法を**課題遂行時間計測法**という。金子らが開発し商品化したSTEFは課題遂行時間計測法の1つである。STEFはあらゆる年代層の日本人を対象に遂行時間を測定し，その平均値と標準偏差からスコアを求め，上肢機能を点数で表すことを可能にした。STEFはテーブル上という限られた空間での検査であること，重症例には使用困難であることなど限界もあるが，その簡便さから多くの作業療法の臨床現場で使用されている。

STEFでは説明書に従い動作遂行時間をストップウォッチで計測するが，同時に対象者の動作を観察し，把握や動作の特徴を備考欄などに記録する。

Case Study

図11は著者が担当した対象者がプレゼントしてくれた４コマ漫画である。若年性関節リウマチの女性で頚椎術後の方であったが，STEFの場面が巧みに表現されている。

図11　対象者がプレゼントしてくれた４コマ漫画

(対象者の許可を得て掲載)

■STEFの構成

● STEFのサブテスト

STEFは10種類のサブテストで構成されている(**表1**)。

表1　STEFのサブテスト（右手の場合）

検査1（大球）：1個ずつ移動

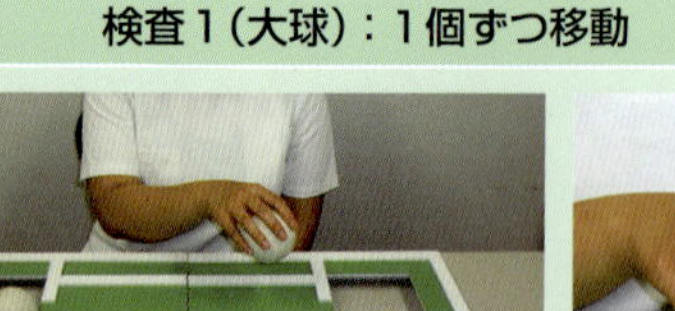

球握り

直径約75mmのゴムボール5個

検査2（中球）：1個ずつ移動

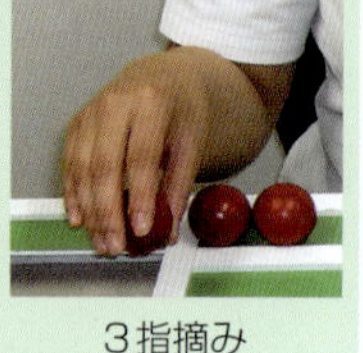

3指摘み

直径約40mmの木製球6個

検査3（大直方）：1個ずつ移動

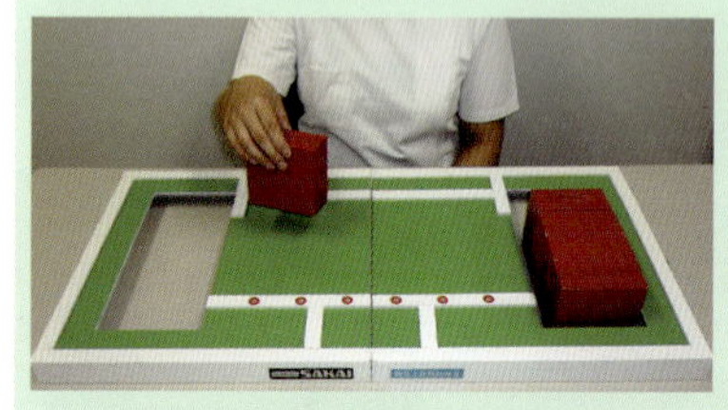

5指掴み

縦約49mm横約98mm高さ約97mmの木製直方体5個

検査4（中立方）：1個ずつ移動

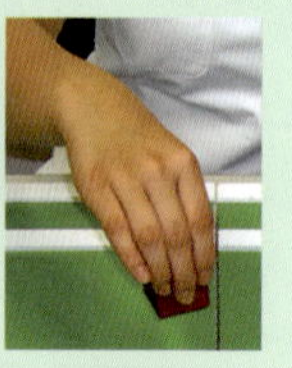

4指摘み

一辺約35mmの木製立方体6個

検査5（木円板）：1個ずつ移動

3指摘み

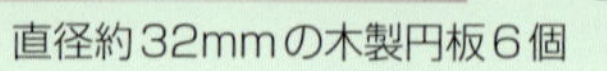

直径約32mmの木製円板6個

検査6（小立方）：1個ずつ移動

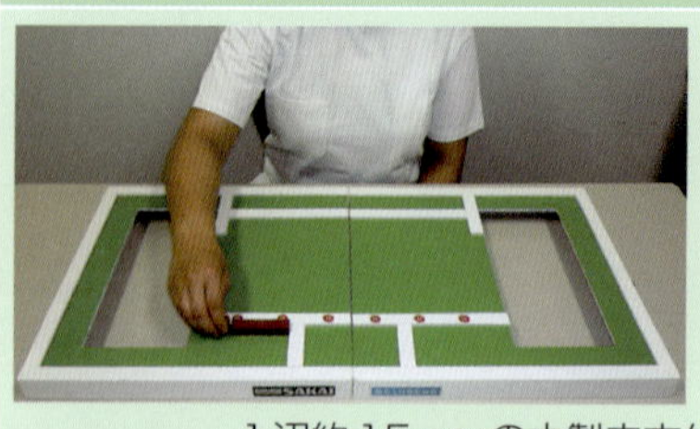

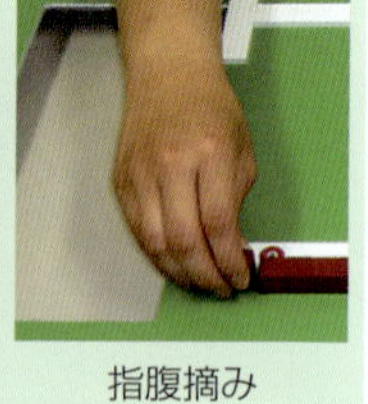

指腹摘み

1辺約15mmの木製立方体6個

検査7（布）：1枚ずつ裏返す

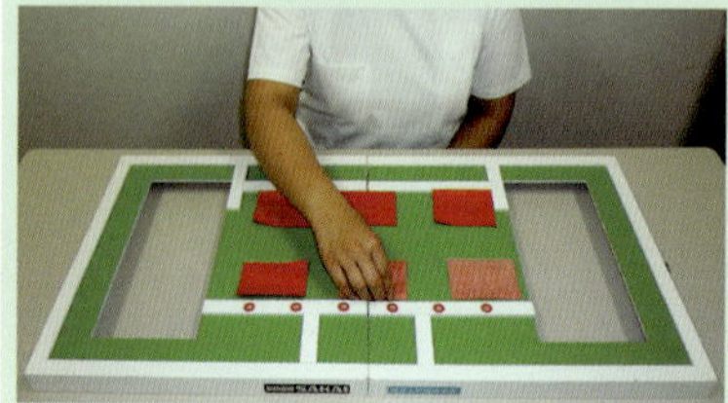

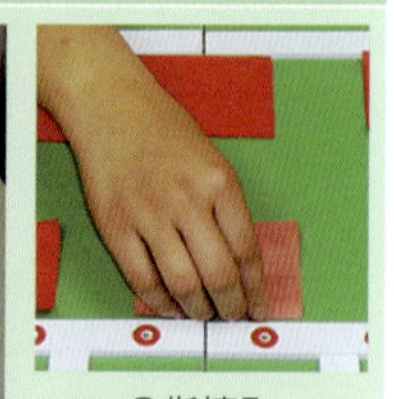

3指摘み

縦約90mm横約70mmのビニール製布6枚

検査8（金円板）：1枚ずつ移動

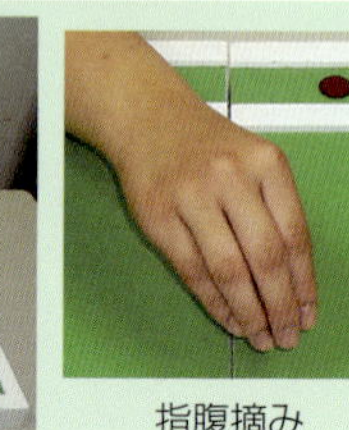

指腹摘み

直径約20mmの金属製円板6枚

検査9（小球）：1個ずつ移動

指尖摘み

直径約6mmの金属製球6個

検査10（ピン）：1本ずつ穴に挿す

指尖摘み

直径約3mmで長さ約42mmの金属製ピン6本

● 検査方法

検査の手引きに従い，移動方向・移動方法について口頭説明やデモンストレーションを行う。対象者の理解が得られたら課題遂行時間をストップウォッチで計測する。

「用意」の位置は検査台上で正面の位置に指先を置くこと，各検査の終了は動作が終了したときであり，手が「用意」の位置に戻るまでではないなど注意が必要である。両側が測定できれば，健患比較も可能となる。

● 結果の記録

個々のサブテストが終了するたびに所用時間を専用記録紙に記録する。すべてが終了するとサブテストごとに10点満点で何点かを求め合計したものがSTEFの点数となる（満点は100点）。

初期・中間・最終など経時的に行うと点数での比較が可能で，治療的介入の効果や対象者の変化を表す1つの指標として有用である。

■ 手指機能指数テスト

手指機能指数（finger function quotient：FQ）テストは知能指数のように手指の機能を指数で表すことを目的に開発された。テスト結果はFQで表される。

試験対策 Point

- STEFは「評価としての再現性が高い」「ほかの項目との比較が容易にできる」「標準化された検査である」「サブテストの所要時間から得点を算出する」などのポイントを押さえておこう。
- STEFは課題遂行時間計測法の1つであり，10種類のサブテストで構成されている。
- STEFの結果は100点満点で何点と表され，治療的介入の効果や対象者の変化を表す1つの指標として有用である。

アクティブラーニング⑥

STEFの意義について考えてみよう。

【引用文献】

1) 津田勇人，ほか：視覚誘導による小物体の精密把握持ち上げ運動に関わる脳機能領域の解明，PET 研究，作業療法，24：40-49, 2005.

【参考文献】

1. 田中　繁，ほか 監訳：モーターコントロール　運動制御の理論から臨床実践へ，医歯薬出版，2009.
2. 鎌倉矩子，ほか 編：作業療法士のためのハンドセラピー入門，三輪書店，2006.
3. 岩﨑テル子，ほか 編：標準作業療法学 作業療法評価学，医学書院，2005.
4. 岩谷　力，ほか 編：障害と活動の計測・評価ハンドブック 機能からQOLまで，南江堂，2005.
5. Alan M. Wing, et al.: Hand and Brain, Academic Press, California, USA, 1996.
6. 津田勇人，ほか：視覚入力の有無が精密把握運動における把握力調節に及ぼす影響，平成19・20年度　文部科学省科学研究補助金（基盤研究C・課題番号19500465）研究成果報告書.
7. 川合　悟，ほか：老齢化が精密把握時の摘み適応調節に及ぼす影響，体力科学，46：501-512, 1996.
8. 上杉雅之 監：PTOT入門 イラストでわかる評価学，医歯薬出版，2020.

✔チェックテスト

Q

①「注視による位置の確認」を評価するとき，最初に何を観察するか説明せよ（☞p.153）。 臨床

②「リーチ」を評価するときのポイントと注意点を説明せよ（☞p.153）。 臨床

③「把握」を評価するときのポイントを説明せよ（☞p.154〜156）。 臨床

④STEFの特徴について説明せよ（☞p.157）。 臨床

⑤STEF実施時の注意点を説明せよ（☞p.158）。 臨床

⑥STEFのスコアのつけ方について説明せよ（☞p.159）。 臨床

15 義肢・装具

津田勇人

Outline

- 作製された義手や装具が対象者に合っているか，使い勝手はよいかなどについて確認することを適合チェックという。
- 義手の適合チェックでは，全体的観察，ソケットの状態や肘継手の操作効率などを確認する。装具の適合チェックでは，目的どおりに装具が作製されているか，装具の長さや周囲は対象者の身体にフィットしているかなどを確認する。

1 義手の種類

義手は装飾用義手，作業用義手，能動義手，動力義手に大別される。本項では能動義手と動力義手について紹介する。

能動義手(**図1，2**)は**体内力源義手**ともよばれ，上肢帯の運動を使ってケーブルを緊張させ肘継手や手先具を操作する。一般に義手のチェックアウトは能動義手(体内力源義手)を対象としている。

動力義手は電気やガスなどの対外力源により手先具を操作する義手で，近年では筋電センサがソケット内に埋め込まれた筋電制御による体内力源義手(筋電義手)も開発され実用化も進んでいる(**図3**)。筋電義手は上肢挙上位や背中の後ろでも手先具を開閉できることが特徴である。

図1 能動前腕義手

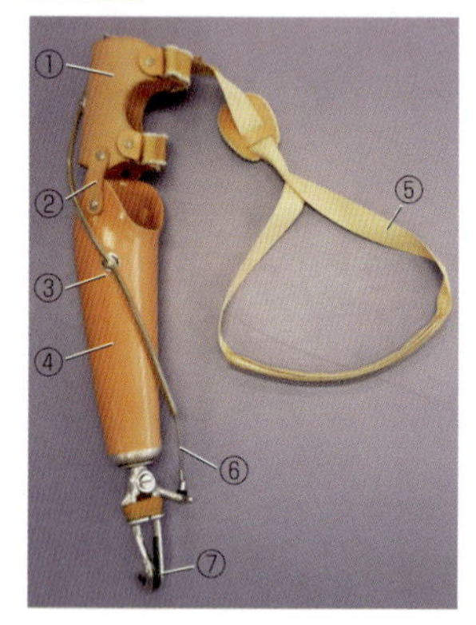

①三頭筋パッド
②肘継手
③ベースプレート・リテーナ
④前腕ソケット
⑤ハーネス
⑥コントロールケーブル
⑦手先具(随意開き式)

図2 能動上腕義手(肘屈曲位)

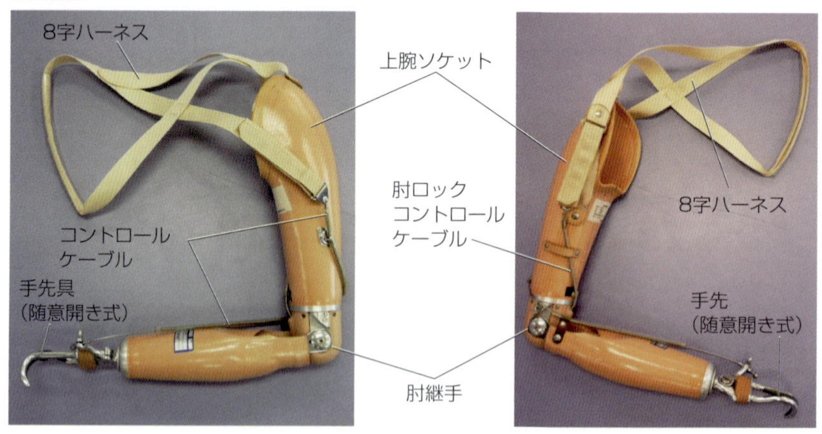

a 後面から見た図　　b 前面から見た図

図3 動力義手(筋電義手)

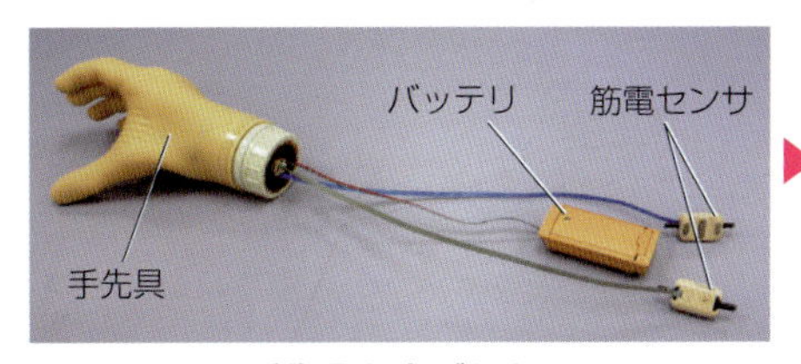

a 手先具を広げたところ

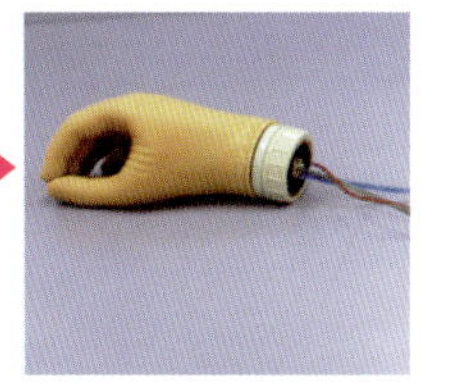
b 手先具を閉じたところ

2 能動義手の操作方法

能動上腕義手(以下，上腕義手)を例に説明する。上腕義手は上肢帯の運動，具体的には肩甲帯の屈曲(肩甲骨外転)と肩関節の屈曲により8字ハーネスを緊張させる(図4)。この緊張を力源にコントロールシステムを介して，肘継手や手先具を操作する。

上腕義手のコントロールケーブルは**二重コントロールシステム**(図5)とよばれ，肘継手がロックされていないとコントロールケーブルの緊張が肘を屈曲させる。肘継手がロックされているとコントロールケーブルの緊張が手先具を開大(随意開き式の場合)する。コントロールケーブルの緊張は上腕義手の操作効率に大きく影響するので，ケーブルの長さとコントロールケーブルの取り付け位置(ベースプレートの位置)は非常に重要である

図4 上肢帯の運動とハーネスの緊張

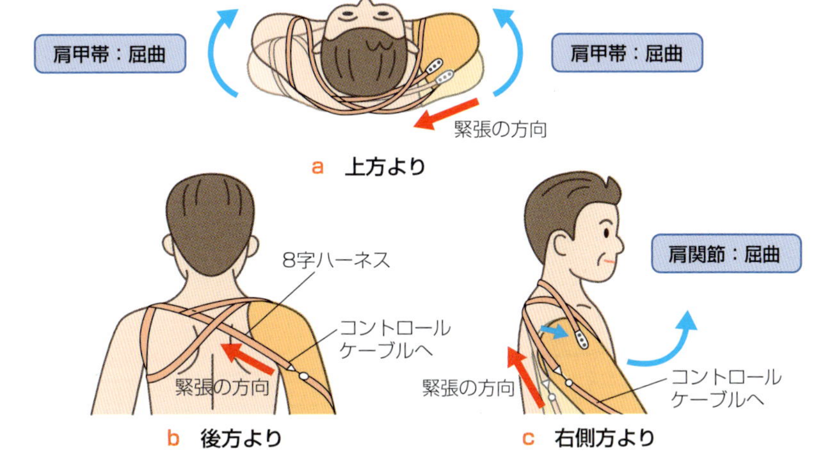

a 上方より
b 後方より
c 右側方より

図5 上腕義手二重コントロールシステム

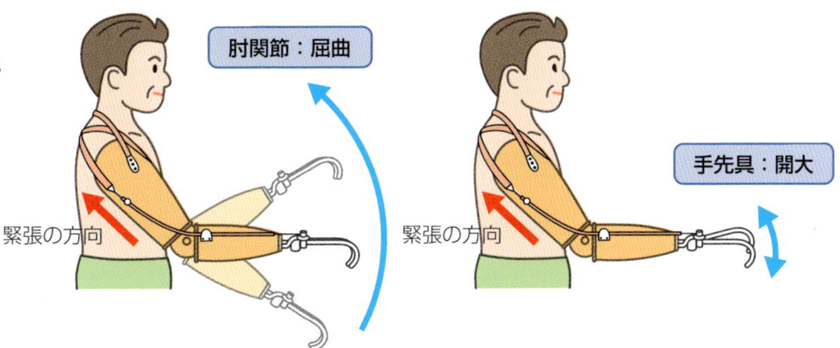

a 肘継手がロックされていないとき
b 肘継手がロックされているとき

(図6)。

肘継手のロック・アンロック操作は上肢帯下制と肩関節伸展により，上腕ソケットの前方にある肘ロックコントロールケーブルを緊張させて行う(図2)。

能動前腕義手(以下，前腕義手)の場合，ハーネスの緊張がコントロールケーブルを介して手先具を開大(随意開き式の場合)させる(図1)。

図6 ベースプレート，リテーナ，ハンガー

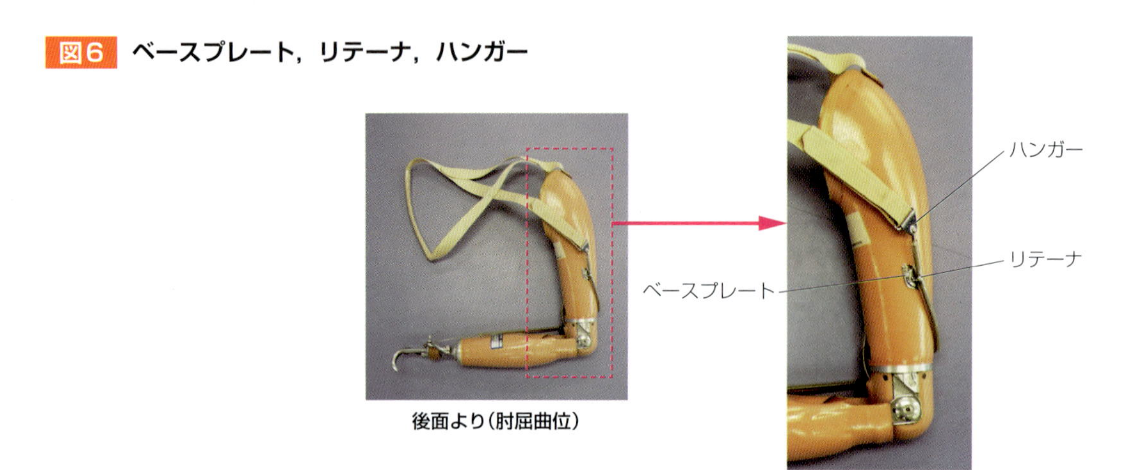

後面より(肘屈曲位)

3 能動上腕義手(随意開き式の手先具)のチェックポイント

義手の全体的チェックについて表1，ソケットの適合について表2に記載する。

表1 義手の全体的チェック

- 処方どおりに作製されているか
- ソケットは丁寧に仕上げられているか
- ハーネス・コントロールケーブルの走行や緊張は適切に調節されているか
- 衣服を汚したり，損傷したりしないように配慮されているか

表2 ソケットの適合

チェック	確認方法
ソケットの中で断端がゴソゴソ動いていないか	・ソケットを両手でしっかり保持し，断端を前後左右に動かしてもらって確かめる
ソケットは不快感なく身体にフィットしているか	・肘90°屈曲位で肘を台に乗せて荷重したり，手先具を押し下げる力を加えても断端や腋窩(えきか)部に疼痛や不快感が生じないか確認する ・形状では肩部分の「前後の押さえ」と「大胸筋と広背筋チャンネル(筋の形状に適合した凹み)」や「腋窩ベース」が適切に確保できているか確認する
前腕義手の場合	・肘90°屈曲位で前方と上方の2方向から手先具に力を加え，それに抵抗することで疼痛や不快感が生じないか確認する ・形状では「内外側上顆と肘頭窩の押さえ」や「上腕二頭筋チャンネル」が確保できているか確認する

■断端の可動性

関節可動域(ROM)を計測する。

非義手側の1/2以上を標準とする。義手装着時のROMと義手除去時のROMは同程度を原則とする。

■肘継手の屈曲範囲

肘継手は他動的に屈曲させて135°以上必要である。

義手を装着したときの能動的な肘継手の屈曲角度は，他動的屈曲角度と同じでなければならない（図5a）。

■肘完全屈曲に要する肩の屈曲角度

義手を装着した状態で，能動的に肘継手を最大屈曲させるのに必要な肩関節屈曲角度は45°を超えてはならない（図4c）。

■肘を90°から屈曲するのに必要な力

肘継手のロックを解除し，コントロールケーブルのハンガー（図7）にバネ秤を引っかけ，肘90°屈曲位からバネ秤を引っ張る。

肘が90°から屈曲し始めるのに要する力は4.5kgを超えてはならない（図7a）。

図7 バネ秤を用いた適合チェック

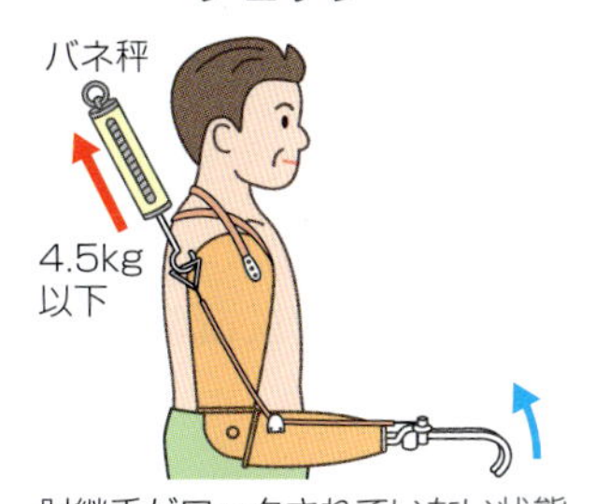

肘継手がロックされていない状態
a 肘を90°から屈曲するのに必要な力

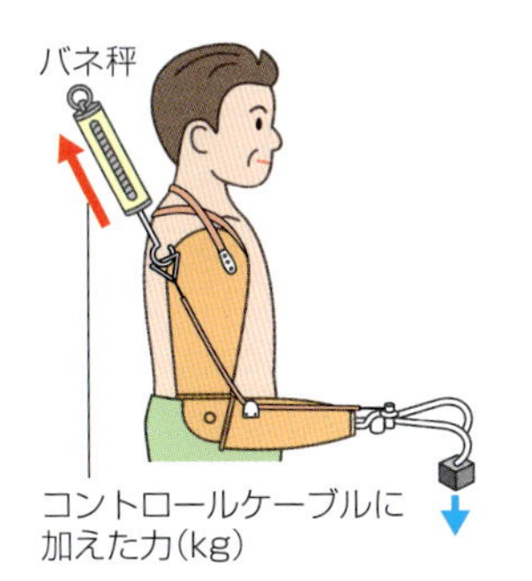

b 本来のケーブルを引っ張ったとき

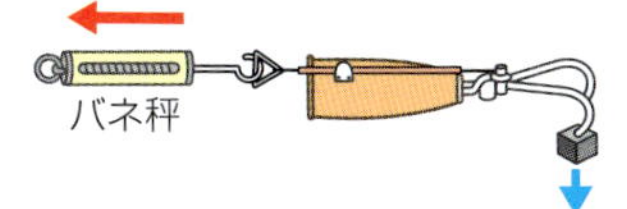

c 計測用ケーブルを引っ張ったとき

■操作効率

手先具に1.2cm角の木片を挟み，肘90°で肘継手をロックし，図7b，cのようにバネ秤を引っ張り，木片が手先具から離れる瞬間の目盛りを読む。

手先具単体で手先具を開くのに要する力（kg）とコントロールケーブルを介して手先具を開くのに要する力（kg）の比を求める。

操作効率は上腕義手で50％以上（前腕義手では70％以上）でなければならない。

$$\text{操作効率}[\%] = \frac{\text{手先具単体で手先具を開くのに要する力}[\text{kg}]}{\text{コントロールケーブルを介して手先具を開くのに要する力}[\text{kg}]} \times 100$$

■肘90°屈曲位での手先具の開大

手先具だけを他動的に開大させてその幅（開大幅）を測る。肘90°屈曲位で肘継手をロックし，能動的な手先具の開大幅を測る（図8a）。

他動的開大幅と能動的開大幅は同じでなければならない。

■口元および前ボタン位置での手先具の開大

口元および前ボタンの位置で肘継手をロックしたとき，それぞれの位置での手先具の開大幅（cm）は，上腕義手で肘90°屈曲位での手先具開大幅（cm）の50％以上（前腕義手では70％以上）でなければならない（図8b，c）。

■肘固定の不随意的動き

歩行時または肩が側方60°挙上（外転）したとき，肘ロックコントロールケーブルが緊張し(図2)肘固定装置が作動して，肘継手がロックされてはならない。

■義手回旋時のソケットの安定性

ソケットと断端は同様の動きをする必要があるので，ソケットの中で断端がスリップしてはならない。

■内・外旋トルクに対するソケットの安定性

肘90°屈曲位で肘軸より約30cmの先端部にバネ秤をかけ，回旋方向(内・外旋とも)に引っ張ったとき，1kgのトルクに抵抗できなければならない(図9a)。

■引っ張り荷重に対する安定

義手を装着して，まっすぐに下垂した手先具にバネ秤をかけて引っ張ったときの安定性をみる。

約20kgの引っ張り力に対してソケットの上縁での移動が2.5cm(または1.0cm)以上あってはならない(図9b)。

図8 手先具の開大幅の測定

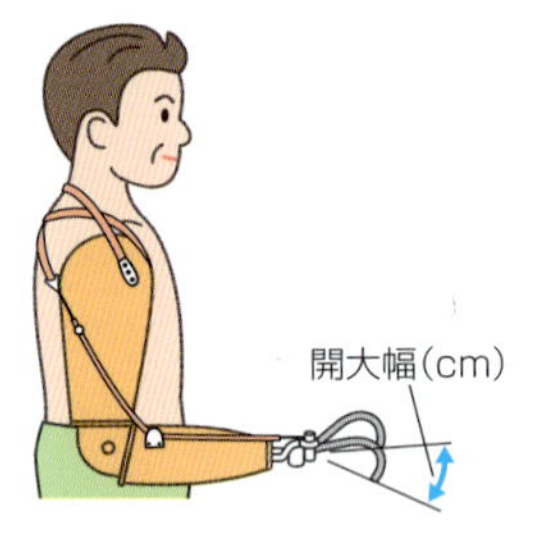

a 肘を90°屈曲位での手先具の開大(肘継手を90°でロックした状態)

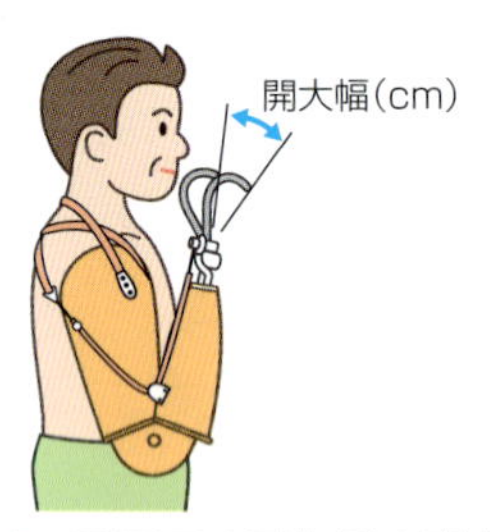

b 口元での手先具の開大(肘継手を口元でロックした状態)

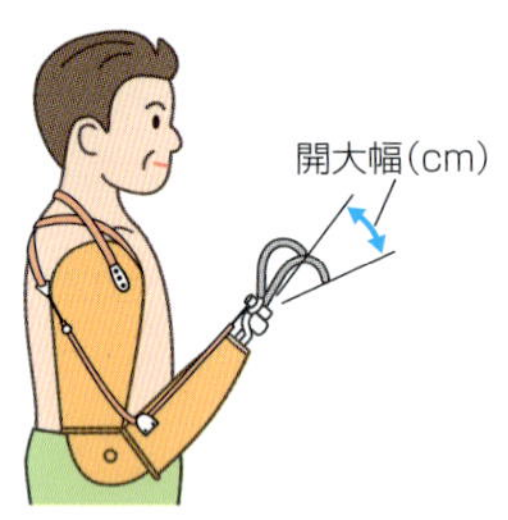

c 前ボタンでの手先具の開大(肘継手を前ボタン位置でロックした状態)

試験対策 Point

上腕義手の適合検査では，肘90°屈曲位で手先具は完全に開かなければならない。もし，完全に開かなければ義手側の問題として「ソケットの不安定」「コントロールケーブルの調整不良」，対象者の問題として「筋力不足」「ROM低下」などが考えられる。

図9 内・外旋トルクと引っ張り荷重に対する安定性

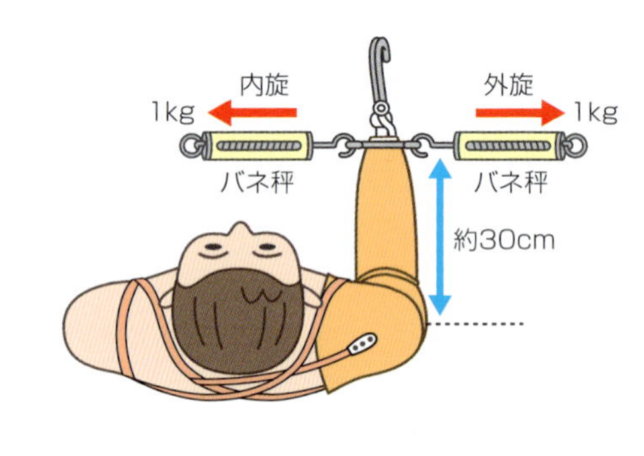

a 肘を90°から屈曲位で内・外旋トルクに対する安定性

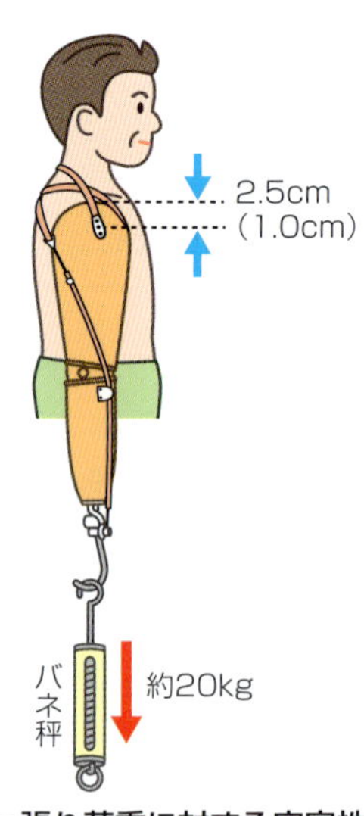

b 引っ張り荷重に対する安定性

補足

上腕義手の適合検査に関して，引っ張り荷重に対するソケットの移動が2.5cmと1.0cmとでは大きな差があるため，関連学会の統一見解が必要と思われる。

4 装具の種類

上肢の装具は装着する部位に応じて，肩装具，肩外転装具，肘装具，把持装具，手関節装具，対立装具，指装具，中手指節(MP)屈曲補助装具，

MP伸展補助装具，指節間（interphalangeal：IP）屈曲補助装具，IP伸展補助装具などに分類される。手の装具は「スプリント」ともよばれる。

作業療法参加型臨床実習に向けて

熱可塑製プラスチックを用いたスプリントを積極的に作製している施設では，作業療法士が型紙作成から適合チェックまで模擬対象者を使ってスプリント作製のデモンストレーションを行う。その後，実習生は同じ模擬対象者に型紙作成から適合チェックまでを行う。実習生は自分の作製したスプリントが模擬対象者の症状とどのように関連しているか指導者に伝える。指導者からは実習生のよかった点，改善点を伝え指導する。

5 掌側カックアップスプリントの作製と適合チェック

■型紙の作成とチェック

①トレーシング

前腕回内位で手掌を下に向けて紙の上に置く。前腕～手部を丁寧にトレースする（図10）。

②トレース線へマーキング

手首皮線の両側部，橈側の**遠位手掌皮線**部，尺側の**近位手掌皮線**部，前腕の長さの2/3の位置の両側部へマークする（図11）。

③型紙の仮完成

手のトレース線上の印をそれぞれ直線で結ぶ。手の厚みを考慮しながら，それぞれの線を基準に型紙を作成する（図12）。

図10 トレーシング

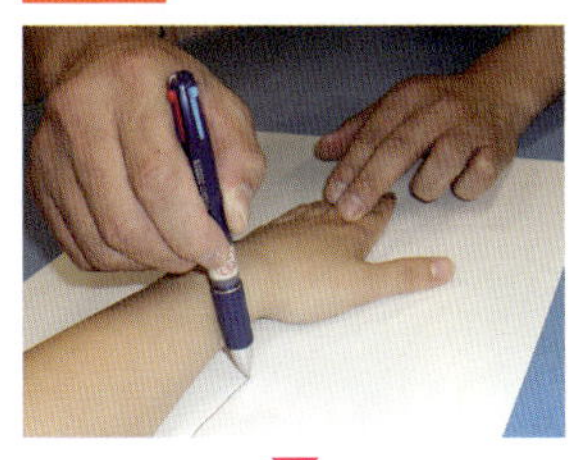

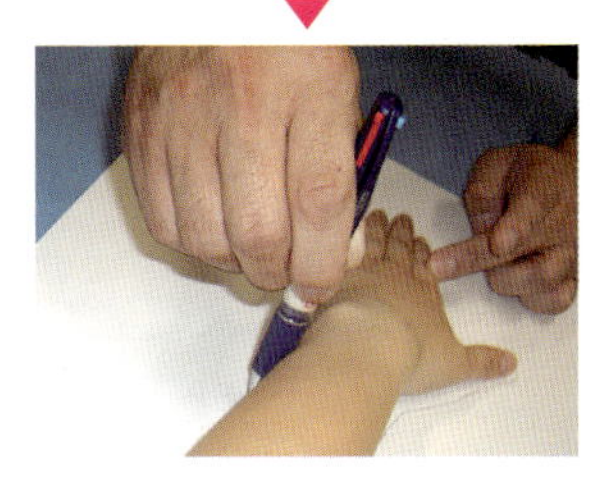

図11 トレース線へマーキング（6カ所）

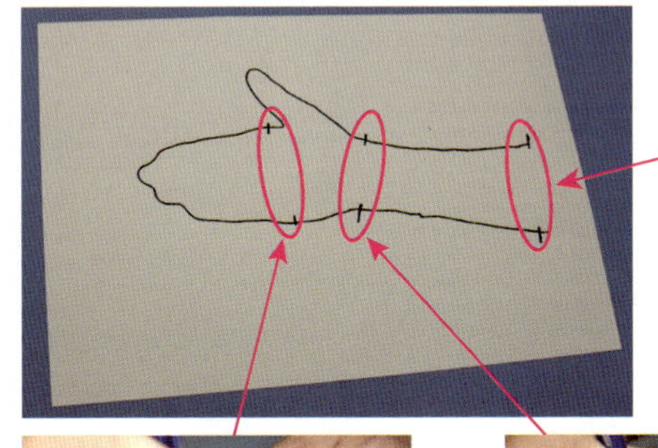

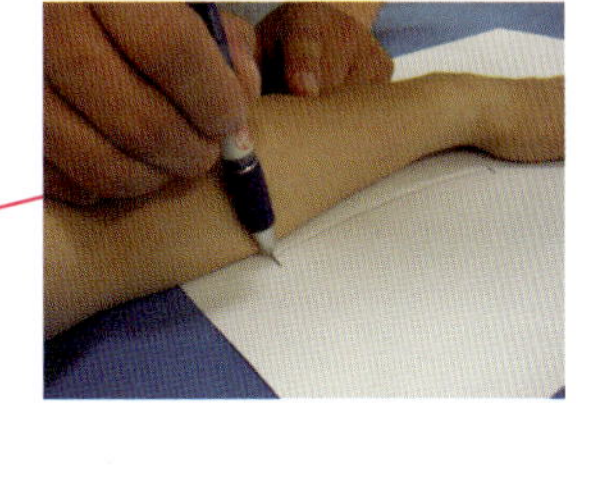

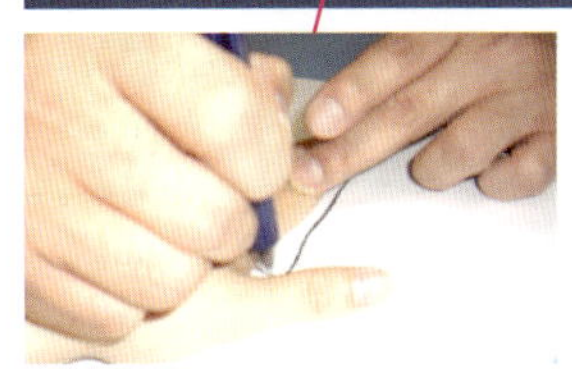

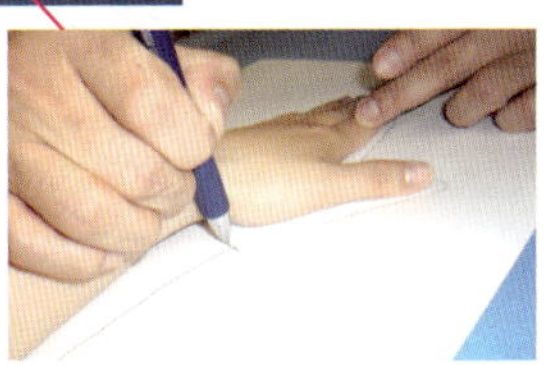

図12 型紙の仮完成

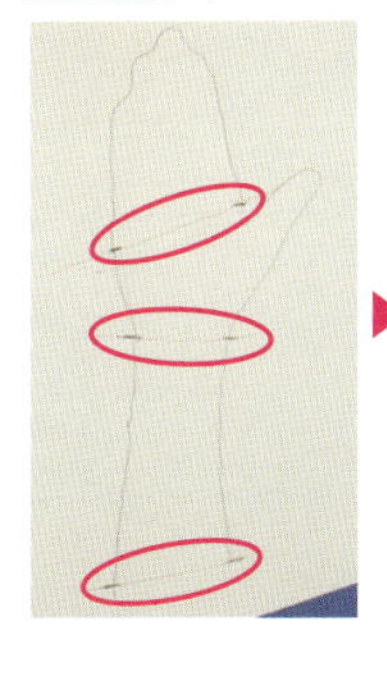

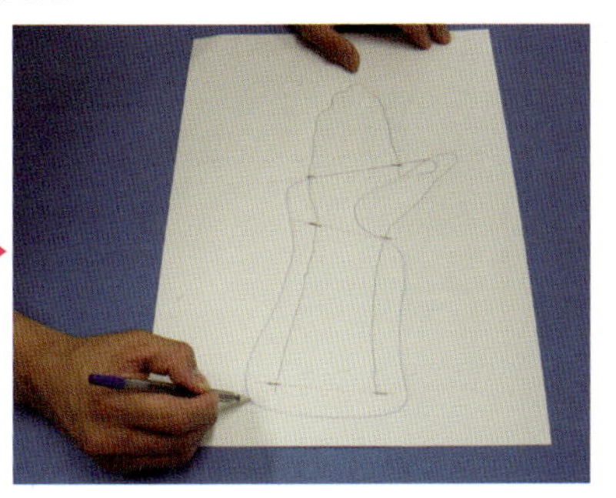

補足

「型紙」を実際に手に当ててみて，作製するスプリントと一致しているか確認する。

④型紙の裁断から完成へ

はさみで型紙を丁寧に切り取り，実際の手に当ててみて，適切か否かを確認する（**図13**）。型紙が適切であれば，プラスチックの裁断へ進み，不適切であれば，トレーシングからやり直す。

補足

指先から肘関節までストッキネットが十分な長さとなっているか確認する。

■ストッキネットの装着とチェック

指先から肘関節までの長さにストッキネットを裁断する（**図14**）。母指MP関節付近に小さな切れ目を入れる。指先から通し，小さな切れ目から母指を出す。しわやよれがないように前腕全体に丁寧にストッキネットを装着する。

■プラスチックの裁断とチェック

①熱可塑性プラスチックへ型紙を転写

熱可塑性プラスチック（以下，プラスチック）が無駄にならないように転写する（**図15**）。

図13　型紙の裁断から完成へ

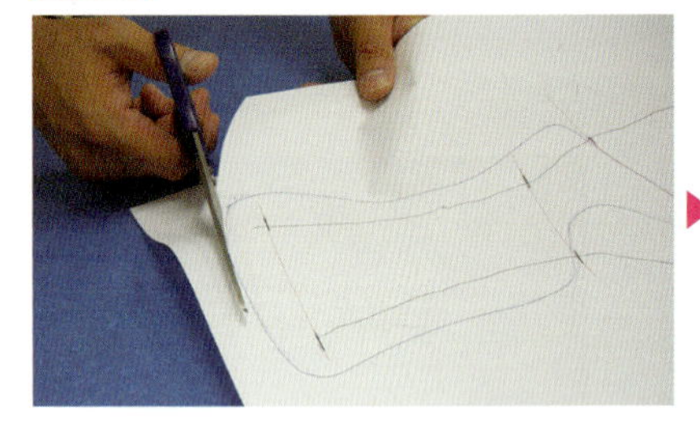
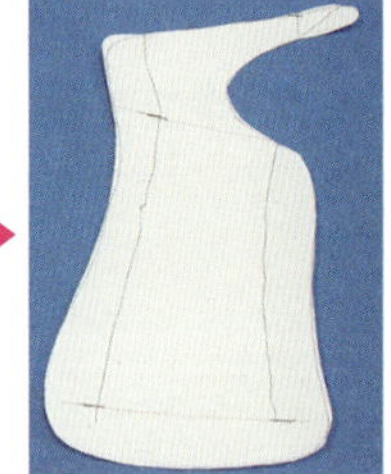
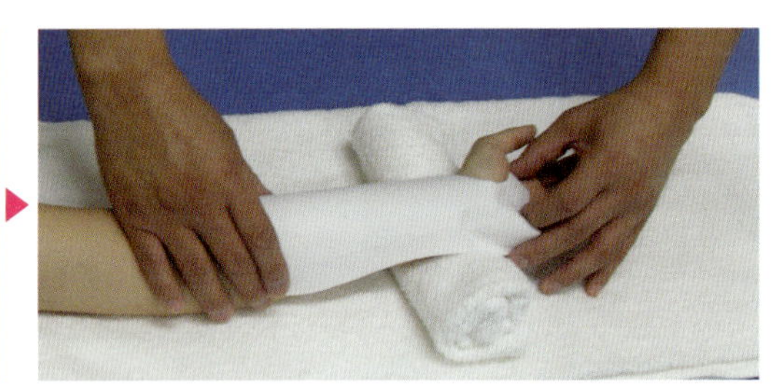

図14　ストッキネットの裁断と装着

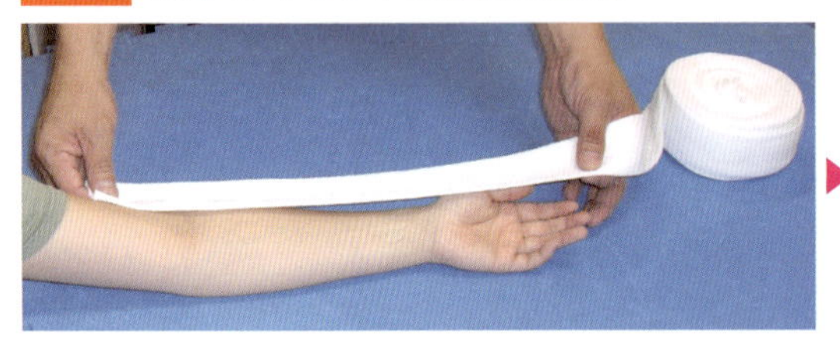
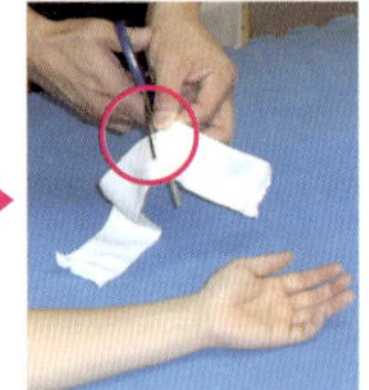
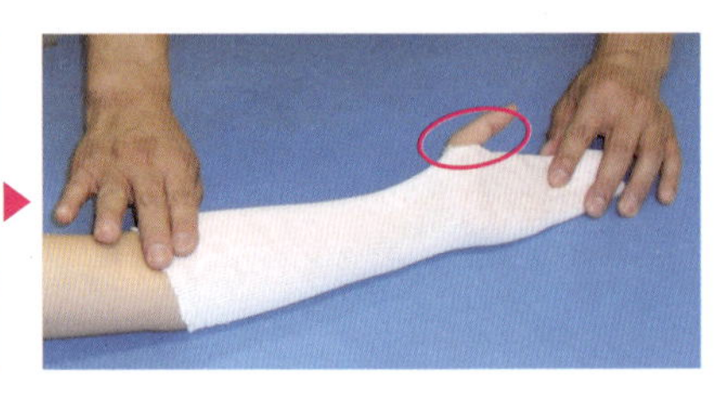

図15　熱可塑性プラスチックへ型紙を転写

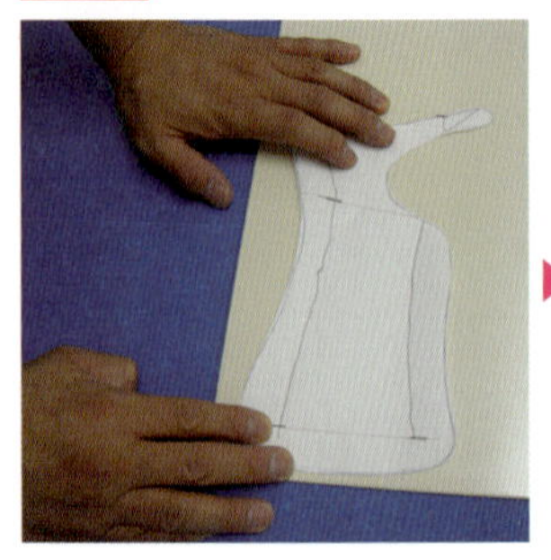

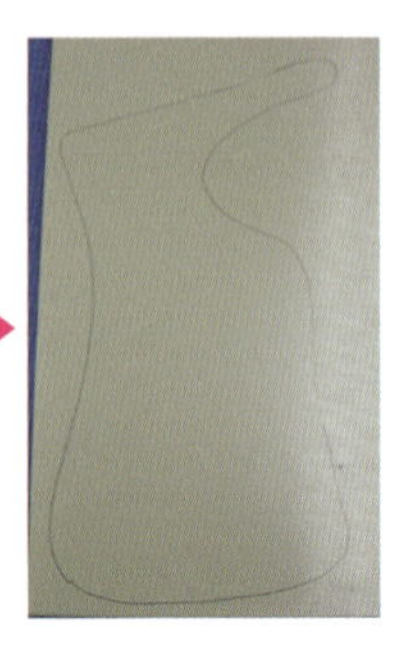

②**熱可塑性プラスチックの加熱**

適切な温度(約75° C)に加熱した水(湯)にプラスチック全体をしばらく浸す。プラスチックが軟らかくなれば引き揚げ，バスタオルで水滴をふき取る(**図16**)。

③**熱可塑性プラスチックの裁断**

線上を丁寧に裁断する(**図17**)。

■スプリントの採型とチェック

● モールディング

プラスチックの遠位部分を，遠位・近位手掌皮膚線を結んだ線に当てる。手関節の角度に注意し，橈側あるいは尺側に偏らないようにしながら，手部・前腕部と順次プラスチックを当てる。前腕部に緩やかに**弾性包帯**を巻く。余熱を利用して，母指球部やMP関節部を折り返し，縁を滑らかにする(**図18**)。

● トリミング

弾性包帯を除去し，余計なプラスチック部分を除去するための線を引

補足

- 切り取り線どおりに裁断されているか確認する。
- 引っ張りながら裁断するとプラスチック全体が伸びてしまい型どおりではなくなってしまうので注意が必要である。
- 残ったプラスチックは平らに戻しておく。

図16 熱可塑性プラスチックの加熱

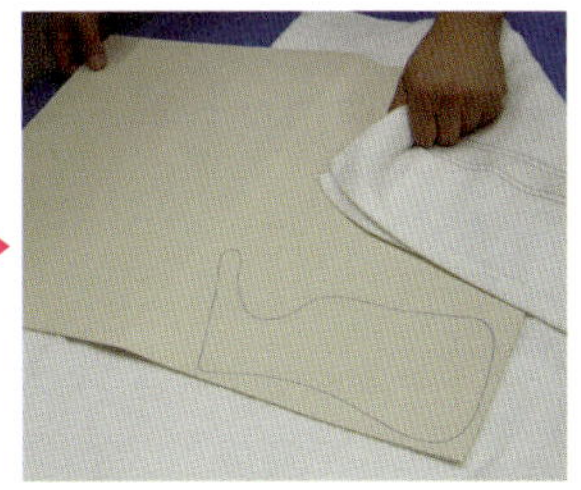

図17 熱可塑性プラスチックの裁断

図18 モールディング

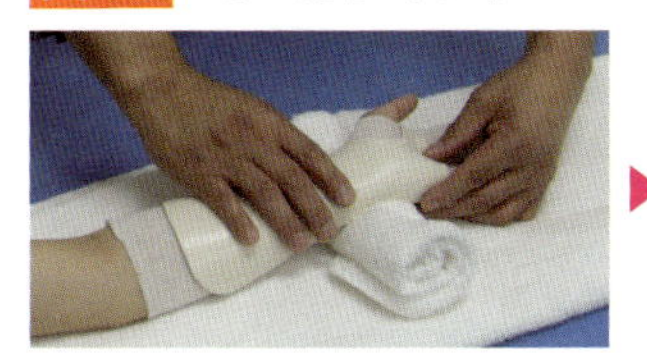

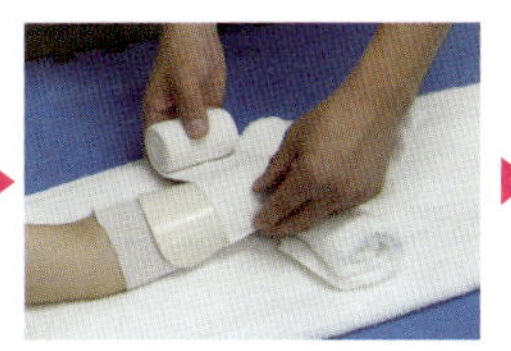

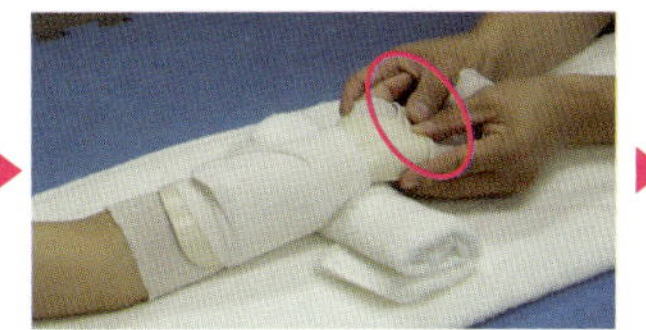

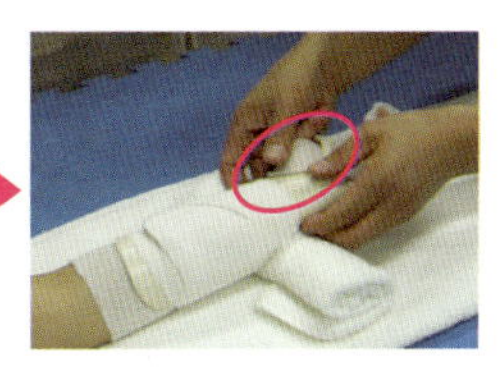

く。部分修正の場合はヒートガンで局所を加熱し，広範囲修正の場合はヒートパンの湯中に必要な部分だけ浸す。軟らかくなれば，除去線に従いカットする（**図19**）。

● スムージング

全体の形がくずれないようにプラスチックを保持しながら，縁がスムーズになるように折り返しをつける。前腕近位部は1cmほど**フレアー**をつける（**図20**）。

● ストラップの取り付け

手関節部両側と前腕近位部両側および手の遠位横アーチ（中手骨アーチ）の尺側部分にストラップを取り付けるための印を付ける。

マジックテープの雄側（シール付き）を必要な長さに裁断し，端部分をはがれにくくするために丸くカットする。シールの保護用紙をはがし，プラスチックに貼り付ける。マジックテープの雌側を必要な長さにカットする。

手の遠位横アーチ（中手骨アーチ）の橈側部分は，プラスチック・マジックテープの両方とも革細工用の金具で穴をあけ，カシメで留める（**図21**）。

■ 掌側カックアップスプリントの適合チェックと修正

● 仮装着前のチェックと修正

表3の項目を確認し，問題があれば仮装着の前に必ず修正する。問題がなければストッキネットを装着し，作製したスプリントを1時間ほど仮装着する（**図22**）。

図19 トリミング

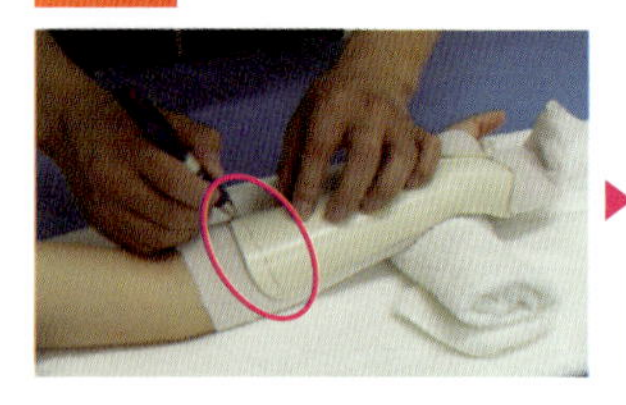
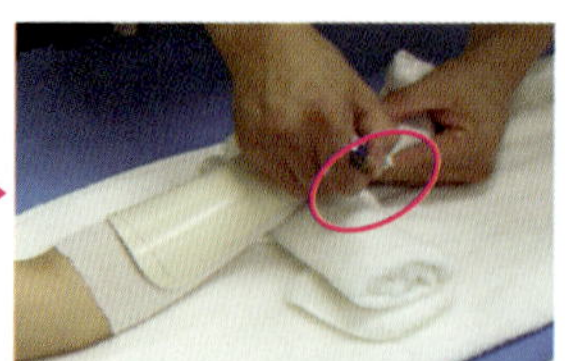

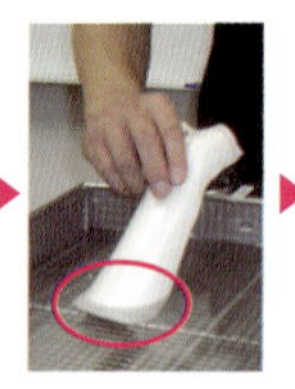
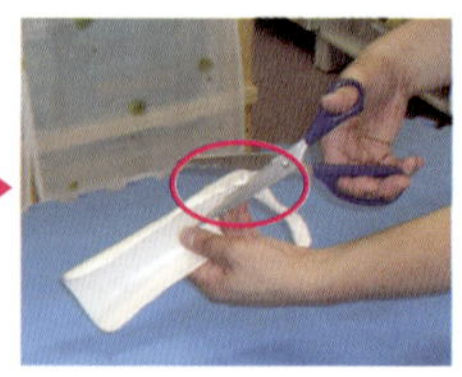

図20 スムージング

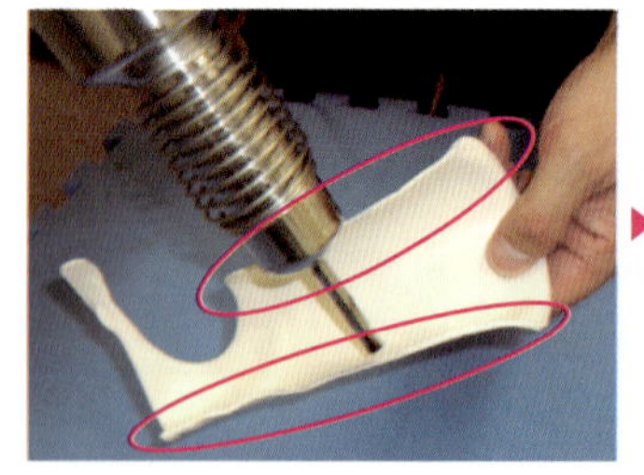
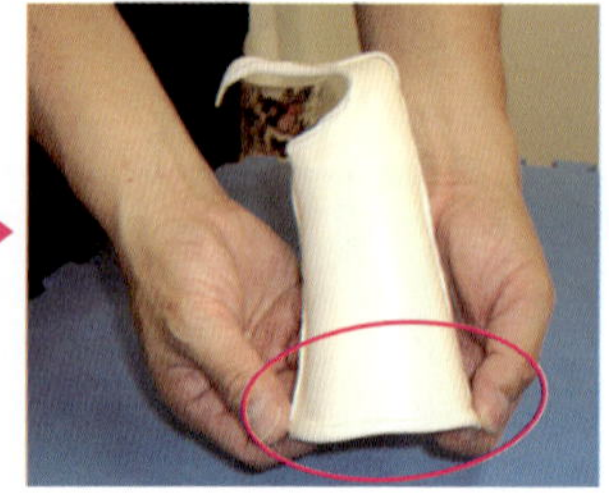
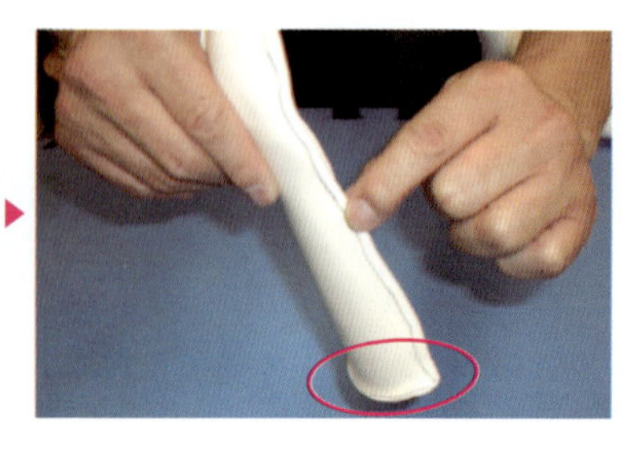

図21 ストラップの取り付け

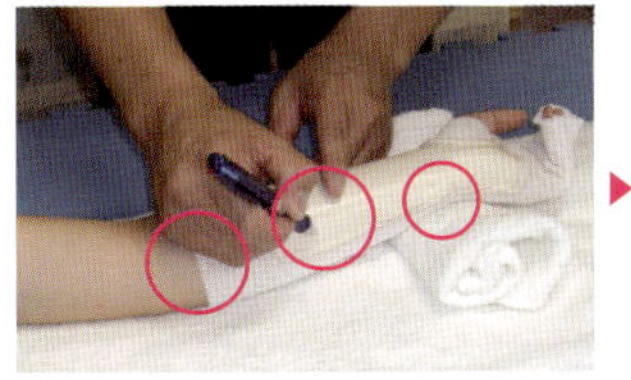

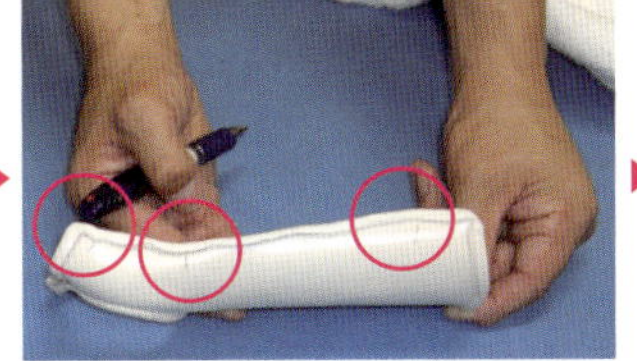

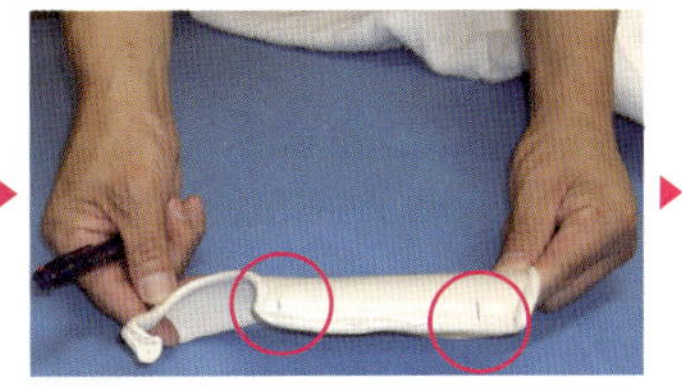

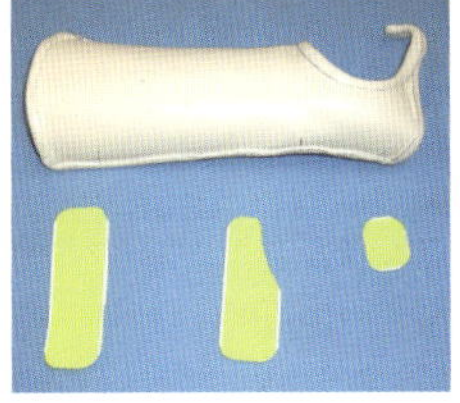

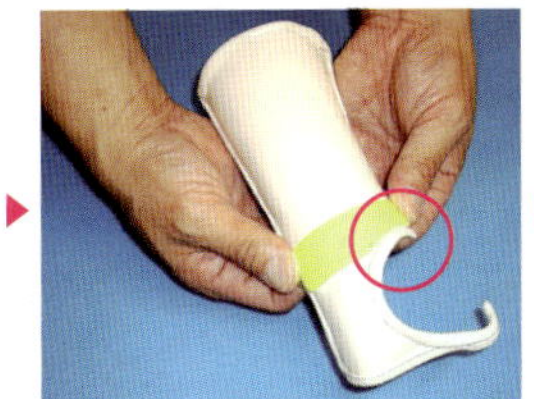

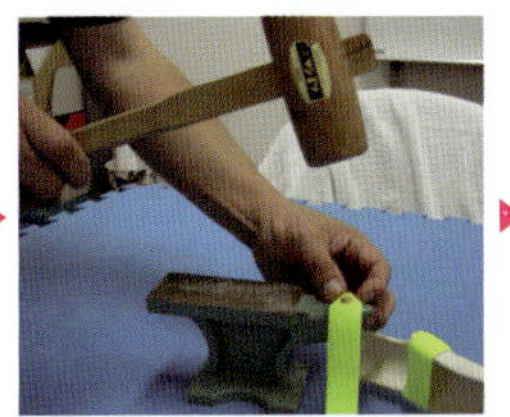

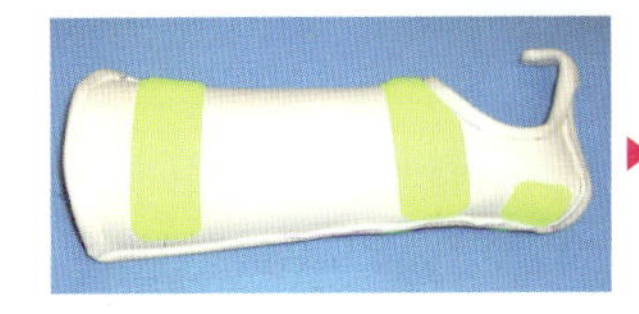

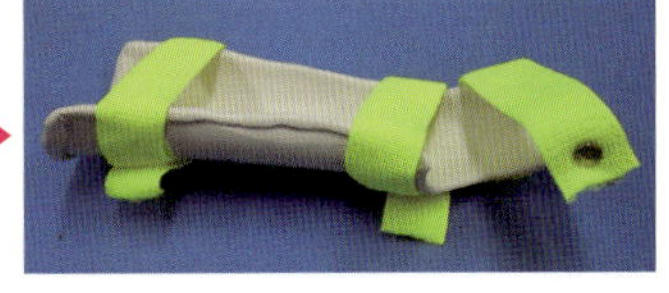

表3 仮装着前のチェック項目

- 前腕から手関節部分はきつくも緩くもなく，適切な深さとなっているか
- スプリントの長さは前腕のおおむね2/3となっているか
- 中手骨の尺側部分は手の厚みの高さと同じになっているか
- 手関節は軽度背屈位に保たれているか
- 手の横アーチ(中手骨頭レベル)は適切に保たれているか
- 示指から小指までのMP関節の屈曲は制限されていないか
- 母指CM関節の運動(掌側外転・対立)は制限されていないか
- ストラップは適切な位置に取り付けられているか
- スプリントは容易にズレないか

図22 仮装着

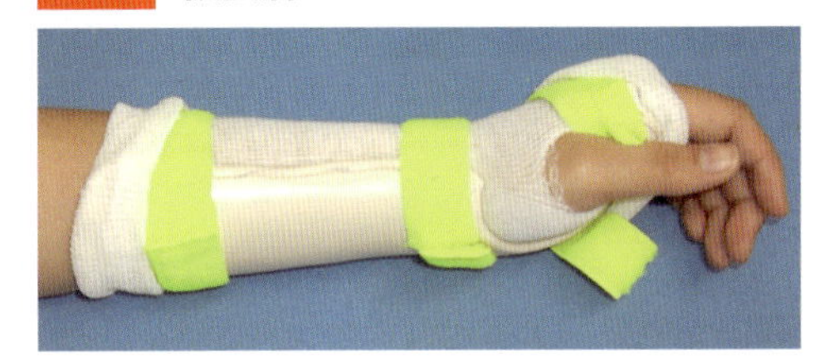

● 仮装着後のチェックと修正

ストラップはきつすぎないか，指尖部の色調，温度に異常はないかはスプリントを外す前に確認する。

また，皮膚の観察を行い，**フィッティングポイント**(**図23**)に問題(圧迫，発赤など)が生じていないかはスプリントを外した後に，入念に確認する。

問題があれば必ず修正し，再度仮装着したのち適合チェックを行う。問題がなければ，使用方法，保管方法，注意事項などを説明し装具療法を開始する。

図23 フィッティングポイント

①橈骨茎状突起
②母指手根中手骨(carpometacarpal：CM)関節
③母指球皮線
④示指中手骨頭橈側
⑤スプリントのエッジ(全周)
⑥尺骨茎状突起
⑦豆状骨
⑧小指中手骨頭尺側

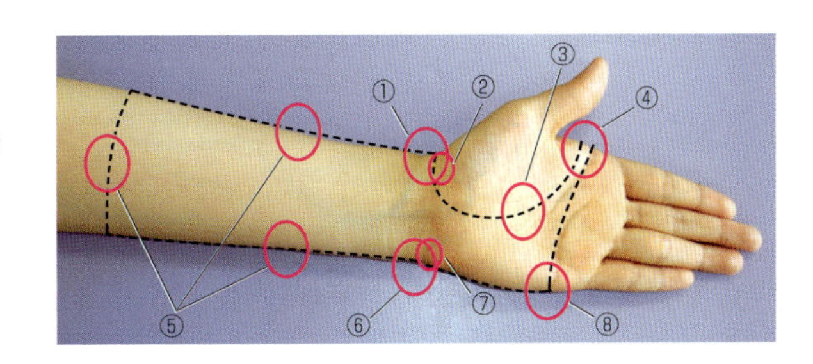

6 長対立装具(ランチョ型)の適合チェック

■長対立装具の適応

長対立装具は正中神経高位麻痺の場合に適応となる。正中神経高位麻痺の原因は，上腕骨顆上骨折，円回内筋の通過点での圧迫，浅指屈筋腱弓通過点での圧迫などによる肘関節付近での神経損傷である。臨床的には猿手(ape hand)を呈する。

■長対立装具(ランチョ型)の特徴

ランチョ型長対立装具は前腕支持部分と手掌支持部分，母指を掌側外転させるCバー部分と，対立位に保つ対立バー部分からなる(図24)。

図24 長対立装具(ランチョ型)

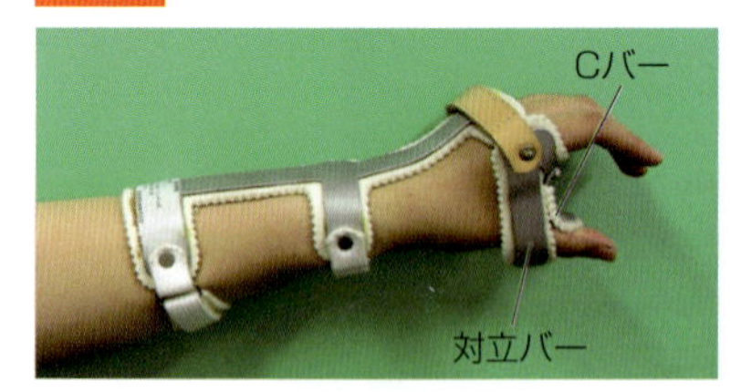

a 橈側

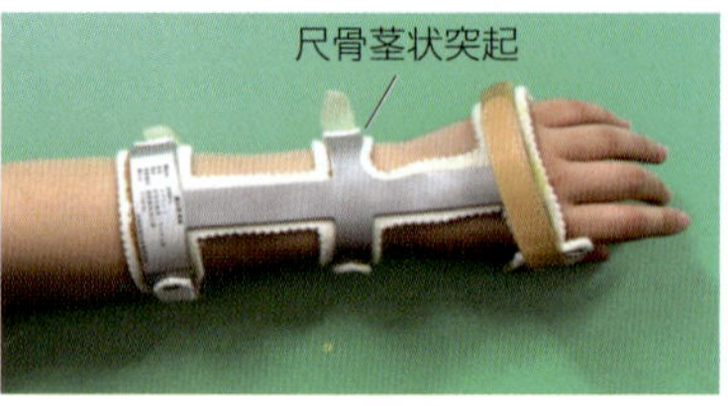

b 背側

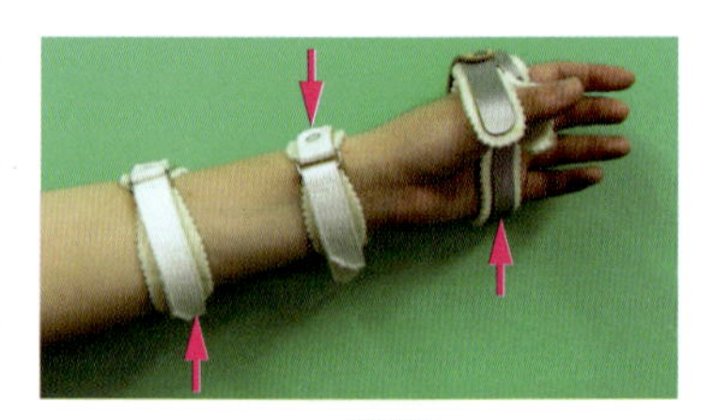
c 掌側
→：3点固定点

補足

作業療法士がスプリントを作製するメリットは，「対象者の目前でスプリントを完成させ，すぐに装具療法が開始できること」である。どのようなスプリントを作製するかが決まれば，型紙(型)を作成できる。

アクティブラーニング 1

装具療法実施時の義肢装具士と作業療法士の役割について考えてみよう。

■長対立装具(ランチョ型)の適合チェック

適合チェックについて表4に示す。

表4 長対立装具(ランチョ型)の適合チェック

- 処方どおり作製されているか
- 3点固定の原理に従い装具は安定して装着できるか
- 前腕の2/3の長さとなっているか
- Cバーは母指を適切に掌側外転させているか
- 対立バーは母指を適切に対立位に保持しているか
- 前腕の回内・回外を制限していないか
- 尺骨茎状突起を圧迫していないか
- 手関節の背屈角度は適切か
- 手掌支持部分は手のアーチ(中手骨頭レベルのアーチ)に沿っているか
- ストラップは適切に取り付けられているか

Case Study

30歳代男性，Aさんは右ききで外傷により右上腕切断標準断端した。差し込み式ソケット，8字ハーネス，複式コントロールケーブルシステム，能動単軸肘ブロック継手，随意開き式能動フックで構成された上腕義手を使用している。

Question 1

医師・理学療法士・作業療法士・義肢装具士が一堂に会する「義肢クリニック」定期受診時に操作効率は60%であった。本義手の適合判定では「適」と判定されるだろうか。

☞ 解答 p.289

【参考文献】
1. 伊藤利之，ほか 編：義肢装具のチェックポイント，医学書院，2008.
2. 川村次郎，ほか 編：義肢装具学 第4版，医学書院，2009.
3. 石川　齊，ほか 編：図解作業療法技術ガイド，第2版，文光堂，2007.
4. 矢崎　潔：手のスプリントのすべて，第3版，三輪書店，2006.
5. 澤村誠志：切断と義肢，医歯薬出版，2007.
6. 大嶋信雄 編：クリニカル作業療法シリーズ 身体障害領域の作業療法，中央法規出版，2010.
7. 鷲田孝保 編：作業療法士 イエロー・ノート 専門編，メジカルビュー社，2009.
8. 長﨑重信 編：見て学ぶ作業療法の極意 イラスト作業療法 ブラウン・ノート 850のイラストで極める，メジカルビュー社，2008.
9. 岩﨑テル子 編：標準作業療法学 専門分野 身体機能作業療法学 第2版，医学書院，2011.
10. 岩﨑テル子，ほか 編：標準作業療法学　作業療法評価学，医学書院，2005.
11. 清水朝一，ほか 編：リハビリテーション義肢装具学．メジカルビュー社，2017.
12. 大庭潤平，ほか 編著：義肢装具と作業療法　評価から実践まで．医歯薬出版，2017.
13. 上杉雅之 監：イラストでわかる義肢療法．医歯薬出版，2021.

チェックテスト

Q

①義手の種類を説明せよ(☞p.160)。 基礎

②能動上腕義手のパーツの名称を挙げよ(☞p.160)。 基礎

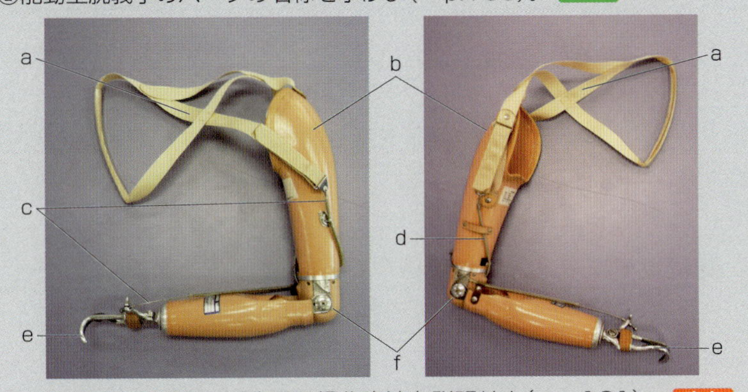

③上腕義手の肘継手と手先具の操作方法を説明せよ(☞p.161)。 臨床

④二重コントロールシステムについて説明せよ(☞p.161)。 臨床

⑤肘ロックコントロールケーブルの操作方法を説明せよ(☞p.162)。 臨床

⑥上腕義手の操作効率について説明せよ(☞p.163)。 臨床

⑦掌側カックアップスプリント作製時の適合チェックについて説明せよ(☞p.165)。 臨床

⑧掌側カックアップスプリント仮装着時の適合チェックについて説明せよ(☞p.169)。 臨床

⑨各フィッティングポイントの名称を挙げよ(☞p.169)。 臨床

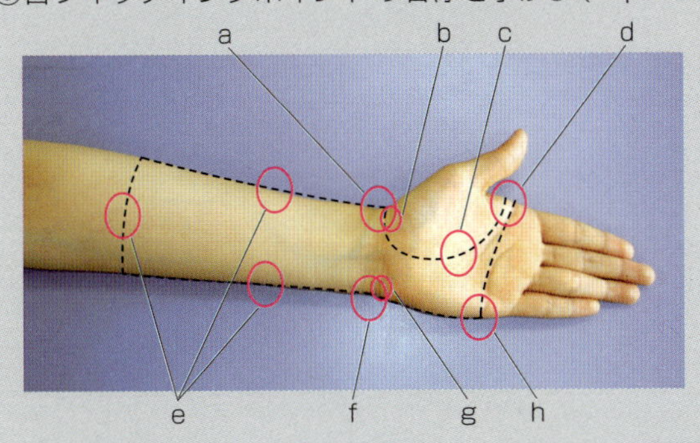

⑩長対立装具(ランチョ型)の適合チェックについて説明せよ(☞p.170)。 臨床

16 摂食・嚥下

加藤清人，石井文康

Outline

- 摂食・嚥下にかかわる器官や機能について理解する。
- 摂食・嚥下における障害像を理解する。
- 摂食・嚥下に関する評価内容について理解する。

1 摂食・嚥下とは

私たちの日常生活のなかで，「食べる」「飲む」ということは日常的に行っており，その行為がいったん障害されると，生命維持に危険を及ぼすことにもなる重要な機能である。摂食・嚥下は，食べ物や水分を口のなかに取り込んで，咽頭から食道・胃へと送り込むまでを指し，その過程が障害されることを「摂食・嚥下障害」とよんでいる。

評価の際には，**摂食・嚥下を行う器官，過程などの基本的な内容を理解する必要がある。**

■摂食・嚥下を行う器官

摂食・嚥下障害は「食べる」「飲む」に関する器官のなんらかの不全状態が考えられるので，各器官の位置（**図1**）や役割（**表1，2**）について学ぶ。

図1 各器官の位置

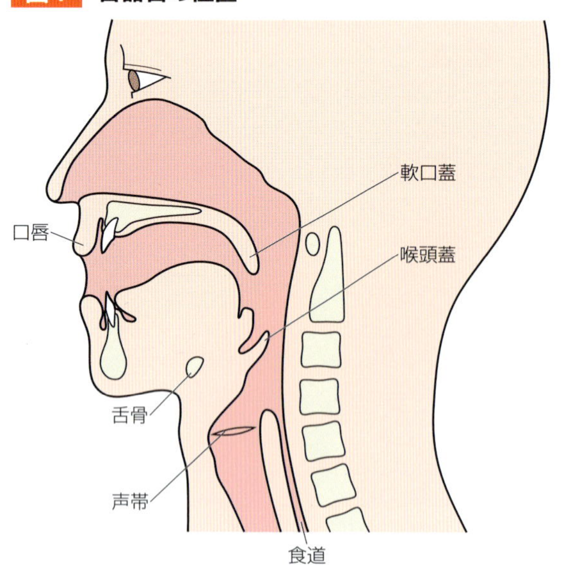

表1 各器官の役割

器官	役割
口唇	食物を口のなかに取り込むときに，開口・閉口を行う
舌	食塊を口腔から咽頭へ送り込む
軟口蓋	食物を口腔内に溜めることや食物が鼻腔内に逆流することを防ぐ
喉頭蓋	喉頭蓋が下方回転し，喉頭閉鎖をすることで気道への誤嚥を防ぐ
舌骨 甲状軟骨	嚥下時に挙上し，食道入口を開く
声帯	気道の入口となり，嚥下の際には閉鎖する働きにより誤嚥を防いでいる
食道	入口部は，通常閉鎖しているが，嚥下時に開く

補足

造影X線画像で，各器官を見分けられるようになろう。

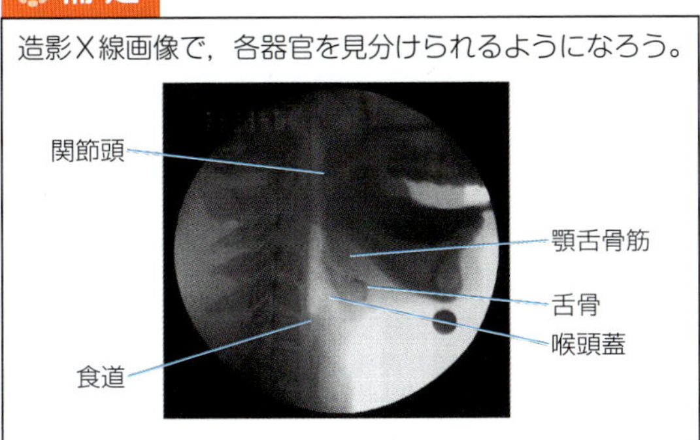

表2　摂食・嚥下にかかわる主な神経と運動

顔面神経	開口・閉口，口唇の突出，口角横引き
三叉神経	咀嚼（そしゃく）運動
舌下神経	舌の運動
舌咽神経	発声時に軟口蓋の挙上の運動
迷走神経	空嚥下時の喉頭挙上の運動

2　摂食・嚥下の位相（phase）と期（stage）

摂食・嚥下は，口へ運ばれた食べ物を，噛んで飲み込むという一連の過程を指す。食塊の移動の状態については「位相（phase）」を用い，口腔相→咽頭相→食道相となる。

一方，摂食・嚥下にかかわる諸器官の動きの時間的推移を「期（stage）」といい，Leopold（レオポルド）の5期の分類[1)]では，**先行期（認知期）→準備期→口腔期→咽頭期→食道期**となる。一般的には，期を用いることが多い。

■各期（stage）の摂食・嚥下の機能と障害像

摂食・嚥下を5期に分け，飲み込む過程のなかで各期の機能を理解したうえでその障害を評価する（**図2**）。

図2　摂食・嚥下の5期

①先行期（認知期）：食物を認知し，食物を口へ運ぶまでの時期

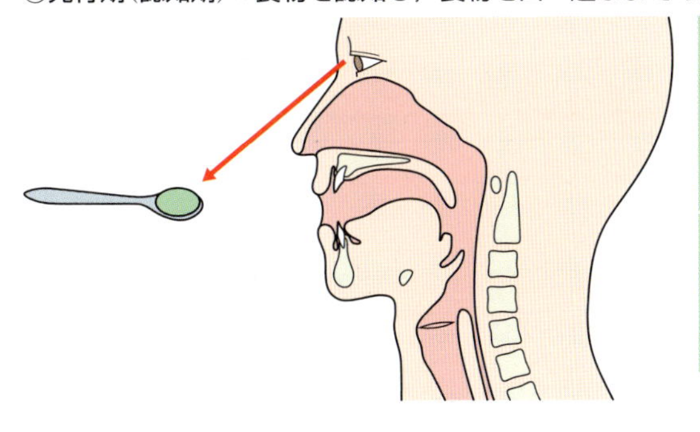

食物認知	**視覚**：色・形（後頭葉） **嗅覚**：におい（側頭葉） **食欲**：唾液・胃液分泌（大脳辺縁系） **何を，どのくらい食べるか**：意思決定（前頭葉）
障害像	**食物を見せても反応しない** **スプーンを当てても口を開けない** **むさぼるように食べ続ける** **一度に多量に食べる**

（次ページへ続く）

（前ページより続く）

②準備期：食物を口に取り込み，咀嚼，食塊形成の時期

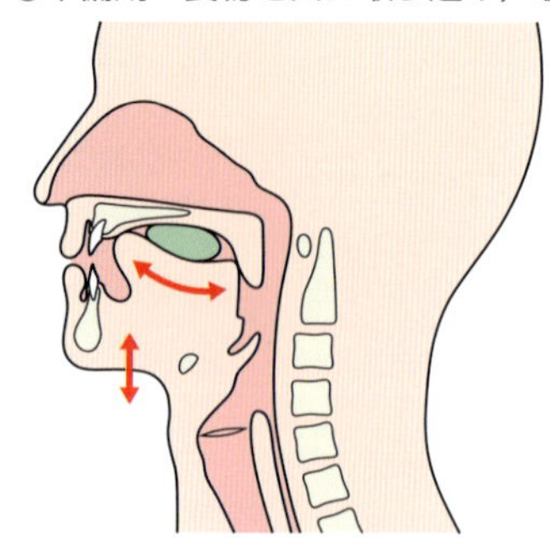

食物の取り込み	**開口，閉口**：口角下制筋，口輪筋，頬筋，笑筋（顔面神経）
咀嚼，食塊形成	**下顎を挙上，前後・左右へ動かす**：咬筋，側頭筋，外・内側翼突筋（三叉神経） **舌の前後・左右・上下運動**：舌筋群（舌下神経）
障害像	**開口，閉口できない** **食物を噛めない** **食物が口からこぼれる**

③口腔期：咀嚼された食物を咽頭に送り込む時期

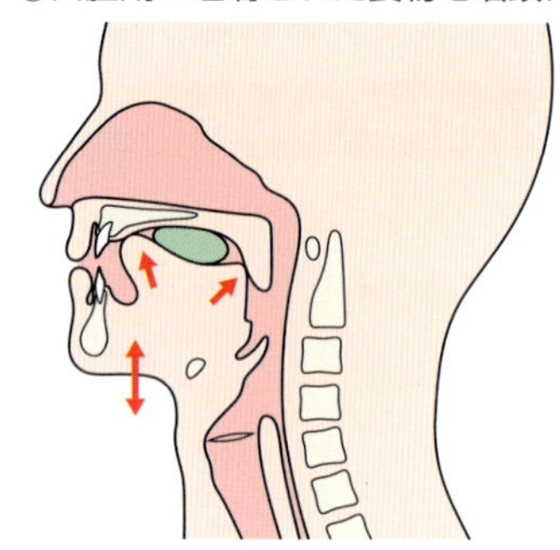

鼻咽喉閉鎖後，食塊を咽頭へ送り込む	**舌の前後・左右・上下運動**：舌筋群（舌下神経） **口蓋帆を緊張，挙上，口峡を狭める**：口蓋帆張筋，口蓋帆挙筋，口蓋舌筋，口蓋咽頭筋（三叉，舌咽，迷走神経）
障害像	**食物が口のなかに残留する** **咽頭の準備ができる前に，食物が咽頭へ流れ込む** **食塊が鼻に漏れる**

④咽頭期：食塊が咽頭に入り食道に到達するまでの時期

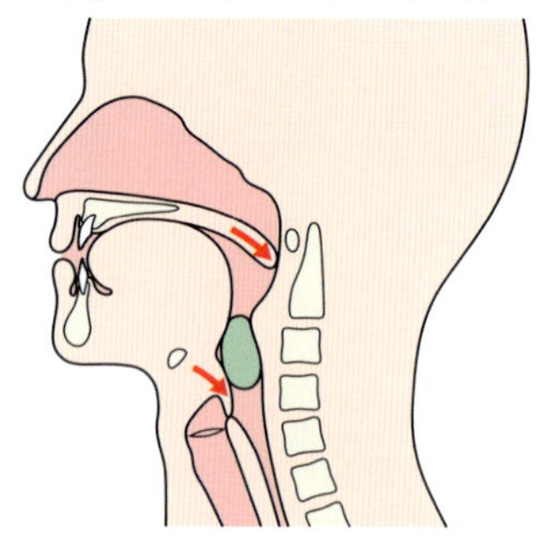

嚥下反射により，食塊を咽頭から食道へ送り込む	**咽頭の引き上げ，咽頭収縮**：咽頭筋群（舌咽，迷走神経） **舌骨，甲状軟骨の引き上げ，喉頭口の閉鎖**：舌骨上筋群および甲状舌骨筋（三叉・顔面・舌下神経および頚神経 C1-3） **舌骨を引き下げる**：舌骨下筋群 **甲状軟骨を下方へ引き下げる**：胸骨甲状筋（頚神経 C1-3）
障害像	**誤嚥する（むせ込み）** **飲み込んだ後に喉がガラガラする**

⑤食道期：食塊が咽頭を通過し，食道の蠕動（ぜんどう）運動により胃へ運ばれる時期

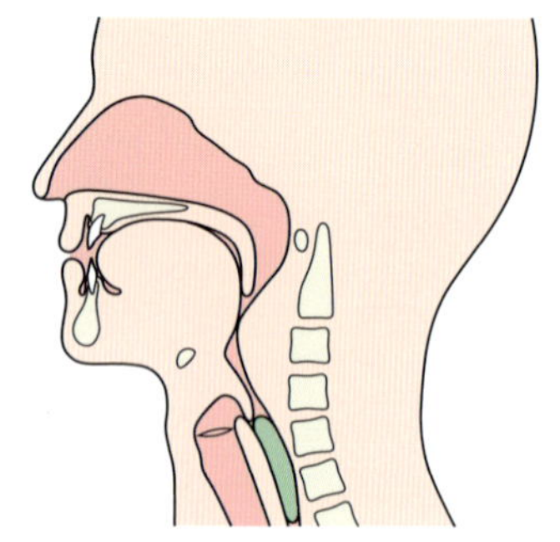

胃へ搬送	**蠕動運動**：食道筋（Auerbach（アウエルバッハ）神経叢）
障害像	**食塊滞留**

補足

①先行期での疾患
意識障害，認知症，拒食症など。

②準備期での疾患
仮性球麻痺，顔面神経麻痺，三叉神経麻痺など。

③口腔期での疾患
仮性球麻痺，舌下神経麻痺など。

④咽頭期での疾患
仮性球麻痺，球麻痺など。

⑤食道期での疾患
神経筋疾患，食道疾患など。

補足

嚥下造影検査（videofluoroscopic examination of swallowing：VF）
X線透視下で造影剤入りの検査食を嚥下してもらい，口腔，咽頭，喉頭，食道の動きなどを評価する検査である。

嚥下内視鏡検査（videoendoscopic examination of swallowing：VE）
鼻咽腔喉頭ファイバースコープを用いて嚥下諸器官，食塊の動態などを観察する検査である。

Web動画

アクティブラーニング ① 健常者の嚥下状態について，嚥下造影検査（VF），嚥下内視鏡検査（VE）のWeb動画をみて，各期を踏まえて様子を確認しよう。

3 球麻痺と仮性球麻痺の特徴

摂食・嚥下障害には，延髄病変の球麻痺と上位運動ニューロン病変で起こる仮性球麻痺があり，病変部位によりそれぞれの特徴を理解することが大切である（**表3**）。

表3 食物を認知し，食物を口へ運ぶまでの時期

	病変領域	症状				疾患
		嚥下障害	喉頭挙上	舌の萎縮	構音障害	
球麻痺	延髄脳神経核（舌咽神経，迷走神経，舌下神経）	嚥下反射の消失または低下	低下	線維束攣縮（れんしゅく）	軟口蓋，鼻咽腔閉鎖障害，口唇・舌・口蓋音の障害	・筋疾患：重症筋無力症，筋強直性ジストロフィ ・変性疾患：筋萎縮性側索硬化症（下位型），球脊髄性筋萎縮症 ・延髄病変：Wallenberg（ワレンベルグ）症候群（脳血管障害などによる） ・炎症性多発性ニューロパチー：Guillain-Barré（ギラン・バレー）症候群
仮性球麻痺	上位運動ニューロン病変（両側または片側）	嚥下反射の遅延または正常	可能	（－）	口唇，舌，口蓋音の障害	・脳血管障害（主に大脳病変）：脳梗塞，脳出血 ・変性疾患：進行性核上性麻痺，筋萎縮性側索硬化症（上位型），多系統萎縮症 ・脱随性疾患：多発性硬化症

アクティブラーニング 2 嚥下造影検査（VF），嚥下内視鏡検査（VE）のWeb動画をみて，正常な嚥下との違いを見分けてみよう。

4 摂食・嚥下障害の評価

摂食・嚥下障害の評価は，病歴，全身状態，生活歴などの聴取を行ったうえで施行する。

評価の種類は，簡易なものから詳細なものまで多種多様にある。本項では，摂食・嚥下障害を疑う症状（**表4**），摂食・嚥下に関与する筋群の評価（**表5**），発声・構音の評価（**表6，図3**），スクリーニング検査，食事の際の姿勢について主に紹介する。

作業療法参加型臨床実習に向けて

摂食・嚥下障害の評価は，対象者に負担が生じることから実習では見学することが多い。その際，対象者の全身状態が安定しているか，対象者本人が嚥下評価や介入に協力的であるかについても確認できるとよい。

■摂食・嚥下障害の直接的検査法

摂食・嚥下障害の評価には，**嚥下造影検査**（VF）と**嚥下内視鏡検査**（VE）が用いられる。**表7**では，それぞれの検査の特徴について紹介する。

表4　摂食・嚥下障害を疑う症状

症状	みられる場面，状態など
むせ	食事中，会話中にみられる
咳	食事中，食後，夜間に起こる
痰	食事開始後に多くなる
喉の違和感	咽頭異常感，食物残留感がある
声の変化	ガラガラ声で声量が小さい
食事内容の変化	飲み込みやすい食材を好むようになる
食思不振	−
食事時間の延長	−
食事中の疲労	−

表5　摂食・嚥下に関与する筋群の評価

動作	筋
開口・閉口，口唇の突出，頬膨らませ	口角下制筋，口輪筋，頬筋，笑筋
咀嚼の確認	咬筋，側頭筋，外・内側翼突筋
舌の前後・左右・上下の動き	内舌筋，外舌筋
発声時に軟口蓋の挙上	口蓋筋群
空嚥下時の喉頭挙上	舌骨上筋群

表6　発声・構音の評価

音の種類	評価
「パ」：口唇音	口唇が閉鎖不全のある場合，発音困難：顔面神経
「タ」：舌音	舌の動きが不良の場合，構音困難：舌下神経
「カ」：口蓋音	鼻腔へ漏れが生じる場合，発音困難：舌咽神経

図3　発声・構音の評価

表7　嚥下造影検査（VF）と嚥下内視鏡検査（VE）の比較

	VF	VE
咀嚼・食塊形成	◎	△
奥舌への食塊移送	◎	×
軟口蓋挙上・口蓋帆閉鎖機能	△	○
喉頭挙上	◎	×
咽頭の収縮	○	△
喉頭蓋反転	○	×
声帯運動・声門閉鎖	△	◎
嚥下反射惹起遅延	○	○
誤嚥	◎	△
咽頭残留	○	◎
食塊通過時間	◎	×
感覚	△	○
輪状咽頭筋機能不全	◎	×
咽頭，咽頭粘膜の状態	×	◎
構造	○	○
食道	○	△

◎：最適な評価法，○：評価可能，
△：一部評価できる，×：評価できない　（文献2を基に作成）

作業療法参加型臨床実習に向けて

摂食・嚥下にかかわる諸機能を理解して，それぞれの画像検査で確認できる箇所をおさえておくと理解が深まる。

■スクリーニング検査

●改訂水飲みテスト（MWST）

原法として窪田[3]の水飲みテストが広く用いられてきた。その後，飲水量，手順を変法した**改訂水飲みテスト**（modified water swallowing test：MWST）[4]が紹介され，現在普及している（**図4**）。MWSTは**簡便に**

実施することができ，口への取り込みや口腔内での送り込み，嚥下の有無を確認することができる。誤嚥の疑いを検出することが重要となる。

図4 MWST

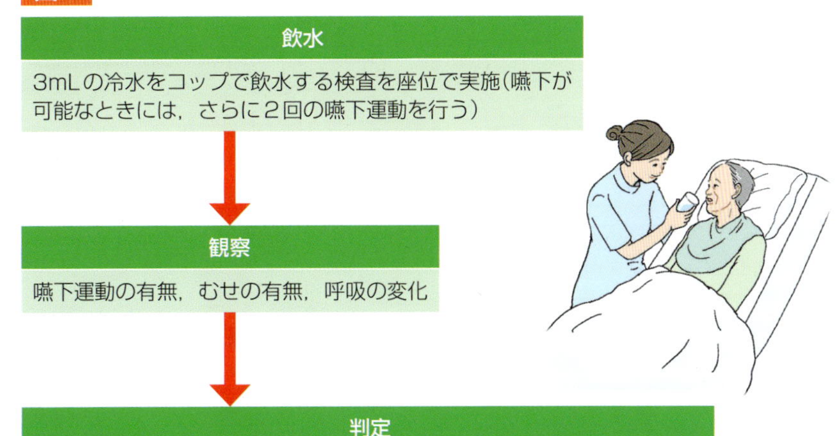

補足

MWSTでは，重度の嚥下障害がみられる場合は3mLから様子をみて実施することが多い。

試験対策 Point

MWST，RSSTの評価方法や判定基準についておさえよう。また，これらの検査は，摂食・嚥下のどの時期（stage）を評価しているかについて理解しよう。

● 空嚥下検査

唾液の嚥下を行い，各器官の動きやエピソードを観察する。

小口ら[5]が一定の時間内での嚥下回数のカットオフ値などを設定し，評価の定量化を行った**反復唾液飲みテスト**（repetitive saliva swallowing test：RSST）がよく用いられている。

方法としては，リラックスした状態での座位にて行う。検者は人差し指で舌骨を，中指で喉頭隆起に指腹を当てる（**図5**）。口腔内を湿らせた後に，空嚥下を30秒間に繰り返すよう指示する。30秒間で3回以上嚥下ができれば正常範囲，2回以下は異常としている。

補足

RSSTは，安全かつ簡便な検査である。一方で，意識レベルの低い対象者や指示理解が難しい対象者などには，実施が難しい。

■ベッド上での姿勢について

ベッドサイドでの嚥下検査・練習において，**ベッドのギャッジアップは30～60°が望ましい**。

誤嚥の防止のために，重力によって飲食物は食道に送り込まれる（**図6**）。

補足

スクリーニング検査を通して異常が判定されれば，詳細な嚥下造影検査などが医師の指示の下で行われる流れとなる。

図5　空嚥下検査

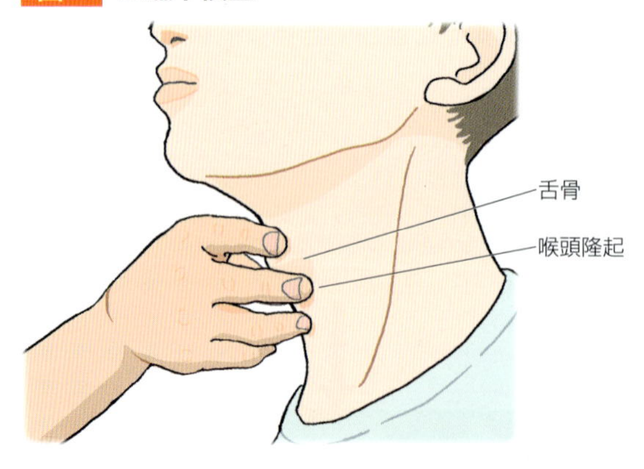

図6　ベッドサイドでの嚥下検査・練習における適切なギャッジアップ角度

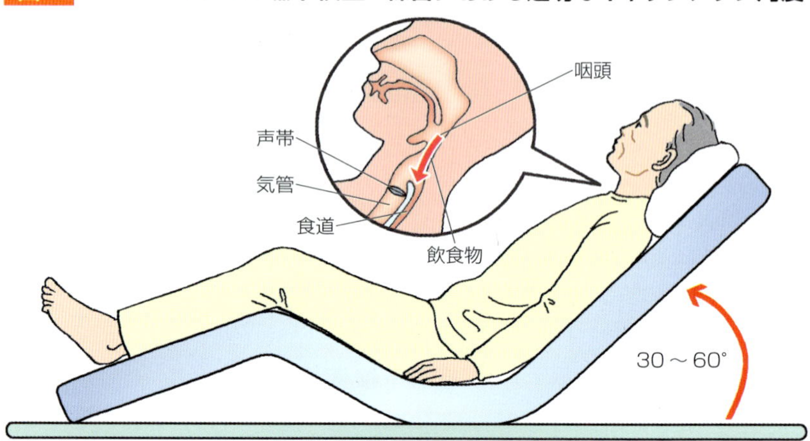

補足

KTバランスチャート

「口から食べるバランスチャート（kuchikara taberu balance chart：KTバランスチャート）」が小山[6]により開発された。このチャートは多職種で総合的に評価しながら，治療・ケア・リハビリテーションを展開し，その成果が可視化できるツールである。

Case Study

80歳代の女性，Aさんは脳梗塞を発症し左片麻痺である。もともと総義歯作成済であるが義歯なしできざみ食を大きめのスプーンにて自力摂取している。食事の様子としては，食物を口に運びほとんど咀嚼することなく，飲み込み，時折むせがみられる。

Question 1

Aさんの食事の様子からどのような点を評価，確認するべきだと考えられるか。

☞ 解答 p.289

【引用文献】
1) Leopold NA, et al.: Swallowing, ingestion and dysphagia: a reappraisal. Arch Phys Med Rehabil, 64(8): 371-373, 1983.
2) 聖隷嚥下チーム：嚥下障害ポケットマニュアル，第4版，医歯薬出版．2008.
3) 窪田俊夫，ほか：脳血管障害における麻痺性嚥下障害．総合リハビリテーション，10(2)：271-276，1982.
4) 才藤栄一：摂食・嚥下障害の治療・対応に関する統合的研究：平成11年度厚生科学研究費補助金(長寿科学総合研究事業)：平成11年度厚生科学研究費補助金研究報告書：1-7，2000.
5) 小口和代，ほか：機能的嚥下障害スクリーニングテスト「反復唾液嚥下テスト」(the Repetitive Saliva Swallowing Test：RSST)の検討(1)正常値の検討．リハビリテーション医学，37(6)：375-382，2000.
6) 小山珠美 編：口から食べる幸せをサポートする包括的スキル KTバランスチャートの活用と支援，第2版，医学書院．2017.

【参考文献】
1. 藤島一郎：脳卒中の接触・嚥下障害．医歯薬出版，1993.
2. 日本嚥下障害臨床研究会，ほか：嚥下障害の臨床：リハビリテーションの考え方と実際，医歯薬出版．2008.

チェックテスト

Q

①摂食・嚥下にかかわる各器官と役割について説明せよ(☞p.172)。 基礎
②摂食・嚥下にかかわる主な脳神経を挙げよ(☞p.173)。 基礎
③摂食・嚥下の各stageを挙げ，それぞれの障害像について説明せよ(☞p.173，174)。 基礎
④嚥下内視鏡検査(VE)で評価できる内容を挙げよ(☞p.176)。 基礎
⑤摂食・嚥下のスクリーニング検査で用いるMWSTの判定基準は何か(☞p.177)。 臨床
⑥摂食・嚥下のスクリーニング検査で用いるRSSTの判定基準は何か(☞p.177)。 臨床

17 高次脳機能障害

石井文康

Outline

- 作業療法での高次脳機能障害の評価の目的は，脳損傷によって生じる空間性機能，言語機能，記憶機能などの認知機能の障害を明らかにすることである。
- 左右大脳半球，前頭葉，側頭葉などの脳の機能局在に合わせた検査項目の選択について考慮し，適切な評価を行う。

1 高次脳機能障害とは

高次脳機能障害は，半側空間無視，Broca(ブローカ)失語[*1]，観念運動失行，連合型視覚失認など，多彩な症状名があるため難しい印象となることの多いのが現状である。高次脳機能障害を身近に考えるためには，生活のなかでの高次脳機能を理解することが大切である。

私たちは日常でさまざまな刺激を受けている。例えば，テーブルの上にバナナが置いてあるとする。テーブルに置いてある物を視覚的にとらえたときには，ある方向への「空間への注意」が生じ，それをバナナであると「対象の認知」を行い，バナナを食べたいと人に伝える「言語」を使い，皮をむくという「行為」が生じる。さらには，いつ買ったという「記憶」を呼び起こすこともある。そして，食べてよいか判断を下す「遂行機能」が働く。これらのさまざまな機能が生活のなかで動員されているが，**空間，言語，行為，対象認知，記憶，遂行機能**などを総称して**高次脳機能**とよんでいる。

脳卒中，認知症などにより脳に病変をきたすと，**半側空間無視，失語，失行，失認**などの**高次脳機能障害**の症状が生じるので，高次脳機能障害は高次脳機能と関連して理解する（**表1**）。

＊1 ブローカ失語
大脳のブローカ野の損傷で生じる失語症。発語の障害が目立つ。

表1 高次脳機能と高次脳機能障害

高次脳機能	高次脳機能障害
空間への注意	半側空間無視
言語	失語（非流暢性失語，流暢性失語など）
行為	失行（観念運動失行，観念失行など）
対象の認知	失認（統覚型・連合型視覚失認など）
記憶	健忘
遂行機能	遂行機能障害

2 高次脳機能障害の評価と目的

高次脳機能（障害）の評価は，健常者向けに知能や記憶などの高次脳機能の状態を把握する目的に開発された検査と，認知症，失語，半側空間無視などのある特定の高次脳機能障害を検出する目的に作られた検査に概ね分けられる。前者の健常者向けの高次脳機能評価は，結果が正規分布となるように配慮されているものが多い。例えばWechsler（ウェクスラー）成人知能検査（Wechsler adult intelligence scale-fourth edition：WAIS-Ⅳ）は，知能指数（intelligence quotient：IQ）の中央値が100，標準偏差（standard deviation：SD）が15の分布になるように設定されている。いわゆる満点となることは少ない。一方，後者のある特定の高次脳機能障害を検出する目的につくられた検査は，健常者であればほぼ全問正答できる傾向となり，障害の疑いを示す**カットオフ値**などが設定されている（**表2**）。

表2　作業療法での有用な高次脳機能（障害）評価と目的

	評価の目的，評価の種類		検査時間
高次脳機能評価（健常者向けに開発された検査）	知能評価	①ウェクスラー成人知能検査（WAIS-Ⅳ）	60～90分
		②Kohs（コース）立方体組み合わせテスト	約30分
		③Raven（レーヴン）色彩マトリクス検査（Raven's coloured progressive matrices：RCPM）	10～15分
	記憶評価	①Wechsler（ウェクスラー）記憶検査改訂版（Wechsler memory scale-revised：WMS-R）	45～60分
		②Rivermead（リバーミード）行動記憶検査（Rivermead behavioral memory test：RBMT）	約30分
		③三宅式記銘力検査	約5分
		④Rey（レイ） auditory verbal learning test：RAVLT	約20分
		⑤Benton（ベントン）視覚記銘検査	約5分
		⑥Rey-Osterrieth（レイ－オステライト）複雑図形検査	約10分
高次脳機能障害評価（障害向けに開発された検査）	認知症評価	①mini-mental state examination：MMSE	5～10分
		②改訂長谷川式簡易知能評価スケール（Hasegawa dementia scale-revised：HDS-R）	5～10分
	主に左大脳半球損傷時に使用	失語症評価 ①標準失語症検査（standard language test of aphasia：SLTA）	約90分
		失行症評価 ②標準高次動作性検査（standard performance test for apraxia：SPTA）	約90分
	主に右大脳半球損傷時に使用	半側空間無視評価 ①behavioural inattention test（BIT）行動性無視検査日本版	約45分
		半側空間無視の日常生活生活（ADL）評価 ②Catherine（キャサリン） Bergego（バージゴ） scale（CBS）	約15分
		失認症評価 ③標準高次視知覚検査（visual perception test for agnosia：VPTA）	約90分

（次ページに続く）

(前ページより続く)

		評価の目的，評価の種類	検査時間
高次脳機能障害評価(障害向けに開発された検査)	主に前頭葉損傷時，または外傷性脳損傷時に使用	①前頭葉簡易機能評価(frontal assessment battery：FAB)	約10分
		②遂行機能障害症候群の行動評価(behavioral assessment of the dysexecutive syndrome：BADS)	約60分
		③Wisconsin card sorting test(WCST)	約30分
	主に全般性注意障害時，または外傷性脳損傷時に使用	①trail making test日本版(TMT-J)	約10分
		②標準注意検査法(clinical assessment for attention test：CAT)	約60分
		③仮名ひろいテスト	約10分
		④注意障害行動観察評価(behavioral assessment of attentional disturbance：BAAD)	約10分

試験対策 Point

表2の赤字は国家試験問題に出題された検査名であるので，検査目的と関連して理解する。

■評価を行ううえでのポイント

高次脳機能障害には，失語，失行，失認などの多種多様の種類があり，すべての検査を行うことは困難なので，事前の情報収集により評価項目を絞ることが必要となる。

例えば，脳血管障害の評価の場合，左片麻痺で右大脳半球損傷時に生じやすい**半側空間無視**，**病態失認**，**運動維持困難**などの評価を選択する。一方，右片麻痺で左大脳半球損傷時に生じやすい**失語**，**失行の評価**を選択する。

また，側頭葉内側損傷時は**認知症**が疑われ，記憶の評価を選択する。

個々の事例によって評価項目を選定していくことがポイントとなる。左右大脳半球損傷時，側頭葉内側損傷時，前頭葉損傷時の高次脳機能(障害)評価を行う際には，**きき手のチェック**が必要となる。western aphasia battery(WAB)失語症検査の「書字」，「投げる」，「切る」，「絵を描く」，「箸」，「歯ブラシ」などを用いて，右手，左手，両手のチェックを行う。加えて，きき手の矯正歴の有無について情報収集し，脳の側性化を考慮して高次脳機能障害評価を実施する。

3 知能評価

● ウェクスラー成人知能検査(WAIS-Ⅳ)

知能面での代表的な検査であり，**IQ指数**の算出を目的としている。15の下位検査(基本検査：10，補助検査：5)で構成されており，10の基本検査を実施することで全検査IQ(full scale intelligence quotient：FSIQ)，言語理解指標(verbal comprehension index：VCI)，知覚推理指標(perceptual reasoning index：PRI)，ワーキングメモリー指標(working memory index：WMI)，処理速度指標(processing speed index：PSI)の5つの合成得点の算出が可能である(**表3**)[1)]。

表3 WAIS-Ⅳ(16〜90歳11カ月)

指標得点	言語理解	知覚推理	ワーキングメモリー	処理速度
下位検査	類似	積木模様	数唱	符号
	単語	パズル	算数	記号探し
	知識	行列推理		
補助検査	理解	絵の完成	語音整列	絵の抹消
		バランス		

(文献1を基に作成)

Web動画

図1 コース立体組み合わせテスト

● コース立方体組み合わせテスト

コース立方体組み合わせテストは**非言語性**での知能(IQ)の検出を目的とした検査である。高齢者や聴覚や発語に障害のある対象者などに適用される。テスト方法は赤，白，青，黄の4色に塗り分けられた立方体のブロックを用いて並べるというシンプルな作業である。負担も少なく，作業療法の臨床でよく利用されており，実習で行う機会も多い(**図1**)[2]。

図2 RCPM

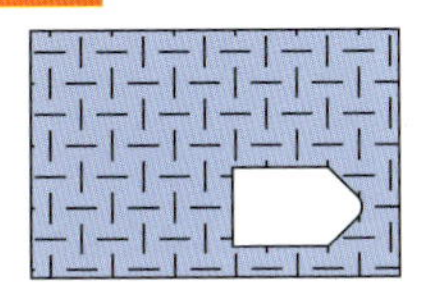

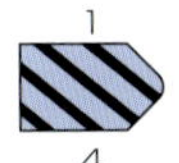

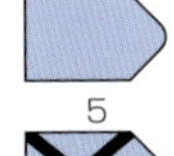

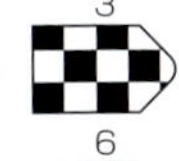

(文献3を基に作成)

● レーヴン色彩マトリックス検査(RCPM)

RCPMは，対象者が言語を表出することなく実施できる利点があり，**推理能力**(知的能力IQ)の検出を目的とした検査である。国際的に広く利用されており，標準図案の欠如部に合致するものを6つの選択図案のなかから選択する全36問の検査である。簡便なため，スクリーニングテストとして最適である(**図2**)[3]。

4 記憶評価

● ウェクスラー記憶検査改訂版(WMS-R)

WMS-R*2は，国際的によく使用されている総合的な**記憶力**の判定を目的とした検査である。記憶の多様な側面を測定することができるので，認知症をはじめとする種々の疾患の記憶障害を評価するのに有効である。言語を使った問題と図形を使った問題で構成され，13の下位検査がある。「注意・集中力」と「一般的記憶」の2つの主要な指標，および「一般的記憶」を細分化した「視覚性記憶」と「言語性記憶」の指標が得られ，「遅延再生」指標も可能である(**表4**)[4]。

表4 WMS-R

記憶指標	下位検査項目
	情報と見当識
注意・集中	精神統制
	数唱
視覚性記憶	視覚性記憶範囲
	図形の記憶
	視覚性対連合Ⅰ
	視覚性再生Ⅰ
言語性記憶	論理的記憶Ⅰ
	言語性対連合Ⅰ
遅延再生	論理的記憶Ⅱ
	視覚性対連合Ⅱ
	言語性対連合Ⅱ
	視覚性再生Ⅱ

(文献4を基に作成)

＊2 WMS-R
認知症の進行が重度になった場合は，意欲，注意，人格なども著しく侵されるのでWMS-Rの実施が困難となるので注意を要する。また，WMS-Rは言語性記憶指標と視覚性記憶指標に分類されているので，脳血管障害などの大脳局在の観点で記憶障害をとらえることも可能である。

● リバーミード行動記憶検査（RBMT）

RBMTは，**日常生活**に類似した状況の記憶力を測定することを目的とした検査である。素点，標準プロフィール点（standard profile score：SPS），スクリーニング点（screening score：SS）を算出する。年齢別のカットオフ値あり，言語課題，視覚空間課題，近時記憶，即時記憶などを評価することができる[5]。

● 三宅式記銘力検査

三宅式記銘力検査は，**聴覚性言語性の短期記憶**の検査を目的としている。簡便に行えるために広く使用されており，意味的関連のある名詞（有関係対語）10対と意味的関連のない名詞（無関係対語）10対から構成されている。10対の語を読み上げ記銘させた後，対語の一方を提示しもう一方の語の想起を行う。有関係対語では，健常者は2〜3回の施行で全問正当可能となり，健忘の対象者は複数回提示しても成績の向上がみられない（**表5**）[6]。

表5　三宅式記銘力検査

有関係対語試験
たばこ－マッチ
空－星
命令－服従
汽車－電車
葬式－墓
相撲－行司
家－庭
心配－苦労
寿司－弁当
夕刊－号外
無関係対語試験
少年－畳
蕾－虎
入浴－財産
兎－障子
水泳－銀行
地球－問題
嵐－病院
特別－衝突
ガラス－神社
停車場－真綿

（文献6を基に作成）

アクティブラーニング ① 実際に三宅式記銘力検査を体験してみよう。

● RAVLT

RAVLTは，**聴覚性言語性の記憶**の検査を目的としている。15単語を繰り返して記憶する過程でエピソード記憶に反映している面もあり，即時記憶容量を繰り返し測定して，学習曲線を示す。さらに遅延再生と遅延再認を測定することで，記名，貯蔵，検索などの記憶機能を解析することができる[7]。

● ベントン視覚記銘検査

ベントン視覚記銘検査は，**視覚性記憶**，**視覚構成能力**などを判定することを目的としている。1つの図版形式は10枚の図版からなり，同質の図版形式が3種類あるので練習効果と習熟の可能性を避けて再検査ができる。施行A（10秒提示即時再生），施行B（5秒提示即時再生），施行C（模写），施行D（10秒提示15秒後再生）の4つの施行方式がある。簡便な検査として国際的に広く用いられている（**図3**）。

● レイ・オステライト複雑図形検査

レイ・オステライト複雑図形検査は，**視覚性記憶**，**視覚性認知**，**視覚構成能力**などを評価することを目的としている。レイの図を18個のパーツに分け，各パーツの形態や相対的位置関係の正確さについて，模写，直後再生，遅延再生の3課題の評価をする（**図4**）[9]。

図3 ベントン視覚記銘検査

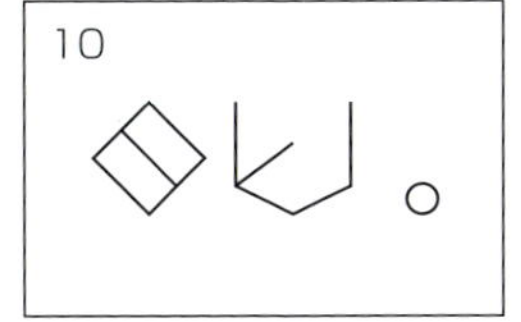

(文献8より引用)

図4 レイ・オステライト複雑図形検査

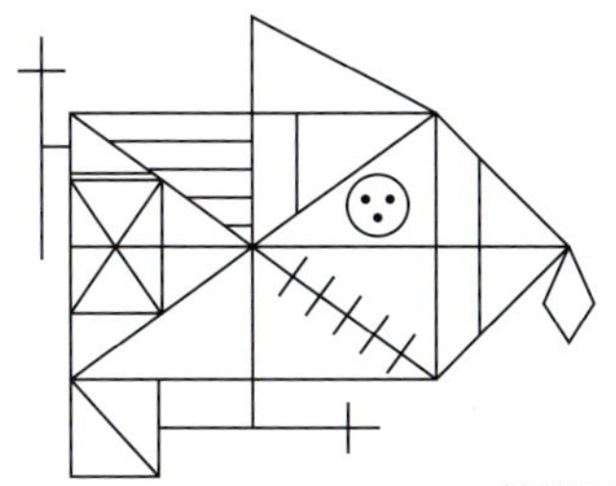

(文献9より引用)

アクティブラーニング 2 実際にレイ・オステライト複雑図形検査を行い，どれだけ描けるか試してみよう。

5 認知症評価

補足

MMSE，HDS-Rは記憶力の検査を主に行う。HDS-RはMMSEよりも記憶力の比重が大きく，MMSEは口頭指示理解，文章理解，書字能力，図形模写の構成能力の検査を含む。検査を受けるのは，認知症の疑いがある対象者である。検査に協力してもらえるような言葉がけや態度を心がけて行う。

● MMSE

MMSEは，**認知症の判定**を目的とした検査である。言語的能力や図形的能力（空間認知）などの簡易的検査が可能である。満点を30点としたカットオフ値が設定されており，国際的に最も広く使用されている認知症のスクリーニング検査である（**表6**）[10)]。

● 改訂長谷川式簡易知能評価スケール（HDS-R）

HDS-Rは，MMSEと同じく**認知症の判定**を目的とした検査である。見当識，言語性即時再生，計算，逆唱などの9つの評価項目を30点満点で構成している。カットオフ値が設定され，臨床現場で広く使用されている認知症のスクリーニング検査である（**表6**）[11)]。

表6 MMSEとHDS-R

	質問内容		MMSE	HDS-R
1	お歳はおいくつですか？（2歳までの誤差は正解）	歳		0　1
2	今年は何年ですか？（1年までの誤差は正解）	年	0　1	0　1
	今の季節は何ですか？		0　1	
	今日は何月ですか？（1カ月までの誤差は正解）	月	0　1	0 1
	今日は何日ですか？（1日までの誤差は正解）	日	0　1	0 1
	今日は何曜日ですか？	曜日	0　1	0 1
3	ここは何県ですか？	県	0　1	
	ここは何市ですか？	市	0　1	
	ここは何地方ですか？（正解：東海地方，尾張地方，中部地方）	地方	0　1	
	私たちが今いる所はどこですか？（自発的に出れば2点，5秒おいて「家ですか？ 病院ですか？ 施設ですか？」のなかから正しい選択をすれば1点）			0　1　2
	ここは何病院（施設）ですか？	病院	0　1	
	ここは何階ですか？	階	0　1	

（次ページに続く）

（前ページより続く）

	質問内容	MMSE	HDS-R
4	これから言う3つの言葉を言ってください。〔検者は物の名前を1秒間に1個ずつ言う。その後，対象者に繰り返させる。正答1個につき1点を与える。3個すべて言うまで繰り返す(6回まで)〕 a)桜 b)猫 c)電車 何回繰り返したかを記す ＿＿ 回 後でまた聞きますのでよく覚えておいてください。	a) 0 1 b) 0 1 c) 0 1	a) 0 1 b) 0 1 c) 0 1
5	100から7を順番に引いてください(100－7はいくつですか？ それからまた7を引くといくつですか？ と質問する。3回目以降は促しをしない。最初の答えが不正解の場合，打ち切る。HDS-Rは2回。MMSEは5回，あるいは「フジノヤマ」を逆唱させる)。 （ 93 86 79 72 65 ）（ ＿ ＿ ＿ ＿ ＿ ） 「フジノヤマ」の逆唱：「＿・＿・＿・＿・＿」 (㋮㋳㋨㋛㋫：5点，ヤマ㋨フジ：1点，㋮㋳ジフ：2点)	93) 0 1 86) 0 1 79) 0 1 72) 0 1 65) 0 1	93) 0 1 86) 0 1
6	これから言う数字を逆から言ってください(6-8-2，3-5-2-9を逆から言ってもらう。3桁逆唱に失敗したら打ち切る)。		0 1 0 1
7	先ほど覚えてもらった言葉をもう一度言ってください。 (HDS-R：自発的に出れば2点，ヒントによる正答は1点。ヒントは続けて出さずに，反応を見ながら1つずつ提示する) a)植物 b)動物 c)乗り物	0 1 0 1 0 1	0 1 2 0 1 2 0 1 2
9	これは何ですか？(鉛筆，硬貨。わからない場合は，物品の正しい呼称を教える)	0 1 2	
8	これから5つの品物を見せます。あとからこれらを隠しますので，まず覚えてください。そして，順番は問いませんので何があったか言ってください。 (鉛筆，時計，鍵，硬貨，ピン) （ ， ， ， ， ）		0 1 2 3 4 5
10	知っている野菜の名前をできるだけ多く言ってください(途中で詰まり，10秒待っても答えが出ない場合には，そこで，打ち切る)。 0～5＝0点 6＝1点 7＝2点 8＝3点 9＝4点 10＝5点		0 1 2 3 4 5
11	私が言い終わって「はい，どうぞ」と言った後に，これから言う文章を繰り返して言ってください(1回のみで評価する)。 「みんなで，力を合わせて綱を引きます」	0 1	
12	(三段階の命令)「私が「はい，どうぞ」と言った後に，これから言う指示に従って行ってください」 「右手または左手にこの紙を持ってください」 「それを半分に折ってください」 「それを膝の上に置いてください」	0 1 0 1 0 1	
13	次の文章を読んでその指示に従ってください。「目を閉じなさい」	0 1	
14	何か文章を書いてください。例えば，今日の天気や出来事など「～は～だ」というように簡単でいいので書いてください。	0 1	(文献8より引用)
15	次の図形を描いてください(角が10個，2つの五角形が交差していることが得点の条件)。	0 1	
	計	/30	/30

アクティブラーニング ③ 実際にMMSEとHDS-Rの検査を体験してみよう。

6 左大脳半球損傷時に生じやすい高次脳機能障害の評価

■失語

失語とは，獲得された言語の機能が大脳損傷により消失ないし低下したものを指す。評価は，**失語症状**，**失語症検査**(**話す・聞く・読む・書く**)について行う。

● 失語症状

非流暢性発話と**流暢性発話**(**表7**)について発話量はどうか，発話の努力性はどうか，文の長さはどうか，プロソデイ障害(アクセント，リズム，抑揚など)，文法障害について評価する。

また，アナルトリ，反応の遅延，錯語，ジャルゴン，保続，常同言語，復唱の障害，反響言語，失文法，錯文法，統語障害，喚語障害，迂回反応，失書，失算などの有無について評価する。

表7 非流暢性発話と流暢性発話

	発語量	発語の努力	文の長さ	プロソディ障害	文法障害
非流暢性発話	少ない	あり	短い	あり	あり
流暢性発話	多い	なし	長い	なし	なし

言語機能

会話場面で話す，聞く，読む，書くに分けて評価を行う(**表8，9**)。

表8 非流暢性発話(ブローカ失語)の臨床像

	言語状況	会話のなかでの様子
話す	・音の歪み，置換(アナルトリ)が生じ，スラスラと話せない ・リズム，抑揚などの障害(プロソディ障害) ・助詞が抜ける"失文法"	(ご住所は)→「とーさかふ…，かいじゅかし…，え〜と」 (大阪府貝塚市ですね)→「うん」 (お名前は)→「…さ・か・に・ば〜ら，た・た…，えっと」 (明日の予定は)→「明日，病院(の)診察(が)ある」
聞く	・簡単な日常会話での聴理解は可能 ・複雑な文の理解は困難	(榊原次郎さんですね)→「はい」 (鍵をはさみと鉛筆の間に置いてください)→「？」
読む	・漢字の理解は可能 ・仮名の理解は困難	文字カード(大根とたまねぎを買ってきて下さい)→「？」
書く	・漢字より仮名の書字が困難	(さくら)→「あくら」，(いぬ)→「いむ」と書く

表9 流暢性発話(ウェルニッケ失語)の臨床像

	言語状況	会話のなかでの様子
話す	・発語は流暢で多弁になることがある ・喚語困難により内容のない発話になりがちで迂回反応や代名詞(あれ，それ)の使用が目立つ ・呼称障害により錯語が出現し，重症の場合，ジャルゴンとなる ・復唱も困難である ・言い誤っても気がつかない	(時計を見せて)→ 「これは，ちょ…いやえせの…，なんで…いつもみてる…，それ…，わかんないなあ」
聞く	・聴理解の障害が著しく単語の意味もわからない	(おいくつですか？)→「榊原次郎です」
読む	・錯読 ・読み誤りには気がつかない	文字カード(娘)　→「むすこ」 (たばこ)→「けむり」
書く	・錯書	(さくら)→「きく」と書く

図5 「はい」「いいえ」で答えられる質問で確認する

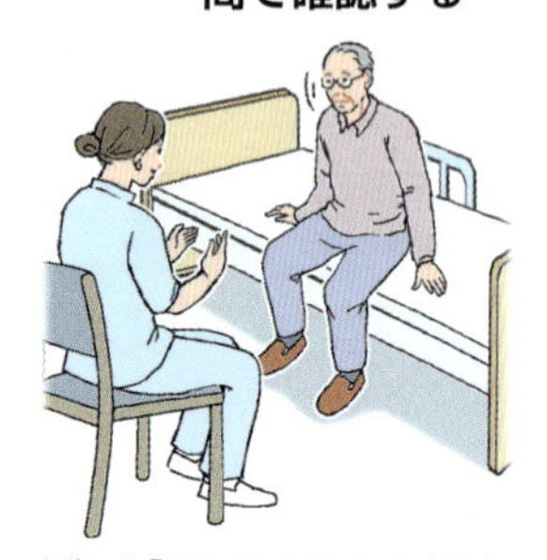

例) ○「朝ごはんは食べましたか」
×「朝ごはんは食べていませんか」
○「リハビリは疲れましたか」
×「リハビリは疲れていませんか」

表出性言語障害(ブローカ失語)のかかわり方

聴覚的理解と視覚的理解は比較的保たれ，ゆっくりと話しかけ，せかさずに待つ姿勢で聞く。情報量が多くなると正確な理解が困難になるため，短文や単語で話しかける。「はい」「いいえ」で答えられる質問で確認する(図5)。そして，**肯定疑問文**で質問を行う。

● 標準失語症検査(SLTA)

SLTAは聞く，話す，読む，書く，計算について検査を行い，そのプロフィールからBroca(ブローカ)失語，Wernicke(ウェルニッケ)失語，全失語などの失語症の傾向を推定することを目的としている。26項目の下位検査で構成され，わが国では多くの病院，施設で使用されている。

補足

SLTAは通常では言語聴覚士が行っているので，検査結果を情報収集することが望ましい。

■失行

失行は，道具を使っているときや身振り，手振りを行っているときに障害が生じる。運動麻痺や感覚麻痺で起こる機能障害によるものではなく，歯を磨く，櫛でとかす，バイバイをするなどのいわゆる能力障害で，意図した動作が成し遂げられない。

● 失行の評価

主に古典的分類の**観念失行**，**観念運動失行**，**肢節運動失行**について評価を行う(表10)。

● 標準高次動作性検査(SPTA)

SPTAは，高次動作性障害の臨床像が検査成績から客観的に把握できる。主に失行症の古典的分類である観念運動失行，観念失行，肢節運動失行を評価するために有用である(表11)。

試験対策 Point

観念運動失行と観念失行の違いをおさえよう。観念運動失行は身振り(パントマイム)の障害，観念失行は実際に道具を使用することの障害(お茶を入れるなどの系列動作の障害)である。

表10 失行の評価

	観念失行	観念運動失行	肢節運動失行
臨床像	道具を使用した一連の動作が障害される。例えば，歯磨き粉を歯ブラシの柄の部分に付け，歯を磨くことができない	身振り（おいでおいでをする，敬礼をする）の障害 道具を使用するふりに必要な能力の障害	コインなどがうまくつかめないなどの手指の動きが拙劣になる状態
関連領域	左頭頂後頭葉（角回を中心とする領域）	左頭頂葉（縁上回，上頭頂小葉を中心とする領域）	左中心領域（中心前回と中心後回を含めた領域）
評価	・歯磨き動作 ①歯磨き粉を歯ブラシにつける ②歯ブラシを持って磨く ・お茶を入れる動作 ①急須に茶を入れる ②湯をそそぐ ③湯呑に茶を入れる 道具操作の可否，動作の順序などを評価する	・身振り ①おいでおいでをする ②敬礼をする （口頭命令と模倣を行う） ・道具の使用のふり ①歯ブラシで磨くふりをする ②櫛で髪をとかすふりをする ③のこぎりで板を切るふりをする （口頭命令と模倣を行う）	・手指動作 ①コインをつかむ動作 ②ペグをつまむ動作 動作の拙劣さなどを評価する

表11 SPTA

上肢（片手）慣習的動作
指示：①，②について2回まで，すべての事例に①，②を行う
動作時間：2回目の指示まで5秒，最大反応観察時間10秒

問題	使用手	①口頭命令				②模倣				③自然的状況下
		反応	A・P	反応分類	得点	反応	A・P	反応分類	得点	得点
1. 軍隊の敬礼をしてください	右		A P	N CL CA PS PP ID AM NR O	2 1 0		A P	N CL CA PS PP ID AM NR O	2 1 0	2 1 0
2. おいでおいでをしてください	右		A P	N CL CA PS PP ID AM NR O	2 1 0		A P	N CL CA PS PP ID AM NR O	2 1 0	2 1 0
3. じゃんけんのチョキ（はさみ）をだしてください	右		A P	N CL CA PS PP ID AM NR O	2 1 0		A P	N CL CA PS PP ID AM NR O	2 1 0	2 1 0

（文献10より引用）

7 右大脳半球損傷時に生じやすい高次脳機能障害の評価

■ 半側空間無視

「さまざまな刺激に対する反応や行動に際し，大脳病巣の反対側に与えられた刺激に気づかず，反応しない」[12]といった症状を示す。一般的には，右大脳半球損傷時の左半側空間無視となるが，左大脳半球損傷時の右半側

空間無視もあり急性期で症状が消失することが多い。生活動作のなかでみられる左半側空間無視の行動障害の例を**図6**に示す。

図6 左半側空間無視の行動障害

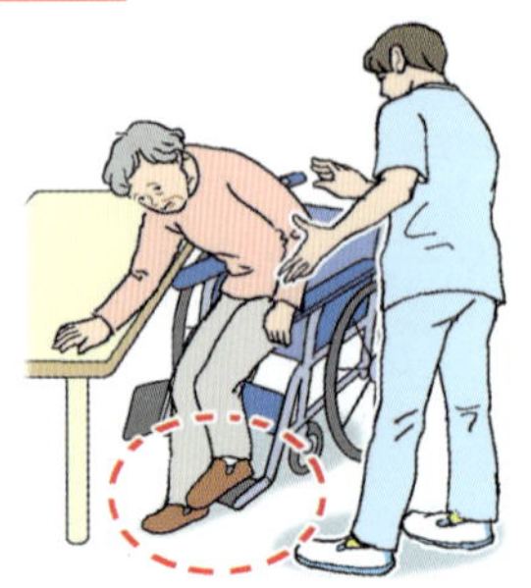

移乗時に左足をフットレストから降ろし忘れ，転倒しやすい

食事の際に，自分の左側に置かれた皿に手をつけない。右隣の人の品数が，自分より多いと訴える

作業療法参加型臨床実習に向けて

半側空間無視の観察のポイントは**図6**以外にも，整髪のときに左側を忘れる，衣服の左側のそでを通すことが困難，左側にいる人に注意することが困難であるなどが挙げられる。特に左側にいる人や物（ドアや家具）にぶつかることがあるので，注意を要する。

● 半側空間無視の評価

半側空間無視の評価は，**観察**，**机上の検査**，**生活場面**の検査の方法がある。

観察（表12）

表12 観察のポイント

姿勢，目線などの観察	顔，目線が左側を向いている
声かけを行い反応の観察	左側へ目線，身体を向けることができるかどうか

机上の検査

線分抹消試験，線分二等分試験，模写課題（**図7**），自発描画，文章の音読などがある。標準化されたバッテリーとして，BIT行動性無視検査日本版[13]がよく用いられる。

図7 模写課題

臨床場面では全体の半側空間無視と一側性の空間無視がみられる。個々の事例の特性を理解する

全体の半側を無視するケース

ある部分の一側を無視するケース

「右の花びらの半分，左の花びらの半分」を無視している

Case Study

Question 1

図7の模写の結果からどんなことが考えられるだろうか。

☞ 解答 p.290

補足

半側空間無視と注意

注意は，①方向性注意と②汎性(全般性)注意に分類される[12]。

①方向性注意：空間的な位置に向かう，方向をもった注意。その障害は半側空間無視となる。

②汎性(全般性)注意：外界からの多様な刺激に惑わされることなく，特定の刺激に選択的に集中する能力(表13)。評価には標準注意検査法(CAT)を用いる。

表13 汎性(全般性)注意の分類

分類	概略
持続的注意	複数の刺激のなかから特定の刺激に反応する能力
選択性注意	一定の時間，ある刺激に反応を続ける能力
転導性注意	ある刺激から別の刺激に注意を変換する能力
分配性注意	2つ以上の刺激に同時に注意を分配する能力

生活場面の検査

移乗時に車椅子のフットレストから麻痺側の足を降ろし忘れる，摂食時に麻痺側の皿に気づかないなどの半側空間無視が影響する生活場面を定量的に評価するCBSの日本語版[14]がある。

BIT行動性無視検査日本版

BIT行動性無視検査日本版は，半側空間無視の症状を検出することを目的とした検査である。検査内容は，線分抹消試験，模写試験，線分二等分試験などの「通常検査」と日常生活場面を模した「行動検査」の2つから構成されている。カットオフ値が設定されて半側空間無視の判定に広く使用されている(図8)[13]。

図8 BIT行動性無視検査日本版

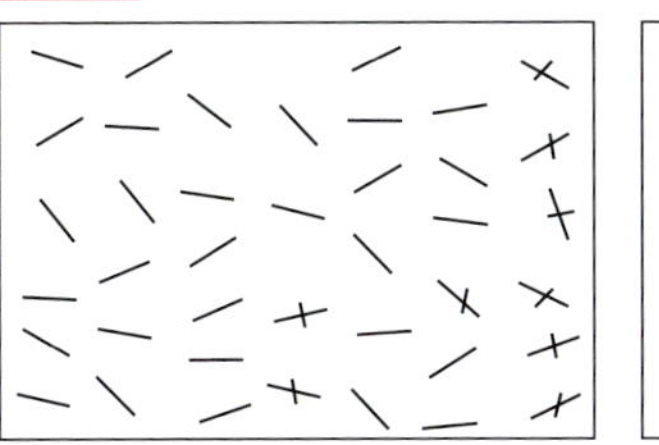

a 線分抹消試験

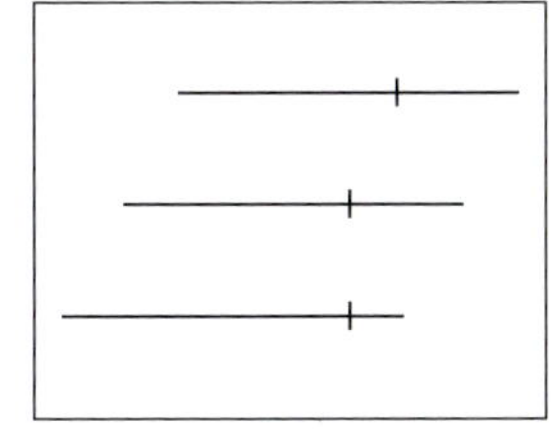

b 線分二等分試験

BIT行動性無視検査日本版の利点は，点数化の評価ができ，カットオフ値の設定により，正常・異常の判定が可能であることが挙げられる(aの中央の4本は検査説明時に使用)

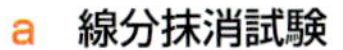

アクティブラーニング ④ 実際にBIT行動性無視検査日本版を体験してみよう。

CBS

CBSは半側空間無視の対象者のADL上での問題点を明らかにすることを目的とした評価である。観察評価と自己評価からなり，「皿の左側の食べ物を食べ忘れる」，「左半身を忘れる（例：左足をフットレストにおき忘れるなど）」の日常生活の場面を評価する（**表14**）[14]。

表14 CBS

	評価
1. 整髪または髭剃りのとき左側を忘れる	
2. 左側のそでを通したり，上履きの左を履くときに困難さを感じる	
3. 皿の左側の食べ物を食べ忘れる	
4. 食事の後，口の左側を拭くのを忘れる	
5. 左を向くのに困難さを感じる	
6. 左半身を忘れる（例：左足を車椅子のフットレストに置くのを忘れる）	
7. 左側からの音や左側にいる人に注意することが困難である	
8. 左側にいる人や物（ドアや家具）にぶつかる（歩行時や車椅子駆動時）	
9. よく行く場所やリハビリテーション室で左に曲がるのが困難である	
10. 部屋や風呂場で左側にある所有物を見つけるのが困難である	

各項目を0〜3点で評価（重症度　軽度：0〜10　中等度：11〜20　重度21〜30）
0－無視なし
1－軽度の無視（常に右の空間から先に探索し，左の空間に移るのはゆっくりで，躊躇（ちゅうちょ）しながらである。ときどき左側を見落とす）
2－中等度の無視（はっきりとした，恒常的な左側の見落としや左側への衝突が認められる）
3－重度の無視（左側空間をまったく探索できない）

（文献14を基に作成）

● 標準高次視知覚検査（VPTA）

VPTA＊3は，**視知覚機能**を包括的にとらえることを目的とした検査である。視知覚の基本機能，物体・画像認知，相貌認知，色彩認知，シンボル認知，視空間の認知と操作，地誌的見当識の7項目から構成されている（**図9**）[15]。

＊3 VPTA
視覚失認，相貌失認などの疑いのある場合に使用する。

図9 VPTA

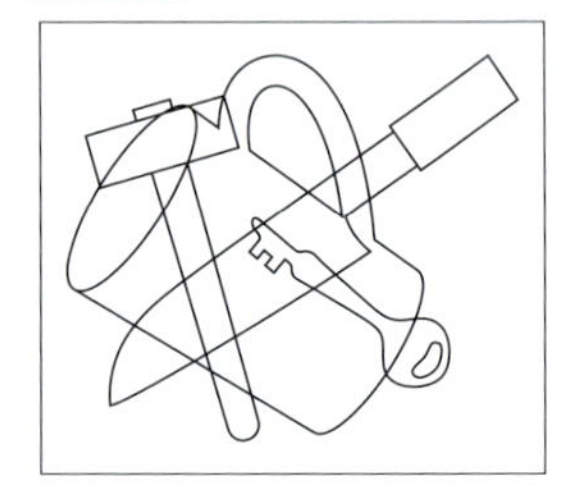

■病態失認

病態失認は対象者が自己の障害を認めないという状態である。臨床上，病態失認を有している事例は麻痺の自覚が低下しているためにリハビリテーションを進めることが困難になる場合がある。

評価は病態失認を片麻痺無関心，片麻痺無認知，片麻痺否認に分類[16]した3項目のいずれに属するかで判定する方法がある（**表15**）。

表15 片麻痺に対する病態失認

片麻痺無関心	手や足が麻痺していることを本人に告げれば，それを認める。しかし，日常生活の態度からは，片麻痺の存在に無関心で，不自由さに悩む様子がみられない状態である
片麻痺無認知	麻痺の存在を認知できない（気づいていない）状態。日常生活では，麻痺が存在しないかのように振る舞う
片麻痺否認	麻痺の存在を否認する。対象者自身の手をとり，手が動かない事実を実際に示しても，それを否認する

＊4　挺舌
舌を突き出すこと。

● **運動維持困難（MI）**

運動維持困難（motor impersistence：MI）は**閉眼**，**挺舌**（ていぜつ）＊4，**開口**などの定常的動作を，指示に従って1つずつ，または2つ以上同時に維持できない症状である。評価法を**図10**に示す。

図10　MIの評価法

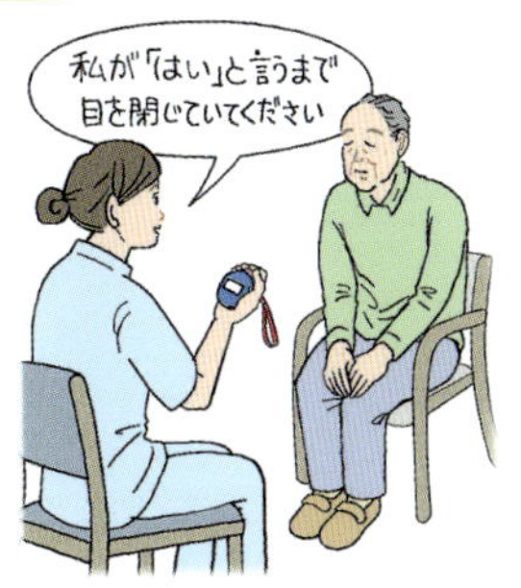

①閉眼
「(私が「はい」と言うまで)目を閉じていてください」と伝える。20秒以上維持を2回実施，少なくとも1回の試行で15秒以内に開眼した場合を異常とする

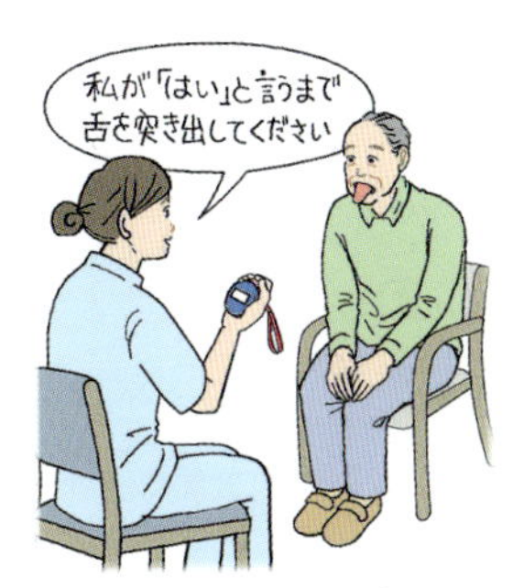

②挺舌（開眼で）
「(私が「はい」と言うまで)舌を突き出していてください」と伝える。20秒以上維持を2回実施。完全に遂行できなければ異常とする

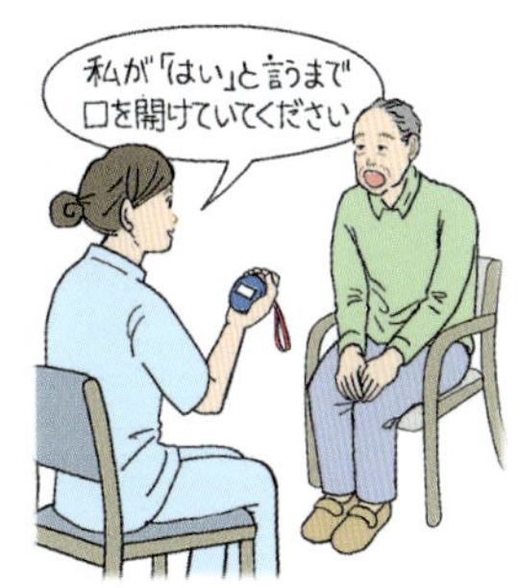

③開口（開眼で）
「(私が「はい」と言うまで)口を開けていてください」と伝える。
開眼で2回，目隠しをして2回，それぞれ20秒以上開口を維持する。完全に遂行できなければ異常とする

8　前頭葉損傷時に生じやすい高次脳機能障害の評価

■遂行機能障害

前頭葉病変時に生じやすい高次脳機能障害として，遂行機能障害（executive disfunction）がある。遂行機能（executive function）とは，Lezak（レザック） Dによると，**目標の設定**，**作業療法プログラムの立案**（**プランニング**），**作業療法プログラムの実施**，**効果的な行動**，の4つの要素で構成されている[17]。その機能が障害されると，自ら目標を定めて必要な方略を適宜用いること，同時進行で起こるさまざまな出来事を処理すること，自己と周囲の関係に配慮して柔軟に対応すること，長期的な展望で持続的に行動することなどが難しくなる。しかし，前頭葉損傷時にこれらのすべてが困難というわけでない。また，前頭葉損傷時以外にも生じる場合もあるので，注意したい。前頭葉損傷時の評価としてはFAB，BADS，WCSTなどが挙げられる。

● **前頭葉簡易機能評価（FAB）**

FABは，**前頭前野機能**を総合的に評価することを目的とした検査である。簡易的に行える利点があり，概念化課題，知的柔軟性課題，行動プログラム（運動系列）課題，行動プログラム課題（葛藤指示），行動プログラム（Go/No-Go課題），把握行動の6つの下位項目で構成されている。所要時間は約10分と短く実施できる（**表16**）[18]。

補足
簡易な前頭葉機能検査で行いやすい。カットオフ値は，10点以下である。

表16 FAB

<table>
<tr><th></th><th>方法・手順</th><th>得点</th><th colspan="2">採点基準</th></tr>
<tr><td rowspan="4">類似性</td><td rowspan="4">◇概念化
「①～③のものは，どのような点が似ていますか？」
①バナナとオレンジ　（果物）
②机と椅子　（家具）
③チューリップとバラとヒナギク　（花）

①のみヒント可：完全な間違いの場合や「皮がある」など部分的な間違いの場合は「バナナとオレンジはどちらも…」とヒントを出す。②③はヒントなし</td><td>3</td><td>3つとも正答</td><td rowspan="4">《回答》
①
②
③</td></tr>
<tr><td>2</td><td>2つ正答</td></tr>
<tr><td>1</td><td>1つ正答</td></tr>
<tr><td>0</td><td>正答なし</td></tr>
<tr><td rowspan="4">語の流暢性</td><td rowspan="4">◇柔軟性
「“か”で始まる単語をできるだけたくさん言ってください。ただし，人の名前や固有名詞は除きます」
制限時間は60秒。最初の5秒間反応がなかったら「例えば，紙」とヒントを出す。さらに10秒間黙っていたら「“か”で始まる単語なら何でもいいですから」と刺激する。

同じ単語の繰り返しや変形（傘，傘の柄など），人の名前，固有名詞は正答としない。</td><td>3</td><td>10語以上</td><td rowspan="4">《回答》</td></tr>
<tr><td>2</td><td>6～9語</td></tr>
<tr><td>1</td><td>3～5語</td></tr>
<tr><td>0</td><td>2語以下</td></tr>
<tr><td rowspan="4">運動系列</td><td rowspan="4">◇運動プログラミング
「私がすることをよく見ておいてください」
検者は左手でLuria（ルリア）の系列「拳 fist －刀 edge－掌 palm」を3回実施する。「では右手で同じことをしてください。はじめは私と一緒に，次は1人でやってみてください。」と言う。
《メモ》</td><td>3</td><td colspan="2">対象者1人で，正しい系列を6回連続してできる</td></tr>
<tr><td>2</td><td colspan="2">対象者1人で，正しい系列を少なくとも3回連続してできる</td></tr>
<tr><td>1</td><td colspan="2">対象者1人ではできないが，検者と一緒に正しい系列を3回連続してできる</td></tr>
<tr><td>0</td><td colspan="2">検者と一緒でも正しい系列を3回連続ですることができない</td></tr>
<tr><td rowspan="4">葛藤指示</td><td rowspan="4">◇干渉刺激に対する敏感さ
「私が1回叩いたら，2回叩いてください」
対象者が指示を理解したことを確かめてから，次の系列を試行する：1-1-1
次は，「私が2回叩いたら，1回叩いてください」
対象者が指示を理解したことを確かめてから，次の系列を試行する：2-2-2
そして，次の系列を実施する
1-1-2-1-2-2-2-1-1-2</td><td>3</td><td>間違いなく可能</td><td rowspan="3">《メモ》</td></tr>
<tr><td>2</td><td>1，2回の間違いで可能</td></tr>
<tr><td>1</td><td>3回以上の間違い</td></tr>
<tr><td>0</td><td colspan="2">対象者が4回連続して検者と同じように叩く</td></tr>
<tr><td rowspan="4">Go/No-Go</td><td rowspan="4">◇抑制コントロール
「私が1回叩いたら，1回叩いてください」
対象者が指示を理解したことを確かめてから，次の系列を試行する：1-1-1
次は，「私が2回叩いたら，叩かないでください」
対象者が指示を理解したことを確かめてから，次の系列を試行する：2-2-2
そして，次の系列を実施する
1-1-2-1-2-2-2-1-1-2</td><td>3</td><td>間違いなく可能</td><td rowspan="3">《メモ》</td></tr>
<tr><td>2</td><td>1，2回の間違いで可能</td></tr>
<tr><td>1</td><td>3回以上の間違い</td></tr>
<tr><td>0</td><td colspan="2">対象者が4回連続して検者と同じように叩く</td></tr>
<tr><td rowspan="4">把握行動</td><td rowspan="4">◇環境に対する被影響性
「私の手を握らないで下さい」
対象者に両手の手掌面を上に向けて膝の上に置くように指示する。検者は何も言わないか，あるいは対象者の方を見ないで，両手を対象者の近くに持っていって両手の手掌面に触れる。そして，対象者が自発的に検者の手を握るかどうかをみる。もし，対象者が検者の手を握ったら，「今度は，私の手を握らないでください」と言って，もう一度繰り返す。</td><td>3</td><td colspan="2">対象者は検者の手を握らない</td></tr>
<tr><td>2</td><td colspan="2">対象者は戸惑って，何をすればいいのか尋ねてくる</td></tr>
<tr><td>1</td><td colspan="2">対象者は戸惑うことなく，検者の手を握る</td></tr>
<tr><td>0</td><td colspan="2">対象者は握らなくともいいと言われた後でも，検者の手を握る</td></tr>
</table>

（文献19より引用）

● BADS

BADS*5は，**遂行機能症候群**の行動の評価を行う目的とした検査である。日常生活上の遂行機能に関する問題点を検出しようとするために開発され，カードや道具を使った6種類の下位検査と1つの質問紙から構成されている（図11）[19]。

> ＊5 BADS
> BADSは6つの下位検査で構成されており，その検査内容は
> - 規則変換カード検査：概念の変換能力
> - 行為計画検査：計画能力・自己監視能力
> - 鍵探し検査：行動計画能力
> - 時間判断検査：一般常識的判断
> - 動物園地図検査：情報の組織化，計画能力，自己監視能力
> - 修正：情報の組織化・系列立て，自己監視および修正能力，となる。

図11 BADS

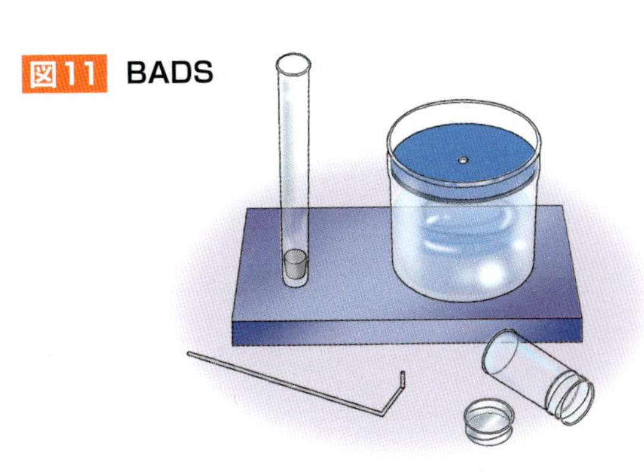

アクティブラーニング 5 BADSを実践しどのようにコルクを取り出せばよいか，考えてみよう。

● WCST

WCST*6は，**遂行機能障害**の評価を行う目的とした検査である。「抽象的行動」と「概念の転換」に関する検査で，赤，緑，黄，青の1～4個の三角形，星型，十字型，丸からなる図形のカードを示す。対象者はそれがどのカテゴリに属するのかを自分自身で類推する。検者は色，形，数の概念の転換を対象者に促して，達成された分類カテゴリ数と保続数，保続性，誤り数により評価を行う（図12）[20]。

> ＊6 WCST
> 手順は赤，緑，黄，青の1～4個の三角形，星型，十字型，丸からなる48枚の図形のカードを示し，色，形，数の3つの分類のいずれかに従って，反応カードを置く。検者の分類カテゴリに対して正否を答える。対象者は検者の正否の返答を手がかりとして，検者の考えている色，形，数のなかのいずれかを推測する。

図12 WCST

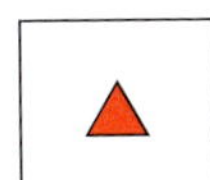

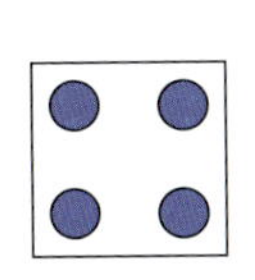

9 全般性注意障害時に生じやすい高次脳機能障害の評価

■注意障害

注意は医学用語としての明確な定義がなく，豊倉らは注意を特定の標的に対して選択的・優先的に認識，処理，応答し，ほかの刺激に対する処理を抑制する機能と定義している[21]。高次脳機能障害のなかでも注意障害は高頻度に出現し，注意はいくつかの下位コンポーネントに分類でき，**持続性注意**，**選択性注意**，**転換性注意**，**分配性注意**などがある（表13）。注意

は遂行機能と同意として，扱われることが多い。注意の評価としてはTMT-J，CAT，仮名ひろいテスト，BAADなどが挙げられる。

● TMT-J

TMT-Jは，**注意機能**を評価することを目的とした検査である。幅広い注意，ワーキングメモリー，空間的探索，処理速度，保続，衝動性などを総合的に測定でき，外傷性脳損傷，軽度の認知症，遂行機能障害の評価として幅広く用いられている（**図13**）[22]。

補足

原則，実施を避けるべき状態

① 1～25を数えられない，「あ」から「し」まで言えない可能性がある場合
② 軽度でも失語がある場合
③ 半側空間無視がある場合

中止基準

① 練習課題の理解が不可能な場合
② PartAで本試験開始後180秒を経過した時点で中止
③ PartBで本試験開始後300秒を経過した時点で中止

図13 TMT-J

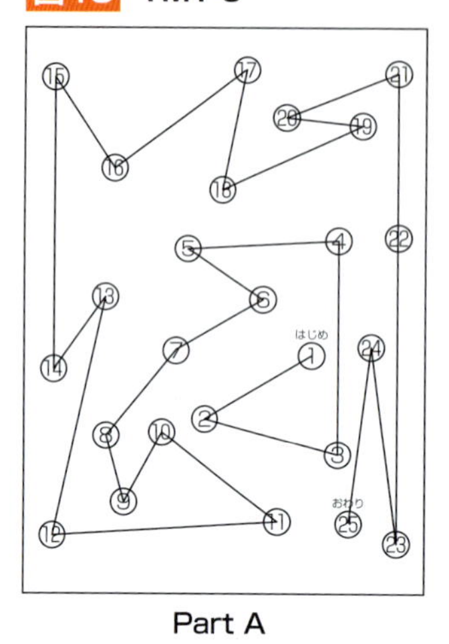

Part A

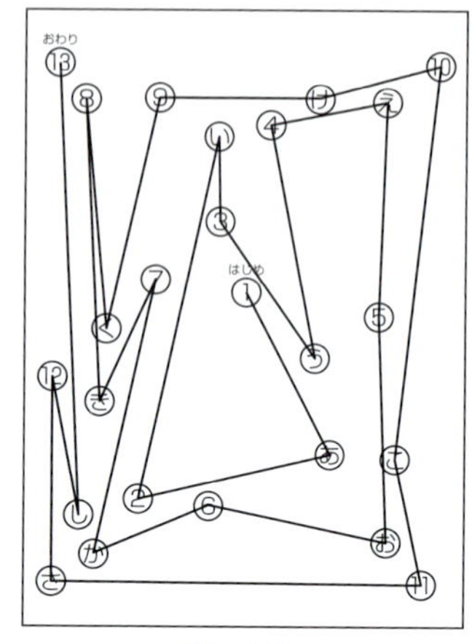

Part B

（文献22を基に作成）

Web動画

アクティブ・ラーニング 6 実際にTMT-J検査を体験してみよう。

● 標準注意検査法（CAT）

CATは，**詳細な注意機能**を評価することを目的とした検査である。7つの下位検査で構成され，言語性および視覚性の注意機能を評価が含まれている。年齢別のカットオフ値が設定された評価法である（**図14**）[23]。

図14 CAT

(	⨪	⊢	┌	⊣	>	+	)	∸
1	2	3	4	5	6	7	8	9

(	⊣	⨪	(	⊢	>	⨪	┌	(	>	⨪	(	>	(	⨪

┌	>	(	⨪	⊣	>	⊢	┌	(	⨪	>	∸	┌	⊢	)

● 仮名ひろいテスト

仮名ひろいテストは，**注意の配分性注意**などを評価することを目的とした検査である。仮名で書かれた単文を読みながら「あ，い，う，え，お」が

出てきたら印を付け，同時に文章の意味を理解しているか問うテストである。一度に2つのことを処理する能力の評価を行う（**図15**）[24]。

図15 仮名ひろいテスト

次の仮名文の意味を読み取りながら，同時に「あ，い，う，え，お」を見つけたら拾いあげて，○をつけてください（制限時間は2分間です）。

練習問題　ももたろうは，きじといぬとさるをけらいにして，おにがしまへ，おにたいじにいきました。

本題
　むかし　あるところに，ひとりぐらしの　おばあさんがいて，としをとって，びんぼうでしたが，いつも　ほがらかにくらしていました。　ちいさなこやに　すんでいて，きんじょの　ひとの　つかいばしりを　やっては，こちらで　ひとくち，あちらで　ひとのみ，おれいに　たべさせてもらって，やっと　そのひぐらしを　たてていましたが，それでもいつも　げんきで　ようきで，なにひとつ，ふそくはない　というふうでした。
ところがあるばん，おばあさんが　いつものように　にこにこしながら，いそいそと　うちへ　かえるとちゅう，みちばたのみぞのなかに，くろい　おおきなつぼを　みつけました。
「おや，つぼだね。　いれるものさえあれば　べんりなものさ。　わたしにゃ　なにもないが。　だれが，このみぞへ　おとしてったのかねえ。」と，おばあさんが　もちぬしがいないかと　あたりを　みまわしましたが，だれもいません。
「おおかた　あながあいたんで，すてたんだろう。　そんなら　ここは，はなでも　いけて，まどにおこう。ちょっくらもっていこうかね。」こういっておばあさんは　つぼのふたをとって，なかをのぞきました。

（文献24を基に作成）

● **注意障害行動観察評価（BAAD）**

BAADは，**行動観察**を行い注意障害を評価することを目的とした検査である。一般的に注意障害の評価は各種の机上検査が用いられるが，その成績が注意障害による問題行動と直観的に結びつきにくい場合がある。そのため，BAADは日常生活上の行動観察に基づいた評価で，机上の検査が実施困難である場合に有用である（**表17**）[25]。

表17 BAAD

観察すべき問題行動	評価
1. 活気がなく，ボーッとしている。	0，1，2，3
2. 練習（動作）中，じっとしていられない。多動で落ち着きがない。	0，1，2，3
3. 練習（動作）に集中できず，容易に他のものに注意がそれる。	0，1，2，3
4. 動作のスピードが遅い。	0，1，2，3
5. 同じことを2回以上指摘されたり，同じ誤りを2回以上することがある。	0，1，2，3
6. 動作の安全性への配慮が不足，安全確保ができていないのに動作を開始する。	0，1，2，3
合計点	/18

評価点：問題行動の出現頻度を4段階で重み付け
　0：まったくみられない
　1：ときにみられる（観察される頻度としては1/2未満，観察されない方が多い）
　2：しばしばみられる（観察される頻度としては1/2以上，観察される方が多い）
　3：いつもみられる（毎日・毎回みられる）

（文献25を基に作成）

【引用文献】
1) 日本版WAIS-Ⅳ刊行委員会：WAIS-Ⅳ成人知能検査，日本文化科学社，2018.
2) 大脇義一：コース立方体組み合わせテスト，三京房，2016.
3) 杉下守弘：レーヴン色彩マトリックス検査，日本文化科学社，1993.
4) 杉下守弘：ウエクスラー記憶検査WMS-R. 日本文化科学社，2001.
5) 綿森淑子：日本版リバーミード行動記憶検査，千葉テストセンター，2002.
6) 浜田博文，ほか：三宅(東大脳研)式対語記銘力検査．日本臨牀，836：266-270, 2003.
7) 田中康文：記憶障害の神経心理学的検査法，Annual Review神経1998. p.50-58, 中外医学社，1998
8) Benton A.L.(高橋剛夫 訳)：ベントン視覚記銘検査，三京房，1966.
9) Osterrieth PA：Le test de copie dune figure complexe：Contribution aletude de la perception et la memoire. Arch Psychol, 30：206 356, 1944.
10) Grigoletto F, et al.：Norms for the Mini-Mental State Examination in a healthy population. Neurology, 53：315-320, 1999.
11) 加藤伸司，ほか：改訂長谷川式簡易知能評価スケール(HDS-R)の作成．老年精神医学，2：1339-1347, 1991.
12) 山鳥　重：神経心理学入門，医学書院，1985.
13) 石合純夫：BIT行動性無視検査日本版．新興医学出版，1999.
14) 長山洋史，ほか：日常生活上での半側無視評価法Catherine Bergego Scale の信頼性，妥当性の検討．総合リハビリテーション，39：373-380, 2011.
15) 日本高次脳機能障害学会 編：標準高次視知覚検査．新興医学出版，1997.
16) 鹿島晴雄：注意障害のリハビリテーション前頭葉損傷の3例での経験．神経心理学，6(3)：164-170, 1990.
17) 鹿島晴雄：遂行機能と運動行為．レザック神経心理学的検査集成．p.375-393, 創造出版，2005.
18) 仲秋秀太郎，ほか：Frontal Assessment Battery(FAB)の有用性，老年精神医学雑，29：1167-1174, 2018.
19) 鹿島晴雄，ほか：遂行機能障喜症候群の行動評価BADS日本版．新興医学出版社．2003.
20) 鹿島晴雄，ほか：前頭葉機能検査障害の形式と評価法．神経進歩，37：93-110, 1993.21) 豊倉　穣，ほか：注意障害とリハビリテーション，リハビリナース，1：251-258, 2008.
22) 日本高次脳機能障害学会 編：Trail Making Test 日本版(TMT-J)．新興医学出版社，2019.
23) 日本高次脳機能障害学会 編：標準注意検査法・標準意欲評価法(CAT・CAS)，新興医学出版社，2006.
24) 今村陽子：臨床高次脳機能評価マニュアル2000 改訂第2版．新興医学出版社．2000.
25) 豊倉　穣，ほか：家族が家庭で行った注意障害の行動観察評価BAAD(Behavioral Assessment of Attentioal Disturbance)の有用性に関する検討，The Japanese Journal of Rehabilitation Medicine 46：306 311, 2009.

【参考文献】
1. 山鳥　重：神経心理学入門，医学書院，東京，1985.
2. 鹿島晴雄：注意障害のリハビリテーションー前頭葉損傷の3例での経験ー．神経心理学6(3)：164-170, 1990.

チェックテスト

Q

①高次脳機能には，どのような機能があるか(☞p.180)。 基礎
②右大脳半球損傷時に生じやすい高次脳機能障害を挙げよ(☞p.182)。 臨床
③左大脳半球損傷時に生じやすい高次脳機能障害を挙げよ(☞p.182)。 臨床
④記憶障害の評価方法を挙げよ(☞p.183～185)。 臨床
⑤前頭葉機能障害の評価方法を挙げよ(☞p.193～195)。 臨床

18 発達

立山清美

Outline

- 標準化された評価法では，手引書に基づいて忠実に行う。
- 観察による評価では，判断の指標となる定型発達の知識が欠かせない。
- 対象者に必要な検査を選択できるように各検査の内容や特徴を理解しよう。

1 発達とは

「発達」とは，受胎から死に至るまでの人間の生涯にわたる過程であり，個体と環境の相互作用によって生じる身体，精神，行動などのさまざまな機能の質的および機能的変化をいう[1]。以前は子どもが大人になるまでの過程を「発達」ととらえられていたが，現在では生涯にわたる過程と考えられている。

一方，発達障害領域の作業療法では，器質的なものであれ，環境的なものであれ，胎児期から18歳までの心身の成長・発達期にその原因があり，成長・発達を妨げるものを発達障害ととらえ，治療対象としている。本項では，発達障害領域の作業療法で用いられている評価について記す。

2 発達の評価における特徴

■評価の対象となる作業遂行領域

作業療法が扱う「作業遂行領域」には，日常生活活動（ADL），仕事・生産的活動，遊び・余暇活動がある。乳幼児の作業遂行は「ADLと遊び」であり，学齢児では「学業活動」（仕事・生産的活動）が加わり，これらが評価の対象となる。

■評価の手段

発達障害領域の作業療法評価の手段は，検査・測定よりも観察と保護者への面接の割合が高い。観察による評価では，その指標となる定型発達の知識と作業分析の視点が検者に求められる。

しかしながら，発達障害領域においても**根拠に基づいた医療**（evidence based medicine：EBM）の重要性を背景に，海外の著名な検査の標準化や，わが国のオリジナルな検査の開発などが進められている。臨床の場においても，保護者記入式の標準化された質問紙を使用したり，多様なニーズに応じて設定した目標の達成度を**ゴール達成スケーリング**（goal

＊1 GAS

目標の達成度を定量化するための数学的手法である。治療者が，対象者や家族とともに選択した課題（3～5課題）について介入前に具体的な到達目標を5段階で設定し，介入後に達成度を測定する。対象者によって異なる目標を測定できる。

attainment scaling：GAS）[＊1]で測定するなど定量化の方向にある。

発達評価での注意点を**表1**に示す。

表1 発達評価での注意点

- 標準化された評価法では，検査実施方法や結果の分析など手引書に基づいて忠実に行う
- 観察による評価では，判断の指標となる定型発達（発達の時期や順序）の知識が欠かせない。それに加えて，次の発達段階にはどのような準備が必要かという視点や観察対象となる作業の分析が求められる
- 子どもにとっては遊びや興味ある活動を用いて評価，楽しい雰囲気づくり，わかりやすい提示などの工夫を行い，子どもの協力を得る

3 発達の評価

■新生児期の発達学的評価

新生児期の発達学的評価は，主に神経行動発達評価が用いられる。

● Dubowitz（ドゥボウィッツ）神経学的評価

低出生体重児の姿勢と姿勢筋緊張，緊張パターンなどの評価を通して対象者の神経学的特徴を把握する。評価内容は，筋緊張（10項目），運動（3項目），異常所見（3項目），行動（7項目）などの全34項目で構成される。

● 新生児行動評価（neonatal behavioral assessment scale：NBAS）

行動評価（28項目）と神経学的評価（18項目）で構成される。新生児と検者，外刺激との相互作用を通して，各行動と全体の組織化，外界から受ける影響（ストレス），相互作用の能力を評価する。

■発達スクリーニング検査および発達評価のための検査法

作業遂行を可能にする要素は，感覚運動的要素，認知・認知統合要素，心理社会的技能・心理的要素に類別できる。この3つの要素にわたって検査が構成されているスクリーニング検査と発達評価のための検査法を**表2**に示す。

表2の検査に共通した目的は，対象者の可能性や潜在性を見出すことである。すなわち，どの領域にどの程度の発達の遅れがあるかを特定し，各発達領域との関連や将来を予測することを目的とする。さらには，治療効果判定，次の治療の観点を見出すために使用される[2)]。

表2 発達スクリーニング検査および発達評価のための主な検査法

検査名	適応年齢	検査領域または特徴	方法
津守式乳幼児精神発達検査	0～7歳	運動，探索，社会，生活習慣，言語の5つの領域に分けて評価できる	質問紙
乳幼児発達スケール(kinder infant development scale：KIDS)	1カ月～6歳11カ月	運動，操作，理解言語，表出言語，概念，対こども社会性，対成人社会性，しつけ，食事の領域別発達プロフィール，総合発達年齢・指数が得られる	質問紙
遠城寺式乳幼児分析的発達検査	0～4歳7カ月	運動(移動運動，手の運動)，社会性(基本的習慣，対人関係)，言語(発語，言語理解)の3分野(6領域)の発達プロフィールが折れ線グラフで表される	検査
DENVER Ⅱ(Denver developmental screening test，2nd edition)	0～6歳	個人・社会，微細運動・適応，言語，粗大運動の4分野の発達状態を評価するスクリーニング法である	検査
日本版Miller(ミラー)幼児発達スクリーニング検査(Japanese version of Miller assessment for preschoolers：JMAP)	2歳9カ月～6歳2カ月	感覚運動，言語，非言語的認知能力など，発達全般にわたる全26項目の評価項目からなる。体性感覚や平衡感覚の評価など，幼児では初めて標準化された。発達領域を数多く含んでいる	検査
新版Kyoto(K)式発達検査2020	0歳～成人	姿勢・運動，認知・適応，言語・社会の3領域の発達を評価できる。検査結果は発達年齢(developmental age：DA)と発達指数(developmental quotient：DQ)で示される	検査

■遠城寺式乳幼児分析的発達検査法

乳幼児(0～4歳7カ月)のもつ能力を，運動(移動運動，手の運動)，社会性(基本的生活習慣，対人関係)，言語(発語，理解言語)の3分野6領域を短時間(約15分)に分析的に評価できる。そのため，乳幼児健診でも使用されている。低月齢児ほど細かな年齢区分が設定され，原則として年齢区分での通過率が60～70%となっている(**表3**)。

発達グラフの各点を結べば，その子どもの発達プロフィールが一見してわかる。この線が歴年齢よりも上にあれば，発達は優れ，下にあれば遅れていることになる。凹凸があったり，傾斜していれば，発達が不均衡であることを示す。歴年齢よりも3～4段階下まわった発達段階を示すときは，発達遅滞があると考えられる[3)]。

表3 実施法

- 手引書に基づいて実施する
- 暦年齢相当の問題から検査を開始する。暦年齢3歳2カ月の事例(**図1**)では，3歳0カ月以上3歳4カ月未満の年齢区分より開始する
- 発達に遅れがある場合は，適当と思われる段階の問題から開始する
- 合格は○，不合格に×をつける。3連続不合格で検査は打ち切り，3連続合格したら，以下は合格とする
- 発達グラフは，不合格項目より上の項目に合格があれば，その項目数分上に点を打つ

図1 遠城寺式乳幼児分析的発達検査表［九大小児科改訂版］の記入例

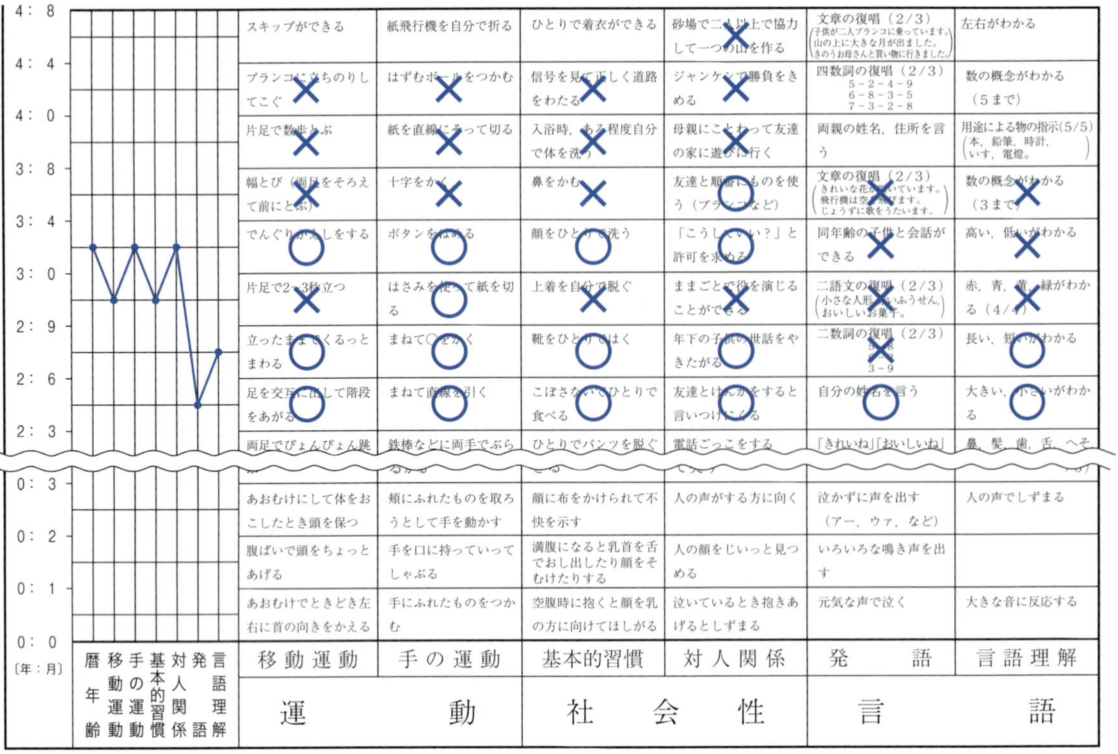

年：月	移動運動	手の運動	基本的習慣	対人関係	発語	言語理解
4：8	スキップができる	紙飛行機を自分で折る	ひとりで着衣ができる	砂場で二人以上で協力して一つの山を作る ×	文章の復唱（2/3）（子供が二人ブランコに乗っています。山の上に大きな月が出ました。きのうお母さんと買い物に行きました。）	左右がわかる
4：4	ブランコに立ちのりしてこぐ ×	はずむボールをつかむ ×	信号を見て正しく道路をわたる ×	ジャンケンで勝負をきめる ×	四数詞の復唱（2/3）5－2－4－9 6－8－3－5 7－3－2－8	数の概念がわかる（5まで）
4：0	片足で数歩とぶ ×	紙を直線にそって切る ×	入浴時，ある程度自分で体を洗う ×	母親にことわって友達の家に遊びに行く ×	両親の姓名，住所を言う	用途による物の指示（5/5）（本，鉛筆，時計，いす，電燈。）
3：8	幅とび（両足をそろえて前にとぶ） ×	十字をかく ×	鼻をかむ ×	友達と順番にものを使う（ブランコなど） ○	文章の復唱（2/3）（きれいな花が咲いています。飛行機は空を飛びます。じょうずに歌をうたいます。） ×	数の概念がわかる（3まで） ×
3：4	でんぐりがえしをする ○	ボタンをはめる ○	顔をひとりで洗う ○	「こうしていい？」と許可を求める ○	同年齢の子供と会話ができる ×	高い，低いがわかる ×
3：0	片足で2～3秒立つ ×	はさみを使って紙を切る ○	上着を自分で脱ぐ ×	ままごとで役を演じることができる ×	二語文の復唱（2/3）（小さな人形，赤いふうせん，おいしいお菓子。） ×	赤，青，黄，緑がわかる（4/4） ×
2：9	立ったままでくるっとまわる ○	まねて○をかく ○	靴をひとりではく ○	年下の子供の世話をやきたがる ○	二数詞の復唱（2/3）5－8 6－2 3－9 ×	長い，短いがわかる ○
2：6	足を交互に出して階段をあがる ○	まねて直線を引く ○	こぼさないでひとりで食べる ○	友達とけんかをすると言いつけにくる ○	自分の姓名を言う ○	大きい，小さいがわかる ○
2：3	両足でぴょんぴょん跳…	鉄棒などに両手でぶら…	ひとりでパンツを脱ぐ…	電話ごっこをする…	「きれいね」「おいしいね」…	鼻，髪，歯，舌，へそ…
0：3	あおむけにして体をおこしたとき頭を保つ	頬にふれたものを取ろうとして手を動かす	顔に布をかけられて不快を示す	人の声がする方に向く	泣かずに声を出す（アー，ウァ，など）	人の声でしずまる
0：2	腹ばいで頭をちょっとあげる	手を口に持っていってしゃぶる	満腹になると乳首を舌でおし出したり顔をそむけたりする	人の顔をじいっと見つめる	いろいろな鳴き声を出す	
0：1	あおむけでときどき左右に首の向きをかえる	手にふれたものをつかむ	空腹時に抱くと顔を乳の方に向けてほしがる	泣いているとき抱きあげるとしずまる	元気な声で泣く	大きな音に反応する
0：0						
〔年：月〕	運動		社会性		言語	

グラフ欄：暦年齢／移動運動／手の運動／基本的習慣／対人関係／発語／言語理解

（文献3を基に作成）

Case Study

Question 1

図1の発達グラフを読み取ってみよう。

☞ 解答 p.290

Question 2

4歳2カ月，男児のAさんは「不器用さが気になる」「幼稚園ではクラス全体での指示では行動できないことがある」との相談があった。
相談内容をより具体的に把握することに加えて，どのような検査が必要か。

☞ 解答 p.290

■JMAP

JMAPは，就学前児（2歳9カ月～6歳2カ月）を対象とし，発達障害児などの早期発見を目的とした発達スクリーニング検査である。アメリカの作業療法士ミラーが開発したMAP（Miller assessment for preschoolers）をわが国向けに再標準化したものである。JMAPには26の検査項目があり，感覚運動機能を評価する「基礎能力（図2）」および「協応性（図3）」，知的側面を評価する「言語」，「非言語」，および統合課題の「複合能力」の5つの領域（表4）から構成される。このように幅広い領域をカバーしており，子どもの発達を多面的にとらえることができる。JMAPの採点用紙は，検査項目ごとに緑（全体の通過率の26％以上），黄（通過率の6～25％），赤（通過率の5％以下）に色分けされており，結果の整理が簡便である。総合点および5つの指標（基礎能力指標，運動協応性指標，言語指標，非言指標，複合能力指標）のパーセンタイル値が算出され，26％以上は正常，6～25％は注意，5％以下は危険と判定される。

図2　基礎能力指標の検査項目例

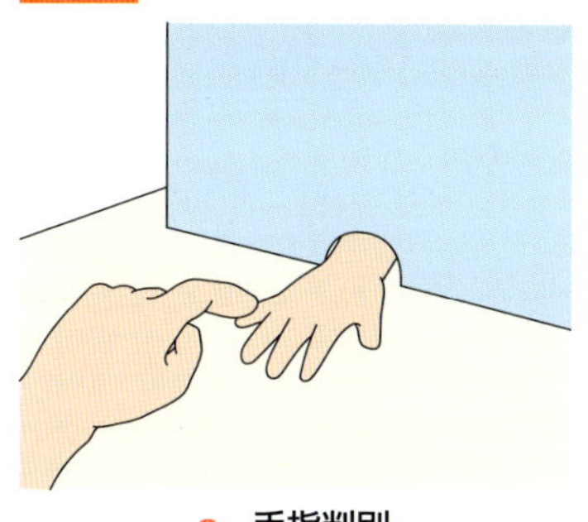

a　手指判別

b　片足立ち

図3　協応性指標の検査項目例

a　積み上げ

b　舌運動

表4　JMAPの評価領域（指標）と評価内容

領域	評価内容
基礎能力	基礎的な神経学的能力 空間のなかの自分の位置運動の感覚，触知覚，基礎的な運動能力
協応性	粗大運動，巧緻（こうち）運動，口腔運動機能に関連した協調運動能力
言語	言語能力
非言語	視覚認知機能
複合能力	視覚・運動能力と同時に空間の情報処理能力，運動行為機能，積木構成，肢位模倣など検査項目

試験対策Point

原始反射では，どのようなことができていたら消失・統合していると考えられるのか，運動の発達と関連付けて理解しよう。例えば，手掌把握反射は，腹臥位にて手掌全体で体重負荷ができる4～6カ月ごろに消失（統合）する。また，この反射が残存すると，物のリリースを妨げる可能性がある。

■感覚運動的要素の評価

感覚運動的要素の評価（**表5**）には，反射・反応の検査，運動発達検査，感覚統合に関する検査などがある。このうち，観察による把持の運動発達評価の指標になるErhardt（エアハート）発達学的把持能力評価（Erhardt developmental prehension assessment：EDPA）の抜粋（**表6**），および反射・反応の検査（**表7**）を示す。反射・反応の検査は，中枢神経系の成熟状態，脳機能の状態を把握する情報源となる。反射が消失するはずの時期に残存していたり，通常よりも反応の出現が遅れる場合には，脳機能になんらかの異常がある可能性が考えられる。また，反射・反応と運動の発達は，密接にかかわっている。

表5 感覚運動的要素の評価

検査名	適応年齢	検査内容または特徴
運動年齢テスト(motor age test：MAT)	4〜72カ月	・上肢，体幹，下肢の運動機能を評価する ・運動年齢を相対的に運動指数として表す
Milani(ミラニー)の発達チャート(Milani's development chart)[4]	0〜24カ月	24カ月までの起立機能(重力に抗した体軸のコントロール)を変数とした運動機能の発達検査法である。チャート表はKoupernik(コペルニク)によって修正され，自発行動(姿勢調節と自動運動)と誘発反応(原始反射と立ち直り反応，パラシュート反応，傾斜反応)から構成される。乳幼児の運動発達のスクリーニングに使用できる。また，1枚の表を繰り返し使用し，経過を追うこともできる
エアハート発達学的把持能力検査(EDPA)	—	初期の不随意性上肢−手パターン，随意運動(到達動作，把握，操作的動作，リリース)，前書字動作からなる
エアハート発達学的視覚評価(Erhardt developmental vision assessment：EDVA)	—	初期の不随意的な視覚パターン(瞳孔反応，人形の目反応，眼瞼反射)，初期の随意的な眼球運動(視覚定位，注視，追視，注視点移行)を評価する
感覚統合臨床観察	—	感覚統合障害の把握を目的とする。微細な神経学的な徴候(眼球運動，手指鼻運動など)の評価，行為機能(ジャンピンジャック，ホップ・スッキプ・ジャンプなど)を評価する項目から構成されている
JPAN感覚処理・行為機能検査(Japanese playful assessment for neuropsychological abilities)	4〜10歳	・発達障害児の感覚統合障害の早期評価とそれに続く治療的介入のための検査であり，姿勢・平衡反応，体性感覚，視知覚，行為機能を評価する ・子どもが楽しく，遊び感覚で検査に臨めるような内容で構成されている
Japanese sensory inventory revised (JSI-R)	4〜6歳(臨床的には学齢児にも使用)	感覚刺激の受け取り方の傾向を把握する。項目は，前庭感覚，体性感覚，視覚などの感覚機能に関連する147の行動項目からなる。質問紙法
日本版感覚プロファイル	3〜82歳	対象者の感覚刺激への反応特性(感覚処理の特性)を把握する質問紙である。質問は感覚処理(聴覚，視覚，前庭覚，触覚，複合感覚，口腔感覚)，調整，行動や情動反応の大きく3つに分けられ，その行動が見られる頻度を保護者などが回答する

表6 到達動作・把握・リリースの発達

	到達動作	握る(棒の把握)	つまむ(小球の把握)	棒のリリース
4カ月	尺側が先行し，両側の手背から手を伸ばす			
5カ月	両側でぎこちなく手を伸ばす	手掌握り：手指と内転した母指で持つ		ぎこちない2段階の持ち換え(一側の手で握り他側が加わり，最初の手を離す)
6カ月	一側で円を描くように手を伸ばす			
7カ月	過度な手指の伸展，手を伸ばしすぎることがある	橈側-手掌握り(図4a左)	不完全な挟み握り(内転，屈曲した母指と屈曲した他の4指で手掌へ物をかき集める)	面に押し付けての介助リリース 一段階の持ち換え(把握とリリースが同時に起こる)

	到達動作	握る(棒の把握)	つまむ(小球の把握)	棒のリリース
8カ月	一側で直接，物に向かって手を伸ばす	橈側-手指握り(図4a中央)	挟み握り：母指と巻き込んだ示指の側腹との間で挟む(図4b左)	
9カ月		橈側-手指握り(手関節の伸展)		大きな容器へのリリース
10カ月	物に向かって手を伸ばす際に手関節の伸展，過度な手指の伸展	3指握り(図4a右)：物を母指と2本の指で持つ	つまみ把握：母指対立し，母指と示指の間で挟む(図4b中央)	
12カ月	把握を容易にするための随意的な回外		精巧なつまみ把握：母指と示指の指尖で小さな物をつまむ(図4b右)	小さな容器へのコントロールされたリリース

(文献4を基に作成)

図4 把握の発達

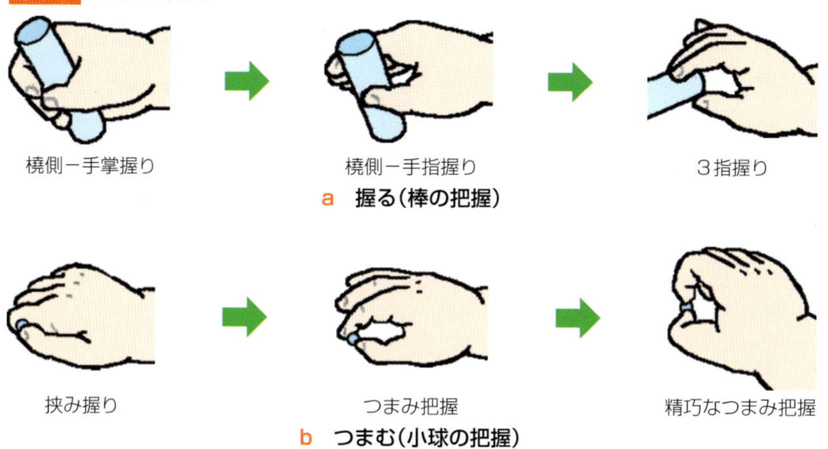

表7 反射・反応

中枢神経系の成熟レベル	名 称	誘発方法	反 応	出 現	消失・統合時期
脊髄	手掌把握反射(図5a)	手掌の尺側から指を入れ軽く手掌面を圧迫する	手指の屈曲	出生時	4～6カ月
	足底把握反射(図5b)	足底を圧迫する	足趾全体が屈曲する	胎生28週	足底で体重支持ができるようになると消失する。9カ月以後弱くなり12カ月ごろ消失する
	(新生児)陽性支持反射(図5c)	(体幹を支え)立位にして足底を床につける	下肢の伸筋が収縮し，棒のように固くなる	胎生35週	1～2カ月
	逃避反射(図5d)	両下肢伸転位で足底を軽く針などで刺激する	刺激された下肢が屈曲する	胎生28週	1～2カ月

(次ページへ続く)

(前ページより続く)

中枢神経系の成熟レベル	名 称	誘発方法	反 応	出 現	消失・統合時期
脊髄	交叉伸展反射(図5e)	一側の下肢を伸展位で固定し，足底をこする(有害刺激か強い圧迫)	他側下肢が屈曲し，その後(刺激を払いのけるように)伸展・内転する	胎生28週	1〜2カ月
	自動歩行(図5f)	乳児を垂直に支え，足底を床につける。その後，起立した姿勢で前傾させる	規則正しいリズムで足踏みをする	胎生37週	2カ月
	踏み直り反射(固有受容覚性台のせ反射，図5g)	乳児を垂直に支えて足背をベッドなどの端に触れるようにする	乳児は下肢をベッドなどの上に置く動作をする	出生時	2カ月
脊髄−橋	非対称性緊張性頚反射(asymmetrical tonic neck reflex：ATNR，図5h)	背臥位で頭部を左右に回旋させる	顔面側の上下肢は伸展，後頭側は屈曲する	出生時	4〜6カ月(3カ月ごろから次第に弱くなる)
	対称性緊張性頚反射(symmetrical tonic neck reflex：STNR，図5i)	四つ這い位で頭部を屈曲・伸展させる	• 屈曲→上肢は肘関節屈曲し，下肢は伸展する • 伸展→上肢は伸展し，下肢は屈曲する	4〜6カ月	8〜12カ月
	緊張性迷路反射(tonic labyrinthine reflex：TLR)	(重力の方向と頭の位置関係で刺激される反射)腹臥位にする。または背臥位にする	• 腹臥位→全体的に屈筋の筋緊張が優位になる • 背臥位→全体的に伸筋の筋緊張が優位になる	出生時	4〜6カ月
	Moro(モロー)反射(図5j)	頭部中間位で背臥位の乳児を，後頭部を支えて床から離し，急に手を放し乳児の頭を約30°後方へ落とす(乳児の頭が受けとれるように手を置いておく)	上肢の伸展・外転，手指の伸展(第1相)が起こり，続いて上肢の屈曲・内転(第2相)が起こる	胎生28週	• 第2相：6週 • 第1相：4カ月
中脳	頭に作用する身体の立ち直り反応(body righting reaction acting on the head：BOH，図5k)	支持面に接触した腹臥位(圧受容器)	迷路性・視性立ち直り反応と同じように，頭を正すように反応	出生後〜2カ月	5歳
	身体に作用する頚の立ち直り反応(neck righting reaction acting on the body：NOB，図5l)	背臥位にして頭部を一側に回旋する	頭部の回旋後に胸郭，骨盤，下肢と連動して回旋する	4〜6カ月	5歳
	身体に作用する身体の立ち直り反射(反応)(body righting reaction acting on the body：BOB，図5m)	一側下肢を胸の方に屈曲し，乳児を寝返らせるように身体を横切って下肢を回旋する	骨盤に続いて，体幹・頚部が回旋	4〜6カ月	5歳

中枢神経系の成熟レベル	名称	誘発方法	反応	出現	消失・統合時期
中脳	迷路性立ち直り反応（図5n）	目隠しして腹臥位，背臥位にし，空間に保持するか，腰を支えて前後左右に傾ける	頭部を垂直に保とうとする	出生時～2カ月	生涯続く
	視（覚）性立ち直り反応	迷路性と同じ方法を目隠しせずに行う	頭部を垂直に保とうとする	出生時～2カ月	生涯続く
	Landaw（ランドウ）反射（図5o）	体幹をつかみこんで，腹臥位の児を空中で水平に支える	自動的に頭部を挙上し，続いて脊柱・下肢が伸展	3～4カ月	12～24カ月
大脳皮質	保護伸展反応（パラシュート反応，図5p）	・前方：腹臥位にして体幹（胸腰部）を保持し，頭部を比較的急速に下に向けて降ろす ・側方・後方：座位にて側方・後方に押す（転倒に配慮）	・前方：肩関節屈曲，肘関節伸展し，両手を開いて体を支えようとする ・側方（傾いた側）・後方に上肢が出て手掌で身体を支持する	・前方6～7カ月 ・側方7カ月 ・後方9～10カ月	生涯続く
	傾斜反応（図5q）	腹臥位，背臥位，座位，四つ這い立位の各肢位をとらせ，傾斜台を一方に傾ける	頭部と体幹は側屈・回旋して立ち直り，傾けた上側（山側）の上下肢が外転・伸展する	・腹臥位5カ月 ・背臥位7～8カ月 ・座位7～8カ月 ・四つ這い位9～12カ月 ・立位12～21カ月	生涯続く
	ステッピング反応（stepping reaction）	両下肢に体重負荷した立位の状態から，前方，側方，後方へ体を傾ける	傾けられた側に，一側の足を踏み出す（ステップを踏む）	10～18カ月	生涯続く
	ホッピング反応（hopping reaction）	・立位で上腕を把持し，側方，前方，後方に動かす ・立位の状態から側方に素早く強く，押したり引いたりする	平衡を維持するために，動かされた方に足を踏み出して頭部と胸郭部を立ち直らせる	15～18カ月	生涯続く
	シーソー反応（see-saw reaction）	立位で同一側の上下肢を把持し，股関節と膝関節を屈曲させ，上肢を静かに前方・わずかに側方へ引っ張る	頭部と胸郭部が立ち直り，平衡を維持するために把持された膝関節を軽度外転・全伸展させる	15カ月	生涯続く

図5　反射・反応

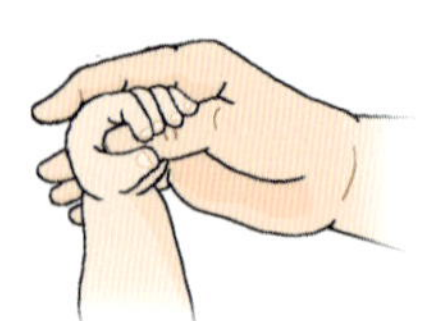

a　手掌把握反射

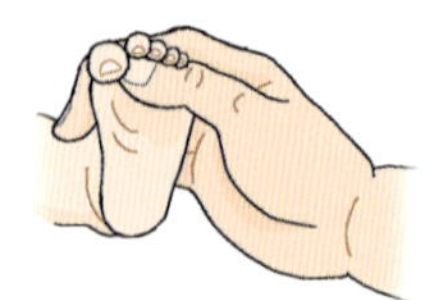

b　足底把握反射

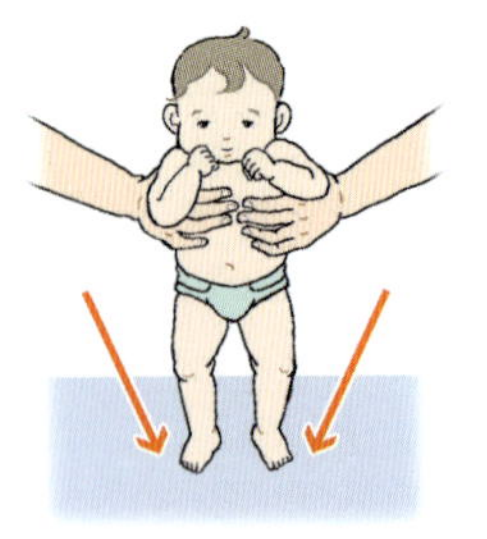

c　（新生児）陽性支持反射

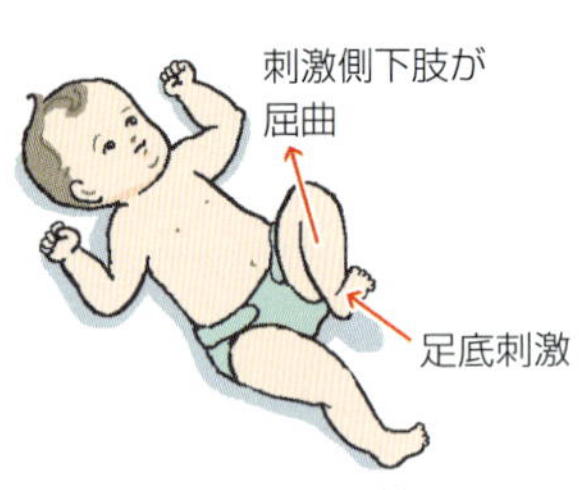

d　逃避反射

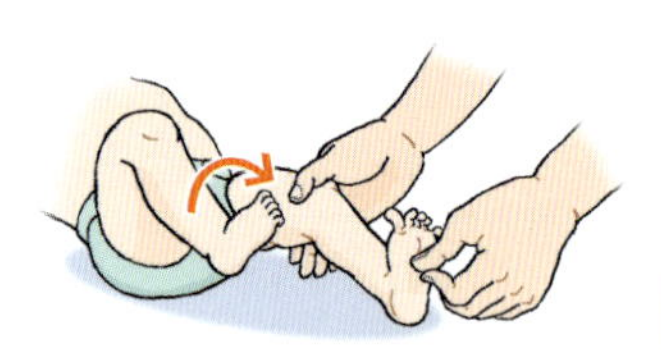

e　交叉伸展反射

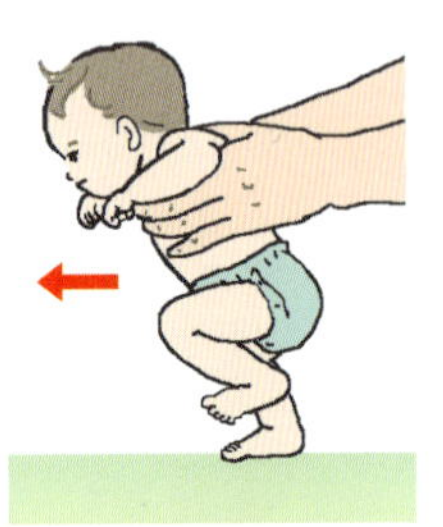

f　自動歩行

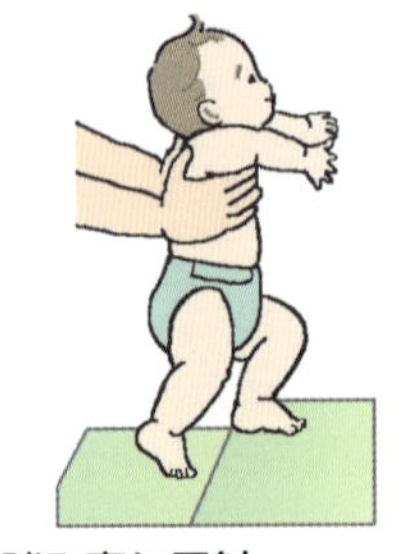

g　踏み直り反射
（固有受容覚性台のせ反射）

h　非対称性緊張性頚
反射（ATNR）

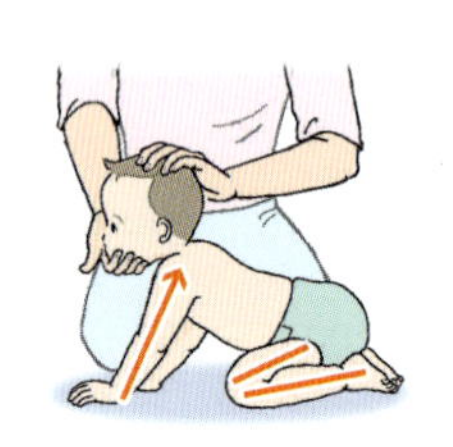

i　対称性緊張性頚反射
（STNR）

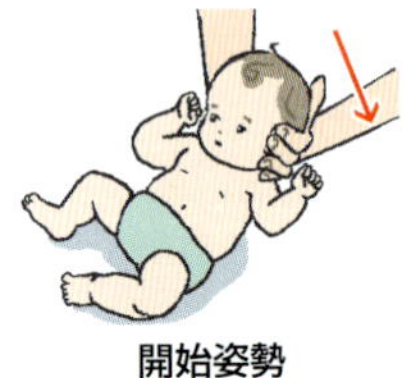

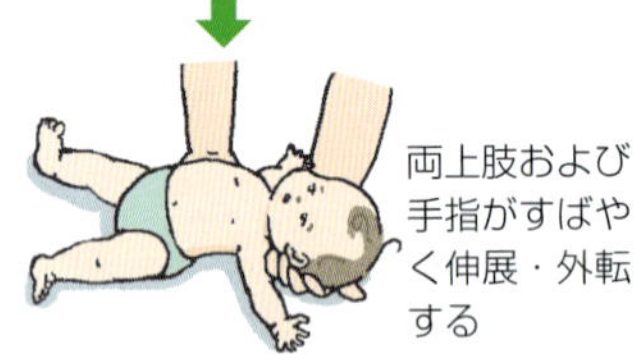

j　モロー反射

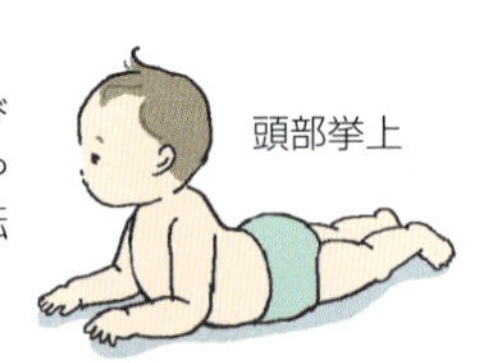

k　頭に作用する身体の
立ち直り反応（BOH）

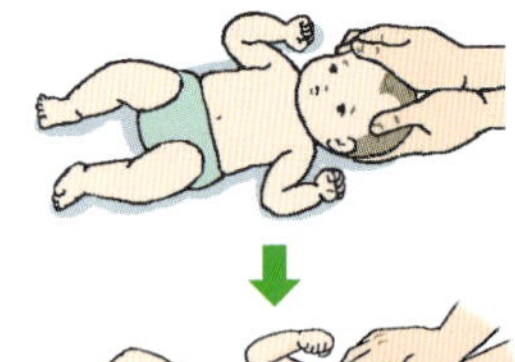

l　身体に作用する頚の
立ち直り反応（NOB）

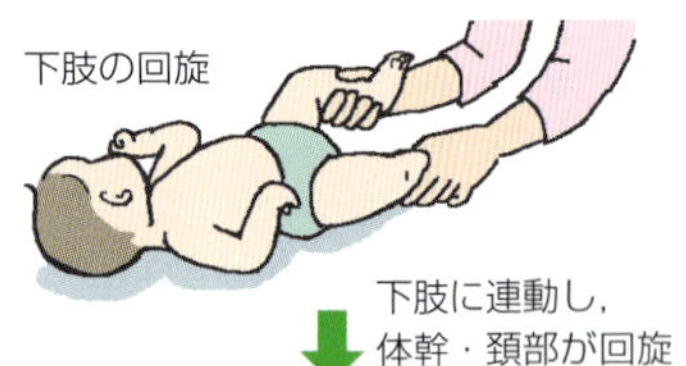

m　身体に作用する身体の
立ち直り反応（BOB）

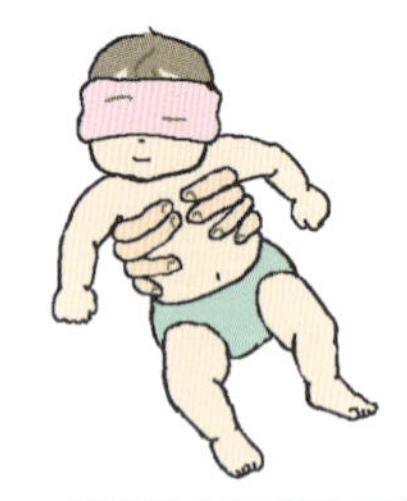

n　迷路性立ち直り反射

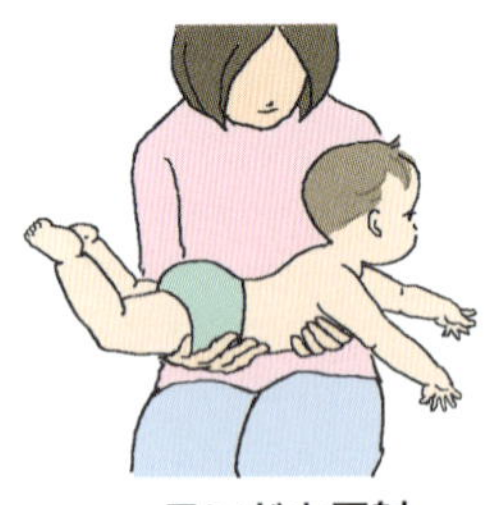

o　ランドウ反射

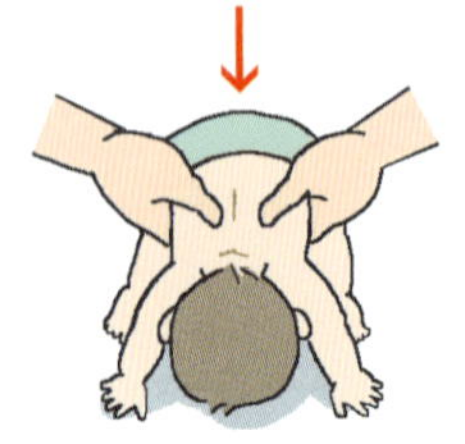

p　パラシュート反応（保護伸展反応：前方）

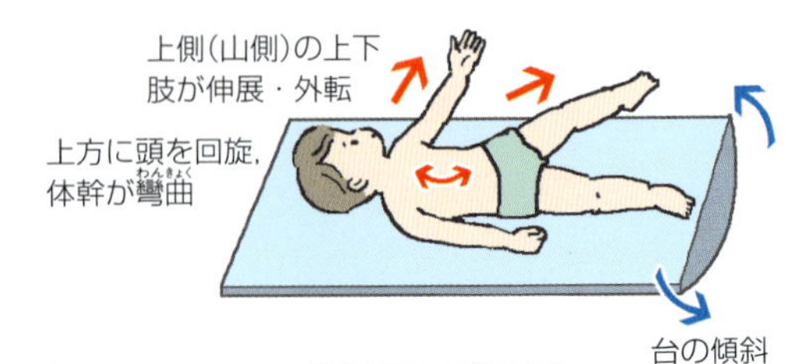

q　傾斜反応（背臥位）

● 日本版感覚プロファイル

日本版感覚プロファイルは，対象者の感覚刺激への反応特性（感覚処理の特性）を把握する質問紙である。Winnie Dunnが開発したsensory profile（SP）をわが国において再標準化したものである。125項目からなり，子どもの日常生活の様子をよく知る養育者などの他者記入式である。質問項目は，聴覚，視覚，嗅覚・味覚，動き，身体の位置，触覚，活動レベル，情動・社会性の8つのカテゴリーに分類されており，各質問に日常生活における頻度を5段階（ほとんどしない，まれに，ときどき，しばしば，ほとんどいつも）で回答する。

結果は，**ダンの感覚調整障害のモデルによる4象限**（**低登録**，**感覚探求**，**感覚過敏**，**感覚回避**）*2，セクション（感覚処理，調整機能，行動や情報反応），因子の3方向からみることができる。SPのなかから38項目を用いた短縮版も出版されている。日本版感覚プロファイル短縮版は短時間で回答でき，感覚処理の問題のスクリーニングに適している。

＊2 ダンの感覚調整障害のモデルによる4象限

ダンのモデルでは，神経学的閾値（高低）と感覚刺激への反応の仕方（能動的・受動的）の2軸からなる4象限で感覚調整障害をとらえている。低登録（高閾値・受動的行動），感覚探求（高閾値・能動的行動），感覚過敏（低閾値・受動的行動），感覚回避（低閾値・能動的行動）である。閾値とは，ある感覚を感じるときの最小の値の大きさを指す。閾値が高いと，ある感覚を感じるときの最小の値が大きくなる。すなわち，刺激が強く（大きく）ないと感じない状態を指す。味覚を例にすると，低登録では料理の味が薄かったり，物足りなく感じたりする。感覚探求では，感じとりにくい点は低登録と同じであるが，食べ物にスパイスや醤油をかけるといった具合に，能動的に感覚を求める感覚探求行動が見られる。感覚過敏，感覚回避では，閾値が低く感じやすい状態であり，過敏では「辛い，すっぱいなど刺激の強い味を好まない」，感覚回避では「なじみのある食べ物しか食べない」といった状況が該当する。

■ 認知・認知統合要素の評価

認知・認知統合要素を評価する検査は，Frostig視知覚発達検査（developmenttest of visual-perception：DTVP），グッドイナフ人物画知能検査（draw a man intelligence test：DAM）など作業療法士が施行するものと，知能検査や言語能力検査など主に他職種が実施するものがある（**表8**）。多職種が実施する場合にも，検査結果を読み取ることが求められるので，検査内容を把握しておく必要がある。

表8 認知・認知統合要素の評価

検査名	適応年齢	検査内容または特徴
Wechsler intelligennce scale for children-fourth edition（WISC-Ⅳ）知能検査	5歳0カ月～16歳11カ月	全検査知能指数（intelligence quotient：IQ）および4つの指標得点（言語理解，知覚推理，ワーキングメモリー，処理速度）から子どもの知的能力の水準を測定する。全15の下位検査（基本検査：10　補助検査：5）で構成されている。子どもの知的発達を多面的に把握できる
Wechsler preschool and primary scale of intelligence-third edition（WIPPSI-Ⅲ）知能検査	2歳6カ月～7歳3カ月	幼児版の知能検査。2歳6カ月～3歳11カ月では，全検査IQ，言語理解指標，知覚推理指標，語い総合得点が得られる。加えて，4歳0カ月～7歳3カ月では処理速度指標を算出できる
フロスティッグ視知覚発達検査	4歳0カ月～7歳11カ月	視知覚障害の検査，視覚と運動の協応，図形と素地の弁別，形の恒常性，空間位置，空間関係の下位検査から構成されている
グッドイナフ人物画知能検査新版（DAM）	3歳～8歳6カ月	子どもが描いた人物画から，知的な発達を測定する
日本版Kaufman assessment battery for children second edition（KABC-Ⅱ）	2歳6カ月～18歳11カ月	個別式知能検査。検査結果は，カフマンモデルに基づく，認知処理（継次，同時，計画，学習）の4尺度と習得度（語彙，読み，書き，算数）の4尺度で示される。また，統計ベースの知能モデルであるCHCモデルに基づく尺度の解釈も可能である

● WISC-Ⅳ

WISC-IVは知能検査である。複数の下位検査の評価から，全検査IQが算出される。知能指数は同年齢の子どもの平均を100として表される。また，言語理解指標，知覚推理指標，ワーキングメモリー指標，処理速度指標という4つの観点から指標得点が得られる。各指標の概要を**表9**に示す。検査実施，採点，解釈は，専門的研修を積んだ有資格者による実施が求められている。作業療法においても，子どもの支援に活かせるようにカンファレンスなどで提供される検査結果を理解することが必要である。

表9 WISC-Ⅳの4つの指標とその検査項目

指標名	指標がみている内容	基本検査（10項目）	補助検査（5項目）
言語理解指標	言語による理解力・推理力・思考力	類似，単語，理解	知識，語の類推
認知推理指標	視覚的な情報を把握し推理する力，視覚的情報にあわせて身体を動かす力	積み木模様，絵の概念，行列推理	絵の感性
ワーキングメモリー指標	一時的に情報を記憶しながら処理する能力	数唱，語音整列	算数
処理速度指標	視覚情報を処理するスピード	符号，記号探し	絵の末梢

● フロスティッグ視知覚発達検査（DTVP）

DTVP*3は1963年にフロスティッグが作成し，1977年にわが国で標準化された。学習の基礎となる視知覚の発達をみる検査であり，当時の知能検査，学力との相関が確認されている。**表10**の5つの下位検査から構成される[5)]。

＊3 DTVP

DTVPの第3版としてDTVP-3視知覚発達検査が米国で2014年に出版され，わが国においても標準化が進められている。DTVP-3は，目と手の協応（eye-hand coordination），模写（copying），図と地（figure-ground），視覚形態完成（visual closure），形の恒常性（form constancy）の5つの下位検査から構成される。DTVP-3の図と地，形の恒常性では，DTVPのようにふちどりするという運動反応は求めず，選択肢から該当図形を選ぶ形式となっている。

表10 DTVPの下位検査

視覚と運動の協応	目と手の協応をみる検査である。さまざまな幅の境界線からはみ出さないように，連続した直線や曲線を描く問題である。後半は，線上に線をひく問題になっており，より正確性が求められる
図形と素地（図6a）	交差しているさまざまな図形を弁別したり，隠された図形を見つけてその図形をふちどりする
形の恒常性（図6b）	形の恒常性（形を同一のものとして知覚できるか）をみる検査である。具体的には，1ページに複数描かれた図形のなかから，円と正方形を探してふちどりする課題である。図形の大きさが違ったり，図形が塗りつぶされていたり，図形が回転していても，円や正方形であることを知覚する。また，似通った図形（楕円，平行四辺形）に惑わされずに，円と正方形のみを探す
空間における位置（図6c）	横に並んで提示される図形のなかで，反転しているものや回転しているものを弁別する
空間関係	物と物との相互の位置関係の把握，ある物の他の物への位置関係を認知する能力を指す。子どもは，左側に見本としてしめされた線や角と同じものを右側の点を選択して描く。印刷された単純な形態や模様の分析を含む

図6　フロスティッグ視知覚検査の一部

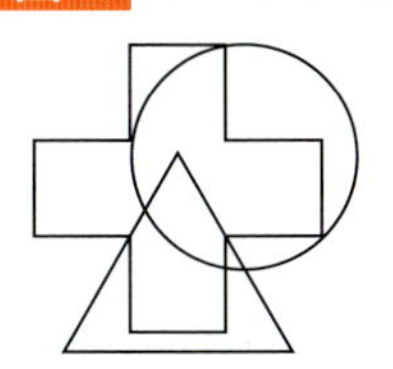

a　図形と素地の一部
重なり合った図形から指定された図形をふちどりする。aの問題は，十字のふちどりが求められている

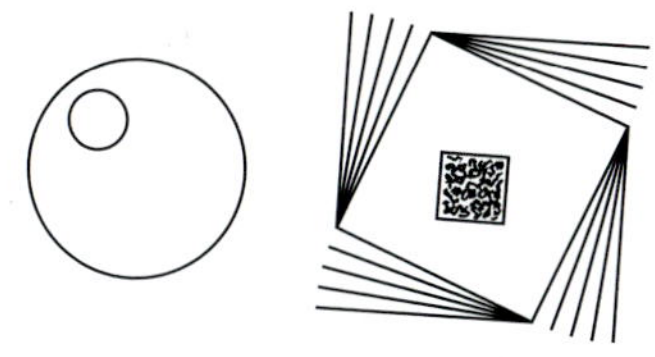

b　形の恒常性の一部
円と正方形を探して縁取りする

c　空間における位置の一部
前半（上）では1つだけ違った方向を向いているものを探す。後半（下）では一番左の図と同一の図を探す

補足

DAM実施中にどのようなことが観察できるか考えてみよう。筆記具の使い方（筆記具の持ちかた，筆記具の使用手は左右のどちらか，主にどの関節を動かして書いているか，対側手で用紙を押さえるか，目の使い方），座位姿勢（骨盤が後継して円背になっていないか，左右への傾き，左右のどちらか骨盤が後方に回旋していないか，机にもたれかかっていないか）などを観察することができる。併せて，書くスピード，筆圧なども確認するとよい。

● グッドイナフ人物画知能検査新版（DAM）

DAMは，人物画を描く作業式知能検査であり，2017年に再標準化された。言語反応を必要せず，低年齢の子どもでも抵抗なく取り組みやすい。旧DAMは，比較的高頻度で使用される知能検査と中等度の相関関係が認められているが，DAMによる精神年齢は動作性の発達水準をみるものであるので，子どもの全体的な発達水準の測定には他の検査の併用が推奨される。

「人をひとり描いてください。頭から足の先まで全部ですよ。しっかりやってね」と人の全身像を描くよう伝える。人物像に不明瞭な部分がある場合は，描画後に「これは何ですか」と確認する。基本的には男子像で採点するため，女子像を描いた場合は「今度は男の子も描いてね」と指示する。

採点項目は，人物の部分（頭，眼，口などの有無），各部分の比率，部分の明細度の観点から50項目である。各項目について基準を満たしていれば1点とし，50点満点で得点が算出される。精神年齢（mental age：MA）換算表により，MAが算出される。本検査では男女差（4～7歳で女児の方が高得点）が認められたため，男女別にMA換算表が用意されている[6]。

表11　DAM採点項目と採点基準の一部

	No.	採点項目	採点基準
頭	1	頭	頭があればよい
	2	頭の輪郭	単純な円，楕円，四角，三角などでなく，頭の形として描出されていること
	3	頭の割合	頭の面積が胴の1/10以上，1/2以下であること

50項目中，頭の3項目を示した。採点用紙には，各項目の採点例が示されており，合否（＋－で判定）

補足

リハビリテーションのための子どもの能力低下評価法（pediatric evaluation of disability inventory：PEDI）では，能力と遂行状態の評価：セルフケア，移動，社会機能の領域について評価する（p.442参照）。

■心理社会的技能・心理的要素の評価

作業療法の対象として，心理社会的技能の評価が必要な自閉スペクトラム症などの発達障害のある子どもが急増している。臨床の場面で使うことが多い心理社会的技能・心理的要素の評価の一部を**表12**に紹介する。

表12 心理社会的技能・心理的要素の評価

検査名	適応年齢	検査内容または特徴
social naturity(S-M)社会生活能力検査第3版	1～13歳	社会生活能力を身辺自立，移動，作業，意志交換，集団参加，自己統制の6領域に分けて測定。質問紙法
小児行動質問紙(children behavior checklist：CBCL)	2～3歳用 4～18歳用	子どもの情緒と行動を包括的に評価。質問紙法
心の理論課題検査(theory of mind：TOM)	3～7歳	他人の考えを推測したり，意図や感情を理解する能力(社会認知能力)のスクリーニング

Case Study

Question 3

初回にDAMを用いる際に注意すべきことを挙げてみよう。

☞ 解答 p.290

作業療法参加型臨床実習に向けて

質問紙検査の長所と短所を知り，適切に活用する

- 乳幼児精神発達質問紙，KIDS，S-M社会生活能力検査などは，定型発達の順序に沿って質問項目が配列されている。そのため，保護者が記入することによって，できそうなのに子どもが未経験なことや次の目標とすべき課題への気づきにつながる。検査時点での領域ごとの発達段階，今後の課題を確認して保護者と共有する。
- 発達年齢を算出するだけでなく，質問項目への回答をもとに保護者から日常の子どもの様子を聞きとる。例えば「学級で決められた役割(当番・委員など)を自発的にできる(S-M社会生活能力検査)」に対して「○」と記入していたら，「どんな役割をしていますか？」と保護者に質問し，具体的な係(電気消し係や給食当番など)把握する。
- 保護者や教師からの回答には，回答者のバイアスがかかることを考慮する。例えば「必要に応じて自分で電話をかけられる(S-M社会生活能力検査)」に「○」の回答した場合に「どんな電話をかけますか？」と尋ねたら，「保護者が横にいてメモを見せて教えてできる」状況と判明することもある。作業療法の対象となる子どもは，項目に「完全にできる」とならず「一部できている」「工夫すればできる」ことがしばしばあり，回答者は「○」「×」だけで回答しにくい側面がある。そのため，回答者の寛厳度より数値に影響が出やすく，結果の読み取りに注意を払う必要がある。また，作業療法にとっては「どんな工夫をすればできるのか」が支援につながる重要な情報となる。

【引用文献】

1) 大城昌平 編：リハビリテーションのための人間発達，p.2-3，メディカルプレス，2010.
2) 福田恵美子 監：人間発達学，p.162，中外医学社，2005.
3) 遠城寺宗徳：遠城寺式乳幼児分析的発達検査法 九州大学小児科改定新装版．慶応義塾大学出版会，2009.
4) 米津　亮：Milaniの発達チャート．理学療法ジャーナル，43(2)：137，2009.
5) 小林重雄，伊藤健次：グッドイナフ人物画知能検査新版ハンドブック．三京房，2017.
6) 飯鉢和子，ほか：日本版視知覚発達検査実施要領と採点法手引き．日本文化科学社，1977.

【参考文献】

1. 土田玲子，ほか：日本版ミラー幼児発達スクリーニング検査とJMAP簡易版その解釈および関連研究．パシフィックサプライ，2003.
2. 辻井正次 監：日本版感覚プロファイルユーザマニュアル，日本文化科学社，2015.

チェックテスト

Q

①発達のスクリーニング検査を挙げよ(p.201)。 基礎

②感覚統合機能の評価を挙げよ(p.204)。 基礎

③ATNR，STNR，TLRの誘発方法，反応，出現，消失・統合の時期をを説明せよ(p.206)。 基礎

④他人の意図や感情を理解する能力(社会認知能力)のスクリーニング検査を挙げよ(p.212)。 基礎

19 日常生活活動(ADL)

加藤　篤

Outline

- 日常生活活動(ADL)は基本的ADLと手段的ADL(IADL)とに分けられ，それぞれ標準化された評価表がある。
- 『障害高齢者の日常生活自立度』と『認知症高齢者の日常生活自立度』という2つの判定基準がある。
- ADL評価は実施状況(しているADL)と遂行能力(できるADL)という2つの見方がある。
- ADLを行う時間や生活空間を勘案し，観察と聞き取りにより評価を行う。
- 標準化されたADL評価表はBarthel(バーセル) indexや機能的自立度評価法(FIM)がよく用いられる。
- ADLは複合的な行為であるので，運動機能面以外の心理面や環境面も考慮して評価を進める。

1 ADLとは

ADLとはactivities of daily livingの略であり，「日常生活活動」または「日常生活動作」を指す。以前はリハビリテーション関連の専門用語といえるものであったが，現在は医師・看護師だけではなく，介護支援専門員(ケアマネジャー)をはじめとする介護保険や社会福祉関係職種にもその用語は浸透し，作業療法士が**他職種**と**連携**するうえで**重要な共通語**となった。**障害高齢者の日常生活自立度(寝たきり度)**と**認知症高齢者の日常生活自立度**については介護保険サービスにおいて，多職種に幅広く使用されている(**表1，2**)。

ADLとは日々行う身の回りのことだが，すぐに思い浮かぶのは食事・更衣・排泄・入浴・**整容**[*1]といった項目であろう。言い換えれば，セルフケア，身辺処理である。しかし，評価表によっては，車椅子操作や階段昇降という移動の項目があったり，または家事や書字，コミュニケーションを含むものもある。ADLの概念とその範囲は，その訳語も含め時代とともに変遷し，セルフケアの領域から拡大し広域にわたる。

＊1　**整容**
洗顔，歯磨き，整髪，爪切り，髭そりなど。

■狭義のADLとIADL

狭義のADLは**基本的ADL**または**標準的ADL**ともよばれ，セルフケアに**起居動作**[*2]あるいは移動を加えたものであり，広義のADLは買い物，料理，交通機関の利用，金銭管理なども含め，それらの活動は「手段的ADL(instrumental ADL：IADL)」とよばれている。

＊2　**起居動作**
寝返り，起き上がり，立ち上がり，着座など臥位・座位・立位と姿勢を変化させる諸動作。

狭義のADLとIADLの相違点は，狭義のADLは自室や個室で行う頻度の高い個人的な活動であるのに対し，IADLは家庭内や屋外で行い，必ずしも毎日のように行わない社会的な意味をもった活動である。狭義の

表1　障害高齢者の日常生活自立度判定基準

自立度	ランク		判定基準
生活自立	J		なんらかの障害などを有するが，日常生活はほぼ自立しており独力で外出する
		J1	交通機関などを利用して外出する
		J2	隣近所なら外出する
準寝たきり	A		屋内での生活はおおむね自立しているが，介助なしには外出しない
		A1	介助により外出し，日中はほとんどベッドから離れて生活する
		A2	外出の頻度が少なく，日中も寝たり起きたりの生活をしている
寝たきり	B		屋内での生活はなんらかの介助を要し，日中もベッド上での生活が主体であるが，座位を保つ
		B1	車椅子に移乗し，食事，排泄はベッドから離れて行う
		B2	介助により車椅子に移乗する
	C		1日中ベッド上で過ごし，排泄，食事，着替えにおいて介助を要する
		C1	自力で寝返りをうつ
		C2	自力では寝返りもうたない

補装具や自助具などの器具を使用した状態であってもよい

表2　認知症高齢者の日常生活自立度判定基準

ランク		判定基準	みられる症状・行動の例
Ⅰ		なんらかの認知症を有するが，日常生活は家庭内および社会的にほぼ自立している	—
Ⅱ		日常生活に支障をきたすような症状・行動や意思疎通の困難さが多少みられても，誰かが注意していれば自立できる	—
	Ⅱa	家庭外で上記Ⅱの状態がみられる	たびたび道に迷う，買い物や事務，金銭管理などそれまでできたことにミスが目立つなど
	Ⅱb	家庭内でも上記Ⅱの状態がみられる	服薬管理ができない，電話の応対や訪問者との対応など1人で留守番ができないなど
Ⅲ		日常生活に支障をきたすような症状・行動や意思疎通の困難さがみられ，介護を必要とする	—
	Ⅲa	日中を中心として上記Ⅲの状態がみられる	着替え，食事，排泄が上手にできない，時間がかかるやたらに物を口に入れる，物を拾い集める，徘徊，失禁，大声・奇声を上げる，火の不始末，不潔行為，性的異常行為など
	Ⅲb	夜間を中心として上記Ⅲの状態がみられる	ランクⅢaに同じ
Ⅳ		日常生活に支障をきたすような症状・行動や意思疎通の困難さが頻繁にみられ，常に介護を必要とする	ランクⅢaに同じ
M		著しい精神症状や問題行動あるいは重篤な身体疾患がみられ，専門医療を必要とする	せん妄，妄想，興奮，自傷・他害などの精神症状や精神症状に起因する問題行動が継続する状態など

＊3　**性別役割分業**
性別による役割や労働の相違，分業の意識，またこのような男女間の分業や社会制度のこと。

ADLはIADLに比べ個人差は少ないが，IADLは所属する社会や家庭，年齢や**性別役割分業**＊3によって個人差は大きい（**図1**）。

補足

『障害高齢者の日常生活自立度(寝たきり度)』と『認知症高齢者の日常生活自立度』
この2つの判定基準は，介護保険制度の要介護認定に必要な認定調査と主治医意見書でも用いられている。要介護認定での一次判定や介護認定審査会における審査判定の参考としても利用されており，介護保険制度上重要な指標である。また，多職種共通の評価指標となっている。

試験対策 Point

『障害高齢者の日常生活自立度(寝たきり度)判定基準』と『認知症高齢者の日常生活自立度判定基準』の，それぞれのランクの種類と内容を理解しよう。

- 『障害高齢者の日常生活自立度(寝たきり度)』で自立しているのはランク何か確認しよう。また，各ランク内はさらに2段階に基準が分かれているので，ランクBは移乗介助の有無，ランクCは寝返りといったキーワードも重要である。ランクJだけABCと離れているがJiritsuのJと覚えよう。
- 『認知症高齢者の日常生活自立度判定基準』のランクはⅠ～ⅣとMに分かれる。ランクMだけ別のような表記だがMedicalのMであり，Ⅳより重度という意味ではなく専門医療を必要とするという意味なので気をつけたい。

図1　ADLとIADLの関係

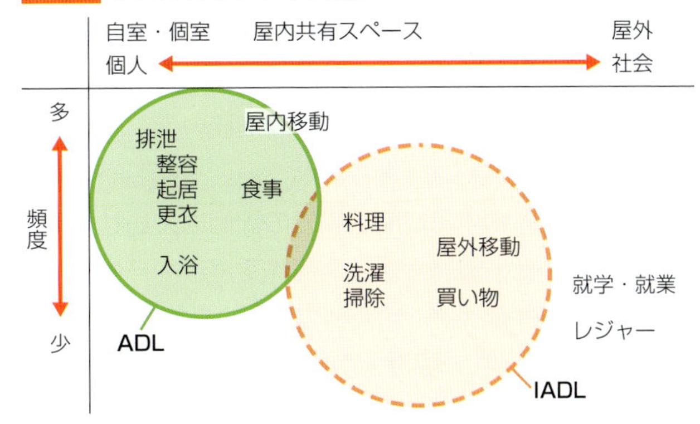

2 ADL評価

ADL評価は，作業療法士の臨床領域において，それぞれ評価の視点は異なるが幅広く利用されている。発達障害領域では各発達段階に応じたセルフケア遂行能力や生活習慣の獲得・親の介助からの自立の視点で，身体障害領域では回復段階に応じたADL・代償動作や自助具使用によるADL遂行能力の視点で，精神障害領域であれば生活リズムや健康管理能力の視点で，といったように評価の視点が異なる。

ADL評価には2つの見方がある。1つは**実施状況**を確認するもので，いわゆる**しているADL**である。現在生活しているその環境でどのようにADLを行っているのかを確認し評価する。もう1つは**遂行能力**を判断するもので，ADLを遂行できるかどうか，どのようにできるのかを**できるADL**として評価する。

■評価するタイミング

疾患や障害によっては，そのADLを行う時間帯で実施状況や能力も変化する。関節リウマチの朝のこわばり，うつ病やパーキンソン病の日内変動，睡眠障害でも活動は変化する。また，夜間だけポータブルトイレを利用しているかもしれないし，夜間の起き上がりや移乗は日中より難しいことも予想される。

実際の生活場面で，いつ行っているのかという「しているADL」の確認と，どの時間帯であればどの程度できるのかという「できるADL」の評価が必要である。

■評価する場所

対象者は入院(入所)中なのか，通院(通所)しているのかにより評価する場所は異なる。**生活空間**が病院であれば病室，病棟，作業療法室あるいはADL室にて評価を行う。

作業療法室やADL室は生活空間ではないので，「しているADL」の評価は病室および病棟となる。それに対して作業療法室やADL室は，対象者の「できるADL」である遂行能力を効果的に評価できる環境を整えやすい。そのほかの場所としては病院の階段，エレベータ，中庭，デイルーム，売店なども有効かもしれない。通院（通所）であれば，実際の生活空間は自宅であるので**自宅環境での評価は欠かせない**。訪問したり，聴き取りをして評価する。また，訪問作業療法を行っている場合は自宅を中心に生活空間を評価する。

入院（入所）している対象者には今後の退院（退所）先の生活環境を考えた評価も求められる。自宅に退院する場合，その環境は病院とどのように異なるのか，住宅改修や福祉用具の利用は有効なのか。また，自宅内だけではなく，その周辺，復職（復学）する職場（学校），交通機関，公共施設，買い物先など対象者の生活空間を考えた評価が必要となる。

■観察と聴き取り

作業療法士が対象者本人の動作を直接観察する方法と，**対象者に聴き取り**をする方法とがある。対象者以外からは，**介助者の聴き取り**によって評価する。病院での介助者は看護師やケアスタッフ，家族であり，在宅生活では家族のほか，ホームヘルパー，訪問看護師，ケアマネジャーからの情報が役立つこともある。

直接観察，対象者情報，第三者情報に相違が生じることがある。前述した時間や場所の制約であったり，「しているADL」と「できるADL」を混同した場合などの理由も考えられる。また，安全性に関しては主観が入りやすく「安全にできているつもり」ということもあるので，情報の入手先は複数あるほうが評価の客観性は高まる。

アクティブラーニング 1 「しているADL」と「できるADL」とが大きく異なっていたら，それは何を意味しているのだろうか。対象者，介助者，環境の3点から考察してみよう。

■評価法

数多くあるADL評価表でよく使われているのは**Barthel（バーセル）指数**（**Barthel index：BI**）[1]と**機能的自立度評価法**（**FIM**）[2]である。評価表にはそれぞれその目的，特徴があり，ADLの何を評価したいのかにより異なる。ADLの範囲だけではなくその概念が時代とともに変化してきており，IADLや生活の質（QOL）とも領域が重なり合うこともある。1つの評価表ですべてが事足りることはなく，それぞれに特徴があり，臨床では施設独自の評価表を作成しているところも少なくない。

試験対策 Point

FIMは18項目×7点＝合計126点満点となる。FIMの特徴として介助レベルは完全介助と部分介助に大別され，さらに全介助1点，最大介助2点，中等度介助3点，最小介助4点，監視5点の5段階に分け評価し，介助量測定の評価もできる。自立レベルは遂行時間や安全性のある完全自立7点と補装具使用の修正自立6点の2段階の評価となっている。

● BIとFIM

BIとFIMは両者とも点数化され得点が高くなるほど，自立度も高くなる。

BIは対象者の能力である「できるADL」を評価する（**表3，5**）。セルフケア，移乗，移動能力を自立・部分介助・全介助に応じて，それぞれ5点刻みに加算し，0～100点となる。

FIMは実際に行っているADL，つまり実行状況である「しているADL」を評価する（**表4，5**）。セルフケア，移乗，移動に加え，コミュニケーションや社会的認知という評価項目もある。7段階に分けて評価し，**自立2段階（完全自立・修正自立）**，**部分介助3段階（監視・最小介助・中等度介助）**，**完全介助2段階（最大介助・全介助）**となっている。専門家による評価を想定しており，精度は高いが観察や聴き取りを要し評価に時間はかかる。

なお，子ども対象のFIMは，**こどものための機能的自立度評価法（functional independence measure for children：WeeFIM）**とよばれ，移動，コミュニケーション，社会的認知の項目においてFIMから内容を修正している。項目数や総得点，7段階の評価はFIMと同様である。詳細はp.465を確認してほしい。

● 運動および処理技能評価（AMPS）

運動および処理技能評価（assessment of motor and process skills：AMPS）は，作業療法士によって開発された作業療法独自のADLとIADLの評価法である。ADL・IADL課題を行い，技能による作業分析的視点から作業遂行の質と能力を評価する。国際的に標準化された観察型の評価法であり，評価を行うには講習会参加と修了後10名のデータ提出が必要である。詳細はp.265～を確認してほしい。

● 改訂版FAI自己評価表

IADL評価表の1つに**改訂版Frenchay activities index（FAI）自己評価表**[3]がある（**表6**）。FAIは1983年Holbrook（ホルブルック）らによって発表された。内容は家事，外出，趣味，庭仕事，読書，就業などの頻度によって評価するものである。

● 老研式活動能力指標

老研式活動能力指標は，13の質問からなる自記式の評価表として開発された（**表7**）。各項目はそれぞれ電車に乗る，買い物，料理，支払いといった「手段的自立」，本や雑誌への知的興味，健康や年金手続きに関心をもつといった「知的能動性」，他者との交流を問う「社会的役割」の3つに分類されている。高齢者が地域で自立した生活を送るために必要な能力を評価できる。また，簡易にIADLを測ることができる評価表である。

表3 BI

項目	点数		点数の付け方
食事	自立	10	テーブル上に食物があれば，自力で摂取可能。自助具を用いてもよい。妥当な時間に終えられる
	部分介助	5	なんらかの介助や見守りが必要
	全介助	0	全面的に介助が必要
車椅子とベッド間の移乗	自立	15	車椅子をベッドに近づけてブレーキをかけ，フットレストを上げて安全にベッドに移り，臥床することができる。その逆の移乗もできる
	見守り	10	安全のため見守りが必要であったり，最小限の介助が必要
	部分介助	5	ベッドからの起き上がりはできるが，立ち上がりができない。また，かなりの介助が必要
	全介助	0	全面的に介助が必要
整容	自立	5	洗顔，手洗い，整髪，歯磨き，髭そり，化粧ができる
	介助	0	上記に介助が必要
トイレ動作	自立	10	トイレの出入り，衣服の着脱，トイレットペーパーの利用ができる。手すりを利用してもよい
	部分介助	5	バランス不安定のため介助を要したり，更衣などに一部介助が必要
	全介助	0	全面的に介助が必要
入浴	自立	5	入浴，シャワー，清拭のいずれでもよいが，介助は不要
	介助	0	介助が必要
平地歩行（車椅子操作）	自立	15	介助や見守りなく45m以上歩ける。歩行器（キャスタ付きを除く），杖，義肢，装具を利用してもよい。装具使用の場合はロック操作ができる
	部分介助	10	上記について，わずかな介助や見守りがあれば45m以上歩ける
	車椅子使用	5	歩行はできないが，自力で車椅子操作ができ45m移動できる。角を曲がったり，方向転換もできる
	全介助	0	歩行または車椅子自走が45m以上できない
階段昇降	自立	10	介助や見守りが必要なく階段昇降ができる。手すりや杖を使用してもよい
	部分介助	5	介助や見守りによって階段昇降ができる
	全介助	0	全面的に介助が必要
更衣	自立	10	身に着けているすべての衣服と靴，および装具の着脱ができる
	部分介助	5	介助が必要だが半分以上は自分でできる。妥当な時間内に終えることができる
	全介助	0	介助が必要で，半分以上自分でできない
排便コントロール	自立	10	排便のコントロールができ，失敗がない。脊髄損傷患者の場合は座薬や浣腸の使用も自力でできる
	部分介助	5	ときどき失敗する。座薬や浣腸の使用に介助が必要
	全介助	0	全面的に介助が必要
排尿コントロール	自立	10	昼夜とも排尿コントロールができる。脊髄損傷患者の場合は尿集器の装着や管理ができる
	部分介助	5	ときどき失敗する。トイレに行くことや尿集器の装着が間に合わないときがある
	全介助	0	全面的に介助が必要

（文献1より引用）

表4　FIM

レベル	7. 完全自立（時間，安全性を含めて） 6. 修正自立（補装具使用）	介助者なし
	部分介助 5. 監視 4. 最小介助（患者自身で75%以上） 3. 中等度介助（50%以上） 完全介助 2. 最大介助（25%以上） 1. 全介助（25%未満）	介助者あり

項目		入院時	退院時	フォローアップ
セルフケア				
A. 食事	箸			
	スプーンなど			
B. 整容				
C. 入浴				
D. 更衣（上半身）				
E. 更衣（下半身）				
F. トイレ動作				
排泄コントロール				
G. 排尿				
H. 排便				
移乗				
I. ベッド				
J. トイレ				
K. 浴槽，シャワー	浴槽			
	シャワー			
移動				
L. 歩行，車椅子	歩行			
	車椅子			
M. 階段				
コミュニケーション				
N. 理解	聴覚			
	視覚			
O. 表出	音声			
	非音声			
社会的認知				
P. 社会的交流				
Q. 問題解決				
R. 記憶				
合計				

注意：空欄は残さないこと。リスクのために検査不能の場合はレベル1とする。

（文献2より引用）

表5　BIとFIMの特徴

	BI(原法)	FIM
発表年	1965	1990
項目数	10	18
項目	食事，移乗，整容，トイレ，移動，階段昇降，更衣，排泄	食事，整容，入浴，更衣，トイレ，移乗，移動，コミュニケーション，社会的認知
得点	0～100点	18～126点
特徴	「できるADL」の評価 自立，部分介助，全介助それぞれ5点刻みのスコア加算なため精度は高くないが，短時間で評価できる	「しているADL」の評価 完全自立，修正自立，監視，最小介助，中等度介助，最大介助，全介助と7段階に細かく設定され精度は高いが，時間がかかる
必要な時間	聴き取りができれば数～10分程度	観察，聴き取りなどを行い総合スコア算出には30～60分

表6　改訂版FAI自己評価表

最近の3カ月間の生活を振り返り，最も近い回答を1つ選び○を付けてください

①食事の用意(買い物は含まない)	していない	まれにしている	ときどきしている(週に1～3回)	週に3回以上
②食事の片付け	していない	まれにしている	ときどきしている(週に1～3回)	週に3回以上
③洗濯	していない	まれにしている	ときどきしている(月に1～3回)	週に1回以上
④掃除や整頓	していない	まれにしている	ときどきしている(月に1～3回)	週に1回以上
⑤力仕事(布団の上げ下ろし，雑巾がけ，家具の移動，荷物の運搬など)	していない	まれにしている	ときどきしている(月に1～3回)	週に1回以上
⑥買い物	していない	まれにしている	ときどきしている(月に1～3回)	週に1回以上
⑦外出(映画，食事，会合などに出かける)	していない	まれにしている	ときどきしている(月に1～3回)	週に1回以上
⑧屋外歩行(散歩，買い物，外出などのために15分以上歩く)	していない	まれにしている	ときどきしている(月に1～3回)	週に1回以上
⑨趣味(園芸，編物，スポーツなどを行う。TVだけでは趣味に含めない)	していない	まれにしている	ときどきしている(月に1～3回)	週に1回以上
⑩交通手段の利用(自転車も含む)	していない	まれにしている	ときどきしている(月に1～3回)	週に1回以上
⑪旅行(車，電車などで楽しみのため旅行する。仕事は含まない)	していない	まれにしている	ときどきしている(月に1～3回)	週に1回以上
⑫庭仕事(草抜き，水撒き，庭掃除など)	していない	まれにしている	定期的にしている	定期的にし，植え替えなどもする
⑬家や車の手入れ	していない	電球の取替えなどしている	室内の模様替え，洗車などする	家の修理や車の整備もする
⑭読書(新聞，週刊誌は含まない)	読んでいない	まれに読んでいる	ときどき読んでいる(月に1回程度)	読んでいる(月に2回以上)
⑮仕事(常勤，非常勤は問わない，ボランティアは含めない)	していない	週に1～9時間	週に10～29時間	週に30時間以上

(文献3より引用)

表7　老研式活動能力指標

手段的自立		
1	バスや電車を使って1人で外出ができますか	はい・いいえ
2	日用品の買い物ができますか	はい・いいえ
3	自分で食事の用意ができますか	はい・いいえ
4	請求書の支払いができますか	はい・いいえ
5	銀行預金・郵便貯金の出し入れが自分でできますか	はい・いいえ
知的能動性		
6	年金などの書類が書けますか	はい・いいえ
7	新聞を読んでいますか	はい・いいえ
8	本や雑誌を読んでいますか	はい・いいえ
9	健康についての記事や番組に関心がありますか	はい・いいえ
社会的役割		
10	友達の家を訪ねることがありますか	はい・いいえ
11	家族や友達の相談にのることがありますか	はい・いいえ
12	病人を見舞うことがありますか	はい・いいえ
13	若い人に自分から話しかけることがありますか	はい・いいえ

「はい」が1点，「いいえ」を0点とし，13点満点で評価する。

（文献4を基に作成）

● Katz ADL index

1963年にKatz（カッツ）らによって高齢患者を対象に発表された。入浴，更衣，トイレ動作，移乗，排泄コントロール，食事の6項目を自立か依存かで選び，すべてが自立のAからすべて依存のGまでの7段階に評価する。6つの項目に発達，加齢を考慮した順序を想定しているのが特徴といえる[5)]。

例えば，段階Bは6項目のいずれか1つが依存だが，段階Cは入浴とほか1つ，段階Dは入浴と更衣ともう1つと設定されている。ただしA～Gに分類されないその他(other：O)の指標もある。

● ESCROW profile

ESCROW profileは，6つの項目によって在宅生活を評価する(**表8**)。項目は，環境(environment)，社会交流(social interaction)，家族状況(cluster of family members)，経済状態(resources)，将来の見通しと判断力(outlook)，仕事・学校・退職後生活(work・school・retirement status)であり，それぞれの頭文字をとってESCROWとなる。IADLの評価でもあり，心理面や社会的問題の把握が可能である。またQOL評価とも重なる部分もあり，総合的な評価法の1つである。

表8 ESCROW Profile

環境 (environment)		1	問題なし：自宅の出入りは可能であり，どの階どの部屋にも安全に介助なしに移動できる
		2	少し問題あり：自宅の出入りは可能で，生活上必要な階や部屋には問題なく移動できる。しかし，生活上特に必要でない階や部屋には移動できなかったり，入口や廊下が狭かったりすると，住宅改修や家具の移動が必要になる
		3	多くに問題あり：介助がなければ，自宅の出入りや自室や生活上必要な部屋に移動できず，家族団らんにも参加できない。しかし，こうした問題があるからといって家族は転居を望んでいない
		4	自宅で多くの問題をかかえて生活しており，家族は解決のため転居を望んでいる
社会交流 (social interaction)		1	訪問したり，電話をしたり，趣味や娯楽を通じて社会的接触がバランスよく保たれている
		2	上記のような社会的接触が制限されている
		3	対象者または家族がカウンセリングそのほかの援助が必要なことがある
		4	週に1回以上，公的地域サービスによる支援が必要である
家族状況 (cluster of family members)		1	配偶者，または親族など近しい関係の同居する人がいる。家族は健康で適切な介助を行っている
		2	家族構成は上記と同様だが，場合によって介助や支援ができないことがある。また主な介助者である家族が仕事などで留守にすることもある
		3	家族の誰かが，介助のために仕事や生活パターンそのほか重要な活動の変更を余儀なくされている
		4	介助のために家族関係がかなり険悪になったり，壊れてしまっている
経済状態 (resources)		1	介護費用を家族は借金することなく負担できる
		2	介護費用を捻出するために家族は借金をしなければならない
		3	家族は医療費について何らかの公的補助を受ける必要がある
		4	介護費用と医療費支払いに生活保護制度を利用する必要がある
将来の見通しと判断力 (outlook)		1	問題解決，配慮，判断力，信頼性，自尊心においてほぼ自立している
		2	上記に多少の障害がある。軽度の障害か，意思決定に困難が伴う
		3	上記の障害のため介助，見守り，助言，環境整備が必要となる。または意思決定に大きな困難が伴う
		4	上記の障害のため適切な支援を受けていない。また必要があっても意思決定ができない
仕事・学校・退職後生活 (work・school・retirement status)	勤務者，家事従事者，学生の場合	1	仕事，学校，家事遂行に問題がない。それらの活動を休むのは月に1日以下である
		2	仕事，学校，家事遂行に制限がある。パートタイムや軽作業に限定される。活動を休むのは月に2～5日
		3	福祉的就労や支援学校に限定される。月に1週間以上休んでしまう。家事従事者であれば家族以外の外部の援助が必要
	退職者の場合（障害による退職ではない）	1	家庭や地域のなかで，収入を得る目的以外に日常的で習慣的な役割をもっている
		2	限定されるが，上記の役割をもっている
		3	上記の役割を何ももっていない

（文献6より引用）

5 ADL評価の実際

～実習指導者と実習生との会話から～

（指導者）：学生さん，担当しているAさんのトイレ動作だけど，評価はどうでした？

自立していないとわかりました。：（実習生）

：なぜそう評価したのですか？

ご家族が介護していたので。：

：ご家族はどのような介助をしていましたか？

すべてを介助していたと思いますが。：

：すべてですか…Aさんは歩行できますよね？

はい，４点杖歩行ですが。：

：トイレ動作とは，どのような動作なのでしょうかね？

？？…排泄する動作だと思いますが。：

：学生さんはトイレに行くとき，何から始めます？

トイレの個室に入ることですか？：

ADLは**複合的な行為**である。トイレ動作も尿便意に始まり，長時間トイレに行くことができない状況なら早めにトイレに行くといった排泄のコントロールも含め，トイレまで移動し，男女差はあるが個室への出入り，鍵の開閉，下衣の着脱，トイレットペーパーの使用，着座と立ち上がり，水洗，手洗いなどがある。また洋式和式，手すりの有無，広さなどの環境面，下痢や便秘など体調不良時，日中と夜間との差，介助されることに対する心理的抵抗感など幅広い要素が複雑に絡み合っている。

あるADLが**できるかできないか，自立か要介護かという二者択一的な評価に留まらず**，そのADLの**どの段階**にどのような問題があるのか，運動機能面以外の**心理面**や**環境面**，**介助者との関係性**も考慮して評価を進める必要がある。

作業療法参加型臨床実習に向けて

ADLの見学のポイント
麻痺や関節可動域などの身体状況，運動機能面だけでなく，環境や使用する物や道具にも注目する。例えば更衣動作であれば衣服の形状をよく観察してみる。同じ対象者が別の服を着た場合，動作や遂行時間は異なるのだろうか。衣服の素材，大きさ，形状，ボタンやファスナの有無なども注意深く見てみる。入院時は検査や処置，更衣しやすいパジャマのような衣服を着ていることも多いので，退院後は異なる衣服を着用することも忘れないでほしい。

Case Study

80歳代女性，Aさんは5年前に脳梗塞を発症し左片麻痺があり，現在は在宅で生活している。つたい歩きで自宅内移動は可能だが，外出機会は通所介護(デイサービス)に限られている。要支援2，BIは100点で，改訂長谷川式簡易知能評価スケールが25点であった。

Question 1

Aさんの障害高齢者の日常生活自立度判定基準のランクを考えてみよう。

☞ 解答 p.290

Question 2

AさんのADL評価を進めるうえで留意する点を挙げよ。

☞ 解答 p.290

【引用文献】

1) Mahoney FI, et al. : Functional evaluation, The Barthel Index, Maryland State Medical Journal, 14 : 61-65, 1965.
2) 道免和久，ほか：機能的自立度評価法(FIM)．総合リハ，18：627-629，1990.
3) 末永英文，ほか：改訂版 Frenchay Activities Index 自己評価表の再現性と妥当性，日職災医誌，48：55-60，2000.
4) 古谷野亘，ほか：地域老人における活動能力の測定－老研式活動能力指標の開発．日本公衆衛生雑誌，34：109-114，1987.
5) Katz S, et al. : Studies of illness in the aged. The Index of ADL: A standardized measure of biological and psychosocial function. JAMA, 185 : 914-919, 1963.
6) Granger CV : Krusen's Handbook of Physical Medicine and Rehabilitation, 3rd ed, p264-265, WB Saunders, 1982.

【参考文献】

1. 菊池恵美子，ほか：作業療法評価におけるESCROW機能スケールの有効性について．理学療法と作業療法，21(4)：277-284，1987.

チェックテスト

Q

①ADLとIADLの違いを説明し，それぞれ代表的な項目を挙げよ(☞p.213)。 基礎

②『障害高齢者の日常生活自立度判定基準』でのランクBとランクCとの違いを説明せよ(☞p.214)。 基礎

③「しているADL」と「できるADL」の違いを説明せよ(☞p.215)。 臨床

④入院している対象者のADL評価はリハビリテーション室や作業療法室以外のどこで行うべきか説明せよ(☞p.216)。 臨床

⑤ADL評価の情報は誰から得たらよいのか挙げよ(☞p.216)。 臨床

⑥BIの特徴を述べよ(☞p.217)。 基礎

⑦FIMの特徴を述べよ(☞p.217)。 基礎

⑧ADLを複合的な行為として分析した場合，例えばトイレ動作はどのような行為で構成されているか述べよ(☞p.223)。 臨床

⑨ADLの運動機能面とその動作分析以外に評価するうえで注意すべき点を考察せよ(☞p.223)。 臨床

20 福祉用具・自助具

澄川幸志

Outline

- 対象者の生活を支える点において，福祉用具・自助具はともに非常に重要である。
- 福祉用具・自助具を評価する際には特に対象者の心身機能面はもちろんのこと，福祉用具・自助具の使用に対する満足感のような対象者の主観に基づいた評価も重要である。
- 福祉用具・自助具を作成する能力，改良する能力も作業療法士には求められる。

1 福祉用具・自助具とは

福祉用具とは，1993年に制定された**福祉用具の研究開発及び普及の促進に関する法律**（**福祉用具法**）において「心身の機能が低下し日常生活を営むのに支障のある老人又は，心身障害者の日常生活上の便宜を図るための用具及びこれらの者の機能訓練のための用具並びに補装具」と定義されている[1)]。それまでは，福祉機器，リハビリテーション機器，介助機器，テクニカルエイド，自助具などのさまざまな用語が使われてきたが，この法律によって**福祉用具**として用語が統一された。

自助具とは前述のように福祉用具に包含されるが，英語でself-help devicesと表記され，その訳語である「自らを助ける道具」がその由来となっている。自助具は「障害を補うために工夫・考案された道具」[2)]とも定義することができ，単に道具を提供するだけではなく，その道具に対する工夫や改良もその範疇となる。最も身近な道具として，対象者の生活の幅を広げてくれるものである。

本項では自助具を福祉用具に包含したうえで，福祉用具の評価について述べる。

アクティブラーニング 1 代表的な福祉用具・自助具にはどんなものがあり，それらは主にどのような疾患・障害に対して適応となることが多いか調べてみよう。

2 福祉用具の評価

福祉用具の評価は，**福祉用具を導入する前の評価**と**福祉用具を導入した後の評価**の2つに大別して考えることができる。

■福祉用具を導入する前の評価

福祉用具を導入する前の評価として，まずは福祉用具を利用する対象者や**環境面の評価**が挙げられる。これは，対象者に作業療法を実践する際に

試験対策 Point

福祉用具の種類は多様であり，そのなかから対象者に最も適した福祉用具を選択する必要がある。対象者に最も適した福祉用具を選択するためには，対象者の残存機能・能力から必要となる福祉用具を考えることが重要である。

行う種々の心身機能面や日常生活活動面，生活環境に関する評価と同様である。つまり「どのような対象者」が，「どのような環境」で「どのような生活をしているのか，望んでいるのか」という情報を得ることである。評価するべき項目の参考例として福祉用具専門相談員協会が発行する『福祉用具サービス計画作成ガイドライン』[3]に記載のある「アセスメントの基本的な項目と情報収集の方法の例」を掲載する（**表1**）。

その後，福祉用具の選定・適合を行い導入するが，導入に際しては事前に試用評価を行うことで，より対象者に適した福祉用具の導入が可能となる。試用評価では痛みの有無や使用しているときの様子などを評価し，十分に効果的かどうかを判断する必要がある。不具合がある場合には，適宜調整や別の福祉用具の選定を行う。福祉用具の選定では日本作業療法士協

表1　福祉用具・自助具導入にあたっての評価すべき項目の例

アセスメントの基本的な項目と情報収集の方法の例

情報の種類	情報項目	情報収集の項目
利用者の基本情報	・氏名，性別，年齢 ・要介護度 ・認定日，認定期間 ・住所，電話番号 ・居宅介護支援事業所名，担当介護支援専門員名　など	・介護支援専門員からの情報収集（ケアプラン，アセスメントシートなど）
身体状況・ADL	・身長，体重 ・現病歴および既往歴，合併症 ・障害の状況 ・障害高齢者日常生活自立度 ・認知症の程度（認知症高齢者日常生活自立度） ・日常生活動作の状況（できること，できそうなこと，介助が必要なことなど）　など	・利用者，家族からの聞き取り ・介護支援専門員からの情報収集（ケアプラン，アセスメントシートなど） ・サービス担当者会議 ・医療機関におけるカンファレンス　など
意欲・意向	・ご本人の気持ち，望む生活について ・現在困っていること ・過去の生活状況（生い立ち，仕事，趣味など）　など	・利用者，家族からの聞き取り ・介護支援専門員からの情報収集（ケアプラン，アセスメントシートなど） ・サービス担当者会議 ・医療機関におけるカンファレンス　など
介護環境	・他のサービスの利用状況（介護保険サービス，保険外サービス） ・家族構成，主たる介護者（氏名，年齢，性別，利用者との関係，介護力，日中の介護状況） ・利用している福祉用具（既に導入済みのもの） ・経済状況　など	・利用者，家族からの聞き取り ・介護支援専門員からの情報収集（ケアプラン，アセスメントシートなど） ・サービス担当者会議 ・医療機関におけるカンファレンス　など
住環境	・持家または借家（住宅改修などが可能か） ・エレベータの有無（集合住宅の場合） ・屋内の段差の有無 ・居室内での動線 ・トイレの状況（広さ，和式・様式） ・浴室の状況（脱衣所の広さ，浴室の広さ，浴槽のまたぎ高さなど） ・通路および各部屋出入り口の有効幅，家具などの設置状況　など	・住環境の訪問調査 ・利用者，家族からの聞き取り ・介護支援専門員からの情報収集（ケアプラン，アセスメントシートなど）

（一般社団法人全国福祉用具専門相談員協会『福祉用具サービス計画作成ガイドライン』より許可を得て転載）

作業療法参加型臨床実習に向けて

臨床実習指導者が対象者に福祉用具・自助具を提供する際の話す内容にも注意する。特に，初めて福祉用具・自助具を使用する対象者に提供する際には，使い方の説明や使用時の注意点などを丁寧に伝えることが円滑に導入するための重要なポイントとなる。

会の提供する『福祉用具相談支援システム』[4]の活用も視野に入れておくとよい。

■福祉用具を導入した後の評価

福祉用具を導入した後の評価では，福祉用具の導入により対象者自身，対象者の生活がどのように変わったのか，という点についての評価が行われる。

福祉用具を導入した後に評価する項目の例として，CATOR（consortium for assistive technology outcomes research）による福祉機器の成果の分類[5]では，福祉用具の効果（effectiveness），社会的有意性（social significance），主観的安寧（subjective well-being）の3つの観点から評価する項目を列挙している（**表2**）。福祉用具の効果は対象者の生活機能や環境に対しての福祉用具の直接的な成果に関する項目，社会的有意性は社会や他者に対する成果に関する項目，主観的安寧は利用者の主観的評価に基づく生活の質（quality of life：QOL）における成果に関する項目である。これらのなかでも主観的安寧については，満足感を含む心理面の評価が低いとその福祉用具・自助具は使われなくなることが多く，特に重要であるといえる。福祉用具・自助具の使用に関する心理面の評価尺度として代表的なものとして，**福祉用具心理評価スケール**（psychosocial impact

表2　CATORによる福祉用具の成果の分類

福祉用具の成果の観点		
福祉用具の効果	社会的有意性	主観的安寧
●国際生活機能分類（ICF）機能 身体機能 例：心理機能（客観的評価） 活動と参加 ●ICF背景因子 環境因子（促進因子，阻害因子） ●対象者の寿命	●介護者 監視の量 他者からの介助の量 ●費用 サービス部門 福祉用具の対象者と家族 そのほかの部門 ●施設への入所 自宅 vs. 長期入所施設 ●サービスの利用 病院への再入院 訪問診療・訪問看護などのサービス ●福祉用具の利用状況 使用頻度 使用期間 使用方法 使用率	●心理的機能（主観的評価） 福祉用具の心理的効果 ●QOL 活動 参加 ●満足 福祉用具への満足感 生活への満足感 介護への満足感

（文献3を基に作成）

of assistive devices scale：PIADS）や福祉用具満足度評価（Quebec user evaluation of satisfaction with assistive technology：QUEST）がある。

● 福祉用具心理評価スケール（PIADS）日本語版

PIADSは福祉用具が利用者のQOLに及ぼす影響を評価する尺度である。カナダで開発された英語版のPIADS[6]を基に，日本語版が井上らによって作成された[7]。PIADSはcompetence（効力感）に関する12項目，adaptability（積極的適応性）に関する6項目，self-esteem（自尊感）に関する8項目の3つのサブスケールの計26項目からなる。各項目は導入前の状態を0とし，否定的な影響を−3〜−1，肯定的な影響を+1〜+3までの7段階のスケールで得点化される。

● 福祉用具満足度評価（QUEST）第2版

QUESTは福祉用具利用者の満足度を評価するために開発された効果測定の指標である[8, 9]。質問1と質問2からなり，質問1では福祉用具に関する満足度の8項目，サービスの満足度の4項目からなる。それぞれの設問は「まったく満足していない」を1，「非常に満足している」を5とした5段階で評価を行い，当該評価を満足度得点とする。質問2では満足度評価の項目のなかから対象者が重要視するものを3つ選んでもらうことで，対象者の満足や不満足の理由を明らかにできる。

アクティブラーニング②
福祉用具を導入する前の評価，福祉用具を導入した後の評価，それぞれを評価するのに適切な時期について考えてみよう。

3 福祉用具の評価の実際

福祉用具の評価において最も重要視されるべき事項は，その**安全性**である。市販されている福祉用具は**製造物責任**（product liability：PL）法や**電気用品安全**（product safety，electrical appliance & materials：PSE）法などの基準を満たしているもの，**日本産業規格**（Japanese Industrial Standards：JIS）**マーク**を取得しているもの，QAP（Qualified Assistive Products）**マーク**[*1]を取得しているものが多く，使用方法を遵守すれば安全面は保証されているといえる。しかし，作業療法士が独自に開発・作製した福祉用具においては，これらの取得や認証を受けることが難しいこともあるので，安全性についての評価を十分に行う必要がある。

また，福祉用具は導入に際して，**身体障害者手帳**や**介護保険制度**といった社会制度の対象となるものが多い。こういった制度を活用することで，安価に福祉用具を導入することができるので，制度の活用の可否についても作業療法士が把握しておくことが望まれる。

福祉用具を自ら作製するためには，常に最新の知見を得ておく必要があ

＊1 QAPマーク
厚生労働省では，対象者が使用する場面での客観的指標に基づく安全性・操作性に関する評価を行っており，認証された福祉用具についてはQAPマークを付与している。QAPマークを付与されている福祉用具・自助具については公益財団法人テクノエイド協会の臨床的評価情報のホームページの10)からも確認できる。

る。特に技術面の進化は目覚ましく，熱可塑性(かそせい)樹脂や形状記憶樹脂などの素材面の進歩，最近では3Dプリンタを活用した福祉用具の作製も頻繁に行われるようになり，それらに関する書籍も多く発行されている。こういった情報を手に入れ，活用する姿勢が重要である。

Case Study

70歳代女性，Aさんは夫と2人暮らしをしており，家庭内での役割は主婦として家事全般を行っている。20年前より関節リウマチを発症しており，現在はSteinbrocker(スタインブロッカー)の病期分類StageⅡ，機能分類ClassⅡである。薬物療法にて症状はコントロールされており，在宅で生活を継続している。作業療法士は訪問作業療法にて週2回かかわっている。最近Aさんから調理動作を行うにあたって手の関節の痛みの訴えが聞かれるようになった。

Question 1

Aさんの手関節の痛みを軽減するための福祉用具として，より適していると考えられるのはどのような福祉用具になるか考えてみよう。

☞ 解答 p.290

Question 2

どのような項目について評価を行う必要があるか考えてみよう。

☞ 解答 p.290

【引用文献】

1) 福祉用具の研究開発及び普及の促進に関する法律（厚生労働省，1993）(https://www.mhlw.go.jp/web/t_doc?dataId=82179000&dataType=0&pageNo=1)（2022年5月時点）.
2) 相良二郎：自助具．日本義肢装具学会誌，1(3)：77-83，1985.
3) 一般社団法人全国福祉用具専門相談員協会：福祉用具サービス計画作成ガイドライン（https://www.pref.osaka.lg.jp/attach/1598/00120988/fukushiyougugaidorain.pdf）（2022年5月時点）.
4) 一般社団法人日本作業療法士協会：福祉用具相談支援システム（https://www.jaot.info/index.php）（2022年5月時点）.
5) Jutai JW, et al.：Toward a Taxonomy of Assistive Technology Device Outcomes. American Journal of Physical Medicine & Rehabilitation, 84(4)：294-302, 2005.
6) Day H, et al.：Measuring the Psychosocial Impact of Assistive Devices: the PIADS. Canadian Journal of Rehabilitation, 9(2)：159-168, 1996.
7) 井上剛伸：祉用具心理評価スケール（PIADS日本語版）の開発．第15回リハ工学カンファレンス論文集：259-262，2000.
8) Louise D, et al.：The Quebec User Evaluation of Satisfaction with Assistive Technology（QUEST 2.0）：An overview and recent progress. Technology and Disability, 14(3)：101-105, 2002.
9) Louise D：QUEST 福祉用具満足度評価 第2版（井上剛伸），福祉用具の効果測定，大学教育出版，2008.
10) 公益財団法人テクノエイド協会（http://www.techno-aids.or.jp/qap/index.php）（2022年5月時点）.

チェックテスト

Q

①福祉用具の評価をどのように行うか述べよ（☞p.225）。 基礎

②福祉用具の評価において，対象者に関する情報のほかに必要となる知識を挙げよ（☞p.228）。 臨床

21 社会生活

加藤　篤

Outline

- 社会生活は個人が属する社会，性別，年齢によりさまざまである。また，変化に富んでおり，ライフステージによって推移する。
- 興味や関心の評価表はneuropsychiatric inventory（NPI）興味チェックリスト，Kielhofner（キールホフナー）とNeville（ネヴィル）による興味チェックリスト，日本版・高齢者興味チェックリスト，興味・関心チェックシートが有用である。
- 役割チェックリストを使用して，過去・現在・未来の役割の聞き取りができる。
- 役割は生きがいや，やりがいに繋がり，個人の生活や人生に深く関係する。

1 社会生活とは

人は生まれ育った家庭から学校教育を経て成人し，社会に出ていく。子どものときは，保護者である親を介して社会と繋がっている。私たちは個人的活動である日常生活活動（ADL）を行い，家事をはじめとした家庭内での役割や活動の手段的日常生活活動（IADL）を行って，そして家庭の外である社会において仕事や学業，地域のボランティア，趣味活動といった社会生活を営んでいる。

■CMOP

補足

CMOP-Eの詳細については，p.260～を確認してほしい。

カナダ作業遂行モデル（Canadian Model of Occupational Performance Engagement：CMOP-E）では，「作業」を**レジャー**，**生産活動**，**セルフケア**に分けている。レジャーは文化的活動・スポーツ・ゲームなど楽しむための作業，生産活動は社会的，経済的に貢献する作業で学業・就労・家事などであり，セルフケアはADLといえる。

ただし，厳密に分類されるのではなく，複数の要素をもち合わせるものもある。例えば料理では，調理師の仕事としての料理は生産活動，家族のためにつくられる家事としての料理も生産活動といえるが，お菓子づくりや野外でのバーベキューという料理であればレジャーとなる。日々の食事と宴会は違うし，更衣も室内着とドレスアップでは異なるであろう。

社会生活とはその個人が属する社会，性別，年齢によりさまざまで，変化に富んだものとなる。総務省統計局が5年おきに調査している「社会生活基本調査」[1]を基に具体的な社会生活の内容を**表1**に示す。この表の社会生活の分類とカナダ作業遂行モデルの作業の分類とを対応させた。

■ライフステージ

図1は，**ライフステージ**における社会生活の推移を表している。10歳代から20歳代に移行すると学業が仕事に取って代わり，仕事時間は40歳代でピークとなり，その後減り始める。50歳代以降，自由時間活動は増える。

表1　社会生活の分類

CMOP	「社会生活基本調査」での分類			
レジャー	3次活動	自由に使える時間の活動	他の3次活動	交際・付き合い，受診・療養，その他
			積極的自由時間活動	趣味・娯楽，スポーツ，ボランティア活動，社会参加活動，学術活動(学業以外)
			休養的自由時間活動	テレビ，ラジオ，新聞，雑誌，休養，くつろぎ
生産活動	2次活動	社会生活上義務的な活動	家事関連	家事，介護，看護，育児，買い物
			通勤・通学，仕事，学業	
セルフケア	1次活動	生理的に必要な活動	睡眠，身の回りの用事，食事	

図1　ライフステージと社会生活

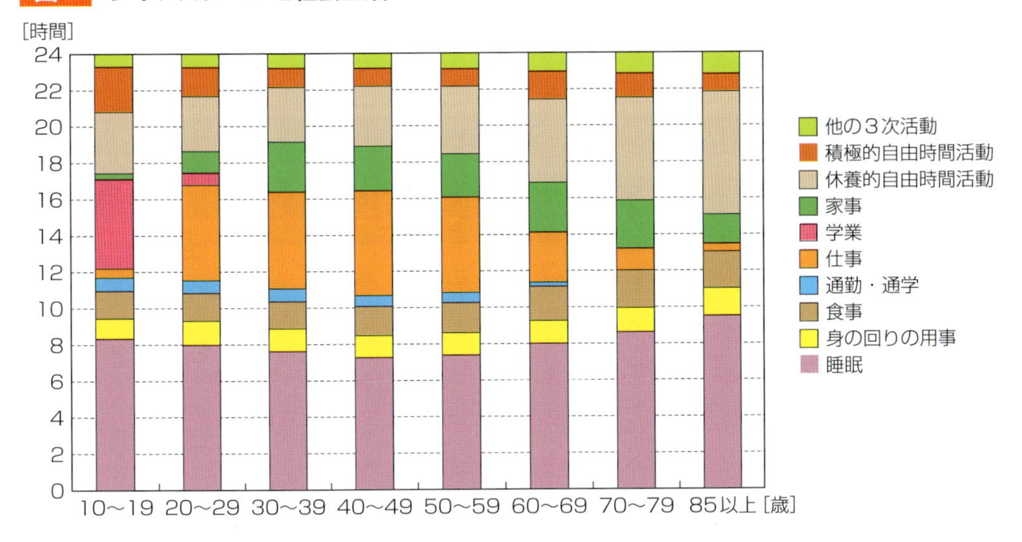

2 社会生活の評価の目的

対象者の**生活歴**を理解する。ライフステージはどの段階なのか，**社会的役割**と**家庭内役割**は何か，所属する社会・文化・地域とはどのようなものか，**生きがい・やりがい**を感じる活動とは何かを考え評価を進める。

3 社会生活の評価

■興味の評価

● NPI興味チェックリスト

neuropsychiatric inventory (NPI)興味チェックリストは，Matsutsuyu(マツツユ)

ら[2)]によって開発された。チェックリストは80項目あり，**興味・関心**を強い，普通，ないのいずれかにチェックする。80項目以外にもその他興味がある場合は自由記載でき，また，子ども時代からの興味の変遷についても把握することができる。80項目の活動は，手工芸・技術，身体・スポーツ，社会・レクリエーション，日常生活活動，教育・文化の5領域に分類でき，興味・関心の傾向を知ることができる。

試験対策 Point

キールホフナーとネヴィルによる興味チェックリストは興味を68項目の活動(園芸，外国語，散歩，読書，キャンプ，スポーツなど)に分類し，対象者の興味を評価する。特徴として，現在の興味だけではなく，過去10年間，昨年1年間，将来これをやりたいのか，という過去と未来も評価できる点が挙げられる。

● Kielhofner(キールホフナー)とNeville(ネヴィル)による興味チェックリスト

興味チェックリスト（図2）は**人間作業モデル**（Model of Human Occupation：MOHO）に基づく評価法の1つとしても位置付けられ，68項目からなる。NPI興味チェックリストにはない過去と未来の興味を尋ねる項目もある。過去は，過去10年間と昨年1年間に分けられている。

図2　キールホフナーとネヴィルによる興味チェックリスト

特定の活動への興味レベル

氏名＿＿＿＿＿＿＿＿　男・女　年齢＿＿＿＿　職業＿＿＿＿＿＿　日付＿＿年＿＿月＿＿日

＊やり方：以下に記載されているそれぞれの活動に対して，その特定の活動に対するあなたの興味のレベルを示す欄にチェック（✓）してください。

活動名	興味のレベルはどれですか						今これをやっていますか		将来これをやりたいですか	
	過去10年間			昨年1年間						
	強い	少し	なし	強い	少し	なし	はい	いいえ	はい	いいえ
1. 園芸										
2. 裁縫										
3. トランプ										
4. 外国語										
5. 教会の活動										
6. ラジオ										
7. 散歩										
8. 自動車修理										
9. 作文										
10. ダンス										
11. ゴルフ										
12. フットボール										
13. 流行歌を聴く										
14. パズル										
15. 休日の活動										
16. ペットや家畜										
17. 映画										
18. クラシックを聴く										
19. スピーチや講演										
20. 水泳										
21. ボウリング										
22. 訪問										
23. 修繕										

活動名	興味のレベルはどれですか						今これをやっていますか		将来これをやりたいですか	
	過去10年間			昨年1年間						
	強い	少し	なし	強い	少し	なし	はい	いいえ	はい	いいえ
24. 囲碁・将棋										
25. バーベキュー										
26. 読書										
27. 旅行										
28. パーティー(宴会)										
29. レスリング										
30. 家の掃除										
31. プラモデル										
32. テレビ										
33. コンサート										
34. 陶芸										
35. キャンプ										
36. 洗濯・アイロン										
37. 政治										
38. 麻雀										
39. 家の飾り付け										
40. クラブ・支部会										
41. 歌う										
42. スカウト活動										
43. 服装										
44. 手工芸										
45. ヘアスタイル										
46. サイクリング										
47. 遊びに出かける										
48. バードウォッチ										
49. デート										
50. オートレース										
51. 家の修理										
52. 体操										
53. 狩り										
54. 木工										
55. ビリヤード										
56. ドライブ										
57. 子どもの世話										
58. テニス										
59. 料理										
60. バスケットボール										
61. 歴史										
62. 収集										
63. 釣り										
64. 科学										
65. 皮革細工										
66. ショッピング										
67. 写真										
68. 絵画										

(文献2より引用)

● 日本版・高齢者版興味チェックリスト

日本版・高齢者版興味チェックリスト(**図3**)は日本の高齢者になじみのある活動を選び作成された。29項目からなり，強い興味あり，少し興味あり，興味なしの3つから選ぶ形式となっている。

図3 日本版・高齢者版興味チェックリスト

氏名＿＿＿＿＿＿＿＿＿＿　男・女　年齢＿＿＿＿　以前の職業＿＿＿＿＿＿＿
日付＿＿＿年＿＿＿月＿＿＿日

＊やり方：以下に記載されているそれぞれの活動について，あなたがその活動に興味がある場合は空欄に○をつけてください。

活動名	興味あり		興味なし
	強い	少し	
1. 園芸・野菜づくり			
2. 裁縫			
3. ラジオ			
4. 散歩			
5. 俳句・川柳			
6. 踊り			
7. 歌を聴く			
8. 歌を歌う			
9. ペットや家畜			
10. 講演会			
11. テレビ・映画			
12. 知人を訪問			
13. 読書			
14. 旅行			
15. 宴会			

活動名	興味あり		興味なし
	強い	少し	
16. 相撲			
17. 掃除・洗濯			
18. 政治			
19. 婦人会・老人会			
20. 服装・髪型・化粧			
21. 山菜・キノコとり			
22. 異性とのつき合い			
23. ドライブ			
24. ゲートボール			
25. 料理			
26. 収集			
27. 釣り			
28. 買い物			
29. グランドゴルフ			

上に書かれていること以外でのことで興味があることを下の欄に記入してください。

1.	6.
2.	7.
3.	8.
4.	9.
5.	10.

(文献3より引用)

● 興味・関心チェックシート

興味・関心チェックシート(**図4**)は日本作業療法士協会が開発した**生活行為向上マネジメント**(Management Tool for Daily Life Performance：MTDLP)の関連シートの1つで，最初に用いる生活行為聞き取りシートにて対象者や家族が望む生活行為をうまく言語化できない場合などに用いる副次的シートである。生活行為に関する46項目に，している，してみたい，興味があるの3つ選択肢があり，どれにも該当しない場合は，している欄に×を記入する。自分でトイレに行くといったADLから料理や買い物，外出などのIADL，趣味活動や社会参加活動の項目があり，幅広く興味，関心を把握できる評価表となっている。

図4 興味・関心チェックシート

興味・関心チェックシート

氏名：＿＿＿＿＿＿＿＿年齢：＿＿歳　性別（男・女）記入日：H＿＿年＿＿月＿＿日

表の生活行為について，現在しているものには「している」の列に，現在していないがしてみたいものには「してみたい」の列に，する・しない，できる・できないにかかわらず，興味があるものには「興味がある」の列に○を付けてください．どれにも該当しないものは「している」の列に×をつけてください．リスト以外の生活行為に思いあたるものがあれば，空欄を利用して記載してください．

生活行為	している	してみたい	興味がある	生活行為	している	してみたい	興味がある
自分でトイレへ行く				生涯学習・歴史			
一人でお風呂に入る				読書			
自分で服を着る				俳句			
自分で食べる				書道・習字			
歯磨きをする				絵を描く・絵手紙			
身だしなみを整える				パソコン・ワープロ			
好きなときに眠る				写真			
掃除・整理整頓				映画・観劇・演奏会			
料理を作る				お茶・お花			
買い物				歌を歌う・カラオケ			
家や庭の手入れ・世話				音楽を聴く・楽器演奏			
洗濯・洗濯物たたみ				将棋・囲碁・ゲーム			
自転車・車の運転				体操・運動			
電車・バスでの外出				散歩			
孫・子供の世話				ゴルフ・グランドゴルフ・水泳・テニスなどのスポーツ			
動物の世話				ダンス・踊り			
友達とおしゃべり・遊ぶ				野球・相撲観戦			
家族・親戚との団らん				競馬・競輪・競艇・パチンコ			
デート・異性との交流				編み物			
居酒屋に行く				針仕事			
ボランティア				畑仕事			
地域活動（町内会・老人クラブ）				賃金を伴う仕事			
お参り・宗教活動				旅行・温泉			

生活行為向上マネジメント™

（日本作業療法士協会『生活行為マネジメントMTDLP』より許可を得て転載）

● 意志質問紙(VQ)

意志質問紙(volitional questionnaire：VQ)はキールホフナーらによって人間作業モデルを理論的根拠に，認知障害などで意志を自ら報告することの難しい対象者に適用できるよう開発された。対象者の行う作業を観察することによって意志を評価する。14項目の行動指標について受身的(P：1点)，躊躇(ちゅうちょ)的(H：2点)，巻き込まれ的(I：3点)，自発的(S：4点)の4段階で採点する。対象者の作業に対する動機の状態を調べ，環境がどのように意志の強弱に影響しているのかの情報を得るための評価である[4,5]。

■役割の評価

子どものころは，親からみると子であり，兄弟姉妹がいれば兄や妹といった立場・役割がある。結婚後のそれは夫や妻になり，子どもが生まれると父・母となる。孫ができると祖父・祖母となる。もちろん成人した後も内容は異なるが，子としての，また兄弟姉妹としての役割もある。

家庭内だけではなく，職場や学校，近隣，また一市民としての役割もある(表2)。**役割はときに義務的性格を帯びるが，それは生きがいややりがいといった意味ももち，個人の生活，人生に深く結びついている**。例えば，父や母であれば子の養育者であり，家事をし，経済的に家計を支えるといった責任をもつ。それを放棄するなら虐待や保護責任者遺棄罪を問われかねない。育児は大変なものであり苦労は絶えないが，わが子の成長は親の生きがいや就労のモチベーションに大きく影響する。

作業療法評価では，対象者の家族内や社会での役割や状況を幅広い角度から推し量る必要がある。

表2 社会と役割

社会	役割・立場・関係
家庭	子，兄弟姉妹，父母，祖父母，夫・妻
学校	生徒・学生，友人，先輩後輩，クラブの部員
職場	○○係・担当，役職，同僚，上司部下，取引先
近隣	町内会，PTA，ボランティア，祭，檀家
市民	有権者，納税者，消費者
趣味	友人，知り合い，経験者，初心者

役割チェックリスト(図5)もキールホフナーとネヴィルによる興味チェックリスト同様にMOHOに基づく評価法である。学生，勤労者，養育者，友人など10項目の役割，2部構成となっている。第1部では過去に担ってきた役割，現状，そして将来望む役割という役割の変遷を確認する。第2部では経験のないものも含め10項目の役割について，今後どのような役割に価値をみいだし，担いたいのかを知ることのできる評価表である。

図5　役割チェックテスト

＊このチェックリストの目的は，あなたの生活の主要な役割を明らかにすることです。
＊このチェックリストは2部に分かれており，それぞれ10の役割とその意味が示されています。それぞれのページの指示に従って，該当する欄にチェックしてください。

氏名＿＿＿＿＿＿＿＿＿＿　年齢＿＿＿　日付＿＿＿＿＿＿＿＿

性別：男・女　あなたは退職していますか：はい・いいえ

婚姻状態：独身　既婚　別居　離婚　死別

第1部

＊それぞれの役割の適切な欄をチェックすることで，その役割を過去に行っていたか，現在行っているか，将来行うだろうと思っているかを示してください。それぞれの役割に1つ以上がチェックされる場合もあります。例えば，過去にボランティアをしており，現在はボランティアではないが，将来ボランティアになりたいと思っていれば，過去と未来の欄にチェックすることになります。過去とは，直前の週までの時間を，現在とは，これに記入している日と前の7日間を，将来とは，明日以降を意味しています。

第2部

＊下には，第1部と同じ役割が書かれています。それぞれの役割の欄の次には，あなたにとって，その役割の仮・重要さを示す欄があります。それぞれの役割について該当する欄にチェックしてください。これまでやったことのない役割や将来もやらないであろうと思う役割にも，すべての役割にチェックしてください。

役割		第1部			第2部		
		過去	現在	将来	全く価値がない	少しは価値がある	非常に価値がある
学生・生徒	パートタイムやフルタイムで学校に通学する						
勤労者	パートや常勤で賃金が支払われる仕事に就く						
ボランティア	病院，学校，地域，政治活動などに対して，少なくとも週1回はサービスを無料提供する						
養育者	子ども，配偶者，親戚，友人などの他人の養育に少なくとも週1回は責任をもつ						
家庭維持者	家の掃除や庭仕事といった家庭をきれいに保つことに，少なくとも週1回は責任をもつ						
友人	少なくとも週1回は，友達と何かをやったり，一緒に時間を過ごす						
家族の一員	少なくとも週1回は配偶者，子ども，親などの家族と何かをやったり，時間を過ごす						
宗教への参加者	自分の進行に伴う宗教活動や団体に，少なくとも週1回は参加する						
趣味人・愛好家	裁縫，楽器演奏，木工，スポーツ，観劇，クラブやチームへの参加など，趣味やアマチュアとしての活動に，少なくとも週1回は参加する						
組織への参加者	生活協同組合，農業協同組合などの組織に，少なくとも週1回は参加する						
その他：＿＿＿＿＿＿ 上にあげられていない役割で，あなたがやってきたことや現在やっているもの，あるいは，将来やりたいことを線上に書いて，該当欄にチェックしてください。							

（文献6より引用）

評価の基本と技術

作業療法参加型
臨床実習に向けて

興味チェックリストや役割チェックリストを自らと模擬対象者とに実施してみる。
社会経験の少ない実習生が仮に高齢者の設定で模擬対象者となり実施したのであれば，きっと高齢者の長期にわたる社会生活をイメージするのはかなり難しいことに直面するであろう。目の前の高齢者は今を生きるだけでなく，長い人生で経験してきた仕事以外にも社会生活上の興味，趣味，役割の変遷があり，豊かで複雑な人生を歩んできた延長線上に今がある。個人を理解するには現在だけではなく過去を知ることの大切さにも気づいてほしい。

■社会保障と社会サービス

入院している患者，障害者施設に通所している障害者，介護保険で車椅子をレンタルしている要介護者，この3者はそれぞれ別の制度を利用した別人のようだが，同一人物のサービス利用履歴かもしれない。例えば55歳で入院し，60歳で障害者手帳を取得し，65歳からは介護保険サービスを利用開始することもできる。

図6ではそれぞれのライフステージでの**社会保障**を表している。ライフステージや家族構成，職業によって社会保障は異なる。子どもであれば**児童福祉法**，高齢者であれば**老人福祉法**や**介護保険法**，**生活保護**はすべてのライフステージをカバーしている。

図6　ライフステージと社会保障

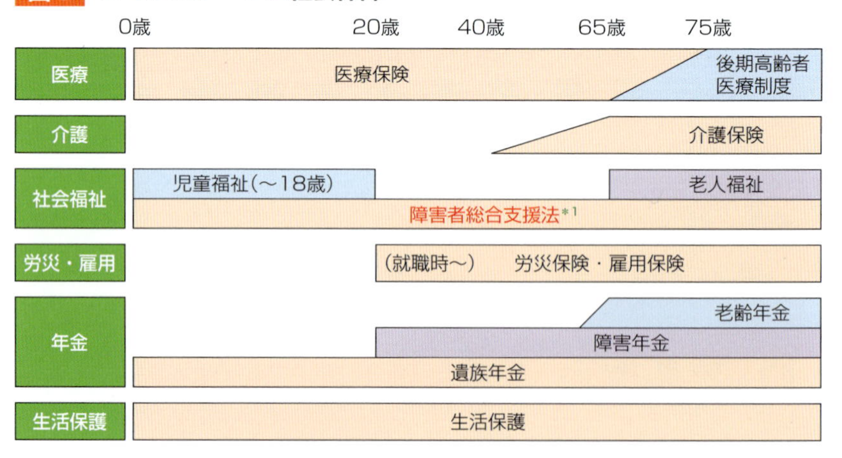

現在，担当している対象者はどのような社会保障制度，社会サービスを利用しているのか，将来はどのようなサービスが利用できるのか，相談支援の専門職である**医療ソーシャルワーカー**（medical social worker：MSW）[*2]や**精神保健福祉士**（mental health social worker：MHSW）[*3]，**介護支援専門員**（ケアマネジャー）[*4]，**社会福祉士**[*5]などと連携し，利用状況を把握する必要がある。

＊1　障害者総合支援法
2013年4月から『障害者自立支援法』が『障害者総合支援法』となり，障害者の定義に難病などを追加した。

＊2　医療ソーシャルワーカー（MSW）
医療機関において，社会福祉の立場から対象者とその家族の方々の抱える社会的問題の解決や調整を行う相談援助の専門職。入退院をはじめ病院内外の関係機関との調整，医療費減免申請など幅広い業務がある。社会福祉士資格所持者も多い。

＊3　精神保健福祉士（MHSW）
精神障害者に対する相談援助の専門職，国家資格である。精神医学ソーシャルワーカー，精神科ソーシャルワーカーともよばれている。精神科病院のほか，精神障害者の就労や在宅生活を支援する障害福祉サービス事業所などにも配属されている。

＊4　介護支援専門員（ケアマネジャー）
介護保険制度創設に伴ってできた公的資格。要介護認定を受けた対象者からの相談を受け，介護サービス計画（ケアプラン）を作成し，デイサービスや訪問介護など他の介護サービス事業者との連絡，調整などを行う。都道府県が行う試験合格後，研修を経て登録される。受験資格は，医療や福祉の国家資格保持者などで5年以上の実務経験が必要。

＊5　社会福祉士
社会福祉士はソーシャルワーカーの国家資格であり，保健医療，児童福祉，高齢者福祉，障害者福祉，生活保護行政，その他の福祉サービスなどすべての社会福祉分野を担う相談援助の専門職。地域包括支援センターには配置義務がある。

補足

社会保障

- 社会保障とは，国家が国民に対し困窮せずに生活できるよう保障し，国民が支え合う仕組みとさまざまな制度によって成り立っている。
- 社会保障は，18世紀以降の近代社会の形成と発展を前提として必要とされるようになった。近代以前の社会においては，自給自足の性格が強く，生まれ育った土地から離れず，家族，親族などの血縁や近隣の人々との地縁をベースに支え合いながら生きてきた。しかし，近代以降，その地縁に頼ることができなくなるような社会へと変化していった。都市生活者，そして工業化に伴う労働者としての生活は，企業が倒産したり，解雇されれば失業してしまう。また，けがや病気などで働けなくなった場合，労働者は所得を得られない。その一方で，血縁や地縁は希薄化しているため，個人にとって，生活が立ち行かなくなるリスクが高まった。このような社会構造の変化が社会保障の誕生に繋がった。

4 社会生活の評価の実際

～実習指導者と実習生との会話から～

（指導者）：担当しているＡさんのケースレポートの「趣味」の項目が「なし」となっているけど，どのように評価しましたか？

はい，Ａさんに「趣味はなんですか？」と聞いたら，：（実習生）「ない」と返答されました。

：そう･･･，Ａさんはもうすぐ70歳ですよね。今までどのような自由時間を過ごしてきたのでしょうかね？

･･･よくわかりません。：

：病棟ではどのように過ごしているのですか？

テレビを見ていることが多いと思います。：

：どのような番組を見ていますか？

スポーツが多いです。あとニュースもよく見られているように：思います。

：あなたは，スポーツはされますか？

えっ，私ですか？　高校時代にはテニスをしていましたが，今は：さっぱり･･･，でもテレビで大きな大会の試合は必ず見ます。

：ではそのテニスは「趣味」ですか？

いえいえ，趣味というほどのものではないです。：

：あなたにとっての「テニス」にあたるものがＡさんには何になるのでしょうね。

「趣味」と公言するには至らなくても，好きなこと，興味のあること，関心を傾けてきたことなどは誰もがもっている。現在はしていなくても過去にしていた，興味をもっていたこともあるだろう。趣味は仕事と違い義務的な性格をもたず，家族や友人といった身近な人々との交友関係にも直結しやすく，今までの生活やパーソナリティ理解のヒントとなりうる。そして現在および将来，生活を営むうえで何に価値を置いているのか知るきっかけにもなる。

趣味を知ることは社会生活だけではなく，**個人の生活やパーソナリティを理解する大きなヒント**になるので，作業療法評価では欠かせない評価項目である。

アクティブラーニング 1 趣味や興味を知ることが，作業療法評価でなぜ必要か考えてみよう。

Case Study

60歳代男性，Aさんは定年退職後に食思不振や不眠を訴え，うつ病と診断された。専業主婦の妻と2人暮らしで，子どもは遠方に在住している。入院治療を経て外来作業療法を受けている。在職中は仕事中心の生活であった。趣味について尋ねると「これといったものはない」と返答された。

Question 1

今までのライフステージと社会的役割を考えてみよう。

☞ 解答 p.291

Question 2

興味や関心の評価が作業療法プログラムの選択にどのように応用できるのか考えてみよう。

☞ 解答 p.291

【引用文献】

1) 平成28年社会生活基本調査(総務省統計局，2017)(https://www.stat.go.jp/data/shakai/2016/index.html)(2022年6月時点).
2) Matsutsuyu JS，ほか：興味チェックリスト．作業行動研究，4：32-40，1997.
3) 山田　孝，ほか：高齢者版興味チェックリストの作成．作業行動研究，6：25-35：2002.
4) 山田　孝 訳：意志質問紙(VQ)改訂第4版使用者用手引書．日本作業行動研究会，2018.
5) 野藤弘幸，ほか：作業を通して，クライエントの意志を評価する：意志質問紙(Volitional Questionnaire，VQ)の有用性．作業行動研究，7(2)：114-119，2003.
6) 山田　孝，ほか：役割チェックリスト 日本版の検討．作業行動研究，6：62-70, 2002.

【参考文献】

1. Renée R. Taylor：キールホフナーの人間作業モデル，改訂第5版，協同医書出版社．2019.
2. 石井良和，ほか：クリニカル作業療法シリーズ　精神障害領域の作業療法，中央法規出版，2010.

チェックテスト

Q

①個人の社会生活を構成している要素とは何か説明せよ(☞p.231)。 基礎

②ライフステージと社会生活との関係を述べよ(☞p.231)。 基礎

③趣味や興味の作業療法評価表を挙げよ(☞p.231～236)。 基礎

④役割の作業療法評価表を挙げよ(☞p.236)。 基礎

⑤それぞれのライフステージでの社会保障はどのような仕組みになっているのか説明せよ(☞p.238)。 臨床

⑥社会保障制度や社会サービスについての相談支援の専門職を挙げよ(☞p.238)。 臨床

22 職業前評価と就労支援

中村泰久

Outline

- 就労は長期目標として設定されることが多い。
- 就労に向けての作業療法評価は，目標の設定，個人に関する評価（能力，適性，特性など），環境に関する評価（労働市場，職場環境など），社会資源に関する評価（支援体制，支援機関など）で構成される。

1 職業前評価と就労支援とは

就労支援での作業療法士の役割は，職業生活能力評価とその向上のための介入が期待されている[1]。職業生活能力評価として，通勤，業務，社内外でのセルフケア，コミュニケーション，役割，人間関係などの多様な作業の遂行を評価し支援する。作業療法士は対象者の医学的な病気や障害，経過などの情報を踏まえ，対象者の仕事における技能や経験，自尊心の状態やライフサイクルの視点からの個人的要因と，個人をとりまく職場と生活環境における社会的・物理的環境などの環境要因との「人・作業（就労）・環境」関係に焦点を当てる。そして，そのメカニズムを推察して対象者への指導や援助と企業などの働きかけを行う[2]。

Case Study①

就労を支援する場合のICF評価項目

就労支援を必要とする対象者へ使用する国際生活機能分類（ICF）として，世界保健機関（WHO）は職業リハビリテーション（International Classification of Functioning, Disability and Health Core Sets：ICF-CS）を開発している[3]。ICF-CSは，包括版とさらに重要な項目を選定した短縮版が作成されている（**表1**）。

表1 ICF-CSの項目

区分	コード	項目
心身機能（b110〜899）	b130	活力と欲動
	b164	高次認知機能
	b455	運動耐用能
活動と参加（d110〜999）	d155	技能の習得
	d240	ストレスとその他の心理的欲求への対処
	d720	複雑な対人関係
	d845	仕事の獲得・維持・終了
活動と参加（d110〜999）	d850	報酬を伴う仕事
	d855	無報酬の仕事

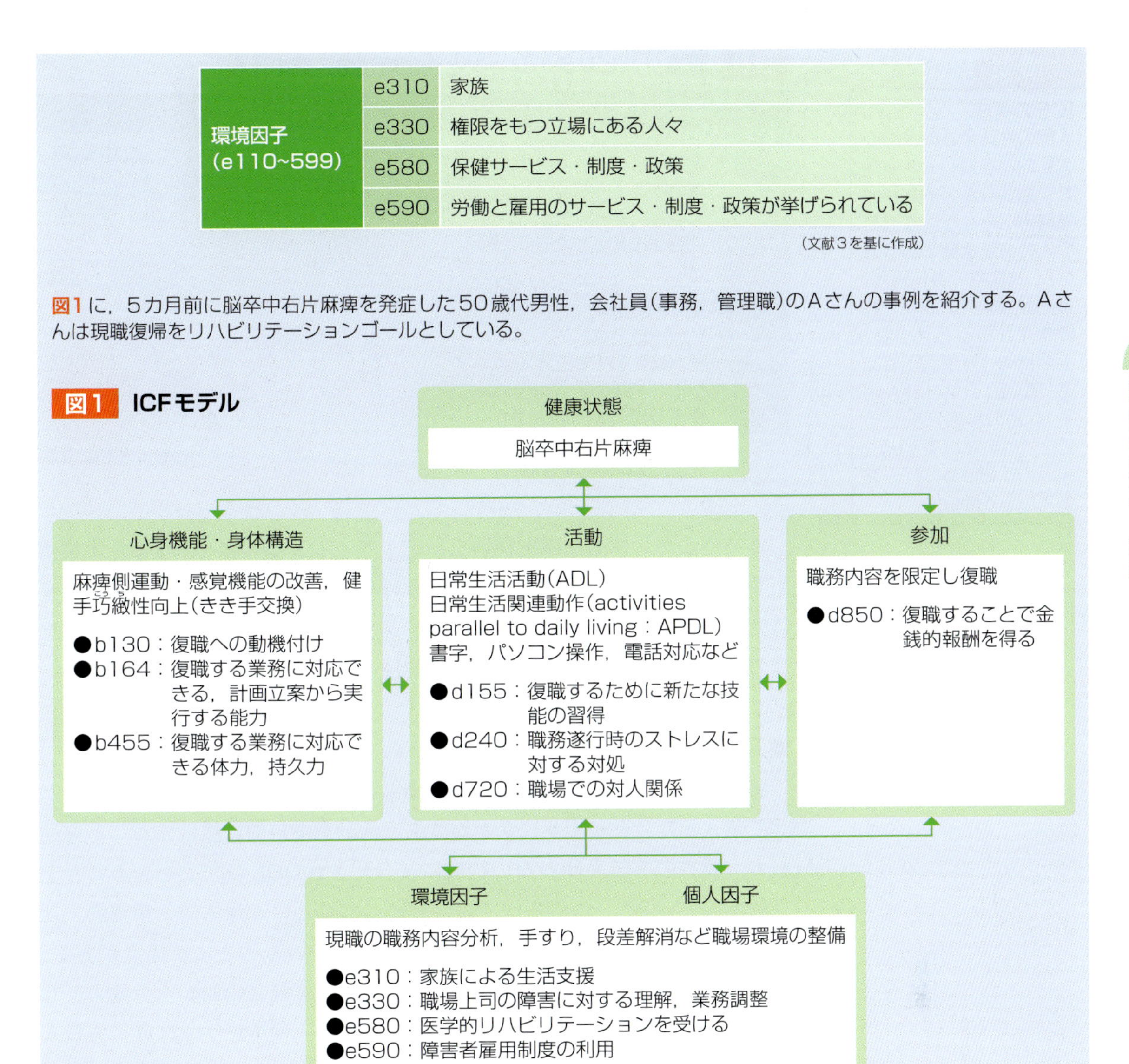

環境因子（e110~599）	e310	家族
	e330	権限をもつ立場にある人々
	e580	保健サービス・制度・政策
	e590	労働と雇用のサービス・制度・政策が挙げられている

（文献3を基に作成）

図1に，5カ月前に脳卒中右片麻痺を発症した50歳代男性，会社員（事務，管理職）のAさんの事例を紹介する。Aさんは現職復帰をリハビリテーションゴールとしている。

図1　ICFモデル

2　就労支援での作業療法の特徴

就労支援での作業療法の特徴を示すため，職業リハビリテーションと作業療法の定義を対象，目的，支援の項目で比較する（**表2**）。

■対象

表2に示した定義から職業リハビリテーションは，障害を心身機能の障害によって活動の制限や参加の制約を受けてきた人に加えて，ICF分類の構成から推測されるように，心身機能・形態の受障がなくても環境因子によって直接的に社会参加を妨げられている人たちも含めていることがわかる[6)]。作業療法でも，環境への適応に関して言及している点は同様である。

補足

ICFの構成
人間の生活全体的機能を包括的に把握して，多かれ少なかれ否定的な側面を障害とみなし，すべての人の健康状態のあり方は「心身機能・身体構造」「活動と参加」のそれぞれの水準からとらえられ，生活機能は背景因子である「環境因子」や「個人因子」などの影響を受けることを強調している。ICFの詳細はp.277〜を参考にしてほしい。

表2　職業リハビリテーションと作業療法の定義の比較

	職業リハビリテーション	作業療法
対象	生物・心理・社会的な障害のある人	身体・精神・発達・高齢期の障害や，環境への不適応により，日々の作業に困難が生じている，またはそれが予測される人や集団
目的	社会への統合または再統合の促進	健康と幸福の促進
支援	主体的に選択した仕事役割の継続を通して生活の質(QOL)が向上するように，発達の過程の全体を通した多面的な支援	医療，保健，福祉，教育，職業などの領域で行われる作業に焦点を当てた治療・指導・援助

(文献4，5を基に作成)

作業療法が具体的な障害種別を指定していること，個人に留まらず集団を想定していることは相違点として挙げられる。つまり，作業療法士が身体機能面，環境調整，自己理解へのアプローチなどから対象者や対象者集団の作業遂行の改善に貢献できる可能性は高いといえる[1]。

■目的

職業リハビリテーションは，主に働く場面に参入し「仕事役割」を媒介として個人と社会とが相互にかかわりあう活動を継続的に維持することを通して，障害の有無を問わない社会に統合化されQOLの向上を図ることを目的としている[6]。作業療法では，健康や幸福という身体的・精神的・社会的に満たされた状態(well-being)に注目していることに相違点がある。つまり職業リハビリテーションは就労する対象を社会の側から労働力としてとらえることで社会への統合と解釈しており，作業療法では就労を個人の側から健康・幸福を得る手段としてとらえているといえる。

■支援

職業リハビリテーションでは，各年代に応じた仕事の多面的な支援に注目している。ライフキャリアの虹(**図2**)に代表されるような仕事役割をこなす職業人は，地域生活での「子ども」「市民」「余暇人」「配偶者」「親」などのさまざまな役割と密接に関連する[6]。そのため，多面的な支援によりさまざまな役割を相互に調整してワークライフバランスを保つことが重要になる。作業療法では，対象となる人とかかわる場所・機関(医療，保健，福祉，教育，職業)に応じて「人・作業(就労)・環境」との関係に着目して治療，指導，援助を行う点に特徴があるといえる。

図2　ライフキャリアの虹

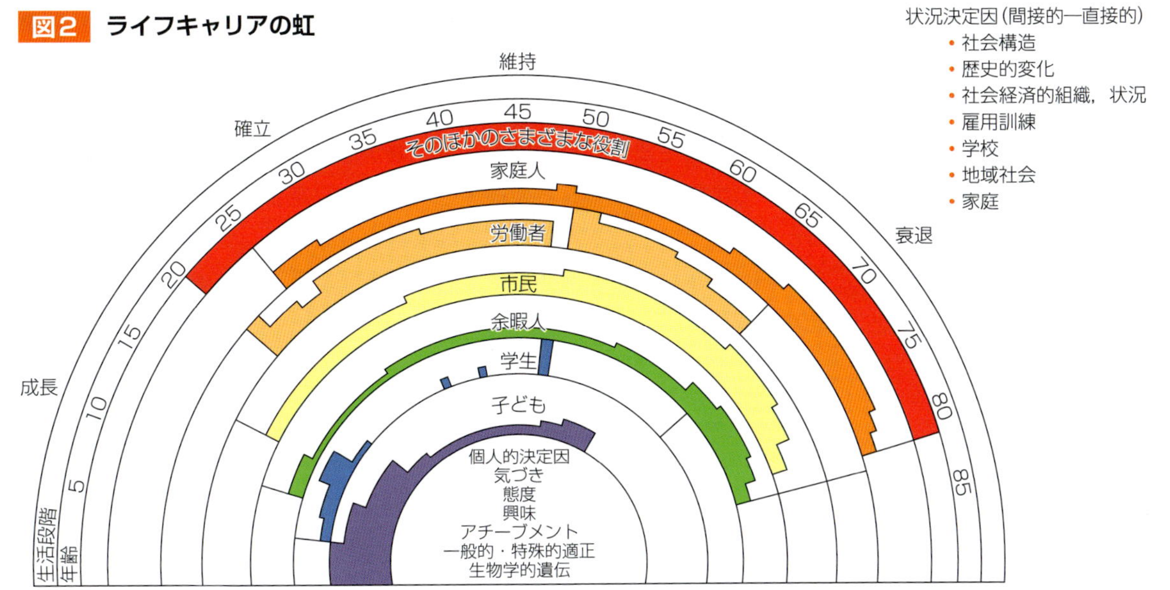

人が生まれてから死ぬまでのライフキャリア全体の構成を，役割と時間軸の２次元で視覚的に示している。

（文献6を基に作成）

● ライフキャリアの虹

人間は一生のうちにいろいろな役割を担いながら生活する。その全体像を示したものがライフキャリアの虹である。図2に示しているように，人間の一生のうちの役割には子ども，学生，余暇人（余暇を楽しむ役割），市民（地域活動など地域へ貢献する役割），労働者，配偶者（妻・夫の役割），家庭人（自分の家庭を維持管理する役割），親，年金生活者などがあり，これらは時間軸（ライフステージ）のなかで重複しながら相互に密接にかかわっている。

ライフキャリアの虹の特徴は5つ挙げられる。

第1に，人生におけるさまざまな役割を発達的な段階に応じて異なるように配置している点である。それぞれの段階において各役割に費やされるエネルギーの大きさが異なることがわかる。評価の際には，対象者がどのような選択をしてきたのかも重要な点となる。

第2に，発達の全過程を通して，さまざまな役割にどのように主体的なかかわり方をしたかによって個人のライフスタイルが構成される点である。このことは，現在の生活や価値観を評価するうえで重要である。

第3に，それぞれの役割が自分にとってどれだけ重要であるかは，①その役割に対してどれだけ思いを込めているかという態度や情意的な側面，②実際にどれだけエネルギーを投入したかという行動的な側面，③その役割の正確な情報をどれだけ獲得しているかという認知的な側面，の3つの次元で決まる点である。

第4に，さまざまな役割のなかでも特に仕事をする「職業人」は，成人期から壮年期の中心的な役割となっており，それだけ人生全体に対して大きな重みをもっていることがわかる点である。ライフキャリアにおいて「働くこと」の大切さを認識することができる。

第5に，「職業人」の役割は子ども，市民，余暇人，配偶者，親などの生活に根ざしたさまざまな役割と密接に繋がっていることを示しており，職業人として働き続けられるのは，それ以外の役割との緊密な調整があることが前提となっている点である。対象者の職業人としての役割を支えている周囲の環境，特に人間関係やソーシャルサポートを評価することは欠かせない。

3 職業前評価

■職業前評価の構成

職業前評価は，目標の設定，個人に関する評価（能力，適性，特性など），環境に関する評価（労働市場，職場環境など），社会資源に関する評価（支援体制，支援機関など）で構成され，それらを統合して職業リハビリテーションプログラムを作成する[7]（図3）。

補足

modular arrangement of predetermined time standards（MODAPTS）法は，作業能力を定量的に評価できる手法である。その評価結果は，作業療法プログラムの立案や身体障害者の職業訓練プログラムの設定など対象者一人ひとりに適した作業選択の実現に役立つ。

図3 職業前評価と職業リハビリテーションプログラム

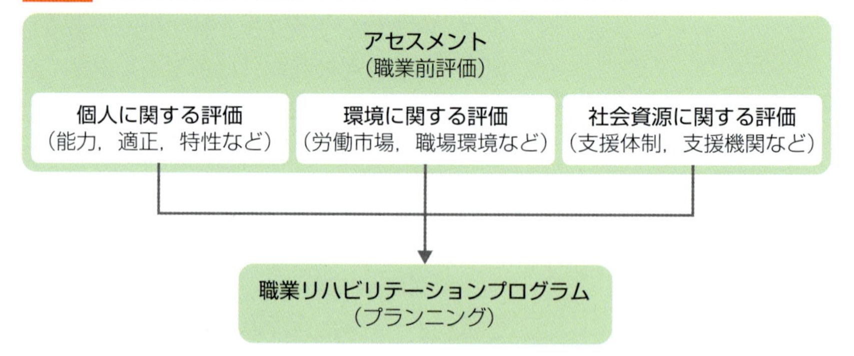

■職業前評価の段階

図4は，中途障害者が受障から社会復帰に至るまでの段階的支援を示すシェーマである。就労がゴールの場合，すべての段階で評価過程は重要であるが，医学的リハビリテーション段階までの評価範囲はADLレベルが中心になり，社会的リハビリテーション段階移行で目標とする就労形態・内容に沿う評価内容が求められる。本項では社会的リハビリテーション段階移行に用いられる個人特性の評価，環境条件の評価（図5）について検査法を中心に紹介，解説する。

就労は，対象者の心身機能をはじめとする個人特性と，就労の環境条件が整合し成立するので，職業前評価では「個人特性」と「環境条件」の両方を評価する必要がある。また職業前評価には面接，標準化検査，職務分析，ワークサンプル，模擬的就労，現場実習などのさまざまな方法があり，職場と別の場所で行われる抽象的な評価から職場のなかで行われる具体的な評価まで支援段階に応じて随時実施する。また，対象者の個別の評価とともに対象者の疾患管理，健康管理，日常生活を含む職業生活を送るうえでの職業準備性を評価する視点も重要である。

図4　復職の段階的支援

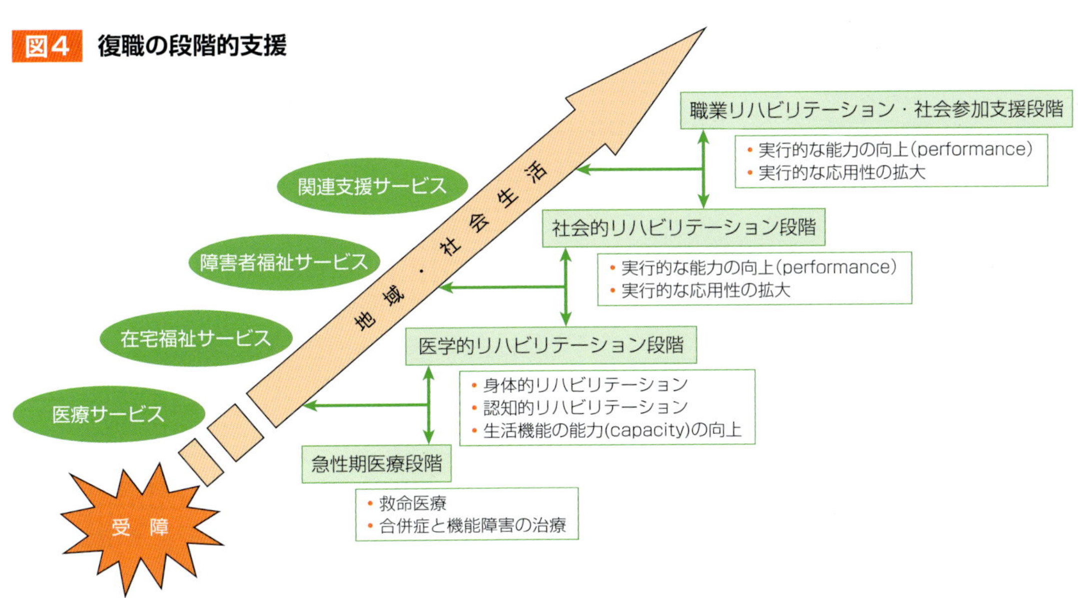

（文献8を基に作成）

図5　職業前評価とリハビリテーション介入

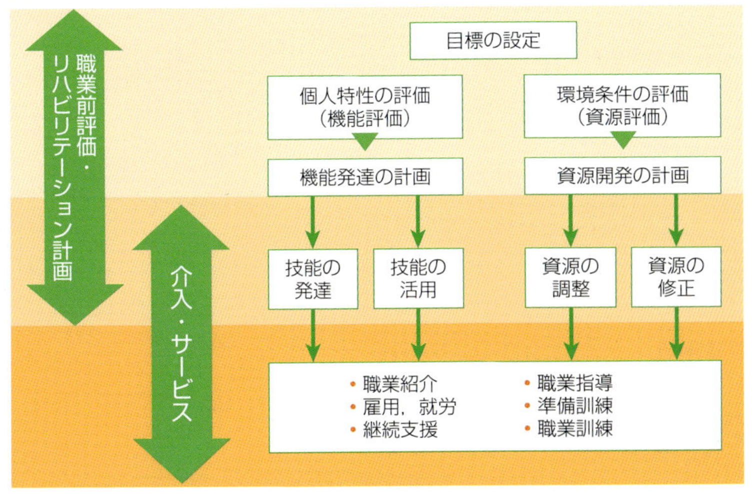

（文献9を基に作成）

アクティブラーニング ① 職業準備性とはどのようなものか。厚生労働省の『職業アセスメントハンドブック』[7]を参照して考えよう。

■個人特性の評価

● 性格検査

職業興味の背景や，対象者特性と希望職業との適合性を評価する。質問紙法，作業検査法，投影法に分類される。

谷田部−ギルフォード性格検査®（Yatabe-Guilford Personality Inventory®：YGPI®）

120個の質問に，「はい」「どちらでもない」「いいえ」のいずれかを選択させる。性格特性を12尺度に分類し，それを因子別，類型別に診断する（**図6**）。

内田クレペリン検査®

不規則に並んだ1桁の数字を連続して加算する。加算は下1桁を記入する（**図7**）。1分ごとに行を変えながら前半15分，休憩5分，後半15分の計30分行う。

図6　YGPI®個人判定表

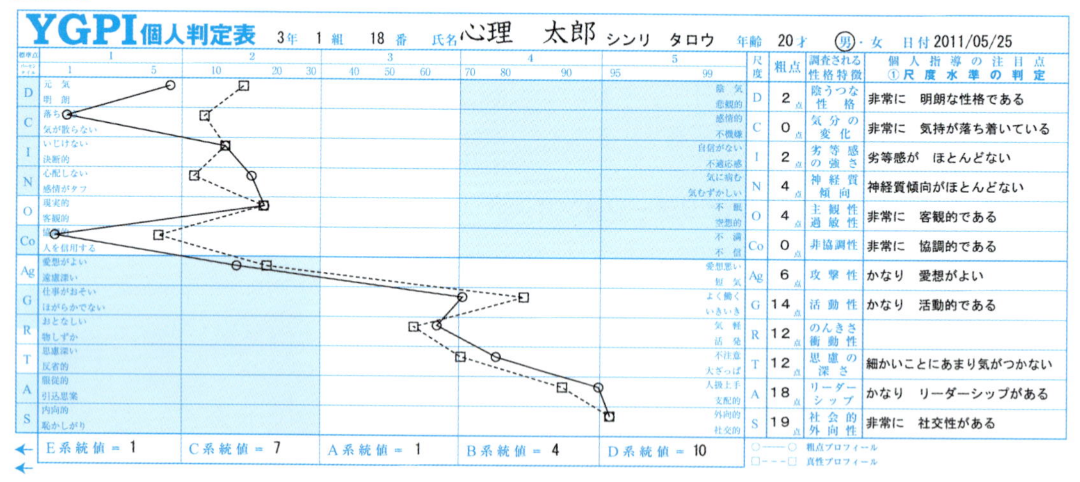

尺度	粗点	調査される性格特徴	個人指導の注目点 ①尺度水準の判定
D	2点	陰うつな性格	非常に　明朗な性格である
C	0点	気分の変化	非常に　気持が落ち着いている
I	2点	劣等感の強さ	劣等感が　ほとんどない
N	4点	神経質傾向	神経質傾向がほとんどない
O	4点	主観性過敏性	非常に　客観的である
Co	0点	非協調性	非常に　協調的である
Ag	6点	攻撃性	かなり　愛想がよい
G	14点	活動性	かなり　活動的である
R	12点	のんきさ衝動性	
T	12点	思慮の深さ	細かいことにあまり気がつかない
A	18点	リーダーシップ	かなり　リーダーシップがある
S	19点	社会的外向性	非常に　社交性がある

〔YGPI®コンピュータ判定結果，日本心理テスト研究所（株），より一部抜粋，許諾を得て転載〕

図7　内田クレペリン検査用紙

（内田クレペリン検査標準型検査用紙，日本・精神技術研究所，より一部抜粋，許諾を得て転載）

● 職業興味検査

vocational personality inventory（VPI）

160の具体的職業名に対し，興味・関心の有無を答えさせ，6種の職業興味領域における興味・関心の強さを評価する。

職業レディネステスト

職業興味の6類型（現実的，研究的，芸術的，社会的，企業的，習慣的）について，興味の強さと職務遂行の自信度を表示する（**表3**）。

表3　職業興味の6類型

領域名	略　称	内　容
現実的興味領域（realistic）	R領域	機械や物体を対象とする具体的で実際的な仕事や活動の領域
研究的興味領域（investigative）	I領域	研究や調査のような研究的，探索的な仕事や活動の領域
芸術的興味領域（artistic）	A領域	音楽，芸術，文学などを対象とするような仕事や活動の領域
社会的興味領域（social）	S領域	人と接したり，人に奉仕したりする仕事や活動の領域
企業的興味領域（enterprising）	E領域	企画・立案したり，組織の運営や経営などの仕事や活動の領域
慣習的興味領域（conventional）	C領域	定まった方式や規則，習慣を重視したり，それに従って行うような仕事や活動の領域

● 社会生活能力の評価

就労支援のためのチェックリスト

就労支援，就労移行支援を目的とする教育，練習，福祉などの機関や事業者が，対象者の適性評価や，介入プログラムの効果判定を行うためのツールとして障害者職業総合センターにより作成された。就労支援用（練習生用，従業員用），就労移行支援用の3種類が存在し，日常生活，対人関係，作業力など5領域程度について半定量的に評価する。

障害者就職レディネス・チェックリスト（employment readiness checklist for the disabled：ERCD）

障害者が一般事業所への就労を希望する場合に，そこで必要となる条件がどの程度備わっているのかを査定し，職業人としての準備状況を把握する。

ERCDの評価は，9領域（Ⅰ：一般的属性，Ⅱ：就労への意欲，Ⅲ：職業生活の維持，Ⅳ：移動，Ⅴ：社会生活や課題の遂行，Ⅵ：手の機能，Ⅶ：姿勢や持久力，Ⅷ：情報の受容と伝達，Ⅸ：理解と学習能力），44項目から構成されている。障害の種類によって6種類（視覚障害者用，聴覚障害者用，上・下肢切断者用，運動機能障害者用，知的障害者用，そのほか）に分類される。

結果は，A：準備は整っている，B：準備は一応整っている，C：準備不足の傾向にある，D：準備は整っていない，の4段階に区分される。

精神障害者社会生活評価尺度(life assessment scale for the mentally Ⅲ：LASMI)

慢性統合失調者の職業リハビリテーションにおける基礎条件としての生活障害を包括的に把握することを目的として開発された。「持続性・安定性」「自己認識」「日常生活」「対人関係」「労働または課題の遂行」の5領域，40評価項目について，期間を限定し観察評価する(**図8**)。経時的観察を行う点，心理的評価を含む点が特徴である。

補足

詳細なLASMIの評価項目についてはp.480を確認してほしい。

図8 LASMI

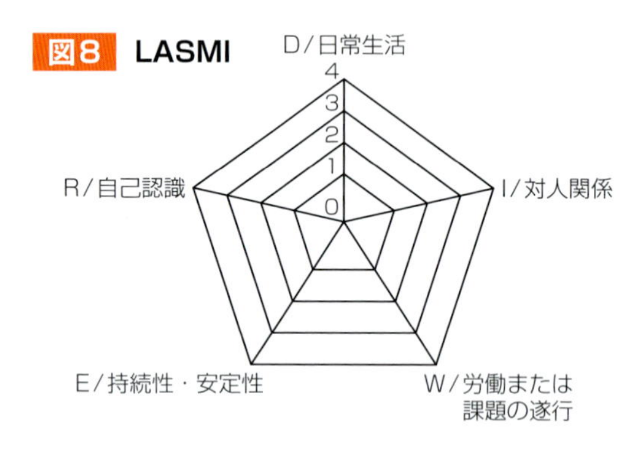

● 職業能力特性の評価

厚生労働省編一般職業適性検査(general aptitude test battery：GATB)

個人のさまざまな能力を測定し，職業の適性を検査する。

図9のように，9つの適性能を15種類の下位検査で測定する。得られた適性能得点と所要適性能基準とを照合し，適性職業群を確認できる。

試験対策 Point

個人特性の評価で使用される定型的評価法は，よく略語が用いられる。LASMI，GATBなどは，正式名称もしっかりおさえておこう。

図9 厚生労働省編一般職業適性検査(GATB)

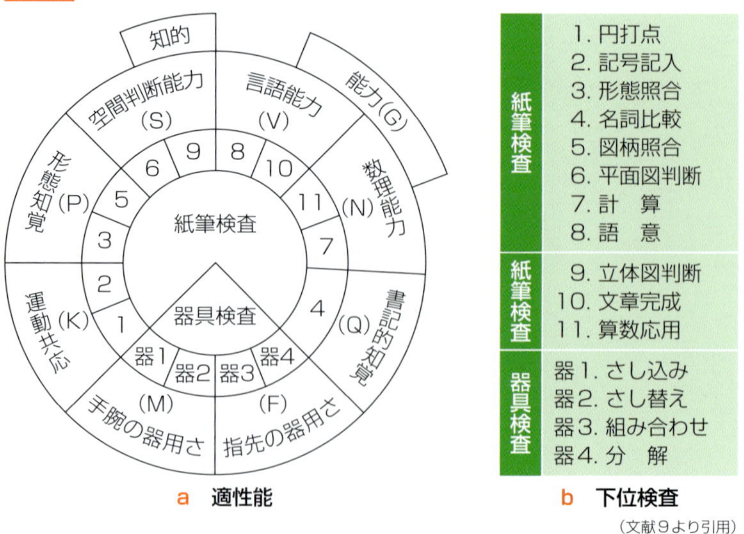

a 適性能　　b 下位検査

(文献9より引用)

ワークサンプル法

特定の職業に対し評価する職務標本式と，多くの職業に含まれる個人の能力特性を評価する職業特性式に大別される。職業特性式の代表としてマイクロタワー法があり，職業に関する対象者の興味も把握できる，類似の職業への応用性が高いなどの長所がある。

場面設定法，職務試行法

実際の職場に類似した環境を再現し，行動，能力，および制約を体系的に観察する場面設定法や，実際の職場で評価を実施する職務試行法などは，ワークサンプル法の導入以前から経験的に行われてきた方法である（**図10**）。評価結果の妥当性が高いという長所がある半面，ほかの職業への一般化は困難という短所もある。

図10　場面設定法と職務試行法

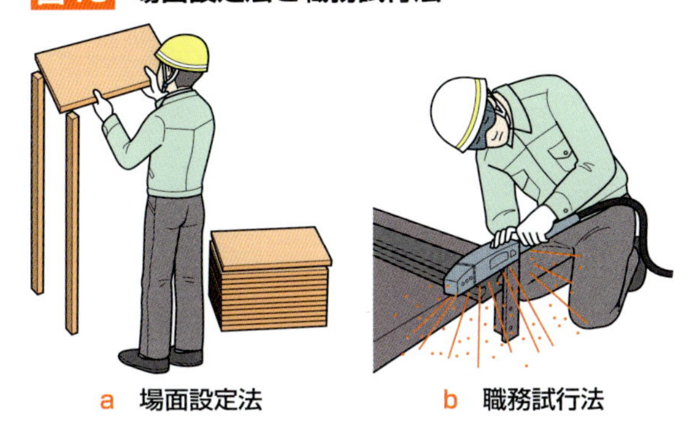

a　場面設定法　　b　職務試行法

■環境条件の評価

対象者の個人特性に対し職場環境が適合してはじめて，就労が可能になる。職場環境にかかる条件は，**表4**のとおりである。単に対象者の心身機能や活動能力と作業活動環境との照合だけでなく，社会心理的側面も含めた総合的評価が必要である。

作業療法参加型臨床実習に向けて

環境条件の評価は，できれば訪問調査を実施することが望ましい。

補足

職業リハビリテーションは，対象者，家族，職場のそれぞれのニーズを正確に整理する必要がある。介入を進めるには，医療・福祉サービス提供者以外に，家族，職場を含めたチームワークの構築が最も大切であるといえる。

表4　職場の環境に関する条件

領域と項目	内容
物理環境	建築・作業空間，温度・湿度・騒音・照明・振動・換気，危険性，姿勢・動作を規制する機器・道具の構造など
技術環境	製品・サービス・情報の生産に必要な機器や道具，その操作技能，技能情報，感覚・判断・識別能力，知識と技能，例外処理の仕方，注意の対象と程度，作業方法，作業分担などの条件
組織環境	職業的な目的を達成するために意図的で計画的に設けられた公式な地位と役割の体系。成員の役割行動を規定する
心理社会環境	組織内の成員間の心理的な結合関係と，その職業に対する社会的な価値観や規範。組織環境とは異なる情緒的な人間関係を規定する
経済環境	経済的な報酬。賃金水準や支給の安定性などの条件
職場外環境	職業的な活動以外のさまざまな役割遂行に許容される時間

（文献9を基に作成）

Case Study②

職場復帰を目指す50歳代男性，Bさんの事例を紹介する。Bさんの基本情報を表5に記載する。

表5 基本情報

プロフィール	氏名・年齢・性別	Bさん，50歳代，男性
	きき手	右
社会的情報	職業	製造業(組み立て作業)
	最終学歴	専門学校(工業系)
	家族構成	妻，子ども2人の4人家族
医学的情報	診断・障害名	脳出血(左被殻)，右片麻痺
	合併症	高血圧
	現病歴	X年Y月，発症。右半身の運動感覚障害と構音障害が認められた。急性期医療施設と回復期リハビリテーション医療施設において，保存的療法とリハビリテーションが進められ，順調に4カ月が経過した
	リハビリテーションの目標設定	Bさんは就労年齢にあり，Bさんならびに家族，そして勤務先から復職への要望が強い。職場復帰を長期目標として介入を進める

●作業療法評価

健康状態

左被殻出血発症後に血腫は吸収されたが，後遺症が残る。高血圧は服薬にてコントロールされている。

心身機能・構造

①Brunnstrom(ブルンストローム) recovery stage(BRS)：左上肢V，手指V，下肢Ⅵ，②筋緊張(modified Ashworth(アシュワース) scale：MAS)で0，③感覚障害：表在知覚は軽度鈍麻，深部知覚は正常，④簡易上肢機能検査(simple test for evaluating hand function：STEF)：左(100/100)，右(34/100)。

活動

日常生活活動は自立している。機能的自立度評価法(FIM)(124/126)：歩行時に杖，階段に手すりが必要である。両手でのひも結びやタオルを強く絞ること，また，書字動作や左手の爪切りなど，右手の使用が欠かせない動作では，実用的なレベルには至らず，この点が課題となっていた。

参加

目標とした職場復帰に向けて職業前評価を実施した。評価は，個人特性の評価と環境面の評価を実施した。個人特性としては，観察，性格検査，職業能力特性の評価を行い，環境条件の評価は職場訪問評価を実施した。

●個人特性の評価

観察

Bさんは，作業療法開始当初から治療・練習に積極的であった。生じた問題に対して，自ら解決しようとする自主性が高いが，一方で必要なときには他者の助言を求めることができる冷静さも兼ね備えている。復職への意欲は高い。

性格検査

矢田部－ギルフォード検査®：D型(適応者型)

職業能力特性の評価

職場訪問評価の結果，現職復帰を目標にすることが決定したため，評価方法は，実際の職場に類似した環境を作業療法室に設定する場面設定法を採用した。

Bさんの現職における職務内容は，自動車部品を電動ドライバで組み付ける作業を行う(図11)。1つの部品を組み上げる工程は，20分以内に完了する必要があるが，当初は約40分を要した。右手の把持力と巧緻性を要する作業に時間がかかることが原因と考えられた。

図11 自動車部品の組立作業

● **環境条件の評価**

物理環境において，作業空間は十分なスペース，空調も完備され，よく整理された環境である。
技術環境において，工程はすべてマニュアル化され，使用する機械や道具はすべて統一されている。
組織環境において，役割の体系は整い，職務ルールは規定されている。
心理社会環境において，産業医が配置され，必要な支援が受けられる環境にある。
経済環境において，経済的な報酬は，民間企業の平均以上である。
職場外環境において，特記すべき事項はない。

Question 1

評価の結果を踏まえて，どのような介入が適切か考えてみよう。

☞ 解答 p.291

【引用文献】

1) 藤田さより，ほか：障害者の就労支援における作業療法士の役割　障害者就労移行支援事業所および継続支援事業所に勤務する作業療法士に対する質的分析の結果より．リハビリテーション科学ジャーナル，12：27-39, 2016.
2) 馬場順子：精神障害における就労支援の作業療法．精神医学，60(8)：835-844, 2018.
3) Jerome E. Bickenbach, et al.：ICF コアセット 臨床実践のためのマニュアル，(日本リハビリテーション医学会監訳)，医歯薬出版，2015.
4) 松為信雄：職業リハビリテーション概念の構築に向けて．職業リハビリテーション，21(2)：51-55, 2008.
5) 作業療法の定義(日本作業療法士協会)https://www.jaot.or.jp/about/definition/(2022年7月時点).
6) 松為信雄：キャリア支援に基づく職業リハビリテーションカウンセリング　理論と実際ー，ジアース教育新社，2021.
7) 就労系障害福祉サービスにおける職業的アセスメントハンドブック(厚生労働省，2021)(https://www.mhlw.go.jp/content/12200000/000822240.pdf)(2022年7月時点).
8) 泉　忠彦：高次脳機能障がい者の復職支援，職リハネットワーク，67：42-48, 2010.
9) 松為信雄，菊池恵美子 編：職業リハビリテーション学，(改訂第2版)，協同医書出版社，2006.

【参考文献】

1. 日本リハビリテーション医学会：ICF コアセット臨床実践のためのマニュアル，医歯薬出版，2015.

チェックテスト

①職業的評価の過程は，どのような段階で構成されるか述べよ(☞p.247)。 基礎
②個人特性の評価のうち，職業興味検査を挙げよ(☞p.249)。 臨床
③個人特性の評価のうち，社会生活能力の評価を挙げよ(☞p.249，250)。 臨床
④環境評価の項目をを挙げよ(☞p.251)。 臨床

23 人間作業モデル(MOHO)

有吉正則

Outline

- MOHOは，作業への総合的な見方を提供する作業療法のグランド(全体)理論*1であり，作業療法のあらゆる領域で活用されている。
- MOHOは4つの要素(意志，習慣化，遂行能力，環境)から構成され，それらの間のダイナミックで相互的な交流の結果として，対象者がどのように意味と満足とをもたらす作業に就くかを説明する。このように複数の側面から問題を整理することで，対象者のニーズを満たす対象者中心の視点に立った作業療法アプローチを提供する。

*1 **グランド理論(grand theory)**
あらゆる領域で適応できる一般理論。

1 MOHOとは

人間作業モデル(Model of Human Occupation：MOHO)は，対象者が作業を遂行するためにどのように動機付けられるのか(**意志**)，時間とともに習慣と役割がどのように形づくられるのか(**習慣化**)，そして対象者の能力(**遂行能力**)を含めた3つの要素が，社会的および物理的文脈(**環境**)のなかで相互的な関係をもちながらどのように展開していくかを説明する[1](図1)。

図1 MOHOの概念モデル

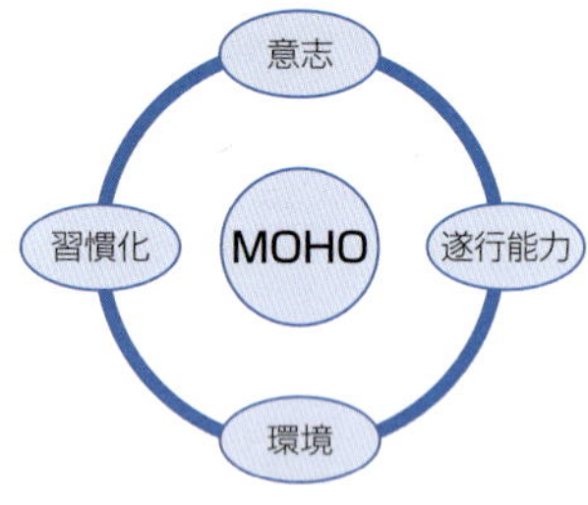

(文献1を基に作成)

アクティブラーニング 1

あなたの1日を振り返り，活動を選択する際に意志(個人的原因帰属，価値観，興味)はどのような役割を果たしているだろうか。活動の例を挙げて考えてみよう。

アクティブラーニング 2

あなた自身の習慣について自己分析をしてみよう。あなたが果たしている主な役割を5つ挙げ，意志，遂行能力，環境との関係を考えてみよう。

■意志

作業に対する動機を指す。意志には，**個人的原因帰属**，**価値**，**興味**の3つがある。

個人的原因帰属は，自分の能力に対して有効性や有能性を感じる感覚である。価値は，行うことに重要さや意味を見出す感覚である。興味は，行うことに楽しみや満足を見出す感覚である。

■習慣化

作業がパターンや日課へと組織化される過程を指す。習慣化には**習慣**と**役割**がある。

習慣は，慣れ親しんだ環境や状況のなかで，首尾一貫したやり方で応じたり行ったりするといった，習熟した振る舞い方である。役割は，社会的な立場や，自分を他の誰でもない自分であるという意識を打ち立てるために学習してきたやり方や行動である。

■遂行能力

技術的な作業遂行の基礎を成す身体能力と精神能力を指す。遂行能力には，**運動技能**，**処理技能**，**コミュニケーションと交流技能**の3つがある。

運動技能は，自分自身や課題対象物を動かすための能力である。処理技能は，時間のなかで動作を論理的に配置すること，適切な道具や対象物を選択し，用いること，問題に出会ったときに適切な行動をとるための能力である。コミュニケーションと交流技能は，意図やニーズを伝達すること，他人と一緒に行為を行うために社会的なマナーやふるまい方を調整するための能力である。

■環境

機会，支援，要求，制限などの対象者が行うことや，その方法に影響を及ぼす物理的，社会的，作業的な特徴を指す。環境は，**物理的**，**社会的**，**作業的**の3側面から構成される。

物理的環境は，空間や対象物などの側面である。社会的環境は，所属する集団の価値と基準，慣習などの側面である。作業的環境は，個人の興味，役割，能力，文化的な好みを反映する作業活動，活動への参加に対する経済的・政策的な支援などの側面である。

アクティブラーニング③

あなた自身の環境を分析し，物理的環境，社会的環境，作業的環境に何が含まれるのか考えてみよう。

2 MOHOの評価の対象

MOHOに基づく評価は，**作業適応**＊2，意志，習慣化，遂行能力，環境の影響という切り口から，対象者が意味のある作業に従事するにあたって，疾患や機能障害はその作業に対してどのような影響を与えているかを明らかにすることに焦点を当てている。MOHOに基づく評価によって，**表1**の7つの疑問を明らかにすることが重要であると提案されている[2)]。

＊2 作業適応

人の生活のほとんどを特徴付ける時間的，物理的，社会文化的な流れのなかで，肯定的な将来像を打ち立てて，作業を通じて自己の有能性の確認を果たすこと。

表1 MOHOの着目点

- 自分自身の能力をどのようにとらえているか
- 自分自身の能力を反映した生活を送っているか
- どのような仕事・遊び・身辺処理に参加しているか
- 生活に必要な作業を行っているか
- 作業を行うためにどのような技能をもっているか
- 意志，習慣，遂行能力は，自分の生活を考えたり行動したりすることに，どのような影響を与えているか
- 生活を送るにあたって，環境の影響はどのようなものか

3 MOHOの評価

MOHOの評価は，構成的評価法と非構成的評価法に分類される。

■構成的評価

研究を通して開発され，標準化された一連の手順に従い実施する評価方

法である。構成的評価は，自己評価，観察に基づく評価，面接による評価，そしてこれらの複数の評価法を組み合わせた混合的な評価の4種に大別される[3]（**表2**）。

表2　評価法とMOHOの主要概念の対応

評価名	略称名	主要概念
コミュニケーションと交流技能評価 (assessment of communication. & interaction skills)	ACIS	コミュニケーションと交流技能
運動および処理技能評価 (assessment of motor and process skills)	AMPS	運動と処理技能
興味チェックリスト		意志(興味)
人間作業モデルスクリーニングツール (Model of Human Occupation screening tool)	MOHOST	意志，習慣化，技能，遂行，参加，環境
作業的状況評価：面接と評定尺度 (occupational circumstances assessment interview and rating scale)	OCAIRS	意志，習慣化，遂行，参加，環境
作業遂行歴面接第２版 (occupational performance history interview version2.0)	OPHI-Ⅱ	作業適応，意志，習慣化，技能，遂行，参加
作業質問紙 (occupational questionnaire)	OQ	意志，習慣化，参加
作業に関する自己評価 (occupational self assessment)	OSA	作業適応，意志，習慣化，技能，遂行，参加
小児版意志質問紙 (pediatric volitional questionnaire)	PVQ	意志，環境
役割チェックリスト		価値，習慣化(役割)
居住環境影響尺度 (residential environment impact scale)	REIS	環境
学校場面面接法 (school setting interview)	SSI	遂行，参加
意思質問紙 (volitional questionnaire)	VQ	意志，環境
勤労者役割面接 (worker's role interview)	WRI	意志，習慣化，環境
仕事環境影響尺度(work environment impact scale)	WEIS	環境

（文献１を基に作成）

人間作業モデルの４つの構成要素と要素間の相互作用についてはきちんと理解しておこう。また，人間作業モデルに基づく評価法と主要概念の対応は，作業療法士国家試験にも出題されているため適切に理解しておこう。

■非構成的評価法

観察や対象者との対話により情報を収集する方法である。作業療法士は，ベッドサイドや作業療法の場面といったさまざまな機会を通じて対象者とコミュニケーションをとり，構成的アプローチの補助として役立つ情報を得ることができる。

MOHOの評価ツールとそのマニュアルは，日本人間作業モデル研究所より入手できる[4]。

補足

MOHOを理解する方法

以下のステップは，MOHOを理解するうえで推奨される方法である[2]。まずは，MOHOの関連書籍に示された事例を検討することから開始する。事例を読み込み，MOHOに基づく評価法の使い方，臨床での応用方法ついて理解を深める。

次に，評価法を実践する。実践するなかで理論はどうなっているのかを検討し，意志，習慣化，遂行能力について理解を深める。

4 MOHOに基づく評価の選択

必要な情報を収集して対象者の特定の問題を理解し最善の介入法を計画するためには，対象者のニーズと特徴を反映する評価法を選択することが重要である。評価法の選択にあたっては，以下のステップに沿って選択する方法が提案されている[3]。例として，評価法の選択プランを**図2**に示す。

初回評価は，総合的な情報（MOHOの概念のほとんどをカバーする情報）を提供する評価法から選択する。次に，対象者のニーズと特徴に従って，その特定の領域に焦点を当てる評価法を選択する。

■MOHOの評価と他の実践モデルとの組み合わせ

MOHOの評価はときに，複数の作業療法の実践的モデルと組み合わせて用いられる。ADLの評価法，高次脳機能障害の評価法，運動麻痺の評価法などとの組み合わせは，既存のMOHOの評価法では提供しない遂行能力に関する重要な情報を提供する。

図2 評価法の選択プラン

MOHOの概念のほとんどを示す評価法

MOHOの主な概念のほとんどを示す道具は以下のことに役立つ
- 対象者との最初の接触である
- 困難さの原因が不明である
- ある範囲の作業の問題に特定の困難さがどのように影響を及ぼしているか理解したい

MOHOST
柔軟な情報収集の手段をもち素早くスクリーニングするためのツールで，言葉を使う対象者にも使えない対象者にも使用可能

OCAIRS
対象者の現在の作業的生活に焦点を当てた面接法で，OPHI-Ⅱよりも短い面接

OPHI-Ⅱ
対象者の作業的生活に対して生育歴を組み入れた面接

OSA
自己報告の様式で，対象者が自分の状況について反省的になることができ，治療目標の協業を求める

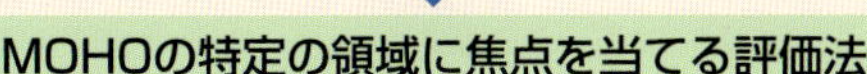

MOHOの特定の領域に焦点を当てる評価法

特定の評価法は以下の場合に役立つ
A：特定の領域が問題であると明らかにされる。その問題を描き出すためには，より多くの情報が必要である
B：遂行の評価が必要である（観察）
C：仕事や学校といった特定の実践領域のために評価が必要である

A 特定のチェックリストによる評価法

興味チェックリスト
興味を明らかにするために役立つ

OQ
意思との関係のなかでの日課を明らかにする

役割チェックリスト
重要さと結びつけて過去・現在・将来の役割を明らかにする

B 観察による評価法

ACIS
コミュニケーションと交流技能に焦点を当てた観察の評価法

AMPS
運動技能と処理技能に焦点を当てた観察の評価法

VQ，PVQ
意思に焦点を当てた観察の評価法

C 特定のチェックリストによる評価法

WRI
勤労者役割に関する面接

WEIS
仕事の環境に関する面接

REIS
住環境評価

SSI
生徒の役割に対する面接

（文献1を基に作成）

5 MOHOに基づく評価の実践

まずは，興味チェックリストを試験的に行ってみることで，評価に慣れ親しむことを提案したい。

興味チェックリストは，Matsutsuyu（マツツユ）により開発されたneuropsychiatric inventory（NPI）興味チェックリスト[5)]，Kielhofner（キールホフナー）とNevil（ネヴィル）によって改訂された改訂版興味チェックリスト[3)]，山田らが開発した日本高齢者版興味チェックリスト[6)]がある（詳細はp.231～を参照）。NPI興味チェックリストは，80の活動に対する対象者の興味を「強い」「普通」「なし」の3段階で調べる評価法である。

回答結果を見て感じたこと，疑問に思ったことを対象者に質問してみることが重要である。作業療法士と対象者との対話は，対象者が自らの内面に向きあう機会を提供する。

アクティブラーニング ④ 対象者が活動を選択した理由について以下の４つの視点から考えてみよう。

①対象者の興味・関心にパターンはみられるか。→興味があると選択した活動を「手工芸・技術」「身体・スポーツ」「社会・レクリエーション」「日常生活活動」「教育・文化」の５領域に分類した際の傾向はどうか。

②対象者の好みはどうか。→興味がある，興味がないと選択した活動には，「女性的な活動」や「男性的な活動」といった社会文化的な側面の影響はみられるのか。

③活動に対する動機付けはどうか。→対象者は選択した活動を「余暇や遊び的なこと（楽しさ）」と「仕事的なこと（義務）」のどちらでとらえているか。

④選択した活動に対する思いはどうか。

Case Study

20歳代女性，Aさんの事例を紹介する。スノーボードの事故により右肘頭骨折を受傷した。ギプス除去後（回復期）は，肘関節屈曲拘縮の改善を図るため，関節可動域（ROM）練習，筋力増強練習，ADL練習の作業療法プログラムを進めていった。しかし，日常生活や作業療法の場面では痛みのために骨折側の手の使用を避ける傾向がみられた。このため，興味チェックリストを使って，積極的な骨折側の手の使用はどのような作業活動に動機付けられるかを探ることになった。

AさんのNPI興味チェックリストの回答結果

- 興味の強い活動：園芸，刺繍
- 興味のない活動：手工芸，革細工，編物，掃除（庭掃除や後片付けを含む）

Question 1

回答結果を見てAさんの興味・関心のパターンはみられるだろうか。また，回答結果を見て疑問に感じたことはあるか。

☞ 解答 p.291

作業療法参加型臨床実習に向けて

MOHOにおける評価の模倣は，見学段階で指導者が模擬対象者を使って人生物語に関する半構造化面接を通して作成された**ナラティブスロープ**[*3]の分析を実演する。その後，実習生は同じ模擬対象者に対してナラティブスロープの作成と分析を実施する。描き上げたスロープは，模擬対象者に提示して「人生の分岐点となるような重大な出来事」がその対象者にとって何を意味するのか，現在の人となりにどのように影響を及ぼしているのか，ということについて焦点を当てた分析を進める。実習生は，模擬対象者の価値観や仕事や社会のなかでいかに役割を果たしているかなどの明らかになった点を指導者に伝える。指導者からは実習生の良かった点，改善点を伝え，評価方法を指導する。

＊3 ナラティブスロープ

人生を振り返って，人生の流れが良好か悪化かを折れ線グラフで描いてもらい，折れ線が大きく変動した分岐点となる出来事をグラフに記載する。記入した出来事に関連する状況や思考，行動を掘り下げていくことで，対象者の人生が時間の経過にしたがってどのように変化したのか，全体的な意味を明らかにすることができる。

作業療法士との対話を通して
Aさんは，園芸と刺繍は亡くなった祖母に教えてもらった思い出のある活動であり，祖母と一緒に過ごした時間はとても楽しかったことを作業療法士に話した。さらに学生時代にはボランティア活動として，老人介護施設利用者の話し相手やリクレーション活動の補助役を担い，その時間はとても充実した時間であったことを語った。

Question 2

この結果に基づき，Aさんの骨折側の手の使用を動機付ける作業活動として，どういった活動の提案が適切であるかを考えてみよう。

☞ 解答 p.291

【引用文献】
1) Renée R. Taylor 編著：キールホフナーの人間作業モデル　理論と応用 改訂第5版(山田 孝 監訳)，協同医書出版社，2019.
2) 山田　孝 編著：高齢期障害領域の作業療法，p.168，中央法規出版，2010.
3) Renée R. Taylor 編著：キールホフナーの人間作業モデル　理論と応用 改訂第5版(山田 孝 監訳)，p.307，協同出版社，2019.
4) 日本人間作業モデル研究所HP(https://rimohoj.or.jp/index.html)(2022年7月時点).
5) Matsutsuyu JS，ほか：興味チェックリスト．作業行動研究，4(1)：32-38，1997.
6) 山田　孝，ほか：高齢者版チェックリストの作成．作業行動研究，6(1)：25-35，2002.

【参考文献】
1. 山田　孝：NPI(Neuropsychiatric Institute)興味チェックリスト．理学療法と作業療法，医学書院，16(6)：391-397，1982.

チェックテスト

Q

①MOHOはどのような理論なのか，その特徴を説明せよ(☞p.254)。 臨床
②「意志」の概念を形成している3つの構成要素を挙げよ(☞p.254)。 臨床
③「習慣化」の概念を形成している2つの構成要素を挙げよ(☞p.254)。 臨床
④「遂行能力」の概念を形成している3つの構成要素を挙げよ(☞p.255)。 臨床
⑤「環境」を構成する3つの側面を挙げよ(☞p.255)。 臨床
⑥AMPSに対応するMOHOの主要概念を挙げよ(☞p.256)。 臨床
⑦興味チェックリストに対応するMOHOの主要概念を挙げよ(☞p.256)。 臨床
⑧MOHOSTに対応するMOHOの主要概念を挙げよ(☞p.256)。 臨床
⑨OQに対応するMOHOの主要概念を挙げよ(☞p.256)。 臨床
⑩OSAに対応するMOHOの主要概念を挙げよ(☞p.256)。 臨床
⑪VQに対応するMOHOの主要概念を挙げよ(☞p.256)。 臨床

24 作業遂行能力

壁谷喜代子

Outline

- 作業遂行とは，個人にとって「意味のある作業」を選択し，選択した作業をどのように行うかである。
- 作業遂行は「人・作業・環境」の相互作用の結果として生じる。
- 作業遂行能力を評価することにより，対象者の作業遂行のニーズおよび改善に繋げるリハビリテーションゴールを，対象者との協業作業で設定することができる。

1 作業遂行とは

作業といってもさまざまだが，その人にとって「意味のある作業」，その作業を選択しどのように行うかである。意味のある作業とは，**セルフケア**[*1]および家事などの身の回りのことから，趣味，仕事，ボランティア活動など，あらゆる社会や経済への貢献活動である。そして，作業はある一定の環境で遂行することで特定の役割を担う。

＊1 **セルフケア**
食事，更衣，排泄などの自分自身の身の回りの日常生活動作。

2 カナダ作業遂行モデル（CMOP-E）

カナダ作業遂行モデル（Canadian Model of Occupational Performance Engagement：CMOP-E）は2007年にPolatajko（ポラタイコ），Townsend（タウンゼント），Craik（クレイク）が作成した，カナダの作業療法理論である（**図1，2**）。このモデルは1991年にカナダ作業療法士協会によって作成され，1997年に改訂された。そして，さらなる改訂の結果，**人は作業を通して環境と結びつく**という概念の基，このモデルの概念的な進歩としてEngagement

作業療法参加型臨床実習に向けて
作業療法士は対象者の人生観を聴き，対象者が行い継続する（対象者にとって）意味深い作業をともに振り返り追求することで，その対象者らしさに触れることができる[1]。

図1 カナダ作業遂行モデル

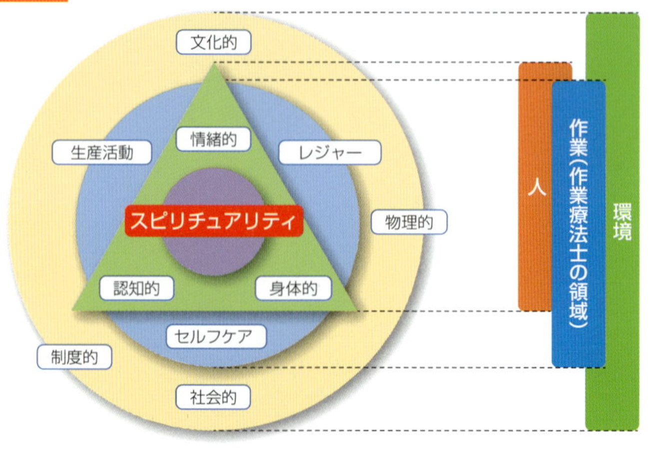

（文献2を基に作成）

図2　カナダ作業遂行モデルの構成要素

- 自分らしさおよび価値観
- 社会，年齢，能力などを問われることのない本来の自分と自己の真髄
  - 人に生得的に備わっている自我の本質
  - 人がまさに人であり唯一無二の存在であるという資質
  - 意思，動因，動機の表現
  - 自己決定と自己統制の源泉
  - 選択を表出するためのよりどころ

a　スピリチュアリティ

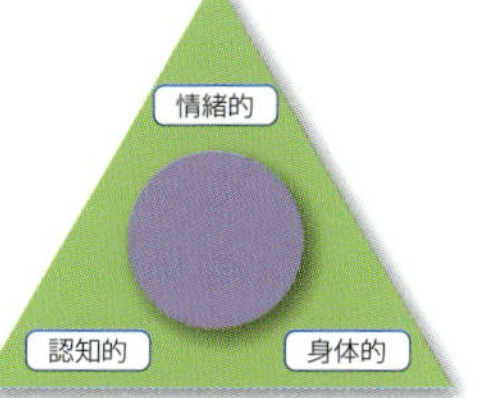

身体的	・する・なすこと ・運動や感覚機能
認知的	・考えること ・知能や高次脳機能
情緒的	・感じること

b　人：対象者という人を３面からとらえる

セルフケア	・自分の世話や管理 ・日常生活関連動作，歩行，交通手段や買い物
生産活動	・社会や経済に貢献する活動 ・仕事，ボランティア，炊事などの家事，養育
レジャー	・楽しむこと ・社交的活動，人との交流 ・趣味

c　作業：対象者が日常生活のなかで行うこと

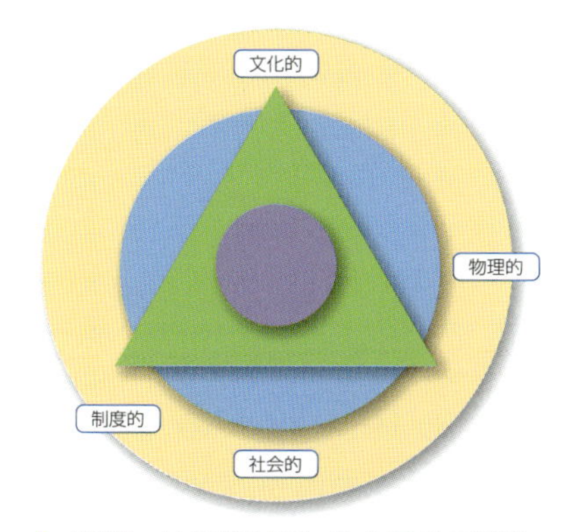

物理的	・気候やその土地柄 ・建築物
文化的	・習慣や習わしの違い
社会的	・周囲の人々 ・家族，友人，会社の同僚 ・人が作った規則
制度的	・国や地域の法律や決まりごと ・公共機関

d　環境：対象者を取り巻く周囲の環境

（文献2を基に作成）

＊2　**クライエント中心**
対象者の意思を尊重する考え方。詳細は参考文献１を参照。

（結びつき）が追加された。この進歩は作業の可能化，**クライエント（対象者）中心**＊2，作業療法のエビデンスに基づく実践の改善に必要とされる。

カナダ作業遂行モデルは，**カナダ作業遂行測定**（Canadian occupational performance measure：COPM）の基となる考え方で「人・作業・環境」が相互に関わり合っている。

アクティブラーニング ① CMOP-Eを自分もしくは家族など身近な人を例として「人・作業・環境」の当てはまる実状況を記述しながら，考えてみよう。

3 カナダ作業遂行測定（COPM）

作業遂行とは，人がある環境のなかで行わなければならない，またはしたいことを行うことである。対象者自身が決定して行う「作業遂行」の結果，うまくできたか，満足できたかを測定するのがCOPMであり，対象者の初期評価および再評価を行う**オープン面接方式**＊3の評価法である。また，COPMはクライエント中心という考え方のもと，Mary（メリー） Law（ロー）らにより1991年に初版が発行され，現在はウェブサイトも開設されている[3)]。

＊3 **オープン面接方式**
マニュアルや台本がない形態をとる面接。

■測定の対象

カナダ作業遂行モデルの理論を基に対象者自身と，その対象者が行う「作業（セルフケア，生産活動，レジャー）」に関する作業遂行問題点を対象者とともに探り，評価・作業療法プログラムに対して対象者を受動的な立場から，能動的な立場へと誘導する機会を与える。対象者が提示した多種多様な作業に対し「重要度」によってランク付けを行い，重要度の高い作業から「でき具合（遂行度）」と「満足度」を10段階形式で提示してもらう。

年齢（7歳以上），性別，疾患を一切問わずさまざまな対象者に使用可能である。

■求められる能力

作業療法士に限らず，COPMとその理論および背景を理解したセラピストであれば，理学療法士や言語聴覚士でも使用できる。実際カナダのとある外来リハビリテーションにおいては，COPMをリハビリテーション全体の評価表として用いている。使用するにあたって規定の講習を受ける必要はないが，セラピストの面接能力が問われるため，ある程度の経験を要する。

■測定方法

まずはオープン面接方式で対象者のできない作業を探る。次に「重要度」カードを用いて，その「作業」の「重要度」を1～10のスケール（点数）で示してもらう。そのなかで重要度のスケールが高かった5つに焦点を絞り，「遂行度」と「満足度」カードを用いてそれぞれ1～10のスケールで対象者が本人の主観で点数をつける（**図3**）。

図3 COPMの流れ

ステップ1 今できないこと（作業），困っていることを探る
↓
ステップ2 10段階でその問題点の重要性を探る
↓
ステップ3 トップ5を選んでそのなかでの遂行度と満足度に順位をつける
↓
ステップ4 治療の経過を再評価するため，再度遂行度と満足度を振り返る

Case Study

事例を用いて段階形式の流れを追って測定方法を説明する。
基本情報：50歳代，男性，Aさん
家族背景および職業：妻と息子との3人暮らし。幼稚園バスの運転手で送迎の仕事をしている。
病歴：6カ月前に脳梗塞となり急性期，回復期のリハビリテーションを終えて現在は自宅にて療養中。外来リハビリテーションを開始する。外来リハビリテーションにて作業療法士と初期面談。

●ステップ1：今できないこと(作業)，困っていることを探る

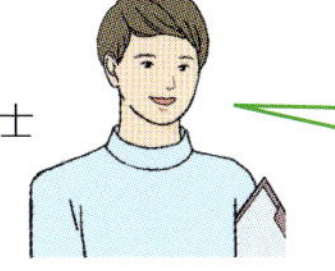

Aさん。今からAさんが退院後の生活で，できなくて困っていることについてお話しましょう。

セルフケア
作業療法士：身の回りの自分の世話は1人でできていますか？
Aさん　　：食事のとき左側を食べ残すこと，髭をちゃんとそれなくて困っています。階段を下りるのがまだ不自由で，2階に上がれずに居間に布団を敷いて寝ています。
作業療法士：車の運転や買い物などは以前のようにできますか？
Aさん　　：運転はしていません。買い物は妻と2人でないと迷ってしまいそうで1人では無理です。

生産活動
作業療法士：病気になる以前にされていた家事で困っていることはありますか？
Aさん　　：ときどき掃除機をかけていましたが，今はできません。
作業療法士：仕事には戻りたいと考えていますか？
Aさん　　：はい。できればバスの送迎の仕事を続けたいです。

レジャー
作業療法士：Aさんの趣味は何ですか？
Aさん　　：魚釣りに行くことと普段はよく読書をします。
作業療法士：退院後はこの2つの趣味を続けていますか？
Aさん　　：いや，どちらもできていません。本は読もうとするのですがどうも文全体を読み取れていないような気がします。
作業療法士：電話の対応や人との会話で困っている点はありますか？
Aさん　　：特にありません。

図4　困っていることのまとめ

セルフケア	生産活動	レジャー
・髭がうまくそれない ・階段を下りることができない ・車の運転が不可能 ・買い物に1人で出かけることができない	・掃除機をかけることができない ・仕事に復帰できない	・魚釣りができない ・本がうまく読めない

●ステップ2：作業遂行問題点の重要度を探る

重要度を示すカードを見せて，重要性を数字で表す(**図5**)。

図5　重要度カード

重要度
1　2　3　4　5　6　7　8　9　10
あまり重要ではない　　　　　　とても重要である

(次ページへ続く)

（前ページより続く）

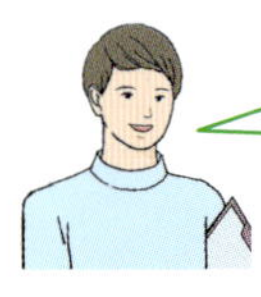

Aさんにとって髭を上手に自分でそれるということはどのくらい重要ですか？
Aさんの生活のなかでとても重要なことなら10，誰かに手伝ってもらえばよいのでそれほど重要ではないならば1です。

そうですねえ。9くらいかなあ？
髭ぐらいは自分でそれないとね。

車を運転をするということはAさんにとって1～10のスケールでどの程度の重要性がありますか？

私にとっては何よりも大変重要です。車を運転できないとどこへも行けませんしね。10です。

では，掃除機をかけることができるというのはAさんにとってどの程度重要ですか？

4です。掃除機は自分がかけなくても妻がやってくれるので，それほど私には重要ではありません。

それでは，Aさんが現在困っていることとして挙げた8つのうちで，重要度の高かった5つを選びましょう。

●**ステップ3**：上位5つを選んでそのなかでの遂行度と満足度に順位をつける

遂行度を示すカードを見せて，遂行度を数字で表す（**図6**）。また，満足度を示すカードを見せて，現時点での満足度を数字で表す（**図7**）。

図6　遂行度カード

遂行度	
1　2　3　4　5　6　7　8　9　10	
まったくできない	以前と同じようにできる

図7　満足度カード

満足度	
1　2　3　4　5　6　7　8　9　10	
まったく満足していない	とても満足している

●**ステップ4**：治療の経過を再評価するため，再度遂行度と満足度を振り返る（**表1**）

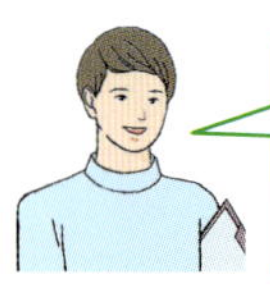

以前と同じように髭をそれるとしたら10，まったく自分ではできないならば1。現在，Aさんの遂行度を数字で表すとどこに値しますか？

右側は上手にそれているけど，やっぱり全体的には完璧とは言えないから5です。

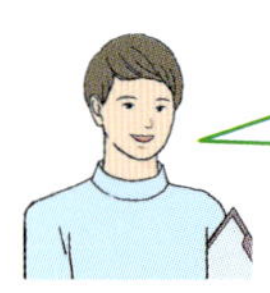

髭そりの遂行度は5ですが，それに対する満足度は1～10のどの程度ですか？ 十分満足しているならば10です。

まったく満足していません。1です。

表1　COPM評価表のまとめ

困っていること	重要度	遂行度	満足度
髭がそれない	9	5	1
階段の上り下りが困難	10	2	1
車の運転ができない	10	1	1
仕事に復帰できない	9	6	1
本がうまく読めない	9	6	2

総合のスコア

$$遂行スコア=\frac{5+2+1+6+6}{5(項目)}=4$$

$$満足スコア=\frac{1+1+1+1+2}{5(項目)}=1.2$$

※遂行度でまったくできないという場合は１となる。
※再評価の際はこの５つ挙げられた問題点に関して，遂行度と満足度がどのように変化していくかを面接によって再評価する。COPMは特に再評価の期間を示してはいないため，その治療過程によって作業療法士が判断する。通常は３カ月および６カ月などの単位で用いるのが望ましい。

Question 1

COPMの手順において，ステップ１の重要な作業をリストアップした後のプロセスを述べよ。

☞ 解答 p.291

アクティブラーニング② アクティブラーニング①で得た家族や身近な人の情報を参考にしながら，実際にCMOP-Eに当てはめた人物に，COPMを行ってみよう。

作業療法参加型臨床実習に向けて

COPMにおける模倣は，見学段階で指導者が模擬対象者を使って測定のデモンストレーションを行う。その後，指導者は評価表の遂行度および満足度のスコアをまとめ，実習生とともに考察を図る。実習生はデモンストレーション後，実際の対象者にCOPMを実施する。オープン面接形式のため，事前の質問要項などを準備しておくことを強く薦める。実習生は指導者からは実習生のよかった点，改善点を伝え，測定方法や考察を指導する。

試験対策 Point

CMOP-EとCOPMの違いを明確に理解しよう。
- CMOP-E：COPMを実践する際に基礎となる理論で，作業遂行は人・作業・環境が相互に関わり合い成り立っている。また，CMOP-Eは作業ニーズを満たすという方向性を示している。
- COPM：CMOP-Eの考え方を基にオープン形式の面接で行う評価。対象者自身の視点から，問題のある作業を重要度の高い順にランク付けしたのち，遂行度と満足度を対象者が1～10のスケールで示す。

4 AMPS

AMPS(assessment of motor and process skills)は世界16カ国で使用される**観察型**の日常生活および関連動作の評価法である。ある課題を遂行しその目的を達成するのに，対象者がもっているさまざまな能力をどのように使用していくかを測定する。世界の約15万人(2013年現在)の統計に基づき，国際的に標準化された観察型の評価法である。

疾患ではなく作業活動に視点を置いているため，年齢(2歳以上)や疾患を問わず使用できる。ただし，作業療法士はAMPS講習会を受講し，評価者として継続的に評価を実践し，統計のアップデートを行うことが求められる。AMPSを評価ツールとして使用することにより，作業療法士は「作業」を基盤とした，本来の**トップダウンアプローチ***4の作業療法を対象者に提供できる。

*4 **トップダウンアプローチ**
対象者の作業遂行問題を探索することで，作業遂行に対し阻害している因子は何かを探る。実際に対象者が作業を行う際，作業療法士がその作業を観察することで，その阻害因子が人・作業・環境のどこにあるのか明確にする(p.17参照)。

アクティブラーニング③ 日本AMPS研究会ホームページを確認しよう[4]。

＊5　**運動技能**

対象者自身や，対象者が物を動かしたりする技能である。

＊6　**プロセス技能**

対象者が道具を適切に使用し，順序よく作業を進め，また何か問題が起こった際には対処する技能である。

■AMPSの課題数と項目

対象者は125課題のリストから馴染みのある2課題を自ら選択して行う。16項目ある**運動技能**[＊5]と20項目ある**プロセス技能**[＊6]について4段階（4：問題なし，3：疑問あり，2：問題あり，1：非常に問題あり）で評価される（**表2**）。

アクティブラーニング④　実際にAMPSで定義されているADL運動機能およびプロセス機能を，1つの動作を例にとり，当てはめてみよう。

表2　AMPSで定義されているADL運動技能およびプロセス技能

ADL運動技能		
body position（身体の位置）	stabilizes	安定している
	aligns	身体がまっすぐ
	positions	物と自分の位置
obtaining and holding objects（物の獲得と把持）	reaches	物に手を伸ばす
	bends	身体をかがめる
	grips	持つ
	manipulates	手の中で物を扱う
	coordinates	両手で扱う
moving self and objects（自己と物の移動）	moves	物を動かす
	lifts	持ち上げる
	walks	歩く
	transports	運ぶ
	calibrates	力を調整する
	flows	滑らかに動く
sustaining performance（遂行の維持）	endures	疲れず維持する
	paces	速さが適切
ADLのプロセス技能		
sustaining performance（遂行の維持）	paces	速さが適切な
	attends	注意がそれない
	heeds	最後までやり遂げる
sustaining performance（遂行の維持）	chooses	選ぶ
	uses	使う
	handles	上手く扱う
	inquires	情報を得る
temporal organization（時間的組織化）	initiates	始める
	continues	続ける
	sequences	順序よくする
	terminates	終わる

ADLのプロセス技能		
organizing space and objects（空間と物の組織化）	searches/locates	探して見つける
	gathers	集める
	organizes	整える
	restores	片付ける
	navigates	ぶつからない
adapting performance（遂行の適応）	notices/responds	気がついて反応する
	accommodates	調整する
	adjusts	問題に対応する
	benefits	失敗を繰り返さない

AMPS実施手順

AMPS実施手順を**図8**に，注意点を**表3**に示す。

図8　AMPS実施手順

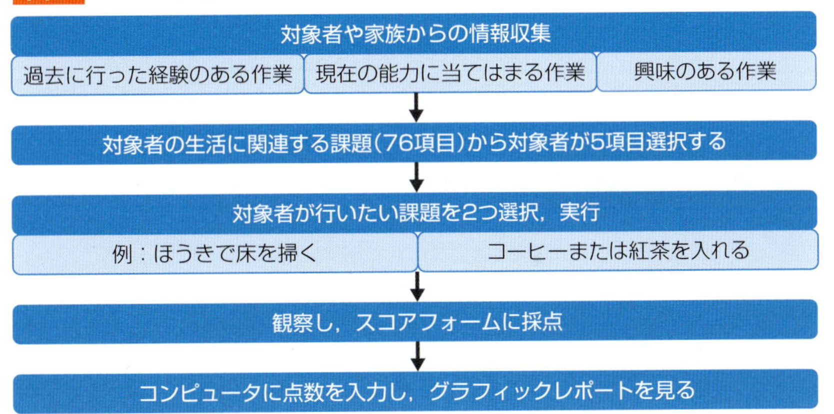

表3　AMPS実施における注意点

- 対象者が行う課題を十分に理解していることを確認する
- 対象者とともに必要な道具や材料がすべて揃っているかどうかを確認する
- 対象者の馴染みのある環境（対象者の自宅が望ましい）および経験したことのある課題で評価を行う
- 検者が馴染みのない環境，例えば対象者の自宅で行う場合は，事前に検者がどこに何があって対象者が使用すると予想される道具をどのように用いるのか確認する必要がある
- 対象者が１度も経験したことのない課題は，評価の対象にならない

対象者の能力判定

作業療法士は対象者が行った作業の観察結果より，4段階評定を行う。なおデータはすべてAMPS測定値を出すためのソフトウェアに入力し，データを収集する。作業療法士自身の主観的な評価の厳しさの加減度は**寛厳度**[*7]とよばれ，AMPS講習会にて作業療法士自身の加減度を明確にする

*7　**寛厳度**
検者の厳しさの加減度を示す。

ことを学ぶ。対象者の運動技能およびプロセス技能の評価は寛厳度，課題および項目難易度を考慮して導き出された数値(**間隔尺度，ロジット**[*8])となる。

運動技能が3.6ロジット，処理機能が2.2ロジットを健常者の平均値とする。このロジット以下だと日常生活に困難が生じる。

＊8 **間隔尺度，ロジット**
温度の摂氏および華氏がよい例で，対象に振り分けられる数字は順序水準の性質を満たし，さらに差が等しいということは間隔が等しいことを示す。

作業療法参加型臨床実習に向けて
AMPSにおいては，トレーニングおよび認定を受けているセラピストにのみ使用可能なため，実習先では実際の検査を見学不可能な場合も懸念される。その場合は，指導者とともに，運動およびプロセス技能項目をさまざまな作業に当てはめ考察を図る。

【引用文献】

1) Kirsh B：A narrative approach to addressing spirituality in Occupational Therapy. Exploring personal meaning and purpose. Canadian Journal of Occupational Therapy, 63：55-61, 1996.
2) Elizabeth T, et al.：In Enabling Occupation Ⅱ：Advancing an Occupational Therapy Vision of Health, Well-being, CAOT, 2007.
3) The Canadian Occupational Performance Measure(https://www.thecopm.ca/)(2022年2月時点).
4) Center for Innovative Occupational Therapy Solution Japan(日本AMPS研究会)(http://amps.xxxxxxxx.jp/index.html)(2022年2月時点).

【参考文献】

1. Law M, et al. 編, 宮前珠子 監訳：クライエント中心の作業療法. 協同医書出版社, 2000.
2. Baptiste S, et al.：The Canadian Occupational Performance Measure. World Federation of Occupational Therapy Bulletin, 28：47-51, 1993.
3. Fisher AG：Assessment of Motor and Process Skills, Vol.1：Development, Standardization, and Administration Manual, 6th ed. Three Star Press, Fort Collins, 2006.
4. Fisher AG, et al.：Assessment of Motor and Process Skills. Vol.2：User manual (8th ed.). Fort Collins, CO：Three Star Press, 2014.

チェックテスト

Q

①作業遂行について説明せよ(☞p.260)。 基礎
②作業遂行の結果がもたらす3つの相互作用を挙げよ(☞p.261)。 基礎
③カナダ作業遂行モデル(CMOP-E)について説明せよ(☞p.261)。 基礎
④カナダ作業遂行測定(COPM)は何を測定するか(☞p.262)。 臨床

25 QOL

澄川幸志

Outline

- QOL（quality of life）は作業療法士にとって重要な評価指標であり，QOLを保てるような治療を実践する必要がある。
- QOLの評価法には，対象となる年齢や疾患などが決まっている方法もあるので使用する際には留意する必要がある。
- QOLを評価する際には，QOLに影響するそのほかの項目についても同時に評価する必要がある。

1 QOLとは

QOLは「quality of life」の略であり，翻訳すれば「人生の質」「生活の質」あるいは「人生・生活の質」となる。QOLは，健康と直接関連のある**健康関連QOL**，健康と直接関連のない**非健康関連QOL**とに大別される。

健康関連QOLは人の健康に直接影響する部分のQOLであり，身体的状態，心理的状態，社会的状態，霊的状態，役割機能や全体的well-beingなどが含まれる。非健康関連QOLは，環境や経済や政治などQOLのうちで健康に間接的に影響するが，治療などの医学的介入により直接影響を受けない部分のQOLを指す。健康であれば，健康関連QOLより非健康関連QOLの重要性が高いが，罹患することで健康関連QOLの重要性が増し，疾患が重篤で慢性化すると健康関連QOLの重要性がますます高くなる。

作業療法をはじめとする保健医療の領域において，QOLとして取り扱われるのは健康関連QOLがほとんどである。作業療法の対象者は，疾患や傷害による症状や治療の副作用などによって治療前と同じようには生活できなくなることが多く，疾患や傷害により自分の生活が変化するなかにおいて対象者が自分らしく納得のいくQOLの維持を目指すことが治療を行ううえで重要となる。治療法を選ぶ際には，**治療効果だけでなくQOLを保てるかどうかを考慮すること**が重要である。

2 QOL評価

QOL評価尺度には，**包括的QOL尺度**と**疾患特異的QOL尺度**がある。包括的QOL尺度はどのような疾患にも適用可能なように一般的なQOLの状態を評価するものであり，疾患特異的QOL尺度は疾病に特異的な症状などについて評価するものである。

試験対策 Point

QOLの評価法は多種多様であり，それぞれの評価方法により対象となる疾患や年齢，評価項目，得点範囲などが異なる。それぞれのQOL評価法の特徴や違いについて理解して学ぶ必要がある。

■包括的QOL尺度

● SF-36®

Medical Outcomes Study 36-Item Short-Form Health Survey (SF-36®) は健康関連QOLを測定するため，アメリカで開発された科学的で信頼性・妥当性をもつ客観的なQOL評価尺度である。現在，170カ国語以上に翻訳されて国際的に広く使用されている。日本語版はFukuhara[1,2]らによって1998年に開発され，現在は**SF-36v2®**が日本語版として使われている。SF-36v2®はある疾患に限定した内容ではなく，**健康に関する万人に共通した概念**から成り立っている。さまざまな疾患の対象者や，疾患に罹患していない健常な人のQOLを測定できる。疾患の異なる対象者のQOLを比較したり，対象者の健康状態を健常な人と比較したりすることも可能である。

SF-36v2®は16歳以上を対象とし，身体機能，日常役割機能(身体)，身体の痛み，全体的健康感，活力，社会生活機能，日常役割機能(精神)，心の健康の8つの下位尺度から構成されている。これら8つの下位尺度について過去1カ月間の健康状態に関する質問項目が合計36個あり，各質問項目に対してそれぞれ3～5段階の自己記入式で回答をする。得点は，**身体的側面のQOLサマリースコア，精神的側面のサマリースコア，役割・社会的側面のQOLサマリースコア**として算出される。これらの得点を，国民基準値である50点と比較することでも対象者のQOLの状態を知ることができる。

さらに，SF-36v2®には振り返り期間が過去1週間のアキュート版がある。ほかにも質問項目がより少ない，SF-12v2®やSF-8®があり，使用する目的により適切な指標を選択する必要がある。なお，SF-36v2®などの使用においては別途ライセンスの使用登録が必要となる。

● WHO-QOL26

世界保健機関(WHO)ではQOLを「個人が生活する文化や価値観の中で，目標や期待，基準および関心に関わる自分自身の人生の状況についての認識」と定義しており，これに基づいてWHOが開発したQOL調査用紙がWorld Health Organization quality of life 26 (WHO-QOL26)である。日本語版は1997年より使用されている[3)]。

WHO-QOL26は，**身体的領域**の7項目(日常生活動作，医薬品と医療への依存，活力と疲労，移動能力，痛みと不快，睡眠と休養，仕事の能力)，**心理的領域**6項目(ボディ・イメージ，否定的感情，肯定的感情，自己評価，精神性・宗教・信念，思考・学習・記憶・集中力)，**社会的領域**3項目(人間関係，社会的支え，性的活動)，**環境領域**8項目(金銭関係，自由・安全と治安，健康と社会的ケア：利用のしやすさと質，居住環境，新しい情報・技術の獲得の機会，余暇活動への参加と機会，生活圏の環境，交通手段)の4領域のQOLについて問う計24項目とQOL全体を問う2項目(QOLの自己評価，健康状態への満足感)の全26項目から構成されている。これらの項目について「過去2週間にどのように感じたか」，「過去2週間にどのくらい満足したか」，あるいは「過去2週間にどのくらいの頻度で経験したか」を「まったくない」「少しだけ」「多少は」「かなり」「非常に」などの5段階で回答する。

健常な人にも使用でき，また個別だけではなく集団でも使用可能という特徴がある。

● EQ-5D

EuroQol 5 dimensions(EQ-5D)は，健康関連QOLを測定するために研究者グループであるEuroQolグループが1987年に開発した[4]包括的な健康関連QOLを評価する自己記入式の尺度で，日本語版は1997年に開発された[5]。

EQ-5Dは，5項目法と視覚評価法の2部から構成されている。5項目法では，移動の程度，身の回りの管理，普段の活動，痛み・不快感，不安・ふさぎ込みの5つの項目について，3段階選択式回答法で回答をする。視覚評価法ではVAS(visual analogue scale)を用いて対象者の健康状態の自己評価を行う。視覚評価法による健康状態の評価は垂直に引かれた長さ20cmの線分上で行われ，線分には100等分の目盛りの下から10ポイントごとに0～100までの数字，線分上端には「想像できる最もよい健康状態」，線分下端には「想像できる最も悪い健康状態」と記されており，対象者自身の「今日の健康状態」に合致すると思う目盛りに線を引く。

補足

EQ-5Dは臨床版と完全版があり，本項で紹介しているのは臨床版である。完全版では臨床版での内容に加えて，5項目法での回答に対して視覚評価法で評価を求める部分がある[5]。
また，本項で紹介したEQ-5Dは3段階選択式回答法での回答(EuroQol 5 dimensions 3-level：EQ-5D-3L)を求めていたが，感度や天井効果の問題から5段階選択式回答法で回答するEQ-5D-5Lも開発されている[6]。なお，EQ-5Dの使用にあたっては使用登録をする必要がある。

● 改訂版PGCモラールスケール(表1)

高齢者を対象とした「生活の満足度」について調査するための自記式の質問紙である。1972年Lawton(ロートン)が開発した全22項目からなるPhiladelphia Geriatric Center(PGC)モラールスケールの改訂版[7]であり，1996年に古谷野によって翻訳された[8]。

改訂版PGCモラールスケールでは，心理的動揺(agitation)，老いに対する態度(attitude toward own aging)，孤独感・不満足感(lonely dissatisfaction)の3つの因子，計17項目について原則的に「はい」・「いいえ」もしくはそれに応じた二者択一方法，設問によっては三者択一方法で行う。点数の算出方法は各項目のモラールが高いほうの回答に1点，そうでない回答に0点を与え，得点範囲は0～17点となる。合計得点が高いほど主観的幸福感が高い。また，下位因子別の得点を算出して比較することも可能である。

表1 改訂版PGCモラールスケール

あなたの現在のお気持ちについてうかがいます。当てはまる答の番号に○をつけてください。		
1. あなたは自分の人生が年をとるにしたがって，だんだん悪くなっていくとおもいますか		
1. はい	2. そうは思わない	
2. あなたは去年と同じように元気だと思いますか		
1. はい	2. いいえ	
3. さびしいと感じることはありますか		
1. ない	2. あまりない	3. いつも感じる
4. 最近になって小さなことを気にするようになったと思いますか		
1. はい	2. いいえ	
5. 家族や親戚，友人との行き来に満足していますか		
1. 満足している	2. もっと会いたい	
6. あなたは，年をとって前よりも役に立たなくなったと思いますか		
1. そう思う	2. そうは思わない	
7. 心配だったり，気になったりして眠れないことがありますか		
1. ある	2. ない	
8. 年をとるということは，若いときに考えていたよりも良いことだと思いますか		
1. よい	2. 同じ	3. わるい
9. 生きていても仕方がないと思うことがありますか		
1. はい	2. あまりない	3. ない
10. あなたは，若いときと同じように幸福だと思いますか		
1. はい	2. いいえ	
11. 悲しいことがたくさんあると感じますか		
1. はい	2. いいえ	
12. あなたは心配なことがたくさんありますか		
1. はい	2. いいえ	
13. 前よりも腹をたてる回数が多くなったと思いますか		
1. はい	2. いいえ	
14. 生きることは大変きびしいと思いますか		
1. はい	2. いいえ	
15. いまの生活に満足していますか		
1. はい	2. いいえ	
16. 物事をいつも深刻に考えるほうですか		
1. はい	2. いいえ	
17. あなたは心配事があると，すぐにおろおろするほうですか		
1.はい	2.いいえ	

※4，7，13は「心理的動揺」に関する項目
　1，2，6，8，10は「老いに対する態度」に関する項目
　3，5，9，11，14，16は「孤独感・不満足感」に関する項目
※各項目の下線部の回答をした場合に1点を与え，合計得点を算出する

（文献8を基に作成）

● 生活満足度尺度K(表2)

高齢者の主観的満足感に関する測定尺度を分析し，1983年に古谷野らによって開発された[8)]。「人生全体についての満足感」に関する項目3項目，「心理的安定」に関する項目3項目，「老いについての評価」に関する項目3項目の計9項目からなる。各項目で肯定的な回答に1点，そうでない回答に0点を与え，得点範囲は0～9点となる。9項目の合計得点が高いほど主観的満足感が高い。

表2 生活満足度尺度K

あなたの現在のお気持ちについてうかがいます。当てはまる答の番号に○をつけてください。		
1. あなたは去年と同じように元気だと思いますか		
1. はい	2. いいえ	
2. 全体として，あなたの今の生活に不幸せなことがどれくらいあると思いますか		
1. ほとんどない	2. いくらかある	3. たくさんある
3. 最近になって小さなことを気にするようになったと思いますか		
1. はい	2. いいえ	
4. あなたの人生は，ほかの人に比べて恵まれていたと思いますか		
1. はい	2. いいえ	
5. あなたは，年をとって前よりも役に立たなくなったと思いますか		
1. そう思う	2. そうは思わない	
6. あなたの人生をふりかえってみて，満足できますか		
1. 満足できる	2. 大体満足できる	3. 満足できない
7. 生きることは大変きびしいと思いますか		
1. はい	2. いいえ	
8. 物事をいつも深刻に考えるほうですか		
1. はい	2. いいえ	
9. これまでの人生で，求めていたことのほとんどを実現できたと思いますか		
1. はい	2. いいえ	

※2，4，6は「人生全体についての満足感」に関する項目
3，7，8は「心理的安定」に関する項目
1，5，9は「老いについての評価」に関する項目
※各項目の下線部の回答をした場合に1点を与え，9項目の合計得点を算出する　(文献8を基に作成)

■疾患特異的QOL尺度

疾患特異的QOL尺度の例を以下に記載する。筋萎縮性側索硬化症(amyotrophic lateral sclerosis：ALS)に特異的なものとしてALS assessment questionnair(ALSAQ-40)，Parkinson(パーキンソン)病に特異的なものとしてParkinson's disease questionnaire(PDQ-39)やParkinson's disease quality of life questionnair(PDQL)，認知症に特異的なものとしてdementia quality of life questionnaire(DEMQOL)，統合失調症に特異的なものとしてJapanese schizophrenia quality of life

作業療法参加型臨床実習に向けて

QOLを評価する際にQOLに影響を及ぼすさまざまな要因についても同時に評価することで，QOLに影響を及ぼしている問題点がより鮮明になり，QOL向上に資する作業療法プログラムの立案や効果の検証が可能となる。

scale(JSQLS)，がんに特異的なものとしてEuropean organization for research and treatment of cancer quality of life core questionnaire-C30(EORTC QLQ-C30)やfunctional assessment for cancer therapy(FACT)，腎臓病に特異的なものとしてkidney disease quality of life(KDQOL)，関節リウマチに特異的なものとしてarthritis impact measurement scale version 2(AIMS2)やhealth assessment questionnaire(HAQ)などがある。

● AIMS2

これらは包括的QOL尺度に比べて，対象とする疾患特有の症状に関する質問項目を含んでおり，疾患から起因する健康状態をしっかり測定できることが大きな特徴である。本項では疾患特異的なQOL評価尺度の例としてAIMS2について紹介する。

AIMS2は1992年にアメリカで作成され，日本語版は1994年に作成された[9]。AIMS2は移動，歩行，手指，上肢，身辺，家事，社交支援，痛み，仕事，緊張，気分の12尺度における4〜5項目が用意されており，各質問項目について過去1カ月間の様子について回答をしてもらう(**表3**)。痛みの程度については「激烈」から「まったくない」，そのほかの項目については「1日もない」から「毎日」あるいは「いつも」から「ない」までの5段階で，最良の状態であれば得点を低く，最悪の状態であれば得点を高く回答する。各尺度の得点が0〜10の標準化された得点として計算される。

表3　AIMS 2の質問項目

質問項目「あなたは，この1カ月間…」に続いて以下の質問がなされる。	
移動能	・自分1人でバスや電車に乗ることができたか ・1日のうちのある時間内であれば，1人で外出できたか ・1人で近所の用足しができたか ・家の外に出るときには，誰かに手伝ってもらわないと出られなかったか ・1日中，ベッドか椅子から離れられなかったか
歩行能	・走ったり，重いものを持ち上げたり，スポーツなどの激しい運動をすることが困難だったか ・数ブロック(400〜500メートル)歩いたり，2〜3階の階段を昇ったりすることが困難だったか ・背中を曲げたり，屈みこんだりすることが困難だったか ・1ブロック(40〜50メートル)歩いたり，階段を1階昇ったりすることが困難だったか ・誰かに支えてもらうか，杖・松葉杖・歩行器などを使わないと歩くことが困難だったか
手指機能	・ペンや鉛筆を使って楽に書くことができたか ・シャツやブラウスのボタンを簡単にかけたりはずしたりできたか ・錠の鍵を簡単に回すことができたか ・簡単に紐を結んだり，結び目を作ったりすることができたか ・ジャムやほかの食品が入った新しい瓶の蓋を簡単に開けることができたか
上肢	・ナプキンで簡単に口を拭くことができたか ・頭から被って着るセーターを簡単に着ることができたか ・髪をとかしたり，ブラシをかけたりすることが簡単にできたか ・手で背中の辺りを，簡単に掻くことができたか ・頭より高い棚にある物を，簡単に取ることができたか

身辺	・入浴やシャワーを浴びるのに手助けが必要だったか ・服や着物を着るのに手助けが必要だったか ・トイレで用を足すのに手助けが必要だったか ・ベッドに入ったり出たりするのに手助けが必要だったか
家事	・スーパーマーケットに行った際には，1人で買い物ができたか ・台所設備では1人で自分の食事を作ることができたか ・家事道具が一式を使用して，1人で家事ができたか ・洗濯設備を使用して，自分の洗濯物は1人で洗濯ができたか
社交	・友人や親戚の人達と時間をともにしたか ・友人や親戚の人達を自宅に招いたか ・友人や親戚の人達の家庭を訪問したか ・親しい友人や親戚の人達と電話で話をしたか ・クラブや同好会・寄り合いの会合に出席したか
支援	・助けを必要とするとき，力になってくれる家族や友人が周りに居てくれると感じていたか ・家族や友人は，あなたの個人的な依頼によく応えてくれると感じていたか ・家族や友人は，あなたが困ったときに進んで手を貸してくれると感じていたか ・家族や友人は，あなたの疾患をよく理解してくれると感じていたか
痛み	・日頃感じているリウマチの痛みはどの程度か ・リウマチによる激痛は，何日あったか ・同時に2関節，またはそれ以上の関節の痛みは何日あったか ・起床後，朝のこわばりが1時間以上続いた日は何日あったか ・眠れないほど痛かった日は，何日あったか
職業	・仕事(勤務・家事・学校)を休まなければならない日はあったか ・仕事(勤務・家事・学校)を早退けしなければならない日はあったか ・仕事をしていて，仕事(勤務・家事・学校)が自分で思うほど完全・正確にできない日はあったか ・仕事をしていて，仕事(勤務・家事・学校)がいつものようにできずにやり方を変えなければならない日はあったか
緊張	・気が張り詰めた精神的緊張状態に何回陥ったか ・神経質になったり神経過敏になり困ったことが何回あったか ・楽にリラックスすることが何回できたか ・精神的緊張感から開放されて，のびのびした精神状態に何回なったか ・静かで落ち着いた平和な気分に何回なったか
気分	・物事を楽しい気分で何回やれたか ・沈滞した，憂欝な気分に何回なったか ・「何一つ思うようにうまくいかない」と感じることが何回あったか ・「あなたが死んでくれたほうがましだ」と人から思われていると感じることが何回あったか ・「何一つ楽しいことがない」と気持ちが沈み，ふさぎ込むことが何回あったか

※上記のQOLに関する各項目のほかに，各項目についての満足度，起因度，改善優先度に関する質問がある

（文献9を基に作成）

アクティブラーニング 1 本項に記載されているQOLの評価法のほかにもどんなQOLの評価法があるのか調べてみよう。対象者や得点範囲，測定されるQOLの特徴について調べてみよう。

3 QOL評価の留意点

前述したようにQOLの概念自体が幅広く，その評価尺度も多様である。QOLを評価する際には，**対象者の特徴**，**QOL評価の目的**に合った評価法を選定することが重要である。

また，QOL評価は対象者が自記式回答をするもの，もしくは作業療法士が対象者に面接を行い評価するものがほとんどである。対象者に回答してもらう際には心理的圧迫感や緊張感などを調査対象者に与えることがな

補足

QOL評価尺度の多くは対象者本人の主観的QOLについて測定するものであるが，重度の認知症など，信頼できる主観的QOLを評価できない場合においての客観的QOL評価尺度がある。例として，わが国で開発され認知症を対象にしたquality of life questionnaire for dementia（QOL-D）やその短縮版のshort QOL-Dなどがある。

いよう，回答する際の環境面に配慮することが重要となる。

QOLの評価の際には，QOLの評価法を用いてQOLのみを評価すればよいというわけではない。対象者が「何をもって幸せとするか，何を大切にしているか」について知る必要があり，またそれらはライフイベントや疾患や障害の変化による影響を受けるので注意したい。そのため，個人の信条や価値観を含め，**対象者の生活にかかわる幅広い項目について同時に評価する**必要がある。

Case Study

70歳代女性，Aさんは夫と2人暮らしをしており，家庭内での役割は主婦として家事全般を行っており，趣味はお菓子作りと編み物であった。3カ月前に脳梗塞を発症し入院。4カ月前から回復期リハビリテーション病院に転院している。きき手上肢に重度の運動麻痺があるほかは精神機能面，コミュニケーション能力ともに問題ない。これまでにADL練習を中心とした作業療法により，病院内ADLは独歩，および非麻痺側上肢を使用して自立した。1カ月前より退院に向けた調整を行っている。最近，悲観的な発言が聞かれることが増えてきたため，改訂版PGCモラールスケールを実施した。得点は4点であり，「心理的動揺」，「孤独感・不満足感」に関する項目で特に点数が低かった。

Question 1

病棟内ADLが自立しているにもかかわらず，AさんのQOLが低い原因として，どのようなことが挙げられるか考えてみよう。

☞ 解答 p.291

【引用文献】

1) Fukuhara S, et al.：Translation, adaptation, and validation of the SF-36 Health Survey for use in Japan. Journal of Clinical Epidemiology, 51：1037-1044, 1998.
2) Fukuhara S, et al.：Psychometric and clinical tests of validity of the Japanese SF-36 Health Survey. Journal of Clinical Epidemiology, 51：1045-1053, 1998.
3) 田崎美弥子，ほか：WHOQOL 短縮版　使用手引き改訂版，p.1-4，金子書房，2007.
4) Brooks R, Euro Qol Group：Euro Qol：the current state of play. Health Policy, 37(1)：53-72. 1996.
5) 西村周三，ほか：日本語版Euro Qolの開発．医療と社会，8：109-123，1998.
6) Shiroiwa T, et al.：Comparison of Value Set Based on DCE and/or TTO Data：Scoring for EQ-5D-5L Health States in Japan. Value Health, 19(5)：648-654, 2016.
7) Lawton MP：The Philadelphia Geriatric Center Morale Scale：a revision. J Gerontol, 30(1)：85-89, 1975.
8) 古谷野　亘：老年精神医学関連領域で用いられる測定 QOLなどを測定するための測度(2)．老年精神医学雑誌，7(4)：431-441，1996.
9) 佐藤　元，ほか：AIMS 2日本語版の作成と慢性関節リウマチ患者における信頼性および妥当性の検討．リウマチ，35(3)：566-574，1995.

チェックテスト

Q

①QOLの評価をどのように行うか述べよ(☞p.275)。 基礎

②QOLの評価において注意する点を挙げよ(☞p.275)。 基礎

26 国際生活機能分類（ICF）

磯貝理栄，名古紀子

Outline

- ICFは2つの構成要素からなり，第1部に生活機能と障害の心身機能・身体構造，活動，参加，第2部に背景因子である環境因子，個人因子がある。
- ICFは「人が生きること」の全体像の把握のための保健・医療・福祉・教育などあらゆる分野における「共通言語」である。
- ノーマライゼーションの思想が生まれ，社会の変化に伴いICFは誕生した。
- ICFは作業療法を行うための必要な評価において，さまざまに活用できるツールである。

1 ICFとは

International Classification of Functioning, Disability and Health（ICF）は，「生活機能・障害・健康の国際分類」のことである。縮めて**国際生活機能分類**ともよぶ。これは，アルファベットと数字の組み合わせによる分類・記述・表現で合計1,500項目にも及ぶもので，本来は統計や研究ツールとして使用されるものである。

■ICFが生まれた社会的背景

ICFは2001年に世界保健機関（World Health Organization：WHO）の総会で生まれたものであり，それまでは**国際障害分類**（International Classification of Impairments, Disability and Handicaps：ICIDH）があった。両者を**図1**に示す。

最近の医学の発展，高齢化による疾患構造の慢性期疾患への移行により，ICIDHだけでは障害をとらえることに限界が生じてきた。また，**ノーマライゼーション**[*1]の思想が生まれて社会も変化したことにより，障害よりも生活に目を向けるプラスの視点が生まれICFが誕生した。

＊1 ノーマライゼーション（normalization）
障害や年齢にかかわらず誰もが区別されることなく，快適な社会生活を送る権利を有しているとする考え方。

補足
必ずしも急性期はICIDHで，回復期はICFということはない。生活機能をとらえるにはいずれでもICFを用いることができる。ただ，急性期では心身機能・身体構造に，回復期以降では活動参加とともに環境因子に，アプローチの比重が動いていくのではと考える。参加を軸に全体像としてとらえることには変わりない。

■ICIDHとICF

ICIDHは障害を機能障害，能力障害，社会的不利の3つの階層に分けたものである。この3つの側面から問題を整理して，障害の全体像を把握するのに役立てられ，リハビリテーションの発展をかつては支えた。

図1 ICIDHとICF

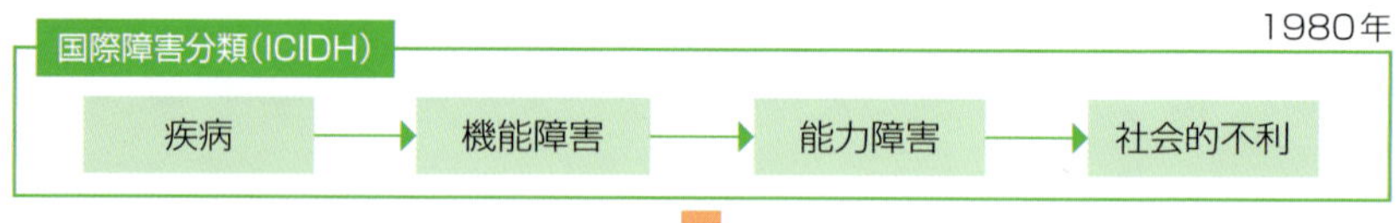

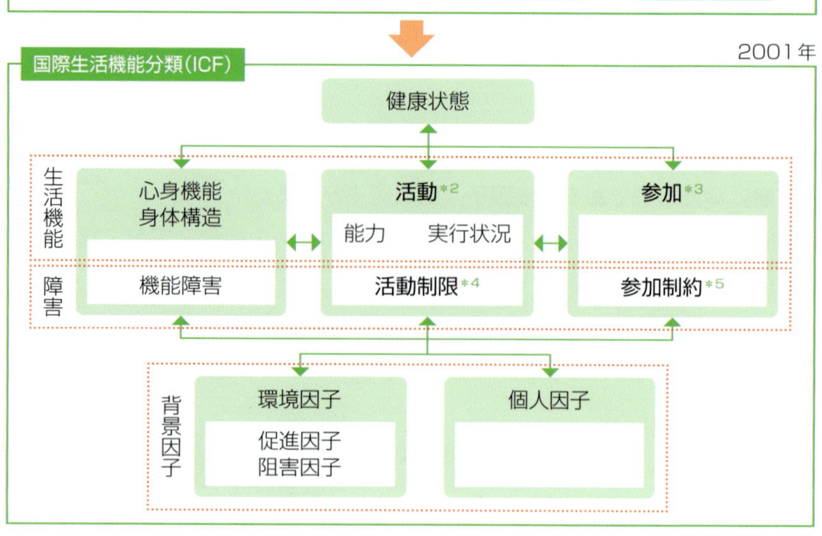

(文献1を基に作成)

***2 活動**
課題や行為の個人による遂行のことである。

***3 参加**
生活・人生場面へのかかわりのことである。

***4 活動制限**
個人が活動を行うときに生じる難しさのことである。

***5 参加制約**
個人がなんらかの生活，人生場面にかかわるときに経験する難しさのことである。

(＊2〜5：文献2より引用)

アクティブラーニング① ICIDHとICFについて図に描いて説明してみよう。

しかし，「疾患が不可逆的に障害を引き起こすかのような運命論的な印象を与える」「環境が無視されている」など多くの批判を受け，ICFに改訂されることとなった。両者の違いを**表1**と**図2**に示す。

補足

ICF-CY
ICF-CYは，children and youth versionの略である。2007年にWHOがICFの派生分類として公表した。日本では2008年に厚生労働省内の検討会によって「児童版」として翻訳された。

表1 ICIDHとICFの相違点

	ICIDH	ICF
矢印	一方的	双方的
用語	否定的	中立的 機能障害 → 心身機能・身体構造 能力障害 → 活動 社会的不利 → 参加
包括概念	記されていない	生活機能＝心身機能・構造＋活動＋参加 障害＝機能障害＋活動制限＋参加制約
視点	**否定的**(障害)	**肯定的**(生活機能)＋否定的(障害)
背景因子	記されていない	個人因子，環境因子
障害の発生要因	疾病	健康状態
活動のとらえ方	能力障害	能力と実行状況
モデル	**医学モデル**＊6	**統合モデル**(医学モデル＋**社会モデル**＊7)

***6 医学モデル**
生活上の問題は疾病や外傷から生じる個人の問題であり，医療により個人が社会環境に適応する能力を身につける必要があるとする考え方。

***7 社会モデル**
生活上の問題は社会環境の問題であり，個人が社会参加できるように社会環境が変わる必要があるとする考え方。

図2 ICIDHとICF

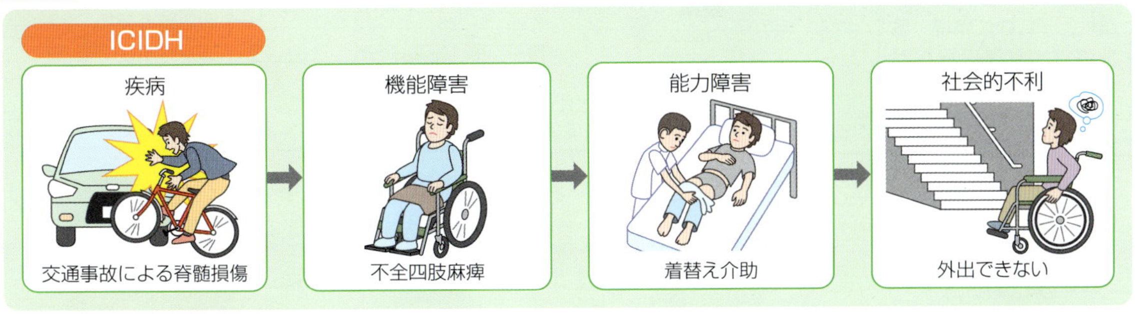

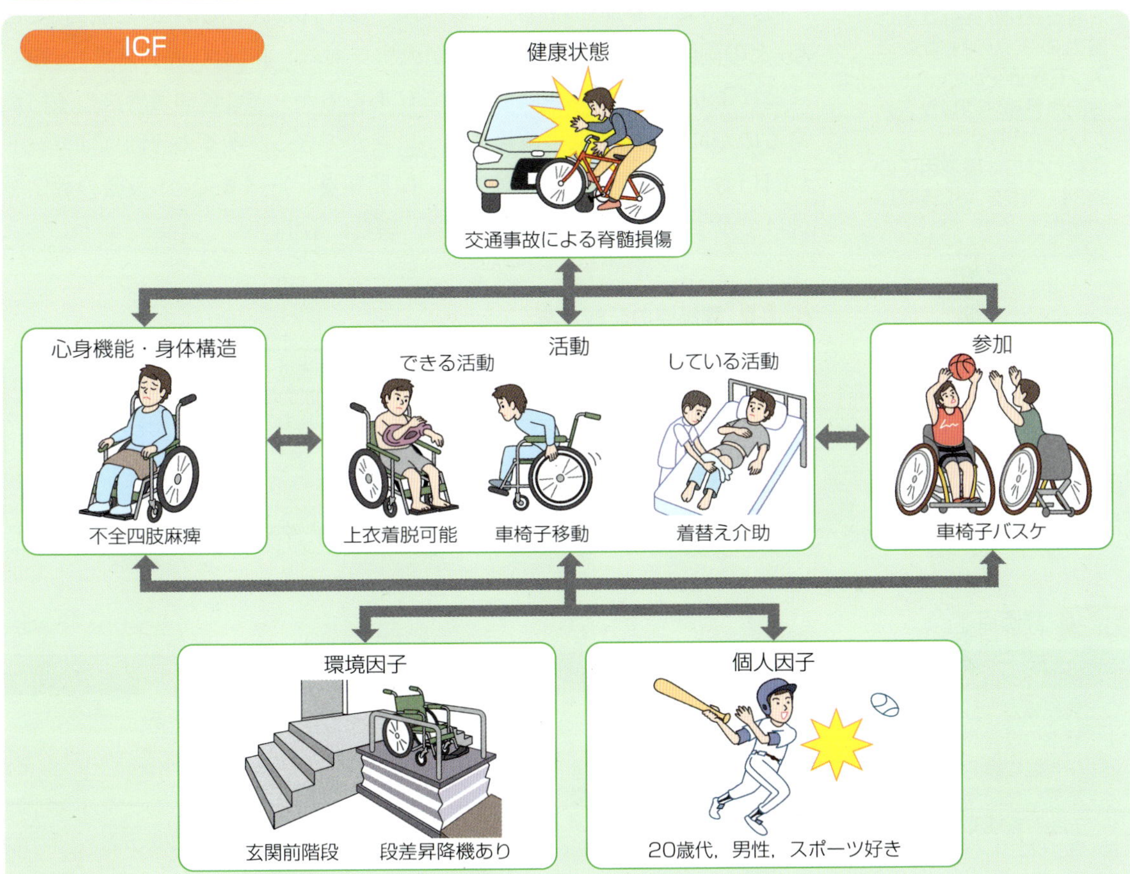

アクティブラーニング ② ICIDHとICFの相違点を再確認してみよう。

■ICFを構成する要素

ICFには2つの部門があり，それぞれは2つの**構成要素**からなる(**図3**)。

■ICFの評価法

ICFには**大分類・中分類・小分類**という項目があり，各々にコード(項目)がある。文字1字が頭にきて，そのあとに数字が何個か続く。ローマ文字はbodyのbのような頭文字を示す。

補足

環境因子には住環境・地域環境・職場環境などが，個人因子には生活歴・職業歴・興味・価値観などが含まれる。

試験対策 Point

- 活動と参加は実行状況と能力の２つの評価点によって評価する。
- 活動と参加は同じリストとして示される。
- 活動と参加，環境因子の第２レベルをよく確認しておこう。

図3　ICFを構成する要素

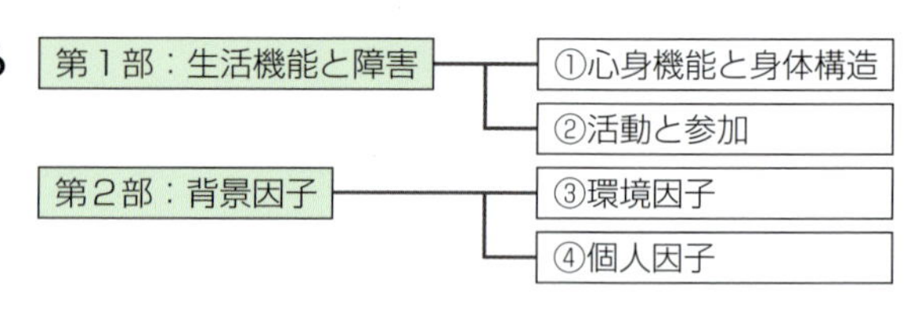

例えば，心身機能であれば大分類は8項目，中分類は98項目，小分類は212項目となっている。詳細については，成書を参照してほしい[2)]。

項目ごとの評価点を出すことがICFの基本的な用い方である。

特に「活動と参加」の評価においては，**実行状況（している）と能力（できる）との両面から評価**を行うことが大切である。評価点（評価基準）を知ることにより，解決すべき問題がどこにあるのか，どこに問題解決の糸口があるのかについての共通認識をもつことができる。多くの評価点はコード（項目）番号の次の「小数点」以下に，0（問題なし）～4までの5段階の数字を付けて示す。基本的な評価点を**図4**，**表2**に示す。

図4　評価点の記載方法

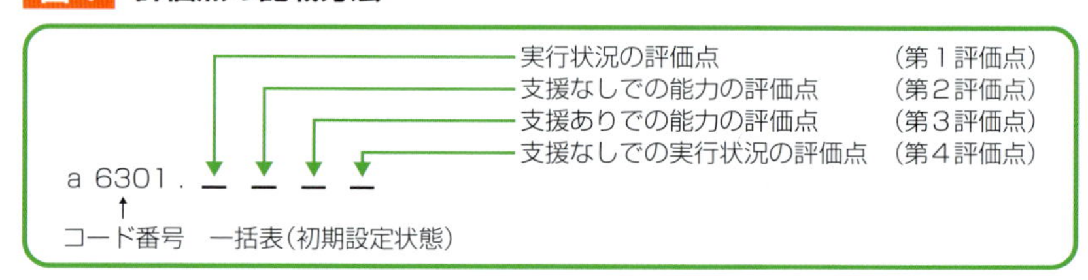

（文献３を基に作成）

表2　評価点

心身機能	身体構造		
	第１評価点	第２評価点	第３評価点
0：機能障害なし(0～4%)	0：構造障害なし	0：構造に変化なし	0：２部位以上
1：軽度の機能障害(5～24%)	1：軽度の構造障害	1：全欠損	1：右
2：中等度の機能障害(25～49%)	2：中等度の構造障害	2：部分的欠損	2：左
3：重度の機能障害(50～95%)	3：重度の構造障害	3：付加的な部分	3：両側
4：完全な機能障害(96～100%)	4：完全な構造障害	4：異常な大きさ	4：前側
8：詳細不明	8：詳細不明	5：不連続	5：後側
9：非該当	9：非該当	6：位置の変異	6：近位
		7：構造上の質的変化	7：遠位
		8：詳細不明	8：詳細不明
		9：非該当	9：非該当

活動と参加		環境因子	
第１評価点（実行状況）	第２評価点（能力）	0：阻害因子なし	+0：促進因子なし
0：困難なし(0～4%)	0：困難なし	1：軽度の阻害因子	+1：軽度の促進因子
1：軽度の困難(5～24%)	1：軽度の困難	2：中等度の阻害因子	+2：中等度の促進因子
2：中等度の困難(25～49%)	2：中等度の困難	3：重度の阻害因子	+3：高度の促進因子
3：重度の困難(50～95%)	3：重度の困難	4：完全な阻害因子	+4：完全な促進因子
4：完全な困難(96～100%)	4：完全な困難	8：詳細不明	+8：詳細不明
8：詳細不明	8：詳細不明	9：非該当	
9：非該当	9：非該当		

（文献４を基に作成）

2 ICFの評価への活用

作業療法評価は，ICFと同様に肯定的な視点で，さまざまな要素を総合的に評価して全体像をとらえている。しかし，視点の違いから，他職種には理解されにくい部分がある。また，機能障害に焦点を当てて評価することも多かった。

ICFの各項目の評価点をつけることは，時間的制約があるなかでは難しいが，ICFの活用法として，以下の4点を提案したい。

■チェックリストを用いて全体像をとらえる一助とする

ICFの項目をチェックすることで，評価を効率的に進めながら，全体像をとらえることができる。全体像をとらえることで，より適切なアプローチにつなげられる。その際，**表3，4**は参考になる。ぜひ活用されたい。

表3 作業療法で扱う生活機能とICF項目の関連

作業療法の視点	ICF項目	
	第2レベル	第3レベル
1. 基本的能力 ICF：心身機能・身体構造	精神機能	意識機能，見当識機能，知的機能，全般的な心理社会的機能，気質と人格の機能，活力と欲動の機能，睡眠機能，注意機能，記憶機能，精神運動機能，情動機能，知覚機能，思考機能，高次認知機能，計算機能，複雑な運動を順序立てて行なう精神機能，自己と時間の経験の機能
	感覚機能と痛み	視覚機能，聴覚機能，前庭機能，味覚，嗅覚，固有受容覚，触覚，温度覚やその他の刺激に関連した感覚機能，痛みの感覚
	音声と発話の機能 音声と発話に関する構造	音声機能，構音機能，音声言語(発話)の流暢性とリズムの機能，口の構造，咽頭の構造，喉頭の構造
	心血管系・呼吸器系の機能	心機能，血圧の機能，呼吸機能，運動耐用能，心血管系と呼吸器系に関連した感覚
	消化器系・代謝系・内分泌系の機能	摂食機能，消化機能，排便機能，体重維持機能，体温調整機能
	尿路・性・生殖の機能	尿排泄機能，排尿機能，排尿機能に関連した感覚，性機能，生殖の機能
	神経筋骨格と運動に関連する機能 運動に関連した構造	関節の可動性の機能，関節の安定性の機能，筋力の機能，筋緊張の機能，筋の持久性の機能，運動反射機能，不随意運動反応機能，随意運動制御機能， 頭頸部の構造，肩部の構造，上肢の構造，骨盤部の構造，下肢の構造，体幹の構造
2. 応用的能力 ICF：活動と参加(主に活動：個人における遂行レベル)	学習と知識の応用	注意して視ること，注意して聞くこと，その他の目的のある感覚，模倣，反復，読むことの学習，書くことの学習，計算の学習，技能の習得，注意を集中すること，思考，読むこと，書くこと，計算，問題解決，意思決定
	一般な課題と要求	単一課題の遂行，複数課題の遂行，日課の遂行

(次ページへ続く)

（前ページより続く）

作業療法の視点	ICF項目	
	第2レベル	第3レベル
2. 応用的能力 ICF：活動と参加（主に活動：個人における遂行レベル）	コミュニケーション	話し言葉の理解，非言語的メッセージの理解，書き言葉によるメッセージの理解，話すこと，非言語的メッセージの表出，書き言葉によるメッセージの表出，会話
	運動・移動	基本的な姿勢の変換，姿勢の保持，移乗，持ち上げることと運ぶこと，歩行，移動
	セルフケア	自分の身体を洗うこと，身体各部の手入れ，排泄，更衣，食べること，飲むこと
	家庭生活	調理，調理以外の家事（衣服や衣類の洗濯と乾燥，台所の掃除と台所用具の洗浄，居住部分の掃除，日用必需品の貯蔵，ゴミ捨て），家庭用品の管理
	対人関係	基本的な対人関係
3. 社会的能力 ICF：活動と参加（主に参加：社会生活・人生場面への関わりのレベル）	一般的な課題と欲求	ストレスへとその他の心理的欲求への対処
	コミュニケーション	ディスカッション，コミュニケーション用具および技法の利用
	運動・移動	交通機関や手段の利用，運転や操作
	家庭生活	物品とサービスの入手，他者への援助
	対人関係	複雑な対人関係，よく知らない人との関係，公的な関係，非公式な社会的関係，家族関係，親密な関係
	主要な生活領域 教育 仕事と雇用 経済生活	 就学前教育，学校教育，職業訓練，高等教育 職業準備，仕事の獲得・維持・終了，報酬を伴う仕事，無報酬の仕事 基本的な経済取引，複雑な経済取引，経済的自給
	コミュニティライフ・社会生活・市民生活	コミュニティライフ，レクリエーションとレジャー，宗教とスピリチュアリティ，人権，政治活動と市民権
4. 環境資源 ICF：環境因子	人的環境 支援と関係，**態度**	家族，親族，友人，知人・仲間・同僚・隣人・コミュニティの成員，権限を持つ立場にある人々，下位の立場にある人々，対人サービス提供者，保健の専門職，その他の専門職
	物的環境 生産品と**用具**	個人消費用，日常生活における個人用，個人的な屋内外の移動と交通のため，コミュニケーション用，教育用，仕事用，文化・レクリエーション・スポーツ用，公共の建物の設計・建設用，私用の建物の設計・建設用
	サービス・制度・政策	消費財生産，建築・建設，住宅供給，公共事業，コミュニケーション，交通，社会保障，一般的な社会的支援，保健，教育と訓練，労働と雇用
5. 作業に関する個人特性 ICF：個人因子	生活再建に関わる作業に影響を与える心身機能以外の個人の特性	性別，人種，信条などの個人特性は大切に守られるべき人権であり，治療，指導および援助の対象とすべきではないため，本項目は個別の生活再建に関わる作業に影響の深い具体的対象に限定されるものである（例：心身機能に悪影響を及ぼす食習慣や生活習慣・嗜好など）

（日本作業療法士協会：作業療法ガイドライン2018年度版より許可を得て転載）

表4　作業療法で用いる作業活動の具体例

対象	作業活動の種類	具体例
1. 基本的能力 （ICF：心身機能・身体構造）	感覚・運動活動	物理的感覚運動刺激（準備運動を含む），トランポリン・滑り台，サンディングボード，プラスティックパテ，ダンス，ペグボード，プラスティックコーン，体操，風船バレー，軽スポーツなど
2. 応用的能力 （ICF：活動と参加・主に活動）	生活活動	食事，更衣，排泄，入浴などのセルフケア，起居・移動，物品・道具の操作，金銭管理，火の元や貴重品などの管理練習，コミュニケーション練習など
	余暇・創作活動	絵画，音楽，園芸，陶芸，書道，写真，茶道，はり絵，モザイク，革細工，籐細工，編み物，囲碁・将棋，各種ゲーム，川柳や俳句など
3. 社会的適応能力 （ICF：活動と参加・主に参加）	仕事・学習活動	書字，計算，パソコン，対人技能訓練，生活圏拡大のための外出活動，銀行や役所など各種社会資源の利用，公共交通機関の利用，一般交通の利用など
4. 環境資源 （ICF：環境因子）	用具の提供，環境整備， 相談・指導・調整	自助具，スプリント，義手，福祉用具の考案，作成適合，住宅等生活環境の改修・整備， 家庭内・職場内での関係者との相談調整，住環境に関する相談調整など
5. 作業に関する個人特性 （ICF：個人因子）	把握・利用・再設計	生活状況の確認，作業のききとり，興味・関心の確認など

（日本作業療法士協会：作業療法ガイドライン2018年度版より許可を得て転載）

アクティブラーニング ③ ICFの各項目には何が含まれているか再確認してみよう。

■共通言語としてICFを用いる

全体像をとらえる際，ICFの項目ごとにまとめることで他職種と視点を共有でき，スムーズなチームアプローチを担える。その際，上田らのICF整理シート（図5）が活用できる[5]。

図5　ICF整理シート

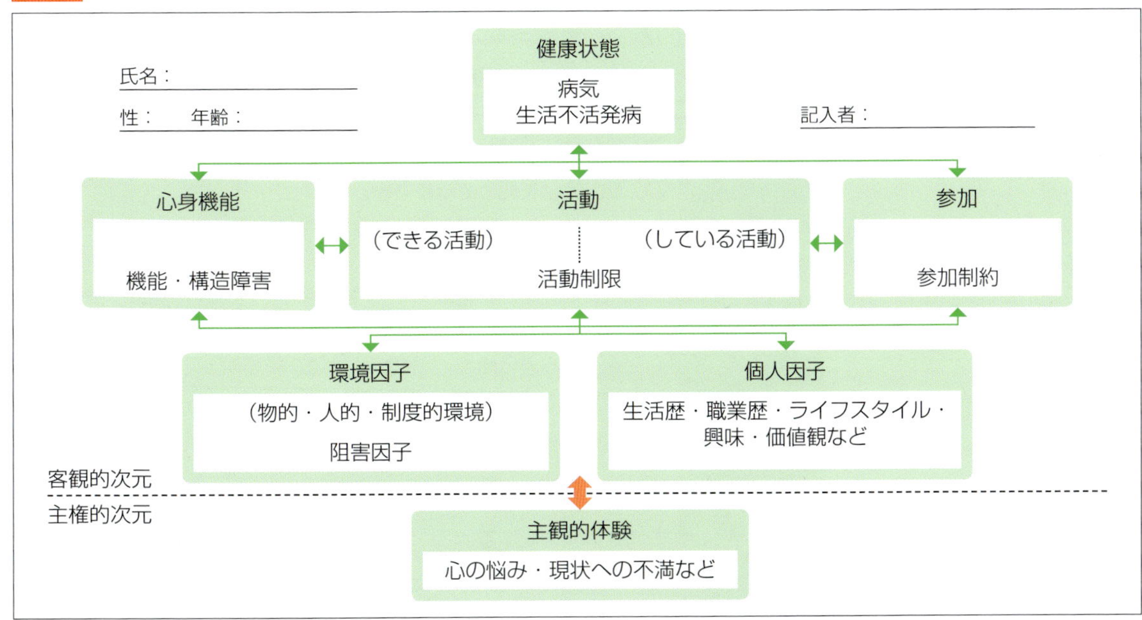

（文献5を基に作成）

・脳血管障害の対象者を想定して，ICF整理シートを記入してみよう。
・大腿骨頚部骨折術後の対象者を想定して，ICF整理シートを記入してみよう。

■ICFコアセット

ICFは生活機能を全般に網羅するという長所がある一方，1,400以上のカテゴリがあり，煩雑で実用的でないという指摘もある。そのため，ICF分類の全体から選択された複数のカテゴリを用いることが検討されてきた。それがコアセットである。

コアセットには包括，短縮，一般の3つの種類があり，各々対象により使い分ける。詳細は成書を参考にされたい。

■世界保健機関・障害評価面接基準（WHO-DAS 2.0）の活用

世界保健機関・障害評価面接基準（World Health Organization disability assessment schedule：**WHO-DAS 2.0**）は障害の評価を行うためにICFコードを用いた評価とは異なる視点から開発された評価方法である。生活の6つの領域における生活機能のレベルを把握する（**表5**）。

すべての領域はICFの「活動および参加」の構成要素上に直接位置付けられており，36項目，12項目および12＋24項目の3つのバージョンがあり，**表6**の参照枠に留意して評価を行う。また，回答者の状況に応じ，フラッシュカード#1・#2を用いる（**図6**）。

表5　WHO-DAS 2.0の評価項目

領域1：理解と意思の疎通（6項目）	D1.1	10分間何かを行うことに集中する
	D1.2	重要事項を行うことを覚えておく
	D1.3	日常生活上において問題の解決方法を発見する
	D1.4	新しい課題を学ぶ（例えば，新しい場所への行き方を学ぶこと）
	D1.5	他人が話していることが何かを理解する
	D1.6	会話を始めて継続できる
領域2：運動能力（5項目）	D2.1	30分間程度の長い時間立っていられる
	D2.2	腰掛けた状態から立ち上がれる
	D2.3	自分の家のなかで移動できる
	D2.4	家の外に出る
	D2.5	1km程度（またはこれ相当）の長い距離を歩く
領域3：自己管理（4項目）	D3.1	全身を洗う
	D3.2	自分で服を着る
	D3.3	食事をする
	D3.4	数日間一人で過ごす

領域４：人付き合い（５項目）	D4.1	知らない人とのやりとり
	D4.2	友人関係を維持する
	D4.3	親しい人々と交流する
	D4.4	新しい友人を作る
	D4.5	親密なスキンシップ
領域５：日常の活動（８項目）	D5.1	自分の受け持つ家事を行う
	D5.2	自分にとって最も重要な家事をうまくできる
	D5.3	必要な全ての家事を済ませる
	D5.4	必要に応じてできるだけ手早く家事を済ませる
	D5.5	仕事または学校での日々の活動を行う
	D5.6	自分にとって最も重要な仕事，または学校の課題をうまくできる
	D5.7	必要な仕事または学校でのすべての仕事を済ませる
	D5.8	必要に応じて，行うべき仕事をできるだけ手早く済ませる
領域６：社会参加（８項目）	D6.1	他の人と同じ方法で地域の活動に参加するのに，どれだけ問題があるか
	D6.2	身の回りに生じた障害，妨げにより，どれだけ問題を抱えたか
	D6.3	他人の態度と行為によって尊厳が傷つけられたことが，どれだけあるか
	D6.4	健康状態またはその改善のために，どれだけの時間を費やしたか
	D6.5	健康状態により，どのくらい感情に影響を受けたか
	D6.6	自分の健康状態は，自身や家族にどれくらいの経済的な影響をもたらしたか
	D6.7	健康上の問題によって，家族がどのくらい問題を抱えたか
	D6.8	自分で楽しんだりリラックスしようとした際に，どれだけ問題があったか

表6　WHO-DAS 2.0参加枠

参照枠１	難しさの程度
参照枠２	健康状態に起因する
参照枠３	過去30日間
参照枠４	平均して気分の良い日と悪い日
参照枠５	回答者が普段の活動をするように
参照枠６	過去30日間に経験していない項目は評価されない（該当なしと記入される）

図6 フラッシュカード

健康状態：
- 病気または他の健康問題
- ケガ
- 精神的または情緒的問題
- アルコール問題
- 薬物問題

難しさ：
- 努力を要する
- 不快感または苦痛
- 時間がかかること
- 活動する方法を変える

過去30日間を振り返る

a フラッシュカード＃1

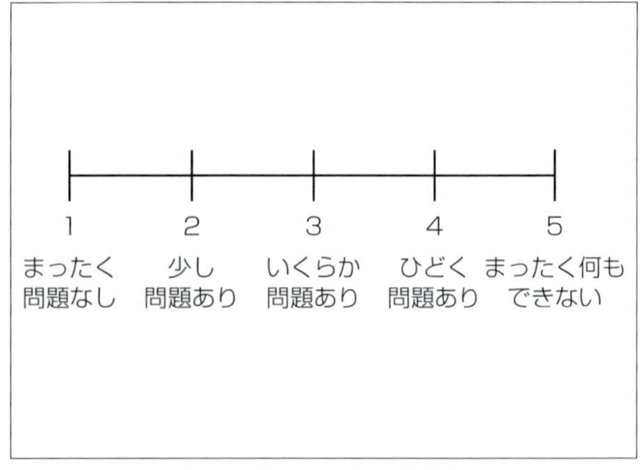

b フラッシュカード＃2

（文献6を基に作成）

3 ICFの評価以外への活用

ICFは作業療法評価を行ううえで全体像をとらえる際の指針を与えてくれるものである。そのため，評価表を作成する際にも参考となる。さらに，評価以外に作業療法プログラムを導き出すためのツールとしても役立つ。

■目標指向的アプローチ

ICFの活用として大川により提案された考え方である[7]。

「目標」とは，「最も幸せな人生」の状態，「あるべき人生」の具体的像である。目標は対象者本人を抜きにして専門家だけで決めることができるものではない。その人の人生の重要な決定であるから，必ずその人の自己決定権を尊重した，専門家と対象者の共同決定（**インフォームド・コオペレーション**[＊8]）でなければならない。

> ＊8 **インフォームド・コオペレーション**
> 専門家だけでなく，対象者・家族が主体的に関与して進められるもの。一方的に説明をして対象者・家族が同意するインフォームド・コンセントとは異なり，十分説明を受けて協力して意思決定をすることである。

■ケアプラン作成の指針

介護保険分野や自立支援法の分野などで義務付けられているケアプラン作成についても，ICFはその指針を与えてくれる。詳細については関連する参考文献6や，本シリーズの事例，学会誌などを参照してほしい。

ここで気をつけたいのは，作業療法士の視点で全体像を把握するには，ICFの項目だけでは不十分という点である。視点の漏れがないかをICF項目にて確認し，詳細な評価・分析は従来の評価にて行うことが望ましい。

■LIFEへの活用

2021年度から**科学的介護情報システム**（long-term care information system for evidence：LIFE）が導入され，各ICFに基づく書類の作成

が義務付けられている。字数制限があり苦慮するところが多いが項目への入力に参考にされたい。

4 ICFの今後の課題

■生活機能の主観的次元＊9

客観的な要素のみでなく，主観的な障害の理解も重要であるとして，主観的体験の分類が検討されている。なお，主観的体験の試案を**表7**に示す。

表7 主観的体験の大分類（試案）

- 健康状態に関する満足度
- 心身機能，身体構造に関する満足度
- 活動に関する満足度
- 参加に関する満足度
- 環境因子に関する満足度
- 人生と自己の価値，意味，目標
- 身近な人との関係（愛情，信頼など）
- 集団への帰属感，疎外感
- 基本的生活態度

（文献5を基に作成）

また，進藤は主観的体験に替えて「スピリチュアリティ」の用語を採用している[8]。スピリチュアリティの否定的側面を「スピリチュアリティ低下」と表現した。緩和ケアにかかわる人にとって興味深い文献であるので，是非参考にされたい。

■個人因子の分類

文化や政治により影響を受けるため，分類されなかった個人因子の分類も検討されている。作業歴・生活歴・興味など作業療法評価に欠かせない内容であるだけに今後が期待される。

＊9 主観的次元
人の心のなかの問題である。障害を体験し，それを克服しようとするなかで，感じているありのままの，さまざまな心理的体験のすべてを含んでいる[5]。

主観的次元って，**満足度や有能感**が関係するんだね。
その人にとっての作業の意味を重視する作業療法の視点に反映できそう。

作業療法参加型臨床実習に向けて
目標の設定は参加に焦点を当て将来像を見据えたうえで，ほかの構成要素との繋がりを考える。機能の問題を改善してどんな生活に繋がるのか，肯定的側面や環境因子を活かしてどうしたら作業ができるか，なぜその作業をしたいのかを個人因子で確認するなどの視点が重要である。

【引用文献】
1）白澤政和：ICFに学ぶケアプラン作成．介護支援専門員，7，メディカルレビュー社，2005.
2）障害者福祉研究会 編：ICF　国際生活機能分類　国際障害分類，改訂版，中央法規出版，2002.
3）大川弥生：生活機能とは何か ICF：国際生活機能分類の理解と活用，東京大学出版会，2007.
4）杉原素子 編：作業療法学全書 作業療法概論，改訂第3版，協同医書出版社，2010.
5）上田　敏：ICFの理解と活用，きょうされん，2005.
6）WHO：健康及び障害の評価　WHO障害評価面接基準マニュアル，日本評論社，2015.
7）大川弥生：介護保険サービスとリハビリテーション　ICFに立った自立支援の理念と技法，中央法規出版，2004.
8）進藤伸一：リハビリテーションのための修正ICF（国際生活機能分類）モデルの検討，秋田大学保健学専攻紀要，22(1)：67-76, 2014.

【参考文献】
1. 作業療法ガイドライン（2018年度）（日本作業療法士協会，2018）（https://www.jaot.or.jp/files/page/wp-content/uploads/2019/02/OTguideline-2018.pdf）（2022年6月時点）
2. 吉田隆幸：ICFの視点に立った施設サービス計画．介護支援専門員，6, 2004.
3. 上田　敏：ICF（WHO国際障害分類改訂版）の問題点と今後の課題．作業療法ジャーナル，35：1025-1030, 2001.
4. 大川弥生：ICFの基本的な考え方をリハビリテーションの実際にいかに生かすか（1）．PTジャーナル，36：361-367, 2002.
5. 国立特別支援教育総合研究所 編：特別支援教育におけるICFの活用Part3, ジアース教育新社，2013.
6. 石川　齊，ほか 編：図解作業療法技術ガイド，第4版，文光堂，2021.
7. 科学的介護情報システム（LIFE）について（厚生労働省，2021年）（https://www.mhlw.go.jp/content/12301000/000949376.pdf）（2022年6月時点）.

チェックテスト

Q

①ICFとは何の略か述べよ（☞p.277）。 基礎
②ICIDHとICFを図示せよ（☞p.278）。 基礎
③ICIDHの能力障害（低下）に対応するICFの構成要素を挙げよ（☞p.278）。 基礎
④ICFにおける活動とは何か述べよ（☞p.278）。 基礎
⑤ICFにおける参加とは何か述べよ（☞p.278）。 基礎
⑥活動と参加の2つの評価点を挙げよ（☞p.278）。 基礎
⑦ICFの構成要素を挙げよ（☞p.280）。 基礎
⑧家族の態度が該当するICFの項目を挙げよ（☞p.282）。 基礎
⑨交通機関や手段の利用が該当するICFの項目を挙げよ（☞p.282）。 基礎
⑩WHODAS2.0は何を把握する評価方法か述べよ（☞p.284）。 基礎

1 面接

Question 1

⑤が適切である。①～④の場合であっても医療対象者であるのでインフォームドコンセントは必要である。なお，④は対象者からのニーズを十分考慮したうえで治療方針の説明を行い理解と同意を得る。

5 バイタルサイン

Question 1

意識レベルがⅡ桁であることから，適切に不調が訴えられない可能性がある。訪問リハビリテーションの開始時と終了時はもちろん，作業療法の前後やいつもと様子が異なるときなど，いつでも測定できる環境を整えることが求められる。また，その日のAさんの様子を介護者に申し伝えることも大切である。

6 感覚

Question 1

正中神経に起因する。正中神経は，手前面の示指，中指，環指の橈側半分，手後面の示指，中指，環指橈側の先端部分を支配している。

7 関節可動域（ROM）

Question 1

PIP関節屈曲位でDIP関節の伸展角度が大きくなる。

8 筋力

Question 1

長橈側手根伸筋

9 筋緊張

Question 1

姿勢としては，床からの立ち上がり・座り，蹲踞（そんきょ）位が挙げられる。動作としては先述の姿勢が困難であることもあることから，浴槽の出入り，手すりなしでの階段昇降などが考えられる。

10 片麻痺の機能回復

Question 1

ウエルニッケ・マン肢位という。上肢の特徴は，肩甲帯後退，肩関節内転，肘屈曲，前腕回内，手関節掌屈，手指屈曲である。下肢の特徴は，股関節軽度伸展，膝関節伸展，足関節尖足位である。

Question 2

肩関節屈曲時に，肘関節伸展もしくは前腕回内外の分離運動が出現することが多い。

11 姿勢と反射

Question 1

姿勢は座位（椅座位）で，評価は指鼻指試験や前腕回内外試験を行う。その陽性反応は企図振戦，測定過小，測定過大，失調出現肢で動作がゆっくりとなることや振幅が小さくなるそしてリズムが乱れることが挙げられる。

13 形態計測

Question 1

手の周径（図15，16）を継時的に計測し，麻痺側手管理の客観指標とする。

15 義手・装具

Question 1

上腕義手の操作効率は50%以上なので，本義手は「適」と判定される。

16 摂食・嚥下

Question 1

食物を口まで運べていることから先行期に問題はみられない。食事形態がきざみ食であるため咀嚼の問題がみられる。総義歯は作成済とあるが，適合しているかは不明。適合の可否によって咀嚼状況を確認したい。また，むせが認められることから口腔期と咽頭期に問題が疑われる。嚥下のスクリーニング検査（MWST，RSST）や食物の1回摂取量などの確認をしたい。

17 高次脳機能障害

Question 1

外空間(全体の半側)を無視するタイプと，対象物(それぞれの花びら)の半側を無視する(入れ子現象)タイプがあることがわかる。

18 発達

Question 1

暦年齢が3歳2カ月の事例である。移動運動，基本的習慣などは，ほぼ年齢相当の段階にある。一方，発語は暦年齢より3段階下にあり言語理解も2段階下にあることから，言語面を苦手とする可能性がある。このように，まずは年齢相応の発達をしているか，バランスのとれた発達しているか(凹凸が強ければ不均衡な発達)を読み取る。

次に，何ができて何ができていないのか，○と×の境界の項目や○の下にある×の項目を確認する。基本的生活習慣の項目では「靴をひとりではく」などができているが，そのひとつ前「上着を自分で脱ぐ」ができていないことが読み取れる。手引きで「上着を自分で脱ぐ」を確認すると「簡単な前あきの上着をひとりでできれば合格」とあり，そのような機会がないのか，子どもができないのかを保護者に確認する。遠城寺式乳幼児分析的発達検査法は発達のスクリーニング検査であるが，家庭での様子を確認したり，子どもの基本的生活習慣を知る手がかりにもなる。

Question 2

「不器用さが気になる」「クラス全体への指示では行動できない」という主訴から，感覚運動機能，言語機能の評価を含むJMAPが選択肢に挙げられる。

Question 3

人物画に苦手意識がある子どももいるので初対面で実施する場合は，保護者等から「お絵描きを好むか」など子どもの好きな活動・好まない活動について情報を得ておくとよい。

19 日常生活活動(ADL)

Question 1

ランクA1「介助により外出し，日中はほとんどベッドから離れて生活する」である。

Question 2

BIは100点なので，基本的ADLは自立している。しかし，自力で外出することがないので，IADL評価が必要である。自宅環境や家族状況，精神心理面にも留意して評価を進める。

20 福祉用具・自助具

Question 1

Aさんは現在，薬物療法が奏功してはいるが，疾患の進行度からすると骨の破壊も認められており，関節への過度の負担を避ける福祉用具が望ましい。調理動作であれば，柄がL字に曲がっている包丁や，瓶のふたなどを開ける際のキャップオープナ等の適応が考えられる。

Question 2

実際の提供にあたっては，事前の関節の状態や疼痛の状態を含む心身機能の評価を十分に行うことに加え，試用評価を行う。導入後には痛みの改善や生活の改善度についての評価，福祉用具に対する満足度など評価する必要がある。

21 社会生活

Question 1

仕事中心の生活であり，社会的役割や交友関係のほとんどが所属していた会社に基づくものであった。家庭内役割では経済的にも大黒柱であり，子育ても終えている。ライフステージと環境の変化によってそれらが失われ，次のステージに移る過程で大きな喪失感およびストレスがあったことが予想される。

Question 2

これといった趣味はないとの発言もみられたが，学生時代や子どもの頃好きだったり親しんだ趣味や，関心はあったが未経験な趣味などもあるだろう。馴染みのある作業が自己否定に繋がりかねない可能性も考慮したい。場合によっては，初めて行ってみた作業を楽しく感じ，次のライフステージの第１歩になるかもしれない。

22 職業前評価と就労支援

Question 1

職業前評価の結果，現職復帰に向けた課題として，Bさんの職業能力特性を向上させることが最優先課題であることが明らかとなった。そのためには，心身機能・構造面において，右手機能を向上して補助手をめざし，非麻痺手である左手をきき手とできるよう，把持力および巧緻性の向上を図ることが重要である。また，右手の把持力や巧緻性の不足を補うために，道具の把持をしやすくするための改良も提案した。作業療法プログラムとして，職場環境に類似した作業環境を設定し，自動車部品の組み立て作業を実行するものとした。

23 人間作業モデル（MOHO）

Question 1

興味あると選択した園芸，刺繍は「手工芸・技術」に分類される。しかし，同じ「手工芸・技術」に分類される手工芸，革細工，編物に興味がないのはなぜだろうかといった疑問が生じる。

Question 2

興味チェックリストへの反応は，Aさんが祖母と同じ年代の方と過ごす時間，そして人を支えることに楽しさと満足感を見出していることを示した。作業療法士は，骨折側の手の使用を動機づける作業活動として，Aさんにちぎり絵活動を行なっている高齢者のグループをサポートする役割活動を提案し，グループへの参加を支援した。

24 作業遂行能力

Question 1

ステップ2として，10段階でその問題の重要性を探る。ステップ3として，トップ5を選んでそのなかでの遂行度と満足度に順位をつける。ステップ4として，治療の経過を再評価するため，再度遂行度と満足度を振り返る。

25 QOL

Question 1

これまでの作業療法においては，ADLの再獲得に向けた作業療法が実践されており，対象者の趣味活動や役割活動についてのアプローチに関する情報が不足している。Aさんの場合，退院が近づくことで，ADLの自立だけでなく趣味活動や役割活動がQOLにも大きく影響していると考えられ，それらの獲得に向けたアプローチを実践することでQOLの向上につながる可能性が考えられる。

3章

評価事例

1 脳血管障害① 急性期

石川 篤

Outline

- 脳血管障害は主に脳梗塞，脳出血，くも膜下出血の3種類の病型に分類される。
- 脳血管障害のリハビリテーションの流れは，急性期，回復期，維持期(生活期)に分けられる。
- 急性期の作業療法は，早期離床や拘縮などの二次的合併症の予防や心身機能・身体構造の改善のみではなく，活動や参加を意識した介入を行い，対象者が再びその人らしい生活を獲得してもらうことが目標となる。

1 脳血管障害とは

脳血管障害とは，何らかの原因により脳血管に破綻をきたし，意識障害や片麻痺，高次脳機能障害などの神経学的異常が生じた状態を指す(**図1**)。脳血管障害は主に**脳梗塞**，**脳出血**，**くも膜下出血**の3種類の病型に分類される(**図2**)。

脳血管障害はわが国の死因において，悪性新生物，心疾患，老衰に次ぐ第4位であり，減少傾向にある[1)]。その要因としては，治療の進歩や血圧管理の改善が挙げられる。しかし，介護が必要となる原因疾患としては上位にあり，リハビリテーションの必要性は高い疾患といえる。

図1 脳血管障害の症状

運動麻痺
感覚障害やしびれ
運動失調

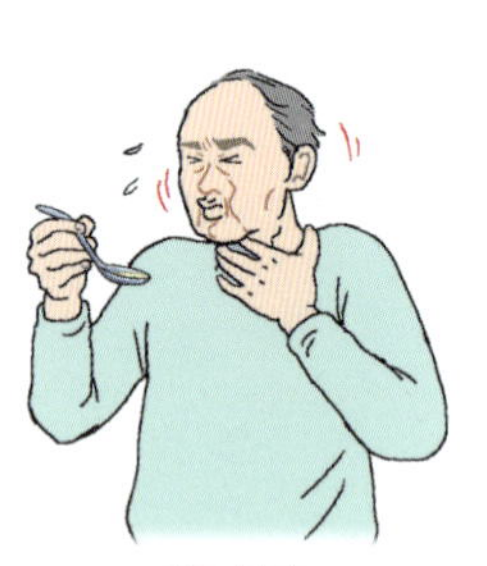

嚥下障害

めまい
嘔気

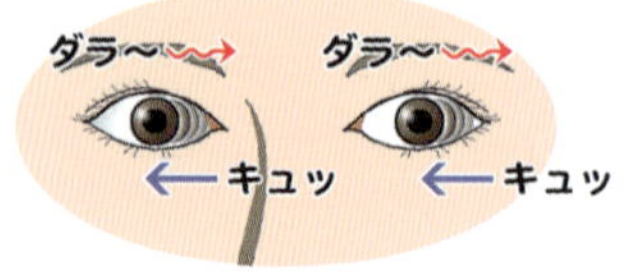

視野狭窄
眼振
複視

意識障害

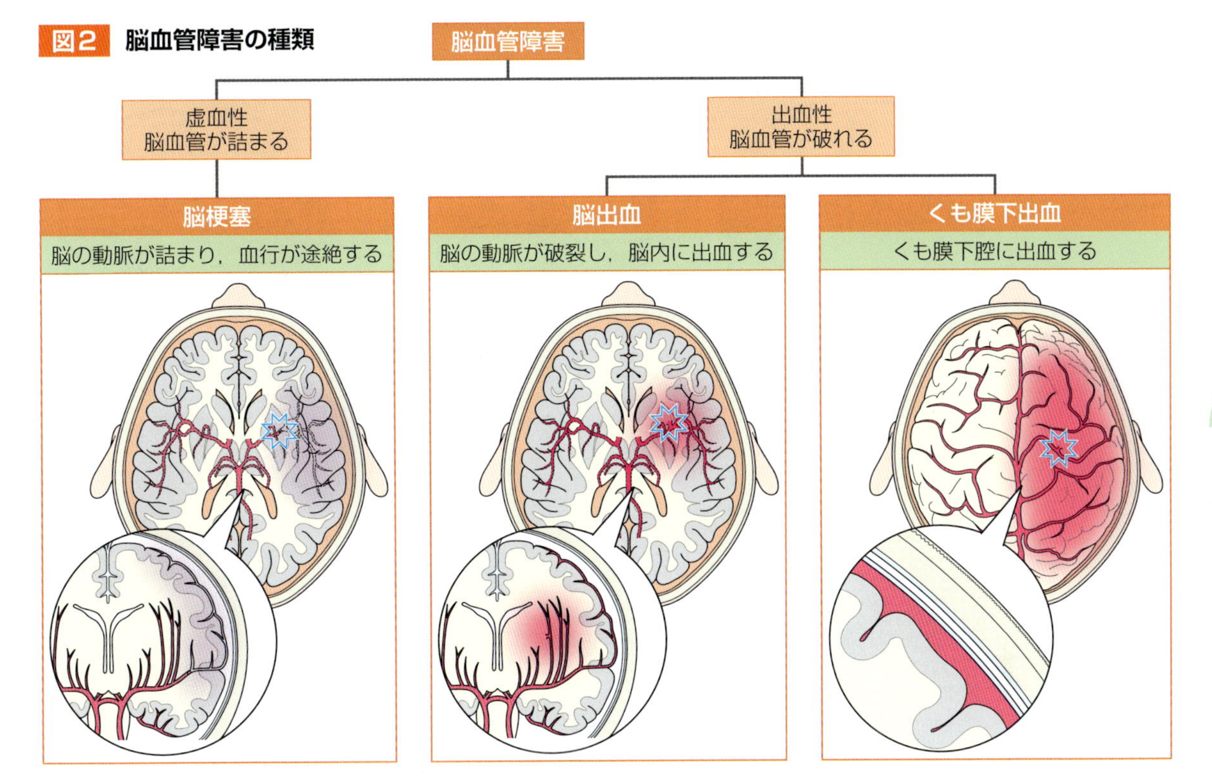

図2 脳血管障害の種類

■脳梗塞

脳梗塞は，**ラクナ梗塞**，**アテローム血栓性脳梗塞**，**心原性脳塞栓症**に分類される（**表1**）。脳の動脈に血栓が詰まって血行が途絶することで酸素や栄養素が届かなくなり，組織が壊死，または壊死に近い状態になることをいう。

表1 脳梗塞の種類

臨床病型	ラクナ梗塞	アテローム血栓性脳梗塞	心原性塞栓症
概要	穿通枝領域に起こる1.5cm以下の小さな脳梗塞	動脈硬化により起こる脳梗塞	心臓から血栓が流れてきて起こる脳梗塞
危険因子	高血圧	高血圧，糖尿病，脂質異常症，喫煙，飲酒	心疾患
発生機序	・穿通枝が高血圧により障害されて閉塞する	・アテローム硬化により狭くなった血管に血栓が形成されて閉塞する ・アテローム硬化部に血栓ができ，一部がはがれて塞栓子となり脳動脈に詰まる	・心臓内の血栓の一部がちぎれて塞栓子となり動脈を閉塞する

（次ページへ続く）

（前ページより続く）

臨床病型		ラクナ梗塞	アテローム血栓性脳梗塞	心原性塞栓症
発生機序		梗塞部 梗塞巣	梗塞巣 動脈硬化	梗塞巣 血栓
典型例		・高齢で高血圧を有する人に多い ・症状は比較的軽く，無症状のものもある ・症状が進行する場合は**分枝粥腫病**(branch atheromatous disease：BAD)*1が疑われる	・動脈硬化が進行する中高年に多い ・安静時に発症することが多い。 ・発症は比較的緩やかなことが多い ・**一過性脳虚血発作**(transient ischemic attack：TIA)*2の先行を認めることがある	・心疾患を有する人に多い ・日中活動時に発症し，短時間で症状が完成する ・突然発症し，梗塞巣が広範囲になりやすい ・意識障害を多く認める ・最も脳梗塞のなかで重症化しやすく，予後不良である
治療	～4.5h	血栓溶解療法 〔アルテプラーゼ(recombinant tissue-type plasminogen activator：rt-PA)静注療法〕		
	～6h	—	血栓溶解療法(ウロキナーゼ局所動注療法)	
	～8h	—	血管内治療(血栓回収療法による再開通)	
	急性期	脳保護療法(エダラボン)		
		抗血小板療法	抗血小板療法 抗凝固療法(ヘパリン) 抗脳浮腫療法	抗凝固療法(ヘパリン) 抗脳浮腫療法

＊1　分枝粥腫病(BAD)

穿通枝起始部の閉塞により，その穿通枝の支配領域全体に生じる細長い梗塞のことをいう。ラクナ梗塞とは区別され，発症後に症状の進行を認めることが多いので注意が必要である。

＊2　一過性脳虚血発作(TIA)

脳虚血により局所神経症状が出現するが，脳梗塞には至っていない一過性の神経障害のことをいう。症状は24時間以内に消失する。症状は，片眼の視力消失，脱力，片麻痺，痺れ，めまいなどが出現し，脳梗塞の前駆症状として重要である。

● ラクナ梗塞

主幹動脈から分岐する単一穿通枝が閉塞して起こる1.5cm以下の小梗塞を指す。高血圧などによる小血管の内腔が狭くなり発症する。

● アテローム血栓性脳梗塞

大血管の根元に動脈硬化や血中コレステロールが蓄積することで狭くなり，そこに血栓ができ発症する。

● 心原性脳塞栓症

心房細動や急性心筋梗塞などにより，心臓で形成された血栓が脳血管内に混入し発症する。

図3 脳出血の出血部位

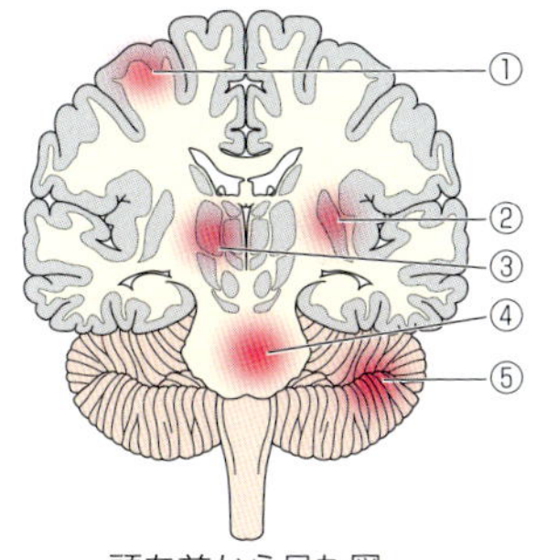

頭を前から見た図
①皮質下出血
②被殻出血
③視床出血
④脳幹（橋）出血
⑤小脳出血

■脳出血

脳出血は，動脈硬化や高血圧により脳の血管が裂けることで，直接脳内に血液が流れ出した状態をいう。出血した血液は血腫となり，脳の細胞を破壊したり，周囲の組織を圧迫することでさまざまな症状を引き起こす。脳出血の出血部位は，被殻出血（29％），視床出血（26％），皮質下出血（19％），脳幹出血（9％），小脳出血（8％）と報告されており（図3），治療法は内科的治療と外科的治療がある。血腫量に応じて治療選択が変わるため確認が必要となる。脳出血の多くは高血圧性によるため，急性期の治療は基本的には血圧を低めに管理していることが多い。

■くも膜下出血

くも膜下出血は，動脈瘤が破裂して脳の表面とそれを覆っているくも膜という薄い膜との間に出血した状態をいう。脳動脈が破裂した場合，急激に頭蓋内圧が亢進して激しい頭痛や嘔吐，嘔気，意識障害などが出現する。脳動脈瘤からの再出血は致死的となるので血圧管理が重要となる。積極的な鎮静，鎮痛，降圧療法を行う。外科的治療としては，開頭動脈瘤クリッピング術や動脈瘤コイル塞栓術などが行われる。リハビリテーションを行う際は，**脳血管攣縮**[*3]期に留意する必要がある。

＊3 脳血管攣縮（スパズム）
くも膜下出血後に，出血した血液中の成分によって引き起こされる持続的な血管攣縮のことをいう。くも膜下出血後4日～2週間で発生することがあり，血管攣縮が起こると脳虚血を引き起こし，見当識障害や意識レベルの低下，片麻痺などの局所神経症状が出現する。

アクティブラーニング ① 脳血管障害の治療法を知ることは，急性期でのリスク管理に繋がるので学習しておこう。

2 脳血管障害のリハビリテーションの流れ

一般に脳血管障害のリハビリテーションの流れは，急性期，回復期，維持期（生活期）に分けられる（図4）。急性期のリハビリテーションは，発症

図4 脳血管障害のリハビリテーションの流れ

発症 → 1～数週間 → 数カ月～半年

急性期	回復期	維持期（生活期）
急性期病院 脳卒中専門病棟	リハビリテーション専門病院 回復期リハビリテーション病棟	在宅サービス 通所リハビリテーション施設 療養型施設 老人保健施設
目的 • 廃用症候群の予防 • セルフケアの早期自立	目的 • 機能回復 • 日常生活活動（activities of daily living：ADL）・手段的日常生活活動（instrumental activities of daily living：IADL）の向上 • 自宅復帰	目的 • 機能の維持・改善 • 社会復帰

直後からベッドサイドで開始され，**廃用症候群**[*4]の予防と早期からの運動学習によるセルフケアの早期自立を目的とする。脳血管障害の急性期では，意識レベルの低下，血圧の変動，再発などの全身状態が不安定なのでであり，リスク管理に留意しながらリハビリテーションを行うのが特徴である。

*4 **廃用症候群**
安静臥床によって引き起こされる，全身のさまざまな障害のことをいう。筋萎縮，骨粗鬆症など運動器系障害にとどまらず，心機能，肺換気障害，抑うつなど多岐にわたる。急性期のリハビリテーションの目標の1つに廃用症候群の予防がある。

3 急性期の作業療法目標とポイント

急性期の作業療法目標は，早期離床や拘縮などの二次的合併症の予防や心身機能・身体構造の改善のみではなく，早期からADLやIADLなどの活動や社会や家庭での役割などの参加を意識し，対象者が再びその人らしい生活が獲得できるように作業療法を提供することである。急性期の作業療法を実施するうえでのポイントを以下に記載する。

■事前の情報収集

急性期の作業療法は，集中治療室(intensive care unit：ICU)や**脳卒中集中治療室**(stroke care unit：SCU)[*5]から開始されることも多い。急性期では毎日のように対象者の容体が変わるため，その都度，情報収集を行ってから作業療法を実施する。

カルテでは治療の経過や全身状態の変化(意識レベル，**水分管理 in-outバランス**[*6]，血圧，睡眠状態，血液生化学データ，脳画像など)や，病棟での様子などを把握する。介入前は数時間のうちに対象者の容体が変化していることもあるため，看護師から直接情報を収集してからリハビリテーションを実施することが多い。また，急性期では対象者の状態によっては，直接体調の不調などを訴えることができない場合もあるので，特に事前の情報収集が不可欠となる。

*5 **脳卒中集中治療室(SCU)**
脳卒中を起こして間もない期間に病態が不安定な状態の脳卒中の対象者に対して，効率的な初期治療を行う病棟のこと。医師，看護師，理学療法士，作業療法士，言語聴覚士などの専門職がチームとなり治療にあたる。

*6 **水分管理 in-outバランス**
in-outバランスとは，水分摂取量と水分喪失量のバランスのことをいう。急性期では治療および水分，栄養補給を目的として輸液が行われる。脳梗塞ではやや多めの輸液が行われることがあり，プラスバランスになると循環血液量が増加し，体内貯留による浮腫，胸水貯留による呼吸器症状，また心不全を助長する可能性があるので注意が必要である。

アクティブラーニング 2 血液生化学データは対象者の状態を知るうえで重要なものとなる。どのようにデータを読み解くのか学習しておこう。

■観察

事前に情報収集をしたうえで，作業療法の実施となる。対象者を目の前にしたときに，対象者自身と周囲の観察から行う。

対象者の観察は，外観や表情などの顔つき，また筋緊張やベッド上での姿勢などを注意深く行う。「昨日と違う」「何かおかしい」などの感覚的に気づく観察眼が必要となる。対象者の容体の把握には，観察と意識レベルやバイタルサインの確認が重要となる。対象者周囲の観察としては，モニタ，ドレーン，ライン各種，尿道留置カテーテル，抑制などの有無，麻痺側上肢・下肢の管理状況，病室の環境などを見わたしてから作業療法を開始する(図5)。

試験対策 Point

脳画像
脳画像検査方法について整理しておこう。脳画像には，computed tomography(CT)画像，磁気共鳴画像〔magnetic resonance imaging：MRI〈T1強調画像，T2強調画像，fluid-attenuated inversion recovery(FLAIR)画像，拡散強調画像〉〕，single photon emission computed tomography(SPECT)などがあり，検査に用いる時期なども異なるため，各検査の特徴を学習しておこう。

図5 ベッドサイドでの対象者周囲の観察点

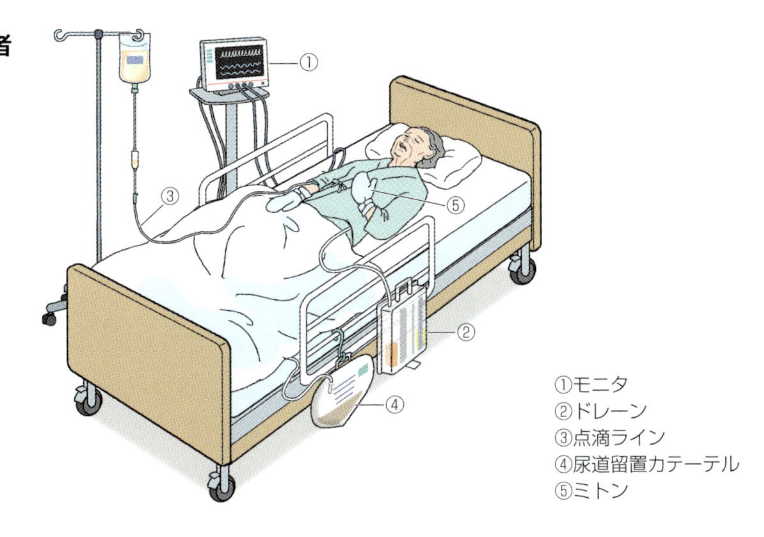

評価事例

■意識レベル

急性期では意識障害を伴うことがあるため意識レベルの評価は必須となる。意識障害は，大脳皮質または皮質下の広範な障害，上行性網様体賦活系（じょうこうせいもうようたいふかっけい）の障害，視床下部の障害により生じる。意識レベルの評価は，量的な障害と質的な障害の2つを評価する。

量的な障害は，Japan Coma Scale（JCS）とGlasgow Coma Scale（GCS）が一般的に用いられている（p.57参照）。JCSは短時間で簡便に評価を行うことが可能であり，緊急時にも用いられる。GCSは開眼，言語，運動の側面から評価を行い，国際的に用いられている。

質的な障害は，特にICUなどでは急性の病態や環境因子の影響によりせん妄が出現する場合がある。せん妄は，見当識障害，注意集中困難，錯乱，幻覚などの症状があり，**鎮静スケール**（Richmond agitation-sedation scale：RASS）[*7]と**せん妄評価**（confusion assessment method for the intensive care unit：CAM-ICU）[*8]の2ステップの評価などを用いる。

■バイタルサイン

バイタルサインとは「脈拍」「血圧」「呼吸」「体温」のことを指し，数値を測定することで測定時の状態を知ることができる。バイタルサインは生命徴候のことであり，上記以外にも酸素飽和度など対象者から発せられる複数の情報に注意を向けることが大切である。脳血管障害の急性期では，**脳循環自動調節能**[*9]が破綻していることがあるため作業療法を実施する前，離床する前後など練習中もバイタルサインに注目しながら行う。大前提として健常な人のバイタルサインの数値を把握しておく必要がある（p.49〜参照）。脳血管障害の血圧コントロールに関しては病巣の拡大を予防するために，脳梗塞の場合は急激な血圧の低下，脳出血の場合は急激な血圧の上昇に注意すべきである。

＊7 鎮静スケール（RASS）

鎮静スケールは，鎮静下に人工呼吸管理を受けている対象者の鎮静深度評価を行うためのものである。対象者の状態を－5〜＋4の10段階で評価する。0は意識が清明で落ち着いている状態を表し，数字が大きくなるにつれて興奮し不穏要素が高くなり，数字が小さくなるにつれて鎮静度が深いことを示す。

＊8 せん妄評価（CAM-ICU）

鎮静スケール（RASS）と合わせて行う評価であり，評価時のせん妄の有無をとらえることができる。評価項目は注意力をみるものなどがあり，また短時間で評価が可能である。

＊9 脳循環自動調整能

脳血管障害の急性期では，脳循環自動調節能が破綻することが知られている。脳循環自動調節能とは血圧変動に対して脳血流を一定に保つ働きで，脳組織は虚血に弱く，血流の低下により容易に損傷される。脳血流が完全に途絶えると，およそ4〜10分で神経細胞に不可逆的な変化が起こり始めるといわれている。

作業療法参加型臨床実習に向けて

検査の説明
急性期では意識レベルが低下している対象者も多く，検査の説明が十分に伝わらないことも多い。見学場面では，指導者がどのように対象者に検査の説明をしているか学習するとよい。口頭指示のみではなく，模倣をしてもらったり，内容が理解できたか対象者に一度行ってもらったりと覚醒の評価に加え，対象者の理解を確認する術を学ぶ。実習生が評価を行う際は，「本当に評価できる状態なのか」について覚醒やバイタルサインの情報を基に指導者と相談し進める。

■リハビリテーションの実施基準

急性期で作業療法を実施する場合，リスク管理を行いながら離床やリハビリテーションを進める。対象者の状態に合わせて医師に確認しながら進めることになるが，いくつかのリハビリテーション実施基準を紹介する。

『脳卒中治療ガイドライン2021』[2]では，急性期リハビリテーションの開始時期は合併症を予防し，機能回復を促進するために24～48時間以内に病態に合わせたリハビリテーションプログラムを立てることが推奨されている（推奨度A）。発症後に行われる座位練習の開始基準は，林田が報告した『座位耐性訓練の基準』[3]がある（**表2**）。

また，運動療法の中止基準は，日本リハビリテーション医学会診療ガイドライン委員会による『安全管理・推進のためのガイドライン』[4]にある積極的なリハビリテーションを実施しない場合の基準などを参考にする（**表3**）。

表2 座位耐性訓練の基準

座位訓練の開始基準
・意識レベルがJCS I桁である ・全身状態が安定している ・麻痺などの症状増悪がない
座位訓練の施行基準
・開始前，直後，5分後，15分後，30分後に血圧を測定 ・30°，45°，60°，最高位（80°）の4段階 →30分以上可能となったら次の段階へ ・1日2回施行し，安定したら回数を増加 ・最高位で30分以上可能となったら車椅子座位訓練を開始
座位訓練の中止基準
・血圧の低下 10mmHg以上→5分後の回復や自覚症状で判断 30mmHg以上→中止 ・脈拍の増加 開始前の30%以上あるいは120/分以上→中止 ・起立性低血圧症状（気分不良など）→中止

（文献3を基に作成）

表3 積極的なリハビリテーションを実施しない場合の基準

- 安静時脈拍40/分以下または120/分以上
- 安静時収縮期血圧70mmHg以下または200mmHg以上
- 安静時拡張期血圧120mmHg以上
- 労作性狭心症の対象者
- 心房細動のある対象者で著しい徐脈（40未満/分）または頻脈（140以上/分）がある
- 心筋梗塞発症直後で循環動態が不良
- 著しい不整脈がある（重篤な不整脈または10回以上/分）
- 安静時に胸痛がある
- リハビリテーション実施前にすでに動悸，息切れ，胸痛がある
- 座位でめまい，冷や汗，嘔気などがある
- 安静時に体温が38°C以上
- 安静時に酸素飽和度（SpO_2）90%以下

（文献4を基に作成）

＊10 深部静脈血栓症（DVT）
主に下肢または骨盤の深部静脈で血液が凝固し，血栓ができて詰まる病態をいう。離床をする際に血栓が遊離して肺血栓塞栓症（pulmonary embolism：PE）を引き起こすため，脳血管障害急性期では深部静脈血栓症の評価と予防が重要となる。評価は下肢の皮膚色の色調変化と浮腫の有無，疼痛の有無を確認する。医師に報告のうえ，超音波検査やDダイマーの値を確認する。

■注意すべき症状

脳血管障害の急性期では，肺炎，尿路感染症，**深部静脈血栓症**（deep vein thrombosis：DVT）＊10，消化管出血，痙攣，低栄養などに注意する。また，脳血管障害の急性期は，弛緩性麻痺を呈しており，肩関節亜脱臼が生じやすい。肩関節亜脱臼により肩の痛みが出現すると，その後のADLにも大きく影響を及ぼすため，早期からのベッド上を中心としたポジショニングが必要となる（**図6**）。感覚障害や左半側空間無視などが加わることで，さらに麻痺側上肢・下肢の管理が不十分となりやすい。そのため，病棟と協力してポジショニングを行う。

急性期ではさまざまな高次脳機能障害の症状が出現する。環境調整を行いながら，まずは「安心できる環境」を設定することから始める。急性期では観察が中心となるが，脳の状態が落ち着いてから神経心理学的検査などを用いて評価を進める(p.180〜参照)。

アクティブラーニング ③ 急性期のベッドサイドで，どのように高次脳機能障害の評価をするのか学習しよう。

図6 ベッド上でのポジショニング

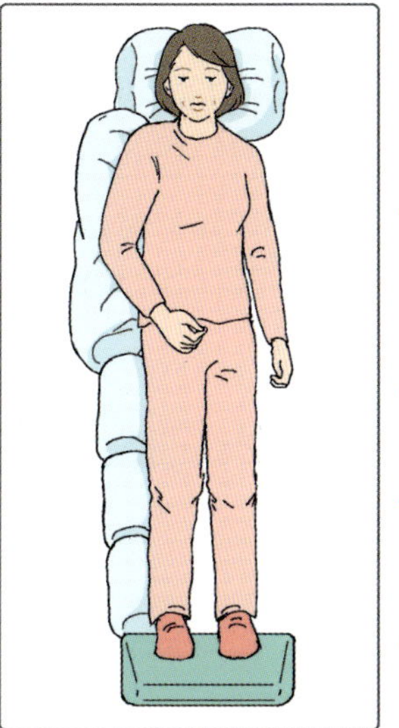

- 大きめの枕を用いるか，もしくはタオルやクッションを用いて麻痺側肩甲帯の下に敷くことで亜脱臼を予防する。
- 麻痺側上肢を心臓より高い位置に置くことで浮腫を予防する。
- 麻痺側の股関節は外旋・外転しやすいので，タオルやクッションを置いて倒れないようにする。
- 足関節は直角に保つようにすることで，尖足を予防する。

a 背臥位(はいがい)(右片麻痺)

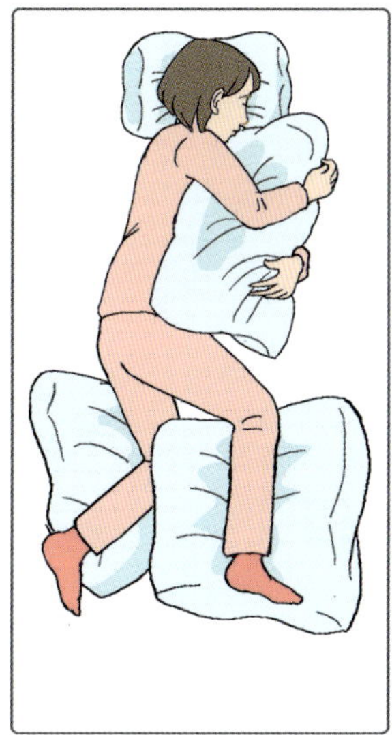

- 胸の前にクッションを抱えるようにし，肩甲帯を前方突出にして心臓より高い位置に置くことで浮腫を予防する。
- 両下肢の間にクッションを挟み，互いが直接触れないようにする。
- 麻痺側下肢にクッションを入れることで接地面積を増やし，除圧する。

b 側臥位(そくがい)(右片麻痺)

補足

ポジショニングの目的
①良肢位保持
②除圧
③痛みの回避
④浮腫の予防

作業療法参加型臨床実習に向けて

検査肢位について
急性期では養成校で学生同士で行った評価練習とは異なり，検査肢位が取れない対象者が多い。見学場面では，指導者がそのような状況のなかでどうやって評価を実施しているのか学習するとよい。検査肢位が取れなくとも，どのような姿勢で評価を実施したかを記録したり，情報収集しながら検査が行いやすい時間帯を狙ったりと工夫をしながら評価を進める。実習生が評価を行う際は，臥位で行える評価をまとめておいたり，病棟生活の動作のなかで行える評価を整理しておくとよい。

4 急性期の作業療法の実際

急性期においても一般的な作業療法の流れに準じて進めていく(p.10〜参照)。しかし，意識レベルが低い場合もあるため，初回面接やインテーク面接が十分に行えないことも多い。その場合は，作業療法を進めながら，状態を見て作業療法の目的を説明したり，目標動作についての話し合いなどを加えていくこともある。

急性期における評価は，医師から処方が出て開始となる(図7)。まずはカルテや他部門からの情報収集を行い，事前に対象者の状況を把握する。介入当日は意識レベルやバイタルサインを測定し，リハビリテーションの開始・中止基準についても確認する。そして，国際生活機能分類

(International Classification of Functioning, Disability and Health：ICF)に沿って評価を進める。心身機能・身体構造は，反射や筋緊張などの神経学的評価と運動麻痺や関節可動域(range of motion：ROM)などの運動機能評価，注意障害などの高次脳機能障害の評価を行う。そして，ICFの活動と参加として基本動作やADLの評価を行う。環境因子や個人因子の情報は介入当初は少ないが，情報を得た段階で他部門と共有する。

図7　初期評価の流れ

処方

一般情報　：氏名，年齢，性別など
医学的情報：診断名，現病歴，既往歴など
処方内容　：リハビリテーションの目的，到達目標，予定治療期間，注意点および禁忌事項，疾患別リハビリテーション・起算日の確認

情報取集

カルテ情報
医学的情報：診断名，現病歴，既往歴，全身状態，バイタル，治療方針，画像所見，臨床検査・所見，服薬状況，主訴など
社会的情報：家族構成，経済状況，住宅環境，仕事など

他部門情報
医師　：病状，治療方針，各医療従事者に対する役割，禁忌事項，予後予測など
看護師：病棟でのADLの確認，看護方針など
そのほかの医療従事者：役割や治療方針の確認，情報交換など
ソーシャルワーカー　：社会的背景や生活状況，家族の情報，経済状況など

作業療法評価

作業療法評価		内容
観察		外観，顔つき，身体反応，モニタ，ドレーン，ライン各種，尿道留置カテーテル，抑制などの有無，麻痺手の管理状況，病室の環境
意識レベル		JCS，GCS
バイタルサイン		脈拍，血圧，呼吸，体温，血中酸素飽和度(saturation：SAT)など
コミュニケーション		従命可能か，構音障害・失語の有無
嚥下機能		改訂水飲みテスト，反復唾液嚥下テストなど
神経学的評価	反射	腱反射，病的反射
	筋緊張	modified Ashworth（アシュワース） scale(MAS)
	感覚	表在感覚：触覚，温度覚，痛覚 深部感覚：位置覚，振動覚
	脳神経	嗅神経検査，視神経検査，顔面神経検査など
	失調・バランス	scale for the assessment and rating of ataxia(SARA)，鼻指鼻試験(nose finger nose test：NFN-T)，膝打ち試験，Berg（バーグ） balance scale(BBS)など
運動機能評価	運動麻痺	Brunnstrom（ブルンストローム） recovery stage(BRS)，上田式12段階式片麻痺機能検査，Fugl（ヒューゲル）-Meyer（メイヤー） assessment(FMA)
	ROM	関節可動域検査(ROM-T)

		内容
運動機能評価	上肢運動機能	簡易上肢機能検査(simple test for evaluating hand function：STEF)，脳卒中上肢機能検査(manual function test：MFT)，action research arm test(ARAT)，wolf motor function test(WMFT)，box and block test(BBT)など
高次脳機能		mini-mental state examination(MMSE)，frontal assessment battery(FAB)，trail making test(TMT)，行動性無視検査(behavioural inattention test：BIT)，Kohs(コース)立方体組み合わせ検査(Kohs block-design test)など
ADL・基本動作		機能的自立度評価法(functional independence measure：FIM)，Barthel(バーセル) index(BI)など

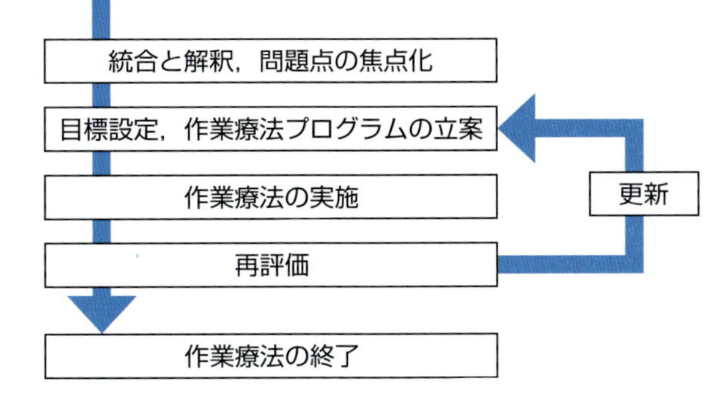

試験対策 Point

麻痺の回復段階
BRSの運動機能と可能なADL動作，また機能回復のための機能練習法についてきちんと理解しておこう。

嚥下機能評価
嚥下機能評価として，改訂水飲みテストや反復唾液嚥下テストの方法についても理解をしておこう(p.176～参照)。

補足

作業療法士の視点

①ADLに繋げる視点

急性期では，離床支援を行うことが多い。離床にあたっては，理学療法士と同様にバイタルチェックを行ったうえで端座位練習などを進める。練習内容としては，理学療法士と同様の内容になることが多い。しかし，作業療法士は基本動作の獲得の先にどのような応用動作へ展開していくかという視点でかかわるため，練習の方向が変わる。

例えば，作業療法士であれば端座位時間が伸びてきた場合にはカットテーブルなども用い，整容動作や食事動作へ繋げるべく環境調整と合わせて練習内容を展開させる。そのため，急性期であっても，常にADLやその先にあるIADLにどうやって繋げていくかという視点をもつことが重要である。

②できることを提示するという視点

急性期では，容態の変化に伴い動作能力も日に日に変化するため，対象者と時間をかけて目標動作を設定することができない場合もある。その際は，食事動作や排泄動作など重要度の高いADLの介助量軽減を目標に設定し，練習を進めることがある。急性期のうちに，「こうやればできる」という視点を対象者に伝えることが大切である。上肢の麻痺が治らなければ箸で食事ができない，髪を結えないなど，選択肢が狭まらないように自助具や代償手段の提示も必要に応じて行うべきである。急性期では，機能改善を主目的としながらも，対象者に「こうすればやりたいことができる」という視点も伝える。

③環境を調整するという視点

急性期では治療のため長時間臥床を余儀なくされている場合も多い。作業療法士は対象者の能力を評価し，機能に合わせた環境調整を積極的に行うべきである。

例えば，麻痺側に合わせてベッドやTVの配置を変えたり，高次脳機能障害により不穏が強い場合は，自宅にある馴染みの物を家族に持参してもらったりと，常に環境を見わたしながら練習を行う。無機質な病室を対象者が安心して治療にあたることができる環境へと変え，病棟看護師と協力しながら動作練習やADLの介助量軽減に繋がる工夫を意識していくことが大切である。

5 Case Study

■ 初期評価

● 情報収集

Aさんは，アテローム血栓性脳梗塞〔左中大動脈（middle cerebral artery：MCA）領域〕により右不全片麻痺を呈した70歳代の男性である。X年Y月Z日職場で発症後，当院に救急搬送され救急室（emergency room：ER）にて加療を受けたのちSCUに入院となった。作業療法は，Z+2日からの介入開始となった（**表4, 5**）。

表4 処方

一般情報	氏名，年齢，性別	Aさん，70歳代，男性
医学的情報	診断名	アテローム血栓性脳梗塞，右不全片麻痺
	現病歴	X年Y月Z日，午前5時に妻が同敷地内にある事務所へ出社する物音を確認した。同日午後2時に知人が事務所を訪れたところ，倒れているのを発見し救急要請した
	既往歴	横行結腸がん術後，胃がん術後，狭心症
処方内容	リハビリテーション目的	理学療法：促通，歩行練習　（目標：歩行獲得） 作業療法：上肢機能練習，ADL，高次脳評価　（目標：ADL向上） 言語聴覚療法：言語機能練習，嚥下練習　（目標：意識障害改善後に食事を行う）
	注意点・禁忌事項	安静度ギャッチアップ30°まで，絶飲食（意識障害遷延のため）
	疾患別リハビリテーション	脳血管疾患などリハビリテーション，起算日：X年Y月Z日

表5 情報収集

情報収集（カルテ）		
医学的情報	全身状態	右不全片麻痺（顔面含む），左眼球共同偏視 搬送時：national institutes of health stroke scale（NIHSS）[*11] 18点
	意識レベル	JCS：Ⅱ-10，GCS：E3V4M6
	バイタルサイン（搬送時）	血圧（blood pressure：BP）154/74mmHg，心拍数（heart rate：HR）57，呼吸数（respiratory rate：RR）15，体温（korpertemperatur：KT）36.7℃，経皮的動脈血酸素飽和度（oxygen saturation of peripheral artery：SpO_2）99%
	治療方針	左MCA領域のアテローム血栓性脳梗塞 抗血小板薬と抗凝固薬を投与し，脳保護療法も開始 今後，原因精査しながらリハビリテーション介入を行い，リハビリテーション病院へ転院方向
	画像所見	頭部CT：左MCA領域に低吸収域 頭部MRI：拡散強調画像（diffusion-weighted image：DWI）左MCA領域に高信号 頚動脈エコー：左内頚動脈に狭窄あり
	服薬状況	狭心症に対する服薬あり
社会的情報	家族構成	妻と2人暮らし
	嗜好歴	飲酒：週1回程度，喫煙：20本/日
	経済状況	問題なし
社会的情報	住宅環境	マンション　エレベータと階段
	仕事	自営業，町内の仕事も従事

情報収集(他部門)	
看護師	目標：全身状態に対するケア，ADLに対するケア
理学療法士	目標：安静度に応じ離床支援，下肢促通，基本動作能力の獲得
作業療法士	目標：経口摂取の際獲得，コミュニケーション能力の向上

＊11 **NIHSS**

入院時や急性期に用いられる総合的な神経学的重症度を評価するスケールである。世界的に広く使用されており，リストの順に施行して合計点にて評価を行う。0点が正常で点数が高いほど重症を意味する(最大42点)。

■初回対面

SCUベッドサイドでAさんと初回対面を行った。外見は中肉中背の男性であり，声掛けに対し視線を合わせるも左側を向いていることが多く，右顔面麻痺と右不全片麻痺を呈していた。周辺機器は，モニタ管理，点滴治療，尿道留置カテーテル，経管栄養(elemental diet：ED)チューブ，左手ミトンを装着していた。

ICFの健康状態は，アテローム血栓性脳梗塞の急性期であり，血圧管理をしながら抗血小板療薬と抗凝固薬が投与されており，脳保護療法も行っている状態であった。安静度は当初ギャッチアップ30°，絶飲食であった。

心身機能・構造は，意識レベルはJCS Ⅰ～Ⅱ桁であり，意識障害を認めていた。右半身の運動麻痺は，BRS上肢Ⅰ-手指Ⅰ-下肢Ⅲであり，弛緩性麻痺を呈していた。左肩に一横指半の亜脱臼を認めており，加えて重度の感覚障害と右半側空間無視により，患手管理が不十分な状態であった。コミュニケーションは，運動性失語があり，保続と錯語を認め，意思疎通が困難なことによりストレスを抱えている状況であった(**表6**)。

表6　作業療法初期評価(Z＋2日より開始)

作業療法評価		内容
観察		ベッドサイドにて対面する。外見は中肉中背の男性。声掛けに対し視線を合わせるも，左側を向いていることが多い。右顔面麻痺(右口角下垂)を認め，右半身は弛緩様。モニタ管理，点滴，尿道留置カテーテル，EDチューブ，左手ミトンあり。麻痺手への注意は向きにくく，患手管理不十分な印象。
意識レベル		JCS Ⅰ-3
バイタルサイン(初回介入時)		BP 142/85 mmHg，HR55，RR15，KT36.4℃，SpO_2 99%
コミュニケーション		理解：簡単な従命は可能 表出：単語～二語文レベル，保続，錯語，失語症 →簡単な従命は可能だが「だめだ」「ちがう」など保続を繰り返し，意思を伝えることは困難
嚥下機能		改訂水飲みテスト：4点　嚥下あり，むせなし 反復唾液嚥下テスト：2回以下　障害あり
神経学的評価	反射	上腕二頭筋腱反射：亢進 病的反射：右Hoffman(ホフマン)反射，Trömner(トレムナー)反射 陽性
	筋緊張	弛緩様 MAS：大胸筋0，上腕二頭筋0，回内筋0，手指屈筋群0
	感覚	精査困難 表在感覚：重度鈍麻(麻痺手を触っても「わからない」と，痛みでの反応なし) 深部感覚：重度鈍麻　母指探し検査：重度鈍麻

(次ページへ続く)

（前ページより続く）

運動機能評価	運動麻痺	BRS：上肢Ⅰ-手指Ⅰ-下肢Ⅲ
	ROM	ROM-T：著明な制限認めず
	上肢運動機能	麻痺側上肢の随意性は認めず，亜脱臼も1横指半 生活場面での麻痺手に対する意識は乏しく，患手管理不十分
高次脳機能		観察評価（意識レベルも不安定であり観察のみ実施） ・右半側空間無視　左側の刺激に過剰に反応してしまう場面あり ・見当識は保たれている　カレンダーで日付を指さすことができる日もある ・運動性失語
基本動作		全介助（安静度：ベッド上安静）
ADL		全介助 BI：0/100

活動・参加は，基本動作では寝返りは部分的に可能であったが，そのほかの動作は安静度に応じ精査困難であった。ADLでは，全介助レベルであり（BI 0/100点），声掛けによる部分的な協力動作はみられたが，意識障害もあり，介助量の多い状況であった。参加では，仕事以外にも地域の活動に積極的に取り組んでおり，多数の役割を担っていた。

環境因子・個人因子は，妻と2人暮らしであり，子どもはすでに自立していた。マンションの5階に住み，同敷地内に事務所を構え，入院前には会社経営の仕事をしていた。地域の活動に参加していたこともあり，交友関係は広く，社交的な性格であった（**図9**）。

図9　初期ICF評価

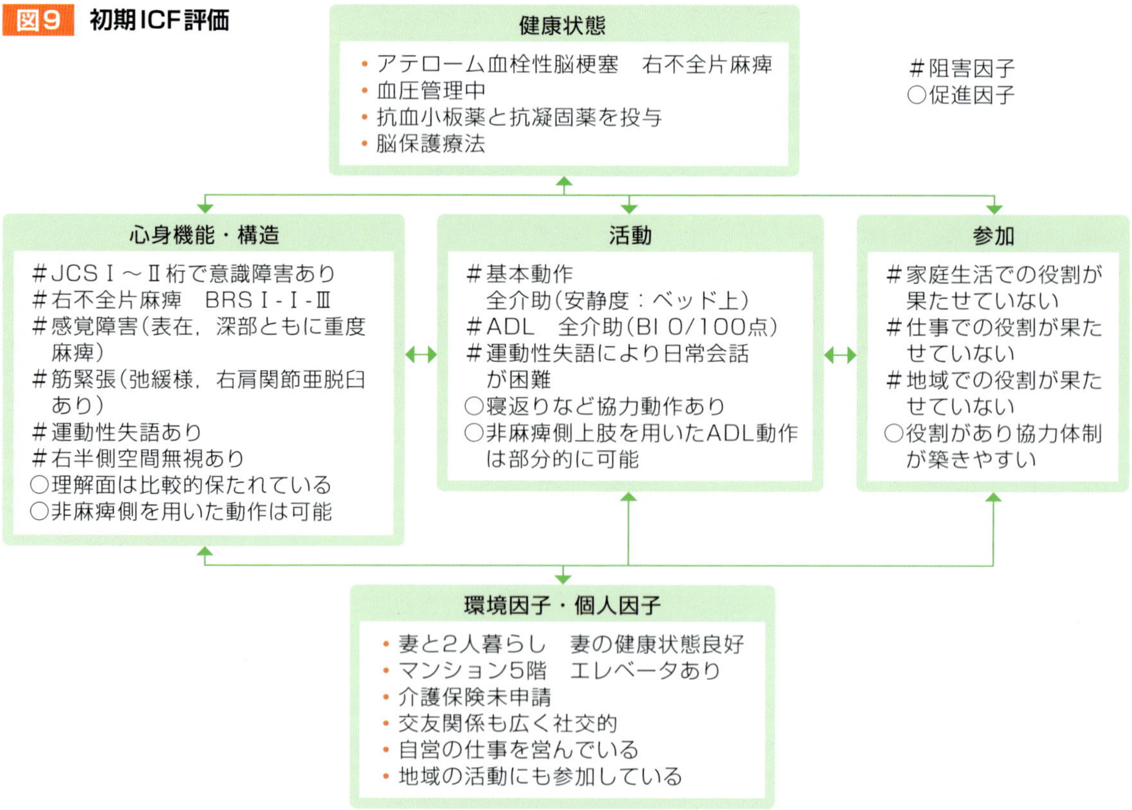

健康状態
・アテローム血栓性脳梗塞　右不全片麻痺
・血圧管理中
・抗血小板薬と抗凝固薬を投与
・脳保護療法

＃阻害因子
○促進因子

心身機能・構造
＃JCSⅠ～Ⅱ桁で意識障害あり
＃右不全片麻痺　BRSⅠ-Ⅰ-Ⅲ
＃感覚障害（表在，深部ともに重度麻痺）
＃筋緊張（弛緩様，右肩関節亜脱臼あり）
＃運動性失語あり
＃右半側空間無視あり
○理解面は比較的保たれている
○非麻痺側を用いた動作は可能

活動
＃基本動作
全介助（安静度：ベッド上）
＃ADL　全介助（BI 0/100点）
＃運動性失語により日常会話が困難
○寝返りなど協力動作あり
○非麻痺側上肢を用いたADL動作は部分的に可能

参加
＃家庭生活での役割が果たせていない
＃仕事での役割が果たせていない
＃地域での役割が果たせていない
○役割があり協力体制が築きやすい

環境因子・個人因子
・妻と2人暮らし　妻の健康状態良好
・マンション5階　エレベータあり
・介護保険未申請
・交友関係も広く社交的
・自営の仕事を営んでいる
・地域の活動にも参加している

■問題点の焦点化，目標・作業療法プログラムの立案

作業療法では安静度に準じてリスク管理を行いながら，上肢機能の改善，二次的合併症の予防(麻痺手管理方法の獲得)，座位ADLの介助量軽減を目標に設定し練習を開始した。

■作業療法の実施

意識障害は徐々に改善を認め，安静度もZ+5日でリハビリテーションに準じて離床可となった。バイタルサインの変動を**表7**に示す。

上肢機能の改善は，促通と感覚刺激入力，ROM練習に加え，ADLを想定した非麻痺側での動作練習も実施した。二次的合併症の予防では，ベッド上，車椅子乗車時，移動時(歩行練習時)のポジショニングを病棟と連携し実施した。座位ADLの介助量軽減では，端座位での荷重練習や注意課題を織り交ぜた練習などから実施し，食事動作や整容動作を行い，徐々に更衣動作やトイレ動作など立位を含む練習へと移行していった。

評価事例

表7　バイタルサインの変動

日時	体位	血圧	脈拍	安静度	練習場所
Z+2日	臥位	142/85mmHg	55回/分	ベッド上	ベッドサイド
Z+5日	臥位	165/83mmHg	62回/分	リハビリテーションに準じて離床可	
	端座位	152/74mmHg ※1	60回/分		
Z+6日	臥位(シャワー浴後)	189/85mmHg ※2	68回/分		
Z+7日	臥位	132/68mmHg	72回/分		
	立位	124/72mmHg	58回/分		
Z+10日	端座位	118/74mmHg	58回/分		リハビリテーション室

※1　安静臥床後に端座位姿勢をとった際，林田らの『座位耐性訓練の基準』[3]より収縮期血圧で30mmHg以上の低下とならなかったため練習を継続した。

※2　『リハビリテーション医療における安全管理・推進のためのガイドライン』にある積極的なリハビリテーションを実施しない基準では，収縮期血圧が200mmHg以上が該当[4]となるが，医師に報告してベッド上での軽いROM練習のみ実施した。

Case Study

Question 1

Aさんのポジショニングはどのようなことをすればよいか，ベッド上，車椅子乗車時，移動時(歩行練習時)に分けて考えてみよう。

☞解答例 p.508

■最終評価のまとめ

Z+46日に回復期病院へ転院となった。転院前の全体像は，BRS上肢Ⅲ-手指Ⅳ-下肢Ⅴとなり，院内は付き添い歩行，ADLはBI 55/100点となった(**表8**)。上肢機能はZ+35日に内頚動脈狭窄症に対しステント留置術を施行し，その後は手指の伸展が出現したが生活場面での実用的な使用までは至っていなかった。ADLは意識障害の改善に伴い介助量は軽減したが，軽度の注意障害は残存し動作時の見守りは必要な状態であった。経過や現状評価に加え，リハビリテーションに対し意欲的である点，家族の協力も得られる点などを情報提供書に記載して回復期病院へ引き継ぎを行った。

表8　BIの変化

	Z＋2日	Z＋45日	備考
食事	0	10	左手使用，柄つき箸使用
車椅子からベッドへの移動	0	10	要監視
整容	0	0	準備や促しなど要介助
トイレ動作	0	5	操作にて部分介助
入浴	0	0	シャワーチェアー使用 背部・非麻痺側上肢は要介助
歩行	0	10	付き添い必要
階段昇降	0	5	要介助
着替え	0	5	衣服の操作にて部分介助
排便コントロール	0	5	失便あり
排尿コントロール	0	5	失禁あり
合計	0/100	55/100	

【引用文献】

1) 令和2年(2020)人口動態統計月報年計(概数)の概況(厚生労働省，2022)(https://www.mhlw.go.jp/toukei/saikin/hw/jinkou/geppo/nengai20/dl/gaikyouR2.pdf)(2022年5月時点).
2) 日本脳卒中学会 脳卒中ガイドライン委員会 編：脳卒中治療ガイドライン2021，協和企画，2021.
3) 林田来介，ほか：急性期脳卒中患者に対する座位耐性練習の開始時期，総合リハ，17：127-129，1989.
4) 日本リハビリテーション医学会診療ガイドライン委員会 編：リハビリテーション医療における安全管理・推進のためのガイドライン，医歯薬出版，2006.

【参考文献】

1. 高橋哲也 編：理学療法NAVI ここに注目！ 実践，リスク管理読本，医学書院，2018.
2. 安保雅博，角田　亘 編：急性期病院リハビリテーションマニュアル，新興医学出版社，2017.
3. 小林祥泰 編：脳卒中データバンク，中山書店，2015.

チェックテスト

Q

①脳血管障害の代表的な病型を3つ挙げ，それぞれどのような病態か説明せよ(☞p.294，295)。 基礎

②脳梗塞の代表的な種類を3つ挙げ，それぞれ概要について説明せよ(☞p.295，296)。 基礎

③一般に脳血管障害のリハビリテーションの流れを説明せよ(☞p.297)。 基礎

④廃用症候群について説明せよ(☞p.298)。 基礎

⑤急性期のベッドサイドで作業療法を実施する場合，何を観察すべきか説明せよ(☞p.298)。 臨床

⑥意識レベルの評価法は何があるか説明せよ(☞p.299)。 基礎

⑦片麻痺の対象者のベッド上でのポジショニングについてポイントを説明せよ(☞p.301)。 臨床

2 脳血管障害② 回復期

柴 貴志

Outline

- 回復期では，生活の再建に向けて退院後の生活を想定した包括的な集中的リハビリテーションが行われる。その実施に際しては，多職種連携による目標志向的アプローチが展開される。
- 脳血管障害の回復期における作業療法は，退院後の生活における活動と参加の自立度の向上を図る役割を担う。
- 対象者と合意ができる目標設定をするために，カナダ作業遂行測定（Canadian occupational performance measure：COPM）やaid for decision-making in occupation choice（ADOC）などアセスメントツールを活用することが，質の高い効率的な作業療法を行ううえで有用である。

1 回復期のリハビリテーション

回復期リハビリテーション病棟は，より自立した状態で，かつ，社会参加を促進するために，集中的なリハビリテーションを実施する病棟である。対象者の退院後の生活を想定して日常生活活動（ADL）の向上や在宅復帰率を高めるために，多職種連携に基づいた包括的なリハビリテーション診療を行うことが推奨されている（推奨度A エビデンスレベル中）[1)]。また，効率的なリハビリテーションを提供するためには，エビデンスに基づいた予後予測をチーム内で共有し，適切な目標設定を行うことが重要である。

■回復期リハビリテーションにおける作業療法評価の全体像

作業療法の評価過程（**図1**）は，医師の処方に始まり，対象者の全体像を把握することが第1歩である。全体像構成のために**情報収集**，**面接・観察**，**検査・測定**を行う。まずは作業療法士としての見立て（仮の作業療法の目標設定）を作り，それをもって多職種協働でのカンファレンスにおける議論を経て目標設定を確定し，具体的な作業療法プログラムの立案を行う。

■回復期における作業療法評価の特徴

急性期病院より回復期リハビリテーション病棟へ転院をする場合，多くは発症より1カ月前後経過してからである。機能回復面も活動面の自立度もまだ変化の余地を残した状態で，それぞれの方向性を示す輪郭は浮かび上がっているのが特徴であり，国際生活機能分類（ICF）を活用して評価に生かすことが重要である。

■回復期における作業療法評価の全体像

●目標指向的アプローチ

回復期における作業療法評価は，急性期からの情報提供を受けて，障害状態や自立度，今後の方向性などを基に評価を構成する。評価の主眼は，退院時にどのような生活をしたいか，どのような生活能力を備える必要があるか，予測される能力に適した生活環境の整備に何が必要かという生活像を描き，対象者のニーズや優先される作業遂行，生活行為について評価を進める。その後，リハビリテーションの主目標を多職種と協働して確認し，その関係から作業療法の目標および介入内容を構成する（**図1**）。この流れは**目標指向的アプローチ**といわれ，チームの目標と専門職の目標が相補的な関係となる。多職種と協働してチームで成果を出す医療においては，目標指向的アプローチは欠かせない。

図1　回復期における作業療法評価の全体像

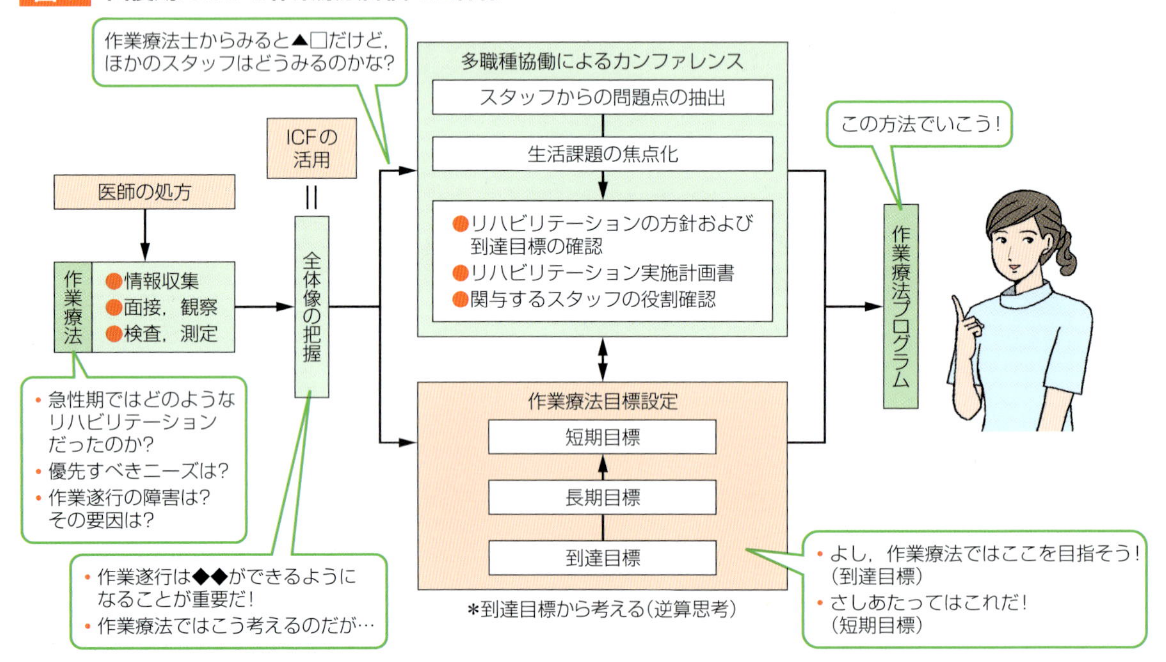

●フレームワーク

退院後の生活像を描き，社会参加の実現に向けて機能回復，ADL自立度の向上，生活環境整備などICFの各フレームで何をプラスしたらよいのかに焦点を当てて具体的目標を定める（**フレームワーク**）。特に作業療法では，活動と参加のための能力の評価や環境との相互作用に評価の力点が置かれる。

●トップダウン方式

対象者や家族にとって，発症後1カ月程度の経過では自己の障害状況や

試験対策 Point

- 作業療法の目的についてはp.3，トップダウンとボトムアップについてはp.18を参照してほしい。
- トップダウン方式での評価ツールの代表例は**カナダ作業遂行モデル(CMOP-E)**，や**作業療法介入プロセスモデル(Occupational Therapy Intervention Process Model：OTIPM)**，**人間作業モデル(MOHO)**[2]，**生活行為向上マネジメント(MTDLP)**[2]などがある。

今後の生活について現実的，客観的に語ることはまだ難しい場合があり，高次脳機能障害など合併した場合には一層難しい状況になる。こうした場合のアセスメントツールとして，COPMやADOC，生活行為マネジメント(Management Tool for Daily Life Performance：MTDLP)を活用することで対象者にとって意味のある作業や生活行為に接近できる。この形式をトップダウン方式という。

アクティブラーニング ① 効率的なスクリーニング評価のすすめ方について調べてみよう。

2 Case Study

50歳代女性，Aさんの事例を紹介する。

■ 情報収集

● 基本情報

Aさんの基本情報を**表1**に記載する。

表1 基本情報

一般的情報(対象者・家族とのインテーク面接の情報を整理したもの)	氏名，年齢，性別		Aさん，50歳代，女性
	家族		・夫と2人暮らし。夫は定年後農業に専念。妻へのかかわりは協力的 ・長男・次男はそれぞれ遠方で就職し，所帯を構えている
	仕事		入院前は介護福祉士として通所介護事業所で勤務
	趣味・性格		特にないが，夫とともに農作業を行い，近隣づきあいもしていて社交的であった
	生活環境		・M町在住。山間部だが基幹道路が整備され生活に不自由はない ・住宅：バリアフリー設計で室内に段差はなく，手すりはトイレには既設されているが，浴槽には一部のみ
	希望	本人	とにかく歩けるようになって自分のことは自分でやりたい。食事をつくりたい
		夫	自分のことは自分でやってもらいたい。私も農業で外へ出なければいけないので，いつも面倒を見てばかりもいられない，と自立を希望
医学的情報(他部門情報としての医師からの情報を含む)	診断名		脳出血(右被殻出血)
	現病歴		・X年Y月Z日9:30ごろ，呂律障害・左片麻痺が出現し，T病院へ救急搬送。CT検査の結果，右被殻出血と診断されてそのまま入院 ・保存的治療およびリハビリテーション(理学療法・作業療法)を実施 ・さらなるリハビリテーションを希望し，回復期リハビリテーション病棟へ転院
	理学的所見		図2参照
	既往歴		・30歳ごろ：尿路結石 ・33歳：高血圧症
	介護保険		未申請

評価事例

作業療法参加型臨床実習に向けて

カルテ情報の収集にあたっての心得

- **情報は誰のための何なのか？**
  情報収集は，対象者によりよい作業療法を提供するための準備作業である。レポートを書くためではなく，対象者のために役に立ちたい一念をもって治療指向的な姿勢で取り組むこと。
- **なぜそのことを調べる必要があるのかを再確認する**
  情報収集にあたって事前に調べる項目をリストアップしておき，それはどうして知る必要があるのかを再確認すること。この手順をとばすと情報の過不足の判断はできない。また，情報を仕入れて満足してしまい，実用に及ばない場合が出てくる。
  例えば，家族構成で「5人家族」でとどまってしまう場合がある。これでは退院後の生活の再構築に重要な部分が欠落している。家族の関係の質や家庭介護力などを含めて確認をしないと退院後の帰る場所そのものが大きく変わってくる。
- **情報整理力を高める**
  自分が今知りたいことを明確にして情報収集にあたらなければ，多職種の情報が詰め込まれているカルテを閲覧したとき，記載されている内容に引っ張られて混乱してしまう。情報の優先順位や妥当性などを整理しながら，効率的な情報収集ができるよう心掛けたい。
- **情報の活字化された部分は氷山の一角**
  記載されているものばかりが情報でなく，活字化されていない情報にも重要なものがあるので，スタッフとの対話のなかでも情報を得ることを心掛けたい。

図2 CT

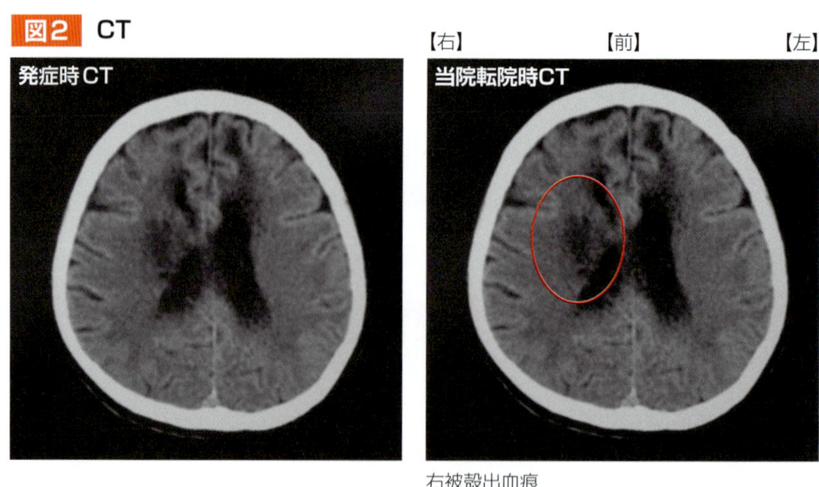

右被殻出血痕
出血により内包後脚〜側脳室まで穿破

Case Study

Question 1

健常者の脳の部位についてa〜kに適切な名称をいれてみよう（**図3**）。

図3 脳の部位

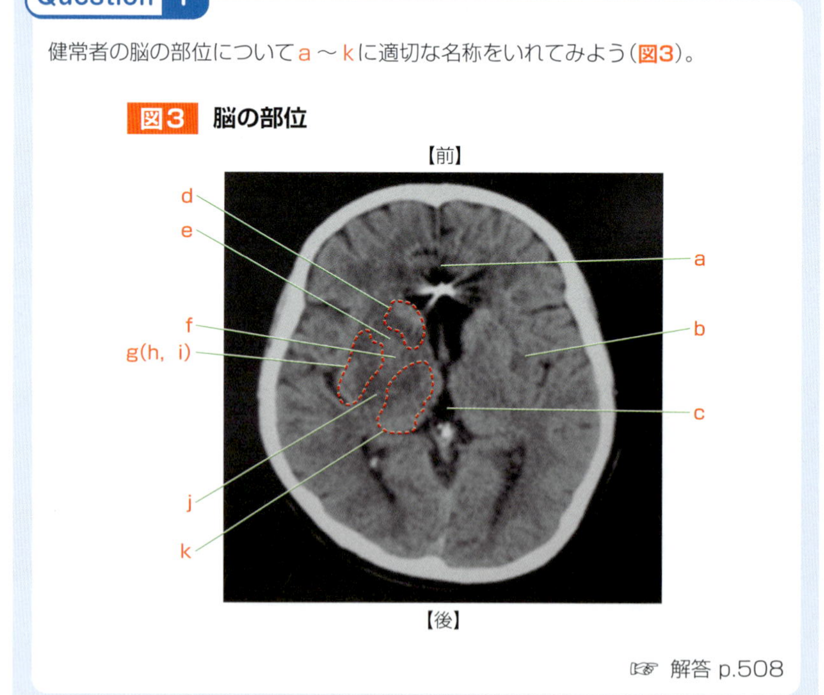

☞ 解答 p.508

● 他部門情報

Aさんについて，医師など他部門から得た情報を**表2**に記載する。

表2 他部門情報

医師	・右被殻出血で脳室まで届く大きなもの 内包もダメージは大きく運動麻痺，感覚障害は残り，機能予後は不良 ・回復期でのリハビリテーション期間は3カ月で在宅復帰を目指したい ・高血圧・脂質異常症は服薬でコントロールできている
理学療法士	・Brunnstrom(ブルンストローム) recovery stage(BRS)は下肢Ⅱ～Ⅲで，筋緊張はやや亢進している。そのため歩行時は尖足傾向を示す ・立脚期における支持性が不十分で膝折れをする。早期に靴べら式短下肢装具(shoe horn brace：SHB)を作製し，T字杖による自立歩行を目指す
看護師	・ベッド上動作やセルフケアなど，日常生活全般でまだ介助が必要 ・病棟での身辺動作の自立支援と，在宅で日中も1人で暮らせるだけの自立度の獲得を目指す ・夫への必要な介護指導も計画する
医療ソーシャルワーカー(medical social worker：MSW)	・転院に際して前院との調整仲介を行った。夫と二人暮らしで，家庭内での自立は求められる。経済的にはまだ若く年金給付までに年数があるため，障害年金の申請など今後必要になる ・介護保険は退院に向けて申請を行う。住宅改修も必要になる

● 他施設情報

前院であるT病院のリハビリテーション報告書から得た情報を**表3**に記載する。

表3 他施設情報

BRS	上肢	Ⅰ～Ⅱ
	手指	Ⅰ
	下肢	Ⅱ～Ⅲ
感覚機能		表在・深部とも鈍麻
摂食・嚥下機能		正常(Grade*1 10)
コミュニケーション		明瞭度良好
基本動作	起き上がり	左下肢をベッドから降ろし忘れることがあり，要介助
	座位・立位	監視レベル
ADL	食事	自立
	更衣動作	手順の忘れがあり，要介助
	排泄コントロール	良好だが，トイレでの移乗動作および立位保持に，ズボン・下着の上げ下ろしを介助

(次ページへ続く)

補足

被殻出血の臨床症状

脳内出血全体の約37%と最も多い部位である。被殻に限局していれば麻痺などの症状も軽度であり機能予後もよい。大きな血腫では，内包，視床，側頭葉に進展し，重度の麻痺や感覚障害，意識障害，失語などを呈する。優位半球では失語，失行，非優位半球では左半側空間無視や失認などがみられることがある。

作業療法参加型臨床実習に向けて

画像から機能の予後予測をしよう！

CTやMRIなどの画像情報は，リハビリテーションの予後予測および目標設定と強く関係する非常に重要な情報である。まずは正常な画像をしっかり見て部位を指摘できるよう学習を進めてほしい。同時にその部位の機能や損傷時の臨床症状も整理し学習したい。

＊1 摂食嚥下能力グレード[3)]

Level Ⅰ(重症)：Grade1～3，Level Ⅱ(中等症)：Grade4～6，Level Ⅲ(軽症)：Grade7～10。

（前ページより続く）

前院の各部門情報	理学療法	・開始当初からBRSに変わりはなく，徐々に筋緊張は高まっている ・当院では練習用短下肢装具（short leg brace：SLB）を装着して平行棒内歩行練習まで行った
	作業療法	・開始当初からBRSは変わらず，わずかに肩甲帯の筋緊張が高くなっている ・軽度の左半側空間無視があるため麻痺側管理が不十分 ・注意低下もあり，ADL動作時に監視を要する ・更衣動作練習なども進めたが，学習効果が低く反復指導をした
	言語聴覚療法	摂食・嚥下，構音障害についてみてきた。食事は自己摂取可能。構音は極軽度の障害で発話明瞭であり，特に介入は必要ない段階

● 作業療法検査・測定の方略

急性期での情報から「右被殻出血による左片麻痺および感覚障害，高次脳機能障害」を呈する心身機能の障害像が浮かび上がる。参考として，脳血管障害の一般的評価項目（**表4**），上肢機能評価項目（**表5**）を示した。検査・測定の戦略の大枠として，運動障害，感覚障害，高次脳機能障害（左半側空間無視のみでなく学習効率の低さから注意障害も推測される）について障害と活用機能（残存機能）の把握を行う。

また，退院後求められる参加の状態が自宅で自立して生活できる状態であり，「食事を作りたい」という主婦役割の遂行も希望されている点を踏まえ，必要な生活能力として現在可能なこと（プラス面）と困難なこと（マイナス面）を評価し，獲得していくべきADL，手段的日常生活活動（instrumental activities of daily living：IADL）を確認する（**逆算思考**）。さらに環境要因についての情報収集も行う。

表4　脳血管障害の一般的評価項目

全般的および包括的評価	・脳卒中機能障害評価法（stroke impairment assessment set：SIAS） ・Fugl-Meyer（ヒューグル メイヤー） assessment（FMA） ・modified Rankin（ランキン） scale（mRS） ・national institutes of health stroke scale（NIHSS） ・motor assesument scale（MAS）
運動機能指標	・BRS ・上田による12グレード片麻痺機能テスト
痙縮	・modified Ashworth（アシュワース） scale（MAS）
バランス	・Berg（バーグ） balance scale（BBS） ・functional balance scale（FBS） ・functional reach（FR）
痛み	・visual analogue scale（VAS）
身体作業強度	・Borg（ボルグ） scare ・rating of perceived exertion（RPE）

歩行能力	・timed up and go test(TUG) ・最大歩行速度 ・6分間歩行テスト(6-minute walk test：6MWT)
ADL，IADL	・Barthel(バーセル) index(BI) ・機能的自立度評価法(FIM) ・老研式活動能力指標 ・Frenchay activities index(FAI) ・IADL
精神・心理機能，高次脳機能	・mini-mental state examination(MMSE) ・Wechsler(ウェクスラー) adult intelligence third edition：WAIS-Ⅲ ・標準高次動作性検査(standard performance test for apraxia：SPTA) ・行動性無視検査(behavioural inattention test：BIT) ・時計描画テスト(clock drawing test：CDT) ・意思質問紙(valuing questionnaire：VQ) ・意欲の指標(vitality index：VI) ・自己効力感尺度
健康観，QOL	・MOS 36-Item Short-Form Health Survey(SF-36®) ・World Health Organization quality of life 26(WHO QOL26) ・自己記入式quality of life 質問票改訂版(self completed questionnaire for quality of life revised：QUIK-R) ・生活満足度尺度 ・Philadelphia Geriatric Center(PGC)モラール・スケール

※関節可動域検査，筋力検査，感覚検査，筋緊張，反射テスト，運動失調は省略

表5　上肢機能評価項目

機能回復	・BRS ・上田による12グレード片麻痺機能テスト ・FMA
粗大筋力	・gross-manual muscle testing(MMT) ・握力
複合機能	・簡易上肢機能検査(simple test for evaluating hand function：STEF) ・脳卒中上肢機能検査(manual function test：MFT) ・手指機能指数(finger function quotient：FQ)テスト
活動	・motor activity log

(文献4を基に作成)

■作業療法検査・測定の結果

●健康状態

右被殻出血を発症後約1.5カ月が経過し血腫は吸収されたが，出血部の神経損傷があり後遺症を残す。

意識水準は清明。高血圧症は服薬にてコントロールされており，1日1回の血圧測定をする。睡眠も良好で特に服薬は必要としない。

心身機能・構造

運動機能について左半身の運動麻痺は，BRSで上肢Ⅰ～Ⅱ・手指Ⅰ・下肢Ⅱ～Ⅲ，筋緊張は低下しており姿勢変化時には軽度亢進する。痙縮についてはMAS：1であった。運動麻痺については「よくなりたい」と希望し障害の改善可能性に期待を寄せている。左肩は麻痺性亜脱臼を1横指認めた。

感覚機能については，表在知覚で中度低下，運動覚・位置覚は重度低下していた。脳卒中機能評価法(SIAS)は35/76点であった。

高次脳機能については，線分抹消検査および図形模写にて優位に左側に問題を示す所見はなかったが，trail making test(TMT)Part-Aで54秒・Part-Bで139秒(△TMT：45秒)を要し全般性注意障害を認めた。

活動と参加

基本動作については，ベッド上での起き上がりがまだ不確実で数回トライをしないとできない。また，起座後の端座位でふらつきがみられる。起立動作では，ベッド柵につかまり数回試みて自力で起立できるものの，立位バランスの保持が不良で麻痺側へ傾倒し支持が必要である。

移乗動作については，ベッド，車椅子，トイレ間の移乗は立位の静的・動的バランスが不良であることと，どのような手順で行うのかを語ることができる。しかし，実際に行うとせかせかと慌てた動作となり，語ったとおりの手順では行えない。

病棟内移動については，車椅子活用であるが，片手漕ぎ操作そのものの習得が不十分である。また，左側への注意ができていないため廊下では左側への衝突や左側をすれ違う歩行者の安全確保ができないことが観察された。

ADL評価については，BI＝50/100点，FIM＝総得点64/126点，全般に軽～中度の介助レベルであった(**表6**)。

表6　初回FIMの結果

項目		レベル	遂行状態
セルフケア	食事	5	食堂で配膳され，食べ忘れ，食べこぼしなく通常範囲で食事している
	整容	4	片手で洗顔，歯磨きを実施している。左頬に石鹸の残り，歯磨きでは左は粗雑で回数も少ない傾向あり。化粧はしない
	清拭	2	右手で腹部，左手，大腿部程度を洗う。それ以外は介助
	更衣(上半身)	2	ほぼ全介助である。右手を通すことやかぶることは行う程度。脱衣は左手を無視した形で強引に引き上げて脱いでいる
	更衣(下半身)	1	ベッド端座位で全介助にて実施している
	トイレ動作	2	
排泄コントロール	排尿コントロール	7	尿失禁，失敗なくタイミングよく看護師を呼べている
	排便コントロール	6	下剤内服

項目		レベル	遂行状態
移乗	ベッド，椅子，車椅子	2	起立の際は，腰を引き上げて支えてもらいながら移乗する
	トイレ	2	手すりにつかまり起立までは行うが，腰を持ってもらい介助で回旋して移乗する。戻るときも車椅子の方向を変えてもらい，手すりにつかまり腰を持ってもらう
	浴槽，シャワー	1	シャワーキャリーを使用。洗体後はキャリーを押してもらい浴槽まで移動し，浴槽のヘリに座ってから脇を抱えられながら浴槽につかる。出るときもいったんヘリに腰掛け，2人がかりで起立して車椅子へ移乗する
移動	歩行，車椅子	2	車椅子移動は自走がまだ不十分で，左壁に衝突したり歩行者の安全を確保した走行ができないために介助が必要である。T字杖歩行が目標
	階段	1	行っていない
コミュニケーション	理解	6	大方の会話内容は理解できるが，複雑な言い回しになると混乱して理解しきれない
	表出	7	明瞭である
社会的認知	社会的交流	7	積極的に同室者と交流することはないが，特に問題となる部分はない
	問題解決	4	身辺動作に関することなど看護師に依頼できている。そのほか夫の来院時に行ってもらっている
	記憶	3	記憶力そのものが低下しているのではなく，注意障害に由来した記憶の混乱が諸動作時に認められる
合計		64	126点満点

試験対策 Point

FIMの採点基準を熟知しよう。

IADLについては，本来家庭内の家事全般(料理，掃除，洗濯など)は，Aさんが遂行していたが現状では困難である。また，復職の希望はもっているようだが具体的な検討はされていない。

COPMについては，退院後の生活に関しての結果を**表7**に示す。

表7 初回COPMの結果

特定した作業	重要度	遂行度	満足度
歩きたい	10	1	1
自分でトイレに行きたい	10	1	1
食事を作りたい	8	1	1
仕事に戻りたい	5	1	1
スコア		1.0	1.0

● ICF：環境因子

人的環境として，夫の支援はどこまで期待できるかについては「日中は極力家にいる予定です。外仕事の最中だけなんとか自分で過ごしてくれたらいい」とインフォーマルな支援は高いと思われた。また介護保険に関しては，利便性などについて今後は随時MSWから説明することとなった。

住環境(**図4**)はバリアフリー住宅であるが，機能・生活予後(特に歩行の自立度)との関連で適切な環境か再検討をする。

図4 住宅間取り

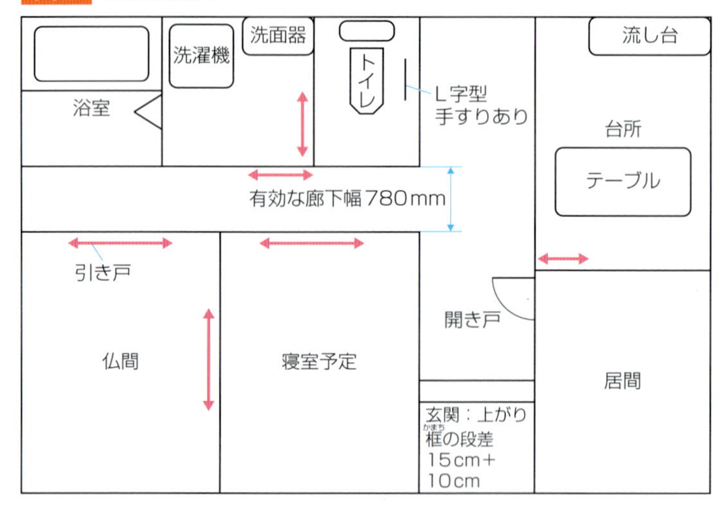

Case Study

Question 2

図4のなかで，住宅改修をすることが望ましい場所はどこか，考えてみよう。

☞ 解答 p.508

● ICF：個人因子

もともとの性格はせっかちでさっさと片付けたいほうである(本人談)。

元介護職員で自身が介護保険を活用することに抵抗感を感じている。今後の関与のなかでAさんの意向や作業歴をさらに把握していく。

■作業療法における問題点の抽出・焦点化

Aさんの初期評価後のICFについて図5に示す。

本人および夫がともに望む「歩行が可能で自分のことは自分でできる」状態が，3カ月の回復期リハビリテーションのなかでの到達すべき状態である。移動・歩行に関しては理学療法が主に介入し，作業療法ではセルフケアの自立と立位・移動の安定に連動して家庭内役割への部分参加の可能性を模索していくことになる。

自立に向けた介入においては，第1に座位・立位の静的・動的バランスの向上が基盤になるという点，第2に前院からも指摘されている学習効果の低さが注意障害によるもので，セルフケア自立には反復動作により行動変容過程を促す必要がある点を踏まえて介入を行う。

図5　初期評価後のICF

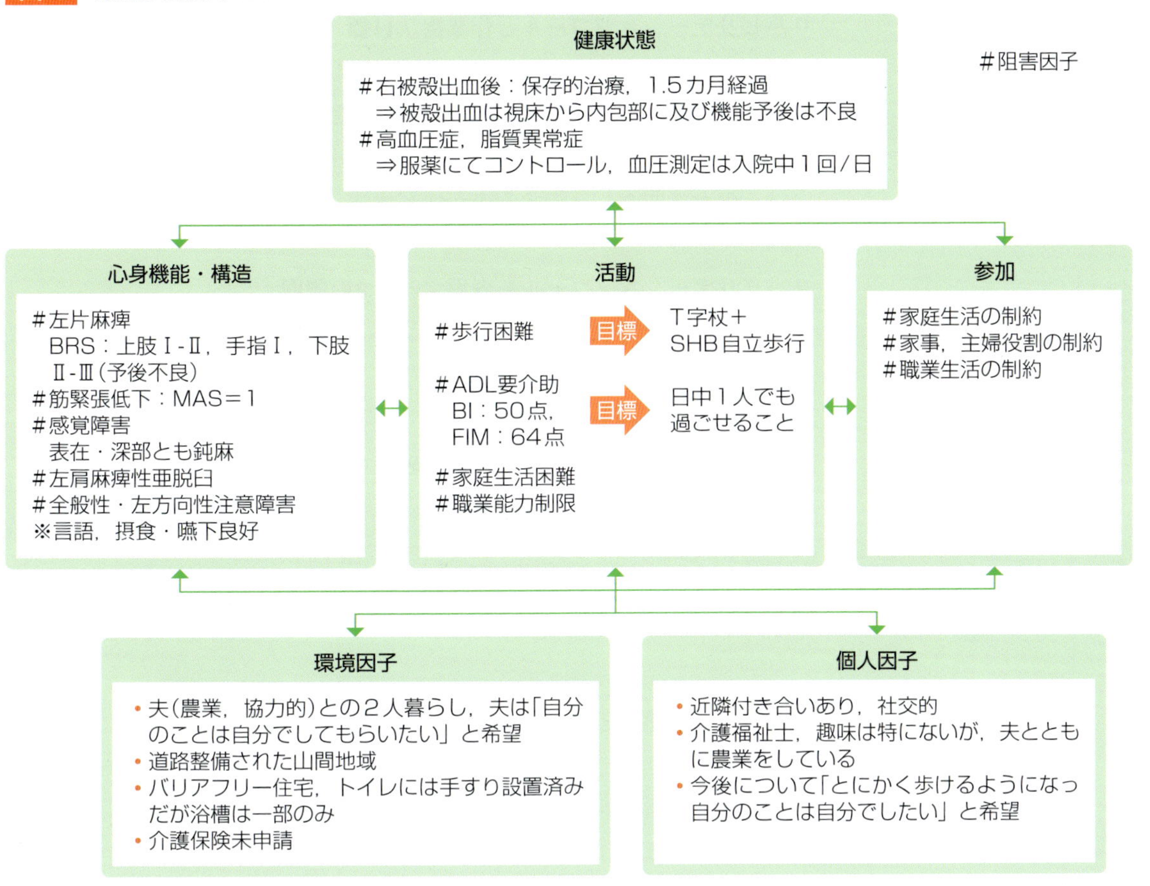

一方で，左片麻痺に関しては機能予後から積極的な機能回復に向けた介入は行わないが，麻痺肢の管理として自己介助運動の習得を行っていく。高次脳機能の注意障害については，看護師とも連携してまずは自己認識の強化を図ることから始める。

■ 目標設定：作業療法プログラム

● リハビリテーションの方針

回復期リハビリテーション病棟への入院期間は3カ月のクリティカルパスコースを適用する。また，介護保険サービスを活用し，在宅復帰を目指す。

歩行は装具を使用して室内杖歩行の自立を目指し，日中は1人でも自立して夫との2人暮らしを継続し，家庭内役割への部分参加ができることを目指す。

● 目標設定のポイント

リハビリテーションゴールと作業療法目標

すべての作業療法プログラムに先行してリハビリテーションの方針と目標があり，それに従って療法ごとに目標設定が行われる。リハビリテーションとしての目標達成に向けて作業療法士はどのような役割を果たしていけるのかを明示，宣告するのが作業療法目標である。

リハビリテーションゴールを表現する4つの側面

リハビリテーションゴールを表現する際は，**表8**の4つの側面を含むことを心がける。

表8 リハビリテーションゴールを表現する4つの側面

- 移動手段と自立度：例えば独歩とか杖歩行(見守り)，あるいは車椅子自走など
- ADL自立水準
- 復帰の状態：在宅，職場，復学，復職など
- 社会保障・サービス

目標設定に医学的・客観的な根拠をもつ

経験的な目標設定や客観的根拠に乏しい目標設定では，本当に目標を達成できるのか信頼性に欠ける。また，入院期間が短縮化している今の医療制度においてはより効率的に成果を出すことが求められている。そのためには，医学的・客観的根拠をもって目標設定をする必要がある。

「方針」と「ゴール(目標)」の使い分けを意識する

「方針」は大まかな方向性を示すものであるのに対して，「ゴール(目標)」は期日(いつまでに)とレベル・状態(どうなる)から構成されたものである。例えば，ADLの向上や筋力強化というのは「方針」で，2週間後にトイレへの移乗ができるようになるのが「ゴール(目標)」である。

作業療法プログラムは有限のプロセスであり，「ゴール(目標)」達成までの期間を設定する。その期日が直後であるものが短期目標で，作業療法を終結するときの状態が長期目標である。

4つの整合性

目標設定に際しては，リハビリテーションの長期・短期目標，作業療法の長期・短期目標の4つの整合性を確認する。また，短期目標は1～2週間を目安に設定するが，その内容によって期間は一律ではないので注意したい。

アクティブラーニング② 目標設定における「SMARTの法則」について考えてみよう。

● 治療・作業療法プログラム

表9にて目標設定と治療・作業療法プログラムについて記載する。

表9 目標設定と治療・作業療法プログラム

長期目標	短期目標	作業療法プログラム・内容	場所
入浴を除いたADLが自立する	立位の動的バランスの安定を図る	立位による輪入れ移動	作業療法室
	装具の自己着脱ができる	装具着脱練習	作業療法室
	トイレ動作を軽度介助にて遂行する	トイレ動作練習 ・病棟でトイレの移乗動作反復練習 ・作業療法室でゴム紐を腰に巻いて立位でズボン・下着の模擬的な上げ下げ練習	作業療法室，病棟
	片手による更衣動作（ズボンの上げ下げ）の自立度の向上	ADL練習 ・作業療法室における模擬的練習 ・看護師との協業：入浴時の更衣動作場面およびモーニング・イブニングにおける更衣練習	作業療法室
家事（調理，家庭内管理）への部分参加を可能にする	自助具を活用して調理の部分遂行ができる	※入院後間がなく，Aさんの家事役割へのモチベーションはまだ高まっていない。今後，心理的準備ができてから介入していく。目安は1〜2カ月後になるであろう	
	洗濯物のたたみ作業ができる		
	調理の具材を片手で自助具を使用して皮むきや刻むことができる		
麻痺肢の自己管理の習得	麻痺肢に対しての自己介助運動を習慣化する	・関節可動域練習 ・自己介助運動指導 ・神経筋再教育練習（機能回復を目指すためでなく，よくならない現実を受け入れるための練習）	作業療法室
	機能回復練習による麻痺肢の障害認識を高める		

※Aさんは女性のため，実際のトイレや入浴行為などのADL場面での介入は尊厳を守るために控え，看護師による介入とした。

補足

多職種連携のポイント
回復期リハビリテーション病棟での作業療法士と看護師との協働は，作業療法士が「できるADL」を高め，できるようになってきたADLを病棟生活のなかで看護師と連携し「しているADL」に置き換えることがポイントになる。

■転帰

予定通りに自宅へ退院。期間は1カ月延長し回復期リハビリテーション病棟への入院期間は4カ月であった。運動麻痺に変化はなく高次脳機能障害は極軽度残遺していたものの，退院時のFIM総得点は98点，BIは75点で入浴の浴槽の出入りを除いて室内生活は自立に至った。日中も1人で過ごすことができる生活能力を獲得できた。退院1カ月前より外泊を励行し，2週に1回は2泊3日で週末に外泊を行って，Aさん・夫とも安心して退院を迎えることができた。

【引用文献】
1) 日本脳卒中学会脳卒中ガイドライン委員会 編：脳卒中治療ガイドライン2021, p254, 協和企画, 2021.
2) 日本作業療法士協会：生活行為向上マネジメント(マニュアル57), 生活行為向上マネジメントマニュアル作成委員会, 2014.
3) 藤島一郎, ほか：「摂食・嚥下状況のレベル評価」簡便な摂食・嚥下評価尺度の開発. リハ医学, 43, S249, 2006.
4) 石川　朗, ほか：臨床実習フィールドガイド, 改訂第2版, p61, 南江堂, 2014.

【参考文献】
1. 鷲田孝保 編：作業療法士イエロー・ノート 専門編, p30-34, メジカルビュー社, 2009.
2. 内山　靖, ほか：臨床判断学入門, p88-91, 協同医書出版社, 2006.
3. 矢谷玲子, ほか：作業療法実践の仕組み 事例編, p85-97, 協同医書出版社, 2004.

チェックテスト

Q

①回復期における作業療法評価の特徴を挙げよ(☞p.309)。 臨床

②情報収集(主にカルテ情報)で心がけるべきポイントを4つ挙げよ(☞p.312)。 臨床

③脳血管障害の一般的な評価項目を挙げよ(☞p.314)。 基礎

④方針とゴール(目標)の違いを挙げよ(☞p.320)。 基礎

3 脳血管障害③　生活期

柴　貴志

Outline

- 生活期（維持期）リハビリテーションは活動と参加を支援し，対象者にとって満足度の高い生活を再構築する時期である。
- 広義のリハビリテーションを展開し，可能性を追求することがテーマである。
- 生活期における作業療法の役割は，対象者にとって活動と参加の実現に向けて意味・価値のある作業遂行を達成することである。
- 環境調整は作業的存在として，対象者にとって作業バランスのとれた生活への支援の重要な要因になる。

1 生活期のリハビリテーション

急性期，回復期，生活期と流れていくリハビリテーション医療は「バトンタッチの医療」ともいわれている。どの時期においてもその人らしく豊かな人生が送れることを目標に，各時期でそれぞれの課題克服に向けたリハビリテーションに取り組む。生活期では，地域で障害を抱えながらも自立に向けた取り組みと，地域づくりも含めた広義のリハビリテーションの構築が不可欠である。さまざまな社会資源とネットワークを活用し，安心して生き生きと暮らすための支援が生活期リハビリテーションの実践といえる。

この実践過程においてリハビリテーションのテーマは**可能性の追求**にある。生活期は維持期ともいわれるが，これまでにバトンタッチの医療で獲得した心身機能を維持・継続しつつ，活動や参加をより高めて生活を再構築し「生活の彩り：自己実現，生活の質（quality of life：QOL）」を追求するという意味を含む。ここには，心身機能面が悪化し介護状態になること，もしくは介護度が悪化することを予防する介護予防の取り組みや介護負担の軽減を進めるなど，介護上の課題解決も含まれる（**表1**）。

厚生労働省は，地域包括ケアシステムの構築に向けての高齢者の地域におけるリハビリテーションのあり方について「活動や参加などの生活機能全般を向上させるバランスのとれたリハビリテーションの実施」を指摘し，高齢者のリハビリテーションのイメージ（**図1**）を示し，活動と参加に焦点を当てたリハビリテーションの推進を図っている。

表1　生活期リハビリテーションの目的

- 生活機能の維持・向上
- 自立生活の促進
- QOLの向上
- 介護課題の解決：介護予防，介護負担の軽減

（文献1を基に作成）

図1　高齢者リハビリテーションのイメージ

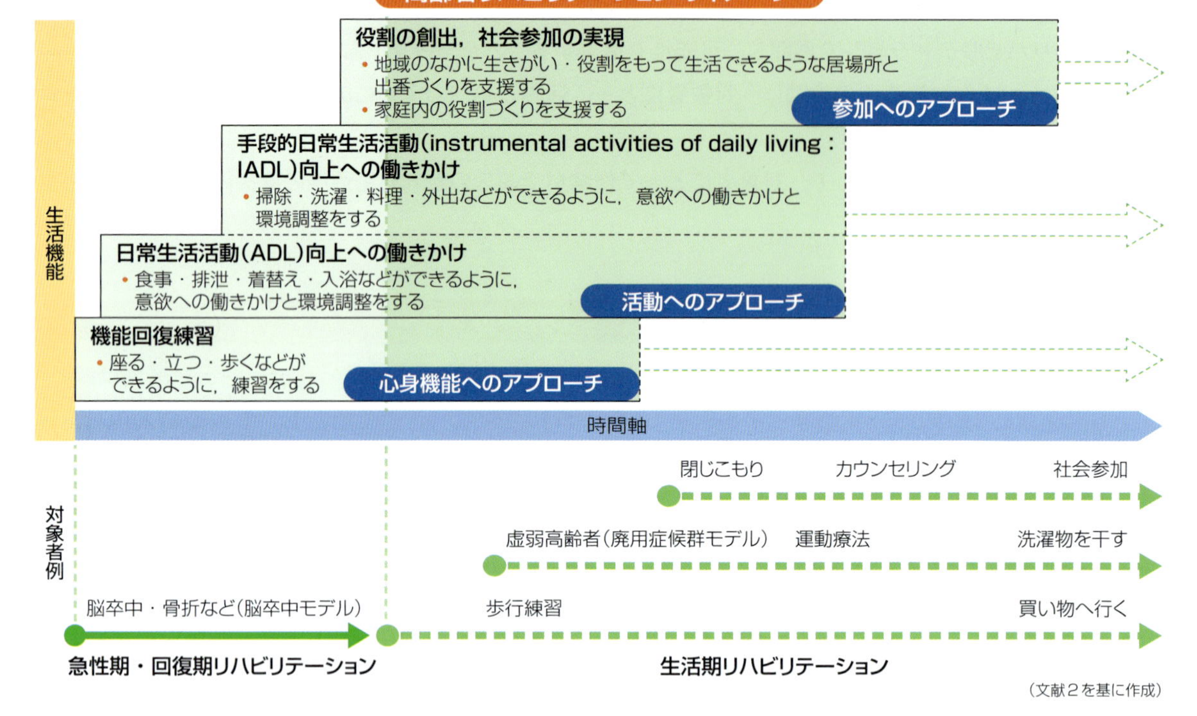

（文献2を基に作成）

■生活期における作業療法の役割

生活期の作業療法は，作業遂行に焦点を当てている。鎌倉は「作業療法とは，人がよりよい作業的な存在となることができるように助け導くことである」と述べている[3]。作業療法は「作業ができる」ことをもって，対象者がよりよい作業的存在になることを目指す。また，人は所属する環境に適応し日常生活を送ることができ，適切に仕事ができ，楽しく家族や仲間と交わるなどさまざまな連続した作業を遂行することで1日を過ごし，その人らしさを発揮している。作業療法の目的（図2）は，作業遂行のバランスのよい生活を再構築に向けて支援することである[4]。

図2　作業療法の目的

作業 ＝ 活動 ＋ 意味・価値

- 「作業ができること」(＝作業遂行の実現)を通じて作業的存在になる
- 作業バランスがよく，満足度の高い生活を再構築する

作業遂行の視点でモデル化したものには，人間作業モデル（Model of Human Occupation：MOHO），カナダ作業遂行モデル（Canadian Model Of Occupational Performance Engagement：CMOP-E）[5]，生活行為向上マネジメントなど挙げられる。共通するのは，環境・人・作業の相互作用として作業遂行をとらえている点である。各モデルの評価過程については成書に譲る。その結果から作業療法プログラムを構成する臨床思考過程は，トップダウンアプローチに基づく作業療法評価（**図3**）が行われる。

図3 トップダウンアプローチに基づく典型的な作業療法評価手順

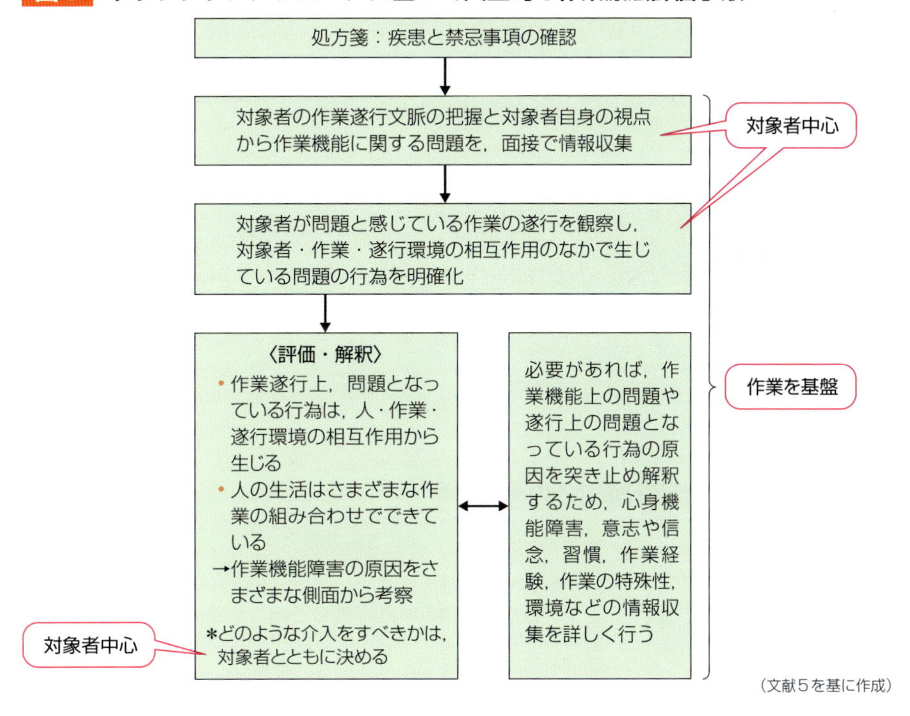

（文献5を基に作成）

アクティブラーニング ① p.254～とp.260～で作業遂行の視点を再確認してみよう。

2 Case Study：訪問リハビリテーション

住宅改修を通じて自立生活を支援した70歳代男性，Aさんの事例を紹介する。

■ 基本情報と基本方針

Aさんの基本情報を**表2**に，評価結果と作業療法介入の基本方針を**図4**に記載する。

表2　基本情報

一般的情報	氏名，年齢，性別		Aさん，70歳代，男性
	家族		妻，息子夫婦，孫3人の計7人
	仕事		元町議会議員。退職後は農業を行いながら暮らしていた
	趣味・性格		人望が厚く，社交的
医学的情報	診断名		脳梗塞(左内包部)。右片麻痺と軽度構音障害
	経過		・X年Y月：脳梗塞発症。急性期治療を終えて回復期リハビリテーション病院に転院し，理学療法，作業療法，言語聴覚療法を実施していた ・本人の帰宅欲求が強く，週末外泊を2回行ったところで「なんとかなりそうだし家に帰りたい」との思いに家族も折れて，生活環境整備や在宅生活支援の調整が不十分のまま退院 ・早急に介護保険を申請し，退院後訪問したケアマネジャーに家族・本人とも「病院みたいにトイレに手すりがあると楽ですね。そうすれば自分でできる」と語った ・訪問リハビリテーションで，住宅改修を含めた作業療法プログラムを検討することになった
	Brunnstrom(ブルンストローム) recovery stage(BRS)	上肢・手指・下肢	Ⅳ，軽度感覚障害あり
	基本動作	歩行	T字杖監視～軽介助歩行
	ADL	排泄	ズボンの上げ下ろしで軽介助
		更衣	一部，軽介助
		入浴	洗体で一部，軽介助
	Barthel(バーセル) index(BI)		55点
	機能的自立度評価(FIM)		79点
	介護保険		要介護2

図4　評価結果と作業療法介入の基本方針

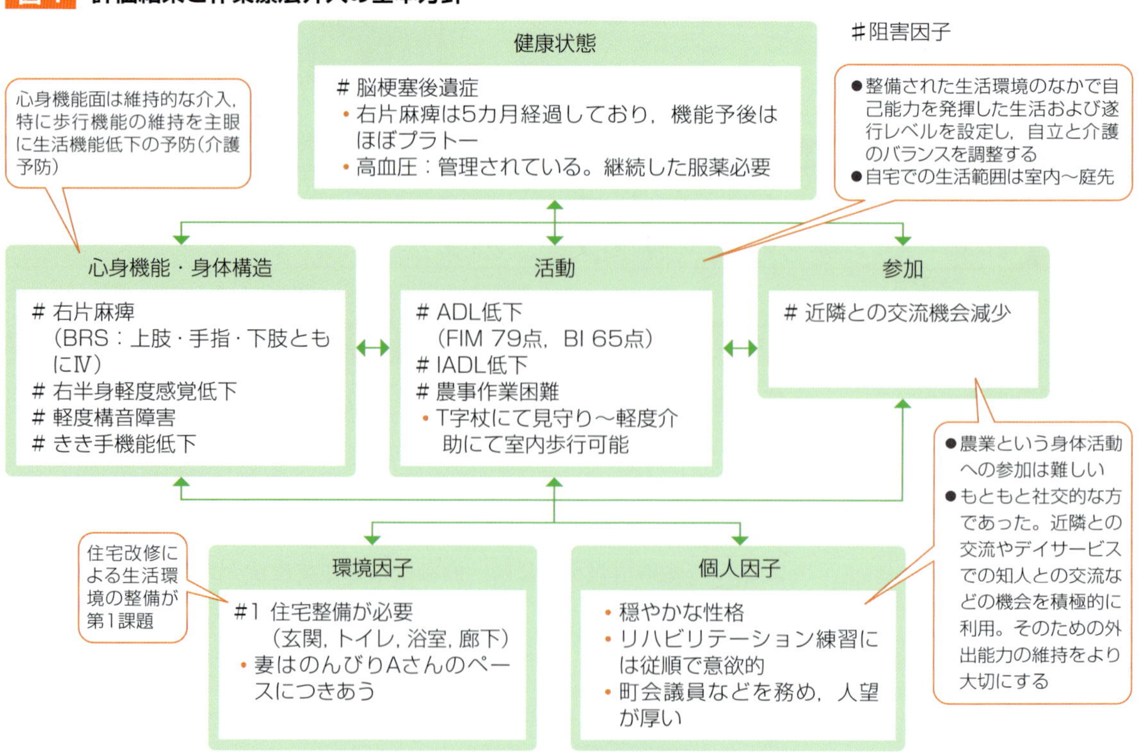

■評価のポイント

Aさんの場合，生活の再構築ができていない状況で，強い退院希望により自宅退院となった。まずは日常生活の諸活動という作業が遂行できることが，緊急の課題である。

● 対象者の生活全体

「病院みたいにトイレに手すりがあると楽」だからと，トイレの改修に引っ張られて全体を見失わないこと。手すりをつけるということが緊急の目的ではなく，普段の生活をどう過ごしたいのかを確認し，対象者の生活全体を切り口としてとらえ評価を進めることが重要である。

● 環境と発揮能力のバランス

心身機能に関する基本的な障害像の把握評価は必要であるが，それは機能を変えるためではなく，機能を変えずに生活を変えるための評価である。対象者の暮らす生活環境が要求する能力と発揮できる能力の適合をみることが評価ポイントである。

● 評価の遂行レベル

発揮できる能力を評価する場合に，精一杯頑張ってできる限界能力で遂行レベルを設定するのでなく，安全かつ円滑に遂行できるレベルで生活環境の設定を検討する。同時に動作評価では，実用性の視点（**図5**）が重要である。

試験対策Point

高齢者の身体機能評価の代表的なもの〔time up and go（TUG），Berg（バーグ） balance scale（BBS），片脚立位テスト，立ち上りテスト，functional reach test（FRT），SPPB（short physical performance battery）など〕を再確認しよう。

図5　動作の実用性の構成因子

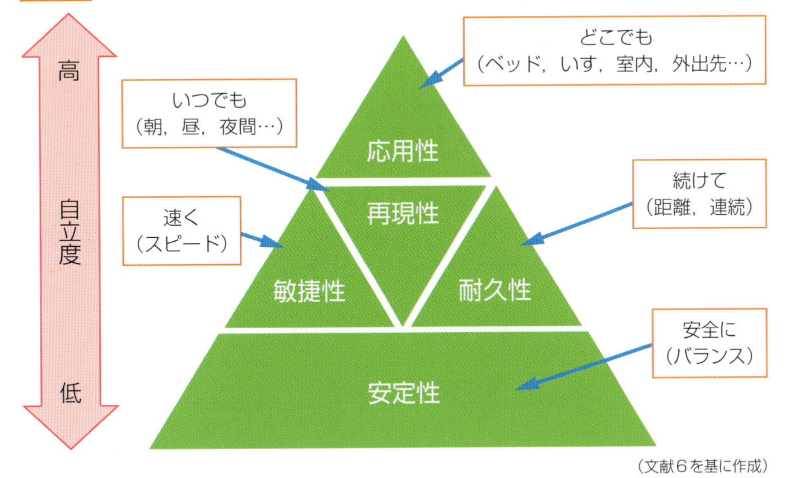

（文献6を基に作成）

● 住宅環境

Aさんの住環境の状況について，**図6**に詳細を記載する。

図6 住環境

【住宅全体図】

手すりの長さ60cm，太さ32～36φ

手すりの高さは床から70cm

20cmの段差

新たな出入り口の検討の提案

裏口

洗面所での着脱衣，シャワーチェアーに腰掛けての洗面，介助方法の指導

洗面所

●トイレには手すりはなし。実際の動作のなかで適切な設置場所を確認する。便器と壁面の距離が離れているので床固定もしくは壁面に耐荷重式，木彫手すりを家族の好みにも配慮して提案
●本人・家族へトイレ動作，介助方法を実際に実施しながら指導

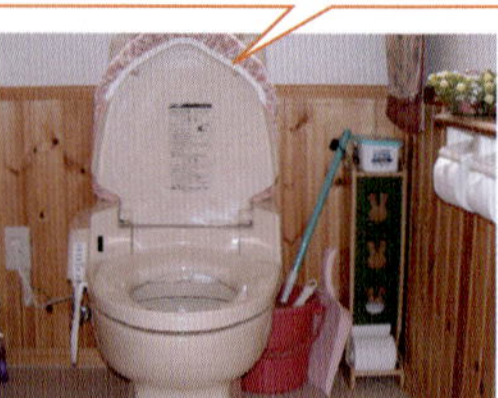

トイレ

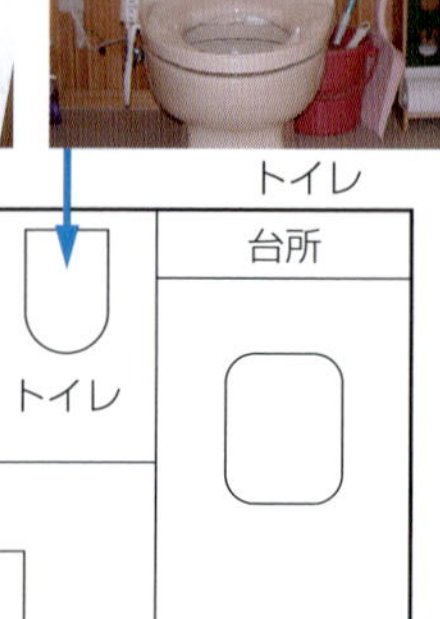

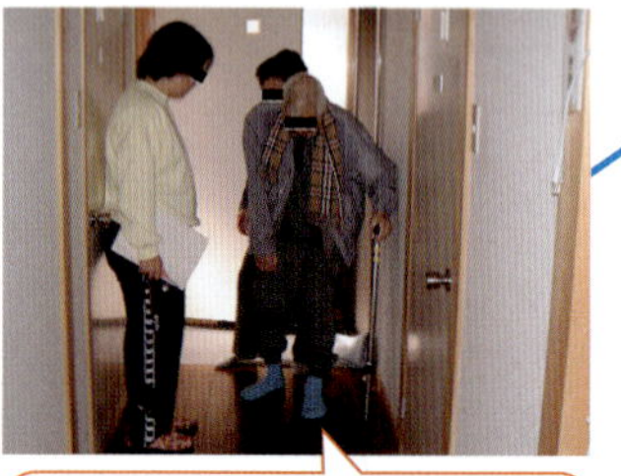

寝室，トイレ，居間への歩行移動が室内生活の基本。妻との軽度介助～見守り歩行の実地指導。段差はなし

廊下

この玄関の上がり框（かまち）の高さは，Aさんの歩行機能からはステップ（1段15cm以下）の設置が必要になる。
寝室に近い裏口に回る方法も合わせて2案を提案

40cm

20cm

玄関

Case Study

Question 1

住宅改修において一般的に望ましいとされる，**図7**の洋式トイレ・浴槽の高さや幅を考えてみよう。

図7 洋式トイレ，浴槽，浴室

Ⓐmm

L型手すり（径Ⓓ～Ⓔmm）

Ⓑ～Ⓒmm

Ⓕmm

Ⓖ～Ⓗmm

a 洋式トイレの手すり例

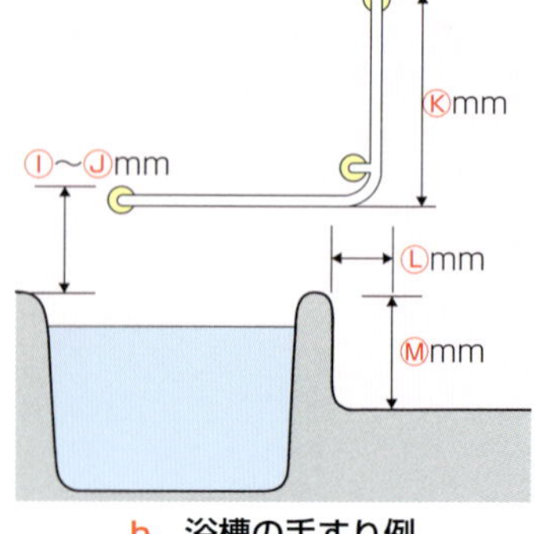

b 浴槽の手すり例

（文献7，8を基に作成）

☞ 解答 p.509

Case Study

Question 2

右片麻痺の対象者の住宅改修を行う場合，図8の浴室で手すりを設置するとよいと考えられる場所とその形，目的を記入してみよう。

図8 浴室の全体図

（文献9を基に作成）

☞ 解答 p.509

アクティブラーニング 2 浴室の住宅改修について，浴槽への出入り方法（立ちまたぎ，座りまたぎ）と手すりの設置位置を調べてみよう。また，右片麻痺の場合と左片麻痺の場合でも検討してみよう。

● 転機

自分の家とはいえ慎重になるほど筋緊張が亢進し，介助する妻も戸惑いや不安があった。そのため室内移動，居間での起居動作などで介助量が高くなっていることが外泊で把握されていた課題であった。初回の訪問リハビリテーションにて住宅改修の提案を実施。住宅改修については，訪問後2週目に手すりなどの設置が完了し，週2回の理学療法士と作業療法士の交互の訪問で応用的能力の向上を目指し室内での基本動作，移動動作，トイレ・入浴動作の反復練習と妻への介護指導を行った。

次第にAさんも妻もおしゃべりなどしながら行える余裕も出てきた。当初は週2回の訪問リハビリテーション，週3回のデイサービスであったが，諸動作は安定し妻も介護不安が軽減し安心して介護できるようになり訪問リハビリテーションは週1回へ変更した。

古い知人や隣人らと語らい，一緒に笑って時を過ごすことを楽しみにしているAさん。デイサービスへ通うことでAさんが作業的に存在できている。

3 Case Study：介護老人保健施設

介護老人保健施設から，自宅復帰を目指した80歳代男性，Bさんの事例を紹介する。

＊1 **t-PA（アルテプラーゼ，血栓融解療法）**
脳細胞が死滅する前に血管内の血栓を溶かし，血流を再開することで脳細胞の死滅を避け，機能を取り戻す治療法。通常脳梗塞を発症してから3時間以内に行われる。

■基本情報

Bさんの基本情報を**表3**に，家族構成を**図9**に記載する。

表3 基本情報

	項目		内容
一般的情報	氏名，年齢，性別		Bさん，80歳代，女性
	家族構成		・次男夫婦と3人の孫の6人暮らし（図9） ・次男は大工。穏やかで口数が少ない職人 ・キーパーソンは次男の妻（パートタイム） ・孫が高校受験を控えている。また，通学の送迎が必要なため，遠方への施設入所は困難
医学的情報（医師カルテ記録・診療情報提供書より）	診断名		脳梗塞，廃用症候群
	現病歴（介護状態に至った病歴経過を中心に）		・X年Y月，自宅トイレ前でうずくまっているところを家族が発見。すぐに救急車でA病院を救急受診 ・意識はJapan Coma Scale（JCS） Ⅰ-3レベル，右片麻痺と構音障害が出現，左放線冠から内包にかけての脳梗塞で入院。t-PA[＊1]施行 ・早期からリハビリテーションを行い，右片麻痺はBRS Ⅳレベルまで改善 ・回復期リハビリテーション病院への転院手続きが進められていたが，食思不振，嘔吐があり，内科的精査で出血性十二指腸潰瘍が見つかる。治療のため2週間ベッド上安静。その間，ベッド上でリハビリテーション実施 ・十二指腸潰瘍は治癒したが，廃用性機能低下も加わり回復期リハビリテーション病院への転院は困難となる ・再調整したが，家族が遠方の病院を拒み，受け入れ先が見つからず，発症後3カ月で在宅復帰を目的にC介護老人保健施設へ入所
	既往歴	20年前	高血圧症
		10年前	両膝変形性関節症（osteoarthritis：OA），運動時に疼痛あり。歩き始めれば徐々に痛みは和らぐ
		X年Y＋2月	十二指腸潰瘍 ＊高血圧，十二指腸潰瘍の内服薬と，両膝OAの湿布薬が処方されている
	介護保険		要介護3
退院時状況（リハビリテーション報告書より抜粋）	BRS	上肢・手指・下肢	Ⅴ
	BI		十二指腸潰瘍後：35点，退院時：60点
	FIM		十二指腸潰瘍後：42点，退院時：78点（軽度介助レベル）
	入所目的・期間		在宅復帰を目的にリハビリテーションを行う。期間は3カ月
	家族の希望		日中は自分のことはできてほしい，トイレはポータブルトイレでもいいので自分で済ませてほしい
他部門情報	理学療法士		・右痙性片麻痺で下肢BRS Ⅴ，感覚は軽度低下 ・歩行はT字杖を使用し軽度介助。両膝関節に運動時に痛みがあるので，杖歩行より歩行器歩行のほうが安全性が高いかもしれない。実用性を考慮して検討する ・下肢は徒手筋力テスト（manual muscle testing：MMT）4＋，立ち上がり・移乗動作で廃用性の筋力低下を含めて能力低下がある。筋力強化によって膝痛も軽減するかもしれない
	看護師		・高血圧は服薬で管理できている。1日1回測定でよい ・睡眠も良好で，現在の健康状態を維持していく

他部門情報	介護福祉士	・車椅子への移乗は軽度介助 ・食事は左手スプーンで自立 ・排泄もタイミングよく尿便意を訴えることができ，排尿はベッド上で尿器を使用。排便はポータブルトイレで，ズボン・下着の上げ下げを介助 ・上着の更衣は自分で行えるが，下衣はベッドの上で介助 ・整容は洗面所で自立 ・入浴は入所後間もないので，リフトでの介助浴 ・日中は声かけをすればデイルームに出てくるが，自分から何かをすることはなく臥床がち

図9　家族構成

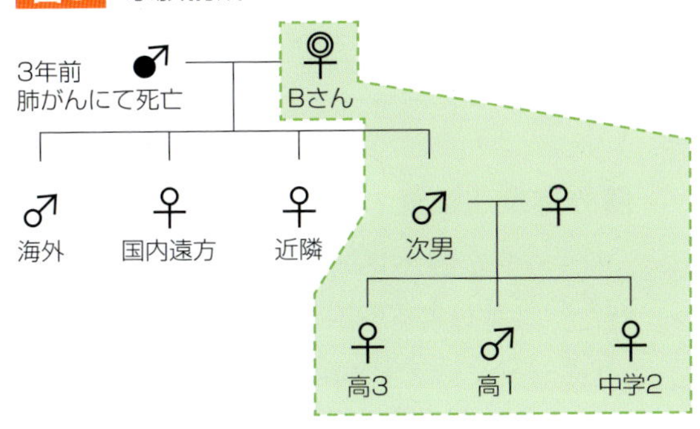

■面接・観察

● 家族（次男の妻）との面接

今回入院するまでは，家で自分のことはできていたとのこと。高血圧と膝の痛みで病院へかかっていたが，シルバーカーを押して近所へ行くことはときどきあったり，洗濯物も取り入れてくれるなど，普段はあまりじっとしていることはなかったとのこと。

次男の妻も勤めに出ており，孫の送迎などでバタバタもするので今回の入所を通して日中は自分のことはできるのが希望である。特に，トイレはポータブルトイレでもいいので自分で済ませられることを期待する。

● Bさんとの面接

迷惑をかけずに自分のことくらいは自分で済ませたいと考えている。秋に夫の3回忌もあるため，それまでに自宅に帰ることを希望している。洗濯物を取り込んだりたたんだりはしてあげたいと考える。

● 生活環境

住宅は，集落の密集していない田園地帯で2階建て。少しばかりの畑を挟み隣家までは50m程度で平地である。玄関先は舗装された道路から2段の段差(15cm)があり，玄関までは飛び石と砂利である。

● カナダ作業遂行測定(COPM)

カナダ作業遂行測定(Canadian occupational performance measure：COPM)の初回の結果については**表4**に示す。

表4 COPMの初回の結果

課題・問題点	重要度	遂行度	満足度
1. 家のなかを歩く	10	1	1
2. 自分のことは自分でする	10	3	2
3. 散歩をしたい	8	1	1
4. 右手がもう少し動く	7	5	5

遂行スコア　10/4＝2.5
満足スコア　9/4＝2.25

■作業療法検査・測定

Bさんは，自宅復帰にあたって「自分のことは自分で済ませたい」と，家族への気兼ねを含めて自立した生活への希望を語っている。同時に家族も「介護のために今の生活を変えないで済ませたい」という意向をもつ。

標的となる作業遂行の課題はADLの自立度である。BIは60点，FIMは78点で軽度もしくは中度介助レベルである。退院に向けて作業遂行を阻害している要因について検査，測定を行う。脳血管障害に準じて心身機能・構造面の評価として片麻痺機能検査，感覚検査，関節可動域検査，筋力検査，高次脳機能検査〔スクリーニング，mini-mental state examination(MMSE)，改訂長谷川式簡易知能評価スケール(Hasegawa dementia rating scale-revised：HDS-R)〕と活動面としてADL〔BI，FIM(**表5**)〕，意欲の指標(vitality index，**表6**)について評価する。

BIおよびFIMの採点基準を確認しておこう。

表5 FIM

		レベル	遂行状態
セルフケア	食事	6	左手でスプーン，フォークを使用し自己にて摂取している
	整容	6	左手で洗面所で自立して行えている
	清拭	2	左手で腹部，右手，大腿部程度を洗う。それ以外は介助
	更衣(上半身)	6	ベッド端座位で自己にて実施している
	更衣(下半身)	2	ベッド上にて介助だが，殿部の持ち上げに協力できている
	トイレ動作	1	自分では行えていない
排泄コントロール	排尿コントロール	7	尿失禁，失敗なくタイミングよく看護師を呼べている
	排便コントロール	6	下剤内服

		レベル	遂行状態
移乗	ベッド，椅子，車椅子	4	起立の際は軽く腰を引き上げてもらいながら移乗する
	トイレ	4	排尿はベッド上で尿器を使用する。排便時にポータブルトイレを使用し，軽度の介助で移乗
	浴槽，シャワー	1	入所後まだ間がなく浴室へはリフトで出入り
移動	歩行，車椅子	4	T字杖歩行を軽度介助で行える
	階段	1	まだ行っていない
コミュニケーション	理解	7	日常会話の理解可能
	表出	7	明瞭である
社会的認知	社会的交流	4	自発的な行動は少なく，声掛けや誘導でデイルームへ出てくる
	問題解決	4	身辺動作に関することなど看護師に依頼できている。そのほかは家族任せとなっている
	記憶	6	記憶は保たれているが，関心の低さから忘れてしまっていることあり
合計		78	126点満点

表6　意欲の指標（vitality index）

	点数	質問内容	得点
1 起床 (wake up)	2	いつも定時に起床している	2
	1	起こさないと起床しないことがある	
	0	自分から起床することはない	
2 意思疎通 (communication)	2	自分から挨拶する，話しかける	1
	1	挨拶，呼びかけに対して返答や笑顔がみられる	
	0	反応がない	
3 食事 (feeding)	2	自分から進んで食べようとする	2
	1	促されないと食べようとしない	
	0	食事に関心がない，まったく食べようとしない	
4 排泄 (on and off toilet)	2	いつも自ら尿意便意を伝える，あるいは自分で排尿，排便を行う	2
	1	ときどき，尿意便意を伝える	
	0	排泄にまったく関心がない	
5 リハビリテーション・活動 (rehabilitation, activity)	2	自らリハビリテーションに向かう レクリエーションに積極的に参加することを求める	2
	1	促されて向かう	
	0	拒否，無関心	
合計			9

● 初期評価と作業療法介入の基本方針

初期評価と作業療法介入の基本方針について，図10に示す。

図10　初期評価と作業療法介入の基本方針

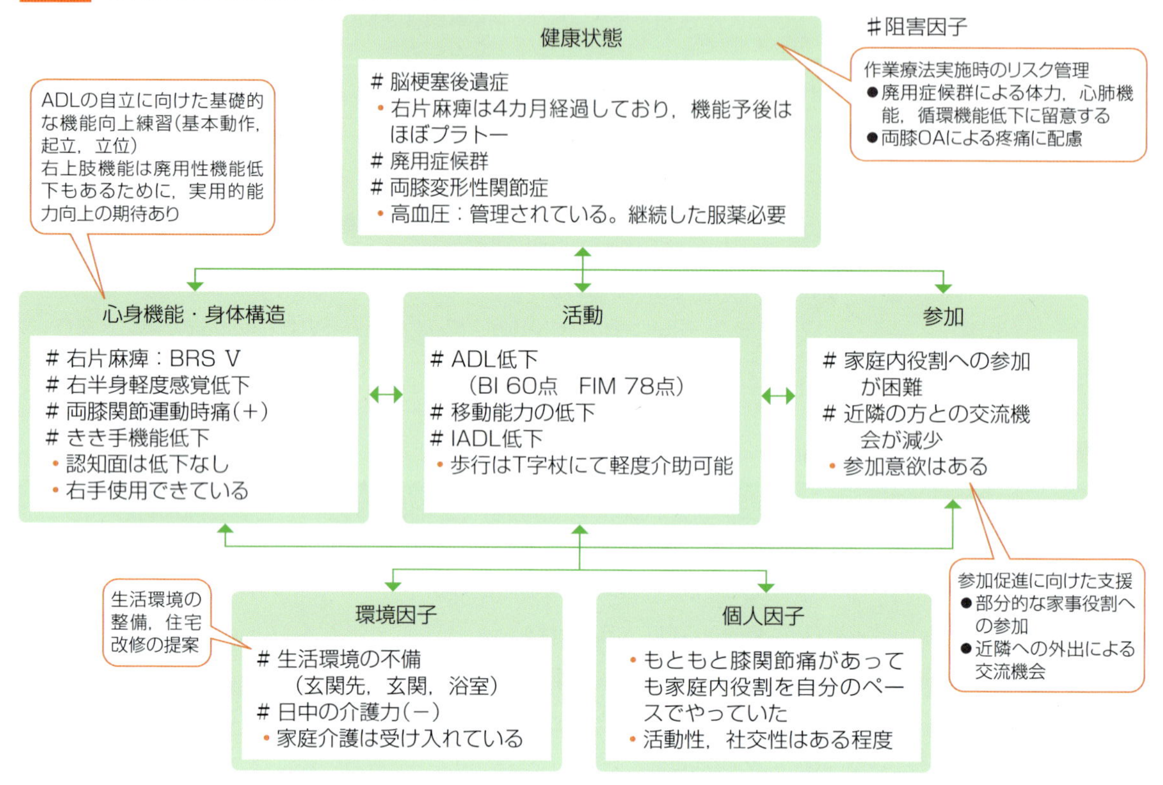

● 統合と解釈

脳梗塞発症前は，両膝変形性関節症(OA)で疼痛はあったもののシルバーカーを押して近隣へ出かけ，地域での交流ができていた。また，洗濯物の取り込みなども行っており，家庭内役割へ参加しており活動意欲が認められる。現在でも，意欲の指標(vitality index)で9/10点と高い意欲を有している。しかし，右片麻痺の軽度残遺，廃用性の機能低下・活動性の低下が重なり，両膝関節痛は筋力低下によって増悪しベッド上生活となっている状態で，ここ数年行ってきた生活や本人の想いとは一致しない。次男夫婦は共働きで孫も大きくなっているが，自立生活への期待と介護による現在の生活部分(仕事，孫の送迎など)の変更回避へのニーズも高い。

本人・家族のニーズを組み込み，セルフケアが自立した在宅生活へスムーズに移行できることを支援することがリハビリテーションの方針となる。COPMにて抽出した作業遂行の課題と阻害要因の関係を(図11)。に，目標設定を表7に示す。

図11　作業遂行の課題と阻害要因

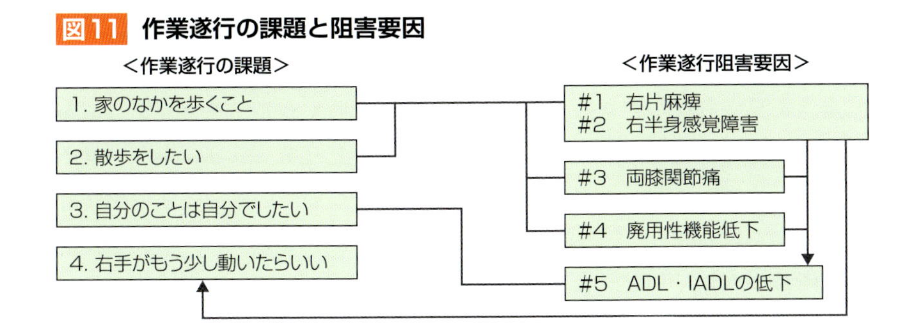

表7　目標設定

リハビリテーションゴール	作業療法		構成要素(目標達成にむけて強化する主な機能，能力)
	長期目標(3カ月後)	短期目標(2週間後)	
ADLが自立し，自宅退院できる	ADLが自立し自宅退院できる	トイレ動作が軽度介助でできる	・立位バランス
			・衣服操作
			・右手指ピンチ力
		食事動作における右手の参加	・右上肢到達範囲
			・右手指機能
家庭内役割を一部遂行できる	右上肢の実用度の向上を図り，作業遂行を容易にする	衣服の整理ができる	・座位バランス
			・右上肢機能
近隣へ出かけ交流することができる	適切な歩行補助具の提案	移動能力の向上に合わせて介入検討	・歩行機能

作業療法プログラム	
病室	移乗動作練習
	トイレ動作練習
作業療法室	右上肢実用度向上練習(到達範囲，手指ピンチ力強化)
	ADL基礎練習(立位バランス練習)

作業療法の介入枠組みは，ADL自立度の向上と家庭内役割への参加となる。基本動作ができることはもとより立位バランス，移乗・移動面のmobilityを高めることがADL自立度の向上に繋がる。

一方，軽度不全麻痺が残る右上肢機能については，ADL及び家庭内役割の一部遂行における実用度の向上を目的(きき手機能，洗濯物の取り込みやたたむことなど)にした課題指向型練習を行う。加えて自宅での生活環境調整に向けて提案を行う。

作業療法参加型臨床実習に向けて

対象者が自分で遂行している部分，セラピストが支援している部分を区分けして見学する。その時の環境設定とセラピストの位置関係も同時に観察しよう。常に「自分が行うとしたら」の前提で診療に参加しよう。

■転機

予定通り3カ月の経過で退所。施設内の廊下・屋外はシルバーカーの押し歩きを見守りにてできるようになった。右上肢もシルバーカーをしっかり把持できるに至っている。退所前に訪問リハビリテーションをケアマネジャーと連携して行い，退所後の生活の仕方についての確認と住宅改修計画の提案を行った。

退所後の利用サービスは，訪問リハビリテーション週1回，通所リハビリテーション週1回，デイサービス週1回で，家庭内での役割遂行と近隣への外出の実現に向けた支援を展開している。

【引用文献】

1) 小林　毅，ほか 編：脳血管障害の評価とアプローチ，p22，文光堂，2014.
2) 高齢者の地域におけるリハビリテーションの新たな在り方検討会報告書（厚生労働省，2015）(http://www.mhlw.go.jp/file/05-Shingikai-12301000-Roukenkyoku-Soumuka/0000081900.pdf．(2022年6月時点)
3) 鎌倉矩子：作業療法の世界－作業療法を知りたい・考えたい人のために，第2版，三輪書店，2004.
4) 斎藤佑樹，ほか 編：作業で語る事例報告　作業療法レジメの書き方・考え方，医学書院，2014.
5) 澤　俊二 編：作業療法士　イエロー・ノート専門編，2nd edition，メジカルビュー社，2013.
6) 鵜飼正二，ほか：脳卒中の日常生活活動における動作障害に対する課題遂行型アプローチ．理学療法，27(12)：1421-1428，メディカルプレス，2010.
7) 野村　歡，ほか：OT・PTのための住環境整備論，p241，三輪書店，2007.
8) 橋本美芽：H.C.R.インターネット福祉機器情報サービス，(https://www.hcr.or.jp>uploads>howto2019_2)(2022年6月時点)
9) 田中　賢：福祉住環境コーディネーター検定試験　3級公式テキスト，p88，東京商工会議所，2004.
10) 斎藤佑樹 編：作業療法と目標設定，臨床作業療法NOVA，17(2)，p17，青海社，2020.

チェックテスト

Q

①生活期リハビリテーションの目的を4つ挙げよ(☞p.324)。 基礎

②生活期における作業療法の役割について説明せよ(☞p.324)。 基礎

③トップダウンアプローチに基づく作業療法評価手順について説明せよ(☞p.325)。 臨床

高次脳機能障害

石井文康

Outline

- 作業療法では，高次脳機能障害のなかで左半側空間無視などを有している対象者を担当することがある。
- 右大脳半球損傷による高次機能障害事例について，初期評価から作業療法目標と作業療法プログラム，再評価の流れを理解する。

1 高次脳機能障害の特徴

脳血管障害などによって右大脳半球損傷を患い，作業療法を行っている場合では，**左半側空間無視**の出現頻度は高い。脳病変が広範になれば運動麻痺などの障害に加え，**全般性注意障害**，病気への無関心傾向となる**病態失認**，簡単な運動が続けられない運動維持困難など，多彩な高次脳機能障害を伴う。

特に左半側空間無視の対象者では，車椅子の移乗動作時にフットレストから麻痺側の足を降ろし忘れたまま立ち上がる，左の障害物に気づかず左上肢をぶつけてしまうなど，日常生活のさまざまな場面で異常な動作を引き起こす。そして，転倒，外傷などのリスクを生じるので注意を要することになる（図1）。

図1　転倒の危険性

2 高次脳機能障害の評価

高次脳機能障害の評価は，失語，失行，失認などの症状に応じた評価方法がある。このなかでも，作業療法の効果，障害の経時的な改善などを判断するために数値化，標準化された検査を行うのが好ましい。**表1**に右大脳半球損傷時に生じる可能性のある高次脳機能障害の数値化またはグレード分類可能な検査を示す。

試験対策 Point

右大脳半球損傷における高次脳機能障害についての国家試験問題が出題されているので，関連症状（半側空間無視，病態失認，運動維持困難など）をおさえておこう。

■評価のポイント

右大脳半球損傷における高次脳機能障害の評価では，左半側空間無視の場合は，観察，机上の検査と日常生活上での無視状況の評価を行う。必要に応じて全般性注意障害，病態失認，運動維持困難などの高次脳機能障害の評価を行うことがポイントとなる。

その他の評価として，神経学的検査，運動機能検査，ADL評価などを行う。

表1　右大脳半球損傷時に生じる高次脳機能障害の検査

	一般的な検査項目	数値化またはグレード可能な評価
半側空間無視の評価	・線分二等分課題 ・線分抹消課題 ・描画模写課題 ・自発描画課題 ・文章音読課題 ・塗り絵課題など	・行動性無視検査（behavioural inattention test：BIT）日本版[1] ：標準化された一般的に用いられている検査 ・Catherine（キャサリン） Bergego（バージゴ） scale：CBS[2] ：日常生活動作での半側空間無視評価を定量化した検査 ・Rey-Osterrieth（レイ・オステライト） 複雑図形（Rey-Osterrieth complex figure：ROCF）[3] ：定量化された記憶検査であるが，模写検査として利用できる
病態失認の評価	・片麻痺無関心 ・片麻痺無認知 ・片麻痺否認	・Bisiach's（ビジャッキ） scale[4] ：4段階での評価 ・anosognosia for hemiplegia questionnaire[5] ：10項目の検査項目から構成されている
運動維持困難の評価	・閉眼の維持 ・挺舌の維持 ・開口の維持 ・握力計の把持の維持など	・Joynt's（ジョイント） scale[6] ：9項目の課題があり，判定基準を示した検査

作業療法参加型臨床実習に向けて

半側空間無視へのアプローチは以下の2つに大別されている[7]。
①トップダウンアプローチ
・包括的な視覚走査（探索）練習
・機能的アプローチ〔日常生活活動（ADL）練習〕
②ボトムアップアプローチ
・前庭刺激（カロリック刺激）
・後頸部筋振動刺激
・プリズム順応
臨床実習の中では，主に①のトップダウンアプローチが行われる。

3 高次脳機能障害の作業療法目標

高次脳機能障害（半側空間無視，病態失認など）の改善に加えて，日常生活での転倒，外傷リスクの軽減も作業療法目標として挙げられる。

4 高次脳機能障害の作業療法プログラム

作業療法プログラムでは，左半側への注意促通，病識の獲得をするために種々の作業活動を用いる。方法は左方向への探索課題（トップダウンアプローチ）や言語指示，ADL練習としては動作手順の習得，動作中における介入，目印などを利用する環境調整などを行う。

5 高次脳機能障害の再評価

作業療法プログラムで立案した作業療法を一定期間実施した後に再評価を行う。初期評価と比較して改善点や変化なしの状況などをまとめ，今後の展望について考察する。

アクティブラーニング ① 初期評価と再評価を表にまとめて改善点などについて理解を深めよう。

6 Case Study

右大脳半球損傷による左半側空間無視の60歳代女性，Aさんの事例を紹介する。

■情報収集

Aさんの基本情報について**表2**に，他部門での目標や治療・介入内容については**表3**に記載する。

表2 基本情報

プロフィール	氏名・年齢・性別	Aさん，60歳代，女性
	きき手	右きき
医学的情報	診断名	脳出血
	主症状	半側空間無視，左不全片麻痺
	既往歴	高血圧
	現病歴	X年Y月Z日，左上下肢の麻痺が出現し，同日緊急入院
	画像所見	右視床出血，内包後脚，被殻，放線冠にかけて高吸収域，前頭葉から側頭葉，頭頂葉にかけて浮腫がみられる
社会的情報	職業	主婦
	教育歴	12年
	趣味	手芸
	家族構成	夫と2人暮らし。キーパーソンは夫
	住環境	一戸建て，食卓，トイレ(洋式)，寝室は1階，トイレと浴室に手すりあり

表3 他部門での目標，治療介入内容

部 門	目 標	治療・介入内容
主治医	介助量軽減，回復期病院転院予定	高血圧に対する薬物療法
看護師	離床時間の拡大	車椅子座位の機会を増やす
理学療法士	基本動作(立位，移動)の確立	平行棒内での立ち上がり，立位保持練習

■作業療法評価

Z+7日時点での評価の結果についてを**表4**に示す。

また，生活場面での検査として，半側空間無視の対象者のADL評価(CBS)(**表5**)，ビジャッキ・スケール(**表6**)，運動維持困難(motor impersistence：MI)(**表7**)，注意障害行動観察評価(behavioral assessment of attentional disturbance：BAAD)(**表8**)についても記載する。

表4　Z＋7日時点での評価の結果

<table>
<tr><td rowspan="5">神経学的検査</td><td rowspan="2">反射</td><td>腱反射</td><td>麻痺側亢進</td></tr>
<tr><td>病的反射</td><td>麻痺側陽性（錐体路徴候陽性）</td></tr>
<tr><td colspan="2">筋緊張</td><td>麻痺側亢進，肘関節屈筋群の伸展時に折りたたみナイフ現象陽性</td></tr>
<tr><td rowspan="2">感覚</td><td>触覚</td><td rowspan="2">麻痺側鈍麻～脱失</td></tr>
<tr><td>位置覚</td></tr>
<tr><td rowspan="2">運動機能検査</td><td colspan="2">Brunnstrom（ブルンストローム） recovery stage（BRS）</td><td>上肢Ⅱ，手指Ⅰ，下肢Ⅱ</td></tr>
<tr><td colspan="2">関節可動域測定（ROM-T）</td><td>麻痺側肩関節屈曲軽度制限，外転120°より疼痛</td></tr>
<tr><td rowspan="5">ADL検査</td><td colspan="2">機能的自立度評価法（FIM）</td><td>運動25，認知22，合計47/126</td></tr>
<tr><td rowspan="2">基本動作</td><td>移乗</td><td>車椅子で麻痺側のフットレストが上がっているのを見落とす。移乗の際に非麻痺側下肢の荷重が不十分で麻痺側へ倒れ，転倒リスクが高い。全介助状態</td></tr>
<tr><td>歩行</td><td>不可</td></tr>
<tr><td rowspan="2">応用動作</td><td>食事</td><td>右手にてスプーン使用。左側の食材を残す</td></tr>
<tr><td>着衣</td><td>麻痺側の上着の袖を完全に通すこと，麻痺側の肩に着せることが困難で介助を要する</td></tr>
<tr><td rowspan="4">高次脳機能検査</td><td colspan="2">mini-mental state examination（MMSE）</td><td>22/30（誤答：連続減算，3単遅延再生，図形模写）</td></tr>
<tr><td colspan="2">三宅式記銘力検査（有関係）</td><td>5-5-6</td></tr>
<tr><td rowspan="2">半側空間無視</td><td>観察</td><td>・姿勢：顔，目線が右を向いている
・左側からの声かけ：右側へ目線，体を向けられない</td></tr>
<tr><td>机上の検査</td><td>行動性無視検査（BIT）日本版[1] 通常検査（図2）</td></tr>
</table>

作業療法参加型 臨床実習に向けて

高次脳機能障害の評価は，対象者に負担が生じることがある。実習にて検査を実施する際には，対象者の疲労，不安などについて確認しながら行うとよい。

図2　線分抹消試験

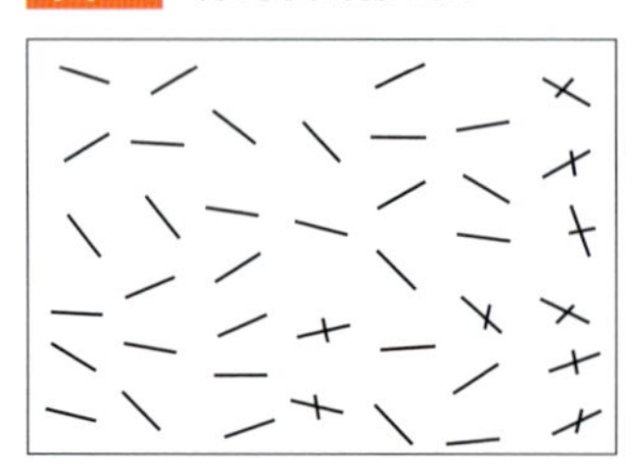

- 線分抹消試験　：7/36（カットオフ：34/36）
- 文字抹消試験　：4/40（カットオフ：34/40）
- 星印抹消試験　：12/54（カットオフ：51/54）
- 模写試験　：0/4（カットオフ：3/4）
- 線分二等分検査：0/9（カットオフ：7/9）
- 描画試験　：1/3（カットオフ：2/3）

合計：24/146（カットオフ：131/146）
カットオフ値以下となり，半側空間無視が認められた

表5 CBS

	A 観察評価	B 自己評価	病態失認評価 (A－B)
整髪または髭剃りのとき，左側を忘れる	3	0	3
左側の袖を通したり，上履きの左を履くときに困難さを感じる	3	1	2
皿の左側の食べ物を食べ忘れる	2	0	2
食事の後，口の左側を拭くのを忘れる	2	0	2
左を向くのに困難さを感じる	3	0	3
左半身を忘れる（例：左腕を肘掛にかけるのを忘れる。左足をフットレストに置くのを忘れる。左上肢を使うのを忘れる）	3	0	3
左側からの音や左側にいる人に注意することが困難である	2	0	2
左側にいる人や物（ドアや家具）にぶつかる（歩行・車椅子駆動時）	2	0	2
よく行く場所やリハビリテーション室で左に曲がるのが困難である	3	0	3
部屋や風呂場で左側にある所有物を見つけるのが困難である	3	0	3
計	26	1	25

表6 ビジャッキ・スケール（片麻痺に対する４段階評価）

スコア	観察すべき問題行動	評価
0	自発的に，または「具合はいかがですか」のような一般的質問に対して片麻痺に関する訴えがある	
1	左上下肢の筋力に関する質問に対して，障害の訴えがある	
2	神経学的診察で運動麻痺があることを示すと，その存在を認める	○
3	運動麻痺を認めることができない	

表7 MI

	秒
開眼	10
挺舌	8
開口	10

開眼，挺舌，開口の維持時間が20秒以下であり，運動困難維持が認められた。

表8 BAAD

観察すべき問題行動	評価点
活気がなく，ぼーっとしている	0
練習（動作）中にじっとしていられない，多動で落ち着きがない	1
練習（動作）に集中できず，容易にほかのものに注意が逸れる	3
動作のスピードが遅い	0
同じことを２回以上指摘されたり，同じ誤りを２回以上することがある	3
動作の安全性への配慮が不足，安全確保ができていない場合も動作を開始する	3
計	10

（文献８を基に作成）

● 初期評価のまとめ

初期評価を通して，問題点と利点の整理を行った（**表9**）。健康状態として，脳出血，左片麻痺に特徴的な症状が認められた。

表9　ICFでの整理

	否定的側面	肯定的側面
心身機能	・高次脳機能障害 ▶半側空間無視 ▶病態失認 ▶運動維持困難 ・左上下肢の随意運動の低下 ・左上下肢の表在・深部感覚の低下	・右上下肢筋力良好 ・右手指の巧緻性良好
活動	・起居動作：要介助 ・移乗：要介助 ・整容：要介助 ・更衣：要介助	コミュニケーション良好
参加	家事仕事が可能と認識	—
環境	住居：玄関までに段差あり	—

■ 作業療法目標と作業療法プログラム

初期評価を踏まえて，**表10，11**のような作業療法目標と作業療法プログラムを設定した。

表10　作業療法目標

長期目標	・ADL介助量の軽減 ・回復期リハビリテーション病院生活への順応
短期目標	・左側空間への方向性注意の向上 ・移乗動作，更衣動作の自立

表11　作業療法プログラム

左側空間への探索課題	**目的**：左側空間への方向性注意の向上，座位バランスの向上 **内容**：輪入れ（図3）：輪を右から左へ移動させる。ときどき作業療法士が麻痺側の肘関節を支持し左側空間への補助を行う ペグ移動：右方向から左方向へ順にボード盤からペグをはずしていく
ADL練習	**目的**：移乗動作時の安全性確保，更衣動作の自立 **内容**：移乗動作，更衣動作の反復学習。各動作のポイントの理解を促す 移乗動作：車椅子のブレーキ，フットレストの確認 更衣動作（図4）：麻痺側の袖通しを完全に行ってから次の動作を行う

図3　輪入れ

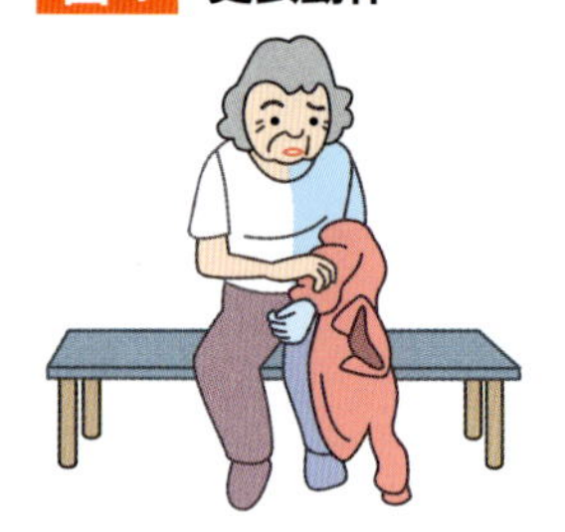

図4　更衣動作

■ 作業療法経過

作業療法プログラムを実施して3週間後の経過を**表12**に記載する。

表12 経過

作業療法プログラム	目的	1週目	2週目	3週目
輸入れを用いた座位バランス練習	座位安定性の獲得 半側空間無視の改善	→	→	
ペグ移動練習	半側空間無視の改善	→	→	→
移乗動作練習	移乗時の安全性確保	→	→	→
更衣動作練習	更衣動作の自立		→	→

■ 再評価

作業療法プログラム実施後の再評価の結果について**表13〜15**に記載する。

表13 神経学的検査と運動機能検査

評価項目			初期評価	再評価
神経学的検査	反射	腱反射	麻痺側亢進	麻痺側亢進
		病的反射	麻痺側陽性	麻痺側陽性
	筋緊張	右	正常	正常
		左	亢進	亢進
	感覚検査	表在感覚(触覚)	鈍麻〜脱失	鈍麻
		深部感覚(位置覚)	鈍麻〜脱失	鈍麻
運動機能検査	BRS	上肢	Ⅱ	Ⅲ
		手指	Ⅰ	Ⅰ
		下肢	Ⅱ	Ⅲ
	ROM-T	右	正常	正常
		左	肩関節 〔屈曲150°，外転120°（疼痛あり）〕	肩関節 〔屈曲150°，外転130°（疼痛なし）〕

表14 FIM

動作項目		初期	再	再評価内容	動作項目		初期	再	再評価内容
セルフケア	食事	4	5	要監視	移動	移動	1	2	平行棒内
	整容	3	5	要監視		階段	1	1	不可
	清拭	1	2	右下肢のみ可	コミュニケーション	理解	4	6	
	更衣(上)	1	3	袖通し不十分		表出	5	6	
	更衣(下)	2	3	姿勢不安定	社会的認知	社会的交流	5	6	多弁傾向
	トイレ動作	1	3	清拭のみ可		問題解決	4	5	転倒危険の認識低下
	排尿コントロール	3	7	コントロール可		記憶	4	6	
	排便コントロール	3	6	便秘薬使用	運動合計		25	46	
移乗	ベッド・椅子・車椅子	2	5	左側の促し要	認知合計		22	29	
	トイレ	2	2	立位時不安定	総合計		47	75	
	浴槽・シャワー	1	2	部分洗体可					

採点基準：7完全自立　6修正自立　5監視または準備　4最小介助　3中等度介助　2最大介助　1全介助

表15 高次脳機能評価

評　価		初期評価	再評価	改善
知的・記憶評価	MMSE	22/30誤答（減算，遅延再生，図形模写）	27/30誤答（減算，図形模写）	○
	三宅式記銘力検査	有関係：5-6-6	有関係：6-7-10	○
半側空間無視評価	BIT通常検査	•線分抹消試験：7/36 •文字抹消試験：4/40 •星印抹消試験：12/54 •模写試験：0/4 •線分二等分検査：0/9 •描画試験：1/3 合計：24/146	•線分抹消試験：17/36 •文字抹消試験：12/40 •星印抹消試験：24/54 •模写試験：1/4 •線分二等分検査：3/9 •描画試験：2/3 合計：59/146	△
半側空間無視ADL評価（CBS）	A観察評価	26	21	△
	B自己評価	1	6	
	病態失認評価（A－B）	25	15	
片麻痺に対する病態失認スコア		スコア2	スコア1	
注意障害の行動観察評価（BAAD）		10	10	－
病態失認の評価		片麻痺否認の状態で，麻痺の存在を否認する。Aさん自身の手を「息子の手」と述べる	運動麻痺の苦痛を自ら告げ，不自由さに悩む様子がみられる	○
運動維持困難の評価	閉眼	10秒	20秒以上	○
	挺舌	8秒		
	開口	10秒		

■転帰

Aさんは右視床出血が認められ，初期評価時に半側空間無視の改善，移乗動作，更衣動作の自立を短期目標として，3週間を通して左空間への方向性注意向上練習，ADL練習を行った。

再評価では，神経学的検査で変化がなく，運動機能検査でBRSに若干の向上がみられた。高次脳機能では，知的・記憶評価は正常レベルとなり，半側空間無視（BIT：24→59），病態失認，運動維持困難で改善傾向を認めた。

ADL（FIM：47→75）は，食事，整容が監視レベルとなり，移乗動作は車椅子フットレストからの降ろし忘れの回数は減少したが，時折降ろし忘れて，言語的な促しで修正可能となった。更衣動作は衣類の種類によって，麻痺側の袖通しの不十分さがみられた。

以上から，Aさんの3週間後の状況は，ADLの介助量は軽減されているが，半側空間無視はADL場面でも残存しており，引き続き転倒などのリスクへの注意が必要となる。

■今後の展望

自宅復帰は困難と考えられ，回復期リハビリテーション病院への転院が予想される。作業療法方針は，FIMのセルフケア・移乗項目の改善を目標とし，介助量の軽減に努めていくことになる。また，入院期間の長期化が予想されるので，院内生活のなかでいきいきと過ごすために趣味活動などの作業療法を促していく。

Case Study

Question 1

Aさんの心身機能の否定的側面での重要視すべき問題点について考えてみよう。

☞ 解答 p.509

Question 2

Aさんの改善すべき優先度の高い活動レベルの項目について考えてみよう。

☞ 解答 p.509

【引用文献】

1) 石合純夫：BIT 行動性無視検査 日本版. 新興医学出版, 1999.
2) Azouvi P, et al.：Functional consequences and awareness of unilateral neglect: study of an evaluation scale. Neuropsychol Rehabil, 6：133-150, 1996.
3) Osterrieth PA：Le test de copie d'une figure complexe: Contribution a 1'etude de la perception et la memorie. Arc・h PsychoL, 30：206-356, 1944.
4) Bisiach E, et al.：Unawareness of disease following lesions of the right hemisphere: anosognosia for hemiplegia and anosognosia for hemianopia. Neuropsychologia, 24：471-482, 1986.
5) Feinberg TE, et al.：Illusory limb movements in anosognosia for hemiplegia. J Neurol Neurosurg, Psychiatry, 68：511-513, 2000.
6) Joynt RJ, et al.：Behavioral and pathological correlates of motor impersistence. Neurology, 12：876-881, 1962.
7) 石合純夫：BIT 行動性無視検査日本版，新興医学出版，1999.
8) 豊倉　穣，ほか：家族が家庭で行った注意障害の行動観察評価 BAAD（Behavioral Assessment of Attentioal Disturbance）の有用性に関する検討．The Japanese Journal of Rehabilitation Medicine，46：306-311，2009.

チェックテスト

Q

①右大脳半球損傷時に生じやすい高次脳機能障害を挙げよ（☞p.337）。 臨床

②半側空間無視から生じるADL上のリスクを挙げよ（☞p.337）。 臨床

③半側空間無視の数値化可能な評価を挙げよ（☞p.338）。 臨床

5 パーキンソン病（神経難病）

山田英徳

Outline

- パーキンソン病の評価の目的は，対象者の現在の身体能力と活動能力を評価することである。
- パーキンソン病の症状の進行により，心身の状態と進行ステージを把握することが重要である。

1 パーキンソン病とは

■ 疾患の概要

19世紀にJames Parkinsonが報告した原因不明の神経変性疾患である。50～60歳代の発症が多い。わが国の有病率は100～150人/10万人である。

● 病態生理

Parkinson病は黒質変性によるドパミン減少で発症するとされる。運動調整に関与する神経伝達物質であるドパミンが欠乏することで，線条体を通じた脳からの運動指令がうまく伝わらなくなり，さまざまな運動症状が出現する。パーキンソン病の症状を**表1**に，重症度分類に**表2**に示す。

表1　パーキンソン病の症状

運動症状（四大徴候）	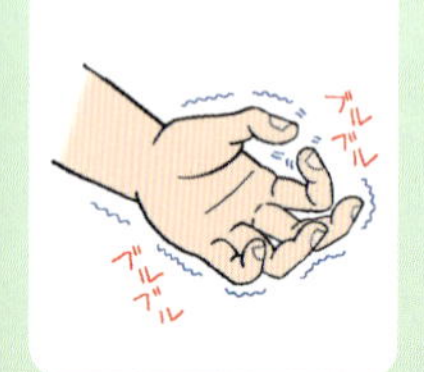	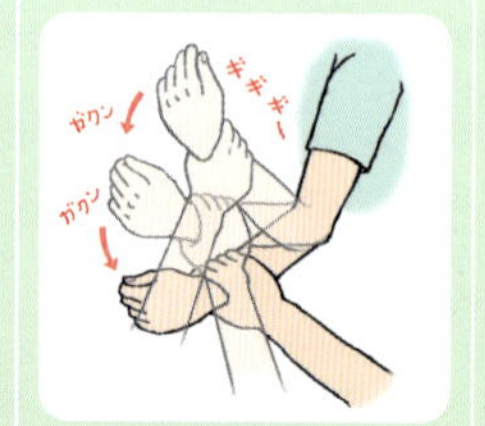		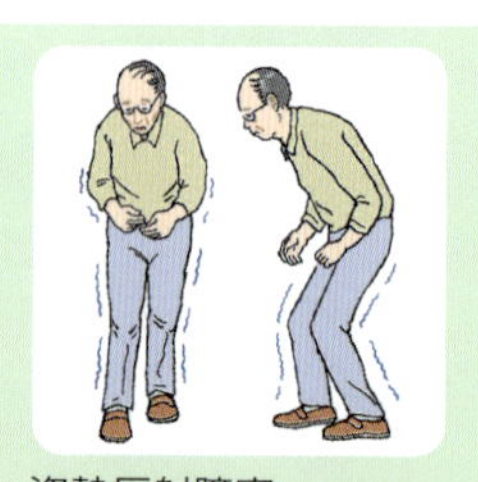
	・静止時（安静時）振戦：4～6Hz，丸薬丸め運動	・固縮（筋強剛）：錐体外路障害，鉛管固縮，歯車現象，軸回旋運動障害	・無動（動作緩慢，寡動）：運動開始遅延，すくみ足，仮面様顔貌，小字症，運動リズム障害	・姿勢反射障害：前傾姿勢，彫像現象，突進現象
非運動症状	・認知症状（高次脳機能障害） ・精神症状：うつ症状 ・自律神経障害			
薬物性症状（L-dopa長期投与の弊害）	・不随意運動：L-dopa[*1]効果最大時に出現 ・on-off現象[*2]：突然off期が出現 ・wearing off現象：L-dopa効果時間の短縮			

＊1 L-dopa
不足した神経伝達物質ドパミンを補うための薬剤である。服薬により，パーキンソン病の症状が改善する。

＊2 on-off現象
薬剤効果がある時間（on期）と，効果が切れる時間（off期）が現れること。

アクティブラーニング 1
- 黒質はどこにあるかを確認してみよう。
- ドパミンの欠乏状態に対する薬剤は何か調べてみよう。
- 薬剤効果に関するon-off現象とは何か調べてみよう。

「振戦」の違いを押さえておこう！
パーキンソン病の安静時振戦と，小脳性運動失調などにみられる企図振戦の違いは重要である。前者は運動時には消失するが，後者は運動時に著明になる。従って，ADLで問題となるのは企図振戦である。

表2 Hoehn（ホーン） & Yahr（ヤール）の重症度分類と厚生労働省の生活機能障害度分類

ホーン・ヤールの重症度分類		生活機能障害度	
stage Ⅰ	一側性障害で片側だけの振戦，筋固縮を示す。軽症例である	Ⅰ度	日常生活，通院に，ほとんど介助を要さない
stage Ⅱ	両側性の障害で姿勢の変化がかなり明確となり，振戦，筋固縮，動作緩慢とも両側にあるため，日常生活がやや不便である		
stage Ⅲ	明らかな歩行障害がみられ，方向変換や閉脚時の不安定など，立ち直り反射障害がある。日常生活活動（ADL）障害もかなり進み，突進現象もはっきりとみられる。日常生活は介助なしで1人で可能	Ⅱ度	日常生活，通院に，介助を要する
stage Ⅳ	起立や歩行など，ADLの低下が著しく，労働能力は失われる		
stage Ⅴ	完全に動作不能状態で，介助による車椅子移動，または寝たきりになる	Ⅲ度	日常生活に全面的な介助を要し，起立不能

数年かけて徐々に進行する

（文献1を基に作成）

ホーン・ヤール分類と生活機能の障害の関係はよく理解しておこう！
例えばstage Ⅱでは，おおむね日常生活は自立しており，転倒のリスクも少ない。しかし，stage Ⅲ以降では姿勢反射に障害が現れるため，立位での活動ではリスク管理が重要となる。

図1　移動動作などの問題

■活動制限

主症状は徐々に重症化する。動作全体が緩慢になり運動範囲が小さくなるため，動作に時間がかかる，ダイナミックな動作ができないなどの問題がみられ，姿勢反射障害による転倒・転落などのリスクも高くなる。

基本動作では，起居・移乗動作，歩行などが障害される。歩行は，小刻み歩行のほか，曲がり角などで急に停止してしまう（すくみ足）などがみられる（図1）。

身辺動作では，食事・整容において箸操作やボタンのはめ・外しなどの巧緻（こうち）動作や，更衣・入浴における洗体動作などのダイナミックな動作が困難となる。

> **補足**
> パーキンソン病の運動症状は，「氷山の一角」といわれる。うつ症状，認知機能障害，自律神経障害などの非運動症状は可視化されにくい症状であるため，見逃しがちである。例えば，うつ症状は合併率が約20～80%といわれており，心身機能をともに対応する作業療法士にとって，はずせない評価項目の1つといえる。

■心身機能・構造の評価（表3）

表3　症状と評価項目

	症状	評価項目	手段
主症状	形態面	身長，体重，肥満指数（body mass index：BMI）など	問診，情報収集など
	無動・寡動	四肢の随意運動	観察
	固縮	筋緊張検査	modified Ashworth（アシュワース） scale：MAS
	安静時振戦	四肢振戦の有無	観察
	姿勢反射障害	座位・立位バランス	立ち直り反応，保護伸展反応
	発語障害	発語状況	観察
	認知症状	知的機能，視知覚機能，遂行機能など	mini-mental state examination（MMSE），模写課題，frontal assessment battery（FAB）
	精神症状	気分障害	各種抗うつスケール
	自律神経障害	起立性低血圧の有無	血圧測定（臥位・立位）
二次的合併症	関節拘縮	関節可動域（ROM）	四肢・体幹の可動域検査
	筋力低下	筋力評価	徒手筋力検査（manual muscle testing：MMT），握力測定

> **補足**
> パーキンソン病は進行性疾患である。そのため，活動制限への対策は，環境因子に依存することも多い。福祉用具の適応，住環境調整などを視野に入れて総合的な評価を進めよう。

■活動の評価

運動症状の寡動・無動，固縮，姿勢障害などが，どのように影響しているかを評価する。歩行（すくみ足や小刻み歩行の有無と程度），ADL，書字（小字症）などが評価対象となる。

作業療法参加型
臨床実習に向けて

①パーキンソン病の症状を理解できているか確認しよう
②症状の確認ができたら，症状に対して作業療法士が行える検査測定の項目を列挙しよう
③列挙した検査測定を実際に学生同士で確認し合おう
④実際の臨床場面(対象者)でみられる症状は，さまざまである。作業療法士に追従し対象者をよく観察しながら，上記項目①と②をしっかり確認しよう
⑤作業療法士の下，対象者に触れることができる場合は特に筋緊張を確認するとよい

■パーキンソン病統一スケール(UPDRS)

パーキンソン病統一スケール(unified Parkinson's disease rating scale：UPDRS)は，Part Ⅰは精神機能・行動および気分，Part Ⅱは日常生活動作，Part Ⅲは運動能力検査，Part Ⅳは治療の合併症の4パート，合計42項目について評価するスケールである。重症度を点数化できるため，治療効果判定に用いられる。ここでは，一例として，**表4**にPart Ⅲを示す。

評価事例

表4 UPDRS Part Ⅲ運動能力検査

Part Ⅲ　運動能力検査			評価
18　言語		0＝正常 1＝表現，用語，声量の軽度の減少がある 2＝単調で不明瞭な発音，しかし，理解可能 3＝重度の構音障害，理解するのはかなり困難 4＝理解不能	0 1 2 3 4
19　顔の表情		0＝正常 1＝わずかの表情の乏しさ，ポーカーフェイス 2＝軽度ではあるがはっきりした表情の乏しさ 3＝中等度の表情の乏しさ，口を閉じていないときがある 4＝著明な表情の乏しさ，ほとんど表情がなく，口は1/4inch(0.6cm)以上開いている	0 1 2 3 4
20　安静時の振戦	顔面	0＝なし 1＝ごくわずかでたまに出現する程度 2＝軽度の振幅の振戦で持続的に出現しているか，中等度の振幅で間欠的に出現する 3＝中等度の振幅で，大部分の時間出現している 4＝大きな振幅の振戦が，大部分の時間出現している	0 1 2 3 4
	左手	0＝なし 1＝ごくわずかでたまに出現する程度 2＝軽度の振幅の振戦で持続的に出現しているか，中等度の振幅で間欠的に出現する 3＝中等度の振幅で，大部分の時間出現している 4＝大きな振幅の振戦が，大部分の時間出現している	0 1 2 3 4
	右手	0＝なし 1＝ごくわずかでたまに出現する程度 2＝軽度の振幅の振戦で持続的に出現しているか，中等度の振幅で間欠的に出現する 3＝中等度の振幅で，大部分の時間出現している 4＝大きな振幅の振戦が，大部分の時間出現している	0 1 2 3 4
	左足	0＝なし 1＝ごくわずかでたまに出現する程度 2＝軽度の振幅の振戦で持続的に出現しているか，中等度の振幅で間欠的に出現する 3＝中等度の振幅で，大部分の時間出現している 4＝大きな振幅の振戦が，大部分の時間出現している	0 1 2 3 4
	右足	0＝なし 1＝ごくわずかでたまに出現する程度 2＝軽度の振幅の振戦で持続的に出現しているか，中等度の振幅で間欠的に出現する 3＝中等度の振幅で，大部分の時間出現している 4＝大きな振幅の振戦が，大部分の時間出現している	0 1 2 3 4

(次ページへ続く)

（前ページより続く）

Part Ⅲ　運動能力検査			評価
21　手の動作時または姿勢時振戦	左	0＝なし 1＝動作時に出現する軽度の振戦 2＝動作時に出現する中等度振幅の振戦 3＝動作時および姿勢保持で出現する中等度振幅の振戦 4＝重度の振幅で，食事動作が障害される振戦	0 1 2 3 4
	右	0＝なし 1＝動作時に出現する軽度の振戦 2＝動作時に出現する中等度振幅の振戦 3＝動作時および姿勢保持で出現する中等度振幅の振戦 4＝重度の振幅で，食事動作が障害される振戦	0 1 2 3 4
22　固縮： 安静座位で検査，歯車現象の有無は無視	頚部	0＝なし 1＝軽微な固縮，またはほかの部位の随意運動で誘発される固縮 2＝軽～中等度の固縮 3＝重度の固縮，しかし，ROMは正常 4＝著明な固縮，正常可動域を動かすには，困難を伴う	0 1 2 3 4
	左上肢	0＝なし 1＝軽微な固縮，またはほかの部位の随意運動で誘発される固縮 2＝軽～中等度の固縮 3＝重度の固縮，しかし，ROMは正常 4＝著明な固縮，正常可動域を動かすには，困難を伴う	0 1 2 3 4
	右上肢	0＝なし 1＝軽微な固縮，またはほかの部位の随意運動で誘発される固縮 2＝軽～中等度の固縮 3＝重度の固縮，しかし，ROMは正常 4＝著明な固縮，正常可動域を動かすには，困難を伴う	0 1 2 3 4
	左下肢	0＝なし 1＝軽微な固縮，またはほかの部位の随意運動で誘発される固縮 2＝軽～中等度の固縮 3＝重度の固縮，しかし，ROMは正常 4＝著明な固縮，正常可動域を動かすには，困難を伴う	0 1 2 3 4
	右下肢	0＝なし 1＝軽微な固縮，またはほかの部位の随意運動で誘発される固縮 2＝軽～中等度の固縮 3＝重度の固縮，しかし，ROMは正常 4＝著明な固縮，正常可動域を動かすには，困難を伴う	0 1 2 3 4
23　指タップ： 母指と示指をできるだけ大きな振幅で素早くタッピングを行う。左右別々に検査する	左	0＝正常 1＝やや遅いか，振幅がやや小さい 2＝中等度の障害，明らかにまた早期に疲労を示す。動きが止まってしまうこともある 3＝重度の障害，運動開始時に，しばしば躊躇（ためら）うか，動きが止まることもある 4＝ほとんどタッピングの動作にならない	0 1 2 3 4
	右	0＝正常 1＝やや遅いか，振幅がやや小さい 2＝中等度の障害，明らかにまた早期に疲労を示す。動きが止まってしまうこともある 3＝重度の障害，運動開始時に，しばしば躊躇うか，動きが止まることもある 4＝ほとんどタッピングの動作にならない	0 1 2 3 4
24　手の運動： できるだけ大きくかつ素早く手の開閉運動をくり返す。片手ずつ行う	左	0＝正常 1＝少し遅くなるか，振幅がやや小さくなる 2＝中等度の障害。すぐ疲れてしまう。運動が止まってしまうことがときにある 3＝重度の障害。運動開始時，しばしば躊躇うか，運動が途中で止まってしまうことがしばしばある 4＝ほとんど指の開閉運動ができない	0 1 2 3 4
	右	0＝正常 1＝少し遅くなるか，振幅がやや小さくなる 2＝中等度の障害。すぐ疲れてしまう。運動が止まってしまうことがときにある 3＝重度の障害。運動開始時，しばしば躊躇うか，運動が途中で止まってしまうことがしばしばある 4＝ほとんど指の開閉運動ができない	0 1 2 3 4

Part Ⅲ　運動能力検査			評価
25　手の回内回外運動：空中にてできるだけ早く両側同時に行う	左	0＝正常 1＝軽度に緩慢か，振幅がやや小さい 2＝中等度の障害。早期に疲労する。ときに運動が中断することもある 3＝重度の障害。しばしば運動の開始に躊躇いがあるか運動の停止がある 4＝ほとんど所定の運動ができない	0 1 2 3 4
	右	0＝正常 1＝軽度に緩慢か，振幅がやや小さい 2＝中等度の障害。早期に疲労する。ときに運動が中断することもある 3＝重度の障害。しばしば運動の開始に躊躇いがあるか運動の停止がある 4＝ほとんど所定の運動ができない	0 1 2 3 4
26　下肢の敏捷性：下肢全体を上げて踵で床をタップする。踵は7.5cm以上上げる	左	0＝正常 1＝軽度に緩慢か，振幅がやや小さい 2＝中等度の障害。早期に疲労する。ときに運動が中断することもある 3＝重度の障害。しばしば運動の開始に躊躇いがあるか運動の停止がある 4＝ほとんど所定の運動ができない	0 1 2 3 4
	右	0＝正常 1＝軽度に緩慢か，振幅がやや小さい 2＝中等度の障害。早期に疲労する。ときに運動が中断することもある 3＝重度の障害。しばしば運動の開始に躊躇いがあるか運動の停止がある 4＝ほとんど所定の運動ができない	0 1 2 3 4
27　椅子からの立ち上がり：診察用の椅子から腕を組んだまま立ち上がる		0＝正常 1＝可能だが遅い。1度でうまくいかないこともある 2＝肘掛けに腕をついて立ち上がる必要がある 3＝立ち上がろうとしても椅子に倒れ込むことがある。しかし，最後には1人で立ち上がれる 4＝立ち上がるには介助が必要	0 1 2 3 4
28　姿勢		0＝正常 1＝軽度の前屈姿勢（高齢者では正常としてもおかしくない程度の前屈） 2＝中等度に前屈姿勢。一側にやや傾くこともある 3＝重度に前屈姿勢。脊椎後彎を伴う。一側へ中等度に傾くこともある 4＝重度の前屈，異常前屈姿勢	0 1 2 3 4
29　歩行		0＝正常 1＝歩行は緩慢，小刻みでひきずることもある。しかし，加速歩行や前方突進はない 2＝困難を伴うが，1人で歩ける。加速歩行，小刻み歩行，前方突進がみられることもある 3＝重度の歩行障害，介助を要する 4＝介助があっても歩けない	0 1 2 3 4
30　姿勢の安定性：後方突進現象		0＝なし 1＝後方突進現象があるが，自分で立ち直れる 2＝後方突進現象があり，支えないと倒れる 3＝きわめて不安定で，何もしなくても倒れそうになる 4＝介助なしには起立が困難	0 1 2 3 4
31　動作緩慢と運動減少：動作緩慢，躊躇，運動の振幅の減少，運動量の減少を総合的に評価		0＝なし 1＝わずかに緩慢，慎重にやっているようにみえる。運動の振幅がやや小さいこともある 2＝軽度に運動緩慢がある。運動量が低下している。または運動の大きさが低下している 3＝中等度の運動緩慢。中等度に運動量が低下するか運動の大きさが低下する 4＝重度の動作緩慢。重度に運動量が低下するか運動の大きさが低下する	0 1 2 3 4

（文献2を基に作成）

補足

MDS-UPDRS

2008年，UPDRSを改良したmovement disorder society sponsored revision of the unified Parkinson's disease rating scale（MDS-UPDRS）が発表された。UPDRSに対して，非運動症状の評価項目が拡充した点，5段階評価に統一した点などがその特徴である。日本作業療法士協会発行の『作業療法ガイドライン　パーキンソン病』において評価推奨グレードAである。

2 Case Study

70歳代の男性，Aさんは3年前にパーキンソン病と診断され，自宅近くの医院に通院していた。自宅では妻と2人暮らしでADLに介助を要したため，ケアマネジャーに相談してデイサービス，訪問介護などを利用して生活していた。ホーン・ヤールの重症度分類はstage Ⅲであった。

作業療法評価はROMに問題はなく，筋力も上下肢ともにMMTで4レベル，MASは2レベルであり筋緊張の亢進が認められた。手指に振戦，反射障害も認められた。歩行は前傾姿勢となり，ふらつきやすくみ足，運動開始遅延などが認められた。認知面には問題は認められなかった。

今回かかりつけ医より3年前と比べてAさんの身体面の変化を知りたいとの依頼があり，再評価することとなった。再評価の結果，起立や歩行などADLの低下が著しく，MASは3レベル，左肘関節，両膝関節に可動域制限が認められた。

Case Study

Question 1

Aさんの筋緊張はMAS 2から3に変化している。MASの検査は全部で何段階ある検査か。

☞ 解答 p.509

Question 2

Aさんの手指に振戦が認められたとあるが，手指の振戦は運動時と安静時のどちらが出現しやすいだろうか。また，手指に見られる振戦はどのような動きをする振戦か。

☞ 解答 p.509

Question 3

Aさんの再評価の結果「起立や歩行など，ADLの低下が著しく」とある。これは，ホーン・ヤールの重症度分類でのstageは何になるか。

☞ 解答 p.509

3 パーキンソン病の評価と介入

パーキンソン病には，筋力，バランス，歩行などの身体機能の改善に運動療法が有効とされている。そのほか，聴覚刺激などの外的刺激を利用したリズミカルな運動の有効性も確認されている。早期からのリハビリテーション介入が望まれる。

気をつけたいことは，病期に応じた適切な介入を行うことである。例えば，ホーン・ヤールstage Ⅲの事例に転倒リスクの高い立位の練習は避けるべきである。また，机上での巧緻動作課題は狭小化した運動のため，外転や外旋運動を取り入れたダイナミックな運動とバランスよく実施することが大切である（図2）。

図2　パーキンソン病とリハビリテーションにおける介入の例

a　進めたい介入（輪入れ，ペグ移動）

b　避けたい，または留意すべき介入（ボール運動，マス目塗りつぶし）

【引用文献】

1) 関　和則，ほか 編：中枢性変性疾患．リハビリテーションにおける評価，臨床リハ別冊：180-191, 1996.

2) 生駒一憲，ほか：診断基準および機能評価尺度．脳の科学，増刊号パーキンソン病のすべて，26：75-83, 2004.

チェックテスト

Q

①パーキンソン病の四大徴候を列挙せよ（☞p.346）。 基礎

②運動症状以外に出現する症状を挙げよ（☞p.346）。 基礎

③パーキンソン病の重症度分類（stage）と厚生労働省生活機能分類（度）との関連について説明せよ（☞p.347）。 基礎

④安静時振戦と企図振戦の検査測定法を説明せよ（☞p.347）。 臨床

⑤病状の進行が進むにつれて，姿勢が前屈位となる歩行障害が出現する。このときに出現する歩行障害は，何があるか2つ挙げよ（☞p.348）。 基礎

6 関節リウマチ

林　正春

Outline

- 関節リウマチ(rheumatoid arthritis：RA)の作業療法は，RA治療における薬物療法，手術療法，リハビリテーション療法，ケアのトータルマネジメントの一役を担う治療であるため，介入時期や方法を適切に実施するうえで評価は重要である。
- 『関節リウマチ診療ガイドライン2020』で，作業療法で実施される日常生活動作(ADL)や生活の質(QOL)の維持向上への介入は，対象者主観的評価を改善させるため有用な治療として推奨されている。

試験対策 Point

過去の国家試験においてRAに関しては必ず出題されている。好発年齢・性別・部位，関節の構造，病期(stage)，機能状態(class)，血液検査，症状(関節内・関節外)，ADLの特徴，自助具の特徴，装具(スプリント)の特徴，作業療法プログラムを整理しておこう。そのなかでも，変形や自助具に関する出題率は高いため理解しておく必要がある。

1 関節リウマチとは

■疾患の概要

関節リウマチ(rheumatoid arthritis：RA)は，多発性の関節炎を主訴とする**原因不明**の進行性炎症性疾患である。また，皮膚，眼，肺などの臓器，血管など関節以外にも病変が波及するなど全身性疾患でもある。発症の比率は男女比1：4と女性に多く，発症年齢は男性で40～60歳，女性で35～55歳と生産年齢や子育て世代が多い。

■病態

原因不明の**自己免疫疾患**である。関節内滑膜の炎症性症状が発展し，滑膜の増殖肥厚，関節軟骨・骨破壊へと進行し，変形が生じる。

■症状

● 関節症状

関節症状には，朝のこわばり，滑膜炎，腫脹，疼痛，関節裂隙狭小化，骨破壊，関節変形，関節の動揺，関節可動域(ROM)制限などが挙げられる。特に手関節，手指，膝関節，足趾は多発部位である。

● 関節外症状

RAは関節以外にも皮膚症状，眼の症状，呼吸症状，心臓・消化器のアミロイドーシス，血管炎などの症状がみられる。**表1**に各部位の症状を整理する。

表1　関節外症状

眼	上強膜炎，穿孔性強膜軟化症，ドライアイ，ぶどう膜炎
血液	貧血，Felty(フェルティ)症候群
肺	間質性肺炎，肺線維症，胸膜炎，細気管支炎，気管支拡張症
心臓・血管	虚血性心疾患，皮膚潰瘍，血管炎，アミロイドーシス，心不全
神経	脊髄圧迫症状，多発性単神経炎
皮膚	リウマトイド結節，Raynaud(レイノー)症状，皮膚潰瘍
消化管	胃潰瘍，腸管膜動脈血栓症，下痢
腎臓	腎不全

■新しいRAの診断基準

以前はRAの診断には1987年に米国リウマチ学会（American College of Rheumatology：ACR）が作成した診断基準が使用されていたが，RAの初期段階での診断には不向きであることが問題視されていた。RAの早期発見を目的として，日本では1994年に日本リウマチ学会による早期RA診断基準が作成され，2010年には『ACR/EULAR(エーシーアール・ユーラー)分類基準』［共同作成：米国リウマチ学会，欧州リウマチ学会（European Alliance of Association for Rheumatology：EURAR）］が発表された。

ACR/EULAR分類基準では，関節の腫れが1カ所でもあればRAを疑い，別の疾患ではないことを確認する。単純X線画像で骨びらんが認められればRAと診断し，骨びらんが認められない場合でも，分類基準のスコアの合計が6点以上であればRAと診断される。この**ACR/EULAR分類基準が世界の共通基準**となっている。

● 疾患活動性の評価：疾患活動性スコア（DAS28），CDAI，SDAI

疾患活動性は，診断，治療方針の決定，薬物療法において重要な指標となる。その評価は，臨床的評価項目を組み合わせて算出されたスコアを指標としている。評価関節部位は中手骨指節骨間（metacarpophangeal：MP）関節，近位指間（proximal interphalangeal：PIP）関節，指節間（interphalangeal：IP）関節，手関節，肘関節，肩関節，膝関節の計28関節である。圧痛関節数，腫脹関節数，対象者全般状態（visual analogue scale：VAS），赤血球沈降速度（erythrocyte sedimentation rate：ESR），炎症値〔C反応性タンパク（C-reactive protein：CRP）〕を以下のような，疾患活動性スコア（disease activity score 28：DAS 28），clinical disease activity index（CDAI），simplified disease activity index（SDAI）の計算式に当てはめスコアを算出する。これらの指標をもとに**寛解期，低活動期，中等度活動期，高活動期に分類**し，治療の方向性を判断する。

アクティブラーニング 1

DAS28，CDAI，SDAIの計算式を調べてみよう。

■関節評価法（単純X線画像）

RAは関節包内の骨膜に炎症が起こり，**骨を破壊し関節構造が破壊**されるため，各種画像検査で関節局所の活動性や破壊の程度を正確に評価する必要がある。本項では単純X線撮影による関節の評価方法である，Larsen（ラーセン）のgrade分類とSteinbrocker（ステインブロッカー）のstage分類について説明する。

● ラーセンのgrade分類

単純X線画像から骨および関節破壊像をgrade0～Vに分類する（**表2**）。gradeが上がるにつれ軽度の異常，初期変化，中等度破壊性変化，高度破壊性変化と進む。

表2 ラーセンのgrade分類

grade0	正常	辺縁部骨化など，関節炎と関係のない変化はあってもよい
grade Ⅰ	軽度異常	関節周辺部軟部組織腫脹，関節周囲の骨萎縮，軽度の関節裂隙狭小化のうち1つ以上が存在
grade Ⅱ	初期変化	小びらんと関節裂隙狭小化をみる，荷重関節の骨びらんは除外する
grade Ⅲ	中等度破壊性変化	骨びらんと関節裂隙狭小化があり，侵食像はいずれの関節にもみられる
grade Ⅳ	硬度破壊性変化	骨びらんと関節裂隙狭小化があり，荷重関節に骨変形をみる
grade Ⅴ	ムチランス型変形	本来の関節構造が消失し，荷重関節に著しい変化をみる。脱臼や骨性強直は分類には考慮しない

（文献1を基に作成）

● ステインブロッカーのstage分類

単純X線画像の関節や周囲の組織所見から，関節破壊の程度をstage Ⅰ～Ⅳまで4段階に分類し，骨や関節の状態の進行度を評価する方法である（**表3**）。単純X線画像によるstageの違いを**図1**に示す。

表3 ステインブロッカーのstage分類

stage	期	単純X線所見	筋萎縮	皮下結節腱鞘炎	関節変形	強直
Ⅰ	初期	・軽い骨粗鬆症はあってもよい ・骨破壊なし	なし	なし	なし	なし
Ⅱ	中等期	・骨粗鬆症があり ・軽度の軟骨あるいは軟骨下骨の破壊あり	関節周囲のみ	おそらくあり	なし	なし
Ⅲ	重症期	骨粗鬆症，骨・軟骨の破壊	広範	おそらくあり	亜脱臼 尺側偏位 過伸展	なし
Ⅳ	末期	stage Ⅲに骨強直が加わる	広範	おそらくあり	亜脱臼 尺側偏位 過伸展	線維性または，骨性強直あり

（文献2を基に作成）

図1 ステインブロッカーのstage Ⅰ，Ⅳの単純X線画像

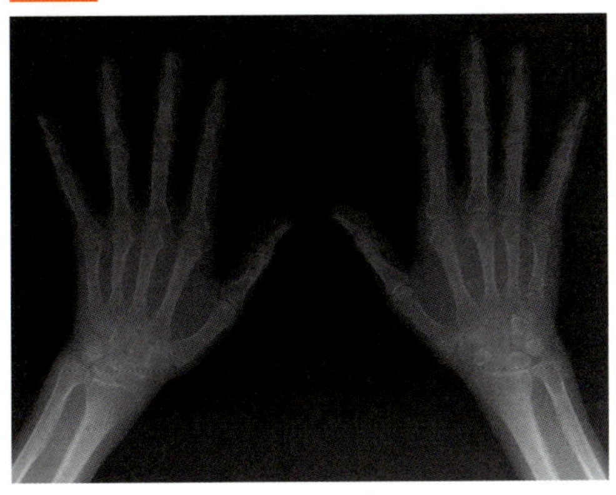

a stage Ⅰ

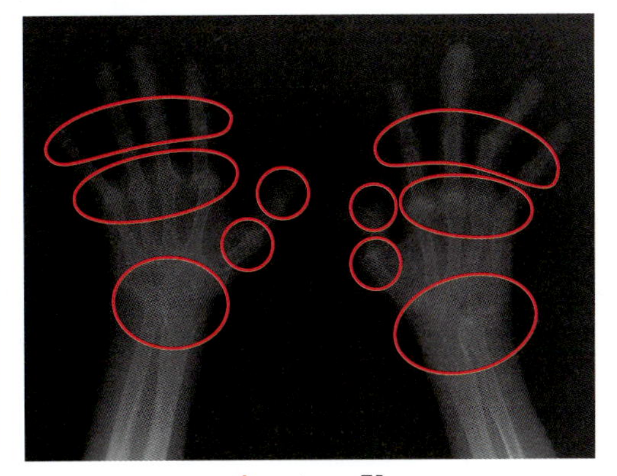

b stageⅣ

■機能障害度分類基準

RAの症状により特有の機能障害が起こるため，機能障害度分類を指標として機能評価を行う（**表4，5**）。

表4 ステインブロッカーのclass分類基準

class Ⅰ	身体機能は完全で，不自由なしに普通の仕事が全部できる程度の機能
class Ⅱ	動作の際に1カ所あるいはそれ以上の関節に苦痛または運動制限はあっても，普通の活動ならなんとかできる程度の機能
class Ⅲ	普通の仕事，自分の身のまわりのことがわずかにできるか，あるいはほとんどできない程度の機能
class Ⅳ	寝たきり，あるいは車椅子に座ったきりで，身のまわりのことはほとんどかまったくできない程度の機能

表5 ACRのclass分類基準

class Ⅰ	通常の日常生活活動（ADL）（身の回り，職業的活動および非職業的活動）は完全に可能である
class Ⅱ	通常の身の回りと職業的活動は可能であるが，非職業的活動には制限がある
class Ⅲ	通常の身の回りは可能であるが，職業的活動と非職業的活動には制限がある
class Ⅳ	身の回り，職業的活動および非職業的活動には制限がある。通常の身の回りとは着衣，食事，入浴，体の手入れや排泄を含む。非職業的活動（娯楽あるいは余技）と職業的活動（仕事，就学，家事）は対象者の願望や年齢と性に左右されるものである

アクティブラーニング②

RA治療は日々進歩を遂げている。日本リウマチ学会（Japan College of Rheumatology：JCR）発刊の最新の『関節リウマチ診療ガイドライン2020』を確認して，どのような治療があるか調べてみよう。

■RAの治療環境

薬物療法，リハビリテーション療法，手術療法の3つの治療法とケアが対象者個々の病態病期に合わせて，適切にバランスよく実施されることで，よりよい治療効果が得られる。

ただ現在では，薬物療法の発展によりやや各療法のバランスに変化が生じている。RA特有の症状がコントロールされ，リハビリテーション療法や手術療法の実施が減少傾向にある。また，治療の4本柱のうちの**薬物療法とケア**の柱が太くなり，リハビリテーション療法と手術療法の柱が細くなっている傾向にあるなど，治療のトータルマネジメントに変革が起こっている。

2 関節リウマチの障害と制約

■心身機能の障害

症状は，安定と増悪を繰り返しながら進行する。罹患関節は，**炎症，疼痛，腫脹を繰り返し，多発的に変形を起こす**(**表6**)。軟部組織の弱化から筋力低下，関節裂隙狭小化，関節拘縮，骨破壊によりROM制限が生じて全身の姿勢が崩れ(**図2**)，ADLや手段的日常生活活動(IADL)が阻害される。RAで代表的な症状や変形を**図3**に示す。RA対象者は想像を絶する変化や完治できない疾患と向き合い，**不安と恐怖**を抱えながら生活や社会参加を余儀なくされるため，**精神的ストレス**から心の病を併発することもしばしばある。

補足

変形の早期発見・治療
変形の出現は，疾患活動性に比例して発生する場合と必ずしも比例せずに発生や進行する場合がある。基本的に変形が起こる際には，疾患活動性の数値の悪化，炎症，腫脹，疼痛などの何らかのサインが認められる。それらのサインは程度に関係なく，早急に発見し，増悪を抑制するための何らかの対応が必要である。血液検査の数値にとらわれすぎず，実際に起きている関節の状態を把握することが重要であり，リハビリテーション療法においての視診や触診は変形の進行を抑制するための治療上，重要な知識や技術である。変形の形成は，早期発見，早期治療で大きく左右される。

表6　関節変形の特徴

部位	特徴
頚椎	前屈，側屈
肩甲骨	挙上
肩関節	屈曲，内転，内旋
胸椎	後彎(こうわん)増大，側屈
肘関節	屈曲位，前腕回内位
手関節	掌側脱臼，尺側偏位
手指関節	スワンネック変形，ボタン穴変形，母指Z変形，尺側偏位
股関節	屈曲，内転，内旋位
膝関節	屈曲，X脚
足関節	尖足，扁平(へんぺい)足，外反母趾
足趾	外反母趾，たち趾，槌趾(つちゆび)，重複趾，内反小趾

図2　RAの特徴的な姿勢

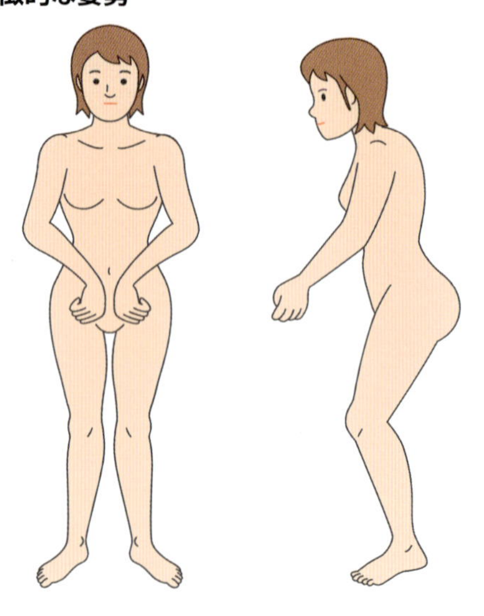

図3　代表的な手指・足趾変形

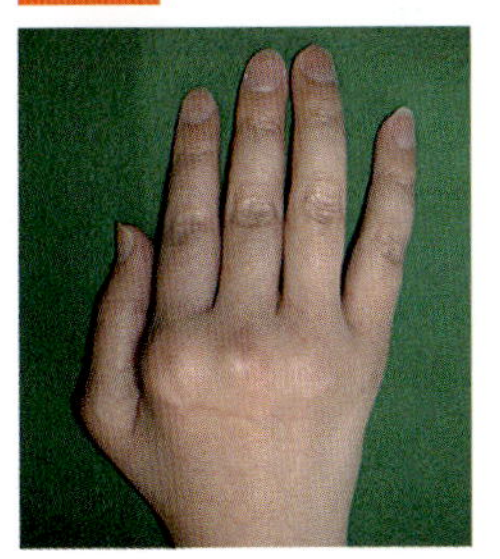

a　MCP関節から手指にかけての腫脹

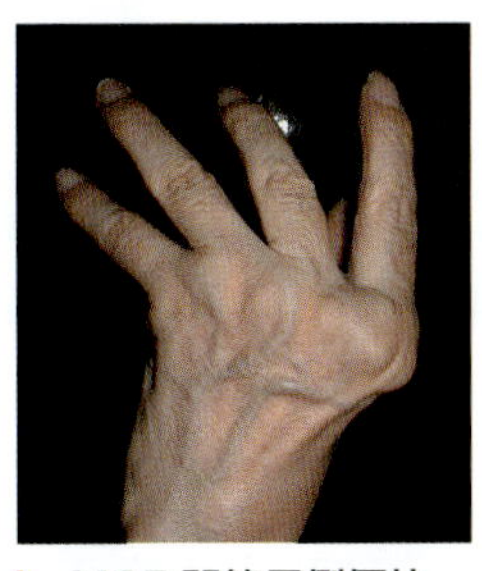

b　MCP関節尺側偏位

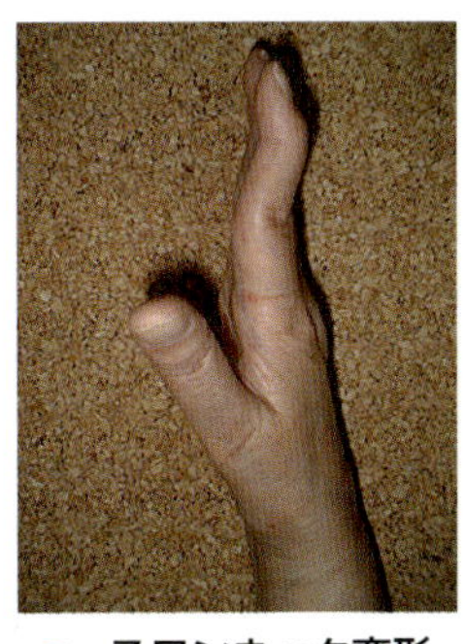

c　スワンネック変形

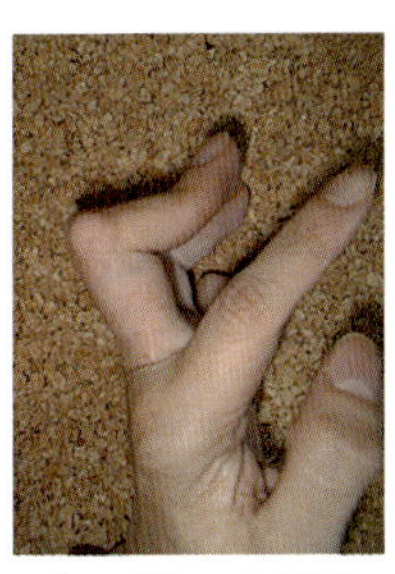

d　ボタン穴変形

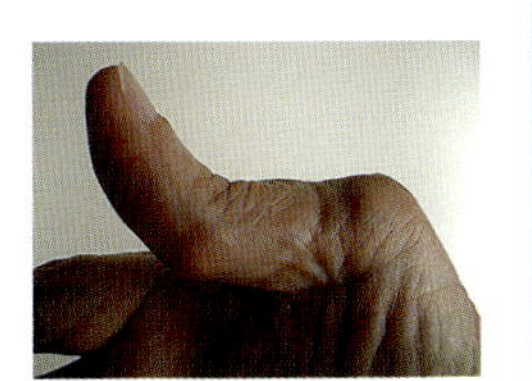

e　母指Z変形

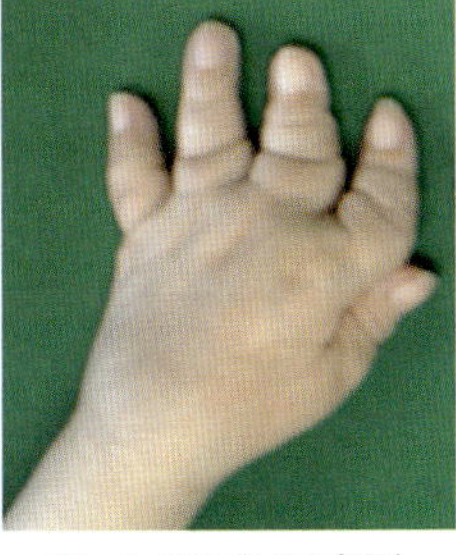

f　ムチランス変形

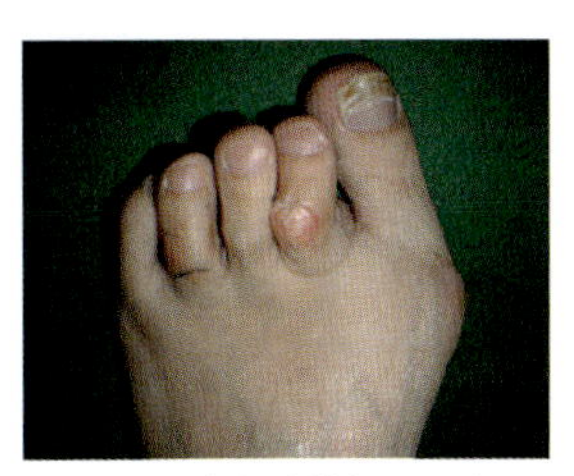

g　足趾変形(外反母趾，たち趾，内反小趾)

■ADL・IADLの障害

RAの特徴的症状である疼痛，ROM制限は生活行為に支障をきたす。起居移乗動作，移動動作，整容動作，更衣動作，食事動作，トイレ動作，入浴動作，家事動作，書字，趣味的活動が不自由となり，動作に時間を要したり，まったく行えないこともある。そのため，不自由になった**生活行為を自立に導くための支援**が必要となる。また，進行性の疾患であるため，病態病期に合わせた活動制限や関節保護を対象者自ら考え調整することが求められる。

薬物の効果に頼りすぎず，セルフケアマネジメントによる変形進行の抑制や身体機能の維持に努める必要があるため，作業療法では，**関節に負担をかけない方法，変形を進行させない方法**などの指導を行う重要な役割を担う。

補足

関節保護の原則

関節保護という言葉から，あたかも「関節を動かさない」「作業活動を極力行わない」といった抑制的なイメージをもたれやすい。しかし決して，すべての関節やどのような関節状態においても適用する原則ではない。炎症，疼痛，変形，腫脹が認められる関節の場合においても，極力負担をかけない工夫をしながら関節運動や作業活動を行うことが望ましい。

■社会参加の制約

生産世代で発症した場合には，職業的参加を見直す必要がある。業務内容の変更，部署変更や配置転換，立場の変更(正規職員から非正規職員・障害者雇用枠など)，最悪の場合には，退職を余儀なくされる。また，**出産後の発症**が少なくないため，育児における疼痛や変形の増悪に繋がらないように指導や動作の工夫点などのアドバイスを作業療法で行う必要がある。さらに，対象者によっては発症後新たな職業技術を身に着け(職業訓練校などへの入校)，職に就けるように復職へのマネジメントを考えた介入も必要である。

3 関節リウマチの治療方針

RA対象者の症状は，関節にとどまらず関節外にもさまざまな症状を呈する。その状態は対象者個々においてもさまざまである。従って，現代の治療環境と対象者の病態病期に合わせたきめ細やかな治療と介入方法が必要である。**目標達成に向けた治療**(treat to target：T2T)(**表7**)とそれを実現するための「T2Tリコメンデーション」(**表8**)を示す。

表7 目標達成に向けた治療(T2T)

概念	・RAの治療は，対象者とリウマチ医がともに決める ・最も重要な治療ゴールは，長期にわたって生活の質(QOL)をよい状態に保つことである ・治療ゴールを達成するために最も重要な方法は，関節の炎症を止めることである ・明確な目標に向けて疾患活動性をコントロールする治療は，RAに最もよい結果をもたらす。そのためには疾患活動性を確認し，目標が達成されない場合に治療を見直すことが重要である
目標	疾患活動性の低下および関節破壊の進行を抑制し，長期予後の改善やQOLの維持向上と生命予後の改善を目指す
原則	RA対象者の治療を行う際には，『関節リウマチ診療ガイドライン2020』で提唱されている個々の治療の推奨が治療原則となる
治療指針	予後改善のために早期からの積極的治療とタイトコントロールが重要である。2010年に早期診断から治療ゴールまでの治療アプローチの指針「T2Tリコメンデーション」が策定され，2014年にアップデートされた

表8 T2Tリコメンデーション

- RA治療の目標は，まず臨床的寛解を達成することである
- 臨床的寛解とは，疾患活動性による臨床症状・徴候が消失した状態と定義する
- 寛解を明確な治療目標とすべきであるが，現時点では進行した対象者や長期罹患対象者は，低疾患活動性が当面の目標となりうる
- 治療目標が達成されるまで，薬物治療は少なくとも3カ月ごとに見直すべきである
- 疾患活動性の評価は，中～高疾患活動性の対象者では毎月，低疾患活動性または寛解が維持されている対象者では3～6カ月ごとに，定期的に実施し記録しなければならない
- 日常診療における治療方針の決定には，関節所見を含む総合的疾患活動性指標を用いて評価する必要がある
- 治療方針の決定には，総合的疾患活動性の評価に加えて関節破壊などの構造的変化および身体機能障害もあわせて考慮すべきである
- 設定した治療目標は，疾病の全経過を通じて維持すべきである
- 疾患活動性指標の選択や治療目標値の設定には，合併症，対象者要因，薬剤関連リスクなどを考慮する
- 対象者は，リウマチ医の指導のもとに，「目標達成に向けた治療(T2T)」について適切に説明を受けるべきである

(文献3を基に作成)

4 関節リウマチの評価

表9 にRAの作業療法で実施する標準的な評価項目を示す。

表9 評価項目と手段

評価項目	手段・内容・判定方法
基本情報	問診，発症日，合併症，薬物療法，手術歴，X線画像，病期分類(stage)，機能分類(class)，疾患活動性(DAS28-CRPなど)，疼痛〔VAS(p.130 **図17**参照)，face scale(FS，**図4**)〕，情報収集(家族構成，住環境，職業)
ROM測定(上肢，手指)	active・passive，背臥位・座位，初回・終了
関節変形(上肢，手指，下肢，足趾，足底)	腫脹，疼痛，変形，触診・視診，初回・終了
リーチ範囲の測定	・頭上 ・頭頂 ・額 ・後頭 ・口唇 ・咽頭 ・反対側の肩峰 ・肩甲骨下角5cm下 ・肛門部 ・腓骨外果 ・母趾末節骨頭 判定 3：スムーズに届く 2：多少困難があっても届く 1：何とか指先が届く程度 0：届かない 初回・終了実施
握力，ピンチ力	・握力(水銀握力計：単位mmHg) 100mmHgでSmedley式握力計では8kgに相当。初回/中間/終了時に実施 ・ピンチ力(ピンチ力計：単位kgf) ・母指～示指の指腹つまみ　3回測定 ・母指～示指の側腹つまみ　3回測定 初回・終了実施
上肢機能・障害度評価	・簡易上肢機能検査(simple test for evaluating hand function：STEF) ・debriefing assessment for simulation in healthcare(DASH)
ADL評価	Barthel index(BI) ・機能的自立評価法(FIM)
QOL評価	・health assessment questionnaire disability index(HAQ-DI) ・modified health assessment questionaire(m-HAQ，**表10**) ・MOS 36-Item Short-Form Health Survey(SF-36®) ・arthritis impact measurement scale 2(AIMS2)
痛みの評価	・VAS ・numerical rating scale(NRS，**図5**) ・FS
精神心理学的評価	うつなど各種評価

図4 FS

0
0＝まったく痛みがなくとても幸せ

1
1＝ちょっとだけ痛い

2
2＝もう少し痛い

3
3＝もっと痛い

4
4＝かなり痛い

5
5＝必ずなくほどではないが，想像できる最も強い痛み

痛みの表現を人の顔の表情によって評価するスケールである。対象者自身が自分の心情に近い表情を示す。

表10 m-HAQ

	何の困難もない（0点）	いくらか困難（1点）	かなり困難（2点）	できない（3点）
靴ひもを結び，ボタンかけも含め，身支度ができるか				
就寝，起床の動作ができるか				
いっぱいに水か入っている茶碗やコップを口元まで運べるか				
戸外で平らな地面を歩けるか				
体全体を洗い，タオルで拭くことができるか				
腰を曲げ，床にある衣類を拾い上げることができるか				
蛇口の開閉ができるか				
車の乗り降りができるか				

図5 NRS

直線を痛みがない0～最悪な痛み10までの11段階に区切る。対象者自身が現在の痛みに相応する数値を示す。

5 スプリント（装具）適用評価および選択基準

■スワンネック変形

スワンネック変形は，**MP関節の屈曲，PIP関節の過伸展，遠位指節間（distal interphangeal：DIP）関節の屈曲偏位**を呈する（**図3c，6**）。

発生のメカニズとしては，MP関節に関節炎が生じ，関節の腫脹によって関節包が伸長される。さらに，疼痛刺激により骨間筋と虫様筋の防御的拘縮をもたらし，MP関節は屈曲位となり，PIP関節とDIP関節は伸展位となる。MP関節の掌側脱臼が次第に進行すると側索が背側に偏位することで，PIP関節は伸展する。PIP関節が過伸展すると，深指屈筋腱が緊張し，DIP関節を屈曲させ，スワンネック変形へと偏位する[4]。

この変形に適用される代表的スプリントは，**3点支持型リングスプリント（セフティーピン）**である。主に熱可塑性スプリント材を使用しセフティーピンを作製するが，変形の程度によってスプリント材の厚みや形状を変えて作製する。**表11**にセフティーピン適用およびスプリント材選択基準を示す。

図6 スワンネック変形の発生機序

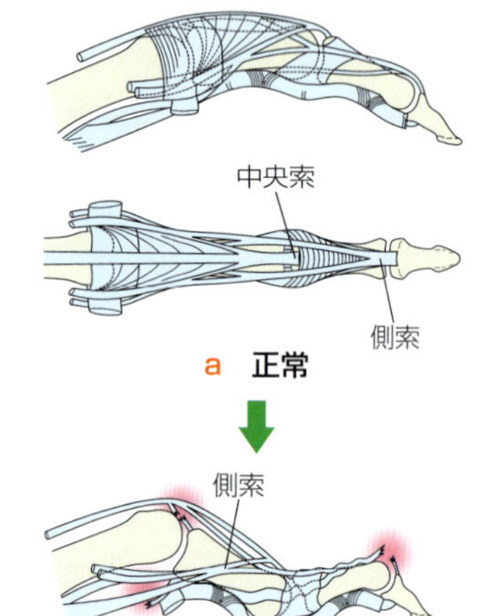

■ボタン穴変形

ボタン穴変形は，PIP関節の腫脹で背側の伸筋腱が伸張され，**PIP関節の伸展障害**と掌側に偏位した側索で**PIP関節が屈曲位**になり，**DIP関節は過伸展**する[4]。

発生のメカニズムとしては，PIP関節の背側中央部を通っている中央索は両側方にある側索をとめているが，これが炎症などで損傷されると側索が掌側に逸脱し，あたかもPIP関節がボタン穴から飛び出たようなボタンの状態になることからこの名称がついた。

この変形に適用される代表的スプリントは，スワンネック変形同様に，**3点支持型リングスプリント（セフティーピン）**である。変形の程度によってスプリント材の厚みや形状を変えて作製する。**表12**に適用とスプリント材選択基準を示す。

表11 スワンネック変形用セフティーピン適用とスプリント材選択基準

PIP関節の状態	
□ PIP関節過伸展	あり
□ 動揺関節	あり
□ 他動修正	可能
□ 拘縮	なし，もしくは，軽度の拘縮
□ 腫脹	なし，もしくは，軽度
□ 炎症	なし，もしくは，軽度
□ 発生	早期
□ そのほか	（　　　　　　）
熱可塑性スプリント材の選択	
□ PIP関節過伸展40°未満 ⇒	1.6mm厚
□ PIP関節過伸展40°以上 ⇒	2.4〜3.2mm厚
非適用	
□ 強直	
□ PIP関節過伸展10°以下で動揺なし	
□ 強い腫脹	
□ 自己装着困難	
□ 発生より長期経過し，変形が進行する可能性が低い	
□ 皮膚の問題	
□ 同意が得られない	

表12 ボタン穴変形用セフティーピン適用とスプリント材選択基準

PIP関節の状態	
□ PIP関節伸展障害	あり
□ 動揺関節	あり
□ 他動修正	可能
□ 拘縮	なし，もしくは，軽度
□ 腫脹	なし，もしくは，軽度
□ 炎症	なし，もしくは，軽度
□ 発生	早期
□ そのほか	（　　　　　　）
熱可塑性スプリント材の選択	
□ 伸展－30°未満 ⇒	1.6mm厚
□ 伸展－30°以上 ⇒	2.4〜3.2mm厚
非適用	
□ 強直	
□ PIP関節伸展－10°以上で動揺なし	
□ 自己装着困難	
□ 発生より長期経過し，変形が進行する可能性が低い	
□ 皮膚の問題	
□ 同意が得られない	

補足

表13 スワンネック変形とボタン穴変形の発生機序の違い

	スワンネック変形	ボタン穴変形
起因	MP関節の炎症	PIP関節の炎症
MP関節	炎症⇒屈曲	伸展
PIP関節	側索が背側に移動⇒伸展	炎症⇒中央索が掌側に移動⇒屈曲
DIP関節	屈曲	伸展

■母指変形

母指変形で特徴的な変形に**Z変形**がある。この変形は，MP関節の掌側に偏位した側索による伸展障害でMP関節が屈曲位に，IP関節は過伸展となり，ローマ字のZのような変形を呈する。

発生メカニズムは，MP関節の炎症や腫脹により背側の関節包と伸筋腱中央索の中節骨付着部が伸展されMP関節の伸展障害が起こり，同時に背側手根間靱帯(dorsal retinacular ligament)がゆるみ側索が掌側に偏位する。掌側に偏位した側索により，MP関節の伸展力が機能せず，側索からのMP関節を伸長する力はIP関節に集中するため過伸展が起こる。

ボタン穴変形と同様で，IP関節の背側中央部を通っている中央索は両側にある側索をとめているが，これがMP関節の炎症などで損傷されると側索が掌側に逸脱し，IP関節がボタン穴から飛び出たような状態になる。

そのほかの変形として，IP関節が橈側に偏位する変形，オペラグラス様になるムチランス変形が起こる。スプリントのモデルとしてはセフティーピンを適用するが，IP関節，MP関節，手根中手(carpometacarpal：CM)関節は個別性かつ複雑な変形を呈するため，作製には困難さが生じる。**表14**にスプリント適用とスプリント材選択基準を示す。

■MP関節尺側偏位

MP関節の尺側偏位は，**基節骨が尺骨側に偏位する変形**である。発生メカニズムについて，尺側偏位の生じる原因は諸説あり多数の要素が関与していると考えられている。

主な原因としては，MP関節の滑膜炎である。本来，伸筋腱はMP関節部において指背腱膜とよばれる靱帯によってMP関節背側の中央部に固定されている。しかし，MP関節の滑膜炎により背側関節包が腫大し，側副靱帯および指背腱膜が弛緩，MP関節の中央に位置している伸筋腱が尺側に脱落する。さらに，小指が小指外転筋により尺側に強く牽引されること，伸筋腱同士が腱間結合により連結していることも関与し，示指から小指の伸筋腱が連動して尺側に牽引される。従って，MP関節部で尺側に脱落した伸筋腱はMP関節の伸展力が低下し，MP関節の尺屈が優位に作用して，徐々に尺側偏位が起こる[5)]。**表15**にスプリント適用とスプリント材選択基準を示す。

■MP関節尺側偏位対応スプリント材と形状選択基準

MP関節は**複雑な変形**を呈する関節である。単純に基節骨が尺骨側に偏位するだけでなく，掌側への亜脱臼や脱臼，回旋が伴う複合的な変形も存在するため，スプリントの形状や材料を決定する際苦慮することがある。そこで，著者はこれまでの経験から**表16**のようにMP関節の変形を7つに分類し，スプリントの形状を決定している。

表14 母指変形用スプリント適用とスプリント材選択基準

IP関節・MP関節の状態	
□IP関節過伸展	あり
□他動修正	可能
□動揺関節	あり
□腫脹	なし，もしくは，軽度
□炎症	なし，もしくは，軽度
□ムチランス	あり(軽度)
□発生	早期・進行期
□そのほか	スプリント療法未経験
熱可塑性スプリント材の選択	
IP関節	□ 伸展－10°以上30°未満 ⇒ 1.6mm厚 □ 伸展－30°以上 ⇒ 2.4～3.2mm厚
非適用	
□ 強直 □ IP関節伸展－10°以下 □ 重度のムチランス変形 □ 自己装着困難 □ 発生より長期経過し変形が進行する可能性が低い □ 皮膚の問題 □ 同意が得られない	

表15 MP関節尺側偏位用スプリント適用とスプリント材選択基準

MP関節の状態	
□ MP関節尺側偏位	あり
□ 亜脱臼及び脱臼	あり
□ 他動修正	可能
□ 動揺関節	あり
□ 腫脹	あり
□ 炎症	あり
□ 発生	早期・進行期
□ そのほか	スプリント療法未経験
スプリント材の選択	
MP関節	□ 尺側偏位10°以下 軟性素材 熱可塑性スプリント材1.6mm厚 □ 尺側偏位10°以上30°未満 熱可塑性スプリント材1.6～2.4mm厚 □ 尺側偏位30°以上 熱可塑性スプリント材2.4mm厚
非適用	
□ 強直 □ IP関節伸展－10°以下 □ 自己装着困難 □ 発生より長期経過し，変形が進行する可能性が低い □ 皮膚の問題 □ 同意が得られない	

表16 MP関節分類およびスプリント材と形状の選択基準

MP関節病変7分類	
①掌屈＋腫脹(変形傾向含む) ②掌屈＋掌側亜脱臼および脱臼 ③尺屈＋腫脹(変形傾向含む) ④尺屈＋尺側移動	⑤尺屈＋掌屈 ⑥尺屈＋尺側移動＋掌屈 ⑦尺屈＋尺側移動＋掌屈＋掌側亜脱臼および脱臼
MP関節用スプリント材と形状選択基準	
MP関節0°ポジション固定モデル(熱可塑性スプリント材使用)(図7)	・偏位分類：①掌屈＋腫脹(変形傾向含む) ②掌屈＋掌側亜脱臼および脱臼 ・尺側偏位：10°以下
動的スプリント	・MP関節尺側偏位防止ハイブリッドスプリント(図8) ・ウェットスーツ製MP関節尺側偏位防止スプリント(図9) ・ウェットスーツ製MP関節尺側偏位防止＆リストサポーター体型スプリント(以下，MPハンドスプリント)(図10) ・偏位分類：③尺屈＋腫脹(変形傾向含む) ④尺屈＋尺側移動， ⑤尺屈＋掌屈 ・尺側偏位：10～30°以下
掌側セパレートモデル(図11)，背側カックアップモデル(熱可塑性スプリント材)(図12)	・偏位分類：⑥尺屈＋尺側移動＋掌屈， ⑦尺屈＋尺側移動＋掌屈＋掌側亜脱臼および脱臼 ・尺側偏位：30°以上

図7　MP関節0°ポジション固定モデル

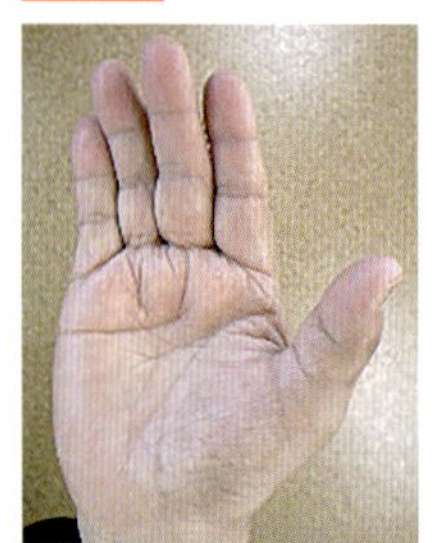

a　手掌面

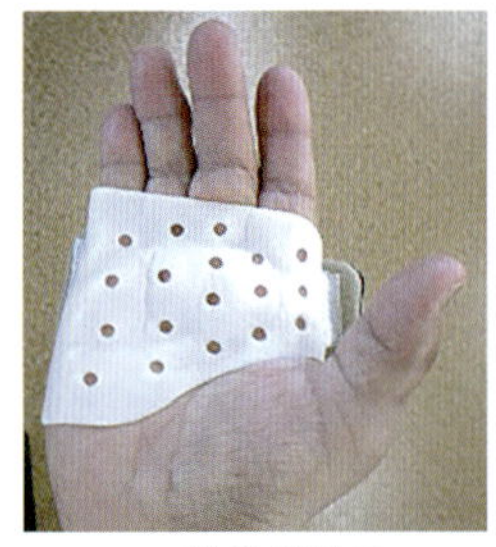

b　装着(掌側)

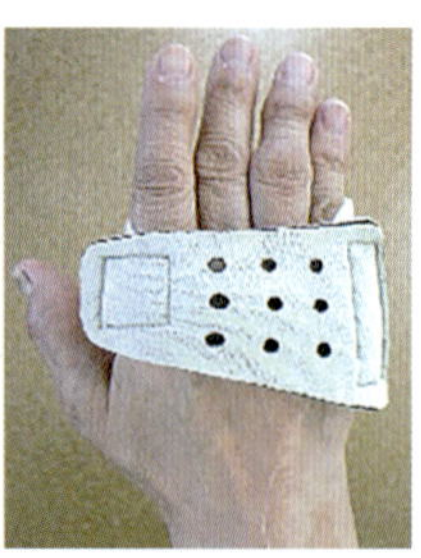

c　装着(背側)

MP関節の尺屈や掌屈傾向，腫脹，炎症が見られる際に，MP関節の0°位保持や安静を目的に作製する。

図8　動的スプリントMP関節尺側偏位防止ハイブリッドモデル

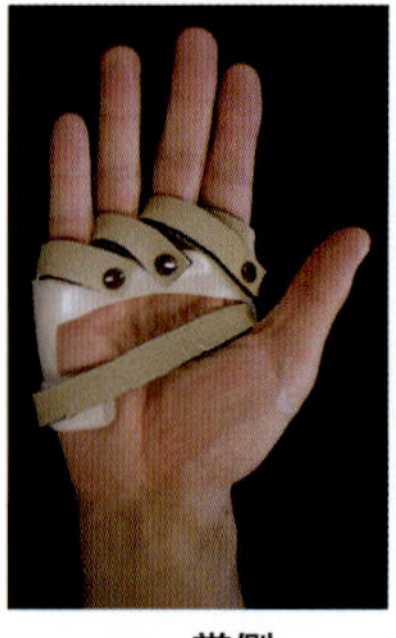

a　掌側

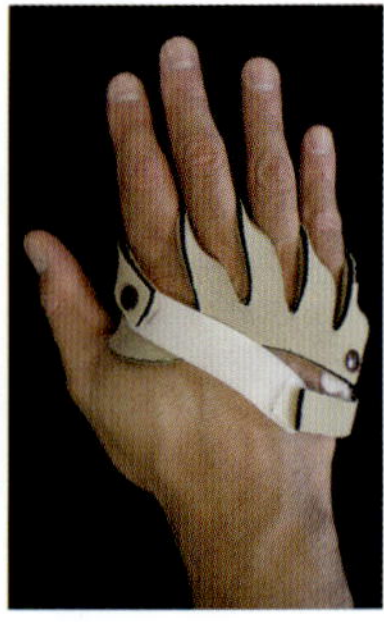

b　背側

尺側偏位が10〜30°認められる場合に作製する。著者オリジナルのモデルであり，MP関節の矯正力を強化し，手指機能を促進するため，硬性素材(熱可塑性スプリント材)と軟性素材(ネオプレンゴム)を組み合わせたハイブリッド型である。

図9　ウェットスーツ製MP関節尺側偏位防止モデル

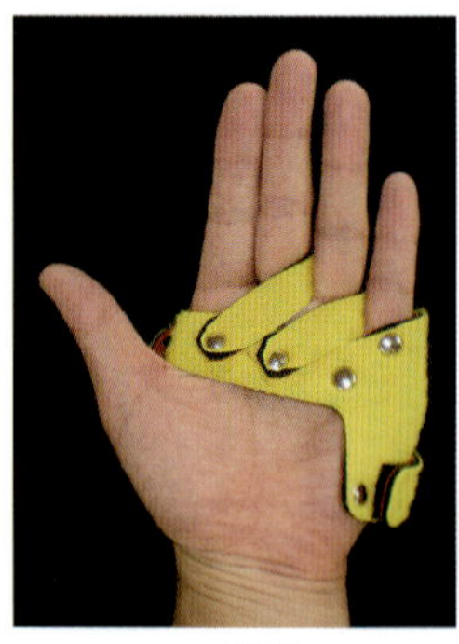

a　掌側

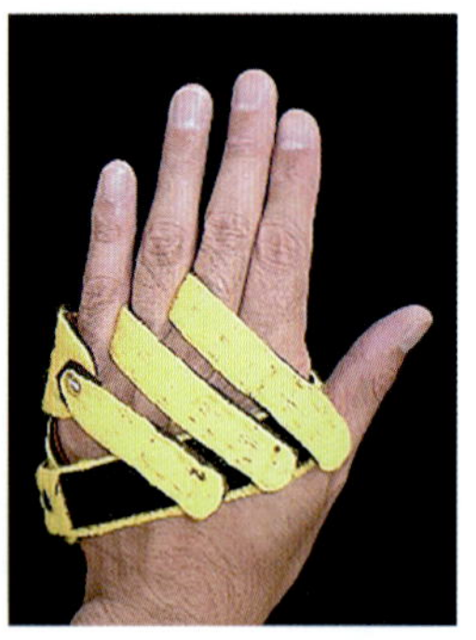

b　背側

30°以下の尺側偏位で他動的に0°ポジションに修正可能なレベルで，家事動作，就労や復職，趣味活動の維持など活動行いながら変形のコントロールを望む対象者に適用する。

図10　ウェットスーツ製MPハンドスプリント

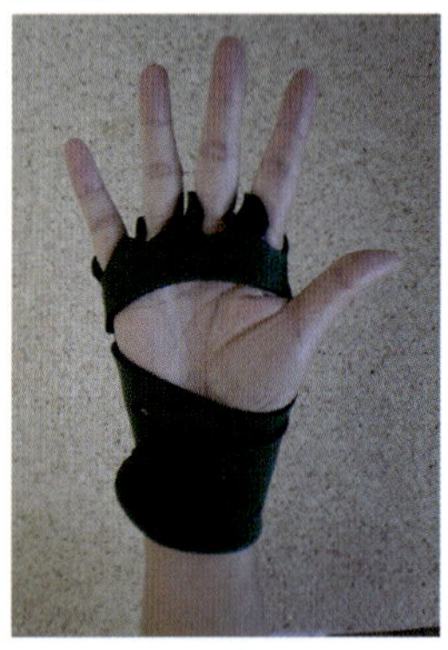

a　掌側

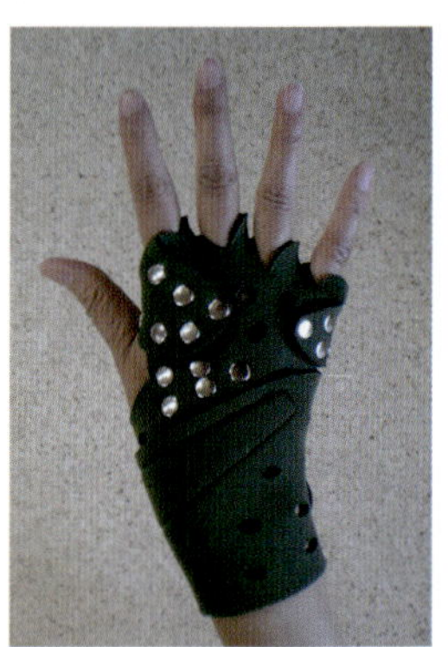

b　背側

MP関節30°以下の尺側偏位で，手関節に疼痛や腫脹が出現する状態であり，家事動作，社会参加，趣味活動を行いQOL維持に向け，積極的に活動を行う対象者に適用する。

図11　掌側セパレートモデル

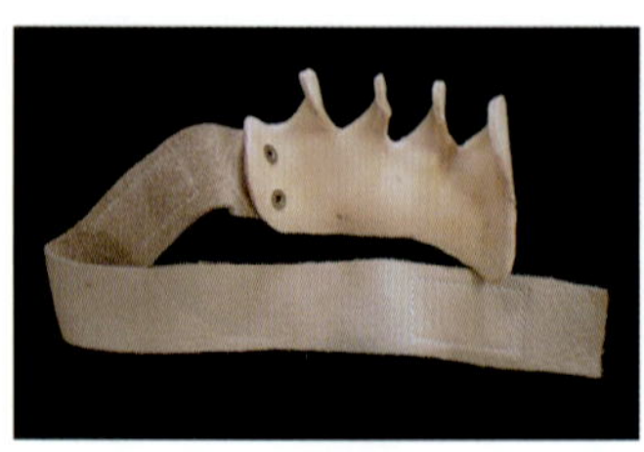
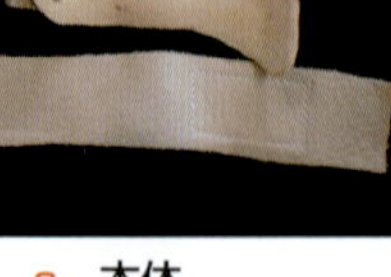

a　本体

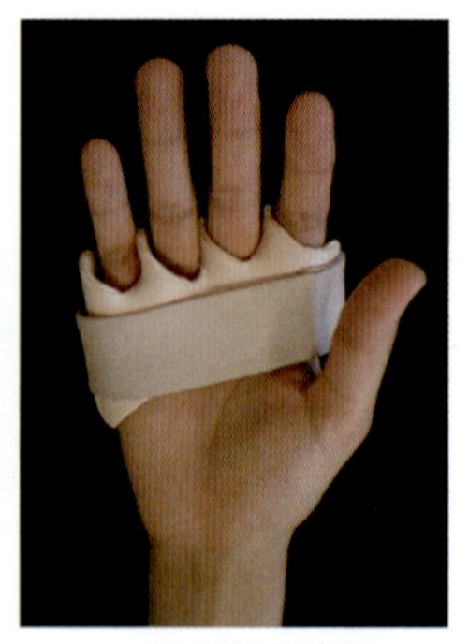

b　装着時(掌側)

MP関節の30°以上の尺側偏位と掌屈が混在している場合の熱可塑性スプリント材を使用し，静的スプリントとして作製する。また，尺側偏位防止スプリントの原点となるモデルである。

補足

『関節リウマチ診療ガイドライン2020』では，装具療法は治療手段として推奨されている。しかし，統一されたスプリント適用評価は存在していないため，自身の経験や先行研究などの発表を参考にし，スプリントの導入時期や種類を検討する。作業療法での機能評価，活動評価，QOL評価はスプリント療法の作業療法プログラムや分類選択において重要な判断材料であるので，スプリントの治療効果を判定する際には，定期的な効果判定と適合の見直しの実施を推奨する。

図12 背側カックアップモデル

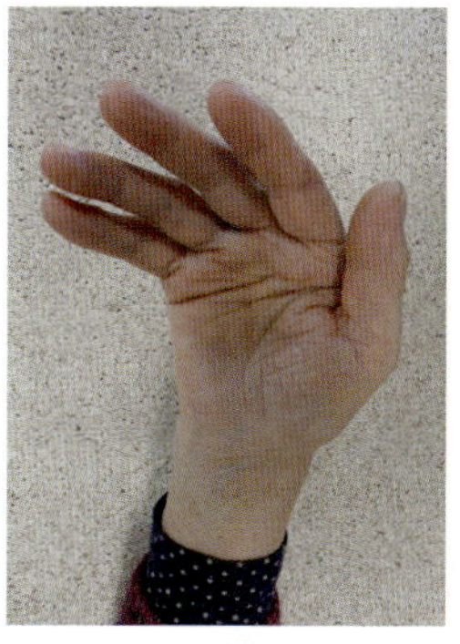

a 掌面

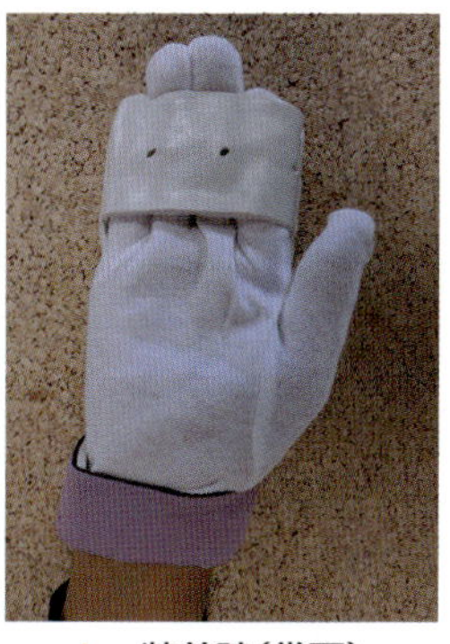

b 装着時（掌面）

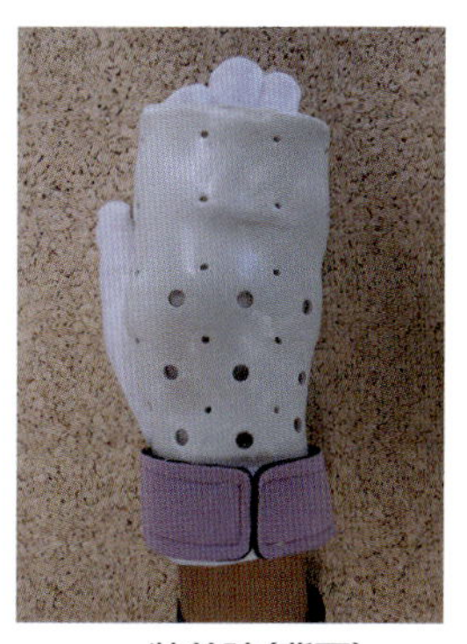

c 装着時（背面）

MP関節に30°以上の尺側偏位に亜脱臼と手内筋の筋萎縮による掌屈位が混在する複合変形で，掌側カックアップモデルではうまく自己装着できない場合に適用する。著者オリジナルのモデルであり，熱可塑性スプリント材を使用し，フィッティングやモールディングを簡単にするため，構造を手指部と背側部の2つのパーツを組み合わせ，装着時のフィッティングや尺側偏位の矯正力を高めるためこの原理を活かす構造とした。

6 生活支援用具（自助具・福祉用具）適用評価

RAの症状により生活行為が不自由となる場合がある。不自由になった行為を補い，自立へと導くために**生活支援用具**を適用する。その際，対象者の動作分析，ニーズ，生活行為自立への気持ちを確認し，生活環境や経済的側面も考慮して，**創造力**を活かし**オリジナル**で自助具を作製するか，市販の福祉用具を紹介するかを選択する。また，生活支援用具導入には，導入時期の判断が求められる。

オリジナルで作製する場合は，**重さ**，**長さ**，**操作性**，**耐久性**，**価格**を考慮した材料やデザインを考える。市販の福祉用具を適用する場合には，可能であれば，サンプル品による試行そして適用評価を行ってから購入に繋げることが理想的である。**図13**に，代表的な自助具を示す。

図13 自助具

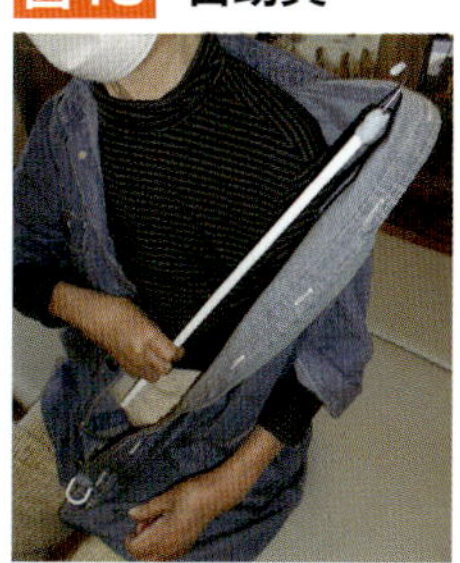

a ドレッシングエイド

b ペットボトルオープナ

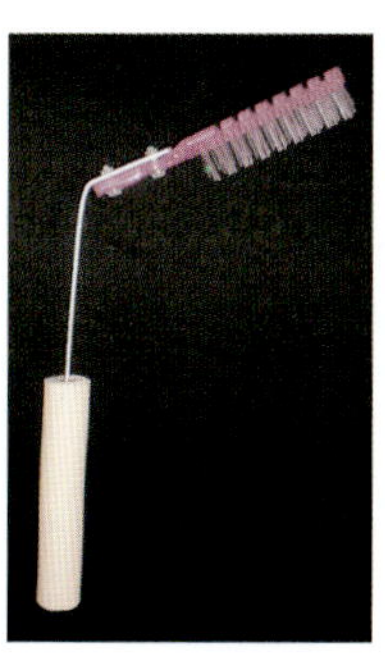

c 長柄ブラシ

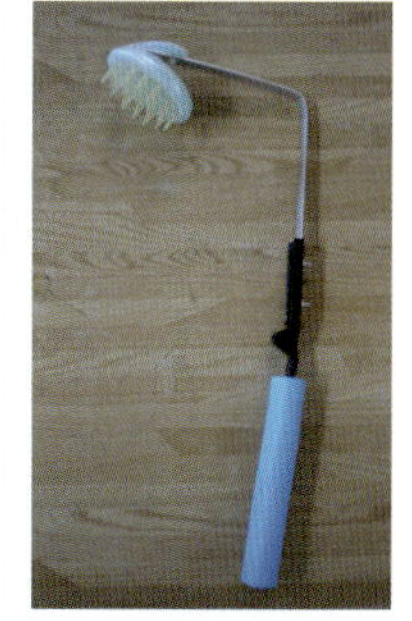

d 長柄洗髪ブラシ

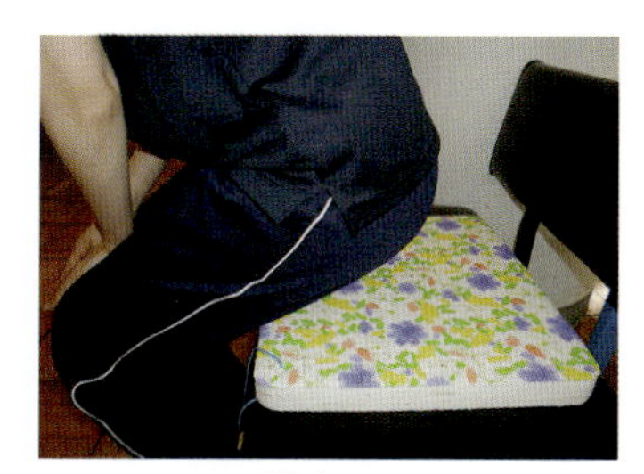

e 補高マット

f 点眼器

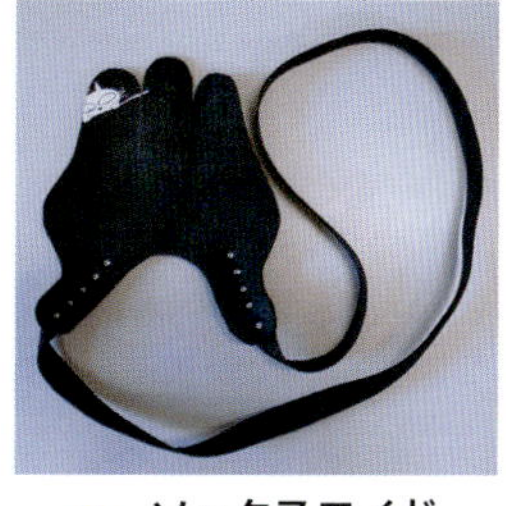

g ソックスエイド

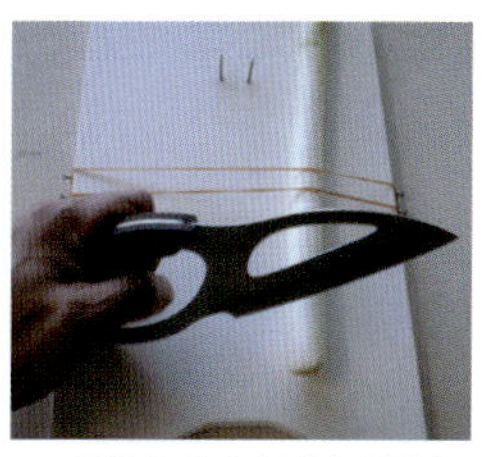

h 「楽々丸包丁」と釘付きまな板

図14 生活環境調整

a 補高便座

b 福祉車両の選定

7 生活環境調整(住宅改修，福祉車両)

身体機能，動作分析，自宅環境，QOL，社会参加，ニーズを確認し，安全で快適に暮らせる環境を対象者と共に考え調整する。RAの対象者では特に，高さや操作性が個々により大きく異なり，教科書的なセオリー通りの改修案が適応しない場合もあるため，**個別性を重視**した評価や環境調整をする取り組みが重要である。トイレ環境や福祉車両の適用については，作業療法士の評価で適用内容が大きく左右されるため慎重に行う必要がある(**図14**)。

8 Case Study

RAの発症から5年経過した対象者で，生物学的製剤を使用せず低疾患活動期を維持し，薬物療法と外来作業療法のコンビネーションで治療を継続しているAさんの評価について示す(**表17**)。初回評価は状態把握と作業療法プログラム立案に生かし，中間評価では治療の成果と作業療法プログラムの見直しを行い，終了時期の目安とする。

■単純X線画像所見

単純X線画像では左右の外反母趾変形著明，手関節に軽度の骨破壊と関節裂隙狭小化，手指に骨びらんを確認できる。そのほか，著しい骨破壊や変形は認められない(**図15**)。骨および関節評価については，ステインブロッカーのstege分類ではstege Ⅱ，ラーセンのgrade分類ではgrade Ⅲである。

表17 基本情報

プロフィール	氏名，年齢，性別	Aさん，50歳代，女性
社会的情報	職業	着付け師(職場まで自車通勤)
	家族構成	夫(キーパーソン)，2人暮らし
	住環境	一戸建て
	趣味	水泳，ゴルフ
医学情報	診断名	RA(X年発症)
	合併症	Sjögren症候群
	現病歴	手根管症候群，急性胃腸炎，足底筋膜炎，アキレス腱周囲炎
	服薬状況	メトトレキサート(methotrexate：MTX)，フォリアミン®
	疾患活動性	CRP：0.05mg/dL(基準値：0.00～0.14) matrix metalloproteinase 3(MMP-3)：43.4ng/mL(基準値：16.1～56.8) DAS28-CRP：2.47，DAS28-ESR：3.75，CDAI：2.6 低疾患活動期
	痛みの指標	FS：1，VAS：8
	機能障害評価指標	m-HAQ：0.125(ADLの自立度が高い)

図15 単純X線画像

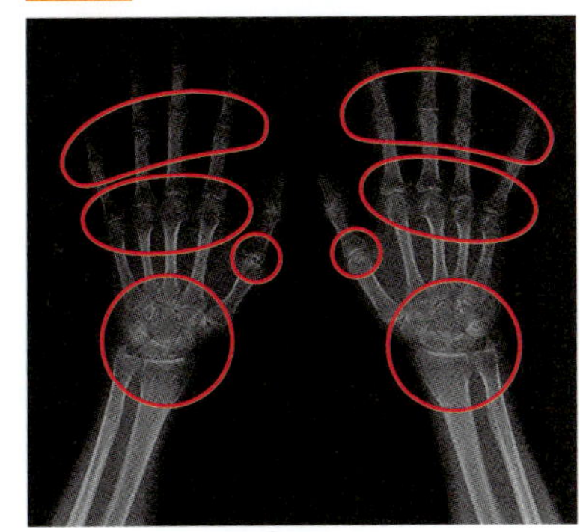

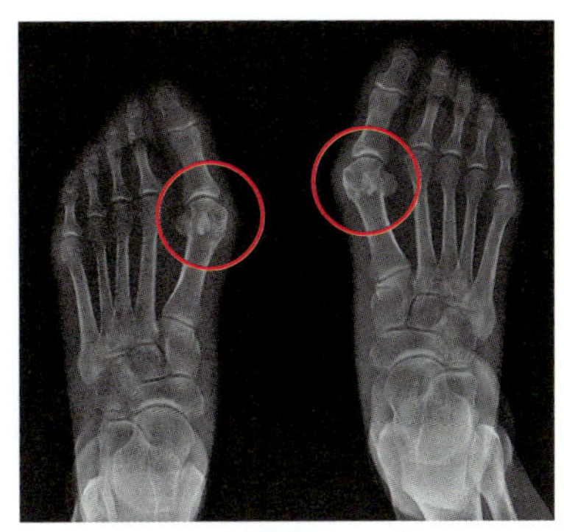

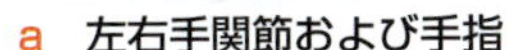

a 左右手関節および手指　　b 左右足部および足趾

■機能障害度分類

ステインブロッカーのclass分類およびACRのclass分類は，class Ⅱである。

■作業療法評価

●初回評価時（X+4年Y月）

上肢の各関節にROM制限は認められず，左右手関節の疼痛，左右手指に腫脹および疼痛が出現した。ADL・IADLは自立している。家事動作と仕事において，手関節と手指に疼痛が出現し，動作に制限が認められた。国際生活機能分類（ICF）を用いて問題点を整理し，作業療法プログラムを立案する。

■作業療法実践

●徒手療法

軟部組織性疼痛や局所的筋緊張亢進部位に関して，リラクゼーション療法，モビライゼーション，ストレッチ，ROMエクササイズ（exercise：ex）を実施した。

●スプリント療法と関節保護指導

変形予防，家事動作，**着付け師の仕事継続**，趣味活動継続を目的に以下のスプリント作製した（**表18**）。

●中間評価（X+5年Y+6月）

疾患活動性については，CRP：0.04mg/dL（基準値：0.00～0.14），MMP-3：33.4ng/mL（基準値：16.1～56.8）であった。初回評価を行った各項目について，X+4年Y月より変化があった箇所を**表19，20**で太字で示す。また，作業療法介入後の変化について，**図17**のICFで示す。

作業療法参加型臨床実習に向けて

- 対象者の疾患活動時期（低，中，高，寛解）を把握する。
- 薬物療法の状況（使用薬物や量）を把握する。
- X線画像より骨，関節状態を把握する。
- 各関節の症状（疼痛，腫脹，炎症，変形）を視診，触診で把握する。
- 動作の特徴よりADL，IADL，QOLの障害像をイメージ（動作分析）する。
- 各変形に対して，スプリント導入の時期や有無の判断，適用スプリントの種類を学ぶ。
- 生活行為支援活動として，ADLやIADLにおける動作分析を踏まえて障害の程度，生活支援用具（自助具）の導入時期，有無，種類を学ぶ。
- 対象者の障害受容の様子や心理的側面を知る。
- 心身機能の状態と生活環境（家庭や社会での役割）をマッチングさせた作業療法プログラムを立案する。
- 対象者のニーズをしっかり受け止める。
- スプリントや自助具は実際に作製を経験することが重要である。

表18 Aさんのスプリント

- 手関節疼痛軽減およびMP関節変形予防用ウェットスーツMPハンドスプリント（**図16a**）
- 左母指IP関節過伸展防止用セフティーピン
- 左中指PIP関節屈曲拘縮防止用セフティーピン（**図16b**）
- 左小指PIP関節屈曲拘縮防止用セフティーピン（**図16b**）
- 自宅内裸足歩行時の足底痛緩和目的に足袋装具作製（**図16c**）

図16 作製したスプリント

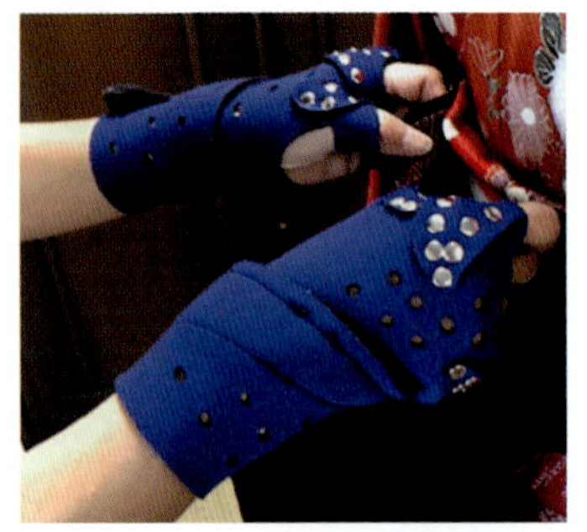

a　ウェットスーツ製MP ハンドスプリント

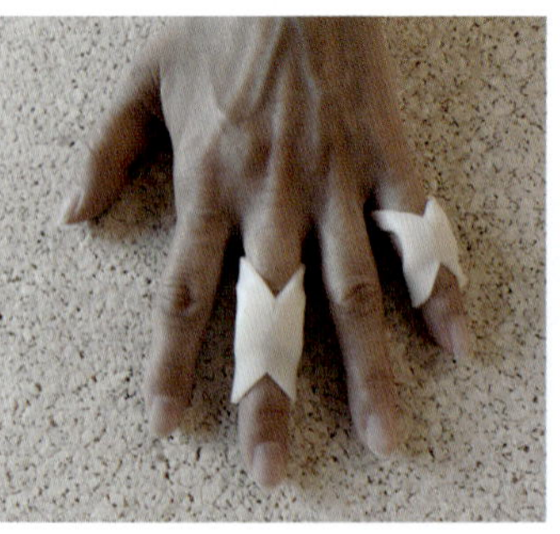

b　セフティーピン

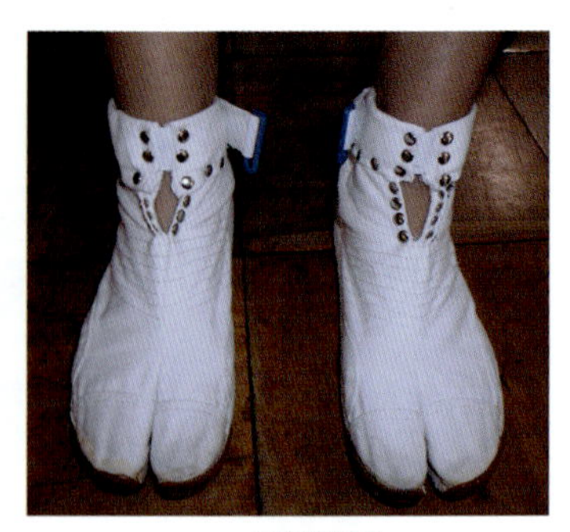

c　足袋装具

表19 ROM-test

関節		右[°]	左[°]	
肩関節	屈曲	170	70→**170**	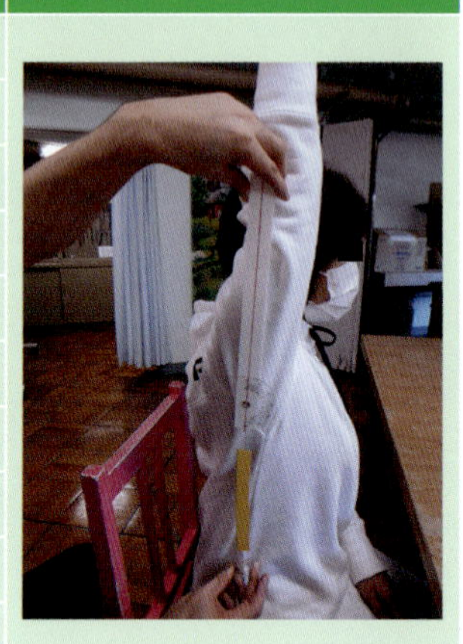
	伸展	55	50	
	外転	180	75→**180**	
	外旋	65	40→ **75**	
肘関節	屈曲	140	140	
	伸展	5	10	
前腕	回内	65	65	
	回外	70	90	
手関節	背屈	65→**60**	60→**65**	
	掌屈	65→**70**	70→**60**	

表20 評価項目

VAS	肩関節		9レベル→**0レベル**
	手関節		8レベル
握力	右		46mmHg→**130mmHg**
	左		76mmHg→**168mmHg**
ピンチ力	指腹つまみ	右	1.2kgf→**0.6kgf**
		左	0.8kgf→**1.5kgf**
	側腹つまみ	右	1.5kgf→**2.1kgf**
		左	1.5kgf→**3.1kgf**

STEF	右	100/100点 
	左	100/100点
ADL評価	Barthel（バーセル） index	100/100点
	FIM	126/126点（すべて完全自立）

図17 ICF

○促進因子（軽減，改善，解消）
◎高い成果
＃阻害因子
⇒作業療法介入後の変化

健康状態

○手根管症候群
○急性胃腸炎
○足底筋膜炎
○アキレス腱周囲炎
＃RA
⇒◎作業療法介入で筋・関節症状に対する予防的治療手段が増える
＃シェーグレン症候群

心身機能・身体構造

○疾患活動性低活動期
⇒◎疾患活動性の数値的解釈と実際の症状との相違を見落とさずに治療が行える
＃手関節に疼痛出現
⇒○スプリントによる疼痛抑制および変形予防
＃手指に疼痛腫脹出現
⇒○スプリントによる疼痛腫脹軽減および変形予防
＃手関節と手指の軽度骨破壊
⇒◎専門的観点から機能状態より骨の状態の変化が推察でき，早期の予防的治療が可能となる
＃足底の痛み
⇒◎足袋装具により痛み緩和

活動

＃家事動作
⇒◎スプリント装着による関節保護および動作指導で継続
＃着付け師
⇒◎スプリント装着により着付け師継続
＃ゴルフ，水泳
⇒◎スプリント装着と関節保護および動作指導により継続

参加

特になし

個人因子

○リハビリテーションに期待
⇒◎疼痛軽減や動作が行える具体的な効果や成果により期待増
＃RA治療に不安
⇒◎薬物療法とリハビリテーション療法の併用で前向きになる
＃変形の進行に不安
⇒○**スプリントの導入**で変形への不安軽減
＃仕事を継続することへの悩み
⇒◎**スプリントの導入や週1回の作業療法**での身体的調整で悩み軽減
＃趣味のゴルフや水泳を継続することへの悩み
⇒◎**スプリントの導入や週1回の作業療法**での身体的調整で趣味活動継続の悩み軽減
⇒◎サイクリングに挑戦，夫と旅行など趣味活動拡大

環境因子

○夫は疾患に対して理解あり
⇒◎**夫の思いやり気遣いに変化**
○家事動作に夫の協力あり
⇒◎RAの理解が深まり夫の協力範囲が拡大
○職場の同僚はRAに理解あり
⇒◎スプリント装着により周囲の協力体制に変化
＃着付け師の仕事内容が関節へ負担を与えている
⇒◎手関節の疼痛出現や手指変形が進行するおそれのある仕事内容をスプリント装着で軽減し不安軽減

Case Study

図17を踏まえて

Question 1

作業療法士としての役割は何か考えてみよう。

☞ 解答 p.510

Question 2

どのような作業療法プログラムが立案できるか考えてみよう。

☞ 解答 p.510

Question 3

関節や変形の治療としてスプリントの導入は必要か考えてみよう。

☞ 解答 p.510

■評価のまとめ

Aさんは発症より約5年が経過した**低疾患活動期**のRAの対象者であり，比較的発症**早期に作業療法の介入**が行えた事例である。

● 心身機能，構造

骨および関節状態については，ステインブロッカーのstage分類ではstage Ⅱ，ラーセンのgrade分類ではgrade Ⅲであった。変形として，手関節の骨びらん，関節裂隙狭小化，外反母趾，内反小趾が認められた。疾患活動性は，MTXによりコントロールされているが，手関節や手指の疼痛，腫脹，こわばりなど局所的に反応がみられた。ROMでは，手関節掌屈背屈に多少制限が認められるが，そのほか，正常範囲内を維持できている。

● 活動

ACRのclass分類ではclass Ⅱと ADL，IADLは自立レベルであるものの，手関節や手指の疼痛により調理の包丁動作で支障をきたす場面がある。また，**着付け師**としての仕事では，紐結びや帯留め，用具の運搬などで支障をきたした場合には，他者に支援を求めることでこなせている。**趣味活動**の水泳は継続，ゴルフは関節保護の観点から抑制していたが，手関節と手指の**動的スプリント**の装着で，一般コース18ホールの半分の9ホールをゆっくりとラウンドできている状況である。

● 作業療法介入の成果

Aさんの目標は，主婦として家事動作の維持，着付け師としての仕事の継続にあった。活動の阻害因子は，手関節・手指・足底の疼痛，疾患活動増悪による痛みの増強や変形の進行への心理的不安が挙げられた。

介入では心身機能へのアプローチを中心に行い，RAのために日常生活縮小，着付け師の廃業，趣味活動をあきらめるなど大きく変更することなく，工夫することで**これまで通りの暮らしを営めるように**マネジメントを行った。スプリント療法では，**ウェットスーツ製動的スプリント**により握力が向上（未装着時右/左＝150/148mmHg→装着時右/左＝202/232mmHg），動作時の手関節痛へ軽減（VAS＝8→2）した。着付け師としての仕事の質を確保し，趣味活動のゴルフを行えている（図18）。

● 課題と今後の作業療法プログラム

疾患活動性は低活動期を維持しているものの，血液検査の数値から判定が難しい手関節や手指に**局所的にみられるオーバーユース由来の軟部組織的疼痛**が出現するため，早期の対応が今後も作業療法士の役割として求められる。

図18 Aさんの仕事と趣味活動

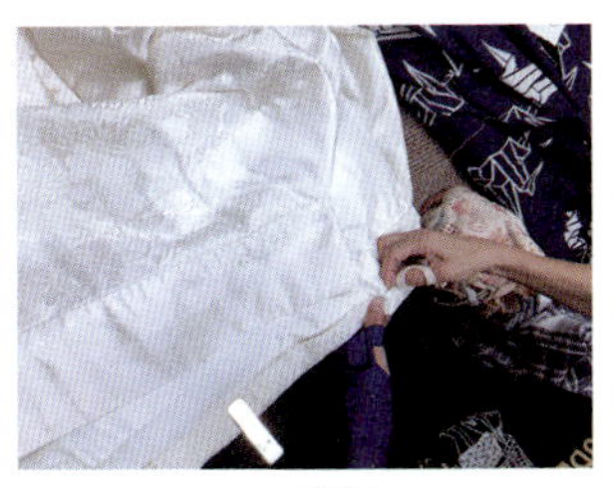

a 裁縫

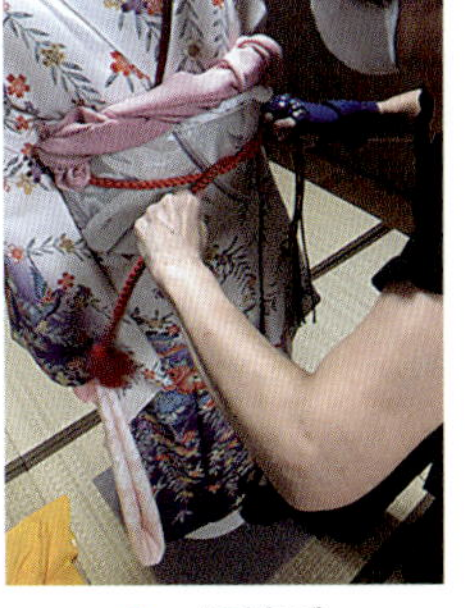

b 紐結び

c ゴルフ

着付け師としての仕事の継続，趣味活動の維持でQOLの確保のため，**外来作業療法を継続**(徒手療法，スプリント療法，自主トレーニング方法指導，関節保護指導)する。

【引用文献】

1) Larsen A, et al.：Radiographic evaluation of rheumatoid arthritis and related conditions by standard reference films. Acta Radiol Diagn, 18(4)：481-491, 1977.
2) Steinbrocker O：Therapeutic criteria in rheumatoid arthritis. J Am Med Assoc, 140(8)：659-662, 1949.
3) 竹内　勤：治療戦略の進歩Treat to Target．治療学，44(10)：1081-1085，2010.
4) 嶋脇　聡，ほか：手指のボタンホール変形とスワンネック変形に関する三次元有限要素解析．日本機械学会論文集(C編)，78(787)：883-891，2012.
5) 岩本卓士，ほか：リウマチ手の尺側偏位．Frontiers in Rheumatology & Clinical Immunology，5(3)，メディカルレビュー社，2011.

【参考文献】

1. 越智隆弘，ほか：診断のマニュアルとEBMに基づく治療ガイドライン厚生労働省研究班 関節リウマチの診療マニュアル(改訂版)，財団法人日本リウマチ財団，2004.
2. 山中武彦：作業療法学ゴールド・マスター・テキスト作業療法評価学，改訂第2版(長崎重信 監)，p.347-360，メジカルビュー社，2015.
3. 日本リウマチ学会：関節リウマチ診療ガイドライン2020，診断と治療社，2021.
4. 林　正春：関節リウマチにおける手指病変とスプリント治療．The Japanese Journal of Rehabilitation Medicine，57(11)：1047-1053，2020.
5. 林　正春：ADL・QOLを支える関節リウマチのスプリント—創造力でオリジナルスプリントをつくる—．日本義肢装具学会誌，35(4)：270-275，2019.

チェックテスト

Q

①RAの関節症状を挙げよ(☞p.354)。 基礎
②RAの関節外症状を説明せよ(☞p.354)。 基礎
③RAの疾患活動性評価の指標を挙げよ(☞p.355)。 基礎
④ステインブロッカーのstage分類を説明せよ(☞p.356)。 基礎
⑤RAにおける主な手指変形を挙げよ(☞p.359)。 臨床
⑥RA対象者の活動制限の特徴を挙げよ(☞p.359)。 臨床
⑦RA対象者の生活支援用具(自助具や福祉用具)の代表的なものを挙げよ(☞p.367)。 臨床

7 脊髄損傷（C6レベル）

山中武彦

Outline

- 脊髄損傷の臨床医学的知識と作業療法評価の全体像を理解する。
- 頸髄損傷（C6残存機能レベルの）評価について具体的に学ぶ。

1 脊髄損傷とは

損傷を受けた脊髄は，神経が繋がっている各部位の機能を失う。結果，損傷部以下の脊髄神経が支配する運動機能ならびに感覚機能の麻痺が生じ（図1），加えて自律神経機能，排尿排便機能も障害される。重篤な脊髄麻痺の場合には拘縮，褥瘡，**起立性低血圧**[*1]などの二次的合併症が生じるリスクがある（表1，2）。

＊1 **起立性低血圧**

起立時に，重力によって血液が腹部や下肢に貯留して静脈灌流量が低下することにより，心拍出量が減少し血圧の低下が生じる状態をいう。客観的基準は，20 mmHgを上回る収縮期血圧の低下，10mmHgを上回る拡張期血圧の低下，またはその両方である。眼前暗黒，顔面蒼白，意識消失などの症状に陥る。脊髄損傷の場合は，上部胸髄以上の損傷において急性期に頻発する可能性が高い。

図1 脊髄の伝導路と髄節機能

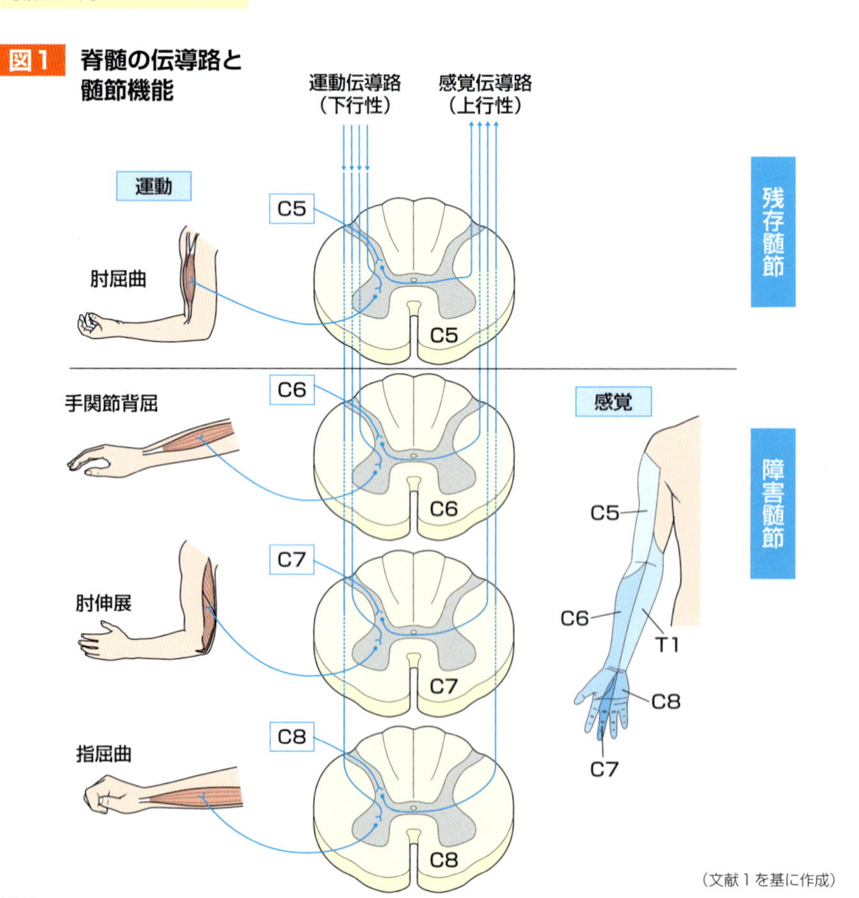

（文献1を基に作成）

表1 脊髄損傷による機能障害

- 運動麻痺
- 感覚障害
- 反射機能障害
- 呼吸機能障害
- 膀胱・直腸障害
- 自律神経機能障害
- 性機能障害

表2 二次的合併症

- 痙縮
- 拘縮
- 褥瘡
- 起立性低血圧
- 異所性骨化
- 骨萎縮
- 静脈血栓塞栓症

Case Study

Question 1

外傷により第７頸髄（C7）〜第１胸髄（T1）が両側性に損傷された脊髄損傷の対象者の深部腱反射検査を実施したとき，理論上，
①上腕二頭筋腱反射
②上腕三頭筋腱反射
③膝蓋腱反射，はそれぞれどのような所見になるか，脊髄神経と支配筋の関係および各腱反射中枢について調べたうえで所見を考察してみよう。

☞ 解答 p.510

作業療法参加型臨床実習に向けて

高齢者が非骨傷性損傷となった場合，麻痺は中心性脊髄損傷型を呈することが多い。下肢よりも上肢の麻痺が重いことが特徴である。下肢機能が有効に働くことにより，歩行が可能な対象者も少なくない。この場合，障害像は完全損傷とは大きく異なることを覚えておこう。

■障害の特徴

損傷による障害程度は，損傷された髄節高位とその程度により決定される。一般的に損傷高位が脳に近いほど障害は重篤である。例えば，損傷が**頸髄の場合（頸髄損傷）は四肢・体幹に，腰髄では下肢に麻痺が生じる。**損傷程度が**完全横断性であれば損傷部以下の完全麻痺，部分損傷であれば不全麻痺**となる。近年，転倒や転落などを原因とする高齢者の骨傷を伴わない損傷（非骨傷性損傷）が増加しているが，この場合には頸髄での部分損傷，すなわち不全四肢麻痺を呈することが多い（**表3**）。

表3　不全麻痺の横断的損傷様態とその特徴

	左	右
脊髄前部障害	側索（錐体路）を含む脊髄前部の障害。後索機能が温存されるため深部知覚や触覚は温存されるが，損傷部以下の運動，温・痛覚は完全麻痺	損傷部以下の運動機能が完全麻痺を呈するため，到達可能動作は完全麻痺に準ずる
脊髄後部障害	脊髄癆などが原因疾患の場合に起きる。後索障害のため深部知覚，触覚が障害され，温・痛覚は温存。側索機能が温存されれば，運動機能が残存する	損傷部以下の運動機能に残存が認められても，深部知覚障害があるため，実用的機能を獲得することは難しい
脊髄半側障害	損傷部以下，同側は運動麻痺と触覚・深部知覚の麻痺が生じる。対側は，温・痛覚障害が生じる。これを乖離性知覚障害という	運動障害は，片麻痺（頸髄損傷）または下肢の単麻痺（胸腰髄損傷）を呈する
中心性脊髄障害	中高年に多くみられ，その多くはC3-4椎間の損傷。脊髄中心部の損傷が起こるとされ，結果，体幹下肢機能よりも，上肢・手指の運動感覚麻痺が重篤	独立歩行に至るレベルから，車椅子移動レベルまで重症度には差がある。下肢機能に比べ上肢・手指の障害が重篤

2 脊髄損傷の評価

図2 C6残存機能レベルのズボンの着衣動作（到達目標）例

つま先を通す際には長座位での前屈運動が必要

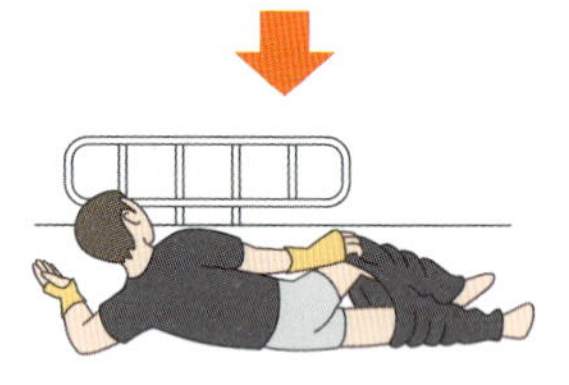

殿部までズボンを引き上げるためには側臥位をとる。左右行うためには寝返り動作が自立しなければならない

脊髄損傷では，残存機能レベルによって到達目標とする動作がある程度定まり，その動作方法は健常者が行う方法とは大きく異なるため，脊髄損傷者特有の様式をとる必要がある。

そのため，脊髄損傷の評価を進める際には，疾患や障害の医学的情報から評価項目を列挙し，網羅的に評価を進めるボトムアップ方式も障害の全体像を隈なくとらえ整理するために大切ではあるが，**獲得目標とする動作と現時点における対象者の動作能力を対比し，不足している能力や整えるべき環境因子を整理するトップダウン方式で評価を進めることも必要**である。

C6残存機能レベルの完全麻痺対象者の更衣動作を取り上げ，トップダウン方式での評価手順例を示す（**図2**）。C6残存機能レベルの場合は，条件が揃えばズボンの着脱が機能的自立度評価法（FIM）スコアにおいて監視レベル（5）以上に到達することが多い。ただ，ベッド上で長座位や臥位姿勢をとりながら上肢で衣類を操作し着脱する様式であるため，動作を獲得するための作業療法プログラムを立案するためには，この動作に必要な基本動作能力の把握と，その機能的条件や環境的条件を正しくアセスメントすることが求められる（**表4**）。

作業療法参加型臨床実習に向けて

図2を参考に，C6残存機能レベルの完全麻痺対象者の更衣動作を模擬的に実施してみよう。体幹や下肢，手指の運動機能が働かない状況で動作を遂行するためには，どのような機能的条件が必要か整理してみよう。

表4 ズボンの着衣動作に求められる基本動作能力と身体機能面の評価項目

求められる基本動作能力	機能面の評価課題	評価項目
長座位で十分な前屈姿位をとることができる	股関節，脊柱の可動性	関節可動域測定（range of motion test：ROM-T）
背臥位から側臥位，臥位から座位へと姿勢変換できる	上肢，下肢，体幹の可動性	ROM-T
	上肢の筋力	徒手筋力検査（manual muscle testing：MMT）
	座位バランス能力	座位バランス評価
衣類を操作するための上肢機能	上肢の筋力	MMT
	上肢のROM	ROM-T
	手関節，前腕の操作能力	上肢機能評価

■評価の流れ

評価は，検査・測定により対象者から直接的に情報を得るものと診療録や他部門担当者などから入手する資料に大別される。どのデータをどのように得るのか整理しておこう。**表5**に心身機能・身体構造に関する主な評価項目を示した。

表5 心身機能・身体構造の評価：症状と評価項目

	症 状	評価項目	手 段
主症状	形態面	身長，体重，body mass index(BMI)など	問診，情報収集など
	運動麻痺	筋力検査，筋緊張，腱反射など	実測
	呼吸機能障害	呼吸機能(肺活量)	実測，情報収集
	感覚麻痺	感覚検査	実測
	排泄障害	排尿・排便状況の確認	情報収集
	起立性低血圧※	血圧測定	実測，情報収集
	体温調節障害※	発汗状況	観察，情報収集
	自律神経過反射※	発生の既往	問診，情報収集
二次的合併症	関節拘縮	ROM-T	実測
	褥瘡，異所性骨化，骨萎縮，深部静脈血栓など	部位と程度，既往	問診，情報収集

※印はT5以上の損傷で生じる自律神経機能障害

作業療法参加型臨床実習に向けて

ISNCSCIは，疾患共通的に学ぶ徒手筋力検査や感覚検査の方法と大きな相違はなく，簡便に運動機能と感覚機能が評価できるものである。しかしながら，評価用紙の使い方には慣れが必要なので，健常者間で検者と模擬対象者を交代しながら，検査手技，記録の練習を重ねておこう。

■神経学的障害程度の評価

評価の初期段階では，対象者の神経学的障害程度を把握することが重要である。**脊髄損傷の神経学的分類の国際基準（International Standards for Neurological Classification of Spinal Cord Injury：ISNCSCI）**（図3，表6）は上肢下肢それぞれ5髄節，合計10髄節の主動作筋の筋力評価と，各皮節における主要感覚点の触覚と痛覚を評価する手法である。ISNCSCIは神経学的損傷レベルを同定するほか，完全か不全か**American Spinal Injury Association（ASIA）機能障害尺度(impairment scale：AIS)**の評定などを可能にする。障害の全体像をとらえ予後予測のために有益な情報が得られる。

ISNCSCIにおける運動機能評価の対象となる筋群とその髄節(上肢5髄節，下肢5髄節)は対で覚えておこう。また，感覚機能評価の主要感覚点の学習は，自分自身の身体で実際に感覚点を触りながら覚えると記憶しやすい。

補足

評価の初期段階でISNCSCI(図3)を実施することを勧める。この評価により，障害髄節が明らかになり，また麻痺の重症度が確認できるため，日常生活活動(ADL)などの活動評価において着目すべきポイントが明らかになる。

図3　脊髄損傷の神経学的分類の国際基準（ISNCSCI）の評価用紙日本語版

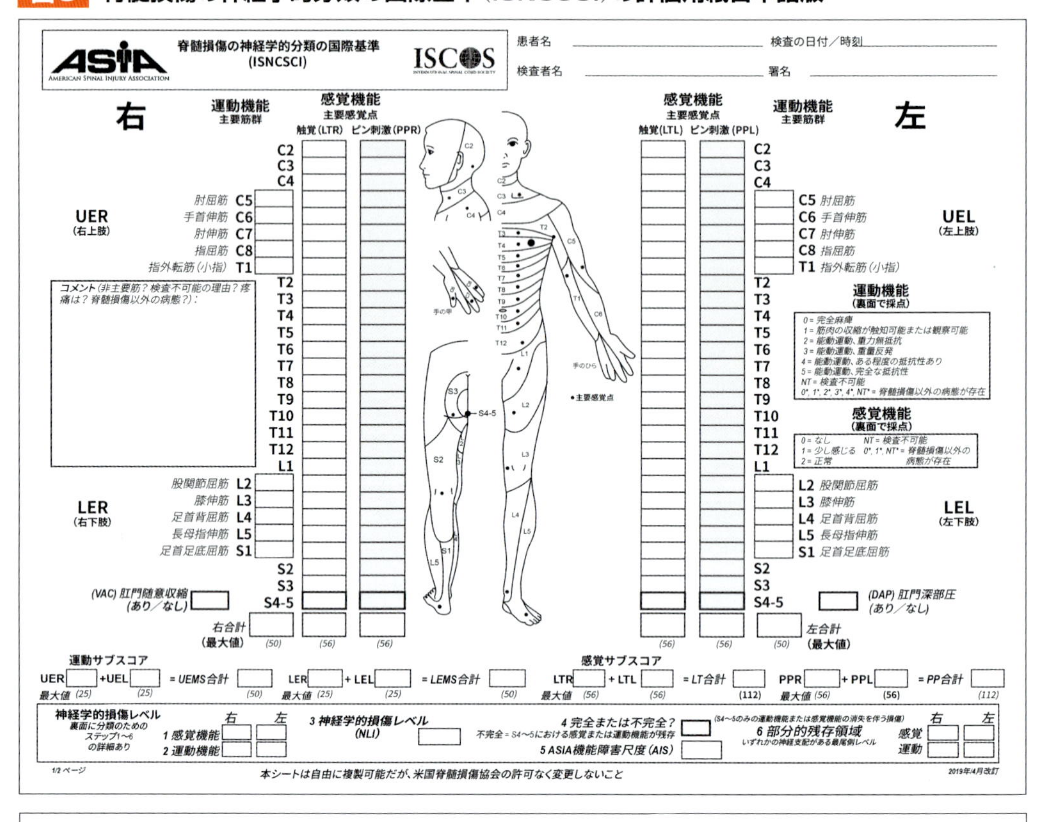

ASIA AMERICAN SPINAL INJURY ASSOCIATION　脊髄損傷の神経学的分類の国際基準（ISNCSCI）　ISCOS

患者名＿＿＿＿＿　検査の日付／時刻＿＿＿＿＿
検査者名＿＿＿＿＿　署名＿＿＿＿＿

右

運動機能 主要筋群 ／ 感覚機能 主要感覚点 触覚（LTR） ピン刺激（PPR）

C2
C3
C4

UER（右上肢）	
肘屈筋	C5
手首伸筋	C6
肘伸筋	C7
指屈筋	C8
指外転筋（小指）	T1

コメント（非主要筋？検査不可能の理由？疼痛は？脊髄損傷以外の病態？）：

T2 T3 T4 T5 T6 T7 T8 T9 T10 T11 T12 L1

LER（右下肢）	
股関節屈筋	L2
膝伸筋	L3
足首背屈筋	L4
長母指伸筋	L5
足首足底屈筋	S1

S2
S3
(VAC) 肛門随意収縮（あり／なし）　S4-5

右合計（最大値）　(50)　(56)　(56)

手の甲　手のひら　●主要感覚点

左

感覚機能 主要感覚点 触覚（LTL） ピン刺激（PPL） ／ 運動機能 主要筋群

C2
C3
C4

	UEL（左上肢）
C5	肘屈筋
C6	手首伸筋
C7	肘伸筋
C8	指屈筋
T1	指外転筋（小指）

T2 T3 T4 T5 T6 T7 T8 T9 T10 T11 T12 L1

運動機能（裏面で採点）
0 = 完全麻痺
1 = 筋肉の収縮が触知可能または観察可能
2 = 能動運動、重力無抵抗
3 = 能動運動、重量反発
4 = 能動運動、ある程度の抵抗性あり
5 = 能動運動、完全な抵抗性
NT = 検査不可能
0*, 1*, 2*, 3*, 4*, NT* = 脊髄損傷以外の病態が存在

感覚機能（裏面で採点）
0 = なし　NT = 検査不可能
1 = 少し感じる　0*, 1*, NT* = 脊髄損傷以外の病態が存在
2 = 正常

	LEL（左下肢）
L2	股関節屈筋
L3	膝伸筋
L4	足首背屈筋
L5	長母指伸筋
S1	足首足底屈筋

S2
S3
S4-5　(DAP) 肛門深部圧（あり／なし）

(56)　(56)　(50)　左合計（最大値）

運動サブスコア
UER ＋UEL ＝UEMS合計　最大値 (25) (25) (50)
LER ＋ LEL ＝LEMS合計　最大値 (25) (25) (50)

感覚サブスコア
LTR ＋ LTL ＝LT合計　最大値 (56) (56) (112)
PPR ＋ PPL ＝PP合計　最大値 (56) (56) (112)

神経学的損傷レベル　裏面に分類のためのステップ1〜6の詳細あり
1 感覚機能　右　左
2 運動機能　右　左
3 神経学的損傷レベル（NLI）
4 完全または不完全？　不完全 = S4〜5における感覚または運動機能が残存
5 ASIA機能障害尺度（AIS）
6 部分的残存領域（S4〜5のみの運動機能または感覚機能の消失を伴う損傷）　いずれかの神経支配がある最尾側レベル　感覚　運動　右　左

1/2 ページ
本シートは自由に複製可能だが、米国脊髄損傷協会の許可なく変更しないこと
2019年4月改訂

筋機能評価

0 = 完全麻痺
1 = 筋肉の収縮が触知可能または観察可能
2 = 重力負荷がなければ全可動範囲（ROM）の能動運動可能
3 = 重力負荷に逆らって全可動範囲（ROM）の能動運動可能
4 = 重力負荷に逆らい、また筋肉の特定位置で中程度の抵抗負荷がある状態でも全可動範囲（ROM）の能動運動可能
5 = （正常）重力負荷に逆らい、また完全な抵抗負荷がある状態でも、他に障害がない人で予想される機能的筋肉の位置で全可動範囲（ROM）の能動運動可能
NT = テスト不能（すなわち、固定、患者の重症度が判定できないほどの重度の疼痛、四肢切断、又は正常ROMの50％を超える拘縮のため）
0*, 1*, 2*, 3*, 4*, NT* = 脊髄損傷以外の病態が存在[a]

感覚の評価

0 = なし　1 = 少し感じる、感覚低下/感覚障害又は過敏症のいずれか
2 = 正常　NT = テスト不能
0*, 1*, NT* = 脊髄損傷以外の病態が存在[a]

[a] 注記：異常な運動および感覚スコアは、脊髄損傷以外の病態による障害を示すため「*」の印を付ける必要があります。脊髄損傷以外の病態は、スコアが分類目的でどのように評価されるかについての情報と一緒にコメント欄に記載する必要があります（少なくとも正常／異常の分類）。

非主要筋肉をテストする場合：

AISで明らかにB分類の患者では、損傷を最も正確に分類する（AISでBとCを区別する）ために、両側の運動レベルより3レベルを超えて低い非主要筋機能を検査する必要があります。

運動	ルートレベル
肩：屈曲、伸展、外転、内転、内旋および外旋 **肘**：回外	C5
肘：回内 **手首**：屈曲	C6
指：近位関節の屈曲、伸展 **親指**：親指面での屈曲、伸展、外転	C7
指：MCP関節の屈曲 **親指**：手のひらに垂直な対立、内転、外転 手のひらに垂直	C8
指：人差し指の外転	T1
股：内転	L2
股：外旋	L3
股：伸展、外転、内旋 **膝**：屈曲 **足首**：内がえしと外がえし **つま先**：MPとIP伸展	L4
母趾とつま先：DIPとPIPの屈曲及び外転	L5
母趾：内転	S1

ASIA機能障害尺度（AIS）

A = 完全麻痺。 仙骨分節S4〜5に感覚または運動機能が残存していない状態。

B = 感覚不全麻痺。 運動機能は麻痺しているが、感覚は神経学的レベルより下位に残存し、S4〜5の仙骨分節を含み（S4〜5 の触覚またはピン刺激、もしくは深部肛門内圧検査に反応する）、かつ体のいずれかの側面で、運動レベルより3レベルを超えて低い運動機能が残存しない状態。

C = 運動不全麻痺。 随意肛門収縮（VAC）のある最尾側の仙骨分節で運動機能が残存する、または、患者は感覚不全麻痺の基準を満たし（LT、PP または DAP によって、最尾側仙骨部分節S4〜5の大半で感覚機能が残存する）、かつ体のいずれかの側面で、同側運動レベルが3レベルを超えて低い運動機能が一部残存する状態。
（これに含まれる主要または非主要筋機能により、運動不全麻痺状態を判定。）AISがCの場合、単一神経学的レベルより下位の主要な筋機能の半分未満の筋肉がグレード3以上。

D = 運動不全麻痺。 上で定義した単一神経学的レベル下位での主要な筋機能の少なくとも半分（半分以上）がグレード3以上の筋肉を有する運動不全麻痺状態。

E = 正常。 ISNCSCIを用いて検査した感覚と運動機能が全項目で正常と評価され、患者に以前は欠陥があった場合、AISグレードはEです。初期の脊髄損傷がない場合は、AISの評価をされません。

NDの使用： 感覚、運動及びNLI レベル、ASIA 機能障害尺度グレード、及び/又は部分的保存域（ZPP）が検査結果に基づいて決定できない場合に記録する。

脊髄損傷の神経学的分類の国際基準

2/2 ページ

分類のステップ

SCI患者の分類を決定するには、以下の順序が推奨される。

1 左右の感覚レベルを測定する。
感覚レベルは、ピン刺痛覚及び触覚の両方に対して、最も尾側の無傷の皮膚分節である。

2 左右の運動レベルを測定する。
背臥位検査で最低でもグレード3で、それ以上の分節の主要な筋機能が無傷（グレード5）と判断される、最も下位の主要な筋機能と定義されます。
注：検査すべき筋節がない領域では、それ以上の運動機能が正常であれば、運動レベルは感覚レベルと同じであると推定される、

3 神経学的損傷レベル（NLI）を決定する、。
これは、正常な（完全な）感覚機能および運動機能がそれぞれ吻側にある場合、正常な感覚機能および反重力（3 以上）筋機能強度を有する脊髄の最尾部を指す、
NLI は、ステップ1と2で決定される、最も頭側の知覚と運動レベルです。

4 損傷が完全か不完全かを判断する。
（すなわち、仙骨温存の有無）
随意的肛門収縮 ＝ **なし**、かつ全てのS4-5感覚スコアが**0**
そして深部肛門圧 ＝ **なし**、であれば損傷は**完全**である。
それ以外の場合、損傷は**不完全**である。

5 ASIA 機能障害尺度（AIS）のグレードを判定する。
損傷は完全麻痺ですか？「はい」である場合、AIS=A
いいえ ↓
損傷は運動完全麻痺ですか？「はい」である場合、AIS=B
いいえ ↓　（いいえ = 患者が知覚不全麻痺と分類されている場合、随意肛門収縮または運動機能が当該体側で、運動レベルより3レベルを超えて低い）

神経学的損傷レベルより下位の主要筋群の 少なくとも半分（半分以上）がグレード3か、それよりも良好ですか？
いいえ ↓ AIS=C　　はい ↓ AIS=D

感覚及び運動機能が全ての分節で正常であれば、AIS=E
注記：AIS E は、SCI が確認された患者が正常な機能を回復した場合の追跡検査に用いられる。最初の検査で障害が認められなければ、患者は神経学的に正常であり、ASIA 機能障害尺度は適用されない

6 部分的残存領域（ZPP）を決定する。
ZPPは、最も下部の仙髄分節S4-5に運動機能（VACなし）または感覚機能がない（DAPなし、LTなし、およびPP感覚なし）損傷にのみ使用されます。部分的に神経支配が残存する感覚および運動レベルの尾側の皮膚分節および筋節を指します。仙骨の感覚機能温存では、感覚ZPP は適用できないため、ワークシートのブロックに「NA」が記録される。したがって、VAC が存在する場合、運動ZPP は適用されず、「NA」と表記される。

〔American Spinal Injury Association：International Standards for Neurological Classification of SCI（ISNCSCI）Worksheet, Japanese ISNCSCI Worksheet 2019, 2019（https://asia-spinalinjury.org/wp-content/uploads/2021/07/ASIA-ISNCSCI-SIDES-1-2_July-2021.pdf）より許可を得て転載〕

表6　ISNCSCIの運動機能の評価方法（グレード5，4の評価）

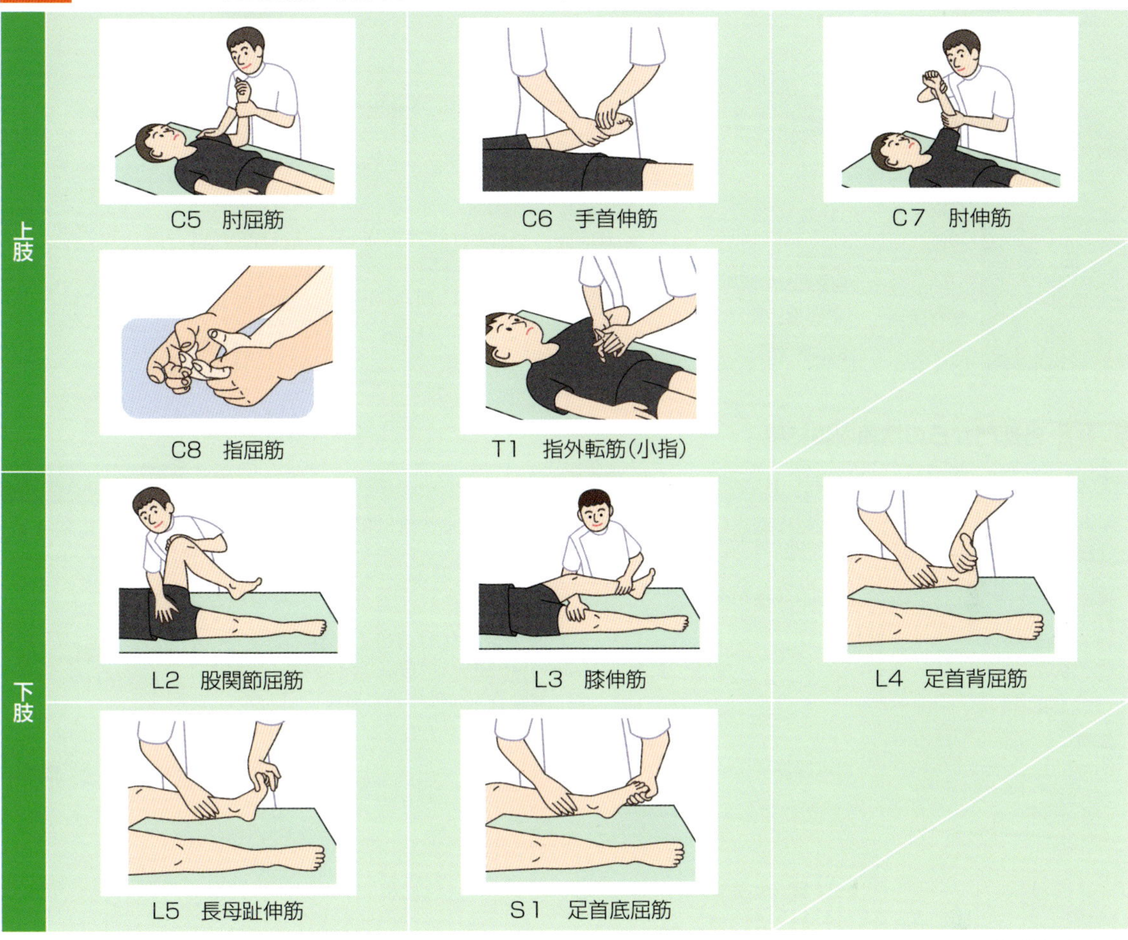

（文献2を基に作成）

3 Case Study

■情報収集

20歳代男性，Aさんの事例について紹介する。

Aさんについての基本情報を**表7**に，各部門担当者から聴取した情報を**表8**に記載する。

表7　基本情報

プロフィール	氏名・年齢・性別	Aさん，20歳代，男性
社会的情報	職業	会社員（事務職）
	最終学歴	大学卒業
	保険	労災保険（通勤災害）
	家族構成	両親，姉との4人家族。キーパーソンは母親
	住環境	住宅街，築15年一戸建て，自室は2階， トイレと浴室はバリアフリー構造

（次ページに続く）

(前ページより続く)

医学的情報	形態		身長173cm，体重60kg，BMI19.6
	診断名		頚髄損傷C6
	合併症		特になし
	現病歴		X年Y月，通勤途中に交通事故にて受傷。保存療法にて経過。Y＋2カ月，リハビリテーション加療目的で当医療施設へ転入院となる。翌日から理学療法，作業療法を開始した
	既往歴		特になし
	服薬状況		痙縮抑制剤(ギャバロン®)，血管収縮剤(リズミック®)
	検査所見	画像〔computed tomography(CT)〕	受傷直後撮像。C5の前方脱臼骨折が認められる
		生化学データ	特記事項なし

表8　各部門からの情報収集結果

部　門	目標(長期／短期)	現在の問題点	治療・介入内容
主治医(リハビリテーション科)	移乗動作確立し自宅復帰／軽介助での移乗確立	移乗動作やADLの介助量が大きい	痙縮と起立性低血圧に対する薬物療法
看護師	座位耐久性を向上	臥位時間が長い	座位機会を増やす
理学療法士	監視下での前方移乗動作確立	下肢伸展挙上(straight leg raising：SLR)角度(85°)が不十分で移乗時の阻害となる	SLRを行いROM改善。上肢筋力強化。前方移乗練習
医療ソーシャルワーカー(medical social worker：MSW)	自宅復帰	特になし	経済的資源利用について相談

■作業療法評価結果

● ISNCSCI

ISNCSCIの結果を**表9**に示す。

表9　ISNCSI評価結果

		右	左
運動スコア		9/50	9/50
感覚スコア	触覚	12/56	11/56
	痛覚	11/56	11/56
神経学的レベル	感覚	C6	C6
	運動	C6	C6
ASIA機能障害尺度(AIS)		A(損傷部分以下の感覚・運動完全麻痺)	

補足

ASIA機能障害尺度(AIS)は，Frankel(フランケル)分類に比べてより明確な基準によって麻痺の重症度を同定することができる。

試験対策Point

ザンコリの機能分類の理解は，事例問題を解くうえで欠かせない。各分類ごとの残存運動機能，亜群における筋の査定基準は押さえておこう。特に，下位機能髄節のC6を優先的に覚えることである。まずはC6A～C6BⅢまでの4分類を覚えるとよい。

● 筋力検査

MMTでは，髄節ごとの支配筋を整理しながら評価する。三角筋(左/右)(4/5)，その他肩甲・肩周囲筋(4/4)，上腕二頭筋(4/5)，腕橈骨(とうこつ)筋(4/5)，上腕三頭筋(0/2)，橈側手根伸筋(4/5)，回内筋(4/4)，指伸筋(0/0)，手指屈筋(0/0)，体幹・下肢はすべて(0/0)であった。

Zancolli(ザンコリ)分類の結果は，C6BⅡであった(**表10**，**図4**)。

表10 頚髄損傷における残存運動機能分類(ザンコリの機能分類)

可能な動作	最下位機能髄節	残存運動機能	亜群			分類
肘屈曲	C5	上腕二頭筋 上腕筋	A	腕橈骨筋(−)		C5A
			B	腕橈骨筋(+)		C5B
手関節伸展	C6	長・短橈側 手根伸筋	A	手関節伸展可能		C6A
			B	強い手関節伸展	Ⅰ. 円回内筋，橈側手根屈筋，上腕三頭筋(−)	C6BⅠ
					Ⅱ. 円回内筋(+)，橈側手根屈筋，上腕三頭筋(−)	C6BⅡ
					Ⅲ. 上記三筋	C6BⅢ
指の外来伸筋	C7	総指伸筋 小指伸筋 尺側手根伸筋	A	尺側指の完全伸展と橈側の指と母指の麻痺		C7A
			B	全指の完全伸展と弱い母指伸展		C7B
指の外来筋による屈曲と母指伸筋	C8	深指屈筋 固有示指伸筋 長母指伸筋 尺側手指屈筋	A	尺側指の完全伸展と橈側の指と母指の屈曲不完全，母指伸展可能		C8A
			B	全手指の完全屈曲内在筋麻痺	Ⅰ. 浅指屈筋(−)	C8BⅠ
					Ⅱ. 浅指屈筋(+)	C8BⅡ

(文献3を基に作成)

図4 上肢，手指の残存筋と麻痺筋

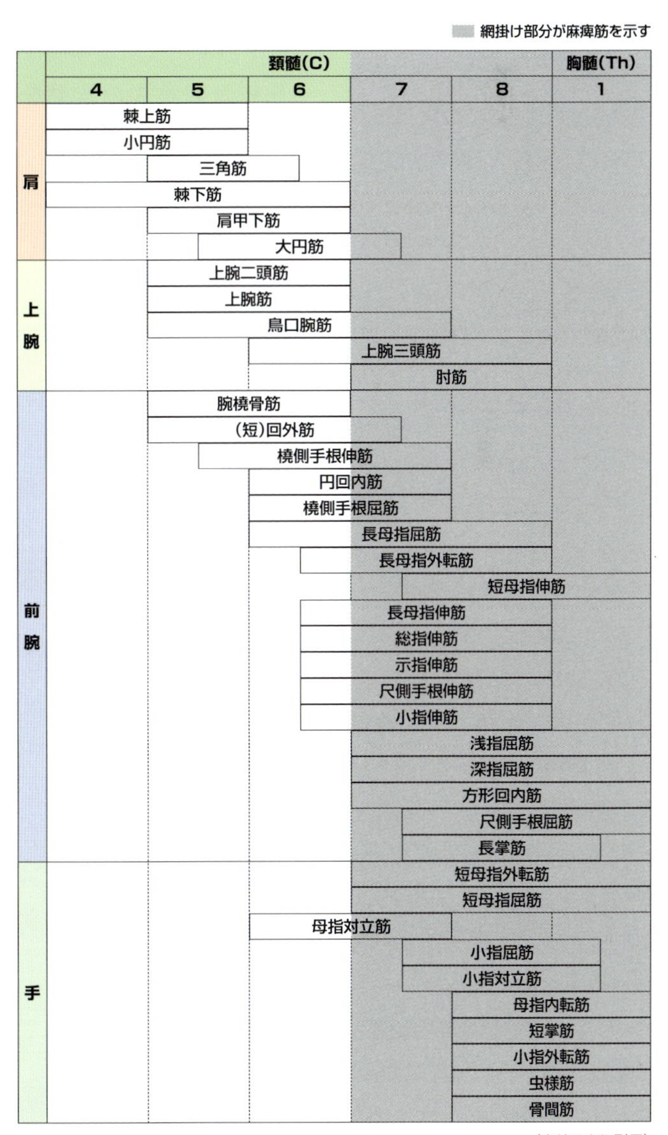

(文献4より引用)

Case Study

Question 2

ISNCSCIによる評価やザンコリ分類における主動作筋の筋力評価の結果，C6残存機能レベル(完全麻痺)と査定した。肩関節の運動として，C5残存機能レベルに対するアドバンテージは何が考えられるだろうか。

☞ 解答 p.510

● **呼吸機能**

診療録より，肺活量は1,700ccであった。

図5　深部腱反射検査結果

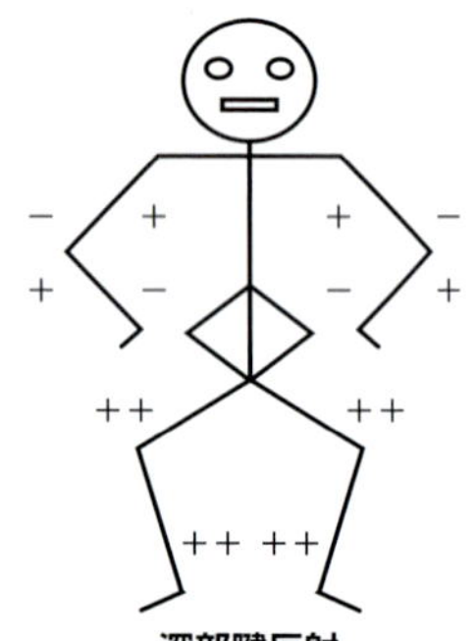

図6　筋緊張検査結果

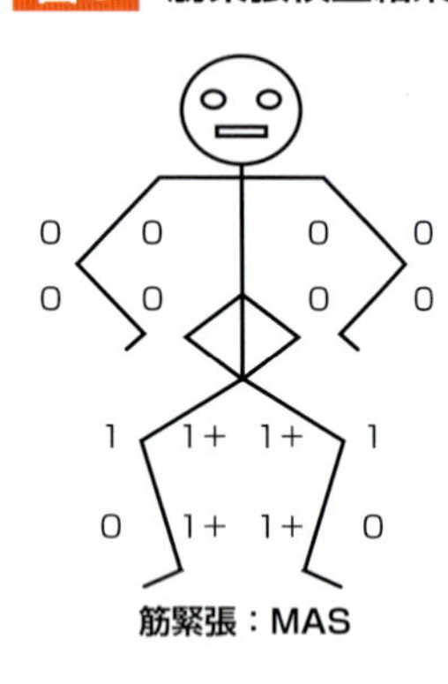

● **感覚検査，深部腱反射**

ISNCSCIのkey sensory points[5]を参考に髄節ごとの支配領域に沿って評価する。左右ともC6領域まで正常。左右C7-8髄節領域は触・痛覚鈍麻。以下消失。著明な疼痛はなし。

深部腱反射検査の結果を**図5**に示す。また筋緊張検査のmodified Ashworth(アシュワース) scale(MAS)では，下肢屈筋群に軽度の筋緊張の増加が認められた(**図6**)。

● **ROM**

下肢SLRha

左95°，右90°であった。その他著明な制限なし。

● **自律神経症状**

午前食後に計測した起立性低血圧検査結果を**表11**に示す。問診にて，朝食時に時折出現し以前に比較すれば改善してきたことがわかった。また，発汗(－)，自律神経過反射(－)も認められた。

● **二次的合併症(情報収集)**

仙骨部の発赤程度の褥瘡がみられた。また，異所性骨化や骨萎縮，深部静脈血栓など(－)も認められた。

● **座位バランス**

国際ストーク・マンデビル車椅子競技連盟分類(International Stroke Mardeville Games：ISMG)にてpoorであった(**表12**)。

● **上肢・手指機能(図7)**

簡易上肢機能検査(simple test for evaluating hand function：STEF)にて大球，中球，中立方の把持は左右とも可能であった。

表11 起立性低血圧検査結果

臥　位	100/78 mmHg
ベッド上長座位(5分後計測)	88/68 mmHg

図7 簡易上肢機能検査(STEF)

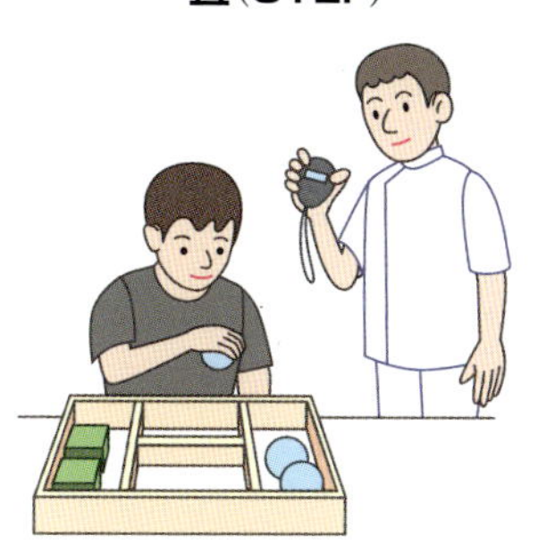

表12 脊髄損傷の座位バランス評価(ISMGの分類)

normal	正しい姿勢や座位にて，あらゆる方向からの強いプッシングに対し，正常な立ち直り反射があり座位を保持できる
good	ある程度のプッシングに対し立ち直りがあり，座位を保持できる
fair	両手を前方挙上でき，座位保持が可能であるが，プッシングに対して不安定である
poor	座位はとれるが，両手前方挙上できず，プッシングに抵抗できない
trace	ごく短時間座位をとれるが，安定した座位を維持できない
zero	まったく座位をとれない

(文献6を基に作成)

作業療法参加型臨床実習に向けて

脊髄損傷の対象者のADLは残存機能レベルによって標準的な到達目標ならびに動作方法・使用する自助具のモデルが明確である。対象者のレベルに応じて比較し整理しよう(図8)。

● ADL(表13)

起居動作はベッド柵を活用し，寝返り，起き上がり(右側のみ)可能である。移乗は前方移乗で導入段階であった。**食事**，**整容**の際はスプーンや歯ブラシの把持にユニバーサルカフを利用していた(図8)。**更衣**はかぶり型衣服をベッド上長座位で着衣する。準備と背部を整えるところで介助を必要とする(図9)。

表13 機能的自立度評価法(FIM)運動項目

	動作項目	評　価
セルフケア	食事	5　自助具使用
	整容	3　歯磨き動作のみ自立
	清拭	1
	更衣(上)	2　かぶり型を部分介助
	更衣(下)	1
	トイレ動作	1
	排尿コントロール	5　留置カテーテル
	排便コントロール	5　摘便
移乗	ベッド・椅子・簡易トイレ	1　リフター使用
	トイレ	1
	浴槽・シャワー	4
移動	トイレ	4　段差，傾斜なしで可
	階段	1
	合計	31/91

採点基準
7：完全自立　6：修正自立　5：監視または準備　4：最小介助
3：中等度介助　2：最大介助　1：全介助

図8 食事動作

図9　上衣の更衣動作（C6まで機能残存）

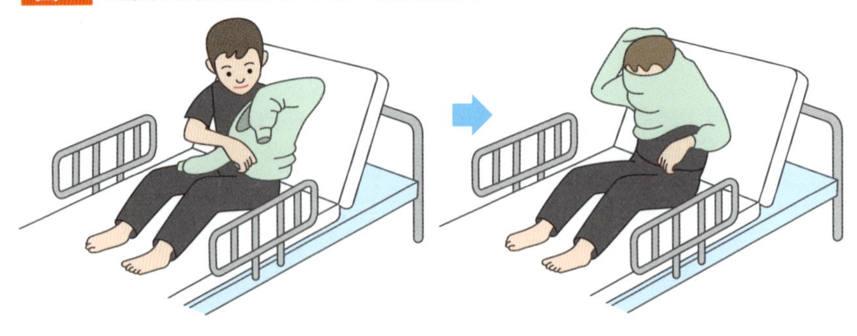

衣服や方法の工夫でベッド上および車椅子上で着脱はできる

■評価のまとめ

Aさんは最下位機能髄節C6，麻痺の重症度Aの完全四肢麻痺が認められた。受傷後の適切な医学的処置により，おおむね順調にリハビリテーションが進められ活動制限が改善しつつあるが，同残存機能レベルでの到達可能な動作と照合すると依然介助量が大きい状況である（**表14**）。

● 心身機能，身体構造

肩周囲筋をはじめ非麻痺筋力の多くがMMT(4)レベルであることから，部分麻痺の残存筋とともにさらに向上を図る必要がある。また，残存筋を活用した上肢・手指機能は十分とはいえず，装具の適用を考慮しながらの介入が求められる。ROMはSLRが目標角度(110°)より小さく移乗動作確立のために改善を要する。

● 活動，参加

身辺動作の自立度が低い。食事，整容，更衣(上)など上肢運動主体の静的座位姿勢で行うベッド上活動は導入が進んでいるものの，上肢の支持的活用ならびに体幹下肢を含めた全身のダイナミックな運動が求められる更衣(下)や前方移乗などは確立できていない。要因として上肢筋力，下肢可動性，バランス能力などの不足が考えられる。

■作業療法プログラム

Aさんは，若年であり現在受傷から2カ月余りであった。機能障害の改善が期待できる時期であることと，治療上問題となる二次的合併症がほとんど認められないことから，中長期的には本残存機能における標準的到達可能動作の獲得を目標とする。短期的には上肢筋力，手指機能，下肢可動性，バランス能力を向上させ，具体的にはベッド上長座位での改良衣服を用いた更衣(下)を導入することとする。

Case Study

Question 3

C6残存機能レベルでは更衣動作の自立が期待できる。ベッド上の長座位姿勢で上衣，下衣それぞれが自立するための基本的動作の要件は何か考えてみよう。

☞ 解答 p.511

試験対策 Point

頸髄損傷におけるADLの到達目標やその方法を学習するためには，対象者数が最も多いC6残存機能レベルを基軸にするとよい。そのうえでC5残存機能レベル，C7残存機能レベルと対比すれば整理がしやすい。

表14　残存機能レベルと日常生活活動の自立度

残存機能レベル	人数	平均年齢	寝返り	起き上がり	更衣	車椅子駆動	移乗動作ベッド―車椅子	排尿動作	排便動作	自動車運転
C4	14	36.0	−	−	−	−	−	−	−	−
C5A	10	33.5	−	−	−	△	−	−	−	−
C5B	21	29.0	△	△	△	○	△	△	−	−
C6A-B1	31	24.3	△	△	△	○	△	△	△	△
C6B2-B3	43	27.8	○	○	○	○	○	○	△	△
C7A-B	4	41.8	○	○	○	○	○	○	○	△
C8A-B	19	30.2	○	○	○	○	○	○	○	△

−：自立した者はいなかった　△：一部の者が自立　○：75%以上の者が自立

（文献3を基に作成）

4 脊髄損傷の評価と介入

完全損傷の場合，残存機能レベルによりADLの到達目標が定まる。しかし，目標とする動作の獲得までには，数週間から数カ月を要することはまれではない。

急性期からのADLへの介入では，ワンランク下のレベルから導入し，段階付けていくことが勧められる。例えば，残存機能レベルC7では，ベッド－車椅子間の移乗の到達目標は側方移乗であるが，急性期は，残存機能レベルC6における到達目標の前方移乗から導入することもある（図10）。

Case Study

Question 4

脊髄損傷の対象者にとって，ベッド-車椅子間の移乗動作が自立することは，ADLの自立範囲拡大のカギになる。ベッド-車椅子間の移乗動作を獲得することにより，そのほか，どのような動作項目の獲得が期待できるであろうか。頸髄損傷者のトイレや入浴動作に伴う移乗方法について調べてみよう。

☞ 解答 p.511

図10　移乗動作の段階付け

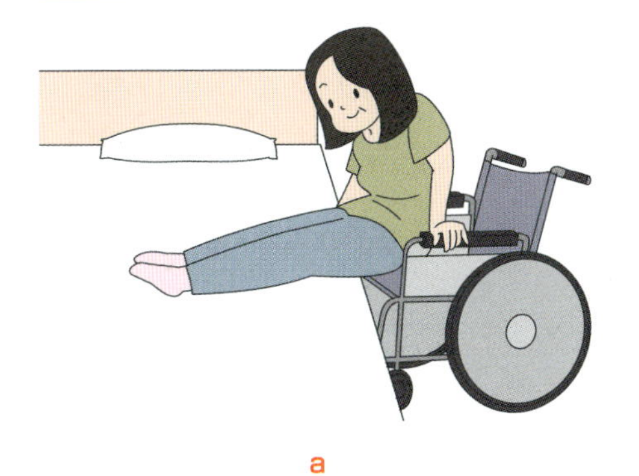

a　b

急性期はC6レベルの方法（a）で導入し，後に到達目標の側方移乗（b）へ段階付ける

【引用文献】

1) 二瓶隆一，ほか：頸髄損傷のリハビリテーション，改訂第2版，協同医書出版社，2006.
2) American Spinal Injury Association：International Standards for the Classification of Spinal Cord Injury, Motor Exam Guide, 2020(https://asia-spinalinjury.org/wp-content/uploads/2016/02/Motor_Exam_Guide.pdf)（2021年12月時点）.
3) 神奈川リハビリテーション病院脊髄損傷マニュアル編集委員会：脊髄損傷マニュアル リハビリテーション・マネージメント，第2版，医学書院，1996.
4) Bing R，ほか：脳脊髄の局所診断学，文光堂，1971.
5) American Spinal Injury Association：International Standards for the Classification of Spinal Cord Injury Key Sensory Points, 2008(https://asia-spinalinjury.org/wp-content/uploads/2016/02/Key_Sensory_Points.pdf)(2021年12月時点).
6) 肥塚二美子：理学療法の評価．脊髄損傷理学療法マニュアル(岩崎　洋 編)，p36-50，文光堂，2006.

【参考文献】

1. 千野直一，ほか 編：脊髄損傷のリハビリテーション，金原出版，2005.
2. 田中宏太佳，ほか 編：動画で学ぶ脊髄損傷のリハビリテーション，医学書院，2010.
3. 労働者健康福祉機構全国脊髄損傷データベース研究会 編：脊髄損傷の治療から社会復帰まで：全国脊髄損傷データベースの分析から，保健文化社，2010.
4. 渡邊友恵，ほか：脊髄損傷(29症例)C6頸髄損傷例．MEDICAL REHABILITATION, 163：145-149，2013.

チェックテスト

Q

①多発する二次的合併症を挙げよ(☞p.374)。 基礎
②上部胸髄以上の損傷でみられる症状を述べよ(☞p.375)。 基礎
③損傷高位や麻痺の重症度を把握するための診断学的評価法を述べよ(☞p.377)。 基礎
④麻痺の重症度分類にはどのようなものがあるか挙げよ(☞p.377)。 基礎
⑤運動や感覚の評価におけるポイントを挙げよ(☞p.382)。 臨床
⑥ADL評価のポイントを挙げよ(☞p.383)。 臨床

8 骨折(上肢)

奥村修也

Outline

- 骨折全般の定義や分類・評価について記した。
- 橈骨遠位端骨折の事例を通して，初期評価から最終評価まで治療の流れを示した。
- 上腕骨骨折の治療方法や合併損傷，骨折に合併することがある末梢神経損傷(障害)についての評価について述べた。

1 骨折とは

骨折は整形外科分野では部位を問わず，臨床場面で最も多く遭遇する疾患である。骨折の定義は，成書によって細かな表現の違いはあるものの「骨がなんらかの原因・外力によって，その連続性を完全もしくは不完全に断たれた状態」[1-6]である。

臨床的には骨折の主症状だけでなく，**周辺組織の合併損傷や合併症**が機能低下の大きな要因になる。

2 骨折の評価

骨折の作業療法治療のために確認しておくべき項目，および作業療法評価に必要な項目を**図1**に示す。

■ 情報収集：確認項目

● 受傷機転

骨折の起因として「どのような外力が，どのような方向で，どのような強さの力で加わったか」を確認することが，骨折の状態，合併損傷状態などを想起する第一段階となる。転倒や交通事故といった条件の違いで，損傷状態が異なる可能性がある。

● 画像診断所見

画像診断所見では，骨折整復前の状態，骨折の型や状態といった骨折そのものの評価と，医師による加療後の骨折部整復の状態や安定性，固定性などを把握しなくてはならない。関節内骨折での関節面の不整や関節部骨折での変形治癒は機能低下に直結するため，予後予測を行ううえで整復状態の確認は必須である。

骨折の画像診断には，単純X線画像，comuputed tomography(CT)画

図1　骨折した対象者に必要な確認項目・作業療法評価項目

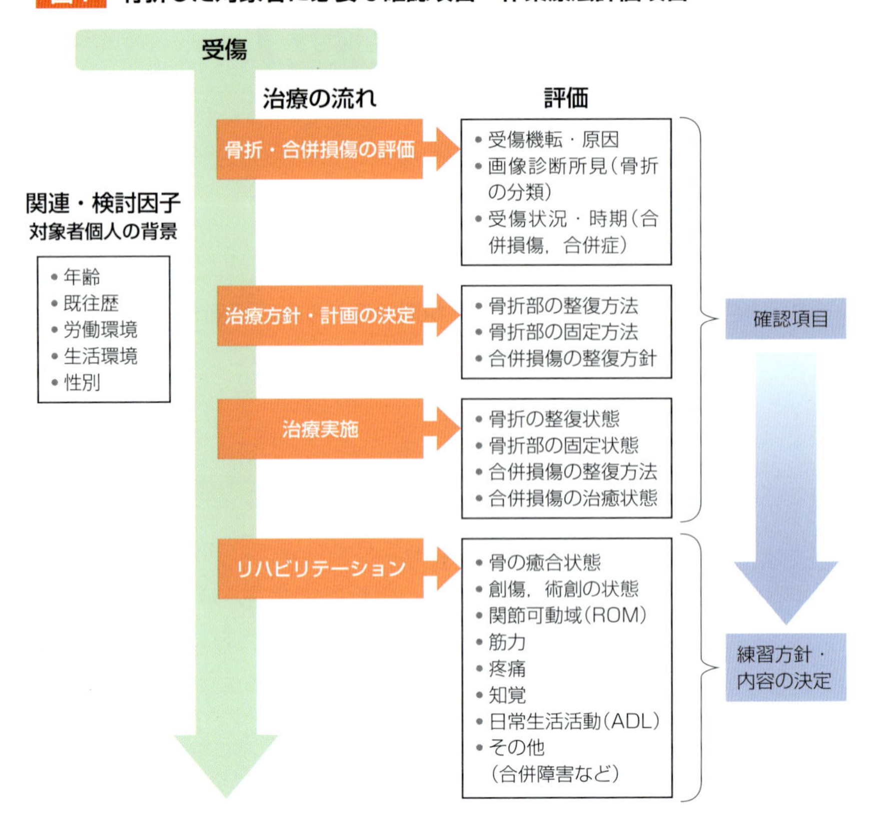

像，三次元CT画像などが用いられる。これらから得られる情報を整理して，作業療法プログラムを検討する。

単純X線画像は骨折の有無の評価，ならびに全体像把握のために必要である。CT画像では特に，関節内骨折の状態を確認できる。三次元CT画像は，CT画像を立体的に構築した画像であり骨折部の全体像を三次元化して把握することができる。また，カメラを関節内に挿入する関節(内視)鏡検査では，関節面の損傷・関節内骨折，靱帯損傷などの状態が把握でき，整復後はその整復状態を確認することができる。

● 骨折の分類[2-6)]

骨折はその状態・条件によって，さまざまな分類がある。代表的なものは原因による分類(**表1**)，部位による分類(**表2，図2，3**)，長管骨の骨折型による分類(**表3，図4**)，**骨折部と外界との交通**[*1]による分類(**表4，図5**)がある。

骨折では直接的な外力，筋腱の付着などの牽引力により骨片にずれが生じることがあり，これを転位という(**図6**)。

＊1　骨折部と外界の交通
骨折に伴い周辺の軟部組織は損傷が起こされる。損傷が特に重度な場合で皮膚が損傷し開放創となり，骨折部が体外の空気に触れる状態を指す。

表1 骨折の原因による分類

原因による分類	特徴
外傷性骨折	・正常な骨に直達または介達外力が加わって生じる ・転倒，交通外傷などが原因となる
病的骨折	・病的状態の強度が低下している骨に，通常では骨折が生じない程度の外力によって生じる ・骨腫瘍などが原因となる
疲労骨折	・正常な強度がある骨に，通常骨折が生じない程度の外力が繰り返し加わって発生する ・兵士・スポーツ選手などに発生する ・行軍骨折（中足骨骨折），ラケット・バットなど頻回に握ることによる有鈎骨鈎骨折など
脆弱骨折	・強度が低下している骨に，ADLで繰り返される外力が加わって生じる ・骨粗鬆症，くる病などが原因となる

表2 骨折の部位による分類

部位による分類		特徴
関節内骨折		・骨折（骨折線）が関節内に及ぶ（図2a，b）
関節外骨折		・骨折（骨折線）が関節内に認められない（図2c）
	上腕骨の場合	・図3

図2 関節内骨折，関節外骨折

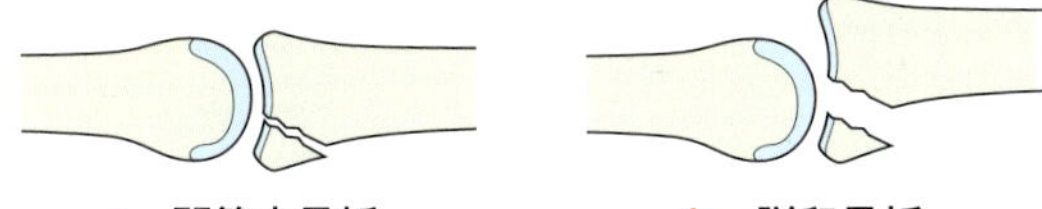

a 関節内骨折　　b 脱臼骨折

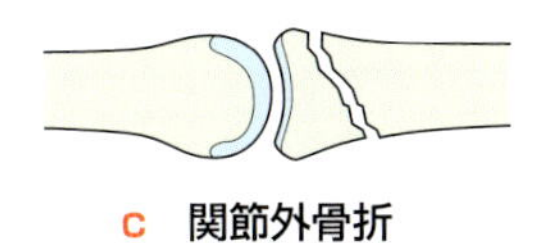

c 関節外骨折

図3 上腕骨骨折の部位別名称

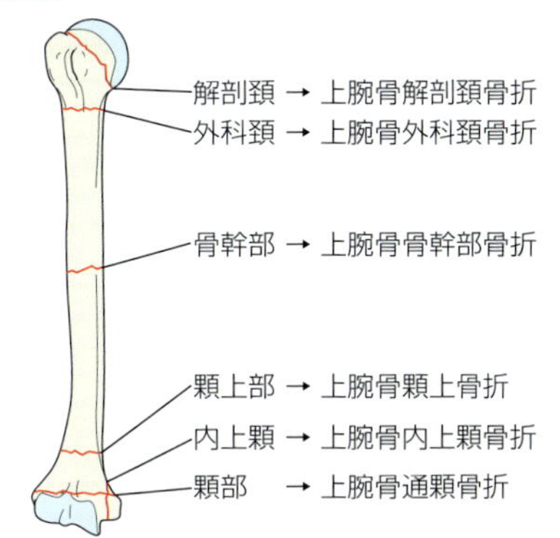

表3 骨折型による分類（長管骨）

骨折型による分類（長管骨）	特徴
横骨折（図4a）	・骨折線が骨長軸に対し直交しているもので，多くは屈曲力が原因となる
らせん骨折（図4b）	・骨長軸を回転軸として捻転力が加わり，らせん上の骨折を生じる
斜横・楔状骨折（図4c）	・横骨折が生じる屈曲力に圧迫が加わり生じる ・横骨折の一部に斜めの骨折線がみられるか，第3骨片がみられる
斜骨折（図4d）	・骨折線が骨長軸に対し斜めになっているもので，複合的な外力が原因となる
粉砕骨折（図4e）	・骨折線，骨片が多数存在する ・強力な直達外力によるもので，局所の軟部組織損傷も高度となる

（次ページに続く）

（前ページより続く）

剥離骨折（図4f）	・筋・腱，靱帯付着部への牽引力により骨折する ・外力に直行する面で破断する
嵌入骨折（図4g）	・圧迫力が骨の長軸方向に加わり生じる ・骨の横径が徐々に大きくなる長管骨の骨幹端部に多い
亀裂骨折（図4h）	・転位のない不完全骨折 ・骨膜の連続性は保たれている
不顕骨折	・受傷時のX線画像では骨折線がみられない ・評価にはCT・magnetic resonance imaging（MRI）による骨内変化の抽出が必要である

図4 骨折型の分類

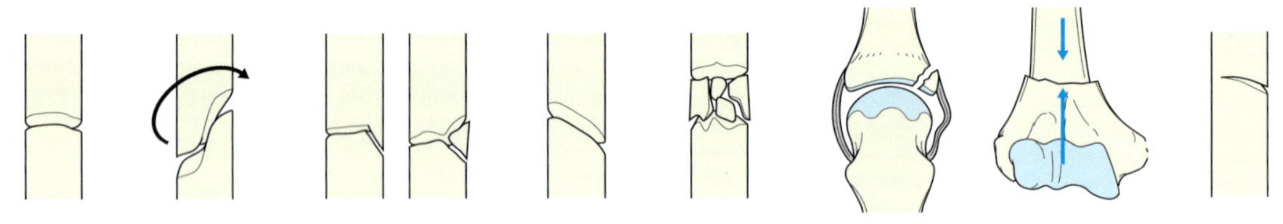

a 横骨折 b らせん骨折 c 斜横・楔状骨折 d 斜骨折 e 粉砕骨折 f 剥離骨折 g 嵌入骨折 h 亀裂骨折

表4 骨折部と外界の交通による分類

骨折部と外界との交通による分類		基準		
閉鎖骨折（単純骨折，皮下骨折）		骨折部と外界の交通がないもの（図5a）		
開放骨折（複雑骨折）		骨折部と外界が交通しているもの（図5b）で感染の危険性が高い		
	開放骨折の分類（Gustilo分類）	Ⅰ型		・骨折端による穿通創（1cm以下） ・皮下組織の挫滅はほとんどなく，創部も比較的汚染されていない
		Ⅱ型		・より広い範囲の挫滅創 ・創部は汚染されている
		Ⅲ型		・広範囲の皮膚の挫滅・欠損あり ・筋・神経・血管損傷を伴う ・創部は高度に汚染されている
			A	・軟部組織の損傷はあるが骨を被覆することができる
			B	・軟部組織の著しい損傷 ・骨膜は剥離され骨を被覆できない
			C	・血管の修復が必要となる大血管の損傷を伴う

図5 骨折部と外界との交通による分類

a 閉鎖骨折（単純骨折） b 開放骨折（複雑骨折）

図6 骨折部の転位

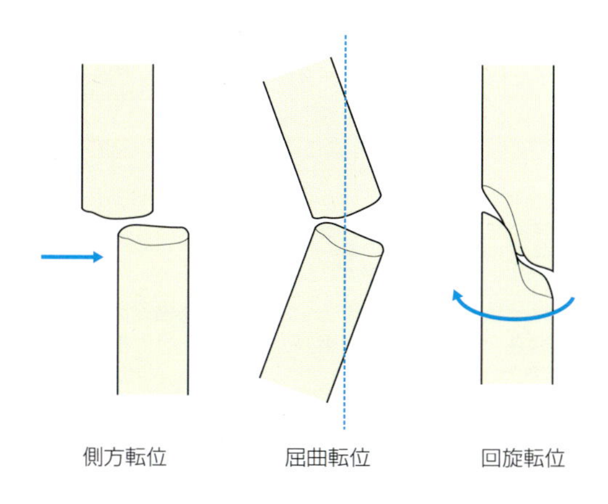

a 直達外力による転位：一次性骨転位

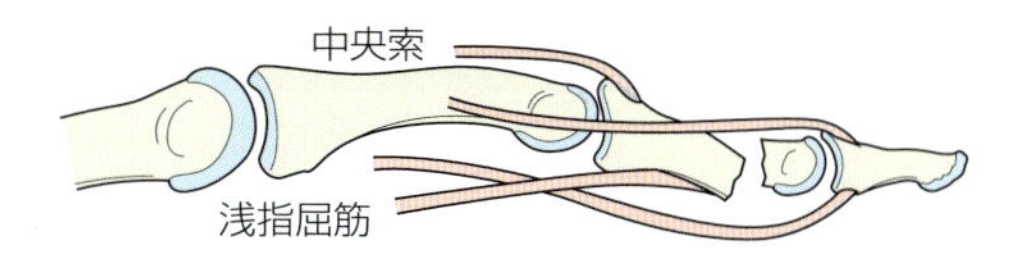

中節骨遠位部骨折

骨片転位は，近位骨片が浅指屈筋の牽引力に引かれて掌側凸変形となる

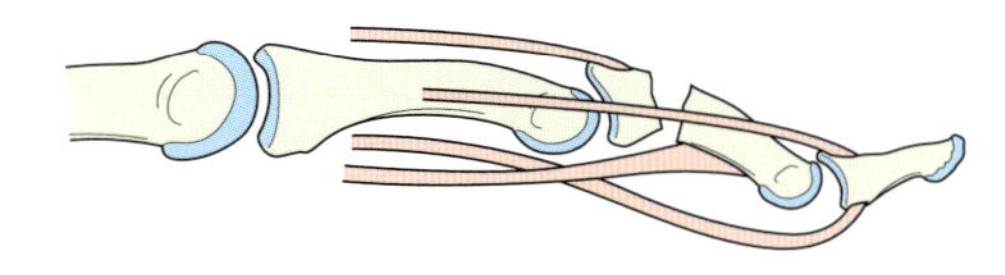

中節骨近位部骨折

骨片転位は，近位骨片が中央索（指伸筋）の牽引力に引かれて背側凸変形となる

b 筋・腱などの牽引力による転位：二次性骨転位

表5 骨折の合併損傷と自動運動が許可される最短期間

骨折の合併損傷	自動運動許可までの最短期間
血管損傷	2週
末梢神経損傷	3週
筋・腱損傷	3週
皮膚損傷	2週
靱帯損傷	3週
関節包損傷	3週

● 合併損傷

骨折に伴う合併損傷の代表例を**表5**に示す。骨折では，合併損傷の状態とその治療方針を確認する。皮膚損傷を伴う開放骨折（複雑骨折）の場合は，骨折部と外界の交通があるため感染の可能性が高くなる（**表4**）。

運動によって緊張がかかるような組織，血管，末梢神経，筋・腱，靱帯などは，運動練習プログラムに影響を及ぼすため，修復組織の緊張状態など特に詳細な情報確認が必要である。

● 合併症

骨折の合併症を**表6**に示す。合併症は骨折には必須で避けられないものと，徴候などが明らかで回避可能なものがあるので予防のために綿密な確認が必要である。

■作業療法評価

骨折に対する基本的な作業療法評価項目と評価方法を**表7**に示す。前述の確認項目とこれらを統合して作業療法プログラムは組み立てられる。

表6　骨折の合併症

合併症	特　徴
・ROM制限 ・拘縮，強直	・骨折における拘縮は，一定の固定期間が必要である場合には回避不可能である。原則的に，固定の必要のある関節については良肢位保持などで悪化予防に努め，固定部以外の関節は拘縮予防に努める ・治療：ROM制限の原因を究明して，原因に対応した方法でアプローチする（**表8**）
・複合性局所疼痛症候群（complex regional pain syndrome：CRPS）	・神経損傷を伴うタイプⅠ〔反射性交感神経性ジストロフィ（reflex sympathetic dystrophy：RSD）〕と神経損傷を伴わないタイプⅡ（causalgia）がある。疼痛（灼熱痛），浮腫・腫脹が初期症状。高度な骨萎縮や拘縮に陥る
・阻血性拘縮 ・Volkmann（フォルクマン）拘縮 ・コンパートメント症候群	・阻血性拘縮は血行障害に起因する筋，神経の壊死性麻痺を主体とした拘縮である。前腕部に疼痛（pain），蒼白（pallor），腫脹（puffiness），麻痺（paralysis），拍動消失（pulselessness）の5つの症状（5P徴候）を呈する ・阻血性拘縮は，フォルクマン拘縮のような上腕動脈などの血管損傷だけではなく，きつく締めつけたギプスによる血行障害や，前腕部の閉鎖性の筋の挫滅による筋膜内の内圧上昇（コンパートメント症候群）などでも発生する
・遷延治癒，偽関節 ・変形治癒	・骨折の治癒が不良な場合，遷延治癒・偽関節に陥り異常可動性を呈する ・骨折部の整復が不十分な場合は変形治癒となる

表7　基本的な作業療法評価

評価項目	評価内容
骨の癒合状態	・骨の太さ，骨折の状態，骨折整復，固定の状態，周辺組織の損傷状態，年齢，性別などで異なる。内固定材料によって骨折部の安定性は異なるため，それに応じて運動方法（自動，他動，自動介助運動），運動負荷量などの作業療法内容が異なる ・画像所見などを参考にするとともに，医師の見解も確認して作業療法内容を検討する
創傷，術創の状態	開放骨折に伴う創傷，手術による創傷の部位・大きさ，皮膚の硬さ，治癒の状態，植皮の有無などを確認する。創傷が関節部だと瘢痕（はんこん）が可動域制限因子となることもある。腱などの皮下組織との癒着も可動域制限の要因となる
浮腫，腫脹	・浮腫，腫脹自体が関節運動の抵抗や制限因子となる ・浮腫に含まれるフィブリノゲンがフィブリンとなり靱帯や関節包に沈着して伸縮性が低下し，関節周囲組織性拘縮の原因となる ・容積および周径の計測。周径は計測位置を決め，経時的に計測を行い評価する
疼痛	・運動練習を開始するうえで，最も重大な阻害因子の1つ ・外傷による単純なものもあれば，神経損傷に伴うもの，CRPSにみられる灼熱痛などと多様である。自発痛・運動痛といった疼痛の種類，疼痛が発生する状況，疼痛の程度を把握する ・疼痛は対象者個々で閾値の違いがあり客観的な評価が困難であるが，絶対評価は可能である。number rating scale（NRS）やvisual analog scale（VAS），face scale（FS）などを用いる
感覚	・代表的な原因は，骨折発生時の外力による末梢神経の圧迫や牽引，骨片による末梢神経の損傷，手術時の牽引などが挙げられる ・Semmes（セメス）-Weinstein（ワインスタイン） monofilament test（SWT）や2点識別覚検査などで状況把握に努め，さらに経時的に検査して経過を観察する。しびれなど，異常感覚の発生部位も把握し評価する
ROM	・骨折部位により，近接関節の運動が障害される。関節内骨折は関節自体の損傷であるため，関節障害が顕著。筋の短縮，腱の癒着，靱帯・関節包等の線維組織の伸張性の低下などが原因となる ・数値的評価としてはゴニオメータを使用。可動域制限は原因によって治療方針が異なるため，原因鑑別（**表8**）が必要である

筋力	• 握力やピンチ力など，実用に即した評価を行うことが必要。骨癒合が得られる時期を待って行うことが望ましい • 末梢神経損傷や障害がある場合は，損傷・障害部位より遠位の支配筋の麻痺および筋力低下の検査が必要。骨癒合状態や合併損傷に十分配慮して，徒手筋力検査(manual muscle testing：MMT)などを適宜行い経過観察する
ADL，生活の質(quality of life：QOL)など	• ADL評価：家庭などでの一般的動作に留まらず，職業上での特異的な手の使用などを含めた個別的な評価が必要。可動域制限や握力などの低下が生活に与える不具合と要素を見出す • QOL評価：MOS 36-Item Short-Form Health Survey(SF-36®)，上肢障害評価法(disabilities of the arm, shoulder, and hand：DASH)，Quick-DASHといった質問紙で評価する。対象者本人の状態への満足度などの確認も，欠かせない評価である(患者立脚型評価)
その他(対象者の理解力・性格など)	• 治療には対象者の協力が不可欠である。対象者の理解力や性格などを把握することは，自主練習や禁忌の遵守などの可否を判断するために必要である • ギプス固定期間中もしくは手術後早期の時期で，骨折側の手の使用が制限されている期間の生活の可否など，通常の生活環境や生活背景についても確認する必要がある

補足

NRS

NRSは疼痛の評価として，骨折した対象者にも使用される。NRS，VASなどの疼痛評価については，p.362を参照してほしい。

アクティブラーニング 1 DASHとQuick-DASHについて，日本手外科学会ウェブサイト(http://www.jssh.or.jp/doctor/jp/infomation/dash.html，2022年5月時点)を確認してみよう。

補足

• ROM制限は，単一もしくは複数の原因が合わさって起きている。
• 表8以外にも，ギプス固定期間での筋収縮の健忘や筋収縮不全，屈筋と伸筋が同時に働く同時収縮運動障害などもROM制限の要因となる。

表8 ROM制限の原因と鑑別方法

原 因	評 価
皮膚性拘縮 (熱傷瘢痕，線状瘢痕など)	他動伸展による皮膚の緊張・蒼白化
関節破壊，関節裂隙狭小化 (関節破壊，骨棘，軟骨損傷，関節相対面の癒合・癒着など)	変形・X線撮影，強直
筋，筋膜性 (筋の短縮・変性)	動的腱固定テスト(intrinsic plus test，extrinsic plus test)：陽性
腱性(腱の癒着)	動的腱固定テスト：陽性
関節周囲組織性拘縮 (関節包，側副靱帯の退縮)	動的腱固定テスト：陰性

3 橈骨遠位端骨折

橈骨(とうこつ)遠位端は，尺骨の遠位端と遠位橈尺関節を構成する部分である(図7)。遠位橈尺関節の損傷は，前腕の回旋障害をもたらす可能性がある。橈骨遠位端は手根骨の土台となる部分で，手関節を構成している。この部分の損傷は，手関節の可動域制限や疼痛の原因となる。

橈骨遠位端骨折の単純X線画像(図8)，CT画像(図9)，三次元CT画像(図10，図9と同一対象者)である。

図7 橈骨遠位端(掌側)

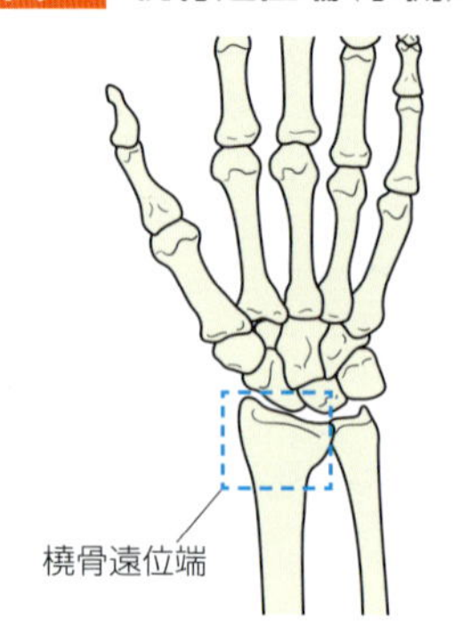

図8 橈骨遠位端骨折(単純X線画像)

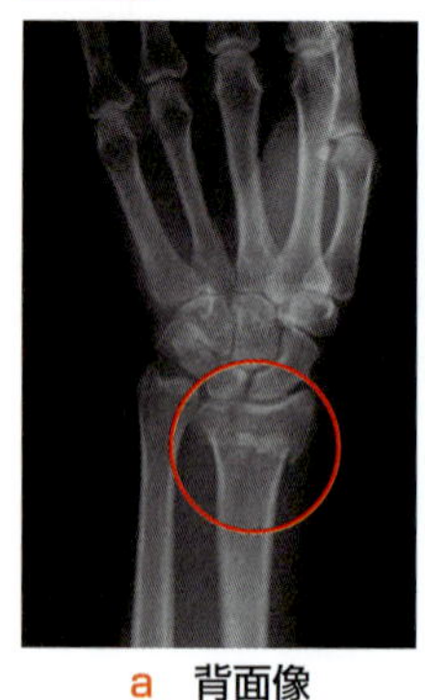
a 背面像

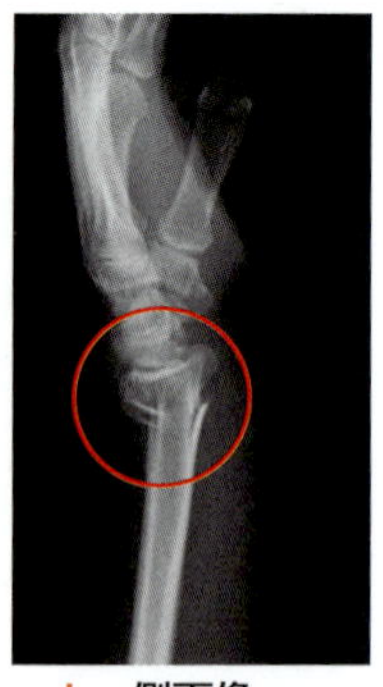
b 側面像

図9 橈骨遠位端骨折(CT画像)

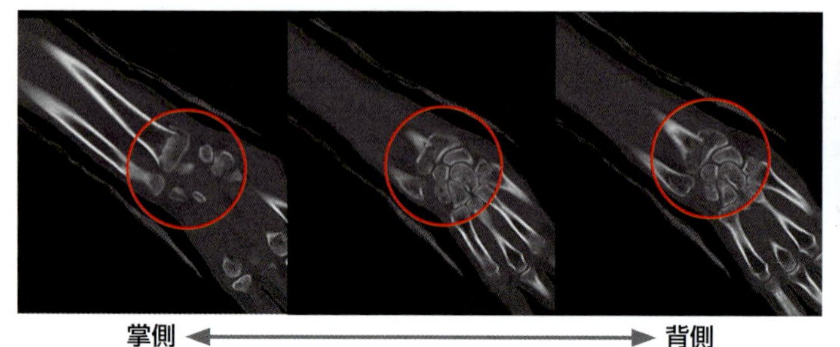

図10 橈骨遠位端骨折(三次元CT画像)

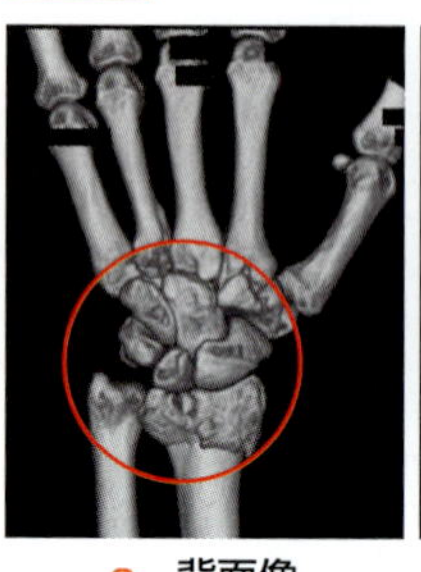
a 背面像

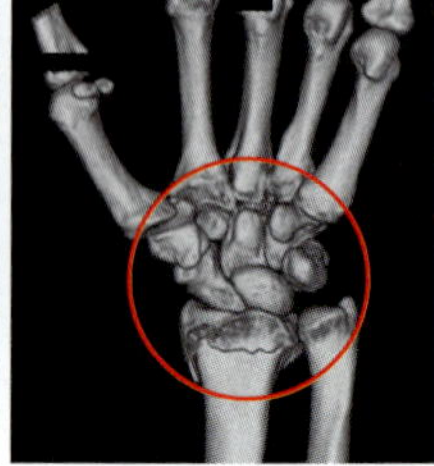
b 掌面像

■橈骨遠位端骨折の合併損傷・合併症

表9に示した橈骨遠位端骨折の合併損傷のうち，特記すべきものは，三角線維軟骨構造体(triangular fibro cartilage complex：TFCC*2)(図11)損傷である。そのほかの合併症としては，遅発的な長母指伸筋腱の断裂，内固定材の掌側ロッキングプレートとの摩擦による母指および手指屈筋腱の断裂，骨折後の腫脹による外傷性手根管(図12)症候群*3なども代表的である。

表9 橈骨遠位端骨折で可能性のある合併損傷

- TFCC損傷
- 尺骨茎状突起骨折(尺骨遠位端骨折)
- 靱帯損傷(手根不安定症)
- 腱損傷
- 神経損傷(神経障害)
- 血管損傷
- 皮膚損傷(開放骨折)

＊2 TFCC[7-9]

TFCCは，三角線維軟骨(関節円板)と尺骨側副靱帯，関節半月(メニスクス)，掌・背側の橈尺靱帯などで構成される尺骨と手根骨の安定支持機構である。
遠位橈尺関節の安定性と回内外運動の際に起こるひずみを吸収する。また，尺骨と手根骨間の衝撃緩衝の役割を担っている。その損傷により，遠位橈尺関節の不安定性および尺側部痛の原因となる。

＊3 手根管・手根管症候群[8]

手根管(carpal tunnel)は，手根部の手掌で手根骨と屈筋支帯(横手根靱帯)により形成されるトンネルで，このなかを正中神経と前腕屈筋群の一部の腱が通過している。
手根管症候群(carpal tunnel syndrome)は，なんらかの原因で手根管内圧が上がり，手根管の中を走る正中神経が圧迫され引き起こされる末梢神経障害を主体とした疾患群である。橈骨遠位端骨折の場合は受傷後の腫脹が，その原因となる。
手根管症候群の主な症状は，正中神経支配領域のしびれや感覚鈍麻などの感覚障害と正中神経に支配される母指球筋の麻痺(対立障害)である。

図11 TFCC

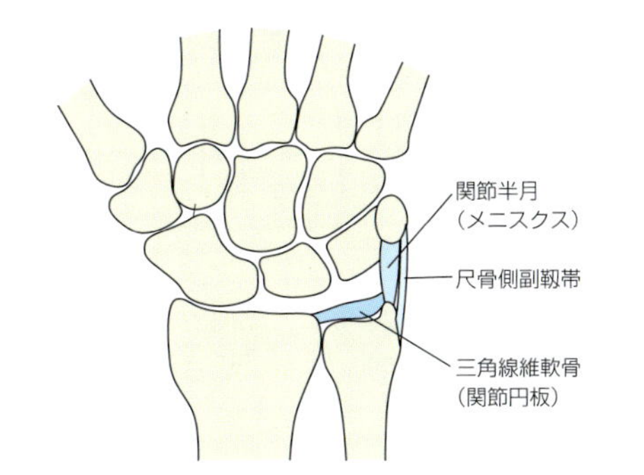

図12 手根管(carpal tunnel)

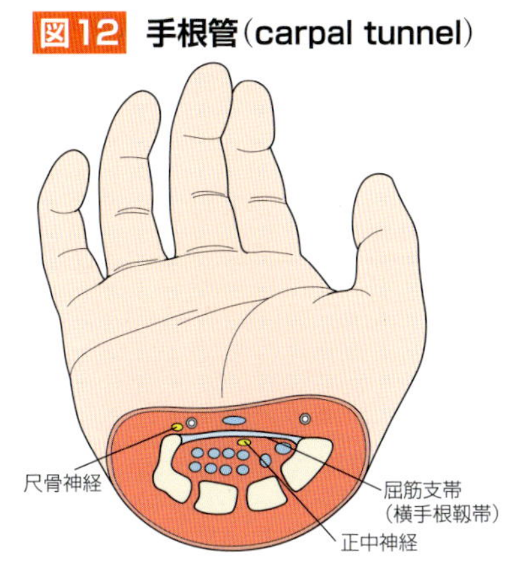

補足

低位正中神経麻痺や手根管症候群における母指対立障害には，図13に示すような装具が適応となる場合がある。

図13 母指対立障害で適応となる装具

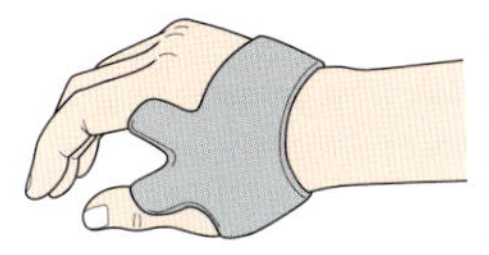

試験対策 Point

橈骨遠位端骨折の分類はX線画像から骨折系を選択するなどの形式で出題されており，骨片の転移方向などは確実に覚えておきたい。また，その合併症と症状・適応となる装具なども覚えておくとよい。

■橈骨遠位端骨折の分類

橈骨遠位端骨折には，Colles骨折，Smith骨折以外にもさまざまな骨折型がある。図14に，わが国で代表的な斎藤の分類の一部を示す。また，図15にてArbeitsgemeinschaft Osteosynthese fragen(AO)分類による前腕遠位端の骨折分類を示す。

■橈骨・尺骨遠位端の形態

橈骨遠位端骨折の整復状態の基準として，正常な橈骨・尺骨遠位の形態を図16に，数値的な基準を表10に示す。非骨折側との比較を含めて正常値を検討する。

■橈骨遠位端骨折の固定方法

図17に，橈骨遠位端骨折整復後の固定方法の一部を示す。近年，開発された掌側ロッキングプレート(図17d)は強固な固定力をもつため，手術翌日より作業療法治療を開始できる場合がある。

高度な粉砕骨折など橈骨長の維持が困難でplus variance(図16)が危惧される場合は，創外固定(図17e)器を用いて橈骨長を保持する。

図14 橈骨遠位端骨折の分類(斎藤の分類)

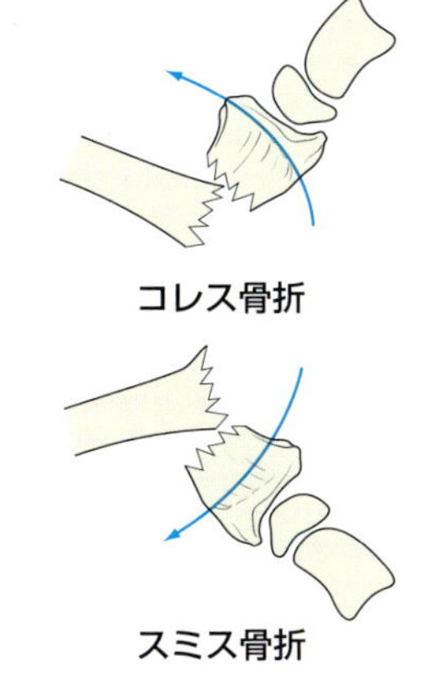

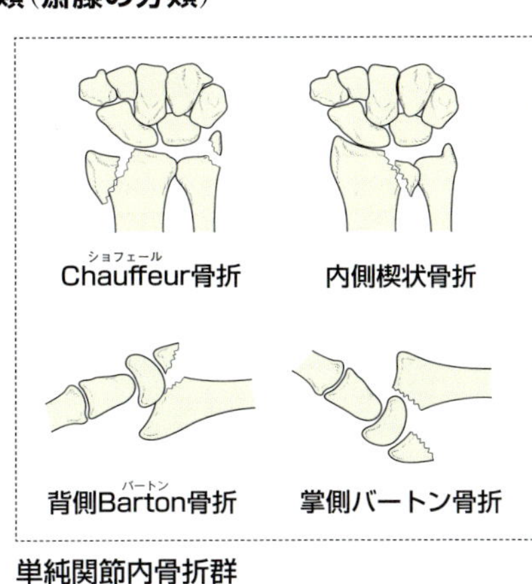

単純関節内骨折群

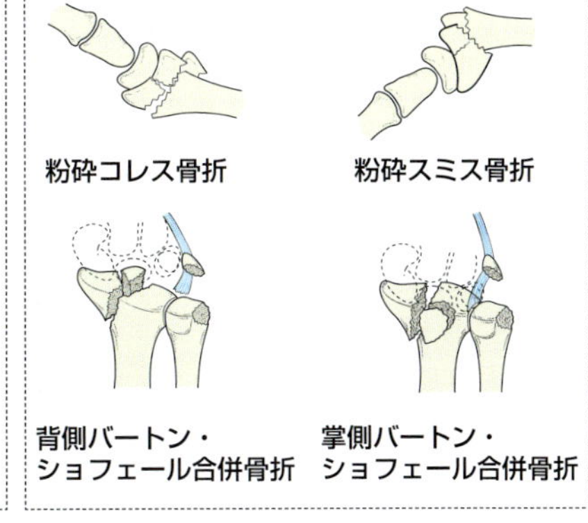

粉砕関節内骨折群

(文献10を基に作成)

図15 前腕遠位端のAO分類

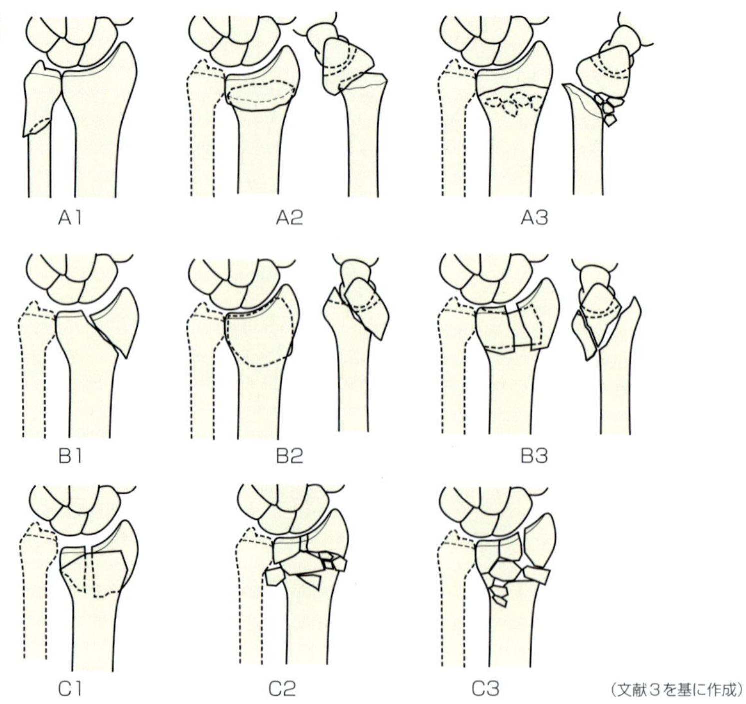

（文献3を基に作成）

図16 正常な橈骨・尺骨遠位の形態

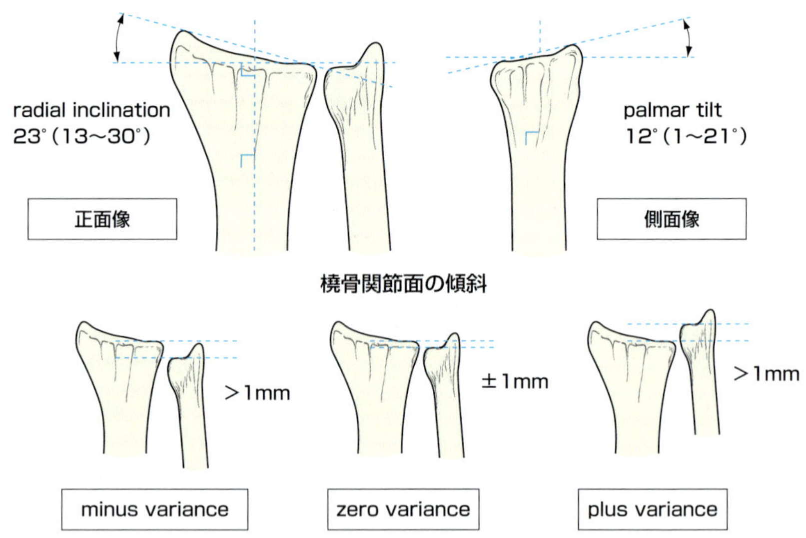

（文献7を基に作成）

アクティブラーニング②

固定方法以外にも，骨折の代表的な整復方法，徒手整復・透視下整復・観血（手術）的整復についても確認しておこう。

表10 正常な橈骨・尺骨遠位形態の数値的基準

	正常値	許容できる転位度
橈骨遠位端尺側傾斜（radial inclination：RI）	23°（13〜30°）	13°
橈骨遠位端掌側傾斜（palmar tilt：PT）	12°（1〜21°）	−15°
橈骨長差（radial length：RL）	8mm	4〜5mm
関節面の段差（step off）	0mm	2〜3mm

（文献7，10を基に作成）

図17　橈骨遠位端骨折の固定方法

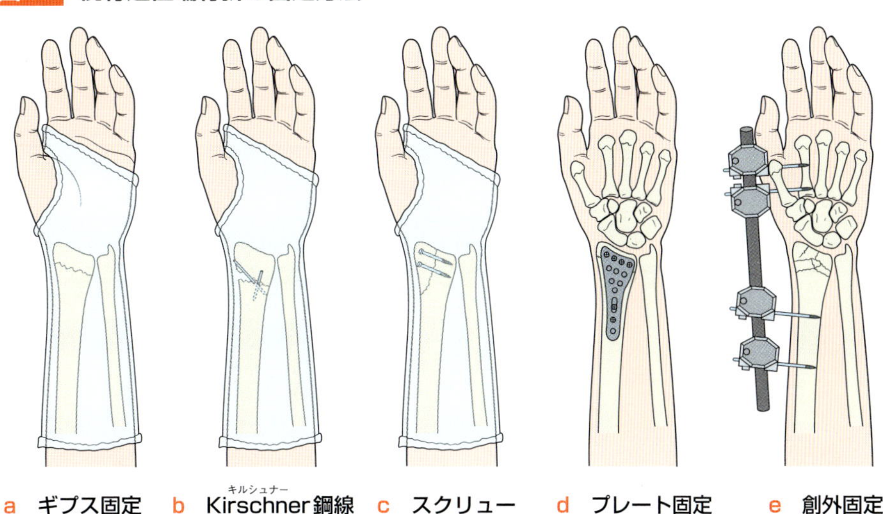

4　作業療法を始める前に

作業療法治療を開始する前に，まずは**表11**を確認する。

橈骨遠位端骨折の治療は施設により差異はあるが，**図18**に示す**プロトコール（治療実施要綱）**に従って進められる。治療を開始するうえで，**プロトコールに沿った治療遂行が可能か**という点を確認する。

また，骨折部の安定性など，手関節の運動を開始できるかを確認する。手術事例の場合には，手術所見・術者からの情報を確認する必要がある。

さらに，治療を遂行するうえでの禁忌事項を守ることができるか，家庭での自主練習も機能改善には重要な要素であり，対象者が**治療意図・内容などを理解できるか**なども評価しておくべき要素である。加えて，障害のある状態で**ADLを遂行できるか**，もしくは**なんらかの援助が受けられるか**なども確認する。

作業療法参加型臨床実習に向けて

骨折の治癒状態は厳密には画像所見の確認が必要になる。しかし，受傷あるいは手術からの経過時期を確認することで，大まかな治癒状態が把握できる。さらに，プロトコールは経過時期を基準に治癒状態を類推して作成されているため，練習内容からも順調な経過か否かの判断が可能である。

補足

撓骨遠位端骨折のリハビリテーションでは，手関節保護用装具（**図19**）を用いる。

図19　手関節保護用装具

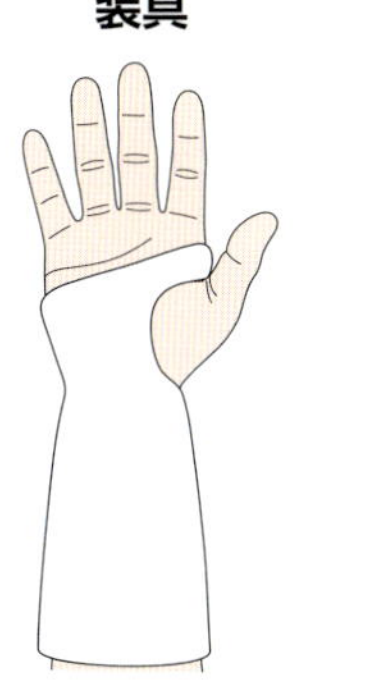

表11　作業療法治療開始前の確認項目

確認項目	内容	
受傷機転	・損傷の原因 ・外力の方向・強さ	
整復前X線画像所見	・関節外骨折 ・関節内骨折 ・骨片の粉砕状態	・斎藤の分類 ・AO分類など ・骨折型の確認
骨折の整復状態	・アライメント（図16，表10） ・固定方法（図17） ・内固定材料（手術例：図17） ・整復の安定度	
合併損傷	表9	

（文献11を基に作成）

図18 橈骨遠位端骨折のリハビリテーション練習プロトコール

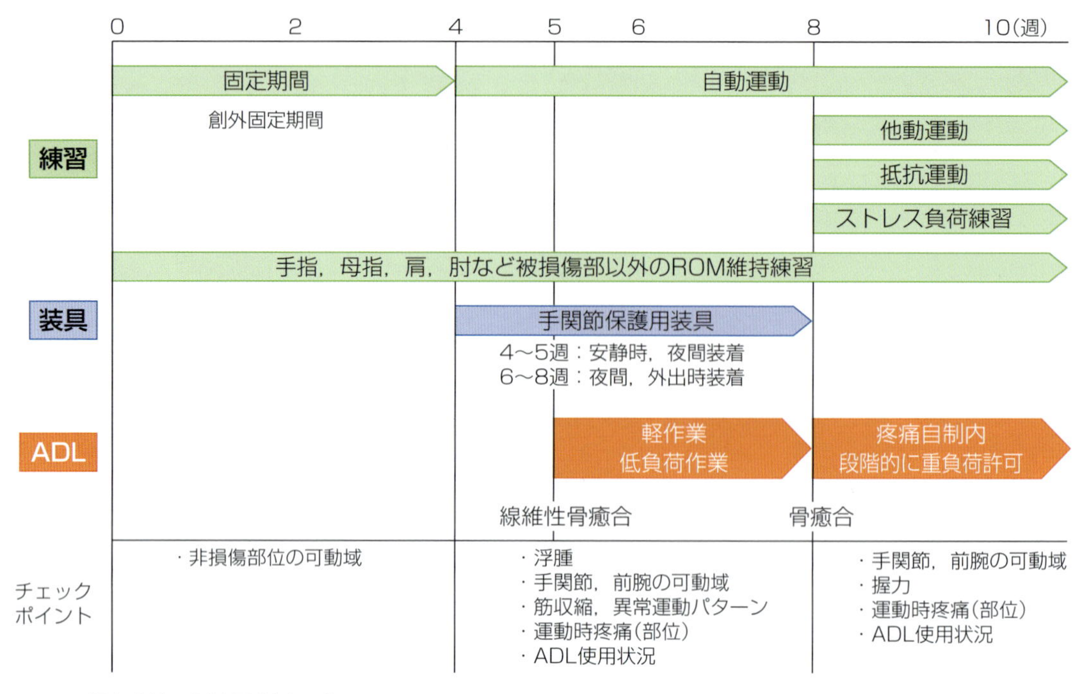

a 保存療法・創外固定例のプロトコール

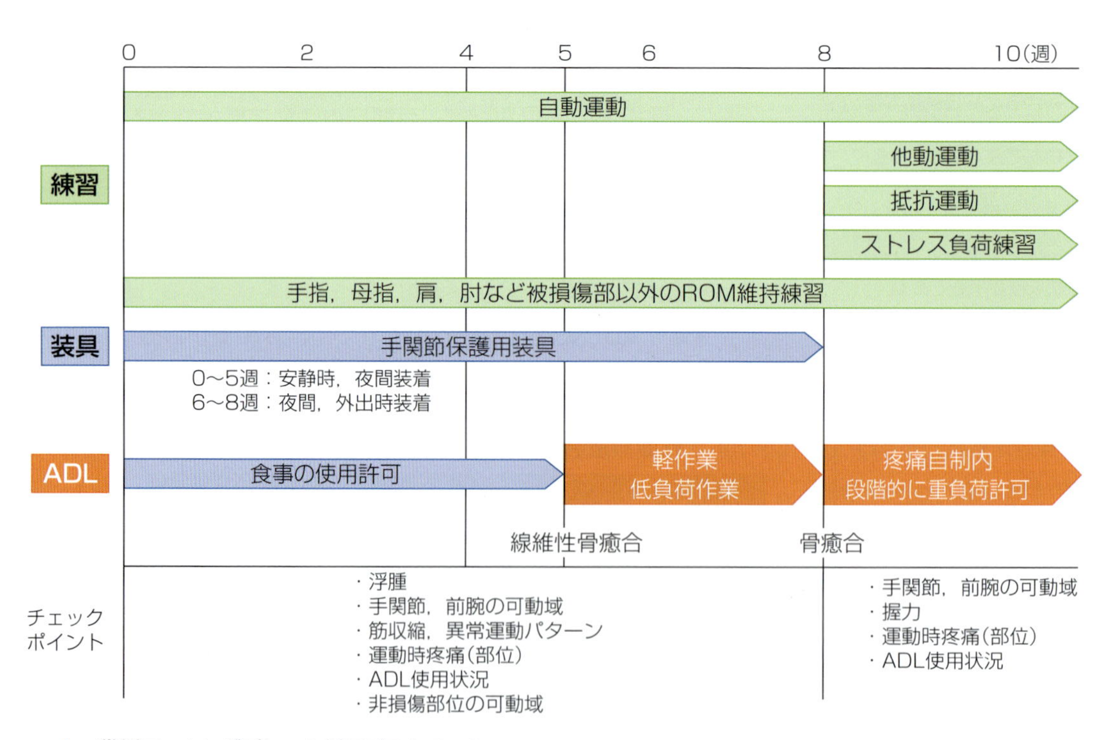

b 掌側ロッキングプレート例のプロトコール

(文献11を基に作成)

5 Case Study

橈骨遠位端骨折の50歳代女性，Aさんの事例を紹介する。

■情報収集

Aさんの基本情報を**表12**に示す。

表12 基本情報

氏名，年齢，性別	Aさん，50歳代，女性
職業	専業主婦
きき手	右
家族構成	Aさん，夫，娘
受傷機転	転倒し，左手を地面についた
ニーズ	主婦業の再開

● 初診時の画像所見

初診時の単純X線画像(**図20**)で，橈骨遠位端の関節内に及ぶ骨折線と，遠位骨片の背側への転位がみられることから，斎藤の分類における粉砕コレス骨折と判断した。また，尺骨茎状突起骨折の合併もみられる。**図21**のCT画像では関節内骨折が，**図22**の三次元CT画像では骨折部の全体像が認められる。

図20 初診時の単純X線画像（斎藤の分類，粉砕コレス骨折）

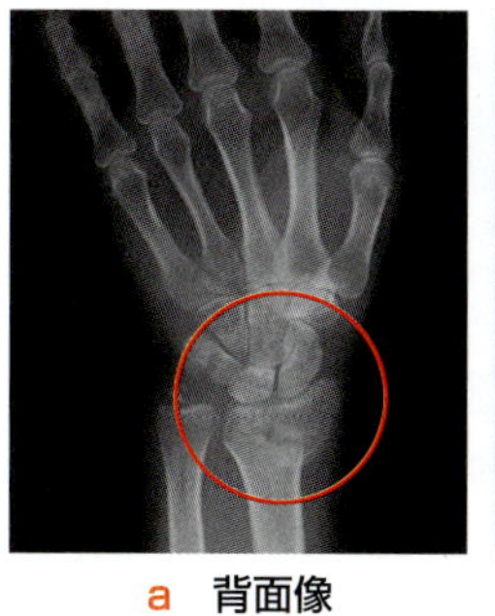

a 背面像　b 側面像

図21 初診時のCT画像

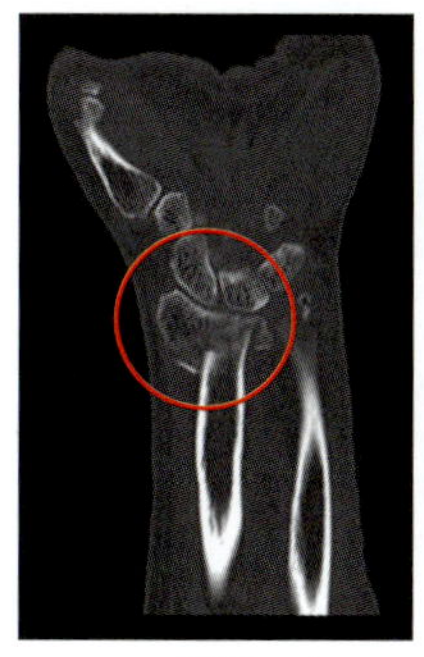

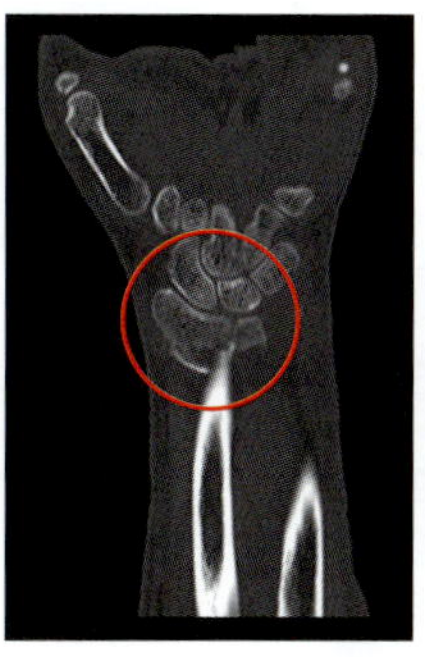

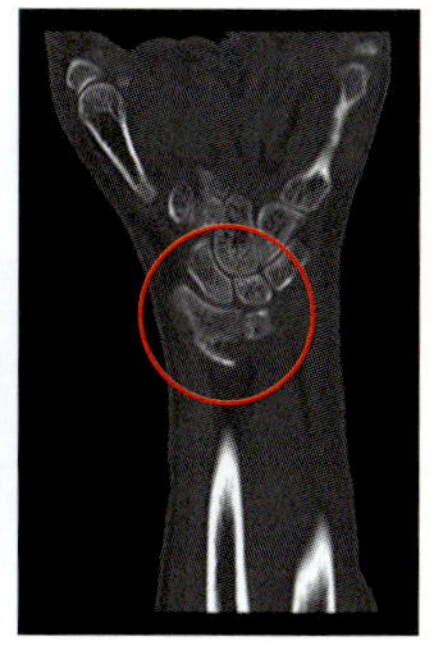

掌側 ←→ 背側

図22 初診時の三次元CT画像

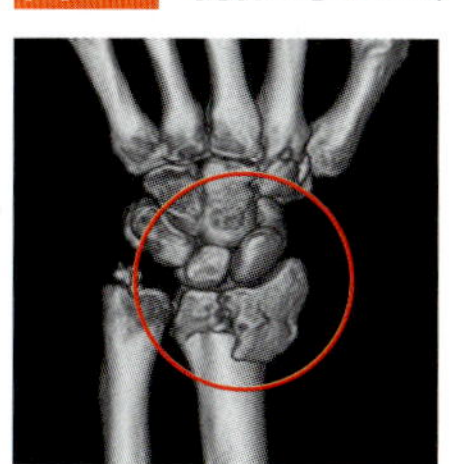

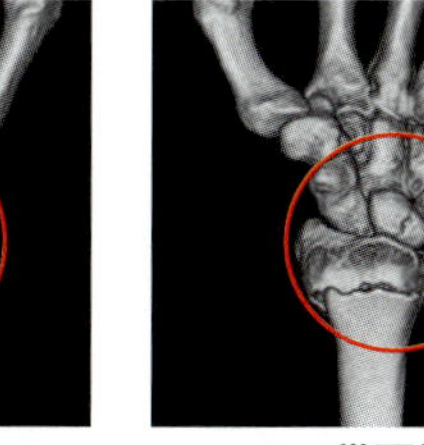

a 背面像　b 掌面像

作業療法参加型臨床実習に向けて

骨折事例に対する練習の選択と禁忌事項
近年の骨折治療では，手術適応の損傷であれば強固な内固定を行い，リハビリテーション治療として早期から運動練習を開始することが主流になってきている。これは，拘縮をはじめとする二次的な障害を予防することが目的とされる。注意すべき点は，いかに強固な内固定が行われたとしても骨癒合が促進されるわけではないことである。骨折部に対して不用意に大きな外力をかけることは，整復骨片の再転位，さらには内固定材の変形・折損などの可能性があるため，運動強度には十分配慮しなくてはならない。橈骨遠位端骨折の場合は，橈骨遠位端に軸圧をかけないように注意を払う必要がある。

● 手術内容

ロッキングプレート使用して，橈骨遠位端骨折に対する観血的整復内固定を行った。また，手関節鏡評価(靱帯損傷・三角線維軟骨複合体損傷評価)を行った。さらに，ファイバーワイヤーを使用して，尺骨茎状突起骨折に対する引き抜き縫合を行った。加えて，麻酔を用いて，腋窩神経ブロックを行った。

橈骨遠位端のプレート固定は，十分に自動運動に耐えうる状態で固定できた。また，橈骨遠位端関節面の骨折による段差は0mm，間隙は1mm遺残した。

● 手関節鏡所見

舟状-月状靱帯損傷(－)，月状-三角靱帯損傷(－)，三角線維軟骨複合体はPalmer(パルマー)分類(**表13**)でⅠB損傷が認められた。

表13 三角線維軟骨複合体損傷のパルマー分類

Type Ⅰ 外傷性(新鮮)断裂	A	中央部損傷
	B	尺側損傷
	C	遠位(辺縁)損傷
	D	橈側損傷
Type Ⅱ 変性断裂	A	関節円板のすり減り
	B	関節円板のすり減り＋月状骨の軟化
	C	関節円板の穿孔＋月状骨の軟化
	D	関節円板の穿孔＋月状骨の軟化＋月状三角骨間靱帯の損傷
	E	さらに進行した変性所見

図23 術後の単純X線画像

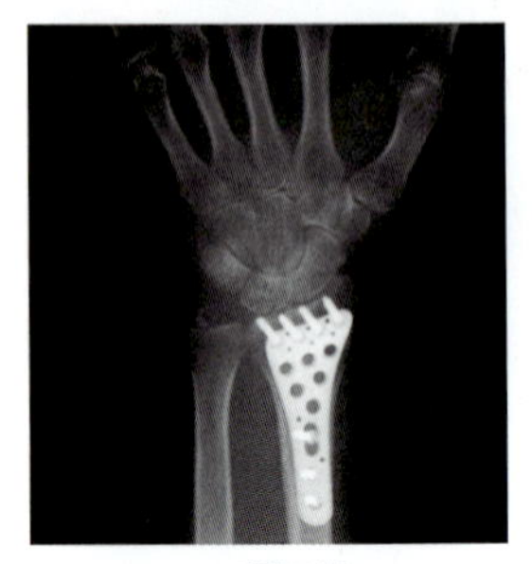

a 背面像

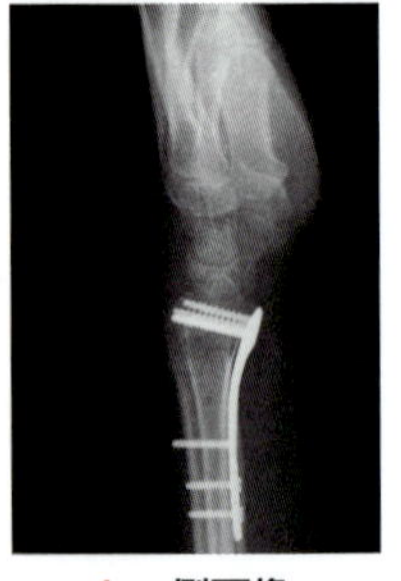

b 側面像

● 手術後の画像所見

手術後の単純X線画像(**図23**)では，橈骨遠位端のアライメントは，橈骨遠位端尺側傾斜(RI)20°・掌側傾斜(PT)10°・尺骨バリアンスはゼロバリアンスで，いずれも許容範囲内の整復状態となっていた。橈骨遠位端骨折部は掌側ロッキングプレートで固定されている。尺骨茎状突起は手術内容では引き抜き縫合となっているが，ファイバーワイヤーを使用しておりX線画像からは確認できない。

■評価

● 初回評価

ROMおよび握力の予後については，**表14**に示したようなデータを基に目標を立てることができる。作業療法を遂行するうえでの禁忌事項，治療意図・内容などを対象者に説明し，理解を得た。

表14　橈骨遠位端骨折の保存的治療・手術的治療における練習終了時の成績

	保存的治療例（平均練習期間13週）		手術的治療例（平均練習期間24.6週）	
	平均値（%）	最小値〜最大値（%）	平均値（%）	最小値〜最大値（%）
背屈	94.5	66.7〜116.7	90.2	56.3〜107.1
掌屈	85.8	57.1〜133.3	83.1	50.0〜100
橈屈	91.0	33.3〜125.0	96.6	33.3〜133.3
尺屈	87.7	60.0〜133.3	97.7	54.5〜133.3
回内	98.2	70.0〜121.4	95.8	70.6〜107.1
回外	97.9	82.4〜114.3	97.4	75.0〜112.5
握力	69.1	33.3〜138.5	72.8	37.0〜116.3

骨折の測定値を，非骨折に対する割合で表している

（文献11を基に作成）

初回評価の結果を**表15**に示す。プロトコール（**図18b**）に従った治療が可能と判断し，手術翌日より作業療法治療を開始した。

国際生活機能分類（ICF）によるAさんの評価を**図25**に示す。

表15　初回評価

評価項目		結　果
ADL		夫，娘と同居。家事などの援助は娘から十分に受けられる
手の周径（図24）		骨折側：372mm，非骨折側：360mm
疼痛	安静時痛	（−）
	運動時痛	（＋），疼痛自制内での運動は可能
感覚障害		異常感覚（−），神経損傷・障害はなし
非損傷部（手指，肘，肩）のROM		手指の握りにくさの訴えはあったが，可動域の左右差はほとんどなく，維持されていた
目標	短期目標	ROMの拡大，筋力向上。具体的目標数値は**表14**の手術的治療例を基に，**表16**に示した実測値より算出）
	長期目標	家庭内復帰（主婦業への復帰）。ニーズを考慮し，十分に目標達成可能と判断した

補足

橈骨茎状突起を起点とした8の字法についてはp.149**図15**を確認してほしい。

図24　8の字法による手の周径計測（起点：尺骨茎状突起）

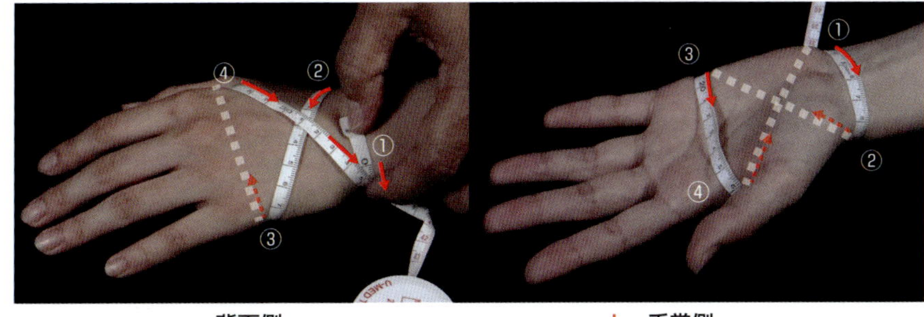

a　背面側　　b　手掌側

表16 初回評価(術後1日)結果と目標値

		非骨折側	骨折側	目標値
手関節	背屈/掌屈(°)	70/70	30/30	63/58
	橈屈/尺屈(°)	20/30	−5/25	19/29
前腕	回内/回外(°)	70/80	50/20	67/78
握力※(kg)		−	−	−

※：術後1日目では，握力は測定していない

図25 ICF

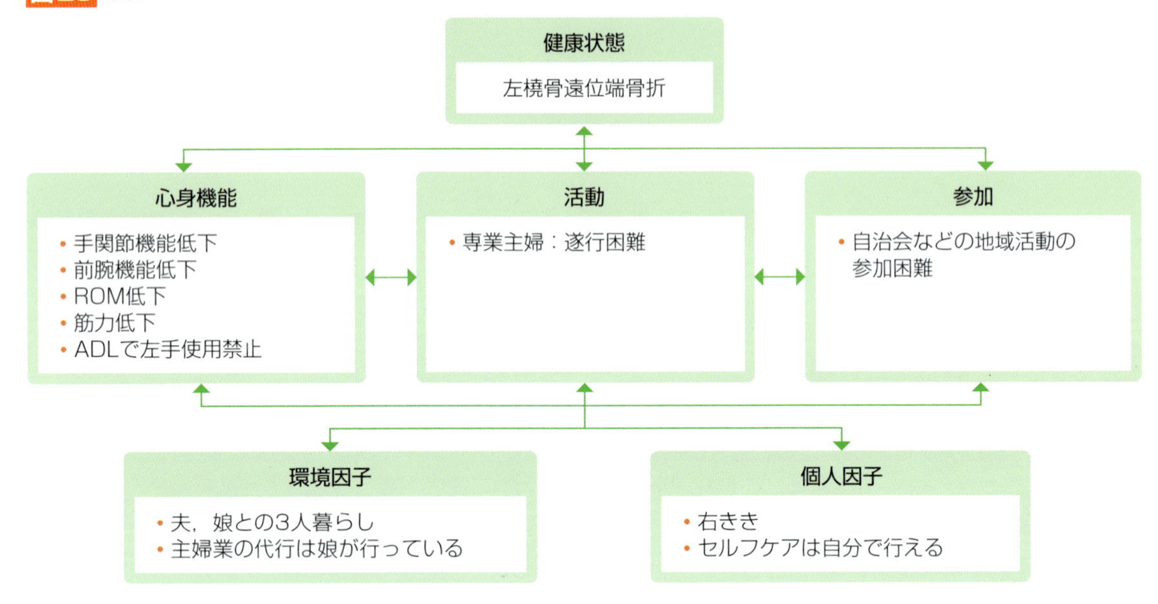

● 評価のタイミングとポイント

評価は来院ごとに行うことが望ましい。図18に示したように，治療初期はROMの推移など基本的な動きについて，重負荷が許可されADLでの使用制限が解除される術後8週以降では，**握力やADLの問題点を確認**する。ADLなどで，**活動・動作が遂行不可能な理由や制限される要因も検討**して，随時作業療法プログラムに変更や追加を加える。ADL評価については，p.213〜を確認してほしい。

Aさんの数値的評価経過を表17に示す。ROMや握力の経過データをグラフ化することで，視覚的に変化を確認することができる。

補足

手の障害を把握するにはROMや筋力だけでなく，手の巧緻性や操作性の評価法である簡易上肢機能検査やJepsen(ジョブセン)-Taylor(テイラー) hand function test，purdue peg board testなどを用いることも有意義である。

表17 評価経過

		術後1週	術後3週	術後5週	術後8週(図26，骨癒合)	術後13週
手関節	背屈/掌屈(°)	35/30	30/50	60/45	70/60	70/60
	橈屈/尺屈(°)	10/30	20/30	20/30	20/35	20/40
前腕	回内/回外(°)	70/30	70/40	70/65	80/80	80/80
握力(kg)		−	−	−	11	16

図26 術後8週での単純X線画像

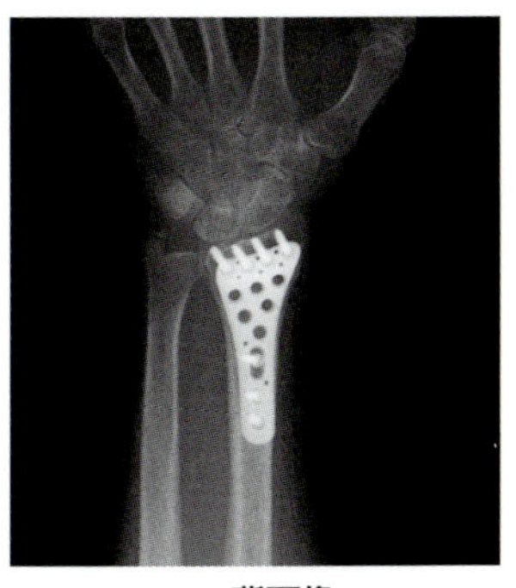

a 背面像

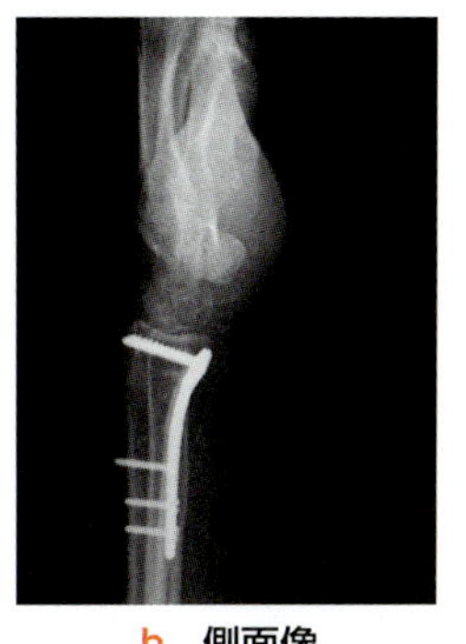

b 側面像

橈骨遠位端骨折は骨融合が得られている。尺骨茎状突起骨折部には，遠位に偽関節となった小骨片が確認できる

● 最終評価

最終評価では，ROMや筋力などの機能的かつ客観的な指標とADL評価，患者立脚型のDASHやSF-36®などの評価を行う。

Aさんの練習は術後18週で終了となった。ROMと握力を**表18**に示す。ROMは目標値に達したが，握力は目標を下回った。ADLでは，困難となるものはなく，すべて自立して専業主婦としての能力に支障はなかった。DASHにおいても全項目0ポイントで問題となる事象はなく，遺残する疼痛などもなかった。

表18 最終評価結果

		非骨折側	骨折側	目標値
手関節	背屈/掌屈(°)	70/70	70/60	63/58
	橈屈/尺屈(°)	20/30	20/30	19/29
前腕	回内/回外(°)	70/80	80/80	67/78
握力(kg)		34	22	25

6 合併症(末梢神経麻痺)

■ 末梢神経麻痺に対する練習の選択と注意事項

運動機能練習の指標には，MMTを用いるのが簡便である(**表19**)。末梢神経麻痺の筋力練習では，基本的には現状におけるMMTの結果の1段階上を目標とする。MMT 0での目標は，固定で生じた拘縮の解離と拘縮予防が中心となる。麻痺手の拘縮の発生原因は，運動麻痺に伴う筋の不動による短縮(退縮)，機能筋と麻痺筋との関節にかかる力の不均衡による変形などである。

● 練習の選択

他動ROM練習が中心となる。MMT 0では低・中周波などの電気刺激装置による筋萎縮防止の効果は諸説あり，可否が分かれるところである。

作業療法参加型臨床実習に向けて

末梢神経麻痺に対してMMTを行う前に，スクリーニングとして麻痺肢の動きをよく観察するとよい。ポイントは重力に抗しての動きであり，重力に抗することができていればMMT3以上であると考えられる。また，感覚についても物品にどのように触れているかを観察すると感覚障害のある部分とない部分がわかることもある。このように観察からでも多くの情報が得られる。

MMT 1～3では拘縮の解離・予防に加えて，筋の随意収縮の改善を目標とする。随意収縮が十分に行えない場合は，電気刺激装置を利用して筋収縮の活性化を図ったり，随意収縮のモニタとして筋電図（electromyography：EMG）バイオフィードバックを利用することで，筋収縮の学習を促す。

MMT 2～3では，重力除去位での自動運動から抗重力運動を目標にする。具体的な方法としては，麻痺肢に対して他動的に抗重力位をとらせ，その肢位を保持させる他動運動保持練習を行い，抗重力運動が可能なMMT 3レベルの筋力増強を目指す。

MMT 3では軽い抵抗運動を加え，MMT 4以上ではより強い抵抗に打ち勝てるよう積極的に筋力増強を進める。

表19 MMTを基準とした末梢神経麻痺の練習とその目標

<table>
<tr><th>MMT</th><th>目　標</th><th colspan="7">練習内容</th></tr>
<tr><td>0</td><td>拘縮の予防と解離</td><td rowspan="6">ROM練習</td><td></td><td></td><td></td><td></td><td></td><td></td></tr>
<tr><td>1</td><td>筋収縮の再学習と除重力位での関節運動</td><td rowspan="3">電気刺激（低・中周波電気刺激装置）</td><td rowspan="3">EMGバイオフィードバック（ポジティブフィードバック）</td><td rowspan="3">除重力位自動運動練習</td><td></td><td></td><td></td></tr>
<tr><td>2</td><td>抗重力位での関節運動</td><td rowspan="2">他動的肢位保持練習</td><td rowspan="3">抗重力運動</td><td></td></tr>
<tr><td>3</td><td rowspan="3">筋力増強：より強い抵抗に抗することができる筋力の獲得</td><td rowspan="3">抵抗運動</td></tr>
<tr><td>4</td><td></td><td></td><td></td><td></td></tr>
<tr><td>5</td><td></td><td></td><td></td><td></td><td></td></tr>
</table>

（文献12を基に作成）

● 注意事項

ホームエクササイズは，回復筋が易疲労であることを考慮して1時間に10分程度の練習に留める。過度な練習はかえって筋力増強を阻害すること，麻痺筋は持久力などを含め厳密には受傷前の状態にならないことを対象者に説明する必要がある[13]。

そのほかに，注意すべき点は麻痺筋は伸張などの外力に弱く，損傷する可能性があるため，不用意に強い力で扱わないことである。

■末梢神経麻痺に対する知覚評価

末梢神経障害，損傷に対する知覚評価は表在感覚の評価で行われる。表在感覚の感覚受容器には，静的触覚受容器・動的触覚受容器・痛覚や温度覚などの受容器がある。静的触覚受容器はMerkel（メルケル）触盤，動的触覚受容器はPacini（パチニ）小体・Meissner（マイスナー）小体，痛覚や温度覚の受容器は自由神経終末である。それらには，個々の受容器の機能に適合した評価を用いる。

それぞれの感覚の回復は痛覚，30cps音叉（振動），静的触覚，256cps音叉（振動）の順とされる。**表20**に感覚受容器とその神経線維・受容する感覚・臨床検査について示した。前述した感覚の回復順からすると受容器の回復は自由神経終末，マイスナー小体，メルケル触盤，パチニ小体の順である。これは支配神経の太さに影響を受け，細いほうが早いとされる(ニューロン・ポンプ説)[14]。

表20 感覚受容器と神経線維・感覚・臨床検査

感覚受容器	神経線維〔線維直径(μ)〕	感覚	臨床検査
自由神経終末	C(5〜10)	・痛覚 ・温度覚	・痛覚検査(ルレット，定量痛覚計) ・温覚検査計
マイスナー小体	A-β(10〜15)	・動的触覚 ・羽ばたき振動 ・触覚認知	・30cps音叉(振動) ・動的2点識別(moving 2-point discrimination test：M2PD)
メルケル触盤		・静的触覚 ・触覚認知	・静的2点識別(static 2-point discrimination test：S2PD) ・SWT
パチニ小体		・動的触覚 ・振動 ・触覚認知	・256cps音叉(振動) ・M2PD

(文献14を基に作成)

● セメス・ワインスタイン monofilament test(SWT)

表21にSWTの検査結果の判定基準・意義について示した。SWTは静的触覚受容器の閾値検査であり，後述する2点識別覚検査よりも早期に感覚の変化をとらえることができ早期診断に有用とされる。なお，SWTの正常値は年齢によって変化するとされている(**表22**)。また，仕事などで皮膚の角質化層の厚くなった対象者は1〜2段階悪い値となることがあるので，このときには非麻痺側との比較を要する[17]。検査方法については，p.61を確認してほしい。

表21 SWTの検査結果の判定基準・意義

filament number	色区分	判定	結果の解釈
1.65〜2.83	緑	触覚正常	・触覚，圧覚が正常範囲
3.22〜3.61	青	触覚低下	・運動状態や認知能力は十分活用できる ・手は良好に使用できる ・書字覚や立体認知の識別はほぼ正常，適応 ・防御知覚は良好 ・2点識別覚良好 ・知覚障害に気づかない
3.84〜4.31	紫	防御知覚低下	・手をあまり使用しなくなる ・物品の操作が困難で落とすようになる ・7〜10mmの2点識別は可能
4.56〜6.65	赤	防御知覚脱失	・ADLでほとんど手を使用しなくなる ・温度覚は極度に低下 ・視覚なしで物体の操作は不可能 ・外傷予防のための指導が必須
検査不能	赤斜線	測定不能	・識別覚は失われる ・痛覚は遺残あるいは非常に低下する ・視覚なしで物体の操作は不可能 ・無知覚手の問題予防に手の保護指導が必須

(文献15を基に作成)

表22 SWTの年齢階層別正常値

20歳未満	緑
20〜60歳	緑〜3.22（青）
60歳以上	3.22〜3.61（青）

（文献16を基に作成）

SWTの末梢神経損傷における意義は，閾値を調べて結果をマッピングし末梢神経の支配領域と比較することにより，神経損傷のレベルおよび回復段階を把握することである。また，知覚再教育プログラムの適応を判断する材料になることで末梢神経損傷時にfilament number 4.31が感じられれば，その箇所の受容器と神経線維は温存されている可能性が示唆される。神経縫合術後，filament number 4.31が感じられれば再生軸索が受容器に到達したことが示唆される[17]。

● 2点識別覚検査

2点識別覚検査は受容器の密度検査である。神経損傷後の回復経過に用いた場合に結果の値が小さくなることは，受容器および神経単位が回復して増加したことを表す。判断基準についてはp.64を参照してほしい。

S2PDは静的触覚受容器の密度検査である。Moberg（モバーグ）は時計のゼンマイを巻くのには6mm，縫物には6〜8mm，細かな道具を扱うには12mm，大きな道具を扱うには速さと巧緻（こうち）性は劣るが15mm必要としている[13]。

M2PDは動的触覚受容器の密度検査である。指尖部の知覚は動きによるところが大きいため識別覚に用いる刺激は動的であるべきという原理である。静的2点識別に比べ神経断裂後の回復が早く，早期評価が可能とされている[13]。

Web動画

補足

O'Conner（オコナー）手指操作性検査（O'Conner finger dexterity test）は小さなピンをボードに差し込む課題であり，小さな部品をとり扱う作業における手指の巧緻性の測定に特化している。まず，縦10列横10行の合計100穴に一度に3本のピンをつまみ上げ，差し込む。次に，右手のテストの場合，左上の穴から開始し横へ進む。最後に50穴（5行），100穴（10行）の終了時間をそれぞれ計測する。Raw Score＝〈前半（50穴）の時間＋1.1×前半（50穴）の時間＋1.1〉/2を算出し規定された標準スコアと比較する。

■絞扼神経障害と神経断裂

神経の障害は，絞扼神経障害と神経断裂に大別される。絞扼神経障害には閾値検査であるSWTの有用性が高い。これに対して，神経断裂は神経修復部の過誤神経支配が生じ中枢への情報伝達の混乱を生ずることがあるため，知覚中枢機能の検査も必要になる。そのため，初期には閾値検査であるSWT，最終的には密度検査である2点識別覚検査が必要である[18]。

補足

ジョブセン・テイラー手指機能検査（Jobsen-Taylor hand function test）はADLで使用される7つの手の動作を検査課題にしており，大まかな協調動作の評価に役立つ。検査には，書字（英文，24文字），カードめくり，小物品のつまみ上げ，食事動作の模倣（スプーン），チェッカー（駒）の積み重ね，大きな空の缶の持ち上げと移動，1ポンドの重さの缶の持ち上げと移動の7つの課題がある。各々課題をきき手および非きき手で実施して所要時間を測定し，性別・年齢別の健常者資料と比較する。

■末梢神経麻痺の知覚の回復過程と知覚再教育

図27に，知覚の回復過程と知覚再教育を表している模式図を示す。簡易的な図ではあるが，実際の対象者の知覚の回復を如実に表現している。特に，異常感覚が発生した後に治療の方向性を誤ると痛覚過敏となり機能不全に至る流れは的確な表現で，まれではあるが「痛くて使えない。気持ち悪くて使えない」という対象者の存在をよく表している。

表23にDellon[17]の，**表24**にはParry[18]による知覚の再教育の開始時期と手順を示す。

補足

ナイン・ホール・ペグ・テスト(nine-hole peg test)は，運動協調性，視覚と手の協調性，簡単な指示理解の能力について簡便に評価が可能である。9つのペグをつまみ，差し込み，再び皿に戻す。きき手・非きき手でそれぞれ2回ずつ行い，その遂行時間の計測をする。

Web動画

補足

パーデュー・ペグボード・テスト(purdue pegboard test)は，金属製のペグ・ワッシャー・カラーのつまみ上げとボードへの差込み・組み立てなどの課題を行い，つまみ動作と巧緻動作，より鐵細な協調動作の評価に役立つ。検査には右手(30秒間)ペグの差込み，左手(30秒間)ペグの差込み，両手(30秒間)ペグの差込み，組み立て(60秒)ペグ・ワッシャー・カラーの組み立て(アッセンブリ)の4つの課題がある。それぞれの課題について所要時間を測定し，スコアを算出する性別，仕事の種類別，きき手別の基準値と比較する。

図27 知覚の回復模式図

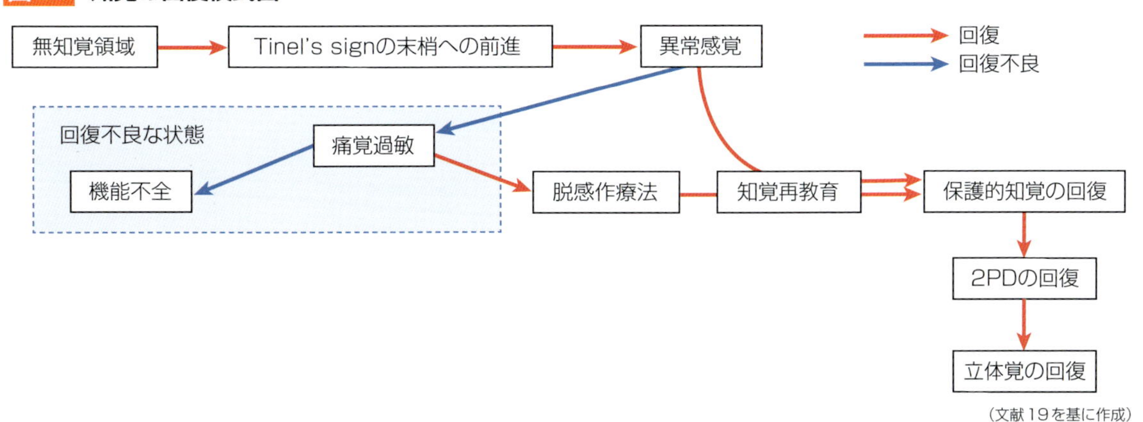

（文献19を基に作成）

表23 デロンによる知覚再教育の開始時期と方法

	時期	方法
初期	30Hzの振動，moving touchが指基節部まで回復するまでに開始する	・鉛筆に付いた消しゴム端でmoving touch，constant touchを感受できる程度に強く行う(高い閾値に対応) ・開眼，閉眼で刺激の認識を繰り返す
後期	moving touch，constant touch，256Hzの振動が指尖に達してから開始する	・物品識別練習 ・家庭用品の識別練習 →フェルト，革，サンドペーパーなどの材質の違い →金属製小物品の識別練習 ・M2PD，S2PDで評価

（文献14を基に作成）

表24 ペリーによる知覚再教育の開始時期と方法

時期	方法
なんらかの感覚が指に達した時点で開始	• 視覚とともにtouch →視覚なしでtouch →touchしたものを認識させる • できるようになるまで繰り返す • 所要時間を計りながら評価する
第1段階(recognition of shapes)：形の認識	木片の認識
第2段階(recognition of textures)：目地の認識	目の荒さの異なる布地の識別
第3段階(recognition of objects used in daily life)：日常生活の使用物品の認識	• 家庭用品 • マッチ箱，鍵，ボタンなど • 大きい物から小さい物へ

（文献20を基に作成）

表25に，上肢における末梢神経損傷の運動麻痺の特徴と装具(スプリント)，感覚障害を示す。手の末梢神経麻痺の変形や徴候は国家試験によく出題されるので，変形の名称だけでなく変形や徴候に陥るメカニズムについても確認しておこう。

表25 手の末梢神経麻痺の徴候と装具

	麻痺による変形・徴候		装具	感覚障害領域
橈骨神経麻痺	上位型	下垂手	• Oppenheimer(オッペンハイマー)型装具 • Thomas(トーマス)懸垂装具	
	下位型	下垂指	• スパイダー装具	
正中神経麻痺	上位型	祈祷手	長対立装具	
	下位型	猿手	短対立装具	
尺骨神経麻痺	• 鷲爪手 • Froment(フロマン)徴候 • Wartenberg(ワルテンベルク)徴候 • Egawa(エガワ)徴候 • cross finger test		• 8の字装具 • バネ式ナックルベンダー装具	

アクティブラーニング3

尺骨神経麻痺の徴候，フロマン徴候・ワルテンベルク徴候・エガワ徴候・cross finger testそれぞれどのような徴候か確認してみよう。

【引用文献】

1) 後藤　稠，ほか 編：最新医学大辞典，第2版，p 584，医歯薬出版，1996.
2) 糸満盛憲，ほか 監：骨折・脱臼総論．標準整形外科学，第6版，p560-588，医学書院，1996.
3) 松野丈夫，ほか 編：標準整形外科学，第12版，医学書院，2014.
4) 中村耕三 監：外傷B．骨折と脱臼(総論)．整形外科クルグス，改訂第4版，p191-203，南江堂，2003.
5) 岩本幸英 編：骨折．神中整形外科学，改訂22版，p193-283，南山堂，2004.
6) 糸満盛憲，ほか 編：骨折．最新整形外科大系　第5巻　運動器の外傷学，p116-157，中山書店，2007.
7) 茨木邦夫，ほか 編：手の外科診療ハンドブック，南江堂，2004.
8) 斎藤英彦，ほか 編：手外科診療ハンドブック，改訂2版，南江堂，2014.
9) 上羽康夫：関節．手その機能と解剖，第5版，p114-140，金芳堂，2010.
10) 斎藤英彦：手関節部の骨折と脱臼　解剖学的特徴と治療法．日本手の外科学会会誌，8：930-947，1992.
11) 奥村修也：橈骨遠位端骨折のリハビリテーション．橈骨遠位端骨折(斎藤英彦，ほか 編)，p247-256，金原出版，2010.
12) 奥村修也，ほか：上肢の障害；外傷性損傷．総合リハビリテーション，34(4)，333-341，2006.
13) Hunter JM：ハンター・新しい手の外科，第3版(津山直一，ほか 監訳)，協同医書出版社，1994.
14) Dellon AL：Evaluation of Sensibility and Re-education of Sensation in the hand. Lippincott Williams and Willkins, 1981.
15) 中田眞由美，ほか：作業療法士のためのハンドセラピー入門，第2版(鎌倉矩子，ほか編)，三輪書店，2006.
16) 今井春雄：絞扼性神経障害における知覚評価．関節外科，11(12)：50-58，1992.
17) 日本ハンドセラピィ学会：手の評価セミナー・テキスト，第2版.
18) 今井春雄：知覚障害(末梢性)の検査・評価法，MB Orthop, 12(9)：58-64，1999.
19) 初山泰広：末梢神経損傷のリハビリテーション．標準リハビリテーション医学，第2版，医学書院，p413-421，2010.
20) Parry CB，Salter M：Sensory re-education after median nerve lesions. Hand, 8(3)：250-257，1976.

【参考文献】

1. 三浪明男：骨折．図説手の臨床(石井清一 編)，p136-149，メジカルビュー社，1998.

チェックテスト

Q

①骨折の定義を述べよ(☞p.387)。 基礎

②橈骨遠位端の形態を説明せよ(☞p.393)。 基礎

③手の末梢神経麻痺(橈骨神経・正中神経・尺骨神経麻痺の変形)に現れる徴候を挙げよ(☞p.408)。 臨床

④設問③で挙げたそれぞれの変形に対して，適応となる装具を述べよ(☞p.408)。 臨床

9 廃用症候群

長倉寿子

Outline

- 廃用症候群は，長期の安静状態や活動性の低下など，さまざまな要因により引き起こされるため，早い段階で生活の不活発状況のサインに気づくことが大切である。
- 廃用症候群の要因を明らかにするため，生活習慣やいつごろからどのように生活が変化したか，局所的と全身的の症候について個々に評価し，回復の可能性から悪循環を断ちきる生活目標を明確にする。
- 早期のリハビリテーションの開始が廃用症候群の予防となるので，リスクを考慮した適切な運動負荷により活動性を高める作業や自分でできる予防プログラムの習得などを目標に作業療法を行う。

1 廃用症候群とは

身体の全部あるいは一部の機能の活動性が低下することにより，心身の機能や形態に障害を生じるといった，二次的障害を**廃用症候群**（**表1**）という。不動が原因であるため，**生活不活発病**や高齢者に特有の**老年症候群**とほぼ同症候である。必要以上の安静が，心身の機能障害をまねくことが明らかにされ，廃用という概念に基づいた対策が医療や介護に広く取り入れられるようになった。廃用症候群は年齢や性，障害の有無とは関係なく生じるが，身体障害者や慢性疾患などでもともと活動性が制限されている場合では，安静の害の影響を大きく受けやすい。特に高齢者ではなんらかの疾患に罹患すると若年層に比べて**重度化・長期化**しやすく，**表2**のような因子が加わることにより，廃用症候群が生じる。

アクティブラーニング 1
対象者を認知症の症状が出現する「生活する人」としてとらえるにはどのような情報が必要だろうか。

表1 廃用症候群の諸症状

体系	影響・状態
筋骨格系	筋萎縮（筋力低下），関節拘縮［関節可動域（ROM）制限］，骨粗鬆症（骨量の減少）
心血管系	心血管系ディコンディショニング（血管伸縮性低下・心拍出量低下など），起立性低血圧，深部静脈血栓症
呼吸器系	換気障害（最大酸素摂取量の減少・肺活量の低下など），沈下性肺炎，胸郭部拡張の欠如
代謝内分泌系	副甲状腺ホルモン上昇などホルモン変化，カルシウム代謝障害，電解質異常，耐糖能異常
泌尿器系	尿路感染症，尿路結石，尿閉
消化器系	便秘，摂食・嚥下障害，食思不振，体重減少
精神・神経系	感覚障害（視力・聴力低下），平衡感覚の低下，運動調整低下（協調運動障害），抑うつ状態，認知機能低下（意欲低下），不安，不眠
皮膚	皮膚萎縮，褥瘡（持続性圧迫による）

補足

- 廃用症候群は疾患そのものが原因ではなく，二次的障害である。
- 重度化すると不可逆な変化となる。
- 高齢者に起こりやすく，回復は長時間を要する。

表2 廃用症候群のきっかけ

外的要因	・ギプスやコルセット固定 ・手術や化学療法などの治療による侵襲 ・生活環境の変化（入院，転居，退職など） ・転倒リスクによる歩行機会減少 ・急性疾患に対する安静の指示
内的要因	・急性・慢性疾患による痛みや倦怠感などの症状による臥床 ・急性・慢性疾患による衰弱による臥床 ・精神機能低下による発動性低下 ・転倒に対する恐怖からの歩行機会減少 ・麻痺による日常生活活動（ADL）低下

（文献1を基に作成）

廃用症候群の影響

なんらかの理由で**長期臥床**の状態になると，またわずか3日間の安静臥床によっても，さまざまな生理的機序が働いて体調や運動能力に大きな影響を与えることになる。

試験対策Point

安静臥床による呼吸器パラメータの変化

- 減少：1回換気量，機能的残気量，肺活量，最大酸素摂取量
- 増加：肺内血液量，呼吸数，動脈血二酸化炭素分圧
- 不変：全肺気量，努力性肺活量

● 呼吸器への影響

機能的残気量は，立位から臥位になると半分近く減少する。また，臥位姿勢では腹腔内臓器が頭部へ移動するため，背側横隔膜の上に乗る形となり，横隔膜の運動を阻害する。肺胸郭系のコンプライアンスが変化することによって呼吸数が増加し，1回換気量は減少する。また，姿勢の変化によって上半身の血液量が増加し，肺内血液量は増加する。

試験対策Point

循環器パラメータの変化

- 減少：血圧（起立性低血圧），1回心拍出量，中心静脈圧，総体液量
- 増加：心拍数，末梢血管抵抗

● 循環器への影響

寝たきりの状態では上半身に流れる血液の量が多くなり，中心静脈や頸動脈，大動脈弓にある圧受容器が働き生体は「体液が過剰」と判断する。その結果，交感神経が抑制され，利尿が促進される。しかし，実際には体液が過剰でないので，全体の水分バランスが負の状態となり，常に軽い脱水状態となる。この状態で上体を起こすと血圧が急激に低下し，起立性低血圧や失神が起こってしまう。利尿が進むまでは血圧が上昇し心拍数は低下するが，利尿が進むと，循環血液量の減少とともに血圧が低下して心拍数は上昇する。

心肺機能の低下により，身体活動に対する耐久性が減少する。また，自律神経反応の低下も相まって起立性低血圧が発生し，臥床の悪循環や転倒に繋がりやすい。

● 骨格筋への影響

抗重力筋は持久力に有利な筋であり，寝たきりになると，ほかの筋肉に比べて優位に低下する。さらにタンパク質からなる筋原線維は，代謝の影響でタンパク質の分解が進むので筋容量が少なくなり，筋力が低下する。

筋力は，1週間の安静でおよそ10〜15%の低下がみられる。

● 骨への影響

臥床によって骨への荷重がなくなるため，骨の破壊－再生機構が働かなくなり，骨自体の代謝も悪くなるので骨は弱くなる。また，ホルモン系への影響では血中カルシウムイオンが上昇し，副甲状腺ホルモンの分泌を抑制することで，破壊された骨の吸収を遅らせる。

関節は，動かさないと4日目には可逆的な関節の結合組織の増加や癒着が出現し，60日以上では軟骨が線維化して非可逆性となる。高齢者で関節変化がある場合には速く進行する。

また，臥床や骨萎縮による骨突出，関節拘縮などの結果，褥瘡の発生頻度が高くなる。

● 消化器への影響

循環血液量の減少により交感神経が優位となり，腸管の蠕動(ぜんどう)が抑制される。また，精神的ストレスは副交感神経の働きを抑制し，その結果腸管の蠕動が抑制される。加えて，自律神経系が不安定になるため，胃酸の分泌が過多になり，胃潰瘍の原因にもなる。さらに，うつや神経症の傾向は食欲を減退させ，体重が減少する。姿勢の変化により，食塊が消化管を通過する時間が長くなると，空腹感を生じず食欲の減退へと繋がる。胃内で食塊が停滞すると，逆流性食道炎が起こりやすくなる。

ベッド上安静で尿中，便中へのカルシウムの排出は増加し，クレアチンの代謝異常は筋肉の萎縮や筋力低下と関係する。便秘は食思不振をまねくことがあり，低栄養から筋萎縮を加速する危険性がある。

● 悪循環

前述のように疾病発生の経過に引き続き発現し，局所的な障害から全身的な障害へ影響が及ぶことによって体力や歩行能力の低下をまねき，転倒の危険性が高まる。また，身体的活動の低下は精神面にも影響を及ぼし，意欲低下やうつ状態がみられるようになる。閉じこもり状態が継続するとさらに生活機能の低下を示し，社会的な孤立は，感情や行動の障害となり社会生活活動への影響を及ぼすなど**悪循環**となる（**図1**）。

図1 廃用症候群の悪循環

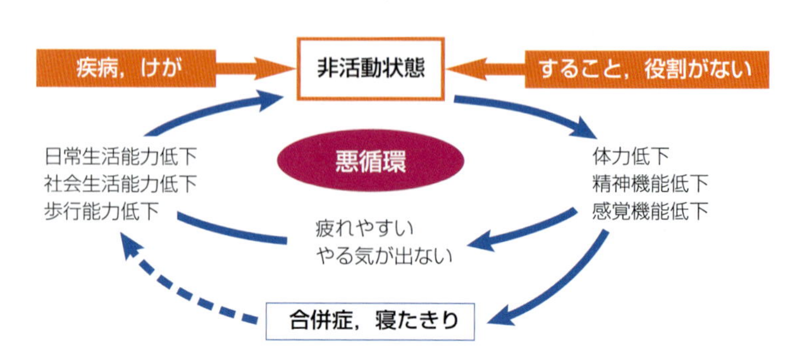

2 廃用症候群の評価

作業療法参加型臨床実習に向けて

- 廃用症候群は，局所的廃用と全身的廃用の視点で評価する。
- 高齢者では，活動性低下の原因は単一ではなく，複合的な要因によるものもあるため，さまざまな面からその原因を検討する必要がある。
- できる限り早期に離床を促し，廃用症候が全身に及ぶことを防止する。

廃用症候群は，ある一定期間または長期の不動または低活動状態の環境に適応した結果として生じるため，廃用に至った過程や対象者の1日の**生活パターン**を知ることは非常に大切である。生活機能としてのADLや手段的日常生活動作（IADL），健康感，食生活，転倒の有無，外出頻度や社会的参加の状況など観察や面接での聞き取り調査などからアセスメントする。必要に応じて身体機能測定・検査を実施し，医学的情報の胸部X線や血液・生化学検査などを含めた評価が重要である（**表3**）。

表3 廃用症候群に対するアセスメントの例

評価項目		具体的な評価内容・検査法
健康状態に関する情報収集		診断名，合併症，既往歴，バイタルサイン，服薬状況，神経所見，身体計測（体重，握力など），肥満指数（BMI），食事量（栄養状態など），食欲，1日の水分量，排泄状況（排便回数），皮膚の状態など
機能，構造	筋力	徒手筋力テスト（manual muscle testing：MMT），hand-held dynamometer（HHD），トルクマシン，表面筋電図など
	筋持久力	全身持久力［6分間歩行試験（6minutes walk test：6MWT）］，自覚運動強度
	筋萎縮	周径，超音波断層法による筋厚，CT・MRIを用いた筋断面積の測定など
	拘縮	ROM
	骨萎縮	X線画像，骨量・骨密度測定，血中・尿中Ca
	骨代謝	骨吸収マーカー
	疼痛	visual analogue scale（VAS）
	疾患別機能評価（協調性・平衡機能など含む）	運動麻痺，functional reach test
	摂食・嚥下機能（摂食場面や口腔内観察）	頚部聴診，水飲みテスト，SpO_2
	心血管・呼吸機能	肺活量，動脈血ガス分析，負荷試験，無酸素性閾値［心房頻拍（atrial tachycardia：AT）］，経皮的冠動脈インターベンション（percutaneous coronary intervention：PCI），心電図
	精神・心理機能（知的能力，高次脳機能，うつ状態，生活意欲）	改訂長谷川式簡易知能評価スケール（Hasegawa's dementia rating scale-revised：HDS-R），mini-mental state examination（MMSE），Hamilton（ハミルトン）うつ病評価尺度（Hamilton rating scale of depression：HRSD），self-rating depression scale（SDS），高齢者用うつ度尺度（geriatric depression scale：GDS），vital index（VI），mental function impression scale（MENFIS）
参加，活動	ADL	Barthel（バーセル） index（BI），機能的自立度評価表（FIM）
	IADL	IADL尺度（Lawton（ロートン） & Brody（ブロディ））
	転倒リスク（姿勢，連続歩行距離，転倒不安など）	general self-efficacy scale（GESES），modified falls efficacy scale（MFES）

（次ページに続く）

(前ページより続く)

	生活の質(QOL)(役割, 趣味, 生活習慣など)	MOS 36-Item Short-Form Health Survey(SF-36®), 自己記入式QOL質問表改訂版(self-completed questionnaire for quality of life by IIDA and KOHASHI-revised : QUICK-R)
	社会的参加状況, 外出頻度, 対人交流	老研式活動能力指標, life-space assessment(LSA), 閉じこもりアセスメント, 生活時間調整など
総合的な評価		高齢者総合機能評価(comprehensive geriatric assessment : CGA)

補足

健康増進，介護予防事業領域の評価指標

健康づくりや体力維持・向上, 介護保険制度における介護予防事業などでは以下の評価項目が用いられている。

- 筋力(膝伸展力)
- 10m(5m)最大歩行速度
- timed up and go test
- 開眼片足立ち時間, 閉眼片足立ち時間
- 長座体前屈距離
- 最大一歩幅
- SF-36®

作業療法参加型臨床実習に向けて

長期臥床により下腿三頭筋のポンプ作用が減少し, 深部静脈血栓症が引き起こされ, 下腿部の浮腫や発赤, 腓腹部の疼痛, 熱感, Homans(ホーマンズ)徴候が現れる。この場合, 下腿のマッサージは禁忌となる。

■高齢者の評価における留意点

高齢者では自覚症状に乏しいことが多い。また, 後期高齢者は心身機能の低下に個人差が大きい。なお, 意識レベルや認知機能に低下がみられる場合は, 家族や介護者に問診を行う。その際主観的情報の収集も重要なので, 併せて行いたい。

身体的側面, 精神的側面, 社会的側面からヘルスアセスメントを心がける。

3 廃用症候群のリハビリテーション

廃用症候群のリハビリテーションは, できるだけ**早期に開始**し, さらに進行することを予防することが重要である。個々の廃用症候群の重症度や要因に応じて, **リスク**に配慮し**栄養状態**を確認しながらリハビリテーションを実施する。

廃用症候群のリハビリテーションプログラムは, 入院中の対象者に対するものから地域高齢者の**介護予防**(例えば住民主体の体操)まで幅広い。

補足

急性期から維持期への継続したアプローチ

- 発症24時間以内に座位や立位練習を開始することがADLの回復に寄与するといった報告があるので, 早期のリハビリテーションを推奨している。
- 身体障害者では, 退院後のフォローアップや退院後の生活や健康管理(リスク管理を含む)について十分指導し, リハビリテーション継続の目的を明確に提示したうえで, 対象者および家族の選択を促す。
- 高齢者では, 介護および介護予防サービスなどの利用により主体的に予防的行動を獲得するための教育を行い, 早期対応への意欲を高める。

Case Study

Question 1

Aさんがセルフマネジメント行動を獲得するためには, どのような点に留意する必要があるか。

☞ 解答 p.511

4 Case Study

60歳代男性, Aさんの事例を紹介する。

■基本情報

Aさんは2年前に右視床出血を発症し, 後遺症は左半身に軽い麻痺が残るもADLは自立し, 独歩にて退院した。その後, 自宅にて過ごしていたが日課である散歩時に転倒し, 徐々に閉じこもりがちとなった。下肢筋力

の低下や麻痺側の膝関節に可動域制限を認め，うつ症状もみられている。

■評価の実際

●情報収集

他部門や家族からの情報を**表4**に示す。

表4　情報収集

かかりつけ医	脳出血後遺症，左片麻痺は軽度
ケアマネジャー	要介護1，転倒をきっかけに外出が減少している。精神・意欲面に低下がみられるため，予防的なかかわりが必要
家族	散歩に出かけなくなり，自宅に閉じこもりがち

●使用した評価表・検査・測定

下肢筋力（膝関節屈曲90°位での等尺性膝伸展筋力），ROM-T，片麻痺評価（Brunnstrom（ブルンストローム） recovery stage），GDS，10m歩行スピード，BI（**表5**），老研式活動能力指標，LSA（**表6, 7, 図2**）を行った。

表5　BIの評価表

項　目	評価点数の内容	評価結果
食事	10 = 自立（自助具などの装着可，標準的時間内に食べ終える） 5 = 部分介助（例えばおかずを切って細かくしてもらう） 0 = 全介助	10
入浴	5 = 自立 0 = 部分介助または全介助	5
整容	5 = 自立（洗面，整髪，歯磨き，ひげ剃り） 0 = 部分介助または全介助	5
着替え	10 = 自立（靴，ファスナー，装具の着脱を含む） 5 = 部分介助（標準的な時間内，半分以上は自分で行える） 0 = 上記以外	10
排便コントロール	10 = 失禁なし（浣腸，座薬の取り扱いも可能） 5 = ときに失禁あり（浣腸，座薬の取り扱いに介助を要するものも含む） 0 = 上記以外	10
排尿コントロール	10 = 失禁なし（採尿器の取り扱いも可能） 5 = ときに失禁あり（採尿器の取り扱いに介助を要するものも含む） 0 = 上記以外	10
トイレ動作	10 = 自立（衣服の操作，後始末を含む，ポータブル便器などを使用しているものはその取り扱いも含む） 5 = 部分介助（身体を支える，衣服・後始末に介助を要する） 0 = 全介助または不可能	10
車椅子からベッドへの移乗	15 = 自立（ブレーキ，フットレストの操作も含む，歩行自立も含む） 10 = 軽度の部分介助または監視を要する 5 = 座ることは可能であるがほぼ全介助 0 = 全介助または不可能	15

（次ページに続く）

(前ページより続く)

歩行	15 = 45m以上(車椅子・歩行器を除く補装具の使用の有無は問わない) 10 = 45m以上の介助歩行(歩行器使用を含む) 5 = 歩行不能の場合, 車椅子にて45m以上の操作可能 0 = 上記以外	10
階段昇降	10 = 自立(手すりなどの使用の有無は問わない) 5 = 介助または監視を要する 0 = 不能	5
	合計(0～100点)	90点

表6 LSAの評価結果

この4週間の活動範囲について, 項目ごとにそれぞれ**1つだけ**お選びください。

生活空間レベル	質問	回答
レベル1	a. この4週間, あなたは自宅で寝ている場所以外の部屋に行きましたか	①はい(○) ②いいえ
	b. この4週間で, aの生活空間に何回行きましたか	①週1回未満 ②週1～3回 ③週4～6回 ④毎日(○)
	c. aの生活空間に行くのに, 補助具または特別な器具を使いましたか	①はい ②いいえ(○)
	d. aの生活空間に行くのに, 他者の助けが必要でしたか	①はい ②いいえ(○)
レベル2	a. この4週間, 玄関外, ベランダ, 中庭, (マンションの)廊下, 車庫, 庭または敷地内の通路などの屋外に出ましたか	①はい(○) ②いいえ
	b. この4週間で, aの生活空間に何回行きましたか	①週1回未満 ②週1～3回 ③週4～6回(○) ④毎日
	c. aの生活空間に行くのに, 補助具または特別な器具を使いましたか	①はい(○) ②いいえ
	d. aの生活空間に行くのに, 他者の助けが必要でしたか	①はい ②いいえ(○)
レベル3	a. この4週間, 自宅の庭またはマンションの建物以外の近隣の場所に外出しましたか	①はい(○) ②いいえ
	b. この4週間で, aの生活空間に何回行きましたか	①週1回未満(○) ②週1～3回 ③週4～6回 ④毎日
	c. aの生活空間に行くのに, 補助具または特別な器具を使いましたか	①はい(○) ②いいえ
	d. aの生活空間に行くのに, 他者の助けが必要でしたか	①はい ②いいえ(○)
レベル4	a. この4週間, 近隣よりも離れた場所(ただし町内)に外出しましたか	①はい(○) ②いいえ
	b. この4週間で, aの生活空間に何回行きましたか	①週1回未満(○) ②週1～3回 ③週4～6回 ④毎日
	c. aの生活空間に行くのに, 補助具または特別な器具を使いましたか	①はい(○) ②いいえ
	d. aの生活空間に行くのに, 他者の助けが必要でしたか	①はい(○) ②いいえ
レベル5	a. この4週間, 町外に外出しましたか	①はい ②いいえ(○)
	b. この4週間で, aの生活空間に何回行きましたか	①週1回未満 ②週1～3回 ③週4～6回 ④毎日
	c. aの生活空間に行くのに, 補助具または特別な器具を使いましたか	①はい ②いいえ
	d. aの生活空間に行くのに, 他者の助けが必要でしたか	①はい ②いいえ
		合計 25.5 点

表7 LSAの採点法

・**活動範囲（生活空間）レベル**

0 寝室内
1 住居内（部屋以外の場所）
2 住居近隣：敷地内で建物の外（駐車場，庭，玄関前など）
3 居住している近隣地区（住居から約800m未満）
4 居住している地区町内（住居から約16km未満）
5 居住している地区町外（住居から約16km以上）

・**各活動範囲レベルにおいて**

【自立の程度】 2：自立 1.5：物的介助（杖や歩行車） 1：人的介助
【達成頻度】 4：毎日 3：週4～6回 2：週1～3回 1：週1回未満

活動範囲レベル	×	自立の程度	×	1週間の達成頻度	=	計
1	×	(2) or 1.5 or 1	×	(4) or 3 or 2 or 1	=	8
2	×	2 or (1.5) or 1	×	4 or (3) or 2 or 1	=	9
3	×	2 or (1.5) or 1	×	4 or 3 or 2 or (1)	=	4.5
4	×	2 or 1.5 or (1)	×	4 or 3 or 2 or (1)	=	4
5	×	2 or 1.5 or 1	×	4 or 3 or 2 or 1	=	0
				合計	=	25.5

図2 LSAのレベル

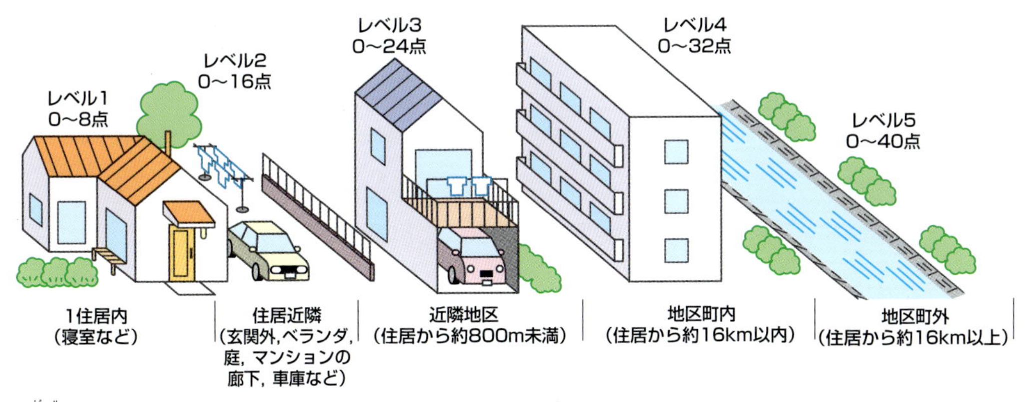

Peel（ピール）らによって作成された，個人の生活の空間的な広がりにおける移動距離の評価表。寝室を基準に上記の5領域に分けて合計0～120点とする

（文献2を基に作成）

■評価のまとめ

Aさんは，退院時のADL，IADLは自立していたが，廃用症候群に対する知識が不十分であった。日常生活における活動量が徐々に減少したことによって，下肢筋力が低下し，転倒を機に習慣としていた散歩も不定期となっていった。さらに転倒に対する不安，恐怖心から外出を控えるようになり，心理的影響によるQOLの低下も考えられた。膝関節が拘縮し，少し動くと疲労感を訴えるようになり，歩行能力の低下が著明となった。閉じこもりがちの生活が続き，今後の生活に対する不安感が強いことから，うつ症状や意欲低下などの廃用症候群の出現を認め，悪循環に陥っていた（**図3**）。

図3 ICF

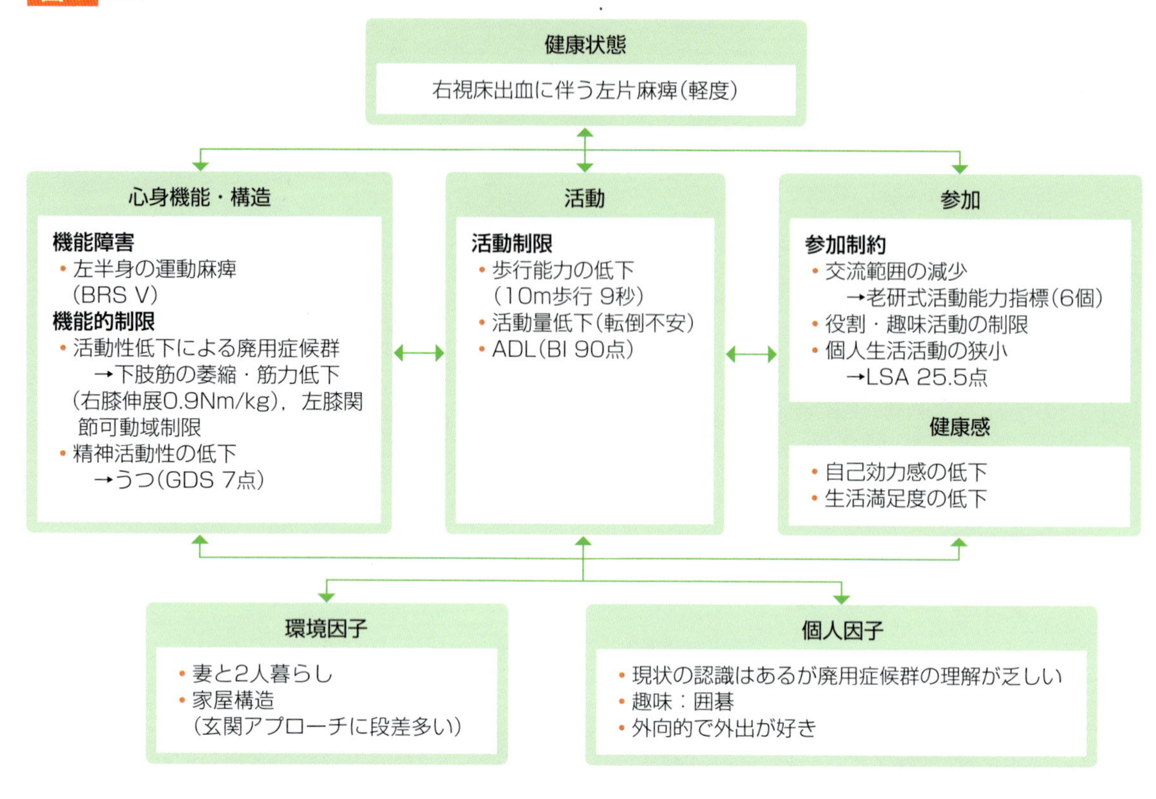

作業療法プログラムと目標

目標

近隣の囲碁教室へ外出するなど主体的な生活を取り戻す。

作業療法プログラム

Aさんの作業療法プログラムについて**表8**に示す。

表8 作業療法プログラム

体力・歩行能力の改善	• 通所リハビリテーション（週2回）による転倒予防プログラムに参加する • 膝関節拘縮に対して在宅で自主練習をする
廃用症候群に対する理解とうつ症状の改善	• 生活全般の活動性低下の悪循環から廃用症候群が出現しやすい状況を家族とともに理解する • 活動を楽しみながら参加者間の交流を通して役割意識を回復する
生活圏の拡大	• デイケアなどの外出を機に，家族と散歩や買い物に出かける頻度を徐々に増やす
環境調整	• 段差のある玄関アプローチに手すりを設置する

経過と再評価

経過

Aさんの意欲低下に配慮し，通所リハビリテーションの転倒予防プログラムでは，漠然とした目標ではなく，筋力トレーニングの回数や内容，歩行の歩数などを明確に提示してセルフマネジメント行動の獲得を目指した。Aさんは，転倒するまではほぼ毎日碁会所に通っていたことから通所リハビリテーションの参加者で囲碁仲間を募って集団プログラムを実施した。囲碁の準備や声掛けの役割を担ってもらい，他者との交流を促した。住宅改修は，玄関の屋外の階段に手すりを設置し，外出の不安を軽減した。通所リハビリテーション開始から約6カ月が経過し，ADLは自立，自宅周辺の散歩も日課となり，妻の協力もあって近隣のスーパーへの買い物へ一緒に出かけるようになった。

補足

高齢者の廃用症候群に対する予防的介入・生活機能の向上のポイント

- どのような要因が重なって廃用症候群が生じたのかを考える。
- 高齢者自身やその家族も廃用症候群を十分理解すること。
- 過剰な介護は避け，自分でできることは自分でする。
- 機能訓練の意義を理解し，日常生活での活動性向上に努める。
- 介護予防の重要性を知り，社会活動に積極的に参加する。

● 再評価

機能面では膝伸展力，うつ症状が改善し，活動・参加においては歩行や活動指標（**表9**）において向上がみられた。通所リハビリテーションの参加によって不活発な生活を見直すきっかけとなり，自宅では散歩や筋力の自主トレーニングを継続できている。今後は，社会参加としてAさんの希望である「碁会所に出かける」に対して，頻度などを明確にした生活目標を立て，介護予防プログラムの介入を進める。

表9 再評価の結果

評価項目	改善した機能	評価結果
機能	身体機能	右膝伸展力：1.2Nm/kg
	精神機能	GDS：7点
活動	ADL・IADL	・10m歩行：7秒 ・BI：100点 ・老研式活動能力指標：10個
参加	生活圏の拡大	LSA：44.5点
	自己効力感	改善

【引用文献】
1) 宮越浩一 編：改訂第2版 高齢者リハビリテーション実践マニュアル，メジカルビュー社，2022.
2) 柳澤　健 編：理学療法学ゴールド・マスター・テキスト7 地域理学療法学，メジカルビュー社，2009.

【参考文献】
1. 市橋則明 編：高齢者の機能障害に対する運動療法，文光堂，2010.
2. 市橋則明 編：運動療法学 障害別アプローチの理論と実際，文光堂，2008.
3. 大内尉義 編：標準理学療法学・作業療法学 老年学，第3版，医学書院，2009.
4. 日本作業療法士協会 監：作業療法学全書 作業治療学4 老年期，第3版，協同医書出版社，2008.
5. 曷川　元 編：実践：早期離床完全マニュアル－新しい呼吸ケアの考え方，慧文社，2007.

チェックテスト

Q

①廃用症候群の諸症状について説明せよ(☞p.410)。 基礎
②高齢者の廃用症候群について説明せよ(☞p.410)。 基礎
③廃用症候群をもたらす要因を知るために必要な検査や評価を挙げよ(☞p.413)。 基礎
④廃用症候群をもたらす要因を明らかにするためにはどのような視点が必要か説明せよ(☞p.413)。 臨床
⑤高齢者の廃用症候群に対する予防的介入や生活機能の向上の留意点について説明せよ(☞p.414)。 臨床

10 認知症(アルツハイマー型)

長倉寿子

Outline

- 認知症の評価は，医学的情報から出現している症候について神経心理学的検査や日常生活活動(ADL)および社会生活活動について観察や面談を行い，疾患の進行状況および生活機能の全体像について総合的に把握する。
- 認知症の行動・心理症状(behavioral and psychological symptoms of dementia：BPSD)の分析には，対象者の生活史や関心のあること，家族や周囲の人との関係などを把握することが役立つ。
- 不安や混乱があることを前提に，作業に従事できる環境で興味や関心のある作業活動を選択し，潜在能力を活かす作業療法を行う。

1 認知症とは

一般的に認知症は「後天的な脳疾患の慢性症状として，知能，記憶，判断，抽象能力，注意力，思考，理解，言語などの高次の精神機能の障害が出現し，日常生活に支障をきたす状態をいう。さらに，これらの症状に，感情，意欲，性格などの障害が加わることがある」と定義される[1)]。

高齢者の認知症の原因は多岐にわたり，Alzheimer(アルツハイマー)病に代表される脳

表1 認知症の原因となる主な疾患

分類	疾患
変性疾患	アルツハイマー病，Lewy(レビー)小体病，前頭側頭葉変性症，皮質基底核変性症，進行性核上麻痺，Huntington(ハンチントン)病，脊髄小脳変性症，Parkinson(パーキンソン)病
脳血管疾患	脳梗塞，脳出血，Binswanger(ビンスワンガー)病
感染性認知症	進行麻痺，ヘルペス脳炎，後天性免疫不全症候群(acquired immunodeficiency syndrome：AIDS)脳症，進行性多巣性白質脳症
プリオン病	Creutzfeldt-Jakob(クロイツフェルト-ヤコブ)病
内分泌疾患	甲状腺機能低下症，副甲状腺機能低下症，副腎皮質機能低下症，下垂体機能低下症
代謝性疾患	ビタミンB_1欠乏症，ビタミンB_{12}欠乏症，低酸素脳症
中毒性疾患	アルコール中毒，金属中毒，一酸化炭素中毒
先天性代謝異常	Wilson(ウィルソン)病，ミトコンドリア脳症
腫瘍性疾患	脳腫瘍，辺縁系脳炎，血管内リンパ腫
膠原病，炎症性疾患	Sjögren(シェーグレン)症候群，神経Behçet(ベーチェット)症候群，血管炎
脱髄性疾患	多発性硬化症
外傷性疾患	脳挫傷，慢性硬膜下血腫
その他	正常圧水頭症，薬剤性

(文献1を基に作成)

試験対策 Point

認知症の原因疾患別頻度ではアルツハイマー病が50%と一番高い。次いで脳血管性認知症とレビー小体型認知症が15%程度である。

の変性疾患，脳の血管障害による血管性認知症，脳腫瘍や脳外傷，感染性疾患，内分泌・代謝性疾患，中毒性疾患，正常圧水頭症などがあり，原因疾患（**表1**）によって出現する症候にはそれぞれ特徴がある。診断上，**鑑別すべき疾患（状態）**として重要なのは**うつ状態**と**せん妄**である（**表2**）。

表2　認知症とうつ病との違い

	認知症	うつ病
初期症状	記憶や理解力・判断力の低下	抑うつ状態
症状の訴え方	症状を軽く言ったり，否定したりする	記憶力低下や身体の不調を繰り返し訴える
知的能力	持続的に低下，日常生活にしばしば介助が必要	訴えるほど知的能力の低下はない，自分で身辺整理が可能
頭部CT	しばしば脳萎縮が認められる	著しい異常が認められない

■認知症の症状

認知症の症状は大きく**認知機能障害**と**行動・心理症状（BPSD）**（**図1**）とに分けられる。BPSDは，認知障害のために正しい状況が把握できずに，なんとか適応しようとした結果，間違った行動（**図2**）に繋がったととらえることができる。認知症は，原因疾患とそれによって生じた種々の障害や症状の組み合わさった症候群として理解しなければならない。認知症疾患による特徴的症候を知り，個人因子や環境因子を含めて評価する。

図1　認知症の症状

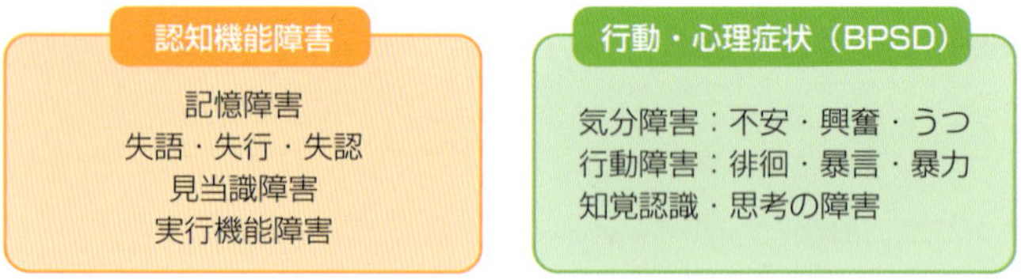

認知機能障害	行動・心理症状（BPSD）
記憶障害 失語・失行・失認 見当識障害 実行機能障害	気分障害：不安・興奮・うつ 行動障害：徘徊・暴言・暴力 知覚認識・思考の障害

図2　BPSDの成り立ち

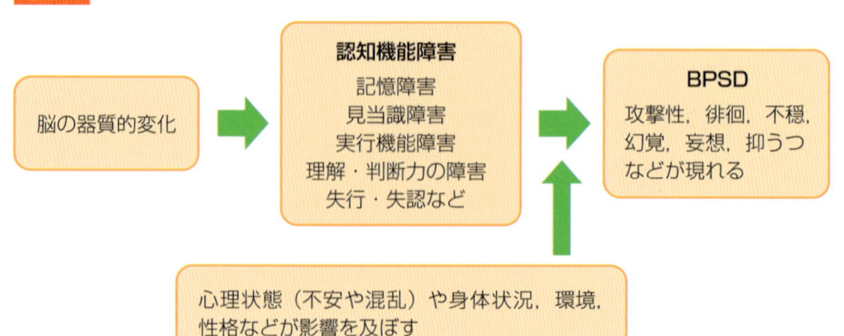

アクティブラーニング 1

対象者自身が廃用症候群の改善に主体的に取り組むためには，どのようなかかわりが必要だろうか。

補足

ATDの特徴
- 健忘症から発症して緩徐に進行する。
- エピソード記憶と見当識の障害があり，妄想や徘徊などの症状が現れる。
- 大脳皮質連合野の障害により思考，判断，実行，注意などが障害されるが病識を欠き，取り繕いなどがみられる。
- 初期には運動障害はなく，歩行が可能である。

試験対策 Point

アルツハイマー病の主な病変部位
- 頭頂・後頭葉領域，および側頭葉で萎縮が著しい
- 海馬を含め，大脳皮質の萎縮病変が認められる
- 病変の広がりや神経細胞の萎縮，組織の反応が症状に関係する

■アルツハイマー型認知症の臨床症状

アルツハイマー型認知症(Alzheimer type dementia：ATD)はアルツハイマー病によって引き起こされる認知症で，記憶障害を主症状として始まる神経系の**変性疾患**(**図3**)である。疾患の経過は，初期・中期・末期とほぼ3段階(**表3**)に分けることができる。ATDの臨床経過は個人差が大きく，記憶障害・判断の障害により**多彩な精神症状**を呈する。重症度の判定は，認知機能，精神症状，身体症状，日常生活のそれぞれ別々に評価する必要がある。

図3　ATDの病態

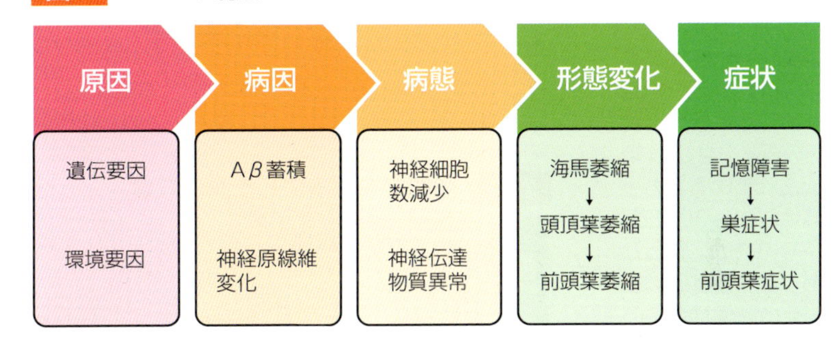

表3　ATDの臨床経過

初期	・近時記憶の障害が目立ってくる時期で，時間的な見当識障害や自発性の低下などを伴う ・新しく体験したことや情報を記憶しておくことが難しくなる
中期	・近時記憶にとどまらず，自己および社会における古い情報に関する記憶(遠隔記憶)が障害される。また，時間のみならず場所に関する見当識障害も現れ，外出して家に帰ることができなくなったり，自宅にいても他人の家にいると思い込んだりする。さらに判断力も低下し，日常の生活でも買い物・料理などの判断を要する事柄から離しくなり，次第に着衣・摂食・排便など，基本的な事柄でも介助が必要になる ・多動および徘徊がみられたり，常同行動など多様なBPSDが認められる。失語・失行・失認などの神経心理学的症状なども認められる
末期	・記憶障害はさらに著しくなり，家族の名前も忘れるなど，人物に対する見当識障害も現れる ・基本的なADLにも常時介護が必要となる ・障害が高度になると疎通性も減少し，排尿障害(失禁)や摂食・嚥下障害なども起こりやすくなる ・失外套(がいとう)状態で寝たきりとなる

補足

内側側頭葉(海馬，扁桃体)の萎縮
ATDでは，CTやMRIなどの形態画像検査で広範な大脳の萎縮を認める。側頭葉内側部の海馬という記憶中枢から障害されることが多いため，初期から近時記憶の障害が認められる。扁桃体は感情を調整する中枢で海馬と相互に密接な連絡をもつ。

前頭葉症状
前頭葉の機能が低下すると実行機能が障害される。また外部の刺激に無関心となり，行動を起こす意欲がなくなったり，段取りが悪くなったりする。具体的には，社会的行動の障害，常同的周遊，滞続言語，反復行動，常同行動，食行動異常などがある。前頭側頭葉変性症に特徴的に認められるが，進行していくATDなどもみられる。

2 認知症の評価

情報収集や問診，神経心理学検査，認知症の重症度バッテリー（表4）などから総合的に評価する。認知症の評価は，認知機能障害や，コミュニケーション能力の低下により既存の検査が実施困難な場合もあり，**観察による評価**が優先されることが多い。また，食事や整容，アクティビティを行っている実際の場面で，作業遂行の課題を特定していく。現状だけでなく**経過**や**生活歴**など，**家族**や**介護者**からの情報と断片的であっても対象者から聞き取れる情報を基に，対象者の**思いや内的体験・内的世界**を知ることが重要となる。特に介護負担となるBPSDに関する評価は，十分な情報からその成り立ちや病状，残存能力を把握することによって，対象者を中心とした適切な治療的介入やケア（パーソン・センタード・ケア*1）のプランに生かされることになる。

表4 認知症を対象にした評価尺度

重症度評価	臨床認知症評価法（clinical dementia rating：CDR*2），functional assessment staging test（FAST*3），Gottfriea（ゴットフリー）-Brane-Stean dementia rating scale（GBS-S）
認知機能検査	改訂長谷川式簡易知能評価スケール（HDS-R），MMSE，N式老年者用精神状態尺度（Nishimura's mental state scale for the elderly scale：NMS），Alzheimer's disease assessment scale-cognitive component-Japanese version（ADAS-J cog），mental status questionnaire（MSQ），Rivermead（リバーミード）行動記憶検査（Rivermead behavioural memory test：RBMT），Wechsler（ウェクスラー）記憶検査改訂版（Wechsler memory scale-revised：WMS-R），仮名ひろいテスト，時計描画検査，日本語版neurobehavioral cognitive status examination（COGNISTAT）
精神・心理症状，BPSD評価	behavioral pathology in Alzheimer's disease（BEHAVE-AD），neuropsychiatric inventory（NPI），認知症行動障害尺度（dementia behavior disturbance scale：DBD），老年期うつ病評価尺度（GDS-15），NM scale，
ADL，ADL機能の評価	N式老年者用日常生活活動能力評価尺度（Nishimura's activities of daily living scale：N-ADL），disability assessment for dementia（DAD），physical self-maintenance scale（PSMS），手段的日常生活活動（IADL）
介護者の負担度の評価	Zarit（ザリット）の介護負担尺度
その他	ウェクスラー成人知能検査（Wechsler adult intelligence scale-fourth edition：WAIS-IV），Raven（レーヴン）色彩マトリクス検査（Raven's coloured progressive matrices：RCPM），Kohs（コース）立方体検査，western-aphasia battery（WAB），標準失語症検査（standard language test of aphasia：SLTA），Wisconsin card分類検査，前頭葉簡易機能評価（frontal assessment battery：FAB），trail making test（TMT）

＊1 パーソン・センタード・ケア

認知症の症状や能力障害を引き起こすのは，脳の器質的な問題だけではなく，対象者の性格，生活史，健康状態，社会心理的関係の複雑な相互作用の結果とされている。

試験対策 Point

MMSEは，広く使用されている脳機能全般的なスクリーニング検査で，見当識・記銘，注意と計算，再生，言語の要素を含む11項目で構成されている。カットオフ値は23点/30点で，それ以下であれば，何らかの問題ありと判断する。表4で認知症の評価に用いる代表的な評価尺度と各々の評価目的を理解しておこう。

＊2 CDR

評価項項目は，記憶，見当識，問題解決と判断，社会生活，家庭生活と興味・関心，パーソナルケアの6つの領域について各5段階（0，0.5，1，2，3）で評価する。それぞれの評価に障害の軽いほうから重いほうへ順位付け（×1～×6）を行う。総合的に重症度を判定するCDRは，各項目の×3または×4のレベルが評価となり，異なる場合は記憶の評価を基準に評価する。

＊3 FAST

ATDの重症度をADLの変化に基づいてstage1～7の7段階の分類し，臨床病期と重症度を判定する。介護者の情報に基づいて評価する観察法で，各stageには認知症の前段階の状態や病状の進行に応じた臨床的特徴が具体的に示されている。前段階から，次の段階で出現する症状を目安として知ることは，日常で留意すべき点や対応の理解に参考となる。

3 Case Study

70歳代女性，Aさんの事例を紹介する。

基本情報

Aさんの基本情報を**表5**に示す。

表5 基本情報

氏名・年齢・性別	Aさん，70歳代，女性
診断名	ATD
家族	長男夫婦との3人暮らし。2年前までは独居
経過	夜間の不眠や，散歩に出た際に自宅に戻れなくなるなどの生活障害が目立つようになり，介護老人保健施設の通所リハビリテーションを利用することになった

評価の実際

情報収集

他部門や家族からの情報を**表6**に示す。

表6 情報収集

かかりつけ医	・ATD，投薬はない
ケアマネジャー	・要介護3 ・主な介護者は長男の妻。介護疲れがあり(休息が必要な状況であるが自覚症状なし)，孤立している状況
家族	・徘徊のおそれがあるため，日中は常に行動をともにしている。車内では落ち着いているため，ドライブをして過ごすことが多い ・長男の妻の顔はわかるが，嫁と姑という関係性についてはわからなくなっている ・お風呂に入らない ・食事を摂取しようとしない

初回評価

通所施設の玄関ソファーに座るも面談室には入らず，長男の妻の姿が見えなくなると不安になる。独歩，身体機能は問題ない。認知症に関する問診では認知機能の低下やADLの遂行障害などについての病識はない。生活歴については，結婚前の実家や学生時代について繰り返し話す。見当識の低下があり，記憶については最近の出来事などは答えられない。

使用した評価表

重症度評価(CDR)，認知機能検査(HDS-R，MMSE)，精神・心理症状，BPSD評価[NMスケール(**表7**)，DBD(**表8**)]，ADL・IADLの評価[N-ADL(**表9**)]を使用した。

また，介護者の負担度の評価はZaritの介護負担尺度を使用した。

補足

ニーズ・背景の評価
面接では生活歴や作業歴など，作業にかかわる情報収集が大切である。興味チェックリストやADOC(94項目のイラストから作業を選択できる意志決定ソフト)，絵カードを用いる方法もある。

作業療法参加型臨床実習に向けて

認知症の対象者とのコミュニケーションでは，話しかける際は，しっかりと認識してもらえるよう明瞭な言葉で身振りを用い，言語的な回答を求めるのではなく，声かけに対する反応や仕草に注意しながらゆっくりと反応を引き出すことを心がける。コミュニケーションを構築しながら評価を進め，日常的な会話から理解力や表出がどの程度かを把握し，質問形式の検査が可能かなども判断する。

表7　NMスケール

項目＼評点	0点	1点	3点	5点	7点	9点	10点	評価
家事 身辺整理	不能	ほとんど 不能	買い物不能，ごく簡単な家事，整理も不完全	簡単な買い物も不確か，ごく簡単な家事，整理のみ可能	簡単な買い物は可能，留守番，複雑な家事，整理は困難	やや不確実だが，買い物，留守番，家事などを一応任せられる	正常	1
関心，意欲，交流	無関心 まったく何もしない	周囲に多少関心あり ぼんやりと無為に過ごすことが多い	自らほとんど何もしないが，指示されれば簡単なことはしようとする	習慣的なことはある程度自らする。気が向けば人に話しかける	運動，家事，仕事，趣味などを気が向けばする。必要なことは話しかける	やや積極性の低下がみられるが，ほぼ正常	正常	1
会話	呼びかけに無反応	呼びかけに一応反応するが，自ら話すことはない	ごく簡単な会話のみ可能，つじつまの合わないことが多い	簡単な会話は可能であるが，つじつまの合わないことがある	話し方は滑らかではないが，簡単な会話は通じる	日常会話はほぼ正常 複雑な会話がやや困難	正常	7
記銘・記憶	不能	新しいことはまったく覚えられない 古い記憶がまれにある	最近の記憶はほとんどない。古い記憶が多少残存，生年月日不確か	最近の出来事の記憶困難，古い記憶の部分的脱落。生年月日正答	最近の出来事をよく忘れる 古い記憶はほぼ正常	最近の出来事をときどき忘れる	正常	5
見当識	まったくなし	ほとんどなし 人物の弁別困難	失見当識著明，家族と他人との区別は一応できるが，だれかわからない	失見当識かなりあり（日時・年齢・場所など不確か，道に迷う）	ときどき場所を間違えることがある	ときどき日時を間違えることがある	正常	3
						NMスケール評価点		17

重症度評価点

正常	50〜48点	中等症認知症	30〜17点
境界	47〜43点	重症認知症	16〜0点
軽症認知症	42〜31点		

表8　DBD

以下に示すような症状が，最近1週間くらいの間に，対象者さんに認められるかどうかを0：まったくない　1：ほとんどない　2：ときどきある　3：よくある　4：常にあるのいずれかに丸をつけてお答えください。

1. 同じことを何度も何度も聞く	0・1・2・3・④
2. よく物をなくしたり，置き場所を間違えたり，隠したりする	0・1・②・3・4
3. 日常的な物事に関心を示さない	0・1・2・③・4
4. 特別な理由がないのに夜中に起き出す	0・1・②・3・4
5. 根拠なしに人に言いがかりをつける	0・①・2・3・4
6. 昼間，寝てばかりいる	⓪・1・2・3・4
7. やたらに歩き回る	0・1・2・③・4
8. 同じ動作をいつまでも繰り返す	⓪・1・2・3・4

9. 口汚なくののしる	0・1・②・3・4
10. 場違いあるいは季節に合わない不適切な服装をする	0・1・②・3・4
11. 不適切に泣いたり笑ったりする	⓪・1・2・3・4
12. 世話をされるのを拒否する	0・1・2・3・④
13. 明らかな理由なしに物を貯め込む	0・①・2・3・4
14. 落ち着きなくあるいは興奮してやたらに手足を動かす	⓪・1・2・3・4
15. 引き出しやタンスの中身をみんな出してしまう	0・1・②・3・4
16. 夜中に家のなかを歩き回る	0・1・2・③・4
17. 家の外に出て行ってしまう	0・1・2・③・4
18. 食事を拒否する	0・1・2・③・4
19. 食べすぎる	⓪・1・2・3・4
20. 尿失禁する	0・1・②・3・4
21. 日中，目的なく屋外や屋内を歩き回る	0・1・②・3・4
22. 暴力をふるう（殴る，噛みつく，ひっかく，蹴る，唾を吐きかける）	0・1・②・3・4
23. 理由もなく金切り声を上げる	⓪・1・2・3・4
24. 不適当な性的関係をもとうとする	⓪・1・2・3・4
25. 陰部を露出する	⓪・1・2・3・4
26. 衣服や器物を破ったり壊したりする	⓪・1・2・3・4
27. 大便を失禁する	0・1・②・3・4
28. 食べ物を投げる	⓪・1・2・3・4
合計点	43

表9　N-ADL

項目＼評点	0点	1点	3点	5点	7点	9点	10点	評価
歩行・起座	寝たきり（座位不能）	寝たきり（座位可能）	寝たり，起きたり，手押し車などの支えがいる	つたい歩き 階段昇降不能	杖歩行 階段昇降困難	短時間の独歩可能	正常	10
生活圏	寝床上（寝たきり）	寝床周辺	室内	屋内	屋外	近隣	正常	5
着脱衣 入浴	全面介助 特殊浴槽入浴	ほぼ全面介助（指示に多少従える） 全面介助入浴	着衣困難，脱衣も部分介助を要する 入浴も部分介助を多く要する	脱衣可能，着衣は部分介助を要する 自分で部分的に洗える	遅くて，ときに不正確 頭髪・足など洗えない	ほぼ自立，やや遅い 身体は洗えるが洗髪に介助を要する	正常	3
摂食	経口摂食不能	経口全面介助	介助を多く要する（途中でやめる，全部細かくきざむ必要あり）	部分介助を要する（食べにくいものをきざむ必要あり）	配膳を整えてもらうとほぼ自立	ほぼ自立	正常	7
排泄	常時，大小便失禁（尿意・便意が認められない）	常時，大小便失禁（尿意・便意があり，失禁後不快感を示す）	失禁することが多い（尿意・便意を伝えること可能，常時おむつ）	ときどき失禁する（気を配って介助すればほとんど失禁しない）	ポータブルトイレ・尿瓶使用，後始末不十分	トイレで可能 後始末は不十分なことがある	正常	5
							評価点	30

■評価のまとめ

Aさんは，中等度の認知症を有し，遂行能力の低下により日常生活面でも介護が必要で，記憶障害のために状況が理解できず常に不安な状況であった。症状が進行するも，医療機関や介護サービスも利用せず長男の妻のみが介護をしていた結果，長男の妻もまた抑うつ状態で社会的にも孤立していた。主たる介護者である長男の妻は，「お義母さんのせいで家庭は崩壊」「精神的にもたない」などの精神的疲労と，「自分がしっかり介護をしなければならない」などの強迫観念との間で葛藤し，Aさんとは相互依存に陥っていた（図4）。

Aさんは，長男の妻の言動でBPSDが悪化することが考えられる状況であったため，相互のストレス軽減と介護者（家族）への認知症に対する知識の提供や介護指導が必要と考えられた。

図4 ICF

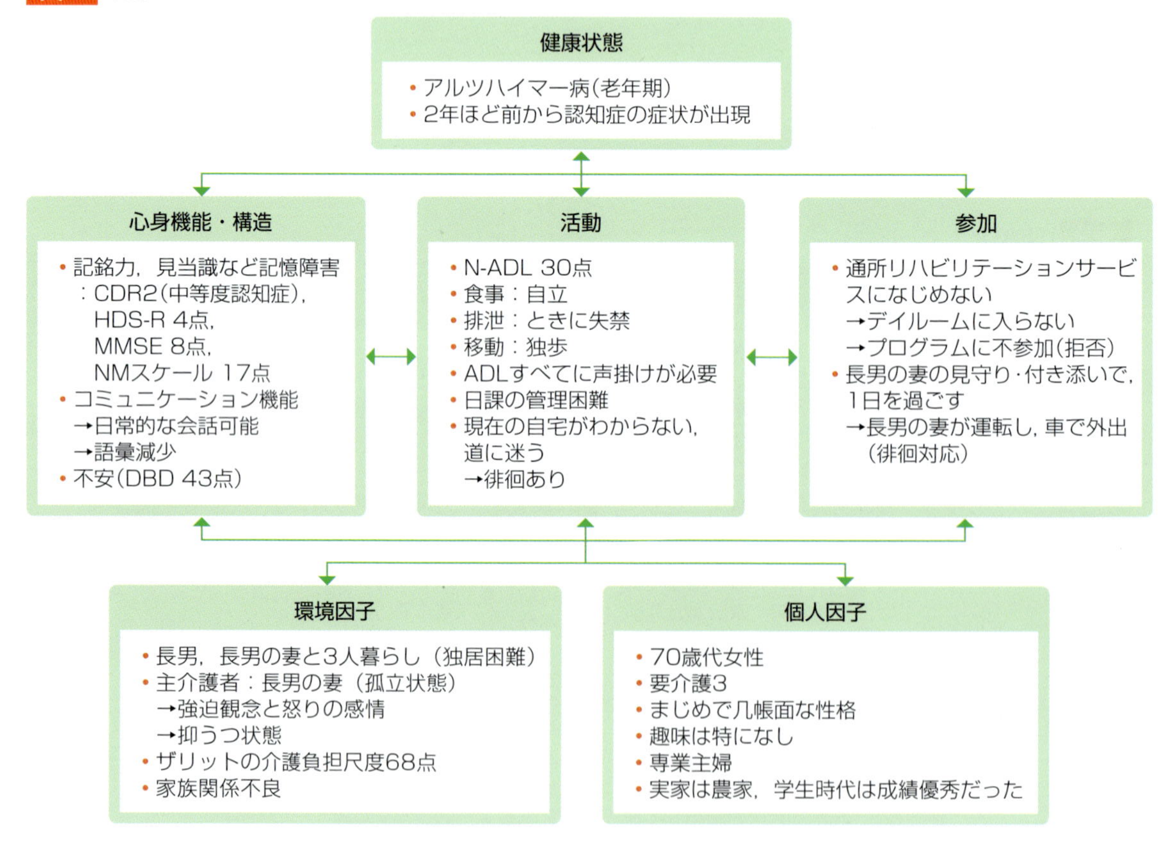

■目標と治療プログラム

● 目標

通所サービスを利用しながら，安定した在宅生活を継続する（家族の精神的介護負担の軽減を含む）ことを長期目標とした。

短期目標としては，更衣・排泄・入浴動作が拒否なく，一部の手助けで遂行できること，安心して通所サービスのプログラムに参加し，家族以外の人と交流することを設定した。

補足

認知症の対象者に対する作業療法プログラム
- 「その人らしさ」を尊重した暮らしに繋がる活動の目標を立案する。
- 個々にもともともっている能力を活用できるよう，適切な作業を選択する。
- 日常生活のなかで人々と繋がりが維持できるよう介入する。
- 介護職員や家族等と協力し，安心して過ごせるよう作業環境を整える。

● 治療プログラム

Aさんの治療プログラムを**表10**に示す。

表10 治療プログラム

通所リハビリテーションサービス	不安を軽減	・孤立しないように担当の作業療法士や介護職員を決め，定期的に対応し，なじみの職員や場所が定着するよう職員間で対応を統一し，プログラムへの参加を支援する
	保清(排泄・入浴サービス)	・担当の職員が声かけやタイミングを統一して促す
作業療法プログラム	作業活動の選択(単工程の課題)	・場面ごとで声かけをしながら，興味・関心を示した作業の一部を職員と一緒に誤りなく課題が遂行できるよう留意しながら行う ・少人数のグループ活動(調理：煮物を混ぜる・食器を並べる・拭くなど，裁縫：雑巾・布巾縫い)へ参加
	家族支援	・家族(長男の妻)との情報共有を行い，ストレスを増強させないように配慮し，作業療法プログラム中の様子やできたことを報告する

■経過と再評価

● 経過

介護老人保健施設の通所リハビリテーションサービスの利用は，当初週1回から開始した。サービス開始時は新しい環境や集団になじめないために，デイルームにはなかなか入ろうとせず施設入り口のソファーで座っていることが多く，離脱行為があったため常に見守りが必要であった。

他の通所者になじめなかったため，居心地よい空間をつくることや同スタッフが同場所でかかわるようケアの統一を図った。施設のデイルームに入るきっかけをつくるために，食事前のテーブル拭きや施設のタオルたたみなどできる仕事の手伝いをお願いするよう対応した。提示した課題がなくなると帰ろうとするため，お茶を飲んで故郷の話をするなどスタッフの声かけにより1人にしないようにした。入浴や排泄の誘導には，硬い表情で強い拒否があったため，下着の汚染時などの声かけは，自尊心を傷つけないようゆっくりとなじみのスタッフが対応するように調整した。家族(長男の妻)にうつ的傾向がみられたため，訪問介護などAさんの変化や活動に参加する様子などを伝え，相談員や作業療法士が心理支持的な支援を行った。

午後のプログラムで料理活動を見学参加するようになり，変化がみられ始めた。Aさんの精神面が安定することで，家族(長男の妻)の表情やAさんに対する話し方も穏やかになり，好循環がみられた。小集団の調理活動では，包丁で野菜を切るだけでなく，洗い物や片付けなど自ら遂行することが可能となった。他の利用者と談話をする場面もみられるようになり，1年後には，デイサービスの利用に加え，在宅サービスはほぼ毎日の利用となった。また，施設の外出行事にも家族(長男の妻)と一緒に笑顔で参加できるようになった。

● 再評価

中核症状である認知機能の変化はみられなかったが，維持できている。また，主たる介護者である長男の妻の精神心理面の安定によりAさんのBPSDに改善(**表11**)がみられた。日常生活面においても介護の拒否がなくなり，保清に対するスタッフの介入が可能となった。活動は受け身的であるが，促しに応じて部分的な参加がみられている。今後は，Aさんの性格も考慮し，QOLの向上を目指し，他者と協力して楽しみを共有できる園芸活動などの作業療法プログラムを導入する予定である。さらにショートステイやヘルパーなどの在宅サービスの調整により，Aさんが在宅生活を安定して継続できるよう家族(長男の妻以外)への支援が必要と考えた。

試験対策 Point

認知症の対象者に対する作業課題

- 認知機能に考慮してシンプルなものにする
- 集中力が維持できる時間(20～30分)を目安とする
- 遂行の継続が困難なときは気分転換を図り，切り替える
- 柔軟な対応
- なじみのある活動を選択する。

補足

介護負担軽減のポイント

- 介護者教育(介助指導，心理教育など)を行う。
- 介護者-家族間の協力体制の確立を行う。
- 家族会などの支援グループへの参加を促す。
- デイサービスやショートステイなどの社会資源を適切に利用する。

表11 再評価の結果

評価項目	機能，障害	評価結果
機能	認知機能(記憶障害)	・CDR：2(変化なし) ・HDS-R：7点(初期評価：4点) ・MMSE：10点(初期評価：8点) ・NM Scale：25点(初期評価：17点)
	BPSD	・DBD：20点(初期評価：43点)
活動	ADL	・N-ADL：38点(初期評価：30点) ・入浴・排泄誘導によって，清潔が保たれている ・外での徘徊減少
参加		・通所リハビリテーション継続 ・デイサービスの追加→週5日の利用 ・主たる介護者(長男の妻)の介護に余裕→外出プログラムに参加

Case Study

Question 1

Aさんの作業療法プログラムに有用な情報として，何が挙げられるか。

☞ 解答 p.511

【引用文献】
1）博野信次：臨床認知症学入門，第2版，金芳堂，2007.

【参考文献】
1. 池田　学：認知症，中公新書，2010.
2. 小川敬之，ほか 編：認知症の作業療法，医歯薬出版，2009.
3. 日本作業療法士協会 編：作業療法マニュアル39 認知症高齢者の作業療法の実際，日本作業療法士協会，2010.
4. 長﨑重信 監：作業療法学ゴールド・マスター・テキスト9 地域作業療法学・老年期作業療法学，メジカルビュー社，2011.
5. 中島健二，ほか 編：認知症ハンドブック，医学書院，2013.
6. 宮口英樹 監：認知症をもつ人への作業療法アプローチ －視点・プロセス・理論－，メジカルビュー社，2014.
7. 山口晴保 編著：認知症の正しい理解と包括的医療・ケアのポイント，第2版，協同医書出版社，2010.
8. 日本精神科病院協会 監：認知症の人のための作業療法の手引き，ワールドプランニング，2010.

チェックテスト

Q

①認知症の症状について2つに大別して説明せよ（☞p.422）。 基礎
②ATDの特徴を説明せよ（☞p.423）。 基礎
③認知症を対象とした認知機能検査にはどのような評価尺度が用いられるか説明せよ（☞p.424）。 基礎
④認知症の評価について内容と留意点について説明せよ（☞p.424）。 臨床
⑤ATDに対する作業療法で重要な視点について説明せよ（☞p.429）。 臨床

11 脳性麻痺

米持　喬

Outline

- 脳性麻痺児の作業療法は，子どもの運動と姿勢の障害や知覚運動障害に対して，複雑な臨床像を包括的にとらえて支援する。
- 家族が安心して子どもを育て，将来かかわる人へ障害の説明ができ，託せる準備を整える。
- 年齢に応じた発達経験を提供することで心身の発達を促進し，生活機能の向上を目指す。
- 将来の社会参加や自立生活への段階付けとして，通園施設，保育所，幼稚園，学校への参加方法を検討する。

1 脳性麻痺とは

■定義

「脳性麻痺は，受胎から生後4週以内までの間に生じた脳の非進行性病変に基づく，永続的な，しかし変化しうる運動および姿勢の異常である。その症状は2歳までに出現する。進行性疾患や一過性の運動障害，または将来正常化するであろうと思われる運動発達遅延は除外する。」[1]と定義されている。

■どのような障害か

脳性麻痺は，中枢神経系の障害に起因する症候群であり「運動と姿勢の異常を示し，活動の制限を引き起こすもの」また「その運動障害には，感覚，認知，コミュニケーション，知覚，行動の障害，発作性疾患などが加わることがある」[2]とされる。すなわち，姿勢と運動の障害を中心とする複合障害[3]と考えて，作業療法の評価・治療を進める必要がある。

脳性麻痺の運動障害は，姿勢の調整システムがうまく機能せず，過剰な努力によって意識的に姿勢を調整するところにある。つまり，随意運動の障害の背景として姿勢反応（立ち直り反応や平衡反応など）の欠如や低下といった全身的な問題（自律的な姿勢調整の難しさ）を有している[4]。また，運動の遂行が難しい脳性麻痺児は感覚と運動が協調した知覚経験が乏しく，感覚知覚運動障害としてとらえる必要がある。

■脳性麻痺の分類（表1）

脳性麻痺は姿勢筋緊張の性状により，**痙直型**，**アテトーゼ型**，**失調型**，**弛緩型**に大別される。完全に分類することはできず，混在していることが多い。

表1 分類別の運動特徴

	痙直型	アテトーゼ型	失調型
姿勢筋緊張	亢進：痙縮(spasticity)や固縮(rigidity)	・筋緊張が変動する(動揺性の筋緊張) ・筋緊張の動揺は不随意運動として現れる	・低緊張 ・運動開始時や支持基底面の減少により不随意運動が増加する
運動の特徴	・動きが定型的で多様性がない ・動ける範囲が狭い ・比較的動きやすい部分で，より動きにくい部分を代償し，連合反応が生じる	・安定した抗重力姿勢の保持が難しい ・非対称に身体をとめようとする ・姿勢を安定させても突如不随意運動が出現する ・下半身よりも上半身の運動コントロールがより困難なことが多い	・自ら動こうとしない ・他動的に動かされることに抵抗を示す ・姿勢が安定していると不随意運動は減少する ・身体の一部を固定して不随意運動を制御する
治療上の留意点	運動性の拡大 ・外に拡がるように運動を促進 ・多くの姿勢・運動を経験する	対称的な安定性 ・正中方向への運動を促進 ・中間関節の中間位コントロールを促進	動きを促進する(バランス強化) ・重錘負荷などで固有感覚への刺激を強化 ・視覚情報での代償 ・心理的に安心して動きたくなる環境調整

● 痙直型

皮質脊髄路(錐体路)が障害され，痙性麻痺が認められる。筋緊張は亢進し，運動は定型的となり，運動の範囲が限られることを特徴とする。

痙直型は麻痺の身体分布により，**痙直型四肢麻痺**，**痙直型両麻痺**(上肢よりも骨盤から下肢がより障害されている)，**痙直型片麻痺**に分類される。

● アテトーゼ型

動揺性の姿勢筋緊張を示し，対称的な姿勢の保持，肘や膝などの中間関節の制御が難しく，特に関節運動を中間位で制御することを苦手とし，部分的に最終可動域で固定する。筋緊張の変動は支持基底面[*1]を広くしたり，身体を包み込むように安定させても出現する。基本的にアテトーゼ型は四肢麻痺である。まれに片麻痺にアテトーゼを伴う事例もある。

＊1 支持基底面
床と接触して身体を支えている面を表す。運動を開始する出発点ともいえる。支持基底面が広いと安定しているが運動を起こしにくく，狭いと不安定さを伴うが動きやすいという相互関係にある。

● 失調型

基本的な筋緊張はやや低い対象者が多く，企図振戦や測定障害を認める。不随意運動は支持基底面が狭く，姿勢が不安定なほど顕著に出現して，支持基底面が広い臥位では不随意運動は消失あるいは減少する。低緊張と動揺を補うために身体内部で固定(特定の関節を固める)するため，動きにくさを助長してしまう。眼球に動揺があると一側に固視することが多い。重心移動に対して平衡を保つことが難しいため，動くことへの警戒心が強く，特に他動的に動かされることに抵抗を示す。小脳性失調の場合は運動学習の難しい対象者が多い。

● 弛緩型

姿勢筋緊張は非常に低く，支持基底面に貼り付くような姿勢をとる。抱きあげるのが難しく，抱っこの軸が定まらない。成長に伴い，アテトーゼ型，痙直型，失調型に移行する事例が多い。

2 脳性麻痺の評価

発達領域の評価が難しい要因の1つに検査への協力を得にくいことがある。そのため評価の多くは課題遂行中の観察によるものが大きな割合を占める。特に脳性麻痺の運動障害は，量的な問題だけでなく，その運動の遂行が質的に異なる。例えば，痙直型両麻痺の四つ這いを例にすると，スピードが遅い，進む距離が短いという量的な問題だけでなく，両上肢で支え両下肢を引きこむような全身性のパターンを使って前進するなど，運動遂行の方法が質的に異なる。そのため，観察による姿勢運動パターンの分析や作業分析が重要になる。

本項では情報収集，観察・検査の観点で作業療法評価を取り上げるが，特に観察による評価の視点を詳しく解説する。

■ 情報収集（保護者，カルテ，他職種などから）

あらかじめ，カルテから基本的情報，医学的情報，社会的情報を収集したうえで，保護者からの情報収集を行う。

● 基本的情報

年齢，性別，診断名（合併症，随伴症状なども記載）を収集する。

作業療法参加型臨床実習に向けて

出生時の状況はその後の発達に大きく影響しており，臨床像の把握に非常に重要な情報である。初めて見学に入る事例の場合は，作業療法の場面から診断名や出生状況などを推測しながら観察するように心がけよう。

● 医学的情報

生育歴〔出産時の状況：在胎週数，体重，Apgar（アプガー）スコア（**表2**），および発育状況〕，現病歴（MRI所見などの画像所見を含む），既往歴，療育歴（これまでかかった医療，福祉，教育機関とそこで受けたケア），合併症・随伴症状（痙攣発作，視覚・聴覚障害，呼吸障害など），禁忌事項など一般

表2 アプガースコア

点数	0	1	2
皮膚色（appearance）	全身蒼白または暗紫色	体幹淡紅色四肢チアノーゼ	全身淡紅色（ピンク）
心拍数（pulse）	なし	100/分以下	100/分以上
刺激に対する反応（grimace）	無反応	顔をしかめる	泣くまたは咳，くしゃみ
筋緊張（activity）	だらんとしている	いくらか四肢を曲げる	四肢を活発に動かす
呼吸（respiration）	なし	弱々しい泣き声	強く泣く

※出生直後の呼吸循環動態の適応評価にはアプガースコアが用いられ，出生後1分と5分で評価する。
※上記5項目の合計点により判定：重度仮死0〜3，軽度仮死4〜7，正常8〜10

作業療法参加型臨床実習に向けて

ADL聴取のポイントは「やっている，やっていない」「できる，できない」だけではなく，「どのようにやっているのか，どのような支援があるとできるのか」などADLの質を深く探っていく。
①どのような設定で行っているか
例）食事：短下肢装具（short leg balance：SLB）を装着し，プロンボード立位，T字スプーン，すくいやすい皿を使用
→装具や特別な道具の使用目的を考えれば，対象者が何に支援を要するかの理解にも繋がる
②対象者ができること，難しいことは，それぞれどの部分か
③介助の方法（どの部分を介助しているか，介助者が困難を感じていること，工夫していること）
④所要時間や疲労などによる実用性

的な医学情報を収集する。

● 社会的情報

家族構成をはじめとする子どもを取り巻く人的環境を把握する。父母，祖父母の育児への協力状況，育児に関する相談相手の有無，兄弟姉妹の育児とのバランスなど，言葉だけでなく，口調や表情から保護者の想いを読み取るようにする。両親（特に母親）は病院受診などで障害のある子にかかりきりになる傾向がある。兄弟姉妹に我慢させていたり，寂しい思いをさせているかもしれないという両親の気持ちを汲み取り，兄弟姉妹の関係性を把握する。

● 主訴

保護者が困っている育児上の問題や，特に改善を期待する事柄を聴き取る。具体的な事柄が主訴にあがらない場合には，1日の流れに沿って（必要に応じて三間表を活用），子どもと保護者の生活状況，各日常生活活動（ADL）の状況，子どもが好きな遊びなどを把握しながら，ニーズを具体化する。

■ 心身機能・身体構造の観察・検査

● 姿勢筋緊張

各姿勢における筋緊張亢進（過緊張），低下（低緊張）の分布を把握する（**図1**）。頸部，体幹，四肢のどの部分にどの方向へ（屈曲方向，内転方向など）の筋緊張の亢進があり，低下があるのか，さらに左右差と前後差を含めて**三次元的に評価する**。また，比較的動かしやすい部位の使用による筋緊張の変化（連合反応）を観察する。

図1　筋緊張の変動

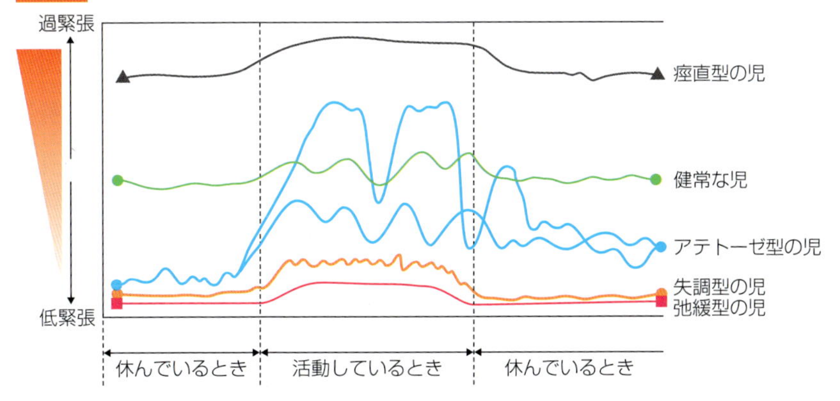

筋緊張が亢進している部位は運動性が阻害され，低下していると支持性（安定性）が阻害される。超早産児の特徴に加え**脳室周囲白質軟化症**

(periventricular leukomalacia：PVL)があると，下部体幹が非常に低緊張で支持性を欠く臨床像を示す傾向がある。

● 姿勢運動パターン

臥位，腹臥位，座位，立位など各姿勢で，どのような運動ができるか，どのように行っているかなど自発運動の質(代償動作，連合反応，非対称性，アライメント)を観察する。脳性麻痺児は，定型発達児が経験してこなかった方法で運動を遂行するので，観察だけでなく，模倣して子どもの感覚運動経験の理解に努める。

作業療法参加型
臨床実習に向けて

座位評価のポイントは姿勢運動パターンの特徴をみることである。
痙直型両麻痺児の座位を分析すると左右どちらにも姿勢を倒すことが多く，その要因を「体幹の低緊張」と結論付けられることが多い。しかし，よく観察すると倒れ方に特徴があり，大きく2つに分かれる(図2)。

図2　座位評価(左きき)

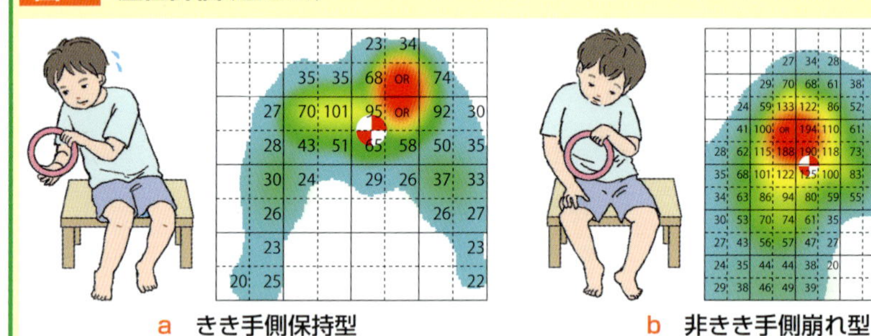

a　きき手側保持型　　b　非きき手側崩れ型

aは得意なきき手側(左)を優位に使うタイプで，きき手側の殿部で重心を保とうとする。この場合，右空間にリーチすると非きき手側の右殿部でバランスを保てないため何とか左殿部で保持しようとして，頭部は右側に大きく側屈する。左殿部で保持できる限界を越えると(右殿部に重心が移ると)，大きく右側に姿勢を崩してしまう。
bは非きき手側の右殿部に重心はあるが，支えているというよりも，常に右側に流れるように崩れてしまい，頭部は左側へ側屈となる。これらの特徴はきき目や非きき手の機能，股関節の脱臼の有無，側彎(そくわん)などに増強され，前後差を含めてより複雑化する。

● 関節可動域

脳性麻痺児では，背臥位，座位など姿勢によって筋緊張が変化することで，関節可動域も変化する。そのため，座位(抗重力姿勢)，臥位(除重力姿勢)など検査肢位の選択に留意する。他動的関節可動域を測定しながら，筋緊張の状態も評価する。痙縮の特徴として，早い動きに対しては抵抗を示すため，あえて早い動きを加えて測定する**fast stretch関節可動域測定**で痙縮の度合いを評価する。

● 緊張性反射活動，姿勢反応

どの緊張性反射活動〔**緊張性迷路反射**(tonic labyrinthine reflex：TLR[*2])，**非対称性緊張性頸反射**(asymmetrical tonic neck reflex：

＊2　緊張性迷路反射(TLR)
空間における頭部の位置の変化によって，全身の姿勢筋緊張に変化を及ぼす。背臥位では伸筋優位，腹臥位では屈筋優位となる。背臥位，腹臥位においてTLRの影響を受けた脳性麻痺の全身性姿勢パターンを表3に示す。

ATNR)，対称性緊張性頚反射(symmetrical tonic neck reflex：STNR)など〕が残存しているかだけでなく，その反射がどのような機能を阻害しているか(または，どのような機能に利用しているか)を評価する(**表3**)。

例えば，アテトーゼ型の脳性麻痺児では，ATNR様の姿勢により両手動作や目と協応した手の使用が妨げられる。その一方で，四肢麻痺児がSTNR様の姿勢を利用して四つ這い位をとるなど，緊張性反射活動のなごりを利用している場合もある。このように機能への影響も含めて，緊張性反射活動を観察する。

表3　脳性麻痺におけるTLRの影響を受けたトータルパターン

		肩関節	肘関節	手関節	手指	姿勢
背臥位における全身的伸展パターン	上肢の全屈曲パターン	後方ひっこめ，屈曲，外転，外旋	屈曲(まれに伸展)	背屈，橈側偏位	伸展(または屈曲)	背臥位で伸筋緊張が最大
		股関節	膝関節	足関節	足趾	
	下肢の全伸展パターン	伸展，内転，内旋	伸展	底屈，内反	屈曲	
		肩関節	肘関節	手関節	手指	姿勢
腹臥位における全身的屈曲パターン	上肢の全伸展パターン	前方突出，伸展，内転，内旋	伸展(しばしば屈曲)	掌屈，尺側偏位	屈曲(または伸展)	腹臥位では伸筋緊張が減弱。屈筋緊張が相対的に増強する
		股関節	膝関節	足関節	足趾	
	下肢の全屈曲パターン	屈曲，外転，外旋	屈曲	背屈，外反	伸展	

(文献5を基に作成)

アクティブラーニング 1　反り返りの強い対象者の場合，どのような抱っこが落ち着くか，介助のポイントを考えよう。

作業療法参加型臨床実習に向けて

子どもに感覚を入力(input)するという意識ではなく，子どもが取り込める(intake)範囲の適切な感覚刺激を提供する。感覚刺激はmodality(様相，刺激の種類)，location(場所，範囲)，intensity(強度，頻度)，timing(タイミング，開始と終了)によって同じ感覚でも感じ方は大きく変化するため，目的に応じて使い分けてみよう。

● 感覚機能(p.462 表3参照)

脳性麻痺児の多くは運動障害に加えて，知覚障害を合併している。子どもがどんな刺激を好み，知覚できているかをADLや遊びのなかから評価する。子どもが過剰に努力して課題遂行をしている場合，知覚できないためにパワーに頼っているか，あるいは知覚できる感覚に依存していることが多い。

● 上肢機能(p.204 表6参照)

姿勢との関係

座位，立位，側臥位，背臥位のうち，最も機能を発揮しやすい姿勢を評価する。「骨盤周囲の安定」「前もたれ姿勢」「重さの免荷」など，姿勢との関係を含めて上肢機能を評価する。また座位のなかでも，端座位，あぐら座位，割座位，前もたれ座位など学校や保育園など生活で取り組める姿勢などを想定して評価する。

リーチ

対象物および身体へのリーチの範囲や正確さを評価する。脳性麻痺児では正中線を越えた反対側，頭頂・後頭部への体側リーチ，背面へのリーチが難しい。

また，リーチに伴う上部体幹や骨盤の連動した動き，リーチ時の目との協調，支持側の安定性を援助した場合のリーチ範囲についても評価する。

把握

把握が以下のどの段階か，把握に伴う対側の連合反応を評価する。棒の把握では，手掌握り，橈側－手掌握り，橈側－手指握り，3指握りの段階などを評価する。小球の把握では，挟み握り（母指と巻き込んだ示指の側腹との間で挟む），つまみ把握（母指対立し，母指と示指の間で挟む），精巧なつまみ把握（母指と示指の指尖で小さな物をつまむ）段階などを評価する。

リリース

リリースは把握よりも難しく，把握よりも後に習得する。手指の最大伸展ができると，握りの精度が向上する。未熟な場合は机面などに手をおし付ける，他側でひったくる，手関節の掌屈など代償手段を用いるため，リリースの質を評価する。

● 変形，拘縮

各タイプに生じやすい変形・拘縮を**表4**に示す。長期間，同じ姿勢や同じ動作ばかりを繰り返すことで変形や拘縮が起こり，痛みに繋がる。姿勢筋緊張のアンバランス，姿勢運動パターン，緊張性反射活動と関連付け，変形や拘縮が生じた機序を理解し，将来的に生じる危険性のある変形や拘縮を予測する。

表4　脳性麻痺の各タイプに生じやすい変形・拘縮

痙直型四肢麻痺	四肢の変形拘縮，股・肘関節の脱臼，側彎（ねじれを伴うことが多い），風に吹かれた股関節変形[*3]
痙直型両麻痺	下肢の屈曲拘縮，内反尖足，足部変形，足趾変形，側彎，股関節脱臼
痙直型片麻痺	前腕の回内・手関節の屈曲，手指の屈曲拘縮，足部の尖足と内反または外反変形
アテトーゼ型	痙直型よりも拘縮を起こしにくいが，頚椎の不随意的回旋運動により環軸関節の脱臼を起こしやすい。ジストーニックタイプでは，体幹の捻じれを伴った脊柱側彎

＊3　風に吹かれた股関節変形（wind blow変形）

背臥位では，風の勢いでなびいたような姿勢をとることからつけられた用語である（**図3**）。下側の下肢は股関節外転・外旋をとり，上側は股関節内転・内旋位になる。そのため，上側になる下肢の股関節脱臼が生じやすい。

図3　風に吹かれた股関節変形

この図の場合は，右側から吹いてきた風に両足が倒されたような状態になっている。

（文献3より引用）

作業療法参加型 臨床実習に向けて

脳性麻痺児の神経・筋原性側彎症は，成長とともに進行し（男児：14～15歳，女児：12～14歳頃），変形の度合いは対象者によって多様だが，その多くはシングルカーブとダブルカーブの2通りに大別できる（図4）。要因は諸説あるが，対象者の多くは胸椎右凸，腰椎左凸に彎曲する傾向があり[6]，加えて捻じれを伴う。どのような姿勢で生活しているか，どのように介助されているかを評価し，凸部と床との接触圧が高い場合は広い支持基底面を提供して緊張を和らげるポジショニングや介助方法を検討しよう。

図4 神経・筋原性側彎症

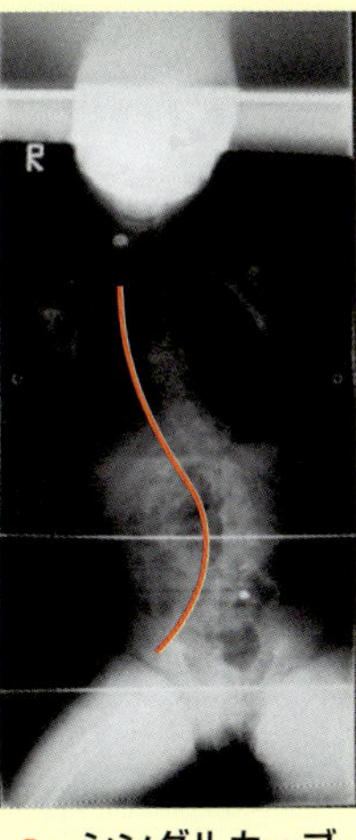
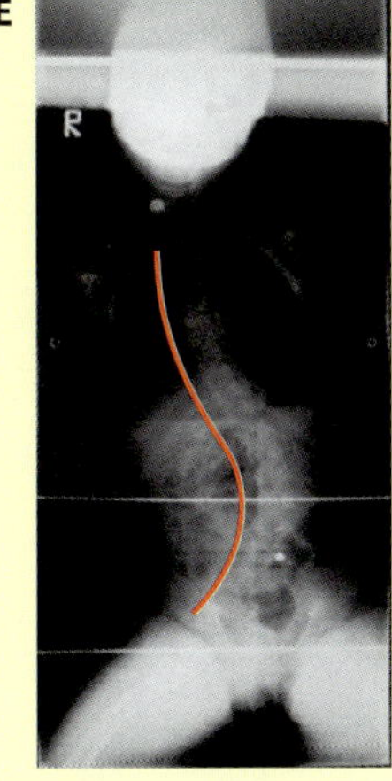
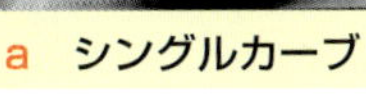

a シングルカーブ　b ダブルカーブ

● 視運動，視知覚機能

脳性麻痺児は視覚機能が低下している対象者が非常に多い。PVLの障害範囲が広いほど，物のとらえ方が難しく環境に適応しにくくなる。Koizes（コージス）らは脳性麻痺児105名を対象とした調査で斜視43%，近視16%，乱視40%，斜視53%，立体視ができない83%，微細なサッケードが難しい80%と報告しており[7]，視覚が姿勢や行動に大きく影響していることがわかる。眼球運動の評価は注視，追視，両眼視，**輻輳（ふくそう）・開散**[*4]，注視点移行がある。注視に困難さのある対象者では「右斜め前40cmくらいが見やすい」など，注視しやすい焦点距離や位置を評価することで，治療にも生かすことができる。上肢機能を発揮できれば**Frostig（フロスティッグ）視知覚発達検査**[*5]，運筆が難しれば選択性のtest of visual-perceptual（TVPS）[*6]を用いる。

● 認知機能とコミュニケーション能力

聴覚情報で周囲の情報を把握するため，日常会話が可能であっても視運動障害や視知覚障害があると，情報を得るために絶え間なく話し続ける子も多い。会話の内容（チグハグさ）や見通し力，他者の気持ちを汲み取る力など，会話の質を評価する。構音障害により，伝えたいことがうまく伝わらない場合は，代替手段としてコミュニケーションエイドによる表現が可能かなど機器の適応も含めて評価をする。

＊4 輻輳・開散

輻輳は遠くから近くに視線を移す（両眼が寄る）運動で，開散は近くから遠くに視線を移す（両眼が離れる）運動である。両眼で対象物をとらえるために（両眼が離れる）必要な機能。

＊5 フロスティッグ視知覚発達検査

就学前から小学校低学年（4～7歳11カ月）の子どもの視知覚の評価に用いる。以下の5つの視知覚領域を測定する。詳細はp.210を参照してほしい。

＊6 TVPS

対象年齢は5～21歳である。複数の幾何学図形を対象に視知覚情報の認知能力を評価する。以下の6つの項目について，言語を必要とせず図形を視覚的に選択するので，運動が難しい脳性麻痺児でも実施できる検査である。

- 識別
- 単一図形の記憶
- 空間関係
- 恒常性
- 図と地
- 閉合の能力

試験対策 Point

視知覚の評価バッテリーは対象年齢，対象者（運動性―非運動性），何を評価できるのかについて理解しておこう。視知覚障害は子どもの学習能力に影響するが他職種には評価しにくい項目であるため，簡易な言葉で説明できるようにしよう。

Web動画

図5　作業評価のイメージ

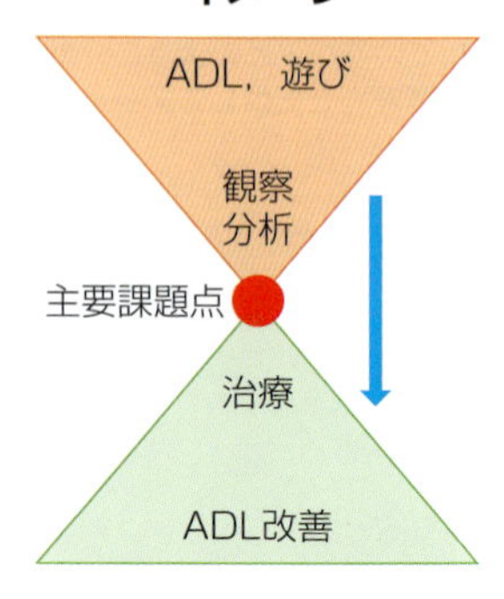

図6　更衣動作に必要な3つの軸

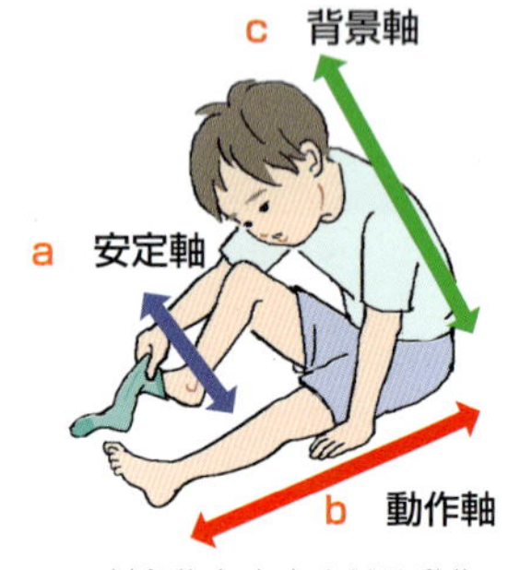

a：対象物を安定させる動作
b：対象物に入れる動作
c：安定軸と動作軸を安定させる動作

活動と参加の観察・検査

● ADL

ADLの場面をよく観察し，対象者の本質的な課題(主要課題点)を分析する。主要課題点はADLの遂行を阻害しており，その関連性について評価する(図5)。保護者から日常の様子を聴取し，対象者の作業遂行を実際に観察して評価を深める。

靴下を履く作業を例に解説する。

作業遂行の観察・検査

● 観察評価

工程分析と動作分析の2つの視点から分析する。工程分析の視点から「靴下を履く」には，1番目に「靴下を持つ」，2番目に「両手で靴下を広げながら，片足を上げる」，3番目に「靴下をたぐりながら，足を通していく」という大まかな工程に分けられる。動作分析の視点から「靴下を持つ(安定軸)」「足を通す(動作軸)」「姿勢を保持する(背景軸)」という3つの軸に分けられる。両視点から，どこに難しさがあるかを評価する。

2番目の片足を上げる際に「最初は両手で靴下を把持していたが，右足を上げると左手を床についてしまう」(図6)ことが観察されたとする。次に，なぜそうなるのか要因を考える。その要因として「一側下肢を床から持ち上げる座位バランスの不十分さ」が推測される。つまり，「靴下を持つ」という安定軸の失敗は二次的な要因で，その前に「背景軸」を保てないことが主要な課題と評価できる。左右どちらの殿部が支えにくいのか(図2)を分析し対策を検討する。わかりにくい際には，対象者の動作を模倣すると難しい要因を推測しやすくなる。

アクティブ・ラーニング②　対象者の難しさが図6のそれぞれの軸にあるとき，どのような作業(遊び)を用いて治療を組み立てるか考えてみよう。

● 介助しながらの評価

観察評価で図6の要因を「一側下肢を床から持ち上げる座位バランスの不十分さ」にあると推測した。それでは，何を介助すれば対象者は片足を上げやすくなるかを推測する。

介助を要するのは，座位のバランスである。作業療法士が座位バランスを助けたり(図7)，座位バランスを助ける側方(骨盤周囲)に支えのある椅子を使用(図8)したりして，「両手で靴下を広げながら，片足を上げる」ことができるかを試みる。このようにして，介助しながら困難さの要因を確認するとともに，どうすればできるか(遂行しやすくなるか)を評価する。

図7 座位のバランス補助

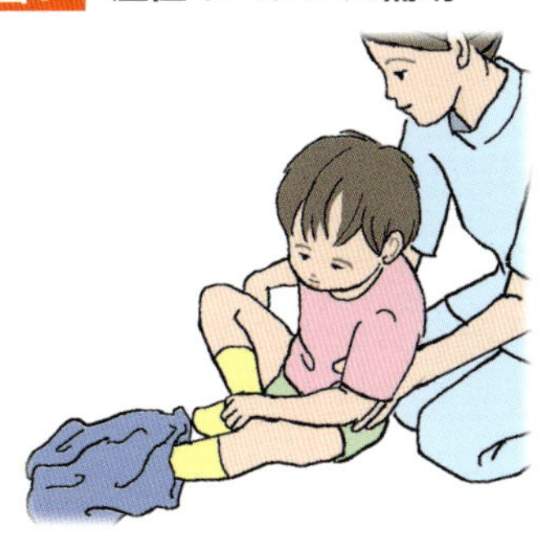

図8 椅子で側方のバランスを介助しながらの評価

補足

観察すべき事項

本項では，理解しやすいように，脳性麻痺児の特徴と作業の難しさに絞って観察の手順を述べた。実際には対象者の年齢，環境なども加味して観察すべき事柄を吟味する必要がある。例えば，同じ更衣の評価でも，次年度に地域の小学校への就学を予定していれば，学校の制服や体操服がどのような形態か，介助者の有無などを把握して評価を進めることになる。家庭で簡単に再現できる提案として浮き輪などに殿部をはめて練習するのも1つの方法である（**図9**）。

図9 浮き輪を使った練習

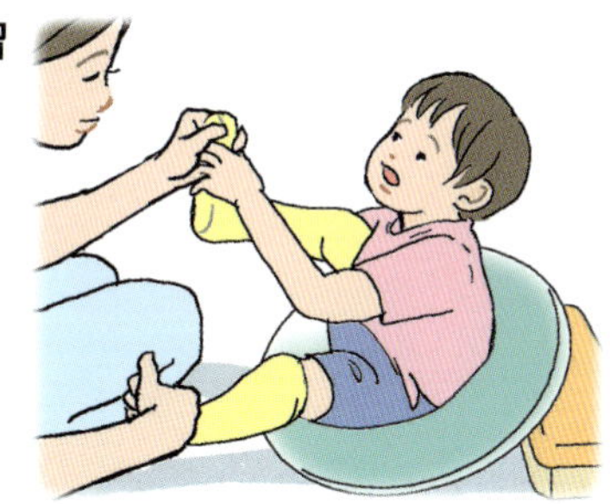

■定量的な観察・検査

根拠に基づく医療（evidence-based medicine：EBM）の流れのなかで治療効果を客観的・計量的に測定する指標が求められるようになり，2000年以降は**表5**に挙げる評価が主に用いられるようになってきた。

表5 近年脳性麻痺に用いられている定量的評価

- 粗大運動能力尺度（gross motor function measure：GMFM）*7
- 粗大運動分類システム（gross motor function classification system：GMFCS）*8
- 上肢機能評価尺度（manual ability classification system：MACS）*9
- 脳性麻痺児・者のコミュニケーション能力分類システム（communication function classification system for cerebral palsy：CFCS）*10
- リハビリテーションのための子どもの能力低下評価法（pediatric evaluation of disability inventory：PEDI）
- こどものための機能的自立度評価法〔functional independence measure（FIM）for children：WeeFIM〕
- 障害児の包括的評価法マニュアル（Japanese assessment set for pediatric extensive rehabilitation：JASPER）

＊7 GMFM

脳性麻痺児を対象として標準化された粗大運動の評価尺度である。健常5歳児であれば達成可能な88項目の運動課題を4段階のLikert（リッカート）スケールを使って採点し，経時的な変化および医療的な介入の効果を評価する。

＊8 GMFCS

6歳以降に到達する粗大運動能力により，

- レベルⅠ：制限なしに歩く
- レベルⅡ：制限を伴って歩く
- レベルⅢ：手に持つ移動器具を使用して歩く
- レベルⅣ：制限を伴って自力移動。電動の移動手段を使用してもよい
- レベルⅤ：手動車椅子で移送される

の5段階に分類される。なお，年少児では，6歳以降に到達するレベルをもとに発達を考慮して5段階分類がなされている。

＊9 MACS

- レベルⅠ：対象物の取り扱いが容易にできる
- レベルⅡ：対象物の取り扱いはたいていできるが，上手さ，早さが少し劣る
- レベルⅢ：対象物の取り扱いには困難が伴うため，準備と課題の修正が必要
- レベルⅣ：対象物をかなり環境調整し，限定した場面での簡単な動作であれば取り扱える
- レベルⅤ：すごく簡単な動作も困難

の5段階に分類される。

＊10 CFCS

- レベルⅠ：馴染みのない相手でも有効な送り手であり受け手である
- レベルⅡ：馴染みのない相手でもゆっくりではあるが，有効な送り手や受け手である
- レベルⅢ：馴染みのある相手とでは有効な送り手であり受け手である
- レベルⅣ：馴染みのある相手とでも一貫性のない送り手や受け手(両方もしくは一方)である
- レベルⅤ：馴染みのある相手とも有効な送り手や受け手になることは滅多にない

の5段階に分類される。

臨床像の共有のため他職種との共通ワードであるGMFCS，MACSともにそれぞれのレベルを把握しておこう。

● リハビリテーションのための子どもの能力低下評価法(PEDI)

対象は，6カ月～7歳6カ月児およびこの年齢に相当する機能レベル年長児である。セルフケア，移動，社会的機能の3領域の機能的活動について，子どもの能力と遂行状態を評価することを目的としている。子どもの能力は，「できる」「できない(未経験を含む)」の2段階で評価する(機能的スキル尺度)。遂行状態については，援助尺度(介助者による援助の必要量)と調整尺度(環境や機器による調整の種類)で測定する。

3 Case Study

■基本情報

6歳2カ月の男児，Aさんの事例を紹介する。Aさんの基本情報を**表6**に示す。

表6 基本情報

氏名，年齢，性別	Aさん，6歳2カ月，男児
診断名	PVLを伴う脳性麻痺(痙直型両麻痺)
家族	両親(キーパーソン：母親)
経過	・妊娠期に前期破水し，帝王切開にて出産 ・在胎24週，出生体重690g，アプガースコア2/5 ・4カ月時にMRIで軽度PVLを指摘，側脳室上部に限局。リハビリテーション開始 ・5歳のときに，両股関節・膝関節屈曲拘縮のため腸腰筋延長，大腿直筋・内転筋切離，ハムストリングス延長術

■保護者とのカナダ作業遂行測定(COPM)

保護者とのカナダ作業遂行測定(Canadian occupational performance measure：COPM)について**表7**に示す。

表7 COPM

関心事(地域の学校への就学に向けて)	重要度	遂行度	満足度
勉強の方法や道具の工夫などを知りたい	10	2	2
自分で着替えられる部分が増えてほしい	8	1	1

■初期評価

地域の小学校への就学に向けて，現状のADL全般の遂行状況を把握するために母親からの情報収集とPEDIを実施した。加えて，粗大運動と更衣動作，就学に備えて机上活動を中心に評価を行った。その結果と今後の方針を表8に示す。

表8　初期評価の結果と方針

PEDI	機能的スキル	・セルフケア領域31/73 ・移動領域10/59 ・社会的領域46/65
	介護者による援助及び調整	・セルフケア領域12/40 ・移動領域5/35 ・社会的領域13/25
姿勢筋緊張		・下部体幹の低緊張・股関節屈曲・内転，足部外反 ・前年度の手術により股関節の屈曲筋力の低下 ・不安定な姿勢になると上肢の屈曲固定が強まる(右>左)
姿勢移動パターン	GMFCS	・レベルⅢ
	ずり這い	・上肢での引き込みでわずかに進めるが実用性には欠ける ・下肢の交互性は不十分
	四つ這い	・右手で支えきれないため，四つ這い位の持続性に欠ける
	寝返り	・左右ともに可能だが，右下のときは上肢の支持が効かず，起き上がりにくい
	座位	・骨盤後傾するが，後方に支えがあれば1人で保持できる ・足底支持が不十分のため不安定で，支えなしで座ることを怖がる
	立位	・手すりを持てば1人で保持できる ・尖足と膝関節過伸展による固定が強く，膝関節の段階的なコントロールと踵接地は困難
	介助歩行	・肩からの介助で数m可能 ・両下肢内転(右<左)のため足が交差する ・下肢の振り出しにくさを体幹前後させて補っている
	歩行	・後方支援型歩行器(posture control walker：PCW)を使用 ・肩からの軽介助で数m可能
	車椅子	・短い距離であれば自走可能
上肢機能		・きき手　左 ・MACS　Ⅲレベル ・左手の使用時，特に右空間リーチ時に右手の連合反応が顕著に出現する ・右手は握りこんでいることが多いが，物をおさえる程度には使用可能 ・ゲーム時には右手でコントロールボタンを押すことができる
視運動		・右目に内斜視があり，左目の単眼視である ・頭部と一緒に追視する ・視力　1.0(眼鏡装用にて)
視知覚		・右手で紙をおさえられるが，右空間にいくにつれて右手を引き込み，紙が歪んでしまう ・「○，□，＋」は書くことができるが，「△，×」は難しい ・平仮名は曖昧な文字もあるが，読める字もある。書くことが苦手
認知機能		・難しいことは警戒して避けようとする ・母親が離れると泣いてしまう ・数字の概念理解(＋) ・交換条件を提示できる(頑張ったら____を買ってね)

(次ページに続く)

（前ページより続く）

コミュニケーション	・CFCS Ⅰ ・言語的コミュニケーションは良好 ・愛嬌があり，皆に可愛がられる	
遊び	・話すことが好き（お話に夢中になってしまう） ・おままごと遊び ・テレビ ・ゲーム機	
ADL	食事	・プロンボード立位にて，スプーンと介助箸を使用して１人で食べる ・食に対する興味が低く，摂取量も非常に少ない。野菜が嫌い ・左手道具操作時，右手は連合反応で空間を握りこんでいることが多い ・右空間にある物をすくおうとすると連合反応が顕著に出現する
	更衣	・家庭でも継続して取り組めるように，あぐら座位にて実施 ・側方に倒れないように壁を設置する ・上衣脱衣：上衣は首を抜くときに軽介助だが，それ以降は１人で可能。右手が協調的に動かず，服に引っかかってしまう ・上衣着衣：腕の位置を随時誘導する必要がある。手の位置を確認しようと頭を下げるため，体幹が屈曲し姿勢が崩れて作業を継続することが難しい ・下衣脱衣：臥位では姿勢を保持するのが難しい。立位では股関節，膝関節の屈曲制御が不十分で下方へリーチできない（車椅子上であれば，装具のベルトを外すことができる）

■統合と解釈および目標設定

ADLでは片手でできる作業は比較的取り組める。言語的コミュニケーションが良好で必要に応じて援助を求めることができる。ストーリーのあるままごと遊びなどもできる。上肢は左ききで右手の痙縮が強く，課題の難易度に応じて連合反応が出現する。特に右空間にリーチする際に右殿部での支持が難しいことから，左側に重心を保とうとするため頭部と体幹の右側屈と前屈が顕著になり，作業遂行の効率が低下する。

作業姿勢に配慮するとともに，作業の途中で顔を上げたり，やや左側に提示したり，斜面台を利用するなど環境調整が必要である。ADL面においても将来的なことを考えると，更衣・トイレ動作に立位や座位，臥位での協力ができることが重要であり，理学療法との目標を確認する。以上のことを踏まえて，目標設定を行った（**表9**）。

Case Study

Question 1

就学に向けて，基本情報からどのような器具類が必要になるか考えてみよう。

☞ 解答 p.511

Question 2

姿勢運動の特徴に加えて，視知覚の難しさがある場合，学校での学習設定としてどのような配慮が必要か考えてみよう。

☞ 解答 p.511

表9 目標設定

長期目標	
食事	・箸（介助箸）とスプーンを使って，給食時間内にご飯を食べられる
更衣	・立位にて片手で保持してズボンを下げることができる
学習	・自分の名前を枠内に書くことができる
短期目標	
食事	・右手でお皿をおさえることができる
更衣	・立位にて下衣の着脱時に立位保持に協力できる ・車椅子上で上衣を脱ぐことができる ・床上でズボンの脱衣に協力できる（殿部にリーチできる）
学習	・右殿部で支えて，正中よりやや左側で運筆の練習ができる

【引用文献】

1) 厚生省脳性麻痺研究班，厚生省脳性麻痺研究班で定められた定義，1968.
2) Workshop in Bethesdaにおいて設定された定義，2004.
3) 森田浩美：姿勢と運動へのアプローチ：脳性麻痺を中心に．作業療法学ゴールド・マスター・テキスト発達障害作業療法学，第3版(長﨑重信　監)，メジカルビュー社，2021.
4) 岩崎光茂，ほか：小児リハビリテーションの評価尺度；小児のリハビリテーションにおける評価の動向，臨床リハ，9(11)：1053-1057, 2000.
5) 穐山富太郎，川口幸義　編著：脳性麻痺ハンドブック，医歯薬出版，p118, 128, 2002.
6) 岩崎幹季：脊椎脊髄病学(第2版)，金原出版，p311, 2016
7) Kozeis N, et al.：Visual function and execution of microsaccades related to reading skills, in celebral palsied children. Int J Neurosci, 116(11)：1347-1358, 2006.

【参考文献】

1. 岸本光夫：姿勢と移動の援助．発達障害と作業療法【実践編】，(岩崎清隆，ほか 編)，p46-81, 三輪書店，2001.
2. PEDI Research Group：PEDI リハビリテーションのための子どもの能力低下法，(里宇明元，ほか　監訳)，医歯薬出版，2003.
3. 松本茂樹：姿勢調整の運動障害に対する作業療法．クリニカル作業療法シリーズ 発達障害の作業療法，(長谷龍太郎 監)，p99-107, 中央法規出版，2011.
4. R.P.Erhardt：手の発達機能障害，(紀伊克昌 監訳)，p45-63, 医歯薬出版，1988.

チェックテスト

Q

①脳性麻痺はどのような障害か説明せよ(☞p.432)。 基礎

②アテトーゼ型と失調型の不随意運動の違いについて説明せよ(☞p.433)。 臨床

③なぜ観察による評価が重視されるのか説明せよ(☞p.434)。 基礎

④観察によるADL評価の手順を述べよ(☞p.440)。 臨床

⑤近年，脳性麻痺に用いられている定量的評価を挙げよ(☞p.441)。 基礎

⑥小学校のなかでは車椅子自走が主であり，体育の時間のみPCW歩行器でグランドを歩いているが方向転換には介助を要す。この対象者のGMFCSのレベルは何か(☞p.441)。 臨床

⑦スプーンを使って半分程度であれば1人でご飯を食べることができる。しかし，食べこぼしが多く時間も要する。この対象者のMACSのレベルは何か(☞p.441)。 臨床

⑧PEDIの機能スキルの3つの領域を挙げよ応えよ(☞p .443)。 基礎

12 知的障害

立山清美

Outline

- 知的障害は，発達期に生じた知的機能の障害により知的機能・社会生活への適応機能の両面において水準よりも遅れがあり，生活が困難になっている状態のことをいう。
- 主訴を把握したうえで，知的能力，全般的な発達の把握と適応行動の評価が必要である。

1 知的障害とは

■定義

米国精神医学会作成の『精神疾患の診断・統計マニュアル（Diagnostic and Statistical Manual of Mental Disorders, Fifth Edition：DSM-5）』では**知的障害**[*1]は「**発達期に発症**し，概念的，社会的および実用的な領域における**知的機能と適応機能の両面を含む障害**である」としている[1]。また，その重症度は知能指数（intelligence quotient：IQ）の値ではなく，適応機能（概念的，社会的，実用的な領域）に基づいて軽度，中等度，重度，最重度の4段階に分けられている。

AAIDDによる知的障害の定義でも同様に，知的機能の制限（IQ70または75以下），適応行動の制限，発症が発達期（18歳未満）に現れていることの3点が挙げられている。

> **＊1　知的障害**
> 知的障害はDSM-5にて「知的発達症」，国際疾病分類第11版（International Classification of Diseases-11：ICD-11）では「知的発達症」，米国知的・障害協会のAmerican Association on Intellectual and Developmental Disabilities-11（AAIDD-11）では「知的発達障害」という用語が用いられている。

■知的機能の低下

DSM-5では，診断基準からIQ値が削除された。知能検査だけでは把握できない**「実生活上の困難さ」を含めた総合的判断の重要性**が強調されている。IQ値については誤差も含めて判断する必要性が指摘されている。

ただし，米国知的・発達障害協会の定義では，IQ70または75以下とされている。

必要な評価として，**知的能力（知能検査）や全般的な発達の把握**のための評価が挙げられる。

知的能力では，Wechsler（ウェクスラー） intelligence scale for children-fourth edition（WISC-Ⅳ）など（p.210**表9**参照）を用いる。

発達の把握のための評価では，**津守式乳幼児精神発達検査**，**乳幼児発達スケール（kinder infant development scale：KIDS）**，**遠城寺式乳幼児分析的発達検査**，**新版Kyoto（K）式発達検査2020**，観察（遊び場面から感覚・運動，認知，心理・社会）を用いる。

適応機能の低下（継続的な支援が必要）

学校，職場，家庭または地域社会のうち，1つ以上の生活状況において適切な行動をとるために継続的な支援が必要である（**表1**）。

表1 適応機能

領域	機能
概念的	記憶，言語，読字，書字，数学的思考，実用的な知識の習得，問題解決，新規場面における判断
社会的	他者の思考，感情，体験を認識すること，共感，対人的コミュニケーション技能，友情関係を築く能力
実用的	セルフケア，仕事の責任，金銭管理，娯楽，行動の自己管理，学校と仕事の課題の調整といった実生活での学習および自己管理

（文献2を基に作成）

有病率と男女比

有病率は約1%前後，男女比はおよそ1.5：1である。

補足

療育手帳

- 知的障害のある人が，一貫した療育・援護，各種制度やサービスを受けるために交付される手帳。療育手帳は知的障害者福祉法ではなく，厚生省（現厚生労働省）の通知『療育手帳制度の実施について』に基づくもので，各都道府県もしくは政令指定都市が判定と発行を行っている。このため，手帳の様式は統一されておらず，地域によって障害程度区分が異なる。
- 障害程度は，重度「A」，その他「B」などと区分して判定される。都道府県および政令指定都市によっては，重度「A」，中度「B1」，軽度「B2」の3区分，さらに「A」を最重度「A1」，重度「A2」に細分し，4区分判定のところもある。東京では1度（最重度）～4度（軽度）と区分されている。

知的障害の病因

知的障害は疾患名を示すものではなく，その状態を示すものであるため，その要因はさまざまである。

● 生理的要因

特別な原因がなく，知的な遅れをもっている場合を指す。知的障害以外の明確な異常がなく，障害の程度は軽度なことが多い。

● 病理的要因

脳になんらかの病理的基盤をもち，障害が生じたと考えられる場合を**表2**に示す。一般に重度な場合が多いとされる。

● 社会環境的要因

乳幼児期の養育環境の貧困（育児放棄，環境剥脱など）が要因となっている場合を指す。

表2 病理的要因

先天性	・先天性代謝異常（フェニルケトン尿症など） ・染色体の異常（Down（ダウン）症候群，Prader-Willi（プラダー・ウィリ）症候群など） ・胎生早期の母体を通じた感染症，有機水銀などの毒物による影響 ・周産期の異常（低酸素脳症，未熟児出産）
後天性	・脳炎 ・髄膜炎 ・頭部外傷など

補足

実用的領域を例に概説する。軽度では，身の回りのこと（食事，身支度，排泄，衛生）は年齢相応に機能する可能性がある。同年代と比較して，複雑な日常生活上の課題ではいくらかの支援を必要とする。中等度では，成人として身のまわりのことは可能であるが，自立には長期の指導と時間が必要である。重度では，身の回りことに援助を要する。最重度では，他者に依存するが，活動の一部に関わることができる可能性がある。

知的障害の重症度分類

知的障害は，知的能力（IQ，**表3**）や適応機能による重症度（DSM-5）で分類されている。DSM-5では，適応機能を「概念的領域」「社会的領域」「実用的領域」の3つ領域に分けており，それぞれについて軽度，中等度，重度，最重度の4段階で細かく記載している。

表3 知的能力による分類

軽度	IQ50〜69，到達精神年齢9〜12歳未満（小学校高学年程度）の理解力に相当
中等度	IQ35〜49，到達精神年齢6〜9歳（小学校低学年）程度の理解力に相当
重度	IQ20〜34，到達精神年齢3〜6歳
最重度	IQ20未満，到達精神年齢3歳未満

2 適応行動評価

必要な評価として，**暦年齢，発達状況の把握，主訴などを加味した適応行動の評価**が挙げられる。

幼児ではセルフケア，対人的コミュニケーション技能などの評価が必要である。学齢児では学習能力，青年・成人では仕事・余暇が評価対象項目に加わる。対象者の**暦年齢，発達状況，主訴などを加味して適応行動の評価を行う。**

標準化された適応機能の検査には，social maturity（S-M）社会能力検査第3版，旭出式社会適応スキル検査（Asahide-shiki social adaptability：ASA），日本語版Vineland（ヴァインランド）-Ⅱ適応行動尺度（Vineland adaptive behavior scales second edition）[3]などがある。

SM 社会生活能力検査第3版

乳幼児〜中学生を対象とし，身辺自立，移動，作業，コミュニケーション，集団参加，自己統制の6つの領域からなる質問紙検査である。

旭出式社会適応スキル検査（ASA）

幼児〜高校生を対象とし，言語スキル，日常生活スキル，社会生活スキル，対人関係スキルの4つのスキルから構成される。全般的なスキルの発達，スキルの個人内差を把握することができる質問紙検査である。

日本版Vineland-II 適応行動尺度

適応行動評価と**不適応行動評価**の大きくは2つから構成される。適応行動評価は，コミュニケーション，ADLスキル，社会性，運動スキルの4領域と**表4**に示す下位領域からなる。不適応行動評価は，個人の社会生活に関して問題となるような行動を測定するもので，必要があれば任意に実

＊2 **コーピングスキル**
対処能力を指す。「かかわる相手との親しみの度合いによって振る舞いを変える」などの質問項目がある。

施する。検査は，評価対象者の行動を熟知する保護者や介護者などへの半構造化面接で行う。

表4 日本語版Vineland-II 適応行動尺度を構成する領域

領域		下位領域
適応行動	コミュニケーション	受容言語，表出言語，読み書き
	ADLスキル	身辺自立，家事，地域生活
	社会性	対人関係，遊びと余暇，**コーピングスキル**＊2
	運動スキル(0〜6，50〜92歳のみ)	粗大運動，微細運動
不適応行動(任意実施)		内在化問題，外在化問題，そのほか

補足

暦年齢，発達状況，主訴などを加味した適応行動とは

- 例えば，男児が排尿する際に，幼児期には下衣をすべて下げる方法で問題はない。しかし，地域の小学校に通う学齢児(暦年齢)では，下衣は下げずにファスナを開けるほうが望ましい(適応行動)。このように，年齢や所属する環境によって適応的と考えられる行動が異なる。また，下衣を下げる方法でないと難しい児(発達状況)には，洋式トイレに座って行う方法も適応行動の一手段である。

3 Case Study

Aさんの事例(2歳6カ月のダウン症候群)をもとに知的障害児の作業療法評価の進め方を紹介する。Aさんの基本情報を**表5**に示す。

補足

ダウン症候群

- 21番目の常染色体異常による。21番目の染色体が1つ過剰に存在する21トリソミが全体の95%を占め，転座型，モザイク型は少数である。発症率は0.1%であるが，母親の出産年齢が高くなるほど出生頻度が高い(40歳以上では1%)。
- 症状として，筋緊張の低下，ダウン症候群様顔貌(短頭，扁平(へんぺい)な顔，眼裂斜上など)，知的障害，運動発達遅滞などを示す。
- 先天性心疾患，消化管奇形(十二指腸の狭窄，閉鎖，鎖肛など)，屈折異常，滲出(しんしゅつ)性中耳炎，環軸関節異常の合併頻度が高い[2, 3]。

表5 Aさんの基本情報

氏名，年齢，性別	Aさん，2歳6カ月，女児
診断名	ダウン症候群
現病歴および既往歴・合併症	出生後，まもなくダウン症候群と診断される。合併症として自動眼振がみられる。心疾患による運動制限はなし
生活歴および療育歴	生後1カ月より保健師による定期的なフォローを行った。生後6カ月より週1回外来にて理学療法を開始。生後10カ月よりB通園施設にて療育を開始(理学療法1回/週，作業療法1回/月，保育3回/週)，転居のため当通園施設に転園(2歳6カ月)
家族状況	両親，兄3人(中学校1年生，小学校4年生，幼稚園児5歳)とAさんの6人家族である。父親は仕事が忙しく，平日の育児参加は難しいが，休日には家事・育児に協力的である
経済状況	比較的ゆとりがあり，問題はない
その他の特記事項	市街地の一戸建てに居住，通園施設には母親が運転する車で約10分
保護者の主訴	食事の際に自分で食べたがり，母親の手助けを拒むことが増えてきた。しかしながら，上手に食べることができず，食事の途中で怒り出してスプーンを投げたり，皿を引っくり返すことがある。また，ご飯，味噌汁，魚とよく食べるものが限定されており，好まないものは食べなくなってきた

アクティブラーニング 1 **表4**を基に，Aさんに必要と考えられる評価，保護者への面接で聞くべきこと(主訴および日常生活全般について)を挙げてみよう。また，2人1組(保護者役と作業療法士役)で面接の練習をしてみよう。

試験対策 Point

食具(スプーン)操作の発達

- 1歳〜1歳半：食具を1人で使いたがる。スプーンを**回内握りまたは回外全指握り**で持つ。スプーンの**ボール部の向きに無頓着**で，口まで運ぶ途中でひっくり返して食べ物を落としたりする。
- 1歳半〜2歳：スプーンやフォークを使ったり，手づかみもしながら食べる。**回内全指握り**で，ボール部の上下の向きが合うようになる。スプーンを把持していない手で，食べ物を落とさないようにしたり，スプーンの向きを調整する。
- 2歳〜2歳半：スプーンを**母指，示指，中指を中心に軽く回内位で握り**，手関節の動きも伴って操作できるようになる。
- 2歳半〜3歳：**橈側三指握り**を始める。
- 3歳ごろ：手指や**手関節の動きを伴った橈側三指握り**での操作になる。

評価の進め方

Aさんの診断名はダウン症候群であり，知的障害があることから，全般的な発達段階の把握(KIDS，津守式乳幼児精神発達検査，新版K式発達検査など)，ADLの状況，遊びの発達などの評価が必要である。まず，面接にて主訴を十分に把握することから始まる。また，ダウン症候群では心疾患を伴うことがあるので，運動制限がないかを確認する。

保護者への面接

保護者の主訴を掘り下げる

食事の際の対応を主訴としており，Aさんの食事に関する能力，保護者の介助方法の両方を尋ねた。具体的には，介助する位置(自宅での食事の席，**図1**)や介助の内容，Aさんが手助けを拒むとき，手助けを受け入れるのはどのような場合か，食事の偏りに対する工夫，食事の環境(使用している食器，スプーン，テーブルと椅子，他の家族も一緒に食べているかなど)を聴取した。

日常生活全般について情報収集

Aさんの好きな遊び，食事以外のADL状況，1日の生活の流れ(2歳6カ月児であり，昼寝の時間帯を含む)を聴取した。また，他施設にて作業療法を受けていた事例であるので，療育歴の確認(作業療法士の指導内容や指導を踏まえて保護者が気をつけていることなど)を行った。

図1　自宅での食事の席(平日の夕食時，父と中1の兄は不在の場合)

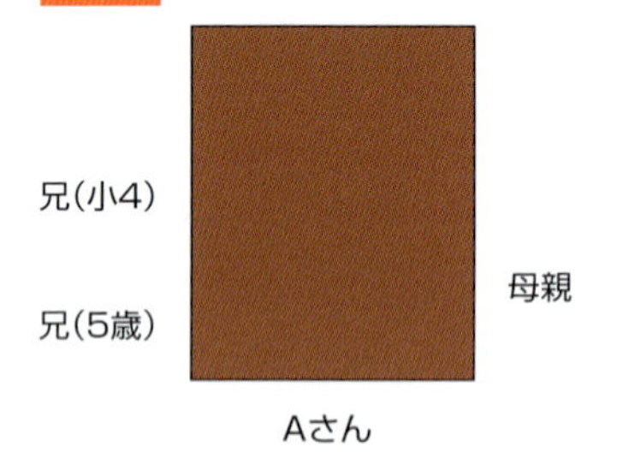

≪母親より≫
- 食事の初めはお腹がすいているので，うまく食べられないと機嫌が悪い
- 幼児用のスプーン，特別な皿は使用していない
- 兄たちは，Aさんをかわいがっている
- 5歳の兄も，もう手がかからないので母の向かい（2人の兄が並ぶ）のほうが，兄たちの話を聞けるし，Aさんの介助もしやすいと母自身が気付く

全般的な発達を評価

本事例では，KIDSを用いた。

観察

食事場面の評価

「介助されることを嫌がる」という主訴から，Aさんの食べる能力と合わ

せて，どんな介助ならAさんも受け入れられやすいかという観点からも評価した。

遊び場面の評価

スプーンを用いた食事に関する主訴から，観察の主目的は，巧緻（こうち）動作を含む全般的な発達を見ることであった。加えて，作業療法士の第一印象として，「Aちゃん」と呼びかけても視線が合いにくいことが気にかかっていたので，母親および作業療法士とAさんとのやりとり遊びがどの程度できるかを評価した。

アクティブラーニング ② Aさんが好きな遊びとして「物の出し入れ遊びを好む」という情報が得られている。観察の主目的を確認できる遊び場面を考えてみよう。

作業療法参加型臨床実習に向けて

遊び場面の評価を進めるポイント

臨床実習では「遊びながら評価を進めることが難しい」という実習生の声をよく耳にする。評価の際のポイントを以下に示す。

- 観察の目的を明確にする。
- 保護者，保育士などから「子どもの好きな遊び」の情報を収集しておく。
- 遊びを見て，子どもがしたいことをくみ取る。特に言語的コミュニケーションが難しい場合は，子どもの「行動をまねる」「行動を短い言葉（擬音語など）で表す（図2d）」ことで，したい遊びに沿っていく。
- 「できた！」と手を叩いて喜びを共有したり（図2c），子どもが電話のように玩具を耳に当てたら，「もしもし」と応答する（図3b）など，子どもの遊びに沿って発展させていく。

表6　遊び場面の観察記録

遊びの名称	作業遂行要素		
	感覚・運動	認　知	心理・社会
カードの出し入れ＆積み重ね遊び（図2）（1辺10cmの正方形のフェルト製のカード）	両手にカードを渡しても，箱に入れるときには左手から右手にカードを持ちかえる	カードを積み重ねたり，箱にカードを入れたり出したりする	作業療法士が「上手」と頭をなでる→両手をたたき（できたできた）と喜びを共感する
レジスタ遊び（図3）	母指，示指，中指の3指つかみでコインをレジスタから出し入れする。また，コインをレジスタの引き出し内の違う場所（4つのスペースに仕切られている）へと移しかえる	バーコードを電話に見立て自分の耳に当てて「あい」と電話のやりとりをする	後ろを振り返り母親がいることを確認する（母親が心の安全基地になっている）
		・Aさんが指でレジスタのバーコード部分のボタンを押す（直接操作）。作業療法士が食べ物をバーコード部に当てて「ピー」と音を鳴らした（間接操作）が，理解していない様子 ・コインを落として，見えなくなると机の下を探す（物の永続性の理解：ピアジェの感覚運動期の第4段階）	レジスタからコインを取り出しにくいと作業療法士のほうを見て「あー」と（助けを求め）知らせる
	コインを出し入れするとき，目をレジスタに近づけて見る（視力の問題が疑われる）	その後，Aさんの口元にままごとの食べ物を持っていくと口をモグモグさせる（動作模倣）	食べ物，コインを母親や作業療法士に「あい」（どうぞ）と繰り返し手渡すが，下方を見ていて視線を合わせることが少ない。作業療法士が音をたてて食べるまねをすると顔を上げて注視する

図2 カードの出し入れと積み重ね遊び

a
「目玉焼き」とカードの絵を示すと，一瞬カードを注視する

b
手渡したフェルト製のカードを積み重ねる

c
手を叩いて「できたー」と喜びを共有

d
Aさん：前にある箱にカードを入れ始める
作業療法士：「ナイナイ」「入った！」など，子どもの行動を短い言葉で表す

図3 レジスタ遊び

a
レジスタから右手でコインを取り出す

b
バーコードを電話のように耳に当てる。作業療法士も電話を持っている感じで「もしもし」と応答する

c
後ろを振り返り，母親が居ることを確認する（母親が心の安全基地になっている）

d
食べ物を「あい」と作業療法士に繰り返し手渡すが，下方を見ていて視線を合わせることが少ない

遊びの選択は，巧緻（こうち）動作を含む全般的な発達を評価できるという観点から行った。導入は，母親への面接から「物の出し入れ遊び」を好むとの情報を得ており，カードの出し入れ遊びを用い，途中でカードを積み上げる提示を行い，Aさんの反応を見た。各遊びの場面を作業遂行要素に分けて観察記録に記載した（**表6**）。

観察による認知の評価には，Piaget（ピアジェ）による認知発達理論を1つの指標として用いることができる（**表7**）。

表7 ピアジェの認知・思考の発達段階

段階		内容
感覚運動的段階(0〜2歳)		感覚と運動によって外界と接し，認知する
	第1段階　反射の使用	口に乳房が触れると反射的に乳房を探して吸うなど，生得的な反射を使用する
	第2段階　第一次循環反応	自己の身体に限った感覚運動を繰り返す(例：指しゃぶりを続けるなど)
	第3段階　第二次循環反応	自己の身体だけでなく，物を取り入れて繰り返す (例：音が出るものを振る，打ち付けるなど)
	第4段階　第二次シェマの協応	・手段と目的を結びつける(例：物を取るために蓋を開ける) ・物の永続性の成立(玩具を落として見えなくなっても，存在することを理解し探す)
	第5段階　第三次循環反応	・試行錯誤でより効果的な方法を発見する ・動作と物の間に別の物が介在しても因果関係を理解できる (例：棒で物をつついて向こうにやったり，手前に寄せる)
	第6段階　表象と見通し	・手当たり次第に試行錯誤しなくても，考えて(頭のなかで試行錯誤して)から試行し，問題を解決する ・象徴遊び(例：積み木を電車に見立てるなど)
前操作的段階(2〜7歳)		・論理的思考の前段階 ・言葉の使用，ごっこ遊び ・他人の立場から物事をみることができず，自己中心的に振る舞う ・アニミズム(物体があたかも霊魂をもっているかのように考える傾向)
具体的操作的段階(7〜12歳)		・具体的に理解できる範囲のことは，論理的に考えることができる ・7〜8歳：「長さ・物質量・数などの保存の概念」が成立 ・9〜10歳：「面積や重さなどの保存の概念」が成立 ・他者の視点がわかるようになる
形式的操作的段階(12歳〜)		出来事，状況を仮説演繹的に推理できるようになる

● 評価結果

Aさんの評価結果を**表8**に示す。全般的な発達は，KIDSおよび観察より1歳前後の発達段階であることがわかった。主訴である食事に関するAさんの能力は，手づかみとスプーンが半々，スプーンを入れただけでボール部にのる食べ物はすくうことができるが，食材に合わせてすくう方向や力を調整することは難しい段階である。Aさんの食事介助に対する受け入れは，食事の後半のほうが良好である。

■治療目標と治療の方針

長期目標(1年後)としてスプーンであまり食べこぼさずに食事ができること(食材に合わせてすくう方向，力の調整を学習すること)を設定した。また，Aさんが機嫌をそこねずに食事をとり，Aさんの食事介助を母親が困らずにできることを短期目標(1カ月)とした。

● 当面の治療方針

食事

作業療法の頻度は月に1回であるので，母親に以下の提案を行って家庭で実践してもらい，通園施設の食事場面で確認することとした。

食事前半の空腹時は，Aさんが手づかみで食べられるもの，または，別

表8　評価結果

評価項目		初期評価
ADL	食事（図4）	・摂食：スプーン使用と手づかみとが半々くらい。右手で手掌回内にぎりでスプーンを持つ。ヨーグルト，味噌汁などスプーンを入れるだけでボール部にのる食べ物はすくうことができるが，食材に合わせてすくう方向・力の調整をすることは難しい。口まで運ぶ際にもまだ食べこぼしが多い（約3分の1量をこぼす） ・食事の偏り：進んで食べるものは，ご飯，味噌汁，魚，フライもの，カレーライス，スティックパンに限定されている。味噌汁に入れて煮込めば，たまねぎ，大根などの野菜も少量食べるため，母親は味噌汁に野菜を入れるようにしている。果物も，いちごとみかんは食べる（炭水化物，タンパク質，ビタミン，脂質ともに栄養はとれる状況） ・介助に対するAさんの適応：食事前半の空腹時は，Aさんが持つスプーンを誘導しての介助を拒む。別のスプーンで口に入れてもらうと受け入れがよい。少しお腹が満たされると，スプーンを誘導しての介助も比較的受け入れがよい。また，あまえられる母親よりも保育士による介助のほうが，受け入れ良好
	更衣	上衣：袖に手を通す際に協力動作あり
	排泄	前通園施設にて，昼寝から起きた後にトイレに座る練習を開始し，何度か成功したことがある。短時間ならトイレに座ることを嫌がっていない。保育士の指導により，排尿間隔のチェックを開始した
	入浴	全介助。平日は母親と休日は父親と入浴。洗髪も頸部を前屈させてお湯を流すことで，嫌がらずにできている
生活リズム		・7時に起床，昼食後に1時間程度の昼寝，夜は9時に就寝，食事，入浴時間もほぼ規則正しい ・通園施設が休みの日には，公園に行くなどの外遊びの時間を午前中に設けている
遊び		・物の出し入れ遊びを好む ・身体を大きく揺らされる前庭系の遊びを好み，止めると声を出して要求する
KIDS		1歳0カ月レベルで，領域間のばらつきはみられない
姿勢筋緊張		・低い。特に中枢部が低緊張 ・立位：腰椎の前彎（ぜんわん）が強い。座位：円背傾向
粗大運動	発達の経過	・ずり這い：1歳1カ月時 ・腹臥位から座位への姿勢変換：1歳2カ月時 ・四つ這い：1歳9カ月時 ・片手支持での立位：2歳時
	現在	歩行開始後1カ月。まだ，四つ這い，歩行による移動が混在している。両下肢を外転して基底面を広くとり，両上肢を挙上した姿勢（ハイガード，図5）で歩く
上肢機能		・リーチ：正確にリーチ可能 ・把握：3指つまみ可（10カ月以上） ・リリース：小さな容器へのコントロールされたリリース可（12カ月以上） ・両手の協調：左手から右手に一段階の持ちかえ可 ・手の使用頻度は，右>左
知覚・認知		・コインを落として，見えなくなると机の下を探す（物の永続性の理解：9～12カ月レベル） ・食べるまねをする，やってみせるとカードを積み重ねるなど，動作模倣＋
心理・社会		・母親が心の安全基地になり，相手に「あい」と物を渡し，相手が「ありがとう」と大げさに反応すると遊びを楽しめるが，交互に受け渡しする物のやりとり遊びには至っていない（1歳前ごろ） ・少し下向きかげんで，視線が合いにくい ・要求を伝えるために作業療法士のほうを見て「あー」と声を出して知らせる

のスプーンで母親が食べさせる。食事の後半は，すくいやすい皿を用いて側方へとスプーンですくうのを誘導する（自宅と同じAさんの右斜め前からの介助方法を母親に呈示）。食べ物の偏りに関しては，保育士が通園施設の食事から糸口を探る。

図4　Aさんの食事の様子

a
右手で手掌回内握りでスプーンを持つ。ヨーグルト，味噌汁などスプーンを入れるだけでボール部にのる食べ物はすくうことができる（食器は介助者が固定しておく必要あり）

b
スプーン使用と手づかみが半々くらい

図5　ハイガードの歩行例

両下肢を外転して基底面を広くとり，両上肢を挙上した姿勢（ハイガード）
（文献4より引用）

初期評価から母親に伝えたこと

遊びについて，出し入れ遊びから，モデルを呈示すると物を積み重ねたり，並べたりと遊びの幅が広がってきている〔ピアジェによる感覚運動期の第4段階（**表7**）であるが，次の段階の第三次循環反応（バリエーションのある繰り返し）にさしかかりつつある〕。

レジスタからコインを取り出す際にかなり目を近づけて見ていたので，眼科の受診を勧めた。

物のやりとり遊びの際，「おいしい」と口に食べ物を運ぶまねをして，Aさんが母親のほうに視線を向けるのを待ってもらうよう提案した。

【引用文献】

1) 高橋三郎，ほか 監訳：DSM-5 精神疾患の診断・統計マニュアル，p.33-43，医学書院，2014.
2) 富永康仁，ほか：神経発達障害のすべて，こころの科学Special Issue，連合大学院小児発達学研究科，ほか 編，日本評論社，p.38-42，2014.
3) 辻井正次，ほか：Vineland-II適応行動尺度マニュアル．日本文化科学社，2014.
4) 藪中良彦：姿勢と粗大運動．Crosslink 理学療法学テキスト　小児理学療法学，p.151，メジカルビュー社，2020.

【参考文献】

1. 田巻義孝，ほか：知的障害の理解についての新しい方向性（2）：アメリカ知的発達障害学会の定義に基づいて．信州大学教育学部研究論集，12：213-235，2018.
2. 酒井康年：知的障害に対するアプローチ．作業療法学ゴールド・マスター・テキスト7 発達障害作業療法学（神作一実 編），p.138-161，メジカルビュー社，2011.

チェックテスト

Q

①知的障害の定義を説明せよ（☞p.446）。 基礎
②全般的な発達段階の把握に用いられる評価を挙げよ（☞p.446）。 基礎
③染色体の異常による知的障害を2つ挙げよ（☞p.447）。 基礎
④ピアジェによる認知発達段階の感覚運動期について説明せよ（☞p.453）。 基礎

13 自閉スペクトラム症

立山清美

Outline

- 行動観察や検査を実施する際には自閉スペクトラム症(ASD)の特徴を理解し，子どもの特徴(新規場面が苦手など)に配慮する。
- ASDでは，感覚調整障害(感覚処理)や協調運動の問題を有することが多い。
- 行動観察では観察した事実から考察し，次の評価計画に繋げる。

1 自閉スペクトラム症とは

自閉スペクトラム症(自閉症スペクトラム障害，autism spectrum disorder：ASD)は，**社会的コミュニケーションおよび対人的相互反応の持続的な欠陥，限定された反復的な様式の行動，興味，活動**(**表1**)によって特徴付けられる障害である。これらの特徴は**発達早期から存在し(後になって明らかになる場合もある)，日常生活活動(ADL)を制限するか障害するもの**であるとされている。

精神疾患の診断・統計マニュアル(Diagnostic and Statistical Manual of Mental Disorders, Fifth Edition：DSM-5)では，A，Bのそれぞれについて，レベル1「支援を要する」，レベル2「多くの支援を要する」，レベル3「きわめて極力な支援を要する」として，必要な支援の程度によって重症度区分がされている。ASD(**表2**)は，DSM-Ⅳ改訂版では**広汎性発達障害(pervasive developmental disorders：PDD)**[*1]と診断されていた。その下位には，自閉性障害，**Asperger(アスペルガー)症候群**[*2]，特定不能の広汎性発達障害など，5つの診断カテゴリが設けられていた。また，高機能広汎性発達障害という診断名の「高機能」とは，知的障害を伴わないことを意味する。

＊1 広汎性発達障害
自閉スペクトラム症(DSM-5)は，DSM-Ⅳ改訂版および国際疾病分類第10版(International Statistical Classification of Diseases and Related Health Problems,10th revision：ICD-10)では，広汎性発達障害と診断されていた。ICD-11では，DSM-5と同様に自閉スペクトラム症となった。

＊2 アスペルガー症候群
基本的特徴は，持続する対人的相互反応の障害と，限定的・反復的な行動や興味，活動の様式である。臨床的に明らかな言語習得の遅れはないが，社会的交流のより微細な局面は影響を受ける可能性がある。また，認知の発達や，年齢にふさわしい学習能力，対人関係以外の適応行動の習得に関して，生後3年間で臨床的に著しい遅れがみられない。

表1　ASD診断基準（DSM-5）

A．複数の状況で社会的コミュニケーションおよび対人的相互反応における持続的な欠陥があり，現時点または病歴によって，以下により明らかになる
（1）相互の対人的-情緒的関係の欠落（例：対人的に異常な近づき方や通常の会話のやりとりができないといったものから，興味・情緒・感情を共有することの少なさ，社会的な相互反応を開始したり応じたりすることができないことに及ぶ）
（2）対人的相互反応で非言語的コミュニケーション行動を用いることの欠陥（例：アイコンタクト，身振りの理解・使用，顔の表情などの非言語的コミュニケーションの欠陥）
（3）人間関係を発展させ維持し，それを理解することの欠陥（例：社会的状況に合った行動に調整することの困難さから，想像上の遊びを他者と一緒にしたり友人をつくったりすることの困難さ，または仲間に対する興味の欠如に及ぶ）
B．行動，興味，または活動の限定された反復的な様式で，現在または病歴によって，以下の少なくとも2つにより明らかになる
（1）常同的または反復された身体の運動，物の使用，または会話（例：おもちゃを一列に並べるなどの常同運動，反響言語，独特な言い回し）
（2）同一性への固執，習慣への頑ななこだわり，または言語的，非言語的な儀式的様式（例：小さな変化に対する極度の苦痛，移行することの困難さ，柔軟さに欠ける思考様式，儀式のような挨拶の習慣，毎日同じ道順をたどったり，同じ食べ物を食べたりすることへの要求）
（3）強度または対象において異常なほど，極めて限定され固執する興味（例：一般的でない対象への強い愛着または没頭，過度に限局した固執した興味）
（4）感覚刺激に対する過敏さまたは鈍感さ，または環境の感覚的側面に対する並はずれた興味（例：痛みや体温に無関心のようにみえる，特定の音または触感に逆の反応をする，対象を過度に嗅いだり触れたりする，光または動きを見ることに熱中する）
C．症状は発達早期に存在しなければならない
D．その症状は，社会的，職業的，または他の重要な領域における現在の機能に臨床的に意味のある障害を引き起こしている
E．知的能力障害または全般的発達遅滞ではうまく説明されない。ASDと知的能力障害の併存の診断には，社会的コミュニケーションが全般的な発達の水準より下回っていなければならない

（文献1を基に作成）

表2　DSM-Ⅳ，DSM-5，ICD-11の比較

DSM-Ⅳ		DSM-5	ICD-11
PDD		ASD	ASD
・自閉性障害（自閉症） ・小児期崩壊性障害 ・アスペルガー障害	→	・サブカテゴリがなくなり，**「自閉スペクトラム症」という1つの診断名に統合**	
・特定不能の広汎性発達障害* △	→	・DSM-5の診断基準を満たす場合のみ	
・Rett（レット）障害 ×	→	・レット障害は原因遺伝子が特定され，ASDには該当せず	

*特定不能の広汎性発達障害のうち，社会的コミュニケーション欠陥を認めるが，他のDSM-5の診断基準を満たさないものは，社会的（語用論的）コミュニケーション症と診断される

■社会的コミュニケーションおよび対人相互反応の困難さ

ASDの幼少期にみられる特徴には，「目が合いにくい」「他者と関心を共有するために，対象を指差す，見せる，持ってくるといった行動がみられない」，あるいは「他者の指差しや注視先（視線）を追わない」（**共同注意**＊3の障害）などがある。また，ASDの社会的コミュニケーション不全の要因の1つに，定型発達児が4〜5歳ごろに獲得する**心の理論**＊4の発達の遅れが指摘されており，発達的観点からの評価は重要である。

図1　視線追従

子どもは母親がボールに注目していることに気づく

母親の視線を追って，子どももボールを見る（親・子ども・対象物の三項関係）

■限定された反復的な様式の行動・興味・活動

限定された反復的な行動には，「ミニカーのタイヤを何度も回して見つめる」「散歩のコースが決まっていて変更するとパニックを起こす」「予定の変更が苦手」「電車，カレンダなど限られたことにしか興味を示さない」「同じ食べ物しか食べず，極端な偏食がある」「物の位置・配置にこだわり，家族が脱ぐスリッパの位置が少しでもずれると直しにいく」などが該当する。子どもにより現れ方は異なるが，一般に調子が悪いときに，同一性への固執が強くなる傾向にある。同じことを好むASDの子どもにとっては，入学，進級など環境に変化のある新学期は，つらい時期であることが多い。また，「帰宅後にいつも同じビデオを観る」「音楽のあるフレーズを繰り返す」「出かけるときは，いつも木切れを持っている」などの反復的な行動（こだわり）は，子どもにとって安定するための手段でもある。

近年，ASDの人の多くが**感覚調整障害**＊5を有していることが知られるようになった。DSM-5においても，限定された反復的な行動の下位項目に「感覚刺激に対する過敏さまたは鈍感さ，または環境の感覚的側面に対する並はずれた興味」が追加された。「トイレの臭いが苦手で入れない」「服のタグが気になって課題に集中できない」など，感覚調整障害がADLや学習面，運動面などへ影響を及ぼし，生活の困難を抱える場合も多い。この点を押さえて評価を進めることは，対象の理解を深めることに役立つ。

＊3　共同注意

共同注意に関する行動は，生後9カ月ごろから出現するといわれており，次のようなものが該当する。
- 子どもが興味をもった物を指差して伝えようとする（興味の指差し行動）。
- 大人（相手）が見つめているものを子どもも一緒に見る（視線追従，図1）
- 人が指差した方向を見る（指差し追従）。
- ある対象に対する評価を大人の表情などを見て確かめる（社会的参照）。例：初めて見る動物→大人の表情・態度を見て「近づくと危ない」と判断する。

共同注意は，注意（興味）を人とシェアする機能をもち，社会性の発達の重要な指標である。乳児が他者の発話時に話し手の視線の先の対象物を見て言語を学習することから言語学習との関連，相手の心的状態の推測と関係することから心の理論との関連が指摘されている。

＊4　心の理論

他者の心の動きを類推したり，他者が自分とは違う信念をもっているということを理解したりする機能（他者の心の理解）。
この発達が遅れるASDの対象者には暗黙のルールや冗談などが伝わりにくく，誤解や対人トラブルに繋がることも少なくない。学齢児では，国語で物語の人物の心情を問われる問題でうまく答えられないこともある。作業療法評価や治療の際にも，何をどのように伝え，彼らの言動をどのように理解・解釈するか，コミュニケーションのキャッチボールを工夫してかかわることが大切である。

＊5 **感覚調整障害 (sensory modulation dysfunction)**

自己の身体や環境からの感覚入力に対して，低反応もしくは過反応性を示す**感覚統合障害**＊6の１つのパターン。Millerは，感覚調整障害を「感覚刺激への過反応」「感覚刺激への低反応」「感覚探求」の３つのサブタイプに分類している。１人の子どもが，ある感覚には過反応，別の感覚には低反応や感覚探求を示すこともある。例えば「子どもの泣き声でパニックになる」など聴覚には過反応だが，「トランポリンを跳び続ける」など前庭・固有系の刺激には感覚探求傾向がみられることがある。ASDの子どもでは，不快であっても表情に出さない子どももいる。そのため，感覚調整障害の評価では，注意深い行動観察と日常生活についての情報収集が必要である。

※こだわりの背景に感覚調整障害が存在することもあるので，丁寧に行動観察や情報収集をしよう。詳細は『第３版 作業療法学ゴールド・マスター・テキスト 発達障害作業療法学』「感覚統合機能に対するアプローチ」の項(p.70〜)を参照。

＊6 **感覚統合障害**

中枢神経系における感覚情報処理，前庭覚もしくは触覚，固有感覚の問題であり，行為機能または調整の問題，もしくはその両者がみられる。

補足

ASDのスクリーニングおよびアセスメントに用いられる評価

①**小児自閉症評定尺度第２版(childhood autism rating scale second edition：CARS2)日本語版**[2]には，標準版(2〜6歳未満，または6歳以上でIQ79以下用)と高機能版(6歳以上かつIQ80以上用)がある。ASDか否かだけでなく，軽度から中度のASDと中度から重度のASDの鑑別ができる。また，標準版はASDと知的障害の鑑別にも有効とされている。人との関わり，身体の使い方，変化への適応(高機能版では変化への適応・限局的な興味)，視覚反応，聴覚反応，言語的コミュニケーション，非言語的コミュニケーションなど15項目から構成されている。

②**parent-interview autism spectrum disorder rating scale-text revision(PARS-TR)**
PARS-TRは57項目から構成される。養育者への面接により，幼児期および現在の行動特徴をASDの行動特徴から把握する。日常生活の適応困難の背景にASDの特性が存在している可能性，支援ニーズ，支援の手掛かりを把握する評定尺度。ASDに焦点を当てて作成された尺度である。

③**乳幼児自閉症チェックリスト修正版(modified checklist for autism in toddlers：M-CHAT)日本語版**
2歳前後の幼児に対して，ASDのスクリーニング目的に使用され，保護者記入式の23項目からなる質問紙である。社会性の発達をたずねる項目と，ASDに特異な項目から構成される。

④**自閉症・発達障害児教育診断検査-3訂版(psychoeducational profile-3rd edition：PEP-3)日本語版**
Shoplerらが開発したPEP-3の日本語版である。ASDの子どもの発達のばらつきと特有の行動のアセスメントを通して，教育的手掛かりを得ることを目的としている検査である。適用年齢は2〜12歳である。「領域別評価(10領域の個別検査と直接観察)」と「養育者レポート」から構成される。

Case Study

心の理論(傘)

Aさん(ASD，小学２年生)がBさんと一緒に学校から帰る途中，雨が降ってきました。Aさんは傘を持っていたので差しました。Bさんは傘がなかったので「Aさん，ぼく傘がないから雨にぬれて冷たいなぁ…」と言いました。Aさんはその言葉に含まれた『だから一緒に傘に入れてほしい』というBさんの気持ちがわからず，「うん」と答えただけでした。

どう考える？

もし，あなたがBさんだったら「Aさんは僕のこと嫌いなのかなぁ，Aさんって冷たいなぁ」と思わないだろうか？　それは誤解である。ASDのAさんは，相手の立場に立って物事を考えたり判断したりすることが難しいので，『一緒に傘に入れてほしい』という気持ちを具体的に言葉にして伝えよう。周囲が気持ちを具体的に言葉にして伝えると，楽しくコミュニケーションをとることができる。ASDはコミュニケーションの障害だから伝わらないというのは間違いである。彼らは具体的に示された言葉や文字を，忠実に正確に理解する。しかし，具体的に示されない気持ちや，「ちょっと待って」「おおよそ」などの曖昧な表現の理解は苦手である。そのような特徴を知っておくだけで，彼らとのコミュニケーションはスムースになり，あなたとの距離はぐんと縮まるだろう。

Case Study

感覚調整障害(ハンバーガー)
Cさんはハンバーガーが大好きです。でもCさんはハンバーガーにかぶりつかず，パン，レタス，ハンバーグの具を別々に取り出して順番に食べるというこだわりがあり，Cさんの母親は食べ方が汚いといつも叱っていました。

どう考える？
実は，Cさんは口のなかでいろいろな食べ物の食感や味が混ざり合うことがとっても不快で我慢できなかった。そのため，口のなかで混ざらないように具材を取り出して順番に食べていたのである。そのことがわかり，Cさんの母親はCさんを叱らずに具材を別々にきれいに食べるマナーを教え始めた。
このように一見，儀式的行動やこだわりとしてとらえられている行為の背景に，感覚調整障害が存在する場合もある。「こだわりはASDの特徴だから…」ではなく，「どうしてだろう？」という疑問をもって考えると，実は彼らなりの大切で深い理由があるかもしれない。作業療法士は彼らなりの大切な理由を分析し，彼らの気持ちを代弁して家族へ伝える通訳者としての役割も担っている。そうして，ASDの対象者と家族や周囲の人の両者が気持ちよく生活できるよう支援することが大切である。

2 自閉スペクトラム症の評価

本項では，最初に国際生活機能分類(ICF)に沿って簡単に評価内容について述べ，臨床でよく使用される検査などの指標について示す。対象が子どもであったり，重度の知的障害の事例では，検査の実施が困難なことも多々ある。**検査**で客観的な評価を行うことも大切であるが，**行動観察**も非常に重要な評価となることを理解しておく必要がある。1つの遊び場面をとっても，活動分析をすると遊びのなかに含まれる機能は非常にたくさんある(**図2**)。対象者の遂行状況の観察とともに，活動分析の視点からも行動観察すると，得られる評価の情報量が増大する。

行動観察や検査を実施する際には，新しい場面が苦手，見通しをもてないと不安になりやすいといったASDの子どもの特徴に配慮する必要がある。

作業療法は得られた事実を基に考察し，次回の評価・作業療法プログラムを立案するという流れで進行する。事実と考察は1対1対応でなく，1つの事実から複数の考察をしたり，複数の事実から1つの考察にたどりついたりと，さまざまである。初期評価は事実の情報量が少ないため，1つの事実から考えられることを複数挙げ，主訴や困難さの要因についていくつかの仮説を立てることが多い。評価が進むにつれて複数の事実から1つの考察を導けるようになり，仮説の根拠となる評価結果が集約され，治療目標と方針がみえてくるだろう。それが統合と解釈である。

補足

行動観察，検査を進める際の配慮

- 子どもが好きな活動を保護者から聴取し，好きな活動から導入して行動観察を行う。
- ASDの子どものなかには，最初に嫌な体験をすると，その場所や人と結びついて「嫌な場所」「嫌な人」になり，修正しにくい児もいるので，初回のかかわりが肝心である。
- 見通しがもてるように工夫する。
  例えば，ホワイトボードや紙に予定を書いて示す（図3）。Southern California sensory integration test（SCSIT）のなかにある運動正確度検査（motor accuracy-right：MAC-R）は，蝶のような形をした線上をなぞる検査なので，「ちょうちょのゲーム」とネーミングするなど，子どもに伝わりやすく興味と見通しがもてるように工夫する。

図2　積み木遊びの活動分析

・積み上げる順序や作る内容：積み木の大小，形の理解，創造性，見立て遊びなどの認知機能
・積み木を持つ動作：両側上肢の協調，粗大運動，巧緻運動，持ち上げるときの姿勢やバランス反応などの運動機能
・完成後の目的：大人からの称賛，自己の達成感，他児との共有などの対人・コミュニケーションや精神・情動機能

活動分析の視点により，活動に含まれる機能から多くの評価ができる

図3　予定表の例

1. ちょうちょのゲーム
2. まねっこゲーム
3. ○○くんのすきなあそび

■心身機能・身体構造

ASDの主な評価項目として，知的機能や注意機能，情動機能，感覚・知覚機能，筋緊張，反射・反応，眼球運動などが挙げられる（表3）。

ASDの子どもの主訴の背景には，**感覚調整障害**や**運動の未熟さ**，**不器用さ**があることも多い。心身機能・身体構造についての評価を丁寧に行い，参加・活動と関連付けて考察することが，支援の大きな手掛かりとなる。

表3　心身機能・身体構造の評価

評価項目	具体的な内容例
知的機能	・因果関係の理解 ・単純な繰り返し，もしくは発展性 ・**Piaget（ピアジェ）の認知・思考の発達段階**（p.453 **表7**参照） ・記憶する時間や量
注意機能 （持続，選択，転換，配分など）	・1つの活動に集中しているか ・興味や活動が転々と移り，注意散漫な様子はあるか ・適切に注意を切り替えられるか ・同時に複数のことに注意を配分できるか
情動機能 （表出，制御など）	・場面・感情に応じた情動表出の様子 ・情動が不安定になる・安定する環境（物理的・人的・時空間） ・コントロールしようとする様子の有無 ・パニックの有無と要因，鎮静化の方法や要する時間

（次ページに続く）

(前ページより続く)

評価項目	具体的な内容例
感覚・知覚機能 (前庭覚，固有感覚，触覚，視覚，聴覚，視知覚，触知覚，視空間知覚など)	・自発的な遊びで提供される感覚刺激の種類 ・快・不快を示す感覚刺激の質や量(過反応，低反応) ・感覚刺激に対する行動特性(積極的に求める，回避するなど) ・知覚できる対象や状況
筋緊張 (四肢，頸部，体幹など)	・安静時・抗重力活動時における状態 ・姿勢や歩行の様子
反射・反応	・原始反射の残存 ・姿勢反応の成熟
眼球運動	・追視(上下，左右，斜め，円での滑らかさや正中線交差の様子，頭部との分離の可否など) ・輻輳(ふくそう)視(左右差の有無，両眼・片眼ずつでの差) ・両眼視できているか

■行動観察

遊びや検査場面，日常生活の様子を**表3**，**図4～8**に示す視点で分析・評価してみよう。

図4 自発遊び

行動観察の事実：砂場で砂をさらさらと落として見ている。
↓
考察：砂の触感，落ちる砂を見る視覚刺激が好きなのだろう。
↓
次の評価計画：砂に水を混ぜた触感や泥など他の感覚刺激への反応はどうだろう？ 過剰に嫌がるものはないか家族から聴取しよう。

図5 低反応

行動観察の事実：マットの間にはさまり大人が乗って圧迫すると笑顔になる。滑り台を何度も繰り返す。
↓
考察：固有受容感覚刺激と加速度を感じる前庭感覚刺激は快反応を示す刺激と考えられる。
↓
次の評価計画：保育場面や家庭での遊びの様子について観察・聴取してみよう。

図6 過反応

行動観察の事実：シャボン玉を触り割れると「痛い」と顔をしかめる。特定の音楽に耳を塞いで泣く。
↓
考察：触覚刺激と聴覚刺激は不快反応を示すものがあり，感覚過敏があると思われる。触覚や聴覚の感覚過敏（過反応）により遊びが制限されると発達にも影響するかもしれない。
↓
次の評価計画：保育場面や家庭で他に苦手なことは何か，今後の発達や生活に影響がありそうなことがあるか観察・聴取してみよう。

図7 筋緊張

行動観察の事実：いつも机にもたれて勉強する。椅子からずり落ちそうな姿勢が多い。寝ころんでいることが多い。疲れやすい。
↓
考察：低緊張だと思われる。
↓
次の評価計画：触診もしてみよう。

図8 姿勢反応

行動観察の事実：ブランコの揺れと同じように体幹・頭部が傾いてずり落ちそうになるため，上肢で力強くひもを握って耐えている。
↓
考察：頭部・体幹の立ち直り反応が未熟かもしれない。
↓
次の評価計画：他のスイングやバルーンを使って立ち直り反応の評価をしよう。

> **補足**
> 活動と参加に関する保護者からの情報収集には，social maturity scale（S-M）社会生活能力検査第3版や日本語版Vineland（ヴァインランド）-Ⅱ適応行動尺度（Vineland adaptive behavior scales second edition）を使用することができる（p.448参照）。

● 活動と参加

主な評価として，セルフケア，運動・行為，遊び，学習と知識の活用，こだわり，コミュニケーション能力，対人関係などが挙げられる。

ASDの場合，家庭でできることが園や学校，デパートなどの外出先でもできるとは限らない。臨床では家でしか排泄できない，飲食店で食事を食べないなどのセルフケアに関する家族の困りごとが非常に多く聴かれ，当事者の著書にも同じ内容を見ることが多い。そのため，対象者が生活する各環境での遂行状況について情報収集や観察を行うことが大切である。

遊びや検査場面，日常生活の様子を**表4**，**図9〜11**に示す視点で行動を観察し，分析・評価してみよう。

表4　活動と参加の評価

評価項目		具体的内容例	
セルフケア： ①好き嫌い（こだわりを含む）， ②運動・操作性の難易度， ③環境 の3つの視点で評価するとよい	食事	・偏食 ・過食 ・道具操作 ・お皿を持って食べるなどの両側上肢の協調	・食事マナー ・環境による遂行状況の違い（家，園や学校，外食など）
	更衣	・特定の衣服や着脱順序のこだわり（帽子や手袋，靴，靴下なども含む） ・ボタンやファスナーなど付属品の操作	・身だしなみへの意識
	排泄	・尿意・便意の有無 ・予告・後告の有無 ・後始末の可否 ・おむつの有無	・洋式・和式・男性用便器の利用環境と可否 ・環境による遂行状況の違い（家，園や学校，外出先など）
	整容	・歯磨き ・洗顔	・整髪 ・爪切り
	入浴	・洗体や洗髪の可否	・シャワーへの拒否反応の有無
	移動	・移動手段やルートのこだわり，拒否反応の有無	
	睡眠	・睡眠－覚醒リズム	・入眠や目覚めの様子
運動・行為		・粗大運動 ・身体両側の協調 ・上肢・手の運動と操作	・身体図式と操作 ・運動企画や順序立て
遊び，学習と知識の活用，こだわり		・遊びの種類や創造性，模倣 ・学習効果 ・遊びにおける他者との交流	・こだわりの有無と内容 ・過去の体験の想起と活用
コミュニケーション能力，対人関係		・理解と表出（言語性，アイコンタクトや表情，身振り・手振りなどの非言語性，単語～複数語レベルなど） ・家族，支援者，他児，集団，1対1の関係 ・会話の継続	・視覚的手掛かり（写真，絵や図，文字や数字，スケジュール表や時計の活用など） ・初めて接する人への反応

図9　セルフケア（食事）

行動観察の事実：ご飯に必ず同じメーカーの同じ味のふりかけをかける。学校にもふりかけを持参。右手でエジソンのお箸®を使用し，自発的に左手を食器に添えることはない。食事前の手洗いは習慣化されておらず，促しにより可能。

↓

考察：濃い味が好きなのか，特定の味が好きなのか，いつも同じ味であることで安心するのか。右ききだと思われる。運動発達が未熟で普通の箸を操作できないのだろう。

↓

次の評価計画：上肢の巧緻運動と両側上肢の協調性について他の活動で評価してみよう。

図10　セルフケア（排泄）

行動観察の事実：排尿は便器のタイプ問わず自らトイレへ行き，自立。排便はおむつにしかしない。普段はパンツを履いているが，排便時におむつに履き替えて部屋の隅でしゃがんで排便する。

↓

考察：おむつや場所へのこだわりか，しゃがむのは腹圧がかかり排便しやすい姿勢なのか。

↓

次の評価計画：おむつを履きトイレで排便を促したらどのような反応をするのかを評価し，場所へのこだわりの程度を知る。中枢の筋緊張を評価しよう。

図11 セルフケア(更衣)

行動観察の事実:衣服の着脱は1人で可能だが,上着をズボンに入れるなど身だしなみには無頓着。靴・靴下を立位で脱着することが難しい。衣服を簡単にたたむことは可能。
↓
考察:片脚立位でのバランスが難しそう。衣服の前後左右は理解できている。
↓
次の評価計画:片脚で立ったり,片脚立位で下のものを拾う活動をして静的・動的バランスを評価してみよう。

＊7 注意欠如・多動症(AD HD)
発達水準に不相応な不注意と多動・衝動性の一方もしくは両方が,学校や家庭など複数の場面で認められる病態。不注意には「忘れ物が多く,物をなくしやすい」「気が散りやすく,集中力が続かない」など,多動・衝動性には「席についていることが求められる場面でしばしば離席する」「質問が終わる前に出し抜いて答え始めてしまう」などの症状が該当する。DSM-5では,ASDとAD HDの併存が認められるようになった。

＊8 発達性協調運動症(DCD)
明らかな麻痺や筋疾患などがなく学習や運動の機会があるにも関わらず,協調運動技能の獲得や遂行が暦年齢から期待されるレベルより明らかに劣っている。具体的には,はさみや食具の使用,書字,自転車に乗る,スポーツがうまくできない,運動を伴う遊びを避けるなどの症状がみられる。運動技能の遂行における遅さと不正確さを特徴とする。失敗経験から自尊感情が低下しやすいことが指摘されている。ASDの約8割に併存するとの報告がある。

＊9 WeeFIM
運動項目13項目,認知項目5項目の18項目から構成され,介護度に応じて7段階で評価される。FIMの運動項目の移動と認知項目(理解,表出,社会的交流,問題解決,記憶)に修正を加えて,6カ月〜7歳の子どもを対象とした評価である。

● 環境因子・個人因子

生活領域(所属する教育・支援機関,制度の利用),家族構成(キーパーソン),生育・療育歴,主訴(家族,所属機関,本人),服薬・併存症・注意事項,興味関心などが挙げられる。

補足

ASDには,知的障害(約半数),てんかん(思春期から頻度が増加し,約25〜30%),**注意欠如・多動症(attention deficit hyperactivity disorder:AD HD)**[＊7],限局性学習症,**発達性協調運動症(developmental coordination disorder:DCD)**[＊8],睡眠障害などを併存しやすい。
AD HDを併存する対象者の評価では,個室やコーナーの利用,評価に使う物品以外は片付けるなど,注意がそれにくい環境調整が必要である。また,作業療法場面での作業遂行が日常の場面(他児の話し声や教室内の掲示物等,多様な刺激がある学校など)と乖離していないか,情報収集する必要がある。

アクティブラーニング ① ADHD,限局性学習症,DCDについて調べてみよう。

● 作業療法評価で活用する主な検査(表5)

表5 ASDの対象者の評価に使用される検査

	評価領域	検査名	対象年齢
質問紙	セルフケア	リハビリテーションのための子どもの能力低下評価法(pediatric evaluation of disability inventory:PEDI)	6カ月〜7歳6カ月
		こどものための機能的自立度評価法(functional independence measure for children:WeeFIM)[＊9]	6カ月〜7歳
	発達全般	津守式乳幼児精神発達検査	0〜7歳
		乳幼児発達スケール(kinder infant development scale:KIDS)	1カ月〜6歳11カ月
		S-M社会能力検査第3版	1〜13歳
	感覚	日本感覚インベントリ(Japanese sensory inventory revised:JSI-R)	4〜6歳
		日本版感覚プロファイル	3〜82歳

(次ページに続く)

(前ページより続く)

	評価領域	検査名		対象年齢
個別評価	発達	日本版ミラー幼児発達スクリーニング検査(Japanese version of Miller assessment for preschoolers：JMAP)		2歳9カ月～6歳2カ月
	感覚統合	**Japanese playful assessment for neuropsychological abilities (JPAN)感覚処理・行為機能検査**＊10		4～10歳
	言語	絵画語い発達検査(picture vocabulary test-revised：PVT-R)		3～12歳3カ月
	視知覚	Frostig(フロスティッグ)視知覚発達検査(developmental test of visual perception：DTPV)		4～7歳11カ月
	認知	Wechsler(ウェクスラー)式知能検査	Wechsler preschool and primary scale of intelligence-third edition(WPPSI-Ⅲ)	2歳6カ月～7歳3カ月
			Wechsler intelligence scale for children-fourth edition(WISC-Ⅳ)	5歳～16歳11カ月
		心理教育アセスメントバッテリー(Kaufman(カフマン) assessment battery for children：K-ABC-Ⅱ)		2歳6カ月～18歳11カ月
		グッドイナフ人物画知能検査新版(draw a man intelligence test：DAM)		3～8歳6カ月

※行動観察または養育者からの聞き取りも行う

(文献3を基に作成)

＊10 **JPAN感覚処理・行為機能検査**

日本感覚統合学会が2011年に開発した感覚統合機能を詳細に評価する検査。感覚処理過程や行為機能をみる検査があり，子どもの感覚統合機能を，姿勢・平衡機能，体性感覚の機能，行為機能，視知覚・目と手の協応の4つの領域から評価する。各検査は，「コインをゲット」「けがして大変」といった子どもの興味を引きやすい名前がつけられており，検査内容も楽しく取り組めるよう工夫されている。

アクティブラーニング② **表5**に掲載している各検査について調べてみよう。

3 自閉スペクトラム症の評価の実際

本項では，ASDの特性に基づいて主な評価項目を示したが，ASDといっても対象者はさまざまである。目の前の対象者とかかわるなかで必要と感じたことは追加し丁寧に評価することが大切である。また，対象者によっては，本項で挙げた項目が不要な場合もあり，対象者の生活環境と今後を見据えながら，主訴に沿って優先順位をつけ，作業療法評価を進めることを心がける。

臨床経験が浅く評価技術や思考プロセスが発展途上の学生は，主訴やリハビリテーションゴールに沿って評価を進めることが望ましい。その際，最も重要なこととして，対象者との活動をとおして信頼関係を深めることを忘れてはならない。

4 Case Study

■基本情報(表6)

表6 ケースの基本情報

氏名・年齢・性別	Dさん，6歳(幼稚園年長)，男児
診断名	ASD
家族	母方祖父母，両親，姉，本児の6人家族。キーパーソンは母親
経過	・妊娠中の経過は良好。在胎38週，2,860gで出生 ・乳児期の健康状態は良好。運動発達は定頚5カ月，寝返り7カ月，座位9カ月，四つ這い移動10カ月，独歩16カ月と遅かった。四つ這い移動が可能になった後も，ずり這い移動を主な移動手段としていた ・4歳時に地域幼稚園に入園したが「他児と遊ぼうとせず，園の行事のたびにパニックになる」と指摘され，市の療育センターを紹介された。療育センターで診断を受け，週1回(40分)の外来作業療法が処方された

■評価の種類と方法

● 他部門からの情報(表7)

表7 他部門からの情報収集

医師	・具体的で簡単な質問には答えられるが，**エコラリア**[*11]や**クレーンハンド**[*12]での要求も観察され，ASDの症状は顕著 ・社会性およびコミュニケーションへの支援に加え，就学を見据えた身辺処理についても評価し，支援を提供してほしい
臨床心理士	WISC-Ⅳ：全検査が93，言語理解86，知覚推理93，ワーキングメモリー112，処理速度94

＊11 エコラリア(反響言語)
相手の言った言葉をそのまま繰り返すこと。

＊12 クレーンハンド(クレーン現象)
他人の手を使って自分がしたいことを代わりにしてもらおうとする行動のこと。クレーン現象は自閉スペクトラム症児によくみられるが，定型発達児でも言葉や指差しで伝える前に，親の手を引っ張っていく同じ現象がみられることがある。原則として，子どもの要求に応じたり，「(要求に応じられない場合に)○○がほしいのね」と返して，子どもの意図をくむような対応をする。

● 初回面接で主訴と支援環境，遊びの好みについて聴取(表8)

表8 初回面接で聴取した情報

両親		・他児と遊べない。ボール遊びには興味がある様子だが，うまく投げたり受けたりできず長続きしない ・箸を使って食事ができない。現在は主にスプーンを使っているが，手づかみ食べをするときもある
支援環境		・家族のサポート体制は良好 ・園の先生は支援に協力的 ・療育センター以外に，施設や習いごとの機関には通っていない
遊びの好み	家庭	・ジャンプやくるくる回ることを繰り返すこと，お気に入りのアニメDVDを見続けることが好き ・お絵かきや工作は好まない
	屋外	・1人でブランコをこげないため押してもらう ・滑り台を繰り返す

● 行動観察・視診・触診(表9)

表9 行動観察・視診・触診

評価項目	内容
第一印象	初めての場所に対する不安が強く母親から離れようとしないが，15分ほどすると1人で作業療法室内を探索し始める
情動機能	突然，作業療法終了を告げられると泣いて拒否し，母親に手を引かれて退室する。毎回の活動の流れを一定にすると，終了を告げられても泣かなくなる
感覚・知覚機能	・スイングで揺れたり回転したりする遊びや，トランポリンジャンプを好み，いつまでも続ける ・小麦粉粘土を一緒に作ると，べたつくことを嫌がり何度も手を洗いにいく ・作業療法室内の遊具などの位置が変わると不安な表情をし，母親から離れるまでに時間を要する
筋緊張	中枢・上下肢ともに低緊張
姿勢反応	側方の立ち直り反応が未熟で，遊具や人にしがみつくことで代償する
眼球運動	追視の際，正中線交差がぎこちなく，目標物を見失う。輻輳(ふくそう)視は両眼で困難だが片眼ずつでは可能
視覚認知	・○，△，□の弁別が可能 ・ひらがな，カタカナ，数字を読むことができる。数字の順序性は1～10まで理解しているが，数の概念理解は困難
食事	・右手でスプーン，フォークを使用し，左手は食器に添えない。うまくすくえないときに左手で食べ物をスプーンにのせたり，手づかみ食べをしたりする ・野菜が嫌いだが，促されれば食べられる ・箸は介助されると持つことはできるが，操作することは不可
更衣	・服の前後左右をそろえて渡すと1人で着ることが可能 ・ボタンはめやファスナの金具の操作が難しい ・靴の左右を間違っても気づかない ・衣服のこだわりはない
排泄	排便後の後始末のみ介助が必要
粗大運動	・走るのが遅く，腕をあまり振らない ・片足立ちは1～2秒間しかできない
上肢・手の運動と操作	・スプーンやクレヨンは右手の手指回内握りで，肩～肘関節での運動が主。手内操作は困難で，道具の持ち替えは必ずリリースして持ち替える ・はさみを介助して持たせると1回切りが可能で，連続切りは不可 ・物へのリーチは同側反応 ・ピンセットを手指回内握り(母指と他4指の対立操作)で操作し，玩具をつまむことが可能
コミュニケーション能力	・家庭での会話の理解はおおむね可能 ・表出言語では，おやつが欲しいときに「おやつあげるね」などエコラリアもある ・2語文での表出が主 ・アイコンタクトや身振り，手ぶりが乏しい ・大人との会話は成立するが，子ども同士の会話は難しい
身体図式	・肢位模倣が難しい ・「Dさんのお腹はどこ？」と尋ねても答えられない ・ボールプールでかくれんぼをしたところ，殿部や背中，後頭部の大部分を隠せていない ・人物画は年齢のわりに稚拙で，上下肢が1本線で描写される
遊び	・作業療法室の吊り遊具やトランポリンを好むが，いつも同じ遊び方しかしない ・新しい遊び方を提案すると初めは拒否するが，遊び方のモデルを見せると試みる様子がみられる

試験対策 Point

- 定型発達で左右が理解できるのは，4歳6カ月ごろである。
- 定型発達の目安として，4歳前(3歳8～11カ月)ぐらいに紙を直線に沿って切る(連続切りする)ことができる。

補足

はさみ操作の評価

ASDでは，発達性協調運動障害を併存する場合もあり，「不器用」な子どもが多く，「はさみがうまく使えない」などの道具操作についての相談を受けることがよくある。はさみ操作の評価の進め方を次に示す。

【はさみ操作の評価の進め方】

1. はさみ操作の経験を保護者から聴取し，用意するはさみ，課題内容を決定する。
2. 子どもができそうなことから評価する。
   - 1回切り(達成感がもてるよう，1回切りで切り落とせる幅の紙を用意する)
   - 連続切り
   - 直線に沿って切る→直線の形を切る
   - 曲線に沿って切る

※観察のポイント

- どの程度，はさみを使えるのか(1回切り，連続切りなど)。
- はさみの操作側だけではなく，はさみの動きに合わせて対側手で紙を持ちかえることができるか，切り進めるにつれて，姿勢の崩れはないか(図12)を確認する。姿勢が崩れて切りにくい場合は，机上に肘支持，あるいは椅子の工夫などで改善するかをみる。

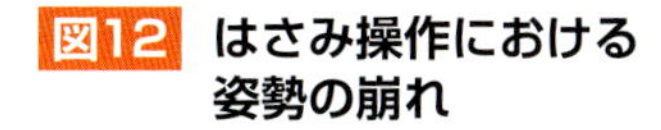

図12 はさみ操作における姿勢の崩れ

● 質問紙や個別評価などの検査

JSI-Rでは母親に記入を依頼した。スコアを換算すると前庭感覚(red：低反応傾向)，触覚(yellow：過反応傾向)，固有感覚(yellow：低反応傾向)，視覚(red：過反応傾向)，その他はgreenで総合点(yellow)の評価であった。

JMAPを2，3回目の作業療法にて実施した。発達プロフィールは基礎能力(危険)，協応性(危険)，言語(注意)，非言語(標準またはそれ以上)，複合能力(注意)を示し，総合点(危険)の評価であった。

● 母親を通して幼稚園の先生からの情報を収集

普段の園生活は以前より落ち着いたが，行事の日は緊張や不安が強いようで，ほとんど参加できない。園の食事はスプーンで食べているが，手づかみになるときもある。自由遊びでは何をしたらよいかわからない様子で担任のそばにいるが，設定遊びでは他児と一緒に参加できることが多い。

■評価のまとめ（図13）

図13 ICF

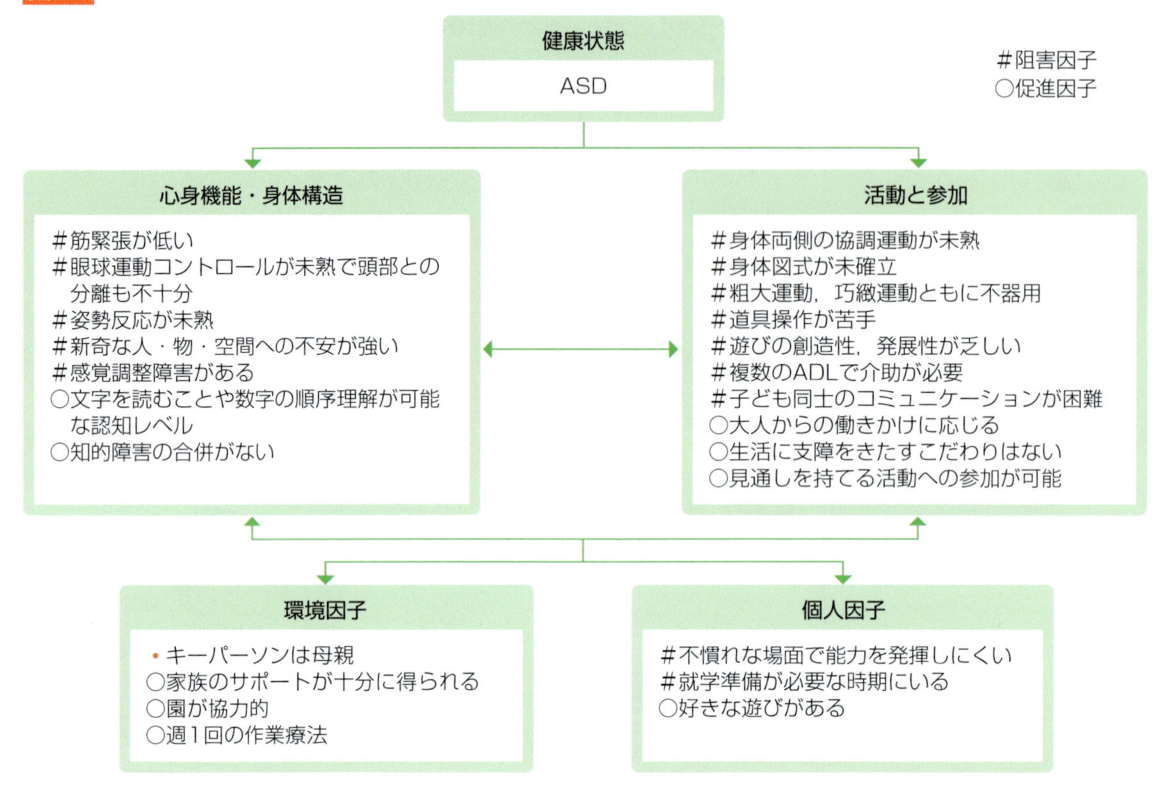

■統合と解釈

筋緊張の低さが活動の姿勢調節に影響している。そのため，中枢部の安定性が得られにくく，粗大運動・巧緻運動や道具操作の発達に困難を生じていると考える。これに加えて，眼球運動のコントロールが未熟であることも主訴であるボール遊びの困難さに繋がっていると考えられる。

また，見通しが立たないことや新奇場面への不安が強く，日常生活や園生活でストレスを感じることが多いと推察される。

一方で，特に数字の順序性の理解が可能という良好な認知面を有しており，周囲がそのよい面を不安軽減の支援に活用することを試みていない現状がある。

これらを踏まえ，就学前というライフステージを考慮した作業療法支援が必要である。

■作業療法プログラムと目標

作業療法の頻度は週1回であり，就学までの約1年間を当面の支援期間としてアプローチする。就学を見据えた治療方針と保護者の主訴を包括して，長期・短期目標を設定した。

支援目標として幼稚園と保護者，作業療法士の三者の共通目標として就学前準備のADL(特に食事・更衣・排泄)の自立を設定した。

長期目標として，幼稚園行事を楽しむことができること，幼稚園で先生が介入し友達とボールを使って遊ぶことができること，クレヨンや鉛筆などの筆記具を三指握りで操作できること，食事の時に手づかみ食べをせずにきれいに食べることの4つを挙げた。

短期目標として，Dさんが幼稚園行事の見通しをもつために支援者が手掛かりや工夫を得る(見つける)こと，食事のときに右手でスプーンを手指回内握りで把持し左手を食器に添えて，両手を協調させる場面が増えること，身体の正面に投げられたボールを受けることができことの3つを挙げた。

● 作業療法プログラム

目標を達成するために，粗大運動遊びのなかで身体の両側を協調する抗重力活動を多く取り入れる。活動としては，両足ジャンプや斜面・はしごの上り下り，吊り遊具で揺れながら両足でボールを蹴る，吊り遊具で揺れながら側方の目標物にリーチするなどを提供する。

同時に，食事動作や更衣動作の自立を目指して，巧緻運動や道具操作の練習も取り入れる。活動としては，色紙をちぎる紙吹雪作りや簡単なクッキング，ままごとなどを提供する。活動のなかで身体の両側協調運動の発達に沿った段階付けや，用いる道具や環境設定による段階付けを適宜行う。

また，ホームプログラムとして，テーブル拭きやお盆を活用した配膳のお手伝いなど両上肢の同側運動であり，かつ体幹～上肢の安定性に貢献するような活動を提案し家庭で取り組んでもらう。排泄の後始末についても，支援方法を具体的に伝えて実践してもらう。

幼稚園に対しても同様に，屋内外の遊びや意識してほしいことについて提案し，支援方針を共有し連携する。また，Dさんが得意な数字と文字を用いて活動の見通しをつけるよう提案し，不安軽減の対策についてもアプローチする。

試験対策 Point

筆記具の把握の発達

- 手掌－回外握り(図14a)：1～1歳半程度。手掌全体で握り，上肢が1つのユニットとして動く。
- 手指－回内握り(図14b)：2～3歳程度。手指で持ち，前腕回内位で前腕が1つのユニットとして動く。
- 静的三指握り(図14c)：3歳半～4歳。母指，示指，中指をぎこちなく近づけて鉛筆を把持する。肘関節，手関節を動かして書く。
- 動的三指握り(図14d)：母指，示指，中指の遠位指節を用いて対立位で把持する。手指の動きが出てくる(手関節の安定性が必要)。

図14 筆記具の把握の発達

a 手掌－回外握り

b 手指－回内握り

c 静的三指握り

d 動的三指握り

【引用文献】

1) 日本精神神経学会 監：DSM-5 精神疾患の診断・統計マニュアル，p.49-57，医学書院，2014.
2) 内山登紀夫，ほか 監：CARS2日本語版マニュアル，p.3-5，金子書房，2020.
3) 菊池恵美子 編：OT臨地実習ルートマップ，p.269，メジカルビュー社，2011.

【参考文献】

1. 太田昌孝 編：こころの科学セレクション 発達障害，日本評論社，2006.
2. 平岩幹男：発達障害 子どもを診る医師に知っておいてほしいこと，金原出版，2009.
3. 藤原加奈江：困った行動が教えてくれる自閉症スペクトラムの支援，診断と治療社，2009.
4. 土田玲子，ほか 監訳：感覚統合とその実践 第2版，協同医書出版社，2006.
5. 神作一実 編：作業療法学ゴールド・マスター・テキスト7 発達障害作業療法学，メジカルビュー社，2011.
6. 森岡　周：発達を学ぶ，p.102-115，協同医書出版社，2015.
7. 国立精神・神経医療センター：日本語版M-CHAT（http://www.ncnp.go.jp/nimh/jidou/aboutus/mchat-j.pdf，2015年10月時点）
8. 辻井正次 監：発達障害者支援とアセスメントのガイドライン，p.166-173，178-180，金子書房，2014.
9. 日本感覚統合障害学会：JPAN 感覚処理・行為機能検査マニュアル，パシフィクサプライ，2011.
10. 岩永竜一郎：自閉症スペクトラムの子どもへの感覚・運動アプローチ入門，p.17-22，東京書籍，2010.
11. Erhardt RP 著，紀伊克昌 訳：手の発達機能障害，p.62，医歯薬出版，1988.

チェックテスト

Q

①ASDの診断基準でもある2つの中核障害を挙げよ（☞p.456）。 基礎
②ASDの多くが有する感覚調整障害は，対象者の生活にどのような影響を与えるか述べよ（☞p.458）。 臨床
③ASDの評価で客観的な検査と同等，あるいはそれ以上に重要な評価手段は何か述べよ（☞p.460）。 臨床
④ASDのセルフケアの評価で重要なことは何か述べよ（☞p.463）。 臨床
⑤ASDに多い併存症を挙げよ（☞p.465）。 基礎

14 統合失調症

中村泰久

Outline

- 統合失調症は精神科医療で最も重要な疾患の1つである。
- 作業療法評価は各種情報を踏まえ，初期評価として面接，観察，検査，社会生活評価を行う。それらの情報を国際生活機能分類(ICF)に統合，解釈をして治療目標と作業療法プログラムを立案する。

1 統合失調症とは

統合失調症は，内因性精神病の1つで生涯発病率は0.8%前後である。また，性差はないが発病時期は思春期から30歳代までが多く，発病年齢が遅いほど予後がよいとされている。病状は多彩であり，興奮や昏迷，幻覚妄想などの**陽性症状**(positive symptoms)，自発性減退や感情の平板化などの**陰性症状**(negative symptoms)，**認知機能障害**を認める。精神科での入院患者・外来患者の大半を占めており，精神科医療で最も重要な疾患の1つである[1)]。

病因として単一の病因は明らかになっておらず，多因子による疾患と推定されている。このことは統合失調症の発病に遺伝的要因が関連する研究や思春期・青年期のライフイベントが発病に関連する研究，大脳の構造異常が発病に関連する研究，社会環境の影響が発病に関連する研究などが報告されており，多因子が関連して発病に至っている可能性が高い[4)]。

■病状の分類

病状は陽性症状と陰性症状，認知機能障害に分けられる(**表1**)。

● 陽性症状と陰性症状

陽性症状は急性期に，**幻覚，妄想，昏迷，興奮，思考障害，奇異な行動など**の派手で目立つ症状を認める。また，恒常的に続かない特徴がある。

陰性症状は急性期後に，**自発性減退，感情鈍麻，無為自閉，思考の貧困化など**の症状を認める。また，持続的な特徴がある。

● 認知機能障害

認知機能障害は，**記憶機能，注意機能，遂行機能，全般的な認知機能低下など**の症状を認める。また，神経心理テストにて健常者のスコアに対して1～2標準偏差低下することが認められる。認知機能障害は持続的な特徴があり[5)]，薬物療法による改善は乏しいことが報告されている[6)]。また，発

補足

陽性・陰性症状評価尺度(positive and negative syndrome scale：PANSS)
主として統合失調症の精神状態を全般的に把握することを目的としている。陽性尺度7項目，陰性尺度7項目，総合精神病理尺度16項目の計30項目で構成されている[2)]。

陰性症状評価尺度(scale for the assessment of negative symptoms：SANS)
陰性症状に焦点を当てて作成された尺度である。情動の平板化・情動鈍麻，思考の貧困，意欲・発動性の欠如，快感消失・非社交性，注意の障害の25項目，総合評価項目5項目の計30項目から構成されている[3)]。

表1　統合失調症の病状

	陽性症状	陰性症状	認知機能障害
特徴	・急性期症状(疾病の早期にみられる) ・派手で目立つ症状が出現するが，恒常的に続かない ・正常な認知機能または情動機能の歪みや増強	・慢性期症状(急性期後に顕著) ・人との交流を避け，無為自閉となる症状は持続的に認める ・正常に存在する機能の減弱または喪失	・日常生活の困難さに関連する ・認知機能低下は80%の対象者に認める ・症状は持続的に認める ・発病前より存在の可能性がある
中心症状	幻覚，妄想，昏迷，興奮，思考障害，奇異な行動	自発性減退，感情鈍麻，無為自閉，思考の貧困化	記憶機能，注意機能，遂行機能，全般的な認知機能低下
治療	・抗精神病薬(効果大)	・抗精神病薬(効果小) ・リハビリテーションが不可欠	・認知機能改善療法

病前から認知機能障害を認められる可能性についても示唆されている[7]。

■病型の分類

病型は**破瓜型**，**緊張型**，**妄想型**の3つの型に分類される。

破瓜型は20歳代前後の青年期に緩徐に発病し，感情鈍麻，自発性減退など陰性症状が徐々に進行する予後不良の病型である。解体した会話(「僕は犬，緊張して，見てきて，大丈夫になることもあるし，愛知県名古屋市で，今日は晴れ」など一定のテーマに沿って話せない)や行動(買い物するために外出したが，思考が混乱し何をすればよいかわからなくなり途方に暮れてしまうなど)が特徴といえる。

緊張型は20歳代前後で急性に発病し，緊張病性興奮や緊張病性昏迷などの緊張病性症候群が特徴となる型である。症状は比較的急速に治まり，症状が治まっている間は重篤な感情や意欲の障害は残さず，ほぼ健常者に近い状態になる。周期性に経過する特徴を有する。

妄想型は30歳代に発病して幻覚を認めるが，認知機能障害などは軽度に留まる。人格は保たれて慢性に経過する。病状は被害・迫害妄想などの妄想が中心で，**妄想体系**[*1]を形成することもある[4]。

＊1　**妄想体系**
疾患の経過によっては個々の妄想体験が相互に系統化されて，日常生活がそれに支配されることもある。このため，対象者の言動はすべて妄想に基づくものになることを妄想体系とよぶ[8]。

■経過

経過は**前駆期**，**急性期**，**臨界期**，**回復期**，**生活期**に分けられる(**図1**)。

試験対策Point
統合失調症の疾患の回復過程を理解しておこう。また，各期で認められる症状の特徴も併せて理解すると事例問題に対応しやすい。

図1　回復過程

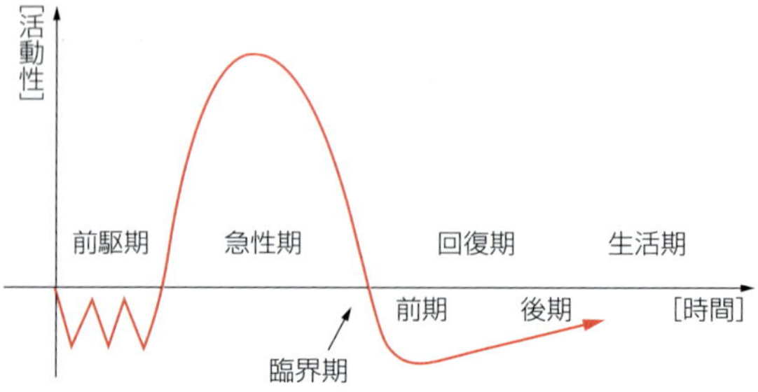

(文献9を基に作成)

● 前駆期

前駆期は急性期に至る前の準備状態である。この時期は，漠然とした緊張感や余裕のなさ，周囲に対する知覚の敏感さがみられ，頭痛，動悸，不眠などの自律神経症状を認める。

● 急性期

急性期は多彩な陽性症状を認め，精神科病院への入院を必要とすることが多い。妄想や幻覚が活発となり，対象者によっては精神運動性興奮や**昏迷**[*2]が認められる。疎通性は不十分で，不眠となり食事がとれないことも多い。強い恐れや不安，緊張感を体験しており，病的な体験を軽減し，十分な休息をすることが治療の目標となる。特に統合失調症の対象者は病気である認識が乏しいことから，入院の必要性を説明する必要がある。

＊2　昏迷
意志の発動性が高度に障害されるため，意識は清明で，外界は認知されているのに横臥したままで食事をとることも発語もない状態である。統合失調症では緊張型でみられ，緊張病勢昏迷とよばれ，冷たく硬い表情で無言無動のまま，不自然な姿勢をいつまでも続けるような状態である[8]。

● 臨界期

臨界期は急性期から回復過程に移行する時期である。病的体験が少し薄れ，自分の置かれた状況がわずかずつ見えてくる。そのため，臨界期は心理的に不安定で強い支持を要する時期であるので，自殺を防止する配慮が必要である。

● 回復期

回復期は，病的体験による不安焦燥感が治まるが，陰性症状を認めるようになり，疲労感の訴えや臥床傾向が認められる。他者と交流することがほとんどなく，病室で臥床していることが多い。

回復期前期は複雑な作業活動や，自分の考えをまとめて話すなどは困難である。回復期後期には活動性が高まり，自身が置かれている状況を理解し現実検討が徐々にできるようになる。

● 生活期

生活期では生活する範囲が拡大し，安定した行動ができるようになる。陽性症状は認められず，陰性症状と認知機能障害が主体の病状になる[9]。

■ 予後

統合失調症の予後に関連する因子は，発病年齢，発病様式，病型，精神病像の特徴，経過類型などが挙げられている。予後を良好にする因子は，発病年齢が高齢であること，急性の発病，誘因があること，病前性格，緊張型であること，家族に統合失調症の遺伝的傾向がないこと，既婚であるなど病前の社会適応が良好であることなどが報告されている。Huber（フーバー）らは統合失調症対象者の約20年後の転帰は，65%の対象者が寛解，あるいは再発を繰り返しながら軽い欠陥状態に移行し，完全治癒は22%，精神病

評価事例

的と認められない残遺症状を呈する対象者は43%，単純で進行性の経過で強い欠陥状態に陥るのは35%と報告している[10)]。統合失調症の症状は，回復期以降は陰性症状と認知機能障害が主体となることから積極的なリハビリテーションは欠かせないといえる。

補足

簡易精神症状評価尺度(brief psychiatric rating scale：BPRS)
疾患を限定せずに幅広く精神症状を評価する場合に適した精神症状評価尺度である。評価項目は18項目で幻覚による行動，猜疑心，概念の統合障害，情動の平板化，情動的引きこもりなど統合失調症の(比較的)特有の症状だけでなく，興奮，誇大性，抑うつ，罪責感，心気症，不安，緊張，失見当識など，疾患を特定しない評価項目が多く含まれていることが特徴である[11)]。

機能の全体的評定尺度(global assessment of functioning：GAF)
心理的，社会的，職業的機能を評価するために用いられる尺度である。身体的および環境的制約による障害は含まれない。表をもとに各機能の状態を1～100までの数値で点数化し，点数が高いほど健康であると評価される。

リハビリテーション行動評定尺度(rehabilitation evaluation hall and baker：REHAB)
病棟，デイケア，社会復帰施設などで観察される精神障害者の行動を評価する社会機能評価尺度である。逸脱行動7項目，全般的行動10項目から構成されている[12)]。

2 Case Study

■各種情報

統合失調症と診断された30歳代男性，Aさんの事例を紹介する。Aさんは，父親，祖母との3人暮らしで，性格は真面目である。クロルプロマジン塩酸塩を1日2回服薬しており，換算値は576mgである。

病歴は高校在学中に統合失調症を発症し，幻聴による病的行動から医療保護入院をした。その後，拒薬による再発から2～6カ月間の任意入院を計5回行った。就職した経験はなく，現在6年間の在宅生活を送っている。治療は外来診療と精神科デイケアに週5日通所している。

他部門から得た情報を**表2**に示す。

表2 他部門からの情報収集

主治医	現在，薬物療法にて陽性症状は治まり，陰性症状が主体となっている。陽性・陰性症状尺度(PANSS)の陽性症状は22点，陰性症状は23点，総合精神病理は51点の合計96点である。機能の全体的評定尺度(GAF)は45点である。作業療法では活動性を維持しつつ，生活範囲の拡大を図ってほしい
看護師	現在通所しているデイケアではこだわりが強く，後片付けなど自分なりの方法で取り組めないと周囲の対象者やスタッフに強い口調で意見を述べることがある。日常生活は自立している
精神保健福祉士(mental health social worker：MHSW)	現在，病状も安定しているため，デイケアから就労支援施設へステップアップすることを提案している。家族は協力的で，収入は障害年金2級を得ている

■作業療法初期評価

面接，興味・関心チェックシート，観察，統合失調症認知機能簡易評価尺度(brief assessment of cognition in schizophrenia：BACS)日本語版，精神障害者社会生活評価尺度(life assessment scale for the mentally Ⅲ：LASMI)を行った。

●導入面接

デイケアの面接室にて導入面接を行った。こちらの話を緊張し強張った表情で「はい」と短く返事をする。日常生活で困っていることは「平日は週5日デイケアのプログラムを一生懸命するので，疲れて土曜日と日曜日は1日中横になっている」「デイケアのプログラム中に自分の思っていないことをほかのメンバーがしてイライラすることがある」と話す。今後は，デイケアから就労支援施設に移行することを希望している。30分程度で面談を終了する。拒否はなかった。

背は高くやせ型で顔色は青白く，服装は季節感のあるものであった。無表情で返答するなど，受け答えは活気がなくぼそぼそと話すのが対象者の第一印象であった。

●興味・関心チェックシート

導入面接後に興味・関心チェックシートにて評価を行った(**表3**)。

●観察

Aさんは毎朝1日の予定を決めており，急な出来事で予定の変更が必要になると対応できず混乱する。創作活動，調理活動，音楽活動などさまざまなプログラムに参加している。参加時に注意の幅が狭く，状況の変化に気付きにくい。また，各プログラム後の後片付けの方法にこだわり，同様の確認を繰り返すため長い時間が必要となる。コミュニケーションでは自分の考えに固執し，他者の意見を聞き入れにくく孤立してしまうことが多いなどの傾向がみられた。

●統合失調症認知機能簡易評価尺度(BACS)日本語版

BACS日本語版の結果を**表4**に，AさんのBACS日本語版におけるZ-scoreを**表5**に示す。

●精神障害者社会生活評価尺度(LASMI)

LASMIは点数が高いほど障害が重度であることを示す(**表6**)。

表3 興味・関心チェックシート

興味・関心チェックシート

氏名：　Aさん　年齢：30代歳　性別（男）・女）記入日：H X 年 Y 月 Z 日

表の生活行為について，現在しているものには「している」の列に，現在していないがしてみたいものには「してみたい」の列に，する・しない，できる・できないにかかわらず，興味があるものには「興味がある」の列に○を付けてください．どれにも該当しないものは「している」の列に×をつけてください．リスト以外の生活行為に思いあたるものがあれば，空欄を利用して記載してください．

生活行為	している	してみたい	興味がある	生活行為	している	してみたい	興味がある
自分でトイレへ行く	○			生涯学習・歴史	×		
一人でお風呂に入る	○			読書	○		
自分で服を着る	○			俳句	○		
自分で食べる	○			書道・習字	○		
歯磨きをする	○			絵を描く・絵手紙		○	
身だしなみを整える	○			パソコン・ワープロ	○		
好きなときに眠る	○			写真		○	
掃除・整理整頓	○			映画・観劇・演奏会			○
料理を作る			○	お茶・お花	×		
買い物	○			歌を歌う・カラオケ	×		
家や庭の手入れ・世話			○	音楽を聴く・楽器演奏	○		
洗濯・洗濯物たたみ			○	将棋・囲碁・ゲーム	○		
自転車・車の運転	○			体操・運動	○		
電車・バスでの外出	×			散歩	○		
孫・子供の世話	×			ゴルフ・グランドゴルフ・水泳・テニスなどのスポーツ	×		
動物の世話	×			ダンス・踊り	×		
友達とおしゃべり・遊ぶ	○			野球・相撲観戦	○		
家族・親戚との団らん	○			競馬・競輪・競艇・パチンコ	×		
デート・異性との交流		○		編み物	×		
居酒屋に行く	×			針仕事	×		
ボランティア			○	畑仕事			○
地域活動（町内会・老人クラブ）	×			賃金を伴う仕事		○	
お参り・宗教活動	×			旅行・温泉			○

生活行為向上マネジメント™

（日本作業療法士協会『生活行為マネジメントMTDLP』より許可を得て転載）

表4　BACS日本語版

言語性記憶と学習
言語性記憶課題 対象者は15の単語を提示され，その後できるだけたくさんの単語を思い出すように求められる。試行を5回繰り返す。なお，単語の異なるAとBの2つのバージョンがある 評価するもの：想起された単語の数
ワーキング・メモリ
数字順列課題 対象者はだんだんと桁数の増えていく数字の組(例えば，936)を聞かされ，聞いた数を小さいほうから大きいほうへと順に検者に答えるように求められる 評価するもの：正しい反応数
運動機能
トークン運動課題 対象者は100枚のプラスチック製トークンを与えられ，それを60秒間にできる限り早く容器に入れるように求められる 評価するもの：60秒間に容器に入れたトークンの数
言語流暢性
意味(カテゴリ)流暢性課題 対象者は60秒間にある所定のカテゴリに属する単語をできるだけたくさん挙げるように求められる 評価するもの：答えた単語数
文字流暢性課題 対象者は2つの独立した試行において，60秒間にできるだけ多くの(ある特定の文字で始まる)単語を挙げるように求められる 評価するもの：想起された単語数
注意と情報処理速度
符号課題 対象者は独特な記号と1～9の各数字との対応について説明してある見本を受け取り，できるだけ早く一連の記号の下に，対応する数字を記入するように求められる。制限時間は90秒
遂行機能
ロンドン塔検査 対象者は同時に2枚の絵を見る。それぞれの絵には，3本の棒の上に配置された異なる3色のボールが描かれているが，ボールはそれぞれ絵のなかでほかの絵とは違った独特な配置がされている。対象者は1つの絵のなかのボールがもう1つの絵のなかのボールと同じ配置になるように動かすのに必要な最小の回数を答える。なお，図版の異なるAとBの2つのバージョンがある 評価するもの：正しい反応数

(文献13を基に作成)

補足

Z-scoreとは，健常者と比較して重症度を示した数値である。Z-scoreは健常者の得点を基準に－0.4～0は正常，－1.0～－0.5は軽度障害，－1.5～－1.0は中等度障害，－1.5未満は重度障害と判定される。

表5　BACS日本語版のZ-score

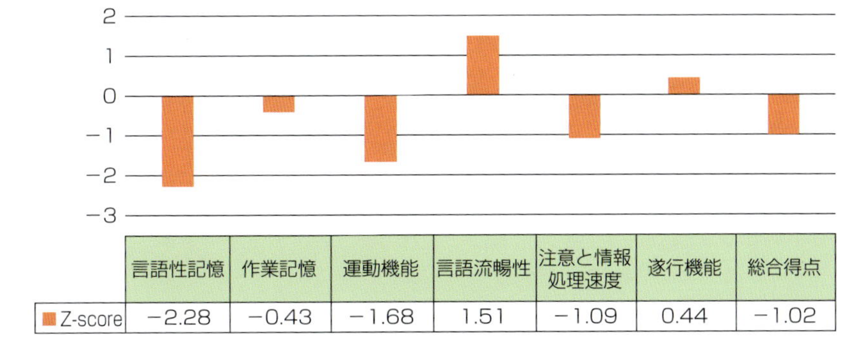

	言語性記憶	作業記憶	運動機能	言語流暢性	注意と情報処理速度	遂行機能	総合得点
Z-score	－2.28	－0.43	－1.68	1.51	－1.09	0.44	－1.02

表6　LASMI

D日常生活		点数	I対人関係		点数
D1	生活リズムの確立	2	I1	発言の明瞭さ	2
D2	身だしなみへの配慮：整容	1	I2	自発性	2
D3	身だしなみへの配慮：服装	1	I3	状況判断	3
D4	居室の掃除・整理	2	I4	理解力	3
D5	バランスの良い食生活	2	I5	主張	2
D6	交通機関	1	I6	断る	2
D7	金融機関	1	I7	応答	3
D8	買物	1	I8	協調性	3
D9	大切な物の管理	1	I9	マナー	1
D10	金銭管理	1	I10	自主的な付き合い	2
D11	服薬管理	2	I11	援助者との付き合い	1
D12	自由時間の過ごし方	3	I12	友人との付き合い	1
日常生活平均点		1.5	I13	異性との付き合い	1
			対人関係平均点		2

W労働，課題遂行		点数	E持続性，安定性		点数
W1	役割の自覚	0	E1	現在の社会適応度	3
W2	課題への挑戦	0	E2	持続性，安定性の傾向	3
W3	課題達成の見通し	1	持続性・安定性平均点		3
W4	手順の理解	1			
W5	手順の変更	1	R自己認識		点数
W6	課題遂行の自主性	1	R1	障害の理解	1
W7	持続性，安定性	0	R2	過大(小)な自己評価	1
W8	ペースの変更	1	R3	現実離れ	0
W9	曖昧さに対する対処	1	自己認識平均点		0.7
W10	ストレス耐性	2			
労働，課題遂行平均点		0.8			

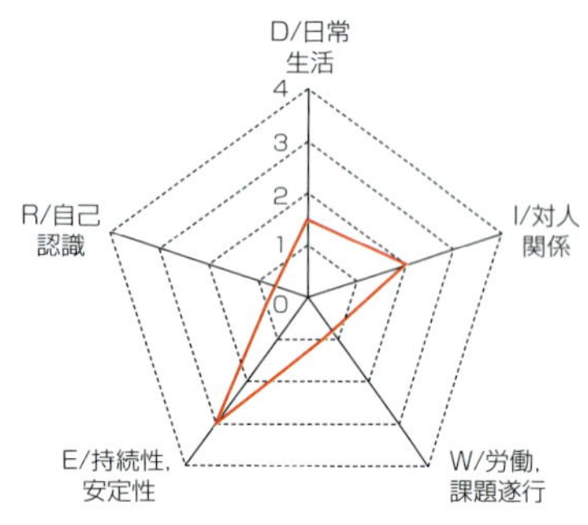

■評価のまとめ

評価のまとめを国際生活機能分類(ICF)で**図2**に示す。作業療法での改善点(焦点)は，認知機能障害の改善，活動と休息のバランスの改善，自分自身の体調管理技能の獲得が挙げられる。

図2 ICF

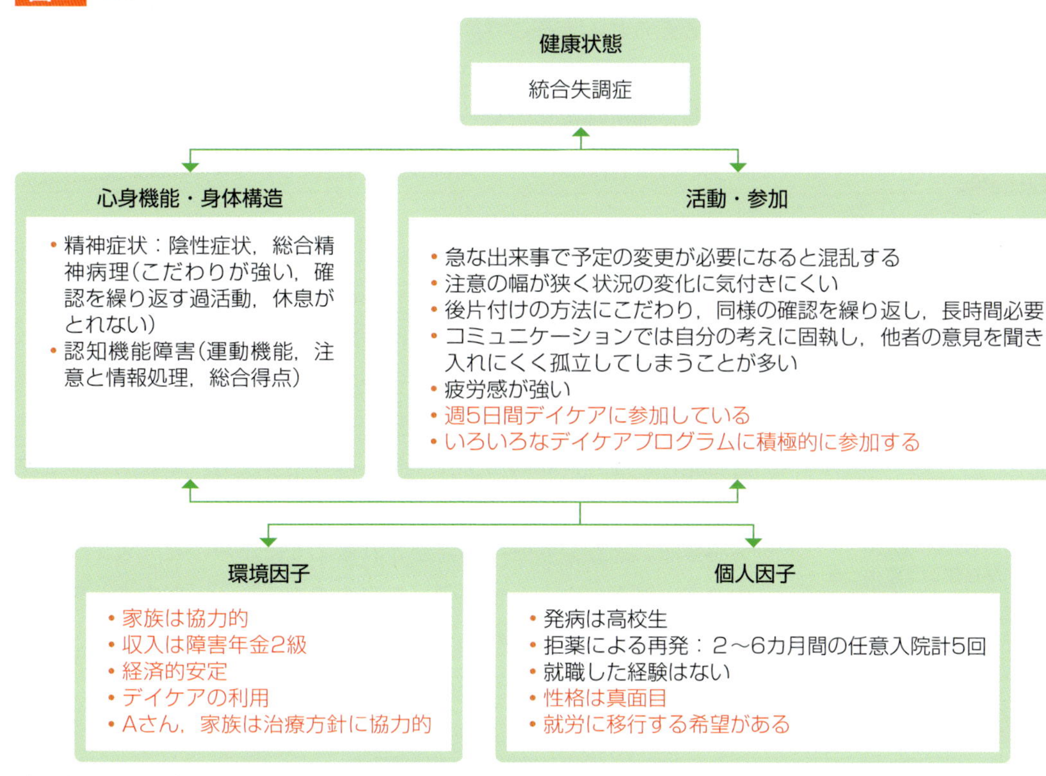

特に重要な項目を赤字で示す

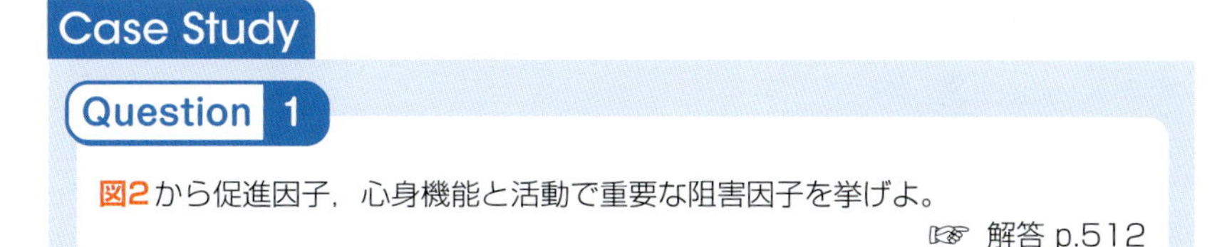

図2から促進因子，心身機能と活動で重要な阻害因子を挙げよ。

☞ 解答 p.512

■統合と解釈

高校生の頃に発症し早期の発症年齢であることから，社会的な経験が乏しいまま30歳代まで経過している。発症の経過から，現在は生活期であるといえる。さらに，精神障害を有するAさんの30歳代のライフサイクル上での生活課題として社会的位置の確立があり，日常生活技能や社会資源の知識を増やして，生活能力を高め社会的規範を身につける時期ともいえる。つまり，障害を抱えながら自らの「生き方」や可能性を模索・試行し，より確かなものにする時期であり，就労支援や就労訓練の対象となる中核的な年代といえる[14)]。

現在，Aさんはデイケアへ週5日通所しており，積極的にプログラムに参加している。しかし，デイケアで急な予定変更が生じると混乱する。注意の幅が狭く状況に気付きにくい，後片付けの方法にこだわり同様の確認を繰り返すため時間を要する。コミュニケーションでは自分の考えに固執してしまう傾向がみられた。これは心身機能の認知機能障害の影響が大きいと考えられる。そこで，Aさん自身が健康管理（疲労・ストレス管理）を行い，安定して精神科デイケアに通所すること，通所する就労支援事業所を探して通所日数を増やしていくことを中心にした治療計画を立案した。

アクティブラーニング① Aさんが生活していくうえでの年代・ライフサイクルに応じた課題について考えてみよう。

■治療計画と目標

就労を目標とし，Aさんと家族は治療に協力的である。精神科デイケアへの通所と並行して就労支援施設へ通所する。

具体的には，就労支援施設への移行を長期目標とする。精神科デイケアへの参加で生じる疲労感を減らすことや，就労支援施設に通所できることを目指す。また，精神科デイケアへの安定した通所を短期目標とする。Aさんと医療従事者との関係の樹立（安心できる関係づくり），自分自身の疲労感をモニタリングして休息がとれるようになること，スケジュール変更やコミュニケーションで柔軟に対応ができるようになることを目指す。

目標に向けて，**表7**のような治療計画を立案した。

＊3 **発散的思考**
複数ないし無数のさまざまな回答が存在しうるような課題において用いられる思考形式。前頭葉機能と関連する。

表7 治療計画

面談（疲労度と対処のモニタリング）	
回数	1週間に1度実施
時間	毎週金曜日14：00～15：00
場所	デイケア面談室
内容	Aさんのデイケア通所日で各プログラム後に疲労度（0：疲労なし～100：重度疲労）の記録を行い，振り返りを行う。疲労度が高くなるプログラムや内容を把握する。併せて，その場面での対処方法と休息のタイミングを一緒に考える
ペーパーチャレラン（柔軟な思考の獲得）	
回数	1週間に1度実施
時間	毎週水曜日14：00～15：00
場所	デイケア活動室（小グループ）
内容	Aさんのデイケアでのプログラムとして，柔軟な思考に関与する**発散的思考**＊3をトレーニングする。チャレラン（**図3**）とよばれるドリル課題を実施することで，発散的思考が向上し，柔軟な思考を得ることに繋がり，問題解決の際に複数の選択肢を考える助けになる

図3 ABCチャレラン

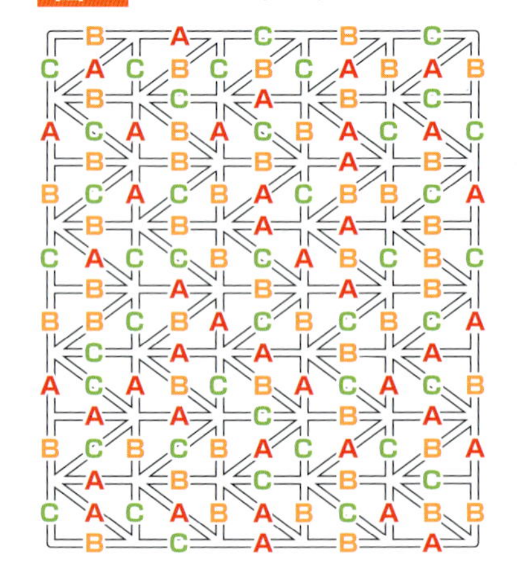

【引用文献】

1) 平成29年(2017)患者調査の概況(厚生労働省, 2019)(https://www.mhlw.go.jp/toukei/saikin/hw/kanja/17/dl/kanja.pdf)(2022年7月時点).
2) 山田 寛, ほか：陽性・陰性症状評価尺度(PANSS)日本語版の信頼性の検討. 臨床精神医学, 22：609-614, 1993.
3) 太田敏夫：陰性症状評価尺度(SANS)と包括的症状病歴評価基準(CASH). 精神科診断学, 1：529-538, 1990.
4) 上島国利, ほか：精神医学テキスト, 改訂第4版, 146-149, 南江堂, 2021.
5) Hoff AL, et al.：Longitudinal neuropsychological follow-up study of patients with first-episode schizophrenia. Am J Psychiatry, 156(9)：1336-1341, 1999.
6) Terry EG, et al.：Cognitive improvement after treatment with second-generation antipsychotic medications in first-episode schizophrenia：is it a practice effect?. Arch Gen Psychiatry, 64(10)：1115-1122, 2007.
7) Fujino H, et al.：Estimated cognitive decline in patients with schizophrenia：a multicenter study. Psychiatry Clin Neurosci, 71(5)：294-300, 2017.
8) 太田保之, ほか 編：学生のための精神医学第2版. p.24, 医歯薬出版, 2012.
9) 築瀬 誠：精神障害作業療法入門改訂第2版, 協同医書出版, p.39, 2020.
10) Huber G, et al.：Longitudinal studies of schizophrenic patients. Schizophr Bull, 6：592-605, 1980.
11) 香山明美, ほか 編：生活を支援する 精神障害作業療法第2版, p.100, 医歯薬出版, 2014.
12) 精神保健福祉士養成セミナー編集委員会 編：精神保健福祉士養成セミナー5精神保健福祉の理論と相談援助の展開Ⅱ第6版, p.111-114, へるす出版, 2017.

チェックテスト

Q

①統合失調症の発症率を挙げよ(☞p.473)。 基礎
②陽性症状とは何か説明せよ(☞p.473)。 基礎
③陰性症状とは何か説明せよ(☞p.473)。 基礎
④認知機能障害とは何か説明せよ(☞p.473)。 基礎
⑤統合失調症の3病型を挙げよ(☞p.474)。 基礎

15 気分障害（うつ病）

谷口英治

Outline

- 気分障害は，うつ病性障害（うつ病）と双極性障害（躁うつ病）が含まれる。
- 急性期のうつ病は，抑うつ気分，意欲や食欲の減退，疲れやすさ，集中力，思考力，判断力の低下や希死念慮がある。作業療法への参加は，休息を保障に抑うつ的な考えから距離を置き，安易な励ましは避け休養と生活リズムの改善が治療方針である。
- 回復期は，認知行動療法などをもとに簡単な課題の達成を積み重ね，自信の回復，生活や思考・行動パターンの見直し，再発防止，新たな生きがいや生活環境の構築などを行う必要がある。この時期は自殺に注意する。

1 気分障害（うつ病）とは

気分（感情）障害〔mood（affective）disorders〕は，従来は躁うつ病の概念でまとめられており，気分または感情の障害を主症状とする精神障害である。**意欲の障害**に加え，これらを背景に思考と**行動の障害**，そして**身体機能の障害**をも引き起こす。作業療法の対象疾患として，気分障害は統合失調症に次いで多い。

躁状態は高揚した爽快気分で，過大な自己評価のため自信に満ちている。うつ状態では抑うつ気分で，自分を過小評価し悲観的・絶望的となり，希死念慮をいだくこともある。

気分障害の治療は，躁病相，うつ病相ともに**薬物療法**と**精神療法**が主体で，環境調整や家族調整が必要に応じて行われる。今までは薬物療法で回復することが多かったが，最近では市場競争原理優先，成果主義の横行や終身雇用制度の崩壊などの社会動向の影響も伴ってか，自らのペースで仕事や生活をしていくことが困難な状況のため，慢性化や遷延化する傾向，再発のしやすさなどがみられ，ますます作業療法のかかわりが求められる傾向にある。

本項では気分障害のなかでも，うつ病評価について解説する。

2 うつ病の評価

■ 評価の留意点

評価の実施にあたっては，対象者の病期や病相，評価方法の手順や時期によって，**対象者の負担をできるだけ軽くする**必要がある。特に，急性期は心身ともに疲弊状態にあり，不安で考えがまとまらず，活動を行うことにも心理的負荷が大きい時期である。

初期評価は短時間で最小限にし，作業療法参加と休養のバランスが少しずつとれたころより具体的な面接や観察，そして必要な検査などを行う作業療法プログラムが望ましい。この間に他分野からの情報を収集し，対象者の理解に努める。

■ 情報収集

補足

情報収集では，病期の特徴，症状，評価項目，目的，対応，留意点，支援方法などをおさえる。

チーム医療の観点より，医師，看護師，臨床心理士，精神保健福祉士，そして家族や職場関係者などから広く対象者についての情報を収集し，多面的な理解を深める。回復後の家庭復帰や職場復帰にあたり，多くの理解と協力が求められるため，とりわけ家族，職場関係者からの情報収集は重要である。

情報は主にカルテより収集される。対象者の発病前の社会的生活環境の状況，入院時の様子と入院後の経過と現在の様子などを把握する。次いで主治医より病期や病相の状態，薬物療法について投薬量と効果，精神療法を含むほかの治療の状況，今後の治療方針や見直しなどを聴取する。

看護記録からは，看護方針の確認と対象者の身辺処理活動(睡眠，食事，排泄など)の状況とそのほかの日常生活関連活動(金銭管理，時間管理など)や病棟での生活の様子を確認し，日常生活活動(ADL)自立度の状況を把握する。

アクティブラーニング 1

回復後の支援では発病前の情報収集が重要である。どうしてか考えてみよう。

臨床心理士からは，対象者の性格傾向を聴取し，生育環境や心理的・社会的なストレスや身体疾患などの誘因など，発病に至った経過を確認する。

精神保健福祉士からは，医療費，生活費など，生活保障にかかわる状況と家族との関係と理解・協力の支援状況の情報を得る。

■ 観察

対象者の行動を直接観察できる項目は，全体的印象，持ち物や服装などを含めた外観，視線，表情，姿勢，動作，生理的状態，話し方，行動などであり，現象をできるだけ**ありのままに簡潔**に記録する。また，これらの行動観察を通して日常生活機能，作業遂行機能，社会生活機能などの能力を評価する。

作業課題を用いた行動観察では，作業課題の種類，水準，実施状況などを設定したうえで，作業遂行にあたっての課題への理解，取り組み態度，興味や集中，問題や変更に対する対処，感情のコントロールなどを把握する。また，集団場面での社会生活機能の評価では，挨拶，参加交流，基本的配慮，役割行動，協調性など，対象者の全体像を把握する。

■ 面接

設定された面接場面を利用してもよいが，作業場面や普段の生活場面で

作業療法参加型臨床実習に向けて

面接・観察時は，対象者の思考・行動パターンの癖（考え方の癖，行動の癖，人とかかわる癖や人と話す癖など）を把握する。さらにものごとや受け止め方のこだわりを把握する。

行うほうが緊張がほぐれる。面接行為のなかで重要なことは対象者とのコミュニケーションからの情報の把握である。自然に交わす言語による内容にも注目し，共感的に耳を傾け，そこに表出される表情，態度，行為などのなかに示される**非言語的コミュニケーション**にも注意を払う。

個人的背景を把握するための生活史や家族の状況をたずねることは当面控える。急性期で，精神分析的な解釈や自己洞察を促すのは禁忌である。

急性期では，対象者の全体像の把握に努め，うつ状態の対象者では「夜，眠れないことがある」，「なんとなく疲れる」，「何をするにもおっくうである」，「何をするにも興味・関心がわかない」などの現状を把握する。

回復期に入ると，個人的・家族背景や症状などの1歩踏み込んだ内容を質問するが，その行動は正常な反応であることを示唆しながら対応することが求められる。

表1　うつ病に対する評価項目

基礎情報	生活歴	発症前後の状況，社会経済的状況，仕事内容と役割
	現病歴	発症時の状況，病状経過
	受診・入院理由	治療目的，休息目的など
	発病のきっかけ	性格傾向，遺伝傾向，対人関係・家族・職場の各種ストレスなど
	薬物内容	種類，量，効果-副作用
	現在受けている治療	薬物療法，精神療法，認知行動療法，環境調整，リハビリテーションの目標，入院期間の確認，家族協力の程度
作業療法評価	第一印象	初回時面接での印象
	精神症状	うつ病相：抑うつ気分，興味・関心の低下，そのほかの症状（判断・決定の困難，自信の欠如，自責感，不安など）
	身体症状	睡眠障害，日内変動，頭痛，肩こり，便秘，倦怠感，食思不振など
	生活リズム	睡眠時間，食欲，活動と休息
	日常生活行動	1日の行動特徴，対人交流
	感情の変化	多幸，易刺激性，過大・過小な自己評価，気分の調整が困難，抑うつ的，不安・焦燥など
	思考の変化	観念奔逸，誇大的，即座の判断，思考制止，悲観的，絶望的，微小的（罪業妄想，貧困妄想，心気妄想，虚無妄想），希死念慮
	意欲・行為の変化	行為心迫，精神運動興奮，昏迷，焦燥，自殺など
	作業能力	指示の理解，作業内容，作業量，参加時間
	対人交流	作業療法職員，他対象者，家族，他職種職員とのかかわり
	社会生活	復職，復学，家事，退院後を意識した活動維持など
	希望，欲求	現在の希望，期待，欲求
	危機管理	希死念慮，多量服薬の危険，死に対する意識
	家族関係	家族内の協力，家庭内の役割，友人との繋がり
	制度，社会資源	通院公費負担制度，障害年金，税金の免除，生活保護
	検査尺度	Beck（ベック）のうつ病評価尺度，Zung（ツァン）のうつ病自己評価尺度，Hamilton（ハミルトン）うつ病評価尺度など

（文献1を基に作成）

■評価尺度

評価項目を**表1**に示す。

面接と観察による評価尺度であるハミルトンうつ病評価尺度(Hamilton rating scale of depression：HRSD)(**表2**)は，うつ病態の程度と頻度を統一的に評価するもので，過去1週間のうつ病重症度を抑うつ的でない状態と比較して評価する。0〜2の3段階，または0〜4の5段階評価を行う。

自己記入式評価であるベックの抑うつ質問票・第2版(Beck's depression inventory：BDI-Ⅱ)(**表3**)は，青年および成人における抑うつ症症状の重症度を測定するための質問票である。0〜3の4段階評価で，うつ病のスクリーニングにも利用される。

また，ツァンの自己評価式抑うつ性尺度(self-rating depression scale：SDS)(p.45**表3**)は抑うつ性を自己評価するもので，隠れたうつ状態を発見するために用いられる。また，抑うつ状態の改善の程度を判定する補助にも利用される。

表2　ハミルトンうつ病評価尺度

評価項目					
	①抑うつ気分	⑥早朝睡眠障害	⑪身体についての不安	⑯体重減少	㉑強迫症状
	②罪業感	⑦仕事と興味	⑫消化器系の身体症状	⑰病識	
	③自殺	⑧精神運動抑制	⑬一般的な身体症状	⑱日内変動	
	④入眠障害	⑨激越	⑭性欲減退	⑲離人症	
	⑤熟眠障害	⑩精神的不安	⑮心気症	⑳妄想症状	

表3　ベックのうつ病評価尺度

評価項目					
	①気分	⑥懲罰	⑪いらだち	⑯不眠症	㉑性欲の喪失
	②悲観	⑦自己嫌悪	⑫社会的引きこもり	⑰易疲労感	
	③挫折感	⑧自己避難	⑬決断不断	⑱食思不振	
	④自己不満足	⑨希死念慮	⑭ボディイメージの変化	⑲体重減少	
	⑤罪悪感	⑩泣くこと	⑮就業困難	⑳身体の状態へのとらわれ	

3 うつ病の作業療法の実際

■急性期の状態と作業療法プログラム

急性期でのうつ病の症状は，抑うつ気分が強く，食欲がなく体重も減少する。また，疲れやすく，何事にも興味や意欲がわかなくなり，集中力，思考力，判断力も低下する。気持ちが落ち着かず，何事にもマイナス思考になり自信も低下し，自責感ののち価値のない自分と感じ，他者との接触も避け，ひどくなると希死念慮にとらわれる。

急性期の治療では，安静と休養を保障するが何も働きかけないということではなく，**1対1のかかわりのもとで，見守りながら共感的に傾聴する姿勢**が重要である。作業療法の目標は，抑うつ的な考えから距離を置いて作業に参加できる，休養と生活リズムが改善できる，の2点が挙げられる。

作業療法参加型臨床実習に向けて

急性期は，気持ちが落ち着かずマイナス思考で自信も低下，自責感で価値のない自分と感じ，他者との接触も避けるようになる。さらに希死念慮にとらわれるので気をつけよう。

従って，作業療法士は，対象者に強い負担や期待をかけないように，そして安易な励ましを避け，注意しながら作業への参加を働きかける。うつ病の対象者は，作業活動を導入しても自分の判断で物事を決定するのが困難であったり，以前との能力の差に自己否定感を引き起こしたりする。また，他者評価に対して過剰な意識や依存がみられるため，作業遂行上の達成に無理が生じる。作業療法士はさりげなくリードして，対象者の心の負担を軽減する。急性期は，休養し，ゆとりある生活を立て直していくための支援の対応が必要である（**表4**）。

試験対策 Point

急性期のうつ病の作業療法導入時における作業活動選択の要素についておさえよう。

■回復期の状態と作業療法プログラム

回復段階に入ると，少しずつ現実的な生活のこと，家庭生活のこと，仕事関係のことなどが考えられるようになる。社会情勢が気になり出し，新聞や雑誌，テレビへの興味も戻ってくる。それに併せて作業活動を始めても完全にうまくやり遂げようと疲れを感じつつ頑張り続けたり，「早く元の状態に戻らなければ」という焦りで無理をしてしまうことがある。このように無理や焦りから再びうつ状態に陥る可能性があるので，**再発を防**

表4　作業療法プログラム

急性期	治療方針と対応		・十分な安静と休養を保障する ・1対1のかかわりで見守り，共感的に傾聴する姿勢を示す ・抑うつ的な考えから距離を置き，作業に参加できるように働きかける ・休養と生活リズムが改善できるように働きかける ・強い負担や期待をかけないように，そして安易な励ましを避ける ・作業中，判断・決定が困難であったり，自己否定感を引き起こしたり，他者評価による過剰な意識のため作業遂行上無理が生じる場合には，当面は作業療法士がさりげなくリードして対象者の負担感の軽減を図る
	作業活動に必要な要素		・工程が単純明確で，判断・決定の少ない構成的作業活動 ・ややレベルを落とした能力でも可能で修復が容易な作業活動 ・短期間で完成でき，自分のペースで時間配分や作業量が調整できる作業活動 ・言語的コミュニケーションが最小限ですむ作業活動 ・非競争的な作業活動 ・途中で休憩をとっても再開が容易な作業活動
回復期	治療方針と対応	前期	・再発の防止，日常・社会生活復帰への準備，慢性化の回避を目指すかかわり ・現実感の回復に努める ・簡単な課題の達成を積み重ね，自信の回復に努める
		後期	・発病前の自分自身の生き方や生活を振り返り，思考・行動パターンを見直す ・再発防止に向け，新たな生きがいや生活環境を構築する
	作業活動に必要な要素		・自分のペースで時間配分や作業量の調整ができる作業活動 ・作業中，休憩をとるなど息抜きや気分転換の方法を身につける ・作業種目は，生活年齢，経験，知的レベルなどに合ったものを検討する。また対象者のプライドの保持に努め，作業工程，題材の選択に配慮する ・達成感や成功感を受け止める認知の仕方が低下しているので，能力範囲内でこなせるレベルの作業の選択に努める ・刃物やロープなどを病室に持ち帰ったりしないよう，活動中の作業療法室からの離室などでは自殺への注意に気を配る

ぎ，日常・社会生活復帰への準備と慢性化の回避を目指すかかわりが大切である。

回復期前期は，現実感の回復に努めて作業活動も簡単な課題の達成を少しずつ積み重ね，無理せず，そして焦らないで自信を取り戻していけるように参加させる。

回復期後期は，症状もある程度改善され活動性も少しずつ高まってくる。発病前の自分自身の生き方や生活を振り返り，思考・行動パターンを見直し，生活行動が現実と調和するようになってくる。この時期は再発防止に向け，**対象者の希望をもとに以前の発病状況や生活環境状況を検討し，新たな生きがいや生活環境を構築する**（**表4**）。

回復期で気をつけなければならないのは**自殺への注意**である。身体的な回復が得られても，心はまだうつ状態にあるといわれている。このように希死念慮があることを常に注意する必要がある。また，作業療法室の刃物やロープなどを病室に持ち帰ったりしないよう，作業中には作業療法室からの離室に注意を払う必要がある。対象者の様子に気配りし，少しでも変わった様子があれば主治医に連絡する。

4 Case Study

うつ病と診断された40歳代男性，Aさんの事例を紹介する。

■情報収集

Aさんは早期の職場復帰を希望していた。Aさんの基本情報を**表5**に，他部門から得た情報を**表6**に記載する。

表5 基本情報

氏名，年齢，性別	Aさん，40歳代，男性
診断名	うつ病
家族	妻，娘との3人家族
仕事	中学校教員
性格	・物事に没頭すると周りが見えなくなる ・世間体を気にして人前ではいつも強がっている ・完璧主義で自己への要求水準が高い
経過	・幼少時に両親を亡くし，親戚の家族に引き取られて育つ。高校入学時，養子であることに気づく ・中学，高校での成績は優秀で，養家の経済状態を考え公務員になることを決め，中学校の教員となる ・数校の中学校に配属された後，現在の中学校に転勤 ・学期末には夜も寝ずに生徒の記録に没頭した ・秋ごろより不眠がちになり，寝ついても途中覚醒が多く熟睡できない。口渇感や食思不振も出現した ・それでも生徒のためと仕事に全精力を注ぎ，やがては心身ともに疲れきる ・いつしか絶望に立たされた気持ちになり，希死念慮が出現し入院となった

評価事例

表6　他部門からの情報収集

主治医	・休息が十分とれるようになってきている ・心身の回復も自覚できるようになってきている ・生き方を見直し，具体的な生活がイメージでき実践していくことを期待する
看護師	目標はADLの自立。当面は担当看護師の指導の下で日常的な活動が自主的にできることを目標としている
精神保健福祉士	家族は治療に協力的。経済面も特に心配ない

■作業療法初期評価

入院2週間後より作業療法を開始した。面接より「自分は何もできない」という絶望感や「生徒と他教員に申し訳ない」という罪業感，そして「考えても頭が回らない」などの思考抑制といった精神症状や頭重感などの身体的訴えがみられた。

観察においても心身ともに疲弊状態，日内変動，生活リズムの乱れなどがみられ，活動を行うことは負担が大きいと考えられた。簡単な活動をしても以前との能力の差を感じ自己否定し，判断・決定が困難であった。

評価表および検査などは，もうしばらく落ち着いてから実施することとした。予定している評価表は，入院生活チェックリスト，気分と疲労のチェックリスト，日常生活観察リスト，対人パターンチェックリスト，作業遂行機能評価表とチェック表，社会参加能力観察リストなどである。

国際生活機能分類（ICF）を**図1**に示す。ICFを通して，現実感の欠如，

図1　ICF

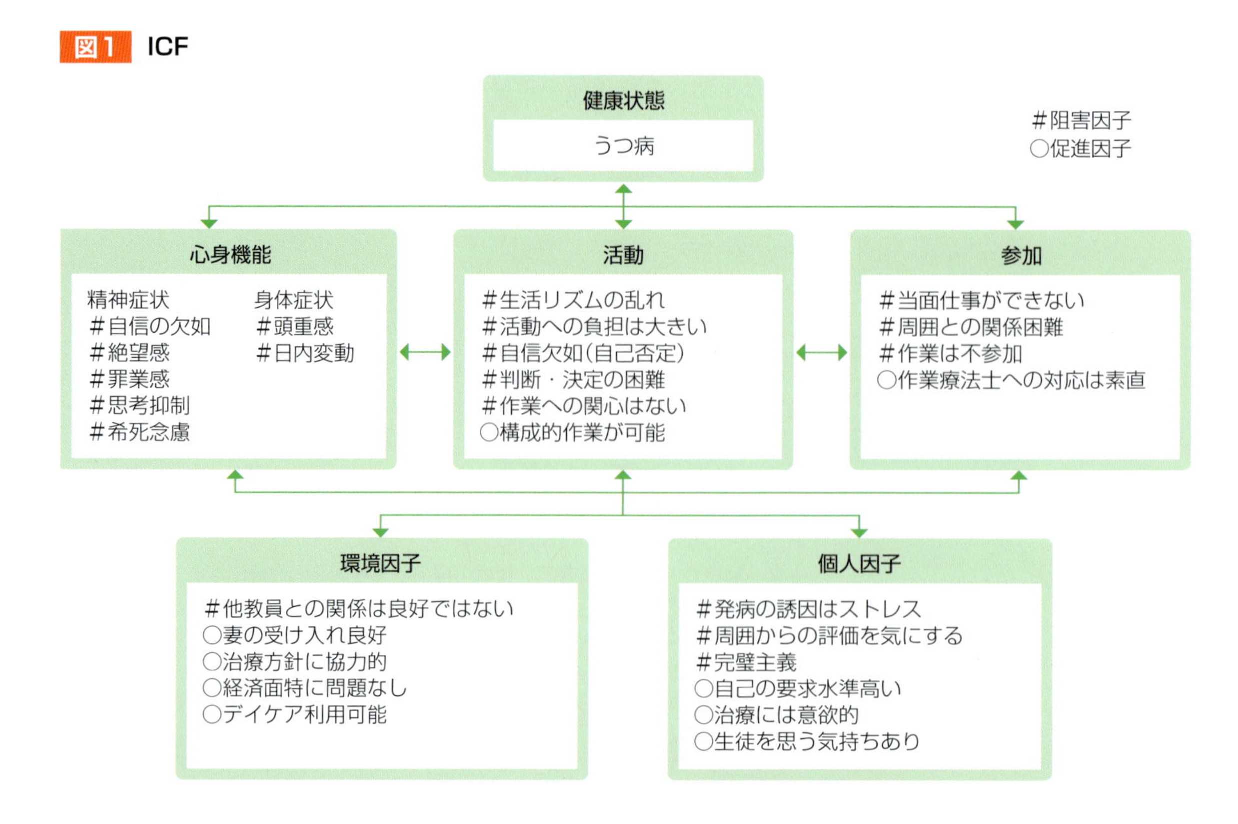

思考・行動パターンの不調和，生活リズムの不調和といった改善点が明らかとなった。

アクティブラーニング② ICFを通して評価をまとめ，改善点を示した。改善点に至るまでの統合・解釈を考えてみよう。

■目標

● リハビリテーションゴール

家族の支えによる職場復帰をリハビリテーションゴールとした。

● 長期目標

日常・社会生活復帰として発病前の自分自身の生き方や生活を振り返ること，再発の防止と慢性化の回避，新たな生きがいや生活環境の構築，が挙げられる。

● 短期目標

生活リズムの改善，現実感の回復，思考・行動パターンの見直しをできること，が挙げれられる。

■作業療法プログラム

当面の方針は，1対1のかかわりで見守り，共感的に傾聴する態度で接する。作業活動に目を向けることで，抑うつ的な考えから距離を置く時間をもつことができることと，作業活動と休息のバランスを整え生活リズムの改善を目指すことを目標とした。当面1週間のスケジュールのなかで週2回午後に作業活動に参加する。作業種目は革細工でのコースタ作り（簡単な工程の繰り返しで見栄えがよく実用的）を導入し，できたことを認め，作業活動の場を「何をしてもいいし，何もしなくてもよいパラレルな場」と安心感を得られるよう支持的に対応した。活動の場に慣れるに従ってAさんから「今できることを少しずつやっていく」などの発言が聞かれるようになった。Aさんには，常に「無理をしない，焦らないこと」を説明するよう心がけた。

● 開始1カ月後

徐々にではあるが活動と休息のバランスも整い，生活リズムも安定してきた。作業参加においても作業量を調整し，頑張りすぎないように疲れを感じたら自ら休息をとるようになった。その後，革細工も少しずつレベルが高くなってきたが能力範囲内で遂行し，自ら活動量の調整ができるようになり，元の職場に復帰することとなった。

終了時

作業活動を介して安心感が得られたこと，できたことが認められたことなどを振り返ることで，自己の思考・行動パターンの見直しができ，症状が改善した。加えて，退院後の生活をイメージし，再発パターンを回避できるように備えた。

Case Study

Question 1

Aさんの治療方針で考慮した要素を挙げよ。

☞ 解答 p.512

【引用文献】
1）鷲田孝保 編：作業療法士 イエロー・ノート専門編，メジカルビュー社，2008.

【参考文献】
1. 香山明美，ほか 編：精神障害作業療法―急性期から地域実践まで―．p.96-100，医歯薬出版，2007.
2. 山根　寛：精神障害と作業療法，第3版，p.322-327，三輪書店，2010.

チェックテスト

Q

①うつ病の症状を挙げよ(☞p.484)。 基礎

②評価内容を挙げよ(☞p.484～487)。 基礎 臨床

③作業療法の目的を説明せよ(☞p.484～489)。 基礎 臨床

④作業活動に必要な要素を説明せよ(☞p.487～489)。 基礎 臨床

16 アルコール・薬物依存症

谷口英治

Outline

- 精神作用物質には，アルコール，アヘン類，大麻類などがある。
- 精神的依存は，快楽を求め，また不快を避けるため継続的にアルコール摂取し，身体的依存は，常習飲酒を中止したときに現れる離脱症状の苦痛から逃れようとすることにより飲酒をコントロールできなくなる状態を指す。
- 作業療法開始時の評価から，対象者特有の自己顕示性，攻撃性，依存性などを十分理解する。特に否認の問題については，検者は適切な対人距離を保ちながら評価を行う。

1 アルコール・薬物依存症とは

疾病及び関連保健問題の国際統計分類(International Statistical Classification of Diseases and Related Health Problems : ICD)-10では，「精神作用物質使用による精神および行動の障害」のなかにアルコール依存症と薬物依存症が含まれ，「精神作用物質」は，アルコール・薬物を包含する用語として用いられている(表1)。**精神障害の診断・統計マニュアル第5版(Diagnostic and Statistical Manual of Mental Disorders Fifth edition : DSM-5)**では，物質依存を「薬物関連障害」とし，薬物がアルコールであれば「アルコール関連障害」としている。

表1 精神作用物質の分類(ICD-10)

コード	精神作用物質
F10	アルコール
F11	アヘン類
F12	大麻類
F13	鎮静剤あるいは睡眠剤
F14	コカイン
F15	カフェインを含む他の精神刺激剤
F16	幻覚剤
F17	タバコ
F18	揮発性溶剤
F19	多剤使用および他の精神作用物質

(文献1を基に作成)

アクティブラーニング 1 DSM-5で「物質関連障害および嗜癖性障害群」について調べてみよう。

補足

2018年にICD-11が発表され，2022年に発効されている。現時点で新病名案として，物質使用症障害群あるいは嗜好行動症群，物質使用疾患群あるいは嗜癖行動疾患群などの和訳があるが，そのなかにアルコール・精神作用物質は示されておらず，適用作業を進めている状況である。

アルコール依存

アルコールには精神的不安をとり除き，緊張をやわらげ，精神的抑制を解除し，気分を高揚させ上機嫌をもたらす精神作用がある。そのため快感を求めたり，不快な感情から逃れるために再び快感を求めて周期的，持続的そして習慣的に摂取する状態を**アルコール依存**という。

「依存」は**精神的依存**と**身体的依存**に区分される。精神的依存は快楽を求める，あるいは不快を避けるためにアルコール摂取を継続的に行う精神衝動をいう。例えば，勤務中，飲酒のために仕事場から抜けるなどの逸脱した行動がこれにあたる。身体的依存は常習飲酒を中止したときに現れる**離脱症状**[*1]の苦痛から逃れようとすることにより，飲酒をコントロールできなくなった状態をいう。

*1 **離脱症状**
アルコールや薬物の中止によって現れる身体の異常徴候を指す。例えば，飲酒を中止したときに血中のアルコール濃度が低下したために強い脱力感，手指の振戦，頻脈，発汗などの症状が現れる。

2 アルコール・薬物依存症の評価項目

補足

アルコール依存への作業療法では，病期の特徴，評価，目的，依存の耐性，対応，自助グループ，支援方法などを押さえておく必要がある。

作業療法導入時には，対象者と作業療法の目的や方法について十分なオリエンテーションなどの説明と同意取得を行い，作業療法への**参加動機**を明確にする。また，作業療法開始時は，**離脱症状後のイライラ感**に十分な配慮と対処が必要である。

対象者は，依存症以外にもさまざまな付随する問題を有している場合があるので多方面からの評価が必要である。評価のための情報は，主にカルテより収集するとともに対象者本人からの面接聴取と行動観察により**表2**の6つの項目について収集を行う。

表2 情報収集

項目	内容
合併症の有無と身体機能状態	アルコール関連身体疾患の状態の把握(特に内部障害，栄養障害による運動障害，感覚障害)，バイタルサイン，基礎体力の程度，歩行の状態，筋力など
現病歴	精神・身体依存の有無と程度，離脱経過，発症の機序，現在の症状(アルコール幻覚症，アルコール性妄想，健忘症候群，フラッシュバック)，治療歴と治療内容など
生育歴と家族関係	人生で遭遇した出来事での対処行動，生活の変化，対人関係パターン，家族との関係，物質使用障害の形成と継続に関与している家族要因，家庭や社会的役割など
職歴と経済状態	現在の職業と雇用状態，アルコールと職業の関係，転退職の有無と理由，経済的な安定性など
精神機能状態	気分・感情面(易刺激性，自己中心性，情動の不安定さ)，思考・認知面(行動に影響する思考や認知の程度，否認や認知の偏り)，見当識，理解力，注意・集中力，判断力，持続力，性格傾向，耐性の程度など
社会的機能状態	日常・社会生活活動能力，対人技能，社会・集団適応力，作業遂行能力，社会復帰への意識など

3 アルコール・薬物依存症の評価の留意点

作業療法参加型臨床実習に向けて

作業療法開始時の評価にあたって，事前にカルテより基本的情報を収集しておく。対象者の離脱症状後のイライラ感に配慮する。依存症以外の問題(普段の対人関係や課題遂行状態，家族関係など)を有している場合があるので多方面からの評価が必要である。

＊2 防衛機制

受け入れがたい事や危機的状況に対して自分の精神状態を安定させ，自分を守るための無意識的な働き。

■検者の姿勢

作業療法開始時は検者の不用意な発言が対象者へイライラ感を与えたりする。検者は対象者特有の**自己顕示性**，**攻撃性**，**依存性**などを十分理解し対処する必要がある。

■否認の問題

アルコール依存症者は，自分がアルコール依存症であることや問題飲酒であることを認めようとしない。これが**防衛機制**[＊2]として理解される否認である。この否認が病気と向き合う大きな障壁となる。

■特有な行動の理解と対処

防衛機制から生じる頑張り，つっぱり，割り切り，惚れ込みなど特有の行動が起こる。検者は巻き込まれないように適切な対人距離をとりながら評価することが必要である。

4 アルコール・薬物依存症の評価

アルコール依存症の評価法として，久里浜式アルコール症スクリーニングテスト(Kurihama alcoholism screening test：KAST)がある。KASTは近年改定され，**新久里浜式アルコール症スクリーニングテスト(Kurihama alcoholism screening test, revised version：新KAST)**が使用されている(**表3**)。新KASTは，最近6カ月間の飲酒に関する問題行動や離脱の症状に関する質問の得点をもとに，アルコール依存の程度を評価する自己診断法である。新KASTは旧KASTの重み付け点数を廃して，すべての項目が1点となっている。**男性版(KAST-M)**と**女性版(KAST-F)**があり，男性版は10項目からなり，4点以上だと「アルコール依存症の疑い」，1～3点は「要注意」と判定される。女性版は8項目からなり，それぞれ3点以上，1～2点がそれぞれ「アルコール依存症の疑い」「要注意」と判定される。

試験対策 Point

アルコール依存症者への作業療法で最も重要なことは何かを考えてみよう。

表3 新KAST

男性版(KAST-M)

項目	はい	いいえ
最近6カ月の間に次のようなことがありましたか。		
1)食事は1日3回，ほぼ規則的にとっている	0点	1点
2)糖尿病，肝臓病，または心臓病と診断され，その治療を受けたことがある	1点	0点
3)酒を飲まないと寝付けないことが多い	1点	0点
4)二日酔いで仕事を休んだり，大事な約束を守らなかったりしたことが時々ある	1点	0点
5)酒をやめる必要性を感じたことがある	1点	0点
6)酒を飲まなければいい人だとよく言われる	1点	0点
7)家族に隠すようにして酒を飲むことがある	1点	0点
8)酒がきれたときに，汗が出たり，手が震えたり，イライラや不眠など苦しいことがある	1点	0点
9)朝酒や昼酒の経験が何度かある	1点	0点
10)飲まないほうがよい生活を送れそうだと思う	1点	0点
合計点		点

合計点が4点以上：アルコール依存症の疑い群
合計点が1～3点：要注意群(質問項目1番による1点のみの場合は正常群)
合計点が0点：正常群

女性版(KAST-F)

項目	はい	いいえ
最近6カ月の間に次のようなことがありましたか。		
1)酒を飲まないと寝付けないことが多い	1点	0点
2)医師からアルコールを控えるようにと言われたことがある	1点	0点
3)せめて今日だけは酒を飲むまいと思っていても，つい飲んでしまうことが多い	1点	0点
4)酒の量を減らそうとしたり，酒を止めようと試みたことがある	1点	0点
5)飲酒しながら，仕事，家事，育児をすることがある	1点	0点
6)私のしていた仕事をまわりの人がするようになった	1点	0点
7)酒を飲まなければいい人だとよく言われる	1点	0点
8)自分の飲酒についてうしろめたさを感じたことがある	1点	0点
合計点		点

合計点が3点以上：アルコール依存症の疑い群
合計点が1～2点：要注意群(質問項目6番による1点のみの場合は正常群)
合計点が0点：正常群

(文献2を基に作成)

5 Case Study

アルコール依存症と診断された40歳代男性，Aさんの事例を紹介する。

■情報収集

Aさんの基本情報を**表4**に，他部門から得た情報を**表5**に記載する。

表4 基本情報

氏名，年齢，性別	Aさん，40歳代，男性
診断名	アルコール依存症
家族	妻，両親との4人暮らし
仕事	住宅メーカーの営業マン
性格	依存的
経過	・大学卒業後，仕事を転々と繰り返すという職業上の不適応があった ・30歳代後半から客からの注文がとれないなど仕事のストレスのために飲酒量が増え，40歳ごろから脂質異常症と肝機能障害が認められた ・年末年始に連続飲酒となり，妻と両親に付き添われて精神科を受診 ・アルコール専門病棟へ入院し，2週目に作業療法開始

表5 他部門からの情報収集

主治医	・体力の低下が認められるので，基礎体力の回復を期待する ・否認の意識がやや強いので配慮すること ・離脱症状軽快後でイライラ感に伴う不満がある ・作業療法室からの離室にも注意
看護師	・日常生活活動(ADL)の自立を期待する ・身体的，精神的に自分自身の安全を確保できることを期待する ・今までの自分の生き方，将来の見通しについての肯定的な面を表現でき，価値ある自分を明らかにすることができることを期待する
精神保健福祉士	・家族は治療に協力的 ・家族指導とともに当事者に自助グループへの参加指導を行う予定

■作業療法初期評価

入院してしばらくは，内部障害や栄養障害などの身体機能障害の回復と離脱症状に対する治療が行われた。急性期での作業療法は，回復期への練習・指導に向けた動機付けとしてかかわることとした。初対面での面接では，特有の自己顕示性，攻撃性，依存性などに加え離脱後のイライラ感に慎重な対処が求められた。また，作業療法のオリエンテーションにおいても，作業参加の目的を適切，具体的に説明し作業参加への動機付けを明確にした。

その後，離脱症状が改善した時期には，Aさんの行動体力を確認するため，身体機能の評価や作業に対する精神的耐性，身体的耐性，作業遂行能力，対人特性パターンなどを評価した。また，集団観察として作業集団での交流や他者との協力が必要な場面を設定し，集団内での協調性などを評価した。

評価については，体力テスト（握力，脚力，バランス，柔軟性，敏捷性など），行動体力（エアロバイクを用いた持久力の程度），基礎代謝（体組成計を用いて筋肉量や骨密度などを確認），日常生活観察リスト，対人パターンチェックリスト，作業遂行機能評価表とチェック表，社会参加能力観察リストを実施した。

国際生活機能分類（ICF）を図1に記載する。ICFを通して，生活リズムの不調和，基礎体力の低下，自信の欠如，周囲との不調和，アルコール依存への否認，自助グループへの方向付けなどの改善点が明らかとなった。

図1 ICF

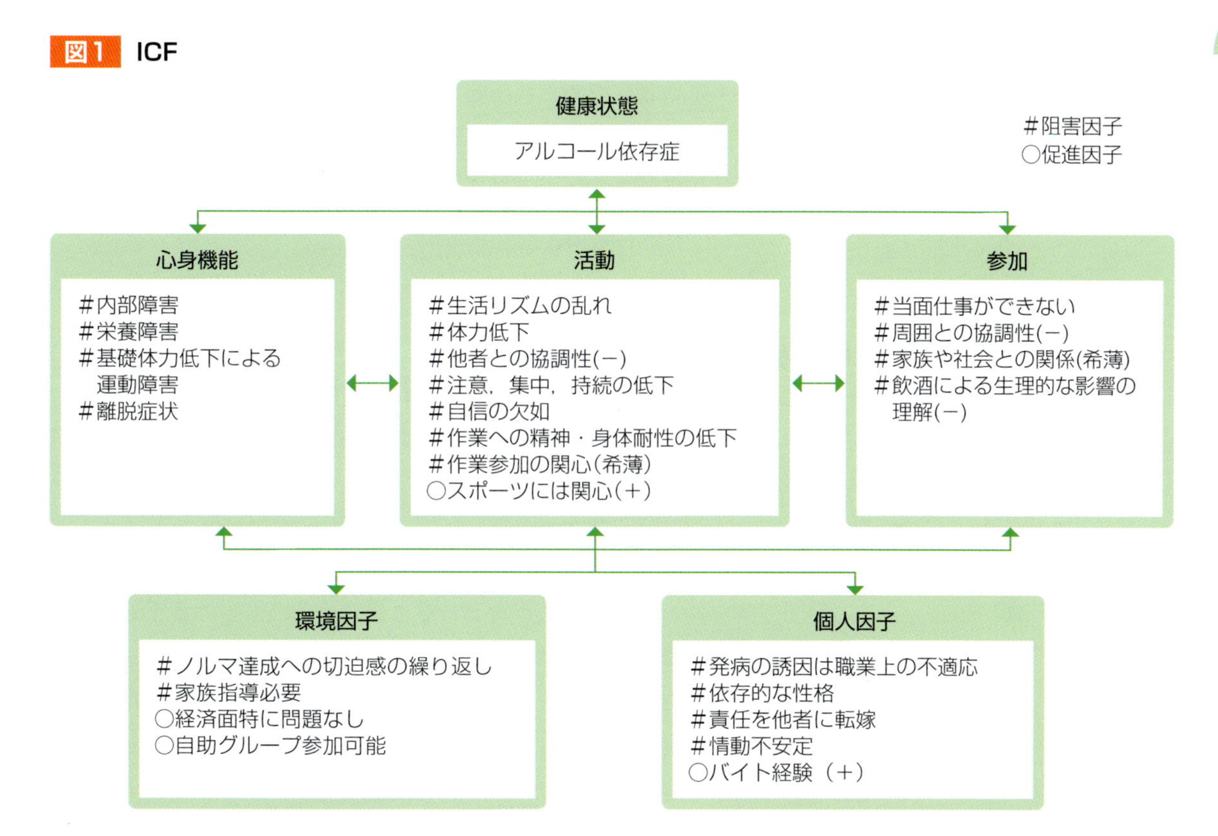

アクティブラーニング② 主治医より否認の意識がやや強いことや，作業療法室からの離室に注意することの情報共有があった。どのような対処が必要か考えてみよう。

目標

● リハビリテーションゴール

家族の支えによる職場復帰をリハビリテーションゴールとした。

● 長期目標

退院後の生活を見据えた規則正しい生活リズムの獲得，生活指導，そして趣味の育成，自助グループ参加への方向付けが長期目標として挙げられる。

● 短期目標

基礎体力の回復，自信の回復，Aさんのアルコール依存否認の打破，作業集団における仲間意識の形成が短期目標として挙げられる。

■作業療法プログラム

離脱後の全身的な基礎体力の回復，さらに欲求発散を目的に週2回の軽いスポーツとレクリエーションを導入した。その後，作業参加に慣れるに従い数人程度の小集団(陶芸，グループミーティング)，そして数十人の大集団(スポーツ)といった集団作業療法を組み入れた。

作業導入初期は，依存したい欲求と見捨てられる不安に対する防衛がみられた。徐々に他者に認められ必要とされることを求めて，治療者に従順な態度や作業に対する過度な頑張りなどアルコールへの依存の否認を含む異様な強がりをみせていたが，普通の努力でよいと助言をすると徐々に受け入れていった。その後，スポーツなどを通して他者との協調性が養われていった。

● 開始2カ月後

退院後の生活について，家族の受け入れや復職といった現実的な課題に目を向けるようになった。また，自分のありのままの能力で他者と付き合い，生活していく意識がもてるようになった。

● 終了時

集団作業を通して仲間意識が向上したこと，自分のありのままの能力を表出できたことで他者との付き合いが楽になったことなどを振り返り，自分が回復した努力を評価することができた。退院に向け，自助グループへの参加を促し，退院後の生活に対する助言指導を受ける必要性を説明した。

Case Study

Question 1

家族指導とともにAさんへの自助グループ参加に向けた提案について考えてみよう。

☞ 解答 p.512

【引用文献】
1）疾病及び関連保健問題の国際統計分類（International Statistical Classification of Diseases and Related Health：ICD）（厚生労働省，2013）（https://www.mhlw.go.jp/toukei/sippei/）（2022年1月時点）．
2）斎藤　学，ほか：久里浜式アルコール症スクリーニングテスト（KAST）とその応用．アルコール研究，13：229-238，1978．

【参考文献】
1. 鷲田孝保 編：作業療法士 イエロー・ノート専門編，メジカルビュー社，2008.
2. 山口芳文 編：作業療法学ゴールド・マスター・テキスト6 精神障害作業療法学，メジカルビュー社，2010.
3. 田端幸枝 著，小林夏子 編：標準作業療法学専門分野 精神機能作業療法学，p101-110，医学書院，2008.
4. 山根　寛：精神障害と作業療法，第3版，p322-327，三輪書店，2010.

チェックテスト

Q

①精神作用物質について説明せよ（☞p.493）。 基礎
②身体依存と精神依存について説明せよ（☞p.493）。 基礎
③離脱症状について説明せよ（☞p.493）。 基礎
④アルコール依存症の作業療法実施の留意点を挙げよ（☞p.494）。 基礎
⑤アルコール依存症の評価を挙げよ（☞p.495）。 基礎
⑥アルコール依存症の作業療法の目標を述べよ（☞p.497）。 基礎

評価事例

17 がん(悪性腫瘍)

目良幸子

Outline

●悪性腫瘍の評価の目的は，対象者の現在の身体能力と活動能力を評価すること，悪性腫瘍の病状の進行による心身の状態と進行ステージを把握することである。

1 がん(悪性腫瘍)とは

がん(悪性腫瘍)は日本人の死亡原因の1位を占め(**表1**)，高齢化とともに罹患率も増加する。がんサバイバといわれるがんを経験して生活する人，がんと共存して生活する人も増加し，男性の2人に1人，女性の3人に1人が一生のうちにがんを経験するとされる。

このように非常に身近な疾患であるが，がんには死に至る病，痛みが激しくどんどん進行する怖い病気とのイメージがあり，診断・告知の段階から対象者とその家族は大きな心身のストレスを経験する。また検査や治療の副作用や合併症，**転移**[＊1]や**再発**[＊2]・**再燃**[＊3]の不安，経済的問題など身体面のみでなく心理・社会的問題を抱えることになる。

■がん対策基本法と緩和ケア

このような状況に対して予防，治療，療養生活などの多面的な取り組みを行うために2007年に『がん対策基本法』が制定された。がん対策基本法により緩和ケア病棟(ホスピス)をもたない病院内でも，がん早期から，**緩和ケア**[＊4]の実施がなされ，**緩和ケアチーム**[＊5]の活動が推進されるようになった。この緩和ケアチームのメンバーとして作業療法士や理学療法士が協働することが多くなっており，併せてがんリハビリテーションの知識や技術も注目されるようになってきた。

がんと診断されて作業療法が処方された場合には，がんという疾患の特性を知り，原発巣のがんの分類や種類の特徴，今までそのような経過をたどってどのような治療を受けてきたのか，現在の病期・症状，再発や転移の有無，今後どのような治療が予定され副作用にはどのようなことが予測されるかを理解することが必要である。

表1 日本人の死因

1位	悪性新生物(腫瘍)
2位	心疾患
3位	老衰
4位	脳血管疾患
5位	肺炎

(文献1を基に作成)

＊1 転移
がん細胞が血液やリンパ液に乗り，別の臓器や器官へ移動して増殖すること。特に，リンパ節への転移，肺，肝臓，脳，骨など血液の流れが豊富な場所への転移(血行性転移)がよくみられる。

＊2 再発
治療が効果を上げたように思われた後に，がんが再び大きくなったり，同じがんが別の部位にできること。

＊3 再燃
血液やリンパのがん，前立腺がんなどが再び活発になること。

＊4 緩和ケアの定義(World Health Organization：WHO，2002年)
緩和ケアとは，生命を脅かす疾患による問題に直面している対象者とその家族に対して，早期より痛み，身体的問題，心理社会的問題，スピリチュアルな(霊的，魂の)問題に関して適切に評価を行い，それが障害とならないように予防したり対処したりすることで生活の質(quality of life：QOL)を向上させるためのアプローチである。

＊5 緩和ケアチーム
対象者や家族の痛み，身体症状，不安，抑うつなどの精神症状に対して，主治医や看護師と協力しながら対応する専属チームである。腫瘍内科(メディカルオンコロジスト)，専門の教育を受けた看護師(オンコロジナース)，緩和ケアの経験を有する薬剤師が，主治医が行う化学療法や放射線治療などのがんへの治療と併行して心身両面のケアを行う。必要に応じて栄養士，作業療法士，理学療法士，医療ソーシャルワーカーなどと連携する。

■がんの症状

悪性腫瘍(がん)は悪性新生物ともいわれ，身体の各所で細胞が異常に増殖することで正常組織を圧迫したり浸潤してその機能を侵し，異常な内分泌により機能を障害したりする。また身体各部に転移して増殖し，無制限に栄養を消費して生命を脅かす腫瘍である。

表2 がんの部位別死亡率(2021年)

	男性	女性
1位	肺	大腸
2位	大腸	肺
3位	胃	膵臓
4位	膵臓	胃
5位	肝臓	乳房

(文献1を基に作成)

■がんの分類

がんの細胞組織による分類において，体表や体腔内面の上皮細胞から生じるものを「がん腫」とよび，これが全体の約90%を占める。これはさらに扁平(へんぺい)上皮がん，腺がん，未分化がんに分類される。残りの10%の筋肉や神経組織，骨など上皮細胞以外に発生する悪性の骨軟部腫瘍を「肉腫(サルコーマ)」という。**表2**にがんの部位別死亡率を示す。

試験対策 Point

本項では作業療法士がかかわる臓器のがんとして，脳腫瘍，乳がん，肺がんを取り上げている。その他のがんとして，骨軟部組織のがん(悪性の骨軟部腫瘍を肉腫)などが挙げられる。骨の肉腫の代表的なものとして骨肉腫，軟骨肉腫，ユーイング肉腫などをおさえておこう。

アクティブラーニング ① 骨肉腫の発生しやすい場所は，どこか調べてみよう。

＊6 stage(ステージ)

最初に発生したがんを原発がんというが，そのがんが早期であればがん自体も小さい。早期がんはstage Ⅰで末期がんはstage Ⅳとなる。stageが進むに従い生存率は低くなる。原発がんが転移することで進行がんとなる。

■がんの病期(stage[＊6])

病期はがんの進行度を示す指標である。がんの場所，大きさ，広がり，病理診断によるがんの組織の性質など病期の経過に影響を及ぼす因子を組み合わせることによって病期が決められる。病期分類はがんの種類によって異なるだけでなく，治療の前後で判定方法が異なったり，また国によって違う方法が採用されたりする。

■tumor，node，metastasis(TNM)分類

国際対がん連合による病期分類の1つである。3つの要素によって病期を決定する。

stage(病期)は，TとNとMの3つの要素で決定される。Tは腫瘍(tumor)のことで，腫瘍そのものの状態をT0～T4の段階で表す。Nは節(node)のことで，リンパ節への腫瘍の広がりをN0～N3の段階で表す。Mは転移(metastasis)のことで，がんがもともと発生した臓器を出て，ほかの臓器に転移しているかどうかをM0～M1cの段階で表す。TとNとMの3つの因子を組み合わせて，0～Ⅳ期までの5つに分類し，数字が小さいほどがんが小さくとどまっていることを意味する。

補足

がん診断に使われる検査

- X線撮影(マンモグラフィー)
- computed tomography(CT)
- magnetic resonance imaging (MRI)
- positron emission tomography(PET)
- 超音波検査
- 内視鏡検査
- 血管造影検査
- 便潜血検査
- 喀痰(かくたん)検査
- 血液検査
- 細胞検査など

腫瘍マーカー

がんがつくり出す特定の物質(タンパク質やホルモン)を血液中から検出することで，がんの存在や再発を推測することができる。しかし早期がんでは陰性であることが多いため，がん診断には使用されない。

■ がんの治療

がんの治療は手術療法，化学療法，放射線療法の3つが主流であり，そのほかホルモン療法，分子標的治療などに分類できる。早期がんであれば単独の治療のみ実施することもあるが，多くの場合2つ以上の治療が併用される。

■ がん障害分類

がん医療の領域ではよく使用される障害分類を**表3，4**に紹介する。この分類を使うことで対象者の症状や活動状況のレベルを知ることができる。

表3 performance status(PS)

がんの症状の程度と日常生活の状況をおおまかに分類することで，がん対象者の活動レベルを5段階で示す。

0	まったく問題なく活動できる。発症前と同じ日常生活が制限なく行える
1	肉体的に激しい活動は制限されるが，歩行可能で，軽作業や座っての作業は行うことができる。例：軽い家事，事務作業
2	歩行可能で，自分の身のまわりのことはすべて可能だが，作業はできない。日中の50%以上はベッド外で過ごす
3	限られた自分の身のまわりのことしかできない。日中の50%以上をベッドか椅子で過ごす
4	まったく動けない。自分の身のまわりのことはまったくできない。完全にベッドか椅子で過ごす

表4 Karnofsky(カルノフスキー) performance status(KPS)

転移性脳腫瘍の予後や活動性をおおまかに評価する指標である。

%	症状	介助の要・不要
100 90 80	正常で臨床症状なし 軽度の臨床症状があるが，正常活動は可能 かなり臨床症状があるが，努力して正常の活動可能	正常な活動範囲 特別なケアを要しない
70 60 50	自分自身の世話はできるが正常の活動・労働をすることは不可能 自分に必要なことはできるが，ときどき介助が必要 病状を考慮した看護および定期的な医療行為が必要	労働不可能，家庭での療養可能 日常の行動の大部分に病状に応じて介助が必要
40 30 20 10 0	動けず適切な医療および看護が必要 まったく動けず入院が必要だが死は差し迫っていない 非常に重症，入院が必要で精力的な治療が必要 死期が切迫している 死	自分自身のことをすることが不可能，入院治療が必要

2 がんのリハビリテーション

表5は，がんのリハビリテーションについて，どのような時期にどのよ

うな目的で実施されるかを示している。対象者がどの時期に当てはまり，処方目的は何か，対象者と家族は何を希望しているかを確認する。

がんはその分類，種類，発生の部位，治療などによりさまざまな障害を引き起こす。がんのリハビリテーションの対象となる障害を表6に示す。作業療法の対象者がどのような障害を抱えているかを評価することが必要となる。

作業療法参加型臨床実習に向けて

がんのリハビリテーションは，病期(stage)によって異なる。作業療法では病期stage Ⅳへと進行しても対象者に寄り添いながら，対象者が「大切にしていること」を最後までできるようにすることが求められる。

表5 がんのリハビリテーション

予防的(preventive)	がんの診断の早期に開始。機能障害の予防を目的とする
回復的(restorative)	機能障害，能力低下のある対象者の最大限の機能回復を図る
維持的(supportive)	腫瘍が増大し，機能障害が進行しつつある対象者のセルフケア，運動能力を維持・改善することを試みる。自助具の使用，動作のコツ，拘縮，筋力低下，褥瘡など廃用予防も含む
緩和的(palliative)	終末期のがん対象者に対して，そのニーズを尊重しながら，身体的・精神的・社会的にもQOLの高い生活が送れるように援助する

(文献2を基に作成)

表6 がんのリハビリテーションの対象となる障害の種類

がんそのものによる障害	**がんの直接的障害** ・骨転移 ・脳腫瘍(脳転移)に伴う片麻痺，失語症など ・脊髄・脊椎腫瘍(脊髄・脊椎転移)に伴う四肢麻痺，対麻痺など ・腫瘍の直接浸潤による神経障害(腕神経叢麻痺，腰仙部神経叢麻痺，神経根症)，疼痛 **がんの間接的影響(遠隔効果)** ・がん性末梢神経炎(運動性・感覚性多発性末梢神経炎) ・悪性腫瘍随伴症候群(小脳性運動失調，筋炎に伴う筋力低下など)
主に治療の過程においてもたらされる障害	**全身性の機能低下，骨髄抑制[*7]，廃用症候群** ・化学・放射線療法，造血幹細胞移植後 **手術** ・骨・軟部腫瘍術後(患肢温存術後，四肢切断術後) ・乳がん術後の肩関節拘縮 ・乳がん・子宮がん手術(腋窩(えきか)・骨盤内リンパ節郭清)後のリンパ浮腫 ・頭頸部がん術後の嚥下・構音障害，発声障害 ・頸部リンパ節郭清後の肩甲周囲の運動障害 ・開胸・開腹術後の呼吸器合併症

＊7 骨髄抑制

がん治療の副作用やがんそのものによって骨髄の働きが低下している状態を指す。薬物療法で使われる一部の薬や放射線治療により，骨髄が影響を受けることで血液細胞をつくる機能が低下する。血液細胞のうち白血球が減少すると感染症，赤血球が減少すると貧血，血小板が減少すると出血などが起こりやすくなる。

■ 基本的情報収集

対象者自身とその背景について基本的な情報を収集することで対象者の全体的理解を進める(表7)。

表7 情報収集する項目

個人情報	生活歴，役割，趣味，宗教，性格など
対象者背景	家族構成とその状況，住環境，職業，社会的役割，社会資源の利用についてなど
現病歴，既往歴	現在までの治療に関する情報，対象者や家族の病気に対する考え方
身体機能	全身状態(栄養状態を含む)，麻痺の有無，疼痛の有無，感覚，関節可動域(ROM)，筋力，協調性，四肢周径など
心理・精神機能	認知機能，高次機能，不安・抑うつの有無など
日常生活活動(ADL)	セルフケア，生活関連動作の状況
生活の質(QOL)	全人的理解

■痛みの評価

痛みは最もつらい症状の1つである。疼痛コントロールはがん治療のなかで優先課題となる。疼痛コントロールを行うのは主治医，看護師，緩和ケアチームメンバーである。作業療法士は対象者の痛みの状態や練習中の治療と，痛みがどの程度コントロールされているかを把握しておく。

練習時間の設定は原則として痛みのない時間を選択するが，練習開始前にあらかじめレスキュードーズ(即効性の鎮痛薬)を服用して，痛みの少ない状況で動作を行う場合もある。

練習の開始時にはまずその日の全身状態，痛みの状況を確認する。口頭でのコミュニケーションが可能ならば「今の痛みはどの程度ですか？」と質問する。numerical rating scale(NRS)は11段階で痛みの程度を表現する。

補足

NRS，FSについてはp.361を参照してほしい。

口頭で痛みの程度の表現をやりとりすることが困難な場合には，ビジュアルスケールを使用する。アナログスケールは線の位置を示すことで痛みの強さを，face scale(FS)は現在の痛みと気分を顔の表情から選んでもらう評価である。

認知機能に問題がありコミュニケーションが困難な場合は，顔をゆがめる，眉をひそめる，うなる，身体に力が入る，叫ぶ，涙する，イライラするなどの様子を観察して，痛みが原因になっていないかを確認する。痛みの程度が強く，不快であるときには無理をせずに練習を休止することが必要である。痛みの閾値に影響する因子を**表8**にまとめた。

表8 痛みの閾値に影響する因子

閾値の低下因子	・不快感 ・疲労 ・恐怖 ・抑うつ	・不眠 ・不安 ・悲しみ ・孤独感
閾値の上昇因子	・症状の緩和 ・休息 ・理解 ・気晴らしとなる行為	・睡眠 ・他者の共感 ・人とのふれあい ・気分の高揚

3 がんの部位別評価

■脳腫瘍

原発性脳腫瘍[*8]と**転移性脳腫瘍**[*9]に分類できる。発生部位，好発年齢，臨床症状，予後などは多彩である。脳腫瘍の局所症状は，腫瘍自体が神経を圧迫したり損傷したりするために起こる。主な症状には，運動麻痺，感覚麻痺，失調，視野障害，聴覚障害，高次脳機能障害などがある。頭蓋内圧亢進症による症状として腫瘍が頭蓋内で大きくなることで頭痛，吐き気，嘔吐，意識障害などがみられる。

脳腫瘍の評価項目を**表9**に示す。

＊8 原発性脳腫瘍
脳の細胞や脳を含む膜，脳神経などから発生した脳腫瘍である。良性と悪性に分かれ，正常組織との境界が明瞭な腫瘍は比較的良性であり，周囲の組織にしみ込み正常組織との境界が明瞭でない腫瘍は悪性である。

＊9 転移性脳腫瘍
他の臓器で生じたがん（肺がんや乳がん，大腸がんなど）が血液の流れによって脳に転移したもの。

表9 脳腫瘍評価

- 発生部位と種類
- 病期
- 転移の有無
- 治療歴と今後の治療方針
- 予測される副作用
- 身体症状：片麻痺，四肢麻痺，感覚障害，嚥下障害，構音障害など
- 精神症状：高次機能障害，認知機能障害，感情や性格の変化など
- ADL

■乳がん

乳がんの多くは乳腺と乳管から発生する。症状としてしこり，引きつれ，血の混じった分泌液，まれに腕のむくみやしびれが起こる。30～50歳代の女性に多く発症する。この世代は家庭や社会での役割も大きい。外科治療に伴い乳房を損なう心理的な傷つきへの配慮も必要となる。

また，乳がんの術後に起こるリンパ浮腫に対しては，その予防，早期発見，重症化を防ぐ対応が必要である。

乳がんの評価項目を**表10**に示す。

補足

乳がん検診：乳房X線検査（マンモグラフィ）単独法
片方ずつ乳房をプラスチックの板で挟み撮影する方法。乳房が板で圧迫されるため痛みを感じることがある。この検査で乳房に存在する小さな「しこり」を見つけることができる。乳がん検診が推奨されるのは，40歳以上の症状のない女性である。

表10 乳がん評価項目

- 上肢機能評価
- ROM
- 筋力
- 感覚
- 疼痛
- 炎症の有無
- 皮膚の状態
- 発汗障害の有無
- リンパ浮腫の有無と可能性（**表11**）
- ADL，手段的日常生活活動（IADL）

表11 慈恵リンパ浮腫評価スケール

浮腫（むくみ）のある方に腕について質問します。
あなたの自覚症状がどれくらい良いか悪いかを表現してもらうため目盛りのないものさしを書きました。あなたが想像できる最も悪い状態を0（左端），あなたが想像できる最も良い状態を100（右端）とします。それぞれの時点でのあなた自身の症状がどれくらい良いか悪いか，ものさしの上に縦線で示してください。

むくみのあるほうの腕の使いやすさ	0 ├──────┤ 100
むくみのあるほうの腕の感覚	0 ├──────┤ 100
むくみのあるほうの腕の見た目	0 ├──────┤ 100
腕のむくみによる精神的苦痛	0 ├──────┤ 100
むくみのない状態と比較した総合的な評価	0 ├──────┤ 100

（文献3より引用）

評価事例

補足

肺がん検診：胸部X線検査と喀痰細胞診（喫煙者のみ）
胸部X線検査は，胸のX線撮影を行い痰に含まれる細胞を調べる検査である。喀痰細胞診は，痰の検査で50歳以上の喫煙指数（1日の喫煙本数×喫煙年数）が600以上の人に推奨され。肺がん検診が推奨される年齢は40歳以上の健常者である。

■肺がん

肺がんは肺，気管支，気管に発生するがんで，男女ともに罹患率，死亡率が高く5年生存率は低い。早期には無症状のことがあり，発見が遅れることがある。肺がんの症状には咳，痰，血痰，胸痛，息切れ，嗄声（させい）などがある。

肺がんの評価項目を**表12**に示す。

表12 肺がん評価

- 肺機能・呼吸機能評価
- 全身状態
- 栄養状態
- 胸郭の可動性
- 転移の有無
- 疼痛
- 経皮的酸素飽和度（パルスオキシメータでの測定）
- 呼吸困難感（修正Borg（ボルグ） scale，p.130参照）

4 がんの作業療法の目的

作業療法の目的は対象者のもつ能力を最大限に引き出し，可能な限り日常生活を自立して送ることができるように援助することにある。

作業療法の役割を**表13**に示す。

表13 作業療法の役割

- 安楽な休息のための援助
- 適度な活動のための援助
- 日常生活の自立を図り介助を軽減する
- 身体機能の維持と向上
- 精神機能の安定を賦活
- 外出や自宅での生活水準と支援
- 復職の準備となる活動の提供
- 家族や介護者への指導，援助

作業療法参加型臨床実習に向けて

①脳腫瘍，肺がん，乳がんの症状を理解できているか確認しよう
②症状の確認ができたら，症状に対する作業療法士が行える検査測定の項目を列挙しよう
③列挙した検査測定を実際に学生同士で確認し合おう
④実際の臨床場面（対象者）で観られる症状は，さまざまである。作業療法士に追従し対象者をよく観察しながら，上記項目①と②をしっかり確認しよう
⑤作業療法士の指導の下，対象者に触れることができる場合は脳腫瘍は筋緊張の確認を，乳がんは皮膚の張りを確認をするとよい

5 Case Study

40歳代の女性，Aさんは身体を拭いている際に右乳房の脇側にしこりを感じ，近くの産婦人科を受診した。マンモグラフィー検査で2cmほどのしこりが認められ，総合病院で生検・病理検査を行いがんであることが明らかとなった。進行の程度はstage I（T1N0M0）であった。当初腋窩（えきか）リンパ節の転移は認められず，医師に早期対応として乳房温存手術を勧められ手術を行った。手術の結果「右手が腫れて重く感じられ，手を高く上げれない」と訴えがあり，作業療法の依頼が出た。

作業療法評価の結果，右肩関節の可動域は屈曲120°，外転90°，伸展10°

で他動的に動かした際に皮膚の張りがあり，腋窩部に痛みが生じていた。その他の関節に可動域制限はなかった。筋力は保たれていたが，肩から手にかけて浮腫があるため手をわずかにしか挙上することができなかった。

Case Study

Question 1

Aさんのがんの進行の程度はstage Iであった。がんの進行程度のstageは何段階あるか。

☞ 解答 p.512

Question 2

Aさんはマンモグラフィの検査，生検・病理検査を受けた。その他にどのような検査があるか。

☞ 解答 p.512

Question 3

Aさんはリンパ浮腫が認められた。浮腫を評価する方法として何が挙げられるか。

☞ 解答 p.512

（「5 Case Study」と「Question 1〜3」は山田英德による）

【引用文献】
1）令和3年（2021）人口動態統計年報（概数）の概況（厚生労働省，2022）（https://www.mhlw.go.jp/toukei/saikin/hw/jinkou/geppo/nengai21/dl/gaikyouR3.pdf）（2022年7月時点）.
2）Diez JH：Rehabilitation of the cancer patient, Med Clin North AM. 53(3)：607-624, 1969.
3）吉澤いづみ：上肢リンパ浮腫治療の概論－具体的アプローチについて．OTジャーナル，44(9)：920-925, 2010.

【参考文献】
1. 脳腫瘍＜成人＞について（がん情報サービス，2019）（https://ganjoho.jp/public/cancer/brain_adult/print.html）（2022年7月時点）.
2. 乳がん検診について（がん情報サービス，2019）（https://ganjoho.jp/public/pre_scr/screening/breast.html）（2022年7月時点）.
3. 肺がん検診について（がん情報サービス，2019）（https://ganjoho.jp/public/pre_scr/screening/lung.html）（2022年7月時点）.

チェックテスト

Q

①骨転移が起こりやすいがんには，何が挙げられるか。また，転移が起こりやすい部位はどこか述べよ（☞p.500）。 基礎
②TNM分類について説明せよ（☞p.501）。 基礎
③腫瘍マーカーとは，何か説明せよ。また，脳腫瘍，肺がん，乳がんの腫瘍マーカーを挙げよ（☞p.502）。 基礎
④原発性脳腫瘍と転移性脳腫瘍について説明せよ（☞p.505）。 基礎
⑤乳がん検診について説明せよ（☞p.505）。 基礎
⑥肺がん検診について説明せよ（☞p.506）。 基礎

1 脳血管障害① 急性期

Question 1

AさんはBRSⅠ Ⅰ Ⅲであり，弛緩性麻痺を呈していた。左肩に一横指半の亜脱臼を認めており，加えて重度の感覚障害と右半側空間無視により患手管理が不十分な状態であった。そのため，今後のADLへの影響も考慮し，肩を痛めないようなポジショニングを病棟と実施する必要があった。

- ベッド上：**図6**に準じて実施。背臥位では，麻痺手の重さで肩甲上腕関節の痛みが生じないように，肩甲帯の下から上腕にかけてクッションを入れ上腕骨頭の位置を確認するように病棟に伝えた。また，感覚障害と右無視があったため，麻痺手を腹部に乗せるように病棟と連携を図った。
- 車椅子乗車時：車椅子乗車時は，カットテーブルとタオルを用いた。車椅子上にカットテーブルを設置し，上腕骨頭の位置を触診しながらタオルを用いて高さを調整した。
- 移動時(歩行練習時)：歩行練習時は三角巾を活用した。弛緩性麻痺であるため麻痺側上肢の不安定感があり，肩を痛める可能性があったため練習時のみ使用した。日常場面では，肘関節の屈曲拘縮を助長したり，負担のかかる頚部の痛みが出現してしまうので，使用を控えるように病棟に伝えた。

2 脳血管障害② 回復期

Question 1

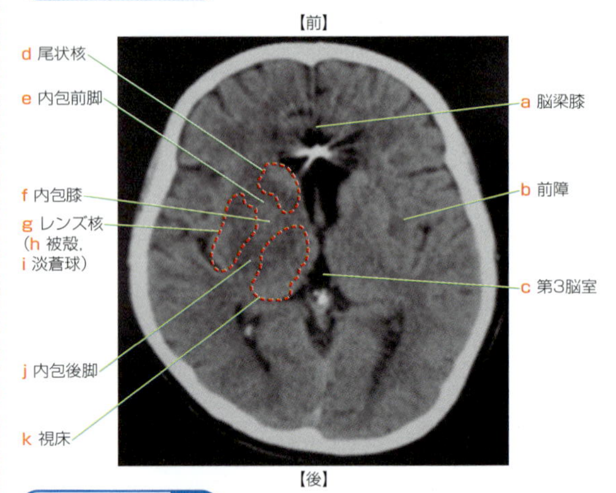

Question 2

浴室には，浴槽壁面にL字型手すりを設置，シャワーチェアーを設置，必要ならばバスボードを活用などが検討される。洗面所では，椅子の設置(転倒予防，座って更衣動作)が挙げられる。トイレでは，座って左側には既設の手すりがあるが，左片麻痺のために座って右側になるところにL字型手すりの設置が挙げられる。玄関には，玄関用手すりを設置，椅子を設置(靴の着脱時に使用)を検討される。

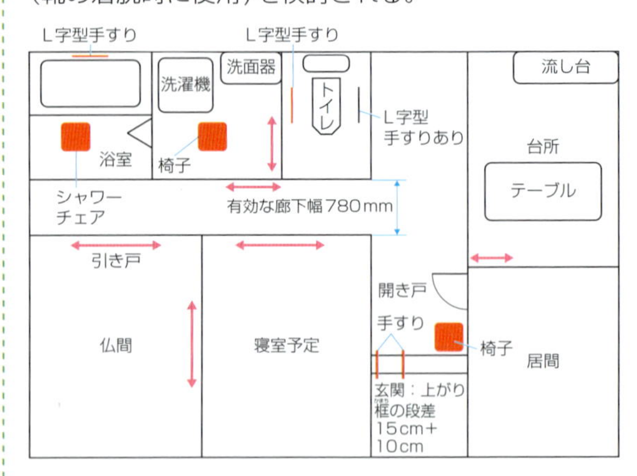

3 脳血管障害③ 生活期

Question 1

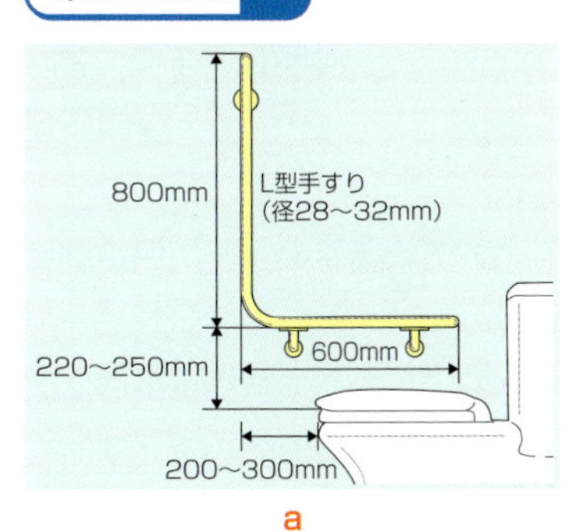

a

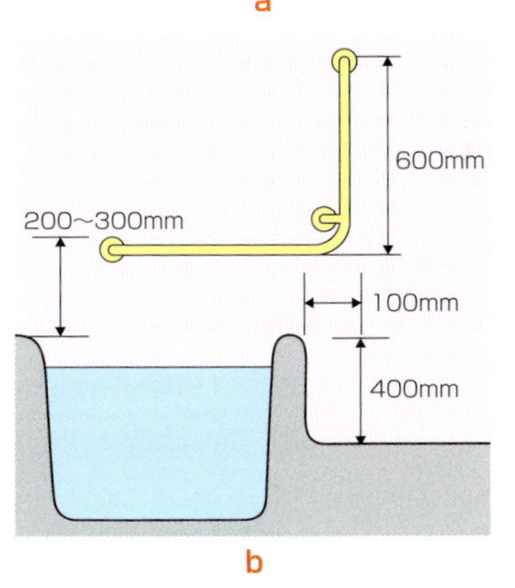

b

Question 2

4 高次脳機能障害

Question 1

半側空間無視はさまざまなADLに影響を及ぼすため，Aさんの心身機能の問題点で最も重要視すべき機能は半側空間無視である。

Question 2

Aさんの改善すべき活動レベルの項目については転倒，外傷リスクを伴う項目となる。具体的には車椅子からベッドへの移乗動作などが挙げられる。

5 パーキンソン病（神経難病）

Question 1

MASは，「0，1，1+，2，3，4」の全6段階の検査である。

Question 2

安静時に出現しやすい。丸薬まるめ運動がみられる。

Question 3

立ち直り反応は，座位や立位にて対象者の体幹を不意に左右前後に揺らすことで，頸部の立ち直りや脊柱部の立ち直りを観察する。保護伸展反応は，立ち直りができないときに，とっさに手や足が出るかを診る検査である。つまり，座位にて体幹を傾けた際にまず立ち直り反応が出現し，更に傾け限界に差し掛かると，とっさに手が出て体幹が倒れることを防ぐ様子を観察する検査である。

6 関節リウマチ

Question 1

対象者の現状の生活維持のみならず長期的はQOLを確保するための取り組みを行うこと，RAのトータルマネジメント治療において，薬物療法と手術療法と同等の療法として，スプリント療法や生活支援療法を実践することが求められる。

Question 2

- 発症早期のため教育的介入：関節保護法指導（家事動作，仕事）
- 軟部組織性疼痛治療：徒手療法，スプリント療法，関節保護法
- 変形進行予防：徒手療法，スプリント療法，関節保護法
- 身体機能維持改善：徒手療法，自主トレーニング方法指導
- ADL，IADL，QOLの確保：家事動作，仕事，趣味的活動を継続するためのマネジメント

Question 3

手関節の軟部組織性疼痛軽減及び尺側偏位予防目的に，動的スプリントを導入する。手指のPIP関節屈曲拘縮抑制を目的にセフティーピン（手指装具）導入する。室内移動時の足底の痛み軽減を目的に足袋装具導入する。家事動作実施，着付け師の継続，趣味活動の継続を目的に動的スプリント導入する。

7 脊髄損傷（C6残存機能レベル）

Question 1

腱反射検査の対象となる筋の脊髄中枢は①上腕二頭筋（C5，6），②上腕三頭筋（C7，8），③大腿四頭筋（L2～4）である。

①C5，6髄節は温存されているため上腕二頭筋腱反射は，「正常」を示す。

②C7，8髄節は損傷されているため脊髄反射弓は破綻しており，上腕三頭筋腱反射は「消失」を示す。

③L2～4髄節も脊髄自体は温存されているが，脊髄上位に損傷があるため，膝蓋腱反射は「亢進」所見を示す。

Question 2

三角筋，肩回旋筋群（棘上筋，棘下筋，肩甲下筋，小円筋），大胸筋など肩の運動に主働的に関与する筋は，C5，6髄節などからの支配を受けるものが多い。C5残存機能レベルでは，肩周囲筋の随意運動が認められるもののC6髄節以下が機能しないため，いわゆる不全麻痺状態にある筋が多い。これに対し，C5，6髄節が機能するC6残存機能レベルは肩周囲筋の麻痺程度がC5残存機能レベルよりも小さく，起き上がり動作や座位保持，移乗動作において上肢を支持的に使用することが期待できる。ただしC7残存機能レベルに比べれば，広背筋や大胸筋の筋力は弱く，プッシュアップ動作など抗重力動作に貢献するほどの肩の運動は得られない場合も少なくない。

Question 3

C6残存機能レベルでは，体幹および下肢は麻痺により機能しない。そのため，座位を保持するためには上肢による支持が必要となるが，更衣動作では衣類の操作に上肢の運動を動員することが求められる。瞬間的にでも両手または片手を床面から離すことができる程度の座位保持能力が必要になる。下衣の着脱に関しては長座位前屈位の姿勢を十分にとることができること，寝返りや起き上がり動作が自由にできることが動作遂行のアドバンテージになる。

Question 4

ベッドに対して車椅子を直角に位置づけて長座位ポジションで移乗する前方移乗動作が獲得できた場合，車椅子の座面高さに合わせた高床構造のプラットフォームを設けることにより，トイレやシャワーにおける移乗の自立度が向上することが期待できる。さらに，ベッドに対して車椅子を横付けして端座位ポジションのまま移乗する側方移乗動作が確立できれば，自動車の座席への移乗はもちろん，洋式便座への移乗動作なども獲得できる可能性が高まる。

9 廃用症候群

Question 1

作業療法プログラムを具体的に記録などで見える化し，目標に対する定期的なフィードバックや称賛に加えて集団のなかで役割を担わせた。他者との交流が自己の効力感を高め，社会参加へと繋がる。

10 認知症（アルツハイマー型）

Question 1

Aさんは専業主婦であること，几帳面であることなどの個人因子と通所プログラムの調理活動を見学した際の様子から，家事動作には興味があることが考えられた。作業療法プログラムでは調理活動の一部の作業を促しながら，自信を無くしていることが考えられるため一緒に作業をすることで安心して取り組むことが出来るようになった。

11 脳性麻痺

Question 1

どの場面で，どのように過ごすのかを想定して器具［SLB，座位保持装置，移動用車椅子，立位台（プロボード），PCW，歩行器，カーシート］作成を検討しよう。学校側で取り組める内容，実施スペースなどを事前に打ち合わせておくことが必要である。

Question 2

長時間の机上活動は姿勢的疲労，視覚的疲労，見えにくさなどさまざまな要因により上体の屈曲姿勢を助長する。教室の左右のどちらからが黒板を見やすいか，屈曲姿勢を防ぐための斜面台の導入，ノートを安定させるための滑り止めの活用など子どもの過剰努力を減らせるような環境を家族と確認し，学校へ伝達する。

14 統合失調症

Question 1

促進因子として，活動・参加からは週５日間デイケアに参加している点，色々なデイケアプログラムに積極的に参加する点が挙げられる。環境因子から家族は協力的である点，Ａさんと家族は治療方針に協力的な点が挙げられ，個人因子から性格は真面目，就労に移行する希望がある点が挙げられる。

阻害因子として，心身機能・身体構造の認知機能障害，活動と参加の疲労感が強い点が挙げられる。

15 気分障害（うつ病）

Question 1

- Ａさんと作業療法士とのかかわりを１対１にした点
- 抑うつ的な考えから距離を置くため作業活動への取り組みに意識を誘導した点
- 作業種目はＡさんが同意した簡単な工程の繰り返しで見栄えもよい実用的な作業種目にした点
- 作業活動の場をパラレルの場とした点
- 作業活動遂行上の達成で，Ａさんの心の負担（リスク）の軽減に努めた点

などが挙げられる。

16 アルコール・薬物依存症

Question 1

Ａさんには，まず断酒が必要である。家族は治療に協力的であるので，家族指導としてイネーブリング（アルコール依存者が飲酒し続けるように助長してしまう周囲の行為）を止めることなど酒害の知識を身につけるよう理解を求め，家族の自助グループへの参加やカウンセリングなどを受けさせ，話を聞いてくれる相談者をつくる。また，日常の生活習慣や生活リズムを整えるため日中の外来精神科作業療法，精神科デイケア，精神科訪問指導や地域生活支援センターの見守りを含むアウトリーチ支援など社会資源を利用し生活の立て直しが必要である。また，心理教育や認知行動療法，断酒会などの自助グループや「無名のアルコール依存者たち」の集まりであるalcoholics anonymous（AA）への参加指導など同じ仲間と話し合う場と機会が必要である。

17 がん（悪性腫瘍）

Question 1

４段階

Question 2

視診と触診，CT，MRI，PET，超音波検査，腫瘍マーカー検査

Question 3

慈恵リンパ浮腫評価スケール

4章

トピック

トピック

1 ロボットリハビリテーション

野間知一

Outline

- ロボットを用いた脳卒中片麻痺上肢リハビリテーションを理解する。
- 脳卒中片麻痺上肢ロボットリハビリテーション機器の機械的構造上の分類を把握する。

1 ロボットリハビリテーションとは

ロボットを用いた脳卒中片麻痺上肢リハビリテーションは高い注目を集めている。介入効果のエビデンス蓄積が進み『脳卒中治療ガイドライン2021』においてグレードBの推奨を受けた[1)]。また，2021年4月からロボットを用いたリハビリテーションの一部が保険適用となり普及が進んでいる。

■脳卒中片麻痺上肢ロボットリハビリテーション機器

脳卒中片麻痺上肢ロボットリハビリテーション機器は，機械的構造上から大きく分けて以下の2つに分類される。

● 単端子制御型ロボットシステム（end-effector systems）

このデバイスは装置の末端部を麻痺手の手部で把持，または末端部に手部が固定され，末端部を動かす課題を実施することや，末端部に固定された手部が動かされることで他動運動や介助運動を実現するシステムである。モニタ上に平面または3次元空間内に手部の位置が示され，目標軌道との誤差が視覚的にフィードバックされる。また誤差量を分析することで上肢機能を評価することができる。

● 外骨格型ロボットシステム（exoskeleton systems）

このデバイスは上肢全体に沿うように装着，または固定される。上肢には肩関節の屈伸および内外転，内外旋，肘関節屈伸，前腕回内外と多くの関節制御が必要であり，複雑な機械的制御機構で実現している。上肢の各関節角度や位置が直接制御されているため対象者の運動障害に合わせ，上肢運動の正確な計測や目標の運動を正確に反復することが可能となる。また，モニタ上でゲーム性をもたせた課題が設定されている場合が多く，評価として使用できる可能性がある。

補足

上肢重量免荷型ロボットシステム（arm support systems）

このデバイスはend-effector systemsの1つに含まれる。ただし一般的なEnd-effector systemsのデバイスが手部の平面上の移動を主な課題にしているが，arm support systemは目標の課題を上肢の挙上（上下運動）としている点に違いがある。片麻痺上肢は運動麻痺により上肢重量に対して挙上を実現する筋力が不足していることが多く，ケーブルで上方向に制御することで上肢重量を免荷し，さらに上方向に介助としても機能する。

アクティブラーニング ①

脳卒中片麻痺上肢ロボットリハビリテーションでは，手部を目標の位置に到達させる課題が評価として用いられるが，伝統的な作業療法ではどのような評価を担っているか考えてみよう。

2 上肢リハビリテーション評価への利用

脳卒中などの中枢神経障害後の標準的な上肢機能評価には，どこまで意図した運動ができるか評価するものや物品操作能力の程度を評価するものがある。脳卒中片麻痺上肢ロボットリハビリテーションを用いた評価は標準的な評価を補完する形で用いられることが多い。その利点として，客観的なデータとして得られることが多い点，また検者が違うことで生じる問題（評価者間信頼性の問題）が生じにくい点が挙げられる。

Case Study

プロトタイプであるが，著者らが開発に関与したend-effecter systemsに分類される上肢機能評価練習装置を利用した治療経験を紹介する。この上肢機能評価練習装置は手部を固定する手掌部支持台が水平二次元平面内を自由に動き，その位置がディスプレ上に丸い視標（手部マーカー）として目標軌道とともに表示される。対象者は目標軌道を手部マーカーで「できるだけ早く，正確に」なぞることが求められる。目標軌道とマーカー軌道との誤差面積（幾何学誤差）が軌道演算用コンピュータで計算され，上肢機能の評価として使用できる。

右頭頂連合野を含む領域に脳梗塞を発症し，軽度の運動麻痺と視覚運動失調を呈した70歳代男性のAさんは，目標を視覚でとらえ手を伸ばしても少しずれてしまうために生活で困っていた[2)]。模写試験では左ききのため左手での描画を試みるが，鉛筆が紙から飛び出してしまうなど，視覚運動失調の際立った特徴が現れていた。上肢機能評価練習装置を用いた軌道追従課題や，視覚情報と手の位置情報をすり合わせる練習を行った。2週間の練習の結果，左手の描画能力や上肢機能評価練習装置で測定した実際の手の軌道と，客観的指標となる幾何学誤差が改善した（**表1**）。

表1 視覚運動失調対象者への上肢機能評価訓練装置を用いた練習と評価

	介入前	介入2週間後
立方体の模写		
目標と手の軌道		
幾何学誤差（cm^2）	48.7	22.6

（文献2を基に作成）

【引用文献】

1）日本脳卒中学会脳卒中ガイドライン委員会 編：脳卒中治療ガイドライン2021，協和企画，2021.

2）野間知一，ほか：患側肢の使用が強制された視覚運動失調例に対する直視下ならびに非直視下の視覚運動訓練の効果：上肢機能評価訓練装置による軌道追従訓練と運動精度の定量的評価．神経心理学，19(1)：41-50，2003.

チェックテスト

Q ①リハビリテーションロボットを用いた評価の利点を挙げよ（☞p.515）。 臨床

トピック

トピック

2 認知症予防

加藤清人

Outline

● 認知症予防に関する評価内容，社会的背景について理解する。

1 認知症予防とは

認知症高齢者は2012年に462万人であったが，2025年には約700万人へと，いまなお増加が予測されている。こうした状況に対して，住み慣れた地域で自分らしく暮らし続けることができる**地域包括ケアシステム**の実現に向けてさまざまな取り組みがなされている。認知症施策推進大綱では「認知症の発症を遅らせ，認知症になっても希望をもって日常生活を過ごせる社会を目指し，認知症の人の家族の視点を重視しながら共生と予防を車の両輪とする」[1]と基本的な考え方が示されている。つまり，**地域で生活しながら早期に認知症を発見し，いかに進行を遅らせることができるか**が重要といえる。

本項では，地域で生活している高齢者に用いられている認知症予防に関連する評価のなかで2つ紹介する。なお，認知症者に対する主な評価の詳細については，p.421～を参照してほしい。

2 認知症予防のスクリーニング検査

■ 地域包括ケアシステムにおける認知症アセスメントシート（DASC-21）

地域包括ケアシステムにおける認知症アセスメントシート（dementia assessment sheet for community-based integrated care system-21 items：DASC-21）[2, 3]は，地域在住高齢者の認知機能の程度や生活機能における自立度の程度を評価し，認知症の重症度を包括的にとらえ，情報共有することを目的としている（**表1**）。対象者の日常生活の状況から，記憶や見当識，問題解決，判断力といった認知機能の項目と日常生活活動（activities of daily living：ADL）や手段的日常生活活動（instrumental activities of daily living：IADL）の生活機能の全21項目について，1～4点で評価し，満点は84点となる。この評価により31点以上であれば認知症の疑いがあるとされている[2]。

表1 DASC-21

記入日　　年　月　日

ご本人の氏名：	生年月日：　年　月　日（　歳）	男・女	独居・同居
本人以外の情報提供者氏名：　（本人との続柄：　）	記入者氏名：　（所属・職種：　）		

		1点	2点	3点	4点	評価項目		備考欄
A	もの忘れが多いと感じますか	1. 感じない	2. 少し感じる	3. 感じる	4. とても感じる	導入の質問（採点せず）		
B	1年前と比べて，もの忘れが増えたと感じますか	1. 感じない	2. 少し感じる	3. 感じる	4. とても感じる			
1	財布や鍵など，物を置いた場所がわからなくなることがありますか	1. まったくない	2. ときどきある	3. 頻繁にある	4. いつもそうだ	記憶	近時記憶	
2	5分前に聞いた話を思い出せないことがありますか	1. まったくない	2. ときどきある	3. 頻繁にある	4. いつもそうだ			
3	自分の生年月日がわからなくなることがありますか	1. まったくない	2. ときどきある	3. 頻繁にある	4. いつもそうだ		遠隔記憶	
4	今日が何月何日かわからないときがありますか	1. まったくない	2. ときどきある	3. 頻繁にある	4. いつもそうだ	見当識	時間	
5	自分のいる場所がどこだかわからなくなることはありますか	1. まったくない	2. ときどきある	3. 頻繁にある	4. いつもそうだ		場所	
6	道に迷って家に帰ってこられなくなることはありますか	1. まったくない	2. ときどきある	3. 頻繁にある	4. いつもそうだ		道順	
7	電気やガスや水道が止まってしまったときに，自分で適切に対処できますか	1. 問題なくできる	2. だいたいできる	3. あまりできない	4. まったくできない	問題解決判断力	問題解決	
8	一日の計画を自分で立てることができますか	1. 問題なくできる	2. だいたいできる	3. あまりできない	4. まったくできない			
9	季節や状況に合った服を自分で選ぶことができますか	1. 問題なくできる	2. だいたいできる	3. あまりできない	4. まったくできない		社会的判断力	
10	一人で買い物はできますか	1. 問題なくできる	2. だいたいできる	3. あまりできない	4. まったくできない	家庭外のIADL	買い物	
11	バスや電車，自家用車などを使って一人で外出できますか	1. 問題なくできる	2. だいたいできる	3. あまりできない	4. まったくできない		交通機関	
12	貯金の出し入れや，家賃や公共料金の支払いは一人でできますか	1. 問題なくできる	2. だいたいできる	3. あまりできない	4. まったくできない		金銭管理	
13	電話をかけることができますか	1. 問題なくできる	2. だいたいできる	3. あまりできない	4. まったくできない	家庭内のIADL	電話	
14	自分で食事の準備はできますか	1. 問題なくできる	2. だいたいできる	3. あまりできない	4. まったくできない		食事の準備	
15	自分で，薬を決まった時間に決まった分量を飲むことはできますか	1. 問題なくできる	2. だいたいできる	3. あまりできない	4. まったくできない		服薬管理	
16	入浴は一人でできますか	1. 問題なくできる	2. 見守りや声がけを要する	3. 一部介助を要する	4. 全介助を要する	身体的ADL①	入浴	
17	着替えは一人でできますか	1. 問題なくできる	2. 見守りや声がけを要する	3. 一部介助を要する	4. 全介助を要する		着替え	
18	トイレは一人でできますか	1. 問題なくできる	2. 見守りや声がけを要する	3. 一部介助を要する	4. 全介助を要する		排泄	
19	身だしなみを整えることは一人でできますか	1. 問題なくできる	2. 見守りや声がけを要する	3. 一部介助を要する	4. 全介助を要する	身体的ADL②	整容	
20	食事は一人でできますか	1. 問題なくできる	2. 見守りや声がけを要する	3. 一部介助を要する	4. 全介助を要する		食事	
21	家のなかでの移動は一人でできますか	1. 問題なくできる	2. 見守りや声がけを要する	3. 一部介助を要する	4. 全介助を要する		移動	

DASC 21：(1～21項目まで)の合計点　　点/84点

（文献4より引用）

MoCA-J

個別面接式の認知機能評価検査として作成されたMontreal cognitive assessment（MoCA）を基に，鈴木ら[5]によりその日本語版であるJapanese version of Montreal cognitive assessment（MoCA-J）が作成された（図1）。この検査は，軽度認知症障害（mild cognitive impairment：MCI）の状態でありながらmini-mental state examination（MMSE）得点では非認知症となる対象者をスクリーニングすることが目的である。その内容は，記憶，命名，注意機能，視空間認知，概念的思考，見当識などから構成されている。満点が30点であり，25点以下をMCIとしている[5]。

図1 Japanese version of Montreal Cognitive Assessment（MoCA-J）

Japanese Version of
The MONTREAL COGNITIVE ASSESSMENT (MOCA-J)

氏名：
教育年数：　　　　生年月日：
性別：　　　　検査実施日：

視空間／実行系

お おわり　あ　⑤　い　②　① はじめ　え　④　③　う

[ ]

図形模写 [ ]

時計描画（11時10分）（3点）

[ ] 輪郭　[ ] 数字　[ ] 針

__/5

命　名

[ ]　[ ]　[ ]

__/3

記　憶

単語リストを読み上げ，対象者に復唱するよう求める。2試行実施する。5分後に遅延再生を行う。

	顔（かお）	絹（きぬ）	神社（じんじゃ）	百合（ゆり）	赤（あか）
第1試行					
第2試行					

配点なし

注　意

数唱課題（数字を1秒につき1つのペースで読み上げる）　順唱[ ]　2 1 8 5 4　逆唱[ ]　7 4 2　__/2

ひらがなのリストを読み上げる。対象者には“あ”の時に手もしくは机を叩くよう求める。2回以上間違えた場合には得点なし。
[ ]　きいあうしすああくけこいあきあけえおあああくあしせきああい　__/1

対象者に100から7を順に引くよう求める。[ ] 93　[ ] 86　[ ] 79　[ ] 72　[ ] 65
4問・5問正答：3点、2問・3問正答：2点、1問正答：1点、正答0問：0点　__/3

言　語

復唱課題　太郎が今日手伝うことしか知りません。[ ]
犬が部屋にいるときは，猫はいつもイスの下にかくれていました。[ ]　__/2

語想起課題 ／ 対象者に“か”で始まる言葉を1分間に出来るだけ多く挙げるよう求める。[ ]____ 11個以上で得点　__/1

抽象概念

類似課題　例：バナナ - ミカン=果物　[ ]電車 - 自転車　[ ]ものさし-時計　__/2

遅延再生

自由再生（手がかりなし）	顔 [ ]	絹 [ ]	神社 [ ]	百合 [ ]	赤 [ ]	自由再生のみ得点の対象
参考項目　手がかり（カテゴリ）						
参考項目　手がかり（多肢選択）						

__/5

見当識

[ ]年　[ ]月　[ ]日　[ ]曜日　[ ]市（区・町）　[ ]場所　__/6

　www.mocatest.org　健常 ≧ 26/30　合計得点 __/30
教育年数12年以下なら1点追加

MoCA-J作成：鈴木宏幸 監修：藤原佳典
version 2.2

検査実施者 ____________________

鈴木宏幸，藤原佳典：Montreal Cognitive Assessment（MoCA）の日本語版作成とその有効性について．老年精神医学雑誌，21（10）：198-202，2010．

3 認知症予防評価の留意点

本項では，代表的な認知症に対するスクリーニング検査について紹介した。しかし，これらの検査による結果だけで判断できるとは言い難い。対象者の認知機能や生活機能の状態によって，評価を選択する必要がある。また，認知症者への評価を行う際には，落ち着いた雰囲気を心がけ，安心して検査を受けてもらう配慮が大切である。

【引用文献】

1) 認知症施策推進大綱（厚生労働省，2019）（https://www.mhlw.go.jp/stf/seisakunitsuite/bunya/0000076236_00002.html）（2022年1月時点）.
2) 粟田主一：地域包括ケアシステムにおける認知症総合アセスメントの開発・普及と早期支援機能の実態に関する調査研究事業報告書．東京都健康長寿医療センター，2014.
3) 粟田主一，ほか：地域在住高齢者を対象とする地域包括ケアシステムにおける認知症アセスメントシート（DASC-21）の内的信頼性・妥当性に関する研究．老年精神医学雑誌，26(6)：675-686，2015.
4) DASC-21シート（粟田主一 監，認知症アセスメント普及・開発センター）（https://dasc.jp/wp-content/uploads/2014/05/b22f358c9eaab1027fe1769620109c71.pdf）（2022年1月時点）.
5) 鈴木宏幸，ほか：Montreal Cognitive Assessment（MoCA）の日本語版作成とその有効性について．老年精神医学雑誌，21(2)：198-202，2010.

チェックテスト

Q

①地域包括ケアシステムにおける認知症アセスメントシート（DASC-21）の判定基準は何か（☞p.516）。 基礎

②MoCA-Jの検査項目を挙げよ（☞p.517）。 基礎

トピック

3 生活行為向上マネジメント（MTDLP）

安部美和

Outline

- MTDLPは対象者を包括的に支援し，対象者にとって「意味のある」生活行為に焦点を当てた作業療法プログラムの作成ツールである。
- MTDLPを用いることにより作業療法士の思考過程を視覚化することで，対象者，家族，多職種の連携が促進できる。

1 MTDLPとは

生活行為向上マネジメント（Management Tool for Daily Life Performance：MTDLP）は，医療，福祉，介護予防サービス，生活支援サービスなどを受けるすべての対象者や家族が希望する生活行為を実現するために書式化し，作業療法士の包括的な思考過程を視覚化することによって，その目的を共有しやすくするために日本作業療法士協会によって開発されたプログラムである（**図1**）。

MTDLPの基本的な考え方は，人間の生活はその人にとって**重要な生活行為の連続**から成り立っていること，**生活行為の遂行**から満足感や充実感を得てこそ**健康**であると実感できること，**生活行為の連続から成り立つ生活を理解**し，それが**回りやすくなるようにする**ことの3つが挙げられる。

図1　MTDLPの構成要素

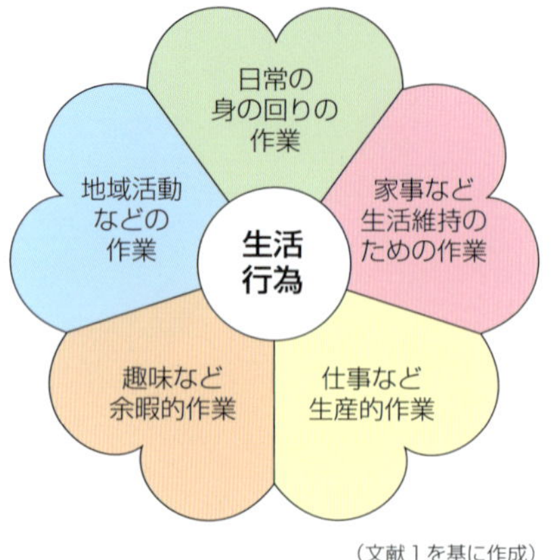

（文献1を基に作成）

2 MTDLPの実践方法

MTDLPは，7段階のプロセスに沿って評価を行う。また各プロセスに応じて専用のシートを用いる（**図2，3**）。

図2 MTDLPのプロセス

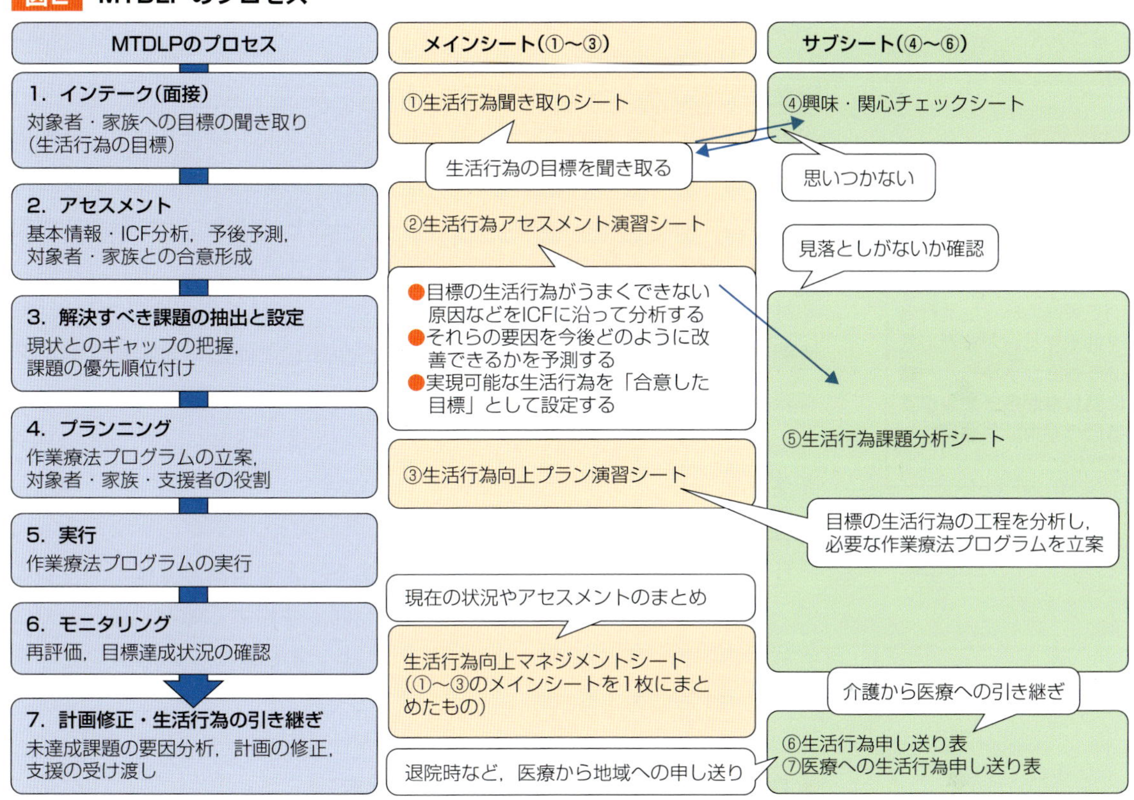

実践課程は従来の作業療法の流れと同じであるが，見える化されたシートを用いて家族や他職種と目標や作業療法プログラムを共有するところが特徴である

（文献1を基に作成）

図3 メインシートのステップ

①生活行為聞き取りシート 対象者に聞き取りを行い，生活行為の目標を把握する
↓ 対象者，家族，他職種と共有
②生活行為アセスメントシート（望む目標（生活行為）→アセスメント+予後予測→合意した目標） ①で把握した対象者が望む目標をもとに，生活を妨げている要因，現状能力（強み），予後予測を立て，合意した目標を設定する
↓
③生活行為向上プラン演習シート（合意した目標→対象者の能力→作業療法プログラムを立案） ②で設定した合意した目標をもとに，できることを挙げ，合意した目標を達成するための作業療法プログラムを設定する

アクティブラーニング 1 MTDLPの各シートを日本作業療法士協会のHPからダウンロードして，実際に評価を行ってみよう[2]。

作業療法参加型臨床実習に向けて

目標をできるだけ**具体的に聴取**することでプランニングなどの設定がしやすくなる。
例：釣りに行きたい→バスに乗って○○川の鮎を釣りたい

補足

目標となる生活行為が思い浮かばない場合には，興味・関心チェックシートの生活行為リストを用いて興味のある生活行為を抽出する。対象者に書いてもらうよりも，**一緒に話しながらチェックする**ほうが対象者も理解しやすい。

①生活行為聞き取りシート

対象者のほかに，家族や主介護者にも聞き取りを行う。アセスメント後に合意目標を設定したら，対象者に「今実施したらどの程度できそうか」という実行度，「その状態にどの程度満足できるか」という満足度を10段階で聞くように設計されている。

②生活行為アセスメント演習シート

生活行為アセスメント演習シートではアセスメント項目として，心身機能・構造，活動と参加，環境因子の3つの列で構成されている。1段目に生活行為を妨げている要因，それに対して2段目に強み，それらの妨げている要因と強みを基にして3段目に予後予測を立てる。

対象者から聞き取れた生活行為目標に対し，予後予測から**3カ月後(急性期なら1カ月後でもよい)**に達成可能な合意した目標を立案し，対象者と共有する。

③生活行為向上プラン演習シート

● 生活行為工程分析

目標となる生活行為の遂行工程を分析する。企画準備力ではいつ・どこで・誰と・何を・どのように行うのかを企画・準備する能力，実行力では実施する際に必要な能力，検証完了力ではうまく進んでいるか検証し修正・完了する能力を分析する。

● 段階付けた作業療法プログラムの立案

基本的プログラムでは心身機能に対するアプローチ，応用的プログラムでは具体的生活行為のシミュレーションを伴う活動と参加に関するアプローチ，社会適応プログラムでは環境に適応できるように，または環境因子そのものに対してアプローチを行う。

【引用文献】

1) 日本作業療法士協会 編：作業療法マニュアル66　生活行為向上マネジメント，改訂第3版，2018.

2) MTDLPシートのダウンロード(日本作業療法士協会)(https://www.jaot.or.jp/administration/mtdlp_sheet_dawnload/)(2022年5月時点).

チェックテスト

Q

①MTDLPの特徴を述べよ(☞p.520)。 基礎

②MTDLPのプロセスのインテークではどのような方法を用いるか(☞p.521)。 臨床

4 ICDとDSM

山田大豪

Outline

- DSM-5において統合失調症スペクトラムは，失調型（人格）障害，妄想性障害，短期精神病性障害，統合失調症様障害，統合失調症の5つを含む。
- DSM-Ⅳでは気分障害をうつ病・双極性障害に含んでいたが，DSM-5ではうつ病と双極性障害は別々のカテゴリになった。また，気分障害の文言はなくなり，うつ病と双極性障害とは別の病気であることを示している。ただ臨床では，気分障害という言い方は現在でも使われている。

1 ICDとDSMとは

米国精神医学会の**精神疾患の診断・統計マニュアル（Diagnostic and Statistical Manual of Mental Disorders：DSM）-5**は2013年に改訂・出版された。**国際疾病分類（International Statistical Classification of Diseases and Related Health Problems：ICD***1**）-11**は外部評価を踏まえ，2018年に世界保健総会にて採択された[1)]。本項では主に，DSM-5に関連した内容を示す。

***1 ICD**
ICDは，世界保健機関（WHO）が作成する疾患の分類である。その目的は病因・死因を分類し，その分類を基に統計データを体系的に記録して分析することである。DSMは米国精神医学会が作成する精神障害のみを対象とした疾病分類であるが，ICDは身体疾患を含むすべての疾患を分類している。

■統合失調症スペクトラム

DSM-5では**統合失調症スペクトラム***2という概念を用いて，これまで列挙されてきた統合失調症カテゴリ内の各診断を一連の連続体としてまとめた（**図1**）[2)]。いわゆる統合失調症の中核症状[3)]は，妄想，幻覚，まとまりのない発語（頻繁な脱線または滅裂など），ひどくまとまりのない，または緊張病性の行動，陰性症状（すなわち情動表出の減少，意欲欠如）の5つの主領域としている。これらの症状の有無，強さ，持続時間の違いによっ

***2 スペクトラム**
英語の「spectrum」は，連続体，範囲の意。DSM-5において，統合失調症が「自閉症スペクトラム」と同じように一連の連続体（スペクトラム）とみなされるようになった。

図1 統合失調症スペクトラム

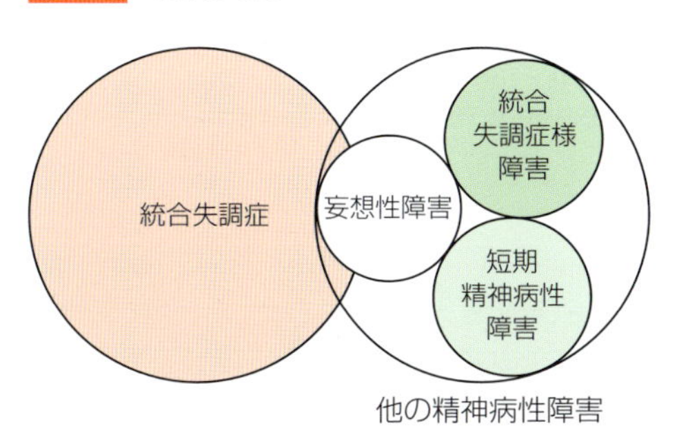

a DSM-Ⅳ統合失調症

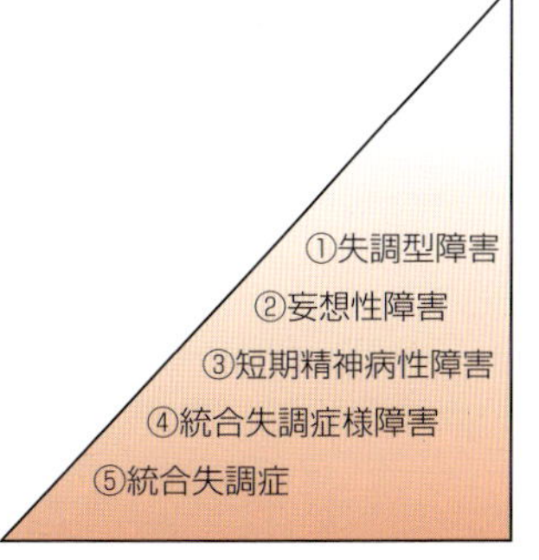

b DSM-5統合失調症スペクトラム

①いわゆる統合失調症の特徴はみられるが，いずれの主領域の症状もはっきり認められない
②主領域のうち「妄想」1つだけを有する
③主領域のうち1つ以上が認められていても，1カ月以内に完全に回復した
④の診断基準は満たすが，6カ月以内に基準を下回った
⑤統合失調症の診断基準は満たし，持続時間が6カ月を超えた

試験対策 Point

統合失調症スペクトラムでは，図1bの①〜⑤の順に並べられており，症状の有無，強さ，持続時間の違いによって重症度が異なっている点を理解しておく必要がある。
統合失調症スペクトラムに関する事例問題では，例えば統合失調症様障害という診断名が問題の選択肢のなかに含まれている場合があり，今後はこの傾向の出題が予測されるため，十分な対策が必要である。

補足

統合失調症様障害と統合失調感情障害の混同に気をつけよう

統合失調症様障害と統合失調症は表現型はまったく同一で，症状の持続期間が異なるだけである。
統合失調感情障害は，統合失調症と気分障害のどちらにも十分に合致せず，両方の特徴を有している対象者のための境界診断として提供されている。

試験対策 Point

双極性障害について正しいのはどれかという問題で，選択肢として，発症率，治療薬物，Ⅰ型とⅡ型での躁症状の重症度，遺伝的素因，躁病相やうつ病相の回数に関して出題されている。表1を十分理解していることは必須である。

て重症度が異なるという考え方である。

アクティブラーニング 1 妄想性障害の妄想には誇大型，嫉妬型があるが，ほかにどのような妄想型があるか，調べてみよう。

■気分障害（うつ病性障害・双極性障害）

気分障害は**うつ病性障害（うつ病）**と**双極性障害（躁うつ病）**に分けられる。うつ病性障害は，うつ状態だけが続く大うつ病性障害のことを意味し，単極性うつ病ともよばれている。従来のDSM-Ⅳでは，うつ病性障害と双極性障害が同じ「気分障害」のカテゴリだったが，DSM-5では，うつ病性障害と双極性障害は別々のカテゴリ，「抑うつ障害群」と「双極性障害および関連障害群」になり，気分障害の文言はなくなった。つまり，うつ病と双極性障害とは別の病気であることを示している。

双極性障害は表1のように詳細に区分されている。

表1　双極性障害および関連障害群

躁症状＼うつ症状	大うつ病エピソード（5個以上の症状が2週間以上）	閾値下大うつ病（症状が4個以下または持続が2週間未満）	なし
躁病エピソード（3，4個以上の症状が7日以上）		双極症Ⅰ型	
軽躁病エピソード（3，4個以上の症状が4日以上）	双極症Ⅱ型	他で特定される双極性疾患（3）（気分変調症があれば併記）	他で特定される双極性疾患（3）
閾値下軽躁病（症状が1，2個または持続が2，3日）	他で特定される双極性疾患（1，2）	気分循環症〔2年未満の場合，他で特定される双極性疾患（4）〕	特定不能の双極性疾患

※閾値下大うつ病は大うつ病エピソードを満たさないうつ症状を，閾値下軽躁病は軽躁病エピソードを満たさない軽躁症状を，それぞれ示す
※他で特定される双極性疾患（1）：短期間の軽躁病エピソード（2〜3日間）および抑うつエピソード
他で特定される双極性疾患（2）：不十分な症状を伴う軽躁病エピソードおよび抑うつエピソード
他で特定される双極性疾患（3）：先行する抑うつエピソードを伴わない軽躁病エピソード
他で特定される双極性疾患（4）：短期間気分循環症（24カ月未満）

（文献2，3を基に作成）

【引用文献】
1）国際疾病分類の第11回改訂版（ICD-11）（厚生労働省，2018年）（https://www.mhlw.go.jp/stf/houdou/0000211217.html）（2022年5月時点）.
2）日本精神神経学会 監：DSM-5 精神疾患の分類と診断の手引．医学書院，2014.
3）森　則夫，ほか：臨床家のためのDSM-5虎の巻．p.78，日本評論社，2014.

チェックテスト

Q
①統合失調症スペクトラムに含まれる障害を5つ挙げよ（☞p.523）。基礎
②DSM-5における統合失調症では，障害の持続的な徴候は少なくとも何カ月持続するか（☞p.523）。基礎
③双極性障害Ⅰ型と双極性障害Ⅱ型において，軽躁病エピソードが多くみられるのはどちらの型か（☞p.524）。基礎

5 作業療法士と関係法規

加藤　篤

Outline

- 『理学療法士及び作業療法士法』は作業療法と作業療法士を規定している。
- 法律・法令を理解することは社会および対象者のニーズを知ることに繋がる。

1 理学療法士及び作業療法士法

作業療法士にとっての法律といえば，まず1965年施行の**理学療法士及び作業療法士法**であることは間違いない。この法律には作業療法士の定義が明記され，名簿登録，免許交付，**欠格事由**[＊1]，国家試験，業務規定，**守秘義務**[＊2]，名称使用制限，罰則規定などが定められている。

重要と思われる部分を引用すると，「作業療法とは，身体又は精神に障害のある者に対し，主としてその応用的動作能力又は社会的適応能力の回復を図るため，手芸，工作その他の作業を行なわせることをいう」「作業療法士とは，厚生労働大臣の免許を受けて，作業療法士の名称を用いて，医師の指示の下に，作業療法を行なうことを業とする者をいう」とあり，作業療法と作業療法士を規定している。

また，「作業療法士は，**保健師助産師看護師法**（中略）の規定にかかわらず，診療の補助として作業療法を行なうことを業とすることができる」と保健師助産師看護師の業務独占である**診療補助業務**の一部が可能となっており，**医療職**としての位置付けもされている。

名称独占に関しては，「作業療法士でない者は，作業療法士という名称又は職能療法士その他作業療法士にまぎらわしい名称を使用してはならない」とあり，また守秘義務に関しては「作業療法士は，正当な理由がある場合を除き，その業務上知り得た人の秘密を他に漏らしてはならない。作業療法士でなくなった後においても，同様とする」と謳われている。

■ 解釈と運用

法律そのものは変わらなくとも，その解釈・運用は社会の動きとともにめまぐるしく動く。それは法令であり，省令・告示・通知という形で表される。**介護保険法**，**障害者総合支援法**，**診療報酬**[＊3]などの動きと今後の方向性には常に気を配るべきであろう。

幅広い社会保障制度のなかでどのように作業療法士が位置付けられ，その配置義務や診療（介護）報酬に繋がっているのか考えてみる必要もある。

＊1　**欠格事由**
公的機関から許可申請が下りない理由のことで，作業療法士の欠格事由は，**「罰金以上の刑に処せられた者」「作業療法士の業務に関し犯罪又は不正の行為があつた者」「心身の障害により業務を適正に行うことができない者」「麻薬，大麻又はあへんの中毒者」は免許を与えないことがある，と規定されている。**

＊2　**守秘義務**
秘密を守る義務。仕事をするうえで知った対象者の秘密を守り，漏らさない義務がある。

＊3　**診療報酬**
公的医療保険から医療機関に支払われる医療サービスの対価（報酬）。点数で表され，1点10円計算，すべての医療行為についてそれぞれ点数が定められている。原則，同じ治療を受けるのであれば，どの病院でも全国同一の点数となる。

■記録

報酬算定に欠かせない条件の1つが，記録である。また，**インフォームドコンセント**[*4]の観点から「リハビリテーション実施計画書」が必要となり，作業療法を行ううえで対象者，利用者に丁寧にわかりやすく説明し，その同意を得ることが必要となる。署名や捺印ができない場合や認知症などによって理解が難しい対象者には家族や代理人に説明し，同意のサインを求める必要もある。

また，ネット社会の発展によって容易に個人情報が拡散される危険性も増している。「個人情報保護法」が制定され，対象者やその家族の個人情報は研究データに使用する場合も文書でその利用範囲や目的などの説明と同意が求められるようになった。

＊4 インフォームドコンセント
内容について説明を受け十分理解したうえで同意すること。

補足

診療報酬と施設基準，配置義務
診療報酬を請求するには細かな規定が定められている。例えば，「脳血管疾患等リハビリテーション料Ⅰ」という診療報酬項目がある。脳血管障害で入院している対象者に作業療法士が20分（1単位）マンツーマンで作業療法を行うと245点が診療報酬として所属先病院に支払われる（2022年現在）。ただし，その条件は多岐にわたり，発症後180日以内，一定以上のリハビリテーション室の広さ，医師が2名以上，療法士10名以上（うち作業療法士3名以上），平行棒などの機器，記録やカンファレンスなども必要で，これらすべてが整ってはじめて算定（請求）できる。

■作業療法士の領域の変化

2000年に『介護保険制度』が始まり，その後，『障害者総合支援法』と新しい仕組みができては改正されてきた。作業療法士の職域は広がり，施設や機関の管理者，責任者となったり経営者になる作業療法士も出始めた。

作業療法士数が著しい増加をみたのも高齢者および高齢障害者の増加のためであり，社会がリハビリテーション，作業療法を求めた結果ともいえる。はじめに制度ができサービスが生まれるのではなく，社会，現場がサービスを求め，結果制度が整備されていく。法律・法令を理解することは，**社会のニーズ**を理解することでもあり，それは**目の前の対象者**のニーズである。今後の社会の動きに注目することも作業療法士として大切なことと思われる。

試験対策 Point

守秘義務が課せられる期間はいつまでだろうか。現在勤務している病院に在籍している間だけか，作業療法士として働いている期間ずっとか，作業療法士を引退してからも続くのだろうか。『理学療法士及び作業療法士法』では，「作業療法士は，その業務上知り得た人の秘密を他に漏らしてはならない。**作業療法士でなくなった後**においても，同様とする」（第16条）とされている。この法で守秘の対象は，「業務上知り得た人」と定義されており，対象者だけではなく，その**家族の情報**ももちろん含まれる。なお，21条には，「第16条の規定に違反した者は，50万円以下の罰金に処する」と罰則規定も設けられている。

【引用文献】

1）理学療法士及び作業療法士法（厚生労働省，1965）（https://www.mhlw.go.jp/web/t_doc?dataId=80038000&dataType=0&pageNo=1）（2022年7月時点）．

チェックテスト

Q

①『理学療法士及び作業療法士法』では，作業療法と作業療法士の定義以外に何を定めているのか挙げよ（☞p.525）。 基礎

②『理学療法士及び作業療法士法』以外にはどのような法律を知るべきか挙げよ（☞p.525）。 基礎

評価と統計

中松俊介

Outline

●評価で取り扱う検査や測定における「数値」の特性をしっかり理解することが，適切な評価結果，判断へと結びつけることができる。

1 評価と統計とは

初期評価をしていくうえで，または初期評価の結果を中間評価や最終評価と比較するために，数値を客観的な「データ」として扱うことが非常に多い。

例えば，身体機能の評価では，関節可動域測定（ROM），徒手筋力検査（manual mascle testing：MMT），簡易上肢機能検査（simple test for evaluating hand function：STEF），機能的自立度評価法（FIM），日常生活動作機能的評価（Barthel（バーセル） index：BI）など，精神機能の評価では，うつ病自己評価尺度（self-rating depression scale：SDS），認知機能検査（mini-mental state examination：MMSE），改訂長谷川式簡易知能評価スケール（Hasegawa dementia rating scale-revised：HDS-R）など，さまざまな測定や検査において数値を「データ」として扱うこととなる。つまり，「数値」の特性をしっかり理解することが，適切な評価や判断へと導くのである。

本項では，作業療法評価で扱われる「数値」について考えてみよう。

2 数値の表す意味

統計学では数値のことを**変数**とよぶことが多く，変数は4つの**尺度（スケール）**で表すことができる。評価で得られた数値を考える際，その数値を得た方法がどのようなものであるのかによって扱い方や考え方が変わる。つまり，**どのような種類の尺度**なのか，そしてその尺度が**どのような性質をもっているの**かを理解する必要がある。

■尺度の種類（表1）

● 名義尺度

性別や疾患名など，その特性によって分類する場合に使用される。各々が独立した性質をもつ。四則演算（＋ − × ÷）は意味をもたない。

● 順序尺度

1番目，2番目など，数値の順序関係を表す。大小関係のみが意味をもち，その数値の間隔に意味はない。四則演算は意味をもたない。

● 間隔尺度

体温の℃など，数値の間隔が同じであることが保障されている。また，その基準が任意に決められている。基本的に加減(＋－)はできるが乗除(×÷)はできない。

● 比例尺度

cm，kgなど，間隔尺度の性質に加えて原点(O)がわかりやすい。つまり，何もない状態が絶対的な基準となる性質をもつ。四則演算(＋－×÷)ができる。

このように，名義尺度は区別をするための情報，順序尺度は区別をするだけでなくその順番を表す情報，間隔尺度や比例尺度はさらに四則演算を可能にする情報を備えていることになる。つまり，データをとる場合には，間隔尺度や比例尺度を利用したほうがより多くの情報に繋がることがわかる。

表1 尺度の種類

種類		性質	四則演算	使用例
計数尺度[*1]	名義尺度	分類を表す 大小関係なし	できない	性別，疾患名，血液型，職種名など
	順序尺度	順序・順位を表す 不等間隔	できない	MMT，STEF，FIM，Brunnstorm(ブルンストローム) recovery stage(BRS)，MMSE，SDS，BI，HDS-Rなど
計量尺度[*2]	間隔尺度	任意の基準をもつ 等間隔	できる (＋－)	温度，知能指数，発達指数など
	比例尺度	絶対の基準をもつ 等間隔	できる (＋－×÷)	時間，距離，重量，血圧，回数，脈拍，ROMなど

＊1 **計数尺度**
数える性質のデータ。

＊2 **計量尺度**
測る性質のデータ。

アクティブラーニング 1
表1の使用例にない検査や評価がどの尺度になるか調べてみよう。

3 測定結果における誤差

いくら得られた数値の尺度を理解して評価したとしても，測定や検査によって得られた数値には必ず**誤差**が生じるということを認識しておかなければならない。その誤差が大きすぎると評価結果を歪めた形で解釈してしまい，正しい治療を実施することに繋がらない。

この誤差を大別すると，なんらかの原因で偶発的に発生する**偶然誤差**となんらかの歪み(バイアス)によって生じる**系統誤差**に分けられる。ここで問題となるのが系統誤差であり，測定や検査に系統誤差が入ると結果が大きく歪む原因になる。バイアスとは，検者の熟練度合いなどによるもの，対象者の心身の状態などによるもの，測定機器の設定不備などによるもの，測定や検査が実施される環境設定によるものなどがある。

■系統誤差を減らすために

測定や検査の結果は，さまざまな要因が絡み合っている可能性が高く，単純に治療が効果に反映されていると判断できるものではない。特に，未熟な技能による測定や検査は，検者によるバイアスが加えられており，その誤差が大きくなる可能性が高い。だからこそ，**信頼性**[*3]・**妥当性**[*4]が認められ標準化された測定や検査を選択する，実施方法をマニュアル化して測定方法を標準化する，繰り返し手技の練習を行い精度を高めるなどによって，系統誤差を減らすことが重要である。

＊3 **信頼性**
同じ検査を誰が行っても，何回行っても，いつ行っても，検査結果が大きくは変わらないか。

＊4 **妥当性**
手に入れたいデータについて，最適な方法で測定ができているか。

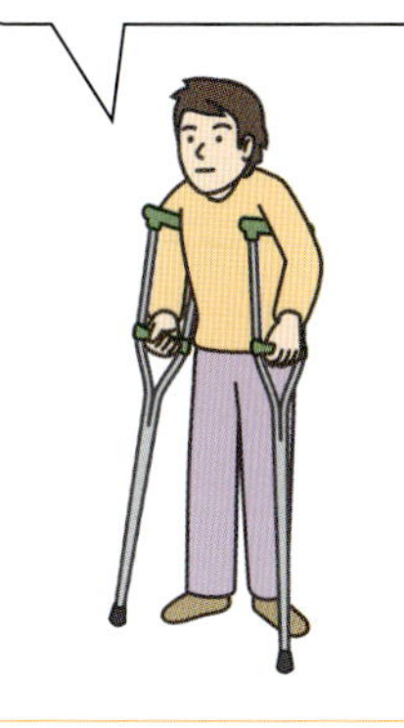

4 個人と集団に対する評価の違い

評価の目的を分類してみると，大きく2つに分けることができる。1つは**対象者個人を評価するため**であり，そしてもう1つは**評価方法や治療方法を評価するため**である。

■対象者個人を評価する

一般的に作業療法士が臨床現場で行う評価がこれに当たり，対象者への作業療法プログラムやリハビリテーションゴール設定を行うことや，対象者が自分の現状や変化を理解することを主目的として実施する評価である。つまり**対象者の生活**にアプローチするための評価であり，単に測定や検査によって得られた数値だけでは判断できない**対象者の生活歴や人生そのもの**を言葉によって表したり分析したりする必要も出てくる。また，データ収集のターゲットが「個人」であるからこそ，信頼性・妥当性はもちろんのこと，簡便かつ安価で**侵襲性**[*5]が低い実用性のある評価方法を選択することが望まれる。

＊5 **侵襲性**
身体に及ぼす物理的な負担や影響のこと。

■評価方法や治療方法を評価する

作業療法士が臨床現場で実際に使用する評価方法や治療方法に，**医学的根拠（evidence-based medicine：EBM）**[*6]をもたせることを主目的として実施する評価である。根拠に基づく治療を実施していくためには，多くの対象者から得られた情報のなかから**治療の基準となる値を導き出す**作業が必要である。つまり，評価で得られた平均値や分散などを比較したり，データ同士の関係性を確認しながら評価や治療を実施する際の拠り所となる根拠づくりの材料として研究活動に活かすことを評価の目的としている。従って，データ収集のターゲットは主に「集団」となり，測定や検査項目を選択する際には集計のしやすい間隔尺度や比例尺度などを用いるこ

＊6 **EBM**
個々の対象者に対して最も確率が高く，妥当性のある評価法や治療法を考えること。

とが望まれる。

5 研究における統計処理

卒業論文発表会や学会の発表で，「統計処理を行った結果，新しい方法では有意な効果が認められた」などといった表現を聞くことがある。これは，今までの方法と新しく考えられた方法を比較するために，収集したデータの平均値や中央値などを使用した統計処理によって検定を行い，効果の有無などを表現しているのである。

■検定の流れ

検定は，何と何を比較したいのかを明確にすることから始める。例えば「A群とB群で治療後の筋力に違いがあるか」や「A群の治療前と治療後の筋力に違いがあるか」などである。次に，仮説を立てる。例えば「A群とB群の筋力に違いはない」といった集めたデータの差が偶然に起きたものとする仮説（帰無仮説），「A群とB群の筋力に違いがある」といった帰無仮説に対立する仮説（対立仮説）の2つである。そして，その仮説のどちらが正しいのかを計算によって確かめるのである。算出された統計量と棄却域（統計の専門書などに載っているT表やχ^2表などを参考にする）を比較して，棄却域のなかに統計量が当てはまれば対立仮説を採択する（違いがある）こととなり，当てはまらなければ帰無仮説を採択する（違いはない）こととなる。統計量の算出や棄却域については，近年，多くの統計ソフトが開発されているので，コンピュータで簡単に算出することができる。

■パラメトリック検定とノンパラメトリック検定

平均値が比較に使用できる場合をパラメトリック検定といい，使用できない場合をノンパラメトリック検定と表現する。

検定の選択の際は，まず，比較したいデータの尺度を明確にする。名義尺度や順序尺度の場合は平均値を使用できないので，ノンパラメトリック検定を行う。間隔尺度や比例尺度であれば，データが正規分布しているかどうかを正規性の検定によって確かめる。正規分布していなければノンパラメトリック検定を行う。正規分布していれば，データの数を確かめる。データ数が25未満の場合はノンパラメトリック検定を行い，25以上ある場合はパラメトリック検定を行うという手順となる（**図1**）。パラメトリック検定で2群の比較を対応なしで行う場合，**T検定**[*7]を行う前に**F検定**[*8]を行い，等分散の場合はStudent（スチューデント）のT検定を，異分散の場合はWelch（ウェルチ）のT検定を行う。

＊7 T検定
2つの母集団の平均が大きく異なるかを判断する。

＊8 F検定
2つの母集団の分散が等しいかどうかを判断する。

試験対策 Point

検査や測定の「尺度」をしっかり確認しておこう。
→MMTは間隔尺度である(×)
→FIMは順序尺度である(○)
→体温は間隔尺度である(○)
→知能指数は比例尺度である(×)
※少なくとも名義尺度・順序尺度・間隔尺度・比例尺度における性質の違いは覚えておこう

図1 検定の選び方

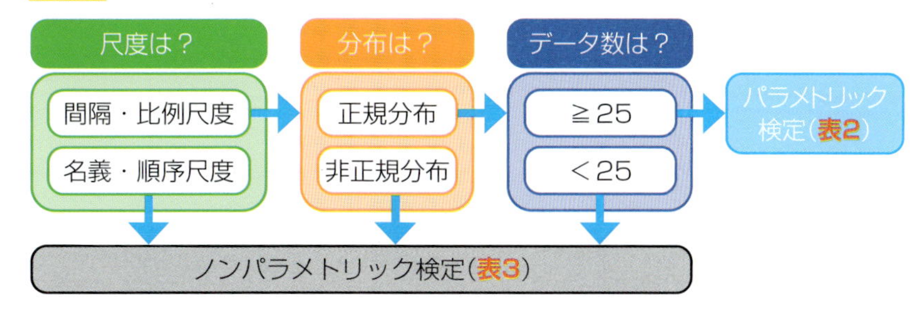

■対応ありと対応なし

同じ対象者に対して何かを施した前後のデータを採取した場合は「対応あり」として検定を行う。A群とB群といった異なる対象者群からデータを採取して比較する場合は「対応なし」として検定を行う(表2, 3)。

表2 パラメトリック検定

	2群の比較		3群以上の比較	
	対応なし	対応あり	対応なし	対応あり
等分散	T検定(スチューデントのT検定)	対応のあるT検定	一元配置分散分析	二元配置分散分析
異分散	T検定(ウェルチのT検定)			

表3 ノンパラメトリック検定

	2群の比較		3群以上の比較	
	対応なし	対応あり	対応なし	対応あり
名義尺度	χ^2独立性の検定 Fisher(フィッシャー)の直接確率計算法	なし	χ^2独立性の検定 Fisherの直接確率計算法	なし
順序尺度	Mann-Whitney(マン・ホイットニー)のU検定	Wilcoxon(ウィルコクソン)の符号付順位和検定	Kruskal-Wallis(クルスカル・ウォリス)検定	Friedman(フリードマン)検定

アクティブラーニング②
表2, 3で紹介した各検定について調べてみよう。

【引用文献】

1) 山本澄子, ほか 監：すぐできる！ リハビリテーション統計. 南江堂, p.3-10, 2012.

チェックテスト

Q
①計数尺度に分類される尺度と性質，使用例を挙げよ(☞p.528)。 基礎
②計量尺度に分類される尺度と性質，使用例を挙げよ(☞p.528)。 基礎
③測定結果において発生しうる誤差を2つ挙げよ(☞p.528)。 基礎
④仮説検定における仮説を2つ挙げよ(☞p.528)。 基礎
⑤対象者個人を評価する場合の評価方法の選択で留意するべきことは何か(☞p.529)。 基礎
⑥パラメトリック検定，ノンパラメトリック検定の違いは何か(☞p.530)。 基礎

索引

く

け

こ

さ

し

す

せ

そ

た

る・れ・ろ

わ

A

B

C

D

E

F

G

H

I

J

K

L

M

N

O

P

Q

R

S

T

U・V

W・Y・Z

数字

第3版
作業療法学　ゴールド・マスター・テキスト
作業療法評価学

2012年　3月10日　第1版第1刷発行
2015年12月20日　第2版第1刷発行
2022年　9月10日　第3版第1刷発行

■監　修　長﨑重信　ながさき　しげのぶ

■編　集　佐竹　勝　さたけ　まさる
石井文康　いしい　ふみやす

■発行者　吉田富生

■発行所　株式会社メジカルビュー社
〒162-0845 東京都新宿区市谷本村町2-30
電話　03(5228)2050(代表)
ホームページ　https://www.medicalview.co.jp

営業部　FAX　03(5228)2059
E-mail　eigyo@medicalview.co.jp

編集部　FAX　03(5228)2062
E-mail　ed@medicalview.co.jp

■印刷所　シナノ印刷株式会社

ISBN 978-4-7583-2043-6 C3347